Minerva-Fachserie
Theologie

Walter Wimmer

Eschatologie der Rechtfertigung

Paul Althaus' Vermittlungsversuch zwischen uneschatologischer und nureschatologischer Theologie

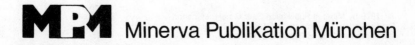 Minerva Publikation München

CIP-Kurztitelaufnahme der Deutschen Bibliothek

Wimmer, Walter:
Eschatologie der Rechtfertigung: Paul Althaus'
Vermittlungsversuch zwischen uneschatolog. u.
nureschatolog. Theologie / Walter Wimmer. -
München: Minerva-Publikation, 1979.
    (Minerva-Fachserie Theologie)
    ISBN 3-597-10058-9

Mit kirchlicher Druckerlaubnis: Linz, 10. August 1978,
Dr. Alois Wagner, Generalvikar (Zahl 1826/78).

© 1979 by Minerva Publikation Saur GmbH, München
Druck/Binden: Druckanstalt W. Blasaditsch, Füssen
Printed in the Federal Republic of Germany

III

V O R W O R T

Diese Untersuchung ist als Dissertation zur Erreichung des Doktorgrades
in Theologie von der Päpstlichen Universität Gregoriana im Jahre 1974
angenommen worden. Sie wurde von Prof.Dr. Juan Alfaro angeregt und stets
gefördert; hilfreich, geduldig und umsichtig begleitete er als Moderator
den Fortgang der Arbeit. Dafür danke ich meinem verehrten Lehrer ganz besonders. Mein Dank gilt aber auch Prof.Dr. Jozef Vercruysse als dem zweiten Gutachter und allen Professoren der Universität Gregoriana in Rom.
Studienaufenthalte in Marburg a.d.Lahn machten die Beschaffung und die
Einsicht der für die Arbeit nötigen Literatur möglich.

Gedankt sei hier auch bestens meinem Diözesanbischof DDr.Franz Zauner
und dem Weihbischof und Generalvikar Dr.Alois Wagner, die mir das Studium ermöglicht haben, sowie all denen, die mich in den Jahren der Ausbil-
dung mit menschlicher Güte und mit fachlichem Rat begleitet haben. Auf-
richtigen Dank sage ich auch der Diözese Linz und der Kulturabteilung der
Oberösterreichischen Landesregierung für Druckkostenzuschüsse, nicht zuletzt auch Frau Eva Stangl für die Herstellung des reproreifen Manuskripts.

Verschiedene Tätigkeiten und Umstände haben mich gehindert, dem mehrmals
geäußerten Wunsche meiner Professoren, die Arbeit zu veröffentlichen,
früher zu entsprechen. Wenn dies jetzt auch ohne Einarbeitung der neuesten
eschatologischen Literatur geschieht, so tue ich es in der Überzeugung,
daß weder evangelischer- noch katholischerseits eine solch eingehende Auseinandersetzung mit der Althaus'schen Eschatologie bisher vorliegt und in
der neueren Diskussion keine Gesichtspunkte erschienen, die nach meinem
intensiven Studium des Werkes von Althaus meine Deutung desselben änder-
ten. Die Auseinandersetzung mit Althaus, besonders mit seiner Eschatologie, kann aber sehr wohl das heutige ökumenische und eschatologische Gespräch und das Glaubensleben selbst bereichern – zumal in einer Zeit, die
mehr denn je Ausschau hält nach der Botschaft der Hoffnung.

                                                            Walter Wimmer

Linz, 1. November 1978

INHALT

SIGLA

Zeitschriften, Sammelwerke und Lexika werden mit den von der RGG[3] (Die Religion in Geschichte und Gegenwart, hrsg. v. K.Galling, Bd.I, Tübingen 1958, XVII-XXVII) benutzten Sigla abgekürzt. Wo die RGG keine Abkürzungen bietet, jedoch sich solche im 'Sacramentum Mundi. Theologisches Lexikon für die Praxis' (hrsg. v.K.Rahner u. A.Darlap, Bd.I, Freiburg 1968, XIII-XXXI) finden, werden dieselben als Ergänzung benutzt.

Außerdem verwenden wir folgende (auch im Text eingefügte) Sigla:

1. Schriften von Althaus: (Hochgestellte Zahlen hinter den Sigla GD, GE und LD bedeuten die Auflage)

BR   Der Brief an die Römer (NTD 6), 10.Auflage, Göttingen 1966.

ChdG Christologie des Glaubens, in: Theologische Aufsätze I, 206-222.

CW   Die christliche Wahrheit. Lehrbuch der Dogmatik, 8.Aufl., Gütersloh 1969.

DEL   Die Ethik Martin Luthers, Gütersloh 1965.

DSK   Das sogenannte Kerygma und der historische Jesus. Zur Kritik der heutigen Kerygma-Theologie (BFChTh 48), 3.Aufl., Gütersloh 1963.

DTL   Die Theologie Martin Luthers, Gütersloh 1962.

EL   Evangelium und Leben. Gesammelte Vorträge, Gütersloh 1927.

GD   Grundriß der Dogmatik (vgl. Literaturverzeichnis).

GE   Grundriß der Ethik, 1.Aufl., Erlangen 1931; 2.Aufl., Gütersloh 1953.

LD   Die letzten Dinge (vgl. Literaturverzeichnis).

PL   Paulus und Luther über den Menschen, 4.Aufl., Gütersloh 1963.

TA 1 Theologische Aufsätze I, Gütersloh 1929.

TA 2 Theologische Aufsätze II, Gütersloh 1935.

TdG   Theologie des Glaubens, in: Theologische Aufsätze I, 74-118.

TG   Theologie und Geschichte. Zur Auseinandersetzung mit der dialektischen Theologie, in: ZSTh 1 (1923), 741-786.

UWE   Um die Wahrheit des Evangeliums. Aufsätze und Vorträge, Stuttgart 1962.

2. Sekundärliteratur

Adt   Barth K., Die Auferstehung der Toten, München 1924.

ArtDeD   Holmström F., Das eschatologische Denken der Gegenwart. Die welt-
           anschaulichen Hemmungen der eschatologischen Renaissance in
           ideengeschichtlicher und prinzipieller Bedeutung, in: ZSTh 12
           (1935), 314-3359.

Communio   Communio. Internationale katholische Zeitschrift (1, 1972f).

DeD   Holmström F., Das eschatologische Denken der Gegenwart. Drei
           Etappen der theologischen Entwicklung des zwanzigsten Jahrhun-
           derts, Gütersloh 1936.

HThTL   Herders Theologisches Taschenlexikon (in acht Bänden, hrsg. v.
           K.Rahner, Herderbücherei 451-458), Freiburg 1972-1973.

Luther   Luther. Mitteilungen (bzw. Zeitschrift) der Luthergesellschaft.

P.Knitter, A Case Study =

           P.KNITTER, Towards a Protestant Theology of Religions. A Case
           Study of Paul Althaus and Contemporary Attitudes (Marburger
           Theol. Studien 11), Marburg 1974.

E I N L E I T U N G

1. Hinführung zum Thema

Die Beschäftigung mit der Zukunft ist zu einem zentralen Anliegen
der profanen Welt geworden; die Auseinandersetzung mit ihr ist keineswegs ein 'Hobby' oder bloße Modeerscheinung, sondern die Frage der Fortexistenz und der Überlebenschance überhaupt. Ob wissenschaftlich in der
Futurologie, pseudowissenschaftlich in Horoskop und Magie, literarisch
in Utopie-Romanen, realpolitisch in Friedensforschungsinstituten, kritisch in revolutionärer Haltung oder philosophisch etwa im 'Prinzip
Hoffnung' - überall handelt es sich um symptomatische Bemühungen um die
Zukunft. Ist darin etwas Wesentliches über den Menschen ausgesagt, so
muß die christliche Theologie sich fragen, ob ihre Botschaft eine Antwort hat und worin sie besteht. Zumindest evangelischerseits hat sie in
der Tat seit der Jahrhundertwende das eschatologische Büro weit aufgetan und macht darin Überstunden, so daß die Eschatologie "der 'Wetter-
winkel' in der Theologie unserer Zeit" genannt worden ist[1]. Es ist dankbar anzuerkennen, daß die Begegnung mit der protestantischen Exegese
und Dogmatik wesentlich zur Überwindung einer gewissen Stagnation in der
katholischen Eschatologie beitrug. Allerdings gesteht ein katholischer
Autor (1966!): "Die heutigen eschatologischen Perspektiven sind weithin
noch nicht einmal bis in die dogmatischen Lehrbücher vorgedrungen, und
das allgemeine Glaubensbewußtsein ist nach wie vor davon beinahe unberührt."[2] Es zeigten sich bereits gewisse Ermüdungserscheinungen, jedoch
"seit 1964 Moltmanns 'Theologie der Hoffnung' erschien, steht sie (=die
Eschatologie) wieder im Mittelpunkt theologischen Interesses"[3].

Konnte E.Troeltsch 1911/12 noch sagen: "Das eschatologische Bureau...
ist geschlossen, weil die Gedanken, die es begründeten, die Wurzel verloren haben"[4], so hat die dialektische Theologie diese Gedanken so 'tief'
verwurzelt, daß sie nicht mehr an die Erdoberfläche kamen und als 'welt-
los-jenseitig' das Diesseits nicht mehr betrafen. Der gegenseitige Zusammenhang, so paradox es klingt, war zur totalen 'Differenz' geworden.
Heute ist teils eher die andere Gefahr gegeben: der gegenseitige Zusammenhang droht in 'Vermittlung' aufzugehen; die im Jetzt auszutragende
Sorge um die Zukunft der menschlichen Geschichte, nicht um den privat
zu erlangenden Himmel, läßt das Interesse am 'ewigen' Heil absinken.

"Wenn etwa irgendein Theologe erklärt, 'Auferstehung der Toten' bedeute nur, daß man täglich unverdrossen von neuem ans Werk der Zukunft zu gehen habe, so ist der Anstoß sicherlich beseitigt. Aber .... haben wir, wenn wir zu solcher Zuflucht uns gedrängt fühlen, nicht vielmehr die Pflicht, zu gestehen, daß wir am Ende sind?"[5] Viele Priester zögern heute, über eschatologische Themen zu sprechen. "Es ist, als ob uns die Kategorien verlorengegangen sind, in denen wir die auch überweltliche Dimension unseres Heiles zu uns sprechen lassen können", weshalb "unsere Generation vor allem auf diesem Gebiet eine intensive gläubige Forschung braucht"[6]. Die Solidarität mit der Welt scheint Nietzsches Wort recht zu geben: "An der Erde zu freveln ist jetzt das Furchtbarste, und die Eingeweide der Unerforschlichen höher zu achten als den Sinn der Erde."[7] Aber trotz allem hat Martin Buber recht: "Wie gut läßt es sich verstehen,daß manche vorschlagen, eine Zeit über von den 'letzten Dingen' zu schweigen, damit die mißbrauchten Worte erlöst werden! Aber so sind sie nicht zu erlösen. Wir können das Wort 'Gott' nicht reinwaschen, und wir können es nicht ganz machen; aber wir können es, befleckt und zerfetzt wie es ist, vom Boden erheben und aufrichten über einer Stunde großer Sorge."[8]

Unsere Untersuchung möchte ein kleiner Beitrag zu dieser 'gläubigen Forschung' sein, und zwar geht es gerade um einen Autor, der die rechte Mitte zu gehen versucht zwischen den beiden erwähnten extremen Wegen der Nur-Differenz und der Nur-Vermittlung, die beide dem Paradox des Christentums nicht gerecht werden: "der erste, weil hier das (allgemein-) menschliche Handeln bestenfalls ein Echo der einsamen gottmenschlichen Tat bleibt, somit diese die (allgemein-)menschliche Ebene offenbar doch nicht wirklich erreicht, der zweite erst recht, weil die Einmaligkeit der Tat Gottes in Christus nivelliert wird zum Höchstfall und damit zum bloßen Vorbild eines idealen menschlichen Verhaltens."[9] Paul Althaus geht es letztlich um die 'Vermittlung in Differenz'. Er sieht zumal in unserem Jahrhundert die Gefahr,daß der Mensch "ein geistiges Doppelleben führt"; "das große Problem von Humanum und Christianum", die Verbindung beider zu zeigen, durchzieht sein ganzes Werk.[10] Der Mensch Althaus gab dem Theologen Althaus dazu ein gutes Rüstzeug mit, denn seine Offenheit fürs Ganze und für alle ließ seinen Glauben ständig mit der geschöpflichen Wirklichkeit und auch mit den anderen Denkern konfron-

tieren[11]. Die Vielfalt der theologischen Lehrer trug das Ihre bei, den
Blick für alle 'Wahrheitsmomente' offenzuhalten. Vor allem aber war es
die theologische Lage selbst, die ihn die einseitigen Pendelbewegungen
des 19. und 20.Jahrhunderts erfahren ließ und ihn zu einer Vermittlung
einlud. Verbindung von Humanum und Christianum hieß für ihn als Theologen konkret der Versuch einer Vermittlung zwischen der uneschatologischen Theologie des 19.Jahrhunderts und der nureschatologischen Theologie der dialektischen Schule. Da sich beide Richtungen in der Situation
'nach' Kant und der Aufklärung unter dem Monismus des historischen Positivismus und der naturwissenschaftlichen Methode, der eine Vermittlung
ausschließt, ausbildeten und deshalb in aller inhaltlichen Verschiedenheit eine gewisse formale Identität haben, geht es letztlich um den Versuch, den daraus entstandenen unberechtigten Dualismus, der "im Denken
der Neuzeit von Lessing bis zu W.Herrmann, von Kant bis zu Bultmann
reicht" und "schlechthin das geistige Geschick, unter dem wir stehen",
ist[12], zu überwinden. Die Charakterisierung der beiden Tendenzen erfolgt
von Althaus an deren typischen Vertretern, Schleiermacher und Ritschl
auf der einen Seite, Karl Barth auf der anderen. Beide Richtungen werden
in ihrer monistischen Tendenz - nur Erfüllung oder nur Verheißung - dem
berechtigten Dualismus und somit dem rechten Verhältnis von Glaube und
Hoffnung nicht gerecht. "Je tiefer und umfassender eine Theologie diesen
Dualismus zur Geltung bringt, desto betonter, reicher, kraftvoller wird
ihre Lehre von den letzten Dingen sein."(LD[3]64 = LD[4] 48) Es handelt sich
im Grunde um das Verhältnis Gott, bzw. Offenbarung, und Geschichte, Transzendenz und Immanenz, Ewigkeit und Zeit usw., die nicht in radikaler Exklusivität, aber auch nicht in fortschreitender Identität zueinander gesehen werden dürfen, sondern im rechten Verhältnis von 'Gott in der Geschichte', 'Transzendenz in der Immanenz', 'Ewigkeit in der Zeit'. Ließe sich, könnte man also einwenden, unsere Untersuchung nicht einfach
allgemein unter dem Thema 'Natur - Gnade' behandeln? Warum konzentrie-
ren wir uns auf die Eschatologie?

Man könnte auf die Aktualität hinweisen, also darauf, daß Althaus "in
seinem Buch 'Die letzten Dinge', das zu seinen frühesten Veröffentlichungen zählt,.... härter am Wind des augenblicklich vorherrschenden
theologischen Interesses (Eschatologie und Hoffnung) liegt als mit irgendeiner anderen Schrift"[13]. Noch mehr berechtigt unser Vorgehen Althaus

ganz persönliches Interesse für die Eschatologie, das "in seinem vielleicht bedeutendsten Werk, der großen Monographie über 'Die letzten Dinge'"[14] und zahlreichen anderen Veröffentlichungen Ausdruck fand und ihm
von F.Homström trotz Kritik den Ehrentitel des "hervorragendsten 'Es-
chatologen' der Gegenwart"(DeD 5) und von seiten eines katholischen Autors den des "Altmeisters der systematischen Eschatologie"[15] eintrug.Wir
können W.Lohff nur zustimmen: "Im Zeugnis von den letzten Dingen erreicht
Althaus sein persönliches dogmatisches Thema. Hier zeigt sich die Untrennbarkeit von Dogma und Glauben, von Lehre und Leben, von Denken und Exi-
stieren am unausweichlichsten. Hier vereinigen sich die Aufgaben des Dogmatikers, des Predigers, des Apologeten, des Seelsorgers, des Exegeten
und des Kenners der Väter in der einen Aufgabe, den christlichen Glauben
lebendig, überzeugend, wahrhaftig tröstend zu Wort kommen zu lassen."[16]
Vor allem aber ist es die sachliche Bedeutung der Eschatologie an sich
als "eine Art Brennpunkt der gesamten Theologie"[17], also der in Atem
haltende Gegenstand selbst (vgl.LD[3] VIII), der unserer Untersuchung die
Richtung wies und unserem Bemühen Ansporn verlieh. Dies gilt in gestei-
gertem Maße von Althaus' Theologie, denn er selbst bekennt: "In der Eschatologie laufen die Fäden der ganzen systematischen Theologie zusammen. Der Eschatologe muß fast alle seine theologischen Geheimnisse verraten: sein Verständnis der Geschichte, sein Schriftprinzip, den Sünder-
und Rechtfertigungsgedanken, die Lehre von Gesetz und Evangelium, ja den
Begriff von Theologie als Glaubenserkennen überhaupt."(LD[3] X = LD[4] VIII).
So ist also von uns die nicht geringe Mühe gefordert, sein ganzes, großteils noch nicht gesammeltes theologisches Werk im Kontext der philosophisch - theologischen und persönlichen (oft ungenannten) Voraussetzungen zu erforschen und zu sichten, um den Fluchtpunkt der Fäden im eschatologischen Brennpunkt, je nach der Zeitlage, richtig anzuvisieren.
Dort offenbart sich nämlich "der tiefste Grund seiner theologischen Haltung": die Hoffnung auf Erneuerung und Vollendung der ganzen Welt durch
Gott: "auf diese Hoffnung ist im Glauben alles menschliche Leben und Denken und damit auch alle Theologie ausgerichtet"[18]. Ein auf dieser transzendenten Hoffnung gründendes Denken, zu dem wir heute durch die Kon-
frontation mit dem Marxismus mehr als früher aufgerufen sind, wird immer der Eschatologie neue, vielverheißende Bahnen weisen, auch der katholischen, die vor aller Kritik auch zu lernen gerne bereit sein muß[19].

Auf die Frage, ob wir uns durch die Beschränkung auf einen Autor
nicht von vornherein der eschatologischen Fülle berauben, antworten wir
mit einem Hinweis zunächst auf die Fülle des theologischen Opus von Althaus selbst, das durch die vermittelnde Art besonders reichhaltig an
Auseinandersetzungen mit anderen theologischen Strömungen ist, sodann
auf die Fülle dessen, was die Eschata im traditionellen Sinne schon an
sich besagen, und wir meinen schließlich, daß bei der heutigen Sprachverwirrung die Orientierung an einem profilierten Autor es erleichtern
kann, "sich in diesem eschatologischen Labyrinth zurechtzufinden"[20],
denn "kein Wort ist heute in der Sprache der Theologie mehr zur alles-
bedeutenden Phrase herabgesunken als das Wörtchen 'eschatologisch'"[21].
Vielleicht zeigt sich im Laufe der Arbeit sogar, daß die Untersuchung
der Althausschen Eschatologie im gewissen Sinne 'A Case Study'[22] für die
Möglichkeit der von Althaus beabsichtigten Vermittlung innerhalb der protestantischen Theologie überhaupt ist.

2. Ziel und Methode der Untersuchung

Das Ziel unserer Arbeit läßt sich kurz zusammenfassen: Es geht uns darum zu erforschen, wie Althaus sein Anliegen der 'Vermittlung in Differenz' zu verwirklichen sucht, von welchen Voraussetzungen er herkommt, an
welche Bedingungen theologischen Systematisierens, philosophischer Beeinflussung und zeitgeschichtlicher Strömungen er gebunden ist, worin die
Entwicklung und die Konstante seiner Position liegen und - vor allem -
ob und wiefern der Vermittlungsversuch gelingt. Falls letzteres nicht
der Fall sein sollte, erhebt sich die Frage, warum und inwieweit Althaus
kein Erfolg beschieden ist, außerdem, wie die katholische Theologie im
selben Anliegen anders - zielführender - vorgeht.

Daraus ergibt sich unsere Methode. Ziel und Methode geben zugleich
dem Aufbau der Untersuchung ihr Gepräge. Unsere Arbeit ist von der
systematischen Absicht getragen, weshalb auch die Methode, zumindest im
Hauptteil, analytisch (-kritisch) und spekulativ-systematisch ist. Um
den damit gegebenen hermeneutischen Erfordernissen jedoch zu entsprechen,
meinen wir, Althaus gleichsam im ganzen wirkungsgeschichtlichen Zusammenhang sehen und ihn daraus verstehen zu müssen. Dies fordert zunächst die
Kenntnis seines besonderen historischen Lebenskontextes, also die Kenntnis des 'Sitzes im Leben' seines theologischen Denkens. "Jede Begegnung

mit der Überlieferung, die mit historischem Bewußtsein vollzogen wird,
erfährt an sich das Spannungsverhältnis zwischen Text und Gegenwart....
Aus diesem Grunde gehört notwendig zum hermeneutischen Verhalten der
Entwurf eines historischen Horizontes, der sich von dem Gegenwartshori-
zont unterscheidet"[23]. Zwei nicht adäquat scheidbare, aber auch nicht
einfach identische, sich gegenseitig bedingende Momente des historischen
Horizontes müssen im Vorfeld der eigentlichen systematischen Darstellung und in Hinsicht auf sie geklärt werden, das 'personalgeschichtliche'
und das 'theologiegeschichtliche' Moment. Unter dem ersten Aspekt verstehen wir nicht einfach biographisch interessante, sondern für Althaus'
Theologie entscheidende persönliche Charakterzüge und seine eigene theologische Herkunft (1.Kapitel). Der zweite Aspekt umfaßt die bereits erwähnte eschatologische Problemsituation der zwei extremen Tendenzen
(samt den Gründen der Umkehrung des Pendelausschlags) und Althaus' Sicht
derselben - mit besonderer Beachtung seiner Auseinandersetzung mit dem
frühen Barth (2.Kapitel). Im Aufzeigen und Deuten der Genese seiner eigenen Eschatologie und deren offensichtlichen Entwicklung untersuchen wir
in den restlichen Kapiteln des ersten Teiles die Grundlegung in seiner
Frühperiode und achten vor allem auf die - später großteils von ihm
selbst erkannten - philosophischen Verfremdungen des religiösen Anliegens der 'Eschatologie des Glaubens'. Die systematische Ausarbeitung
der reifen Gestalt der Althausschen Eschatologie als unsere Hauptaufgabe
im zweiten Teil erfordert einen Streifzug durch Althaus' systematische
Theologie als 'dogmatischen Unterbau' (1.Kapitel), wobei ein besonderes
Augenmerk der Uroffenbarungslehre und deren Folgen für die Eschatologie
zu schenken ist, und durch seine Methode (2.Kapitel), jeweils im Hinblick
auf die letzten Dinge. Von der Unumgänglichkeit dieser 'Basisarbeit' mag
ein Zeugnis sein, daß selbst dem wohl kundigsten Kenner und Kritiker der
Althausschen Eschatologie F.Holmström, dem sich Althaus selbst "persönlich zu großem Danke verpflichtet" weiß "für die Sorgfalt und den kritischen Ernst" in der Behandlung seiner Arbeiten und dessen Buch er trotz
einiger Bedenken "dringend" empfiehlt[24], der Vorwurf nicht erspart blieb,
seine Einwände müßten "substantiierter" sein, und an ihn die Aufforderung
erging: "dem systematischen Hintergrund müßte nähergetreten werden"[25].
Auch unsere Stellung nahme muß, soll sie tragfähig sein, an dieser Basis
ansetzen, um dann in die verschiedenen spezifisch eschatologischen Di-

mensionen – die personale, die universalgeschichtliche, die kosmische
und die Bestimmung ihres gegenseitigen Verhältnisses – nach deren Darstellung gleichsam extrapoliert zu werden (3.-6.Kapitel).

Wir fassen Althaus' theologische Grundposition, unter der schließlich
das Anliegen der Vermittlung in Differenz zu stehen kommt, im Ausdruck
'Eschatologie der Rechtfertigung' zusammen und fragen nach dem Wie und
Ob der Vermittlung. Wir werden der Einheit, den berechtigten Spannungen
und den eventuellen unberechtigten Engführungen in dieser Grundhaltung
nachspüren.Unser in Offenheit gemachter Versuch des verstehenden Nach-
vollzugs führt zu immanenter Kritik, die freilich – notwendig und zurecht – von unserer Zeitsituation und deren eschatologischen Strömungen
und speziell vom katholischen Eschatologieverständnis her vorgeprägt
ist, ohne daß es möglich (und richtig) wäre, beides 'chemisch rein' aus-
einanderzuhalten, also den Zirkel des Verstehens zu sprengen; die moderne Hermeneutik ist ja "zu der Einsicht gekommen, daß diese Offenheit
nicht dadurch möglich ist, daß man in einer neutralen Haltung den eigenen
Lebenskontext in Klammern setzt, sozusagen ausschaltet, sondern im Gegenteil: gerade dadurch, daß man die zeitgenössische Beleuchtung einschal-
tet, und zwar bewußt"[26]. Indem so der historische und der heutige Horizont notwendig verschmelzen, hoffen wir, im Ganzen des wirkungsgeschichtlichen Zusammenhangs nicht nur Althaus und uns, sondern auch und vor allem der lautlosen und verheißungsvollen Stimme der Wahrheit der letzten
Dinge selbst gefolgt zu sein. Über die Würdigung und Kritik hinaus wollen wir wenigstens ansatzweise eine katholische Antwort im dogmatischen
Unterbau und in einzelnen eschatologischen Fragen auf das Anliegen der
'Vermittlung in Differenz' andeuten, die u.E. zur Überwindung der pola-
risierten Situation beitragen und "die Intentionen beider angedeuteter
Parteien, die je unaufgebbare Elemente des christlichen Glaubens mit
Recht, aber offenbar einseitig – und darum von Gesamt der Theologie her
gesehen anfechtbar – hervorheben, in ein kritisches Verhältnis zueinander"[27] setzen könnte. Wir fassen unsere Stellungnahme im Ausdruck 'Eschatologie der Inkarnation' zusammen. Was die katholische Eschatologie
von Althaus lernen kann und worin hingegen seine Position von katholischer Seite hinterfragt werden soll, wird am Schlusse in Hinblick auf
das ökumenische Gespräch nochmals zusammengefaßt.

Ein 'Außenstehender' muß in seiner Deutung vorsichtig sein. Am Ende

der Untersuchung wird die Frage nochmals gestellt werden müssen,ob nicht
eine andere Interpretation, etwa eine 'in meliorem partem' als die unsere,
möglich wäre. Im Bemühen, die wesentlichen Züge des eschatologischen Denkens Althaus' 'richtig', d.h. ob der Unmöglichkeit absoluter Neutralität
notwendig auch in subjektiver Assimilation, zu erfassen und zur Darstellung zu bringen, stoßen wir auf nicht wenige Barrieren. "Durch die kompl-
lizierte Art seiner Konzeption macht nämlich Althaus der Reaktion mehr
Mühe als Barth, mit dem man leichter fertig wird."(DeD 355) Es geht deshalb oft, wie G.Zasche sagt, um den "Versuch, im Fluß der Aussagen, eine
Konstante, eine Hauptströmung des Denkens ausfindig zu machen, um mit
ihrer Hilfe im strittigen Sinn gegenläufiger Aussagen Bedeutsames von
weniger Bedeutsamen zu scheiden und so durch 'Abwägen' zu schlichten,
was sich durch Logik nicht schlichten läßt"[28].

Aber lohnt sich all diese Mühe um einen Autor, um den es still geworden zu sein scheint? Wir haben diese Mühe auf uns genommen - wissend,
daß z.B. W.Wiesner meint, an Althaus' Theologie sei die Krise des abendländischen Geistes und der Neuaufbruch des 20.Jahrhunderts unbemerkt vor-
beigegangen, weshalb ihr heute wenig seelsorglicher Wert beikomme[29], ja
"daß eine Reihe evangelischer Theologen Althaus' Denken, grob gesagt, als
Anachronismus bezeichnet"[30]-, denn könnte die Stille um Althaus nicht
eher der heutigen Mode zuzuschreiben sein, alles nach bestimmenden Tendenzen, Schulen und Parteiungen zu gliedern? "Paul Althaus fügt sich diesen Kategorien nicht ein und kommt in diesen weitverbreiteten Prospekten
und Tendenzberichten gar nicht mehr vor."[31] Ein Urteil über seine Bedeutung für heute und später können wir nur am Schluß unserer Arbeit geben.
Dann werden wir uns auch dem Urteil von M.Doerne über Althaus' 'Die
christliche Wahrheit' stellen und andeuten können, ob und inwiefern auch
seine Eschatologie 'Brücke vom Gestern zum Morgen' zu sein imstande ist:
"Die Hemmungen ....werden ziemlich bald durch die schmerzhafte Erkenntnis überwunden werden, daß die radikalistischen Parolen von gestern und
heute allesamt in Sackgassen führen.....Die besondere Bedeutung von Paul
Althaus beruht nicht zuletzt darauf, daß seine Dogmatik eine Brücke von
Gestern zum Morgen baut."[32]

1. TEIL: ALTHAUS' VERMITTELNDE PERSÖNLICHKEIT UND THEOLOGIE
        IM KONTEXT SEINER THEOLOGISCHEN HERKUNFT UND DER
        ESCHATOLOGISCHEN PROBLEMATIK UND DIE GRUNDLEGUNG DER
        ESCHATOLOGIE IN DER FRÜHPERIODE

1. Kapitel: Die theologische Gestalt Paul Althaus'

1. Persönliche und theologische Charakterzüge

a) Lebensweg

In einer Familienchronik[1] führt Althaus die Ahnenreihe zurück bis ins
Jahrhundert der Reformation, deren Erbe - vor allem durch eine Reihe von
Theologen - das Geschlecht der Althaus immer verbunden blieb. Nachdem
Paul Althaus' Großvater väterlicherseits, August Althaus, um des Verständnisses des Abendmahles willen von der reformierten zur lutherischen
Kirche übertrat, war lutherische Theologie fortan ein Grundanliegen der
Althaus-Theologen; freilich wußte die reformierte Herkunft jede konfes-
sionelle Enge zu verhindern. Drei Söhne aus August Althaus' zweiter Ehe,
alle im "Geist eines lebendigen lutherischen Pfarrhauses"[2] aufgewachsen,
studierten Theologie. Paul Althaus d.Ä. (1861-1925)[3], der Vater,vertrat
auch nach seiner Pfarrerzeit als Professor in Göttingen (1897-1912) und
Leipzig (1912-1925) die positiv-lutherische Richtung älterer Erlanger
Prägung. Wir können auf spezifisch eschatologischem Gebiet keinen direkten Einfluß auf den Sohn feststellen, allerdings wurde das Interesse
des Sohnes für das protestantische Liedgut (zu den ersten Veröffentlichungen gehört die Behandlung der 'Eschatologie' der protestantischen
Lieder[4]) und seine Vorliebe für die Liturgie sicherlich auch mit durch
den Vater geweckt, denn die wissenschaftliche Arbeit P.Althaus' d.Ä. galt
vor allem der Erforschung der Gebetsliteratur und liturgischen Studien.[5]

Am 4.Februar 1888 wurde Paul Althaus d.J. in Obershagen bei Hannover
geboren.[6] Zur Formung des Elternhauses kam die Universitätsausbildung
in Tübingen und Göttingen hinzu. Die frühe Beschäftigung mit der reformierten Theologie in seiner Doktorarbeit und Habilitationsschrift 'Die
Prinzipien der reformierten Dogmatik im Zeitalter der aristotelischen
Scholastik' (Leipzig 1914) läßt vermuten, daß reformierte Anliegen auch
später in seinem Werk öfters durchscheinen, etwa in der Abendmahlslehre
oder in der Beachtung des 'Soli Deo Gloria'. Von der Privatdozentur in
Göttingen wurde Althaus ins Kriegsfeld als Militärpfarrer in Lodz gerufen. 1920 übernimmt er den Lehrstuhl für systematische Theologie und

neutestamentliche Exegese in Rostock, 1925 bis zu seinem Tod (seit 1956 emeritiert) in Erlangen. Er trägt dort nicht wenig zum neuen Ruhm der Erlanger Fakultät bei, denn "man ging nach Erlangen vor allem um Paul Althaus zu hören"[7]. Es war ein langes Leben, indem es aber auch nicht an Rückschlägen und an aus Fehlern gewonnenen Einsichten fehlte; bis zum Lebensende war er voll von Energie und Schaffenskraft, was ihm in manchen äußeren Ehrungen bestätigt wurde.[8] "Am 16.April 1966 erlitt er einen Schlaganfall, der, verbunden mit anderen körperlichen Beschwerden, die nicht mehr operativ beseitigt werden konnten, am Nachmittag des 18. Mai 1966 sein Ende herbeiführte. Ein ungemein reiches, erfülltes Leben hat seinen Abschluß gefunden."[9]

b) Offenheit und Gegenwartsbezug

Althaus hatte einen für die ganze geschöpfliche Wirklichkeit offenen Charakter und versuchte, im 'Seh-Akt' (A.Schlatter) diese Wirklichkeit in sein theologisches Denken einzuholen. Aus dem Ansatz, Gottes Willen auch aus der konkreten Wirklichkeit des geschichtlichen Lebens zu erkennen, wird daraus entstehende Theologie immer lebens- und gegenwartsbezogen sein. Die Aktualität der Botschaft Christi ist die Triebkraft seiner eschatologischen Bemühungen. Theologie muß ja getrieben werden "mit der Bereitschaft, auszuziehen aus dem Gestern in das bewegte, unsichere gefährliche Heute; mit dem Willen, ganz einzugehen in die 'Stunde', beweglich und tapfer zu neuen Worten und noch nicht begangenen Wegen"[10]. Althaus war sich der großen Gefahr dieser Haltung bewußt, denn darin war beschlossen "die Möglichkeit doppelter Untreue gegen den Herrn der Kirche: daß man ihm doch, weil man der Stunde nicht offen ist, nicht entschlossen dient; daß man in der Stunde zu dienen meint und ihn doch verrät an die Stunde und ihr Gesetz"[11].Auch die Eschatologie wird in ihrer Entwicklung ihre eigene Zeitgebundenheit nicht verhehlen können, denn sie bleibt theologia viatorum, die ihren Weg im Glauben nicht einfürallemal zeitlos besitzt, sondern immer wieder neu aussagen muß.Unsere Frage wird u.a. sein, ob die Offenheit gegen die menschliche, geschichtliche und kosmische Wirklichkeit mit innerer Konsequenz auch die Althaus'sche Eschatologie durchdringt oder ob bewußte oder unbewußte Voraussetzungen den Blick verengen.

c) Vermittlungstheologie

Mit der Offenheit des Charakters hängt eng Althaus' starkes synthetisches

Denken zusammen. Es ist die Stärke dieses Denkens, die Aspekte der Wirklichkeit in ihrer Vielfalt zu bedenken und die Wahrheitsmomente der verschiedensten theologischen Richtungen für die eigene Lehre bewahren zu
wollen, es ist aber zugleich Zielpunkt vieler Angriffe, die von Harmonisierung, Synkretismus, Aporie- und Komplextheologie bis zu Irenismus
reichen. So meint Karl Barth, daß er in Althaus' Aufsätzen "alles gefunden, was mir bei Ihnen imponiert und zugleich unheimlich ist: die Fähigkeit nach allen Seiten offen zu sein und bewegt mitzugehen, die, von mir
aus gesehen, dann doch auch die Fähigkeit ist, allzu Vieles zu schlucken
und gutzuheißen, als daß ich den ganz deutlichen Ton Ihrer eigenen Trom-
pete immer hören würde"[12]. H.W.Schmidt sieht in Althaus den charakteristischen Vertreter einer 'Vermittlungstheologie' im Sinne eines zwei-
felhaften Kompromisses.[13] W.Koepp hingegen findet darin eine 'Komplextheologie' wieder.[14] Von irenischen Tendenzen spricht W.Tilgner.[15] Am
negativsten ist wohl die Einstufung durch den Barthianer W.Wiesner, der
in Althaus' Werk "ausgesprochene Vermittlungstheologie", "Eklektizismus"
und "complexio oppositorum" sieht.[16] Ferner urteilen alle negativ, die
in Althaus' Offenbarungslehre zwei gleichrangige Offenbarungen vermuten,
so neben K.Barth z.B. D.Bonhoeffer, W.Kroetke, R.Bultmann, E.Hübner und
H.Thielicke.[17] Obwohl nach der Meinung des Katholiken F.Konrad die Kritik "weniger im Grundansatz von Althaus als vielmehr im Fehlen einer
systematischen Durchdringung der theologischen Gedanken ihren Grund hat"
und sie "nicht das letzte Wort in einem Dialog mit Althaus' Theologie
zu sein braucht", findet er dessen Vermittlungsversuch unbefriedigend,
da sich seine "Und-Theologie" als "oberflächliche Harmonisierung" ent-
puppe[18].

Aber es fehlt auch nicht an positiven Einschätzungen. G.Hoffmann sieht
in Althaus' vermittelnder überzeitlicher Eschatologie zumindest einen
Fortschritt[19]. Als positive Überwindung der Einseitigkeiten der religions-
geschichtlichen und der dialektischen Schule stellt A.Beyer Althaus' Offenbarungslehre dar[20]. Obwohl - nach H.Grass - der vermittelnde Charakter dieser Theologie "in mancher Hinsicht auch ihre Schwäche" sei, beste-
he gerade auch darin ihre Zukunftschance[21]. Nach W.v.Loewenich zeigt sich
sogar Althaus' Weisheit: "Er wußte wohl auch darum, daß alle Theologie
in einem tieferen Sinn Vermittlungstheologie sein soll. Sie hat das Amt
der Versöhnung in einer Welt, in der sich die Menschen in ihrer Verblen-

dung durch ihre Gegensätze unendliches Leid bereiten."[22] Auch M.Doerne
wertet die Dogmatik von Althaus als "Theologie der echten 'Mitte'"; er
lobt bei ihm die Verbindung des "Vermögens zu allseitiger Kommunikation"
mit der "Vollmacht zu ganz eigenem dogmatischen Denken"[23]. Durch die
Herausschälung von Althaus' Grundintention hofft neuerdings auch der
Katholik G.Zasche "die vermittelnde Position seines Grundansatzes, des
Bestimmungs-Erfüllungsmodells, sowohl zwischen katholischem und evangelischem Offenbarungsverständnis, wie zwischen Barth und der konsequenten Gesetz- und Evangelium-Theologie ins Licht treten"[24] lassen zu kön-
nen.Wegen des abwertenden Beigeschmacks im Worte 'Vermittlungstheologie'
aufgrund geschichtlicher Reminiszenzen[25] vermeiden einige bewußt diesen
Ausdruck. W.Trillhaas nennt Althaus "einen verbindlichen, nämlich um Verbindung und Verständigung besorgten Mann"[26]. E.Grin meint, daß nach Althaus dieses Verlangen nach Versöhnung zu jeder echten christlichen Theologie gehöre.[27] W.Schwinn würdigt sein Werk als "Theologie der 'Begegnung' - der Begegnung zwischen dem biblischen Wort und der Wirklichkeit
des Lebens"[28].

Neben seiner Treue zur Gänze der geschöpflichen Wirklichkeit ist für
Althaus selbst die Haltung der Furcht Gottes entscheidend. "Die Zurückhaltung, im Wissen um Gottes kommendes Urteil, wird dem Christen beider-
lei Doktrin verbieten", "das allzu professionell gute Gewissen" des Pietismus und Liberalismus als "auch den 'heimlichen Rausch der Selbstzerstörung'" der dialektischen Theologie[29]. Die letzte Wurzel dieses Immanenz und Transzendenz vermittelnden Denkens stammt von der in Gott "offenbar gewordenen Liebe" (TG 762). - Erlauben Althaus' Voraussetzungen
eine Theologie und Eschatologie der wahren Mitte, wie sie von der Offenbarung der Liebe Gottes gefordert zu sein scheint?

d) Kirchlichkeit

Mit dem Willen zum Neuen paart sich bei Althaus die Treue zum anvertrauten Erbe. "Wer sich an den Vätern orientiert, findet Befreiung aus der
Enge seiner eigenen Gesichtspunkte und Interessen."[30] Die Orientierung
an der Überlieferung läßt Althaus eher als konservativen, lutherisch-
orthodoxen Theologen sehen, als Fortsetzer der konservativ-kirchlichen
Tradition in Erlangen, sie macht ihn durch die Weite des Blicks aber
auch zum Anwalt verschiedener theologischer Strömungen, zum "Hauptver-
treter einer allen modernen Problemen weit aufgeschlossenen lutherischen

Theologie"[31] und zum Kritiker aller einseitigen theoligischen Schulen.
Seine kirchliche Gesinnung zeigte sich auch im beispielhaften pastora-
len Engagement - als Universitätsprofessor, als beliebter Universitäts-
prediger, als Erzieher evangelischer Pfarrer, als Liturge und Liturgiker,
als Veranstalter offener Abende in seinem Studierzimmer und als seelsorglicher Berater. - Strahlt Althaus' wissenschaftliche Eschatologie
dieselbe 'Kirchlichkeit' aus wie es sein persönlicher Charakterzug tut?

Fassen wir kurz zusammen:
Paul Althaus ist nicht der geniale Denker; er ist stark abhängig von
anderen und findet seine eigene Meinung oft gerade in der Beschäftigung
mit anderen Theologen; er hat allerdings dann auch eine festumrissene
Position eingenommen und geschickt zu verteidigen gewußt. Er zwängt niemand in eine Schule, weshalb es keine Althausianer neben Barthianern und
Bultmannianern gibt; allerdings lassen sich nicht wenige bedeutende Theologen der Gegenwart gerne seine Schüler nennen, auch wenn die ihnen gewährte Freiheit sie verschiedene Wege führte.[32] Er paßt aber auch selbst
nicht in eine der vorgezimmerten theologischen Schubladen. Auf den drei
Hauptgebieten seiner wissenschaftlichen Tätigkeit - als Systematiker,
als Lutherforscher[33] und als Ausleger des NT, speziell der Paulusbriefe -
wird er in vielen Ergebnissen unumgänglich und wichtig sein.

2. Theologische Herkunft

a) Althaus und die Luther-Renaissance
"Eine Fülle von Einflüssen ist in der Theologie von Althaus wirksam"[34],
aber am meisten ist Althaus mit der Luther-Renaissance zu Beginn dieses
Jahrhunderts verbunden; deren führende Männer waren K.Holl und C.Stange.
Obwohl sich auch die Dialektische Theologie bald in der Nähe der Reformatoren entdeckte und nicht ohne Wirkung auf die Luther-Renaissance blieb,
betonte Althaus bewußt auch deren Eigenständigkeit.[35] Von Karl Holl
wurde Althaus tief beeinflußt in der Faszination vom Grundgedanken Luthers, der zentralen Stellung der Gottheit Gottes und der Rechtfertigungslehre, und in der Abkehr vom anthropozentrischen Religionsverständnis des
19.Jahrhunderts, auch wenn er bald dessen Darstellung der lutherischen
Rechtfertigungslehre, nach der die Rechtfertigung ein proleptisch-ana-
lytisches Urteil ist, und das Zurücktreten der Christologie kritisierte.[36]
Auch in C. Stanges Vorlesungen, Seminaren und Schriften sah Althaus
"eine entschlossene Führung und Erziehung zu Luther ..., dem frühen, dem

lateinischen Luther", was - wie er sich noch nach 50 Jahren erinnert - "für viele von uns Entscheidendes bedeutet"[37] hat. Stange hebt von neuem das Wort Gottes als Grund unseres Gottesverhältnisses hervor und bringt das heils-existentielle Denken Luthers, in dem alles sub specie gratiae, bzw. peccati gesehen wird, und Luthers Totalauffassung vom Menschen scharf zum Ausdruck. Auch wenn Althaus von Anfang an Stanges Luther-Interpretation über die Unsterblichkeit der Seele (LD[1] 29,n.2; LD 30,n.1) und dessen Annihilationslehre (LD[1] 30,n.1) ablehnt, sieht er es als dessen Verdienst an, den Unterschied zwischen christlicher Ewigkeitsgewißheit und natürlich-philosophischem Unsterblichkeitsgedanken "streng und unermüdlich betont zu haben" (LD[3] 31,n.1 mit Lit.; ähnlich LD[4] 109, n.2). Den Ausführungen Stanges über das Verhältnis von Leib und Seele verdankt er in der Betonung des Totalitätsprinzips und der Absetzungen von griechischen Traditionen, wie er selbst gesteht (LD[3] 257,n.2), Entscheidendes[38].

Für Althaus ist Luther vor allem auch auf dem Gebiete der Eschatologie ein "Reformator"[39] gewesen. Für ihn "bewährte sich die Theologie Luthers als die echteste und wahrhaft lebendige Erneuerung der Eschatologie des N.T.s" (LD[4] VIII), wodurch Althaus einen wahren Mittelweg für möglich hielt: "Mit Luther kommt man weder zur ungebrochenen Weltlichkeit des Kulturprotestantismus noch zur totalen Eschatologie der Krisentheologie. Mit Luther steht man in der biblischen Spannung von Schöpferglauben und Erwartung des überweltlichen Reiches Gottes, von Hinausschauen über diese Welt und zugleich doch Verantwortung für sie."[40] "Seine Gedanken über die letzten Dinge sind nicht ein konventioneller Anhang, sondern ein im Ganzen seiner Theologie wesenhaft begründetes, unentbehrliches, ja entscheidendes Stück" (DTL 339).

Diese in Althaus' Augen echt reformatorische Bedeutung Luthers sei kurz hervorgehoben.[41] Die Gewißheit der neuen Lebendigkeit gründet primär in Christi Auferstehung, doch Luther begründet oft die ganze Eschatologie allein im Vorspruch des Ersten Gebotes oder auch in der Tatsache des Gebetes als dem 'voll verstandenen ersten Gebot'. Wenn auch "Christus für Luther in solchen Gottesworten selbstverständlich da ist" (DTL 344), so ist darin jedenfalls eine zu einseitige christologische Konzentration (Christomonismus) ausgeschlossen und die Möglichkeit gegeben, auch die Wahrheitsmomente der philosophischen und nicht-christlichen Eschatologien, etwa des Unsterblichkeitsgedankens, einzubergen.Gegen die Gefahr selbständig philosophischer Unsterblichkeitsspekulation betont Luther allerdings stark den Totalitätscharakter der neutestamentlichen Auferstehung. Indem er den Zwischenzustand als traumlosen Schlaf deutet, bleibt dessen interimistischer Charakter bewahrt und werden die Metaphysik und Topographie dieses intermediären Status wieder zu Theologie zurückgeführt; schließlich rückt der Zwischenzustand in einen Augenblick zusammen, so daß die ganze Spannung wieder dem Jüngsten Tage gilt, der "gleichsam wie ein Ozean rings um die Insel des zeitlichen Lebens herum" liegt und die "große Gleichzeitigkeit der Ewigkeit" anbrechen läßt"[42] Abweichende Äußerungen Luthers werden gemäß diesem Grundgedanken (um)gedeutet. Der spiritualistische, individualistische und akosmistische Zug der Seelenmetaphysik und -eschatologie des 17.Jahrhunderts ist nach Althaus ein Abfall von Luther.

"Zu dem Größten, was Luthers Auslegung des Evangeliums der Christenheit geschenkt hat, gehören seine Gedanken über den Tod und das Leben aus dem Tode."[43] Der Tod wird ganz theologisch als des Menschen entscheidendes, alles durchdringendes Schicksal im Lichte von Gesetz und Evangelium gesehen. Da ihm der Tod nicht schöpfungsmäßig, sondern durch Gottes Zorn zukommt, schaudert er wie kein anderes Lebewesen vor ihm zurück (DTL 340); jedoch "demütigt er sich darunter und flieht zu der ihm im Evangelium angebotenen Barmherzigkeit Gottes, dann vernimmt er unter dem Nein bei Christus das große Ja Gottes" (DTL 341). Deshalb sehnt sich der vollkommene Christ nun sogar nach dem Tod als Vollendung des In-den-Tod-Gehens, das in dem Sakrament der Taufe beginnt und im christlichen Leben eingeübt wird.

Im Kontrast zum Triumphalismus der Kirche ab dem vierten Jahrhundert, zur Individualisierung der christlichen Eschatologie im Mittelalter und zur Privatisierung der Frömmigkeit in der Orthodoxie des 17.Jahrhunderts war Luther erfüllt von der Erwartung des Reiches, von der Sehnsucht nach dem 'lieben Jüngsten Tag'. Luthers aktuelle Deutung des Antichristen als innerkirchlicher Macht ist nach Althaus' Meinung "bedeutungsvoll als Ausdruck der hohen Spannung auf das Reich, wie sie auch durch das Neue Testament geht"[44]. Des Reformators Erwartung zielt auf die Erneuerung und Vollendung der ganzen Schöpfung. Mitten in den apokalyptischen Wirren des zweiten Weltkrieges fordert deshalb Althaus auf: "Die Privati-

sierung des Hoffens muß enden, wo die Christenheit als solche wieder
schwere Geschichte durchlebt... Die Gegenwart ist dazu angetan, uns aus
der privatisierten Eschatologie zu Luther zurückzuführen und damit zum
Neuen Testamente."[45] Überhaupt kehren die tragenden Pfeiler der Theologie Luthers, die Theologie des Glaubens, die Kreuzestheologie, vor allem aber die Theozentrik der Rechtfertigung (das lutherische 'Solus')
auch in Althaus' Eschatologie an zentraler Stelle wieder.

b) Der Schüler Adolf Schlatters

Die Ablehnung jeder harmartiozentrischen Richtung in Althaus' Lutherinterpretation ist stark mitgeprägt von seinem Lehrer Adolf Schlatter,
denn dessen Lutherkritik bildete den "Fragehorizont, in dem ein sehr
wesentlicher Teil der Lutherarbeiten von Althaus verstanden sein will"[46].
Schlatters Charakter war von einer großen Offenheit gezeichnet; darüber
hinaus fühlte Althaus eine innere Nähe zu dessen vermittelndem Charakterzug; er war "gewiß, daß die Theologie auch in ihrer neuen Lage viel von
Schlatter zu lernen hat, von dem Geiste, der Haltung, auch von den Grundzügen seiner Theologie"[47]. Schlatter hob die Schranken reformatorischen
Christentums gegenüber den Neuen Testamente hervor (vgl.LD[3] 131); er
vermißt an Luthers Römerbriefdeutung den Schöpfungsbegriff und lenkt den
Blick der Theologie und der Kirche auch in die Natur und in die Geschichte, also in Gottes ganzes Werk. Althaus fand an Schlatters Theologie eben
diesen Schöpfungs- und weiten Offenbarungsgedanken, die Ablehnung eines
Christomonismus, die Theologie der Natur (und der Geschichte) und die
Anthropologie besonders nachahmenswert; letzterer kommt die Bedeutung zu,
"die Enge der neukantisch-bestimmten Offenbarungslehre durchbrochen zu
haben"[48]. Auf demselben "schmalen Wege zwischen einer 'natürlichen Theologie' und einer christologisch-verengten Offenbarungslehre"[49] will Althaus seinem Lehrer folgen, weshalb Schlatter einer der bedeutendsten
Ahnherren von Althaus' Uroffenbarungslehre ist und wohl auch Einfluß auf
dessen positivere Sicht der Religionen hatte. Man kann geradezu von einem 'Schlatterschen Zug' des Althaus'schen Denkens sprechen. Dieser
zeichnet sich aus durch Offenheit des Denkens, durch Betonung der Anthropologie, der 'natürlichen', noch 'heilsindifferenten' Schöpfungsdimension
und der Gesamtheit der Wirklichkeit, durch die Möglichkeit der Analogie
und der daraus folgenden Kontinuität und durch die Positivität des Gottesgedankens.

Althaus glaubte trotzdem, Schlatter in der Kritik der Reformatoren
vom Neuen Testamente her an wesentlichen Punkten nicht folgen zu können.
Er weist Schlatters Kritik zurück, daß Luther die Gnade zu negativ sehe
und daß er das Evangelium zu sehr von der Bedrängnis und dem Trostverlan-
gen des geängsteten Gewissens und zu wenig vom Siege Gottes und der sieg-
haften Aufrichtung seiner Herrschaft in geheiligten Menschen her betrachte; vor allem lehnt er die Kritik am lutherischen 'simul iustus et peccator' ab, die nicht wahr haben will, daß alles, was wir tun, Sünde sei.[50]
Es scheint sich hier eine andere Linie im Denken Althaus' zu zeigen, die
im besonderen Sinne 'lutherisch-reformatorisch' vom Gottheit-Gottes-Ge-
danken her geprägte (und kantisch 'umgeprägte'), die oft auch mit der Versuchung kämpft (und ihr unterliegt?), den Schöpfungsbegriff unterzubewerten, den Gottesgedanken zu negativ und den Menschen im Konkurrenzverhältnis zu Gott zu sehen, womöglich ontologische Aussagen zu vermeiden,
die Sünde zu radikalisieren, die Angst vor Analogie und Kontinuität zu
übersteigern.

Zustimmend vermerkt Althaus die Beziehung der Schlatterschen Eschatologie zur Gegenwart, denn die Eschatologie wird dadurch nicht entwertet, weil ja unsere Hoffnung in der uns jetzt gewährten Gemeinschaft mit
Gott ihren Grund hat.[51] Während er Schlatters Zugeständnisse an den Biblizismus beanstandet (LD[1] 13,n.1) und dessen Abschnitt über den Chiliasmus "für auffallend schwach hält" (LD[3] 157,n.1), findet er ihn "vorbild-
lich für die Art, wie man vom 'Wachen' und von den Zeichen der Parusie
reden sollte" (LD[3] 185,n.2); diese Gedanken waren entscheidend für seine
eigene 'aktuelle' Interpretation der Postulate der Erdgeschichte. Einen
besonderen Einfluß übte Schlatter auch auf Althaus' Theologie des Todes
aus, einerseits in der Negativität des Todes, da in seiner Stellung gegen den Platonismus die Ganztodtheorie bereits anklingt (vgl.LD[4] 89), in
einer sehr positiven, aktiven Sicht des Sterbens, vor allem des Kreuzes-
todes Jesu Christi als des höchsten vollendeten Gottesdienstes.[52] Wenn
jedoch Althaus meint, er habe es hier "mit einem schöpfungsmäßigen Sinn
des Todes zu tun, den Gott in ihn gelegt, den er der Menschlichkeit auch
inmitten ihrer Sünde gelassen hat"[53], wie kann er an anderer Stelle, die
Meinung Luthers darstellend und sich ihr offensichtlich anschließend, sagen: "Der Tod kommt ihm nicht von Natur, schöpfungsmäßig zu" (DTL 340)?
Zeigt sich in dieser terminologischen Ungenauigkeit nicht bereits die

Tatsache an, daß Althaus die beiden Auffassungen des Todes, bzw. die
Schöpfungsebene und die der Sünde entstammende Ebene in deren gegensei-
tigem Verhältnis zu wenig klärt oder sie einfach paradox nebeneinander-
stehen zu lassen versucht ist? Gegen solche in Althaus' Theologie öfter
wiederkehrende schillernde Aussagen ist Klarheit der Terminologie zu fordern, vor allem weil solche begriffliche Unklarheiten, die allzu schnell
als um der Bewegung des Glaubens willen berechtigte und notwendige paradoxe Spannungen ausgegeben werden, symptomatisch sind für die darin gelegene Gefahr und Tendenz, das 'Natürliche' in Gänze ins Heilsexistentielle hineinzuzwängen, bzw. umgekehrt Heilsexistentielles im nachhinein
als 'schöpfungsmäßig' anzusehen, also Sein und Sinn in ihrer rechten Zuordnung zu verwirren."[54]

c) Das methodische Vorbild Martin Kähler

"Die Bedeutung, welche den 'letzten Dingen' für Theologie und Kirche zukommt"[55], ist um die Jahrhundertwende kaum von jemandem deutlicher hervorgehoben worden als von Martin Kähler. Wie fast jede Religion ist auch
das Christentum "nie ohne Verheißung und ohne Verkündigung der letzten
Dinge, d.h. ohne seine Eschatologie vorhanden und wirksam geworden"[56].
Kähler weist jedoch den Biblizismus scharf zurück und fordert eine christozentrische Konzentration; deshalb "kennen wir eigentlich nicht eine
Anzahl von letzten Dingen, sondern nur eine 'letzte' Person, die das freilich auch nur sein kann, weil sie auch die 'erste' ist"[57]. Die eschatologische Hoffnung erwächst ganz aus der Rechtfertigung, von der her das
ganze Evangelium verstanden werden muß, so daß sich eine organische Einheit von Versöhnungsglaube und Vollendungshoffnung ergibt. Weil die Heilsgewißheit in Christus also der "richtende Maßstab und ordnende Richtpunkt"
in der Anwendung der biblischen Weissagung für die Eschatologie ist, ist
Grund "zu vorsichtiger Zurückhaltung vor exegetischem Positivismus"[58] gegeben und es "ist Stoff für die Dogmenbildung nur dann zu erkennen, wenn
die biblische Darstellung mit einer Forderung zusammentrifft, welche die
in dem Verhältnisse zu Christo gründende Heilsgewißheit für die Vollendung stellt"[59].

Hiermit ist der methodische Rahmen angedeutet, der für Althaus maßge-
bende Bedeutung gewann, wie er selbst immer wieder ausdrücklich sagte
(LD[1] 14,n.1 = LD[3] 10;LD[3] 5,n.2;LD[4] 70). Für Kähler wie für ihn liegen
"das Hören auf die biblische Eschatologie und die systematische Be-

sinnung über die Sache ineinander" (LD^4 67;vgl.69f). Der biblische Stoff
dient nicht zur Erweiterung der rein systematischen Besinnung aus der
Heilsgegenwart, sondern die theologische Besinnung aus der Heilsgegenwart
beschränkt den biblischen eschatologischen Stoff. Allerdings ist nach
Althaus Kählers Methode "von Biblizismen nicht ganz frei" (LD^1 24,n.1),
so daß es "zu bösen Künstlichkeiten und Verrenkungen" (LD^{15} = LD^3 10)
kommt. Ebenso lehnt Althaus aufgrund seines doch verschiedenen Geschichtsbegriffes die Gedanken und Postulate Kählers in Richtung auf Endgeschichte ab.[60]
Der Glaube erfaßt nach Kähler das 'Übergeschichtliche' im geschichtlichen Element des Christentums. Das Übergeschichtliche, das den "lebendigen Zusammenschluß des Bleibend-Allgemeingültigen mit dem Geschichtlichen in einem Wirksam-Gegenwärtigen"[61] bezeichnet, soll das organische
Gleichgewicht mit dem Geschichtlichen im Offenbarungsbegriff herstellen
und Antwort auf das ungelöste und oft falsch gestellte Zeit-Ewigkeits Problem geben. Die allgemein-gültige Wahrheit ist - im Gegensatz zur dialektischen Theologie - keine zeitlose Idee, kein von der geschichtlichen
Schale befreiter ewiger Wahrheitskern, sondern der dem Glauben unmittelbar gewisse lebendige Herr, der Jesus Christus der Geschichte ist. Kählers
Buch 'Der sogenannte historische Jesus und der geschichtliche biblische
Christus', der "Schlachtruf gegen die herrschende Evangelienforschung",
zeigt "die Unmöglichkeit, aus dem Quellenmaterial der Evangelien eine
Jesusbiographie zu erbauen" (DeD 163). Wenn auch Althaus mit der Lösung
des Problems 'Glaube und Geschichte' bei Kähler nicht in allem zufrieden
ist, bekennt er: "Was heute für den Glauben an den biblischen Christus
gegen den Historismus der Leben-Jesu-Forschung, für die Kreuzestheologie
gegen die Würdigung Jesu innerhalb der Grenzen der Humanität von Barth,
Bultmann geltend gemacht wird, haben wir schon von M.Kähler gelernt."[62]
Er wurde von ihm sicherlich in der Bedeutung der Rechtfertigungslehre,
in der Beziehung der Geschichte zur Eschatologie, in der Sicht der Übergeschichtlichkeit und des Ewigkeitsbegriffes und in der Bestimmung der
Glaubensdimension als einzig adäquater Erkenntniskategorie für das Göttliche nicht wenig angeregt.

d) Schleiermacher, Ritschl und Herrmann
Althaus' Kritik an Schleiermacher ist nicht gering: "Seinem Gottesgedanken fehlen die Züge der personalen Lebendigkeit, die Sünde kommt nicht
als Schuld zur Geltung, Gottes Zorn wird geleugnet, die Rechtfertigung

subjektiviert und nicht als das Herzstück erfahren" (CW 192)[63]. Trotzdem
übernimmt er die Grundansätze der Schleiermacherschen Theologie. Dazu
gehört vor allem der anthropologische Ansatz, d.h. die Erkenntnis, daß
wir es mit Gott zu tun haben, wenn wir es mit uns selbst zu tun haben,
daß der Mensch also "'in unmittelbarem Selbstbewußtsein',wie Schleiermacher sagte" (CW 63), Gottes inne wird, nicht in einem Kausalschluß,
sondern "in und mit der Bestimmtheit unseres Seins" (CW 64). Daraus folgt
für Schleiermacher - und in seinem Gefolge für Althaus -, daß "nicht die
Schrift als solche, sondern das sich durch die Schrift bezeugende Evangelium...das eigentliche Prinzip, die letzte Autorität der Theologie"
(CW 149) ist; ebenso folgt daraus das Bekenntnis (CW 425.456) zum Ausgang von der Menschheit Christi und zur Besinnung auf den Grund des Glaubens in Jesus Christus. Gegen alle Metaphysik und rational-spekulative
Begründung wendet sich Schleiermachers Begriff der dogmatischen Theologie, mit dem sich Althaus in der 'Theologie des Glaubens', in der das
Dogma die Sprache des Glaubens sein soll, eins weiß (vgl.CW 254). Gerade
darin ist er Positionen von Schleiermacher und Ritschl nahe, aber er
setzt sich immer mehr bald von deren weiteren Folgerungen ab, die er für
Verfälschungen des Ansatzes hält, und, wie M.Doerne sagt, "er vermag
überzeugend zu zeigen, daß er weit davon entfernt ist, den Glauben zur
'Quelle der dogmatischen Erkenntnis' zu machen....Sein Glaubensbegriff
ist entscheidend druch die Begegnung mit Luther, namentlich mit seiner
theologia crucis, bestimmt"[64].

Es sei noch der für Althaus methodische Reiz der Eschatologie Schleiermachers, speziell hinsichtlich des 'Formproblems' (LD^1 50.142,n.3), erwähnt, außerdem die Klarheit, mit der er die Schwierigkeit des Zwischenzustandsgedankens darlegte (LD^1 24). Im übrigen ist es nach Althaus "das
bleibende Verdienst von Schleiermachers Eschatologie" (LD^1 145,n.1), die
Unmöglichkeit aufgezeigt zu haben, "ohne Vergewaltigung der Linien, die
der hoffende Glaube ziehen muß, zu einem einheitlichen Zukunftsbilde, in
dem das Denken zur Ruhe käme, zusammenzuschauen" (LD^1 145).

Vieles, was an Kritik und Lob Schleiermacher galt, steht auch für
Ritschl. Er führte in der Erkenntnis der Offenbarung als praktisch-
ethischer Lebenswirklichkeit den Ansatz Schleiermachers weiter. Althaus
wendet jedoch ein: "Gottes 'für uns' besagt, daß er uns für sich will..
.:Daher ist nicht nur von Gottes Wert für uns die Rede, sondern von dem

Gott, der von uns erkannt und angebetet sein will, also von Gott in seiner Gottheit." (CW 240)[65] Weil bei Althaus an entscheidender Stelle immer wieder gegen monistischen Immanentismus das Paradoxon des Gottesverhältnisses und die Theozentrik an den Tag treten, schließen wir uns dem
Urteil M.Doernes an: "Wer ihm seine Beziehung zu Schleiermacher und seinen Kontakt mit der Dogmatik Ritschls und seiner Schule zum Vorwurf machen wollte, müßte darauf achten, daß dieser Gesprächsbereich gegenüber
der Begegnung mit Luther und den lutherischen Bekenntnissen immer erst
an zweiter Stelle rangiert."[66]

"In dem Kreis der Freunde und Schüler Ritschls stellt W. Herrmann
ohne Zweifel die ausgeprägteste Gestalt dar."[67] Die wesentliche Bedeutung für Althaus hat Herrmann durch seine Aussagen über das Glaubenspro-
blem.[68] Bei der berechtigten Absicht, den Glauben nicht vom Hin und Her,
von der Relativierbarkeit und Revidierbarkeit der historischen Forschungs-
ergebnisse abhängig zu machen, warnt Althaus jedoch vor dem Fehler, die
historische Besinnung zu vernachlässigen, alle Details völlig der Kritik
freizugeben und sich auf das 'innere Leben Jesu' zurückzuziehen (vgl.CW
128 f.247). Außerdem hält Althaus die völlige Vernachlässigung der Universaleschatologie bei Herrmann für ein unberechtigtes Nachgeben gegenüber dem Druck des modernen Denkens (vgl.CW 674).

e) Die Erlanger Tradition

Im Jahre 1925 nahm Althaus den Ruf nach Erlangen an und er blieb dieser
Stadt bis zu seinem Tode treu. "Althaus hat es nie bereut, ein 'Erlanger' geworden zu sein; es ist aber auch wesentlich seiner Wirksamkeit
zu danken, daß diese traditionsreiche Fakultät in diesen Jahrzehnten,
eine zweite Blütezeit erlebte."[69] Bis zur Jahrhundertwende stellt "Erlangen als Hochburg eines freier gerichteten konfessionellen Luthertums,
das in seiner Erfahrungstheologie auch Anregungen Schleiermachers aufgenommen hat , einen echten Schwerpunkt gegenüber dem Göttingen Albrecht
Ritschls und dem Marburg Wilhelm Herrmanns dar"[70]. Da "die Schleiermacher immer wieder aufs neue bewegende Frage nach dem theologischen Gewiß-
heitsproblem auch stets eines der theologischen Hauptanliegen der 'ge-
nuinen' Erlanger bis in die Gegenwart hinein geblieben ist"[71], führt ein
gewisser Traditionsstrang herauf bis zu Althaus und weiter. Der Vorherrschaft des subjektivistischen Ansatzes bei J.Chr.C.v.Hoffmann und F.H.
R.v.Frank suchte L.Ihmels durch seine Betonung der Erfahrung am objektiv

gegebenen Schriftworte abzuhelfen.[72] Dem theo- und christozentrischen Charakter der Offenbarung entspricht nicht theoretische Erkenntnis, sondern vertrauendes Glauben. Das Miteinander von Schrifttheologie und Theologie der Begegnung sollte die Frage nach der Wahrheitsgewißheit beantworten (vgl.CW 428).

R. Seeberg, der in gewissem Sinn "der letzte 'Erlanger'"[73] ist, strebte eine 'moderne positive Theologie' an. Althaus lobt Seebergs Weite und Offenheit in seiner Dogmatik und er meint, es täte uns "heute im Zeitalter der dialektischen Theologie gut, sehr kräftig an die Geschichte erinnert zu werden"[74]; er findet dagegen die zu stark idealistischen Spekulationen über das Fortleben der Seele in Seebergs 'Ewiges Leben'[75] bedenklich, obwohl er sich in seinem eschatologischen Ansatz und in vielen Einzelheiten daselbst mit ihm eng verbunden fühlt(LD^3 11).

Die jüngere Gruppe der Erlanger - Althaus, Elert und Künneth - wollen der Gefahr des Subjektivismus in einer 'Theologie der objektiven Heilsfakten' entgehen: Althaus in einer 'Theologie des Glaubens', Elert in einer 'Theologie des Wortes und der Sakramente' und Künneth in einer 'Theologie der Auferstehung'. An der Erfahrungstheologie kritisiert Althaus die Darstellung der Wiedergeburt als empirisch feststellbare Gegebenheit, von der aus auf den transzendenten Wirker geschlossen werden könnte, also den 'supernaturalen Psychologismus', und erinnert an den Glaubenscharakter und die Bruchstückhaftigkeit all unserer Erfahrung.[76] Trotz dieser Kritik fühlt sich Althaus jedoch der Erlanger Tradition und besonders der durch Ihmels erneuerten Richtung eng verbunden, und er verarbeitet dieses Erbe, indem er es, was Ihmels bereits begonnen hatte, weiter "im Lichte von Luthers Theologie präzisierte und aktualisierte"[77]. Althaus und die jüngeren Erlanger kamen schließlich sogar in den Verdacht des nicht-personhaften Heilsfakten-Objektivismus und der Vernachlässigung der personhaftgeschichtlichen Heilsaktualität, obwohl - wir stimmen darin M.Keller-Hüschemenger voll zu - Althaus "nichts ferner liegt als die Verankerung des die Heilsgewißheit gründenden und nährenden rechtfertigenden Glaubens in einem rein historisch begriffenen Geschichtsfakten-Objektivismus"[78].

f) Das Wahrheitsmoment des deutschen Idealismus

Althaus erkannte sehr wohl die das Evangelium verratenden Tendenzen des deutschen Idealismus, wie sie zumal im Kulturprotestantismus zutage traten. Besonders verheerend waren die Folgen für die Eschatologie: "Die Welt

wächst dem Reiche Gottes entgegen, das Reich Gottes ist im Kommen hinein
in unsere Geschichts-Welt....Die Eschatologie, die Ewigkeits-Gespanntheit
des Christentums verlor jedenfalls in Hinsicht auf das überindividuelle
Leben allen Ton."[79] Doch Althaus stimmte keineswegs der einseitigen Reaktion der dialektischen Theologie zu. "Der krampfhafte Anti-Idealismus
wird sich rächen, weil er eine Wahrheit verschüttet"; der der Theologie
ständig gebotene alte Kampf, nämlich "daß sie mit dem Geistesleben weiter-
gehe und das Evangelium jeweils für ihre Welt so tief und gegenwartsmäch-
tig wie möglich ausspreche", konfrontiert sie auch jetzt noch mit der
"Erfüllung der von der idealistischen Philosophie dem Theologen gestell-
ten Aufgabe"[80]: "das Evangelium zusammenzudenken mit dem Besten, was
deutscher idealistischer Geist geschaut und gedacht hat"; Althaus weiß
dabei um "die Gefahr, die Härte des Evangeliums in einer 'Synthese' zu
verraten an menschliche Gedanken."[81]

Es seien kurz einige von Althaus übernommenen 'Wahrheitsmomente' des
deutschen Idealismus genannt. Er lobt den für seine 'Theologie des Glaubens'wertvollen Kampf des Idealismus gegen den gegenständlichen Gottesbegriff und dessen Einsatz für den Glaubenscharakter der Offenbarungserkenntnis, "ohne doch dabei die dem Idealismus ärgerlich bleibende wesentliche Beziehung des Glaubens auf bestimmte einmalige Geschichtstatsachen
preiszugeben"[82]. Im Gegensatz zu Barths Dualismus sieht er geradezu die
Größe des Idealismus in der Universalität der Gottesbeziehung. Es folgt
daraus die Forderung nach einer 'natürlichen Theologie' oder theologischen Religionsphilosophie, nach einer Theologie der Lebensordnungen,
nach einer Christozentrik, die nicht christomonistisch verengt ist, -
und auch nach einer anthropologischen (und religions-philosophischen)
Grundlage der Eschatologie. Der idealistische Gedankengang sieht in jeglicher Eschatologie die Heilsgegenwart (oder im Vorfeld: die Heilsfrage
und -sehnsucht) als Fundament unserer (zumindest potentiell christlichen)
Hoffnung an. Auch Althaus' Hoffnung hat ein natürliches Vorfeld in der
Heils-(bzw. Sinn-)frage und -sehnsucht des Menschen (Grund-Eschatologie)
und eine eigentliche Grundlage in der Heilsgegenwart (Sinnantwort) durch
Christus (Christo-Eschatologie). Es scheint mir besonders bedeutend, wenn
Althaus in diesem Zusammenhang die Rechtfertigungsfrage der Sinnfrage so-
gar nachordnet, eine Einsicht, die auch für heute besonders aktuell ist:
"Das Wort von der Rechtfertigung in seinem reformatorischen Sinne trifft,

aufs große gesehen, nicht auf eine in unserer Zeit lebendige Frage. Als
tiefste Not wird im allgemeinen nicht die Heillosigkeit, sondern die
Sinnlosigkeit erfahren."[83] - Diese Differenzierung, die dem Schlatterschen Zuge des Althaus'schen Denkens nahesteht, könnte Einseitigkeiten
einer extremen, nur heils-existentiellen Rechtfertigungslehre verhindern
und indirekt die berechtigte relative Eigenständigkeit der Schöpfungsebene und zugleich deren wesentliche dynamische Hinordnung auf die geschichtliche Heilsordnung, also den 'Anknüpfungspunkt' und die Gratuität
der Erfüllung anzeigen, ohne daß Sein und Sinn, Vermittlung und Differenz
in ein falsches Verhältnis gesetzt werden. - Da der Sinn aller Geschichte
letztlich Gottes kommendes Reich ist, welches alles unser Tun und Kulturschaffen 'meint', liegt das Wahrheitsmoment des Idealismus in der Eschatologie vor allem auch in der Betonung der Kontinuität, sei es in der
Sicht der Unsterblichkeitslehre, in der Lehre vom neuen Leib und der neu-
en Welt und in der Bedeutung des kulturellen Schaffens für die kommende
Welt. Die schon geschehene Versöhnung, also das synthetische Element des
idealistischen Denkens, wird in seinem Wahrheitskern von Althaus zu wahren versucht. A.a.W.: gegen Barths Theologie der totalen Krisis - und gegen heutige Strömungen der vollen Futurisierung der Eschatologie in der
'Theologie der Hoffnung' und totalen 'Revolution' - hält Althaus an der
von Hegel herausgestellten Wahrheit fest, daß die Begründung der Eschatologie auf der Gegenwart, die Zuversicht der Hoffnung auf der jetzigen
Glaubensgewißheit beruht. - Ist aber auch seine Rechtfertigungslehre weit
genug (im angedeuteten Sinne der Einbeziehung der Sinnfrage), um dieses
Wahrheitsmoment ganz (auch in die Soteriologie) zu integrieren?

g) Sören Kierkegaards und Karl Heims 'Existentialismus'
Neben all den genannten Strömungen ist "gleichzeitig lebhafter Einfluß
einiger Grundgedanken Kierkegaards"[84] nicht zu unterschätzen. Kierkegaard
sagte jedem Versuch, die Wahrheit des Christentums durch historisches
oder spekulatives Denken in den Griff zu bekommen, den Kampf an. "Darum hat
man sie nicht als allgemeine theoretische, weitergebbare Wahrheit, sondern nur in der Aktualität der Entscheidung für sie."[85] Für alle, Jesu
Zeitgenossen und uns, bleibt nur der streng am Glauben ausgerichtete
christliche Erkenntnisweg. Unsere tiefste Wirklichkeit ist nämlich die
des ständig Gerufenseins von Gott (vgl.LD[4] 105-109). "Es war vor allem",
bekennt Paul Althaus, "der 'Existentialismus' seiner Erkenntnistheorie,

von dem man lernte....Diese Gedanken, die übrigens im Zuge von Luthers
theologia crucis liegen,...sind keineswegs zuerst oder ausschließlich
durch die sogenannte dialektische Theologie vertreten. Zuerst hat K.Heims
Dogmatik ihnen in der systematischen Theologie die Bahn gebrochen."[86]
Althaus legt verschiedentlich darauf Wert, besonders gegen Holmströms
These vom entscheidenden Einfluß K.Barths, diesen frühen Einfluß K.Heims
zu betonen, vor allem durch dessen kurzen 'Leitfaden der Dogmatik' (1912)[87]
Da Glaube und Inkognito zusammengehören, ist die Not der Kritik und des
Relativismus geradezu "Pädagog zum Glauben" und sie erinnert daran, "daß
der Glaube wirklich Entscheidung, Einsatz, Hingabe, Sache des ganzen Menschen ist"[88]. Der Zwiespalt zwischen unserer Glaubenserkenntnis der Wirklichkeit Christi und den schwankenden Methoden und Ergebnissen der historischen Forschung ist sogar konstitutiv für den Glauben.

Wenn aber die ständige Unsicherheit und Not der historischen Forschung
zur Voraussetzung der Möglichkeit echten Glaubens gemacht werden, ist damit der gordische Knoten des Problems 'Glaube und Geschichte' nicht eher
durchhauen als gelöst?[89] - Soweit Althaus dieser Tendenz nachgibt, ver-
blassen seine Differenzierungen, verlieren das Schöpfungsmoment und seine Verwahrung gegen hamartiozentrisches Denken an Nachdruck und sind Paradox und Antinomie in Gefahr, zu einseitig als theologische Methoden verwendet zu werden. Von dieser Richtung erfährt das Schlattersche Schöpfungs-
denken und die Betonung des 'Natürlich'-Kontinuierlichen einen Gegenschlag
durch ein mehr geschichtsfremdes, rein heilsexistentielles Abbruchdenken,
bedingt durch die zu enge Verbindung von geschöpflicher Zeitdimension und
Sünde.[90] Heim und Althaus haben zurecht die durch die Offenbarung notwendig gegebene Spannung mit der jetzigen Weltgestalt und die Unhaltbarkeit
der Endgültigkeit dieser Situation gesehen. Mit der Antinomie jedoch ist die
Frage nicht gelöst,sondern erst recht gestellt. Althaus weiß um das hier
gegebene Problem, wenn er zugleich zu einer 'Kritik der Kritik', zum apologetischen Kampf auf historisch-biblischem und religionsgeschichtli-
chem Gebiete und zur Abwehr einer an wildem Skeptizismus erkrankten Historie aufruft.[91]

Was Althaus hinsichtlich der Eschatologie im allgemeinen sagt, gilt
für ihn ganz besonders: "Auch im besonderen aus der Eschatologie läßt
sich Heims Wirkung nicht fortdenken. Sein Name hätte in Holmströms geschichtlichem Überblick über die Voraussetzungen der neuen Eschatologie

seit 1922 nicht fehlen dürfen....Mir scheint, daß man die letzten Seiten von Heims Leitfaden in einer Geschichte der Eschatologie seit 1922
nicht übergehen darf."[92] Althaus verweist auf Heims "verwandte Gedanken"
über das dialektische Verhältnis von Ewigkeit und Geschichte (LD[1] 63,n.1)
und erwähnt "die farbigen Ausführungen" (LD[1] 136,n.2) Heims über den Zusammenhang der jetzigen und der kommenden Welt. Sein "bei allem Unterschiede nahes Verhältnis zu Heims streng aus seinem dogmatischen Entwurf
folgender Eschatologie" (LD[3] 11f) zeigt sich wohl am besten in der'Eschatologie der Spannungslösung', die Heim erstmals im Jahre 1912 skizziert
hat. Weil die Befreiung von der Sünde die Aufhebung unserer jetzigen,
durch den Urfall entstandenen Weltform voraussetzt, ist die Antinomie die
absolut notwendige Form unserer Ewigkeitsaussagen (vgl.LD[1] 131,n.1). Da
Christus als "der tragende Grund aller Zwecksetzung" jeder Zeit gleich
nahe ist, - da er also m.a.W. nicht nur "das konkrete Weltziel der Zukunft", sondern "gleichzeitig...der ewige Gott, in dem die ganze Kategorie der Zwecksetzung ausgeschaltet ist, für den Gegenwart und Zukunft,
Weg und Ziel in eines zusammenfällt,"[93] ist, wird die Eschatologie höchst
aktuell: das Tun des gegenwärtigen Augenblicks hat Ewigkeitsbedeutung;
die Eschata, also Gericht und Parusie Christi, ereignen sich bereits auch
jetzt, also nicht nur als endzeitliche, sondern auch als überzeitliche,
gegenwärtige Ereignisse.

Karl Heim ist auch von entscheidender Bedeutung für Althaus' Stellung
zur Wiederbringung aller: einerseits ist der Apokatastasisgedanke Erfordernis des sittlichen Tuns, andererseits wäre die Wiederbringung aller
Zerstörung alles sittlichen Tuns. Auch die in der Spannungslösungs-Escha-
tologie geschehene Absage an jeden falschen Fortschritts- und mißverständlichen Vollendungsgedanken wurde von Althaus begeistert aufgenommen.
Gegen allzu polemische Ablehnung der endgeschichtlichen Eschatologie
wirkt in den späteren Auflagen von LD Heims gemäßigte Ansicht nach, daß
der Jüngste Tag in seiner geschichtszugekehrten Seite auch ein letzter
Zeitpunkt sei (vgl. LD[4] 242); er nimmt gegebenenfalls sogar wie Heim die
Zeit als Generalnenner für geschichtliche Zeitlichkeit und die Form der
Ewigkeit, um den Vorwurf der Zeitlosigkeitsspekulation zu unterdrücken
(LD[4] 325). Auch das Bild von der von allen Seiten umströmten Insel kommt
bei Heim vor.[94] Eins weiß sich Althaus mit Heim im Gegensatz zur katholi-
schen Eschatologie. "Nach dem katholischen Christusverständnis tritt die

Wendung schon mit der Auferstehung Jesu ein. Wir stehen seitdem in der
Machtperiode Jesu. Nach dem protestantischen Christusverständnis dagegen kommt die Entspannung der Weltlage erst mit dem Ende der jetzigen
Welt."[95] Sehr anerkennende Worte findet er für die Rettung der urchristlichen Eschatologie gegen die platonisierenden Tendenzen Ritschls, Barths,
Bultmanns u.a.: "Heims Buch ist in seinem zweiten Teile die eindruck-
vollste Darstellung und geistesmächtigste Begründung des urchristlichen
Auferstehungs- und Endglaubens innerhalb der neueren Theologie."[96] Er
lehnt jedoch Heims "Satanozentrik" scharf ab und fordert, daß auch die
Entrechtung des Satans theozentrisch verstanden werde "als Wirkung des
zwischen Gott und der Menschheit sich begebenden Versöhnungsaktes"[97].

Schließlich sind noch Heims neue Perspektiven in der Zeit-Ewigkeits-
Problematik kurz zu erwähnen: Für Heim ist die Zeit das Dasein der gefallenen Schöpfung. Das von Gott heraufzuführende Telos bringt "die Enthüllung eines verborgenen Gottesgehaltes der Zeit, also 'apokalypsis'";
wenn Gott die höchste Realität ist, ist die Aufhebung der Zeitform und
somit die 'Erfüllung' der Zeit "Sache Gottes. Nur er kann die Antinomie
der Zeit lösen."[98] Wenn auch diese Sicht Heims teils noch stark von Kant
und dessen erkenntnistheoretischen Prinzipien bestimmt sein mag, so ist
doch hier die einseitig überzeitliche Betrachtung durchbrochen und der
Blick für eine teleologische Eschatologie, die wieder mehr die Geschichte bewertet, freigegeben, denn jede Zeit "hat zwar von der einen Seite
gesehen dasselbe Verhältnis zur Ewigkeit wie jede andere Zeit, denn jede Zeit ist Entscheidungszeit. Und doch hat jede Zeit - von der anderen
Seite betrachtet - ein eigenes Verhältnis zur Ewigkeit, das keine andere
Zeit hat. Denn sie hat eine bestimmte Stelle innerhalb der gerichteten
Zeitlinie"[99]. In der allmählichen Betonung dieser 'nachgeschichtlichen'
und heilsgeschichtlichen Komponente hat Heim sicherlich auch auf die
ähnliche Entwicklung Paul Althaus' eingewirkt.

h) Ja und Nein zu Ernst Troeltsch

Althaus findet an Troeltschs RGG-Artikel 'Eschatologie' "wertvoll die
Entwicklung der Probleme und Möglichkeiten aller Eschatologie" (LD[1] 15,
n.1;vgl.DeD 129); besonders bedeutsam für ihn (vgl.LD[1] 18,n.2;LD[4] 18)
ist, daß "der viel zu schnell in der Theologie beschwiegene und verges-
sene Ernst Troeltsch"[100] als erster von der Gegenwärtigkeit letzter Dinge als 'Eschatologie' spricht, und zwar im Sinne einer 'axiologischen

Eschatologie'. Sicherlich hatte diese mehr wertontologische Komponente in Troeltschs Eschatologie auf Althaus Einfluß und hatte eine gewisse 'nachkantische' ethisch-axiologische Färbung zur Folge. Althaus' eigene Verweise auf die Wertphilosophie zeigen, daß er in seiner Frühzeit tatsächlich zu unkritisch diese Terminologie und damit nolens volens auch sachliche Momente der Windelbandschen oder Troeltschen Wertlehre übernahm, welche der biblischen Botschaft zumindest fremd waren (vgl.LD[1] 16-18). Er selbst erkennt später diese idealistischen Gefahren und will sie durch stärkere biblische Fundierung beseitigen. Auch versucht er die Gefahr des Immanentismus und Subjektivismus, die in einer solchen Eschatologie der Empfindung des Absoluten liegt, durch die Betonung der Objektivität ihres Normcharakters und der notwendig geschichtlichen Gebundenheit der christlichen Eschatologie zu bannen. Darin lag ein Verdikt über Troeltschs Idealismus und Psychologismus.

Gegen die das Christentum auflösenden Tendenzen Troeltschs kannte Althaus nur ein klares Nein, er sah aber in Troeltsch auch eine Stütze gegen das andere Extrem Barths und anerkannte, daß Troeltsch versuchte, "die Theologie aus der Enge des Christozentrismus Ritschlscher Prägung herauszuführen und die Verbindung mit Philosophie, allgemeinem Geistesleben und natürlicher Religion neuzuknüpfen"[101]. Aus beider Fehlhaltung, der völligen Relativierung der endlichen Welt, folgen bei Barth Supernaturalismus und Christomonismus, bei Troeltsch Historismus und Relativismus. Althaus sieht seinen Versuch eines Mittelweges vor allem als Antwort auf beide. "Althaus' own theology of the religions was not Barth's full 'no', but a qualified, restricted version of Troeltsch's 'yes'."[102]

i) Emanuel Hirsch und sein ethischer Personalismus
Auf keinen Fall ist der Einfluß, den Althaus' Jugendfreund E.Hirsch auf ihn machte, zu unterschätzen. Hirsch gehört zu "den ihm von Haus aus Näherstehenden"[103]. Schon im Jahre 1919 bekennt er: "Mit Hirsch berühren sich meine Gedanken über Geschichte, Gerechtigkeit und Pazifismus weithin. In vielem einzelnen hat Hirsch an meiner Auffassung mitgearbeitet."[104] Drei Jahre später gesteht er: "Ich habe auch sonst für die Kritik des Evolutionismus und ihre Erweiterung auf 'die Keimzelle der ganzen Anschauung, die urchristliche Vorstellung vom Endreiche' viel von ihm gelernt."(LD[1] 69,n.1) Die Absage an den Entwicklungsgedanken ist die Kehrseite der Auffassung von unserem geschichtlichen Leben als ständigem,

radikalem Entscheidungsleben, das ob seiner ausschließlichen sittlichen Komponente das Kampfgesetz alles Natürlichen zur Voraussetzung hat
(vgl.LD^3 51,n.1). Hirschs eigene Geschichtsdeutung ist ein streng durch-
geführter ethischer Personalismus. Der Unterschied von Gut und Böse bestimmt die Zeit im geschichtlichen Sinne, denn "allein kraft dieser un-
begreiflichen Wirklichkeit des Bösen gibt es nun eine Geschichte"[105].
Hirsch lehnt also einen rein formalen Zeit- und Geschichtsbegriff, d.
h. ohne die Beziehung zum Bösen, ab. Einerseits verwahrt er sich gegen
idealistisches hamartiozentrisches Denken, andererseits kommt er selbst
in Gefahr, die Schöpfung nicht nur als Zerspaltenheit, sondern auch als
notwendig böse setzen zu müssen, da es sonst keine Geschichte gäbe.
"Schon in der Schöpfung zielte Gott auf den Entscheidungskampf zwischen
Gut und Böse hin."[106] - Hier ist u.E. die Sünde zu sehr Teil der menschlichen Überlegungen und des Systems geworden. Es wirkt sich hier die
einseitige Betonung von 'Gottes Alleinwirksamkeit' aus, so daß selbst
das Böse in Gottes Plan "mitgedacht und mitgewirkt"[107] ist. Ist diese
Behauptung nicht doch ein Wissen um das Jenseits der Geschichte, das uns
aber von Hirsch selbst abgesprochen wird, und widerspricht der "aufrich-
tigen Anbetung des wunderbaren Herrn der Geschichte"[108] nicht die vollzogene Rationalisierung des Bösen, die durch die systematisierende Unterordnung unter die Alleinwirksamkeit Gottes geschehen ist? Liegt darin
nicht doch noch eine gefährliche Nähe zum Idealismus und verliert durch
diese "träumende Vorwegnahme der Lösung"[109], daß alles, selbst die Sünde,
eine einzige gnädige Führung Gottes sei, nicht wieder das Entscheidungsleben seinen vorher so beschworenen Ernst? Ist nicht Althaus in Hirschs
Nachfolge von den hier aufgezeigten Gedanken noch zu sehr befangen (vgl.
LD^3 243,n.1), wo das heilsexistentielle Denken auch bei ihm das ontologische Denken auszuschließen droht und die Ansätze dazu sich nicht entwik-
keln läßt?

Entscheidungsgeschichte hat aufgrund ihres bipolaren Charakters kein
Endziel, also keine Teleologie. Um aber von der Einheit der Geschichte
sprechen zu können, kommt zu der den Einzelnen betreffenden Lehre vom
Entscheidungsleben die die Gemeinschaft betreffende organische Lebens-
auffassung hinzu; der Dienst an der irdisch-geschichtlichen Gemeinschaft
bereitet uns vor für die Gemeinschaft im Heiligen Geiste, für Gottes ewige Gemeinde. Althaus meint allerdings, an diesem Punkt über Hirsch hinaus-

gehen zu müssen durch die Lehre eines eigenen Sinnes von Natur und Kultur (LD[3] 253,n.2).Nach Hirsch entsprechen sich die Geschichtsauffassung L.v.Rankes von der Unmittelbarkeit jeder Epoche zu Gott und der ehtische Personalismus: "Diese 'Unmittelbarkeit der Geschichte unter göttlicher Leitung' aber ist bedingt durch ihre Verwurzelung in der Unmittelbarkeit der vor Gott zu verantwortenden persönlichen Entscheidung."[110] Den Schritt, den Hirsch vollzogen hat, möchte auch Althaus tun: "Wir wünschen nichts anderes, als daß auch die Theologie in ihrer Art den Schritt der allgemeinen Geschichtsphilosophie von Hegel zu Ranke mache." (LD[3] 178;vgl.LD[3] 174,n.1)-Kann Althaus, wenn er diesen Schritt von Hegel zu Ranke tut, verhindern, daß Heilsgeschichte fast ausschließlich in der vertikalen Richtung ('dritte Geschichte') und in der Innerlichkeit geschieht und daß die horizontalgeschichtliche und die leibhaftig-inkarnatorische Dimension arg vernachlässigt werden, wie es auch bei Hirsch der Fall ist? Freilich meldet sich bei Althaus auch ein 'Kontrapunkt', der Hirschs systematisches theozentrisches Einheitsbedürfnis und die daraus folgende Vernachlässigung des lutherischen 'propter Christum' kritisiert.[111] Auch im Verständnis des Reiches Gottes "bekundet Althaus eine kritischere Distanz zum deutschen Idealismus als E.Hirsch, der betont in der Nachfolge Fichtes steht"[112].

j) Rückblickende Anfrage

Wir glauben gezeigt zu haben, daß es sich bei den von uns angeführten Autoren und Strömungen um echte Einflüsse und Abhängigkeiten handelt,nicht bloß um "'similarities', or at the most, secondary influences," wie P. Knitter meint.[113] Am Ende dieses Abschnittes können wir mit A.Ahlbrecht sagen: "Diesen geistigen Hintergrund müssen wir im Auge behalten, wenn wir die Aussagen der evangelischen Theologie der Gegenwart richtig beurteilen wollen. Bei der starken Beziehung dieser Theologie zu den geistigen Bewegungen des vergangenen Jahrhunderts würden wir die Beurteilung falsch ansetzen, wenn wir ihre Aussagen lediglich als Antithesen etwa zur lutherischen Orthodoxie oder kar zur katholischen scholastischen Lehrtradition verstehen wollten."[114] Es gilt dies ganz besonders von unserem Autor, denn "ein so lebendiger Geist wie Althaus, der offen ist für alle Strömungen der Zeit, läßt sich nicht einseitig und ausschließlich durch einen Denker bestimmen. Irgendwie ist die gesamte theologische Problematik der Gegenwart in dieser so reich gestalteten und konkret-lebendigen

Offenbarungslehre (wir ergänzen: und Eschatologie) verarbeitet."[115]
Statt in diesem Rückblick noch einmal die aufgezeigten Einflüsse zu
wiederholen, sei als Zusammenfassung die sich daraus ergebende Anfrage
gestellt: Lassen sich alle diese von Althaus aufgenommenen Anliegen ver-
einen? Wenn sie nur 'Wahrheitsmomente' sind, dürfte es tatsächlich nicht
zu direkten Brüchen, sondern nur zu berechtigten Spannungen kommen. Sind
die oft schillernden Aussagen Althaus' immer nur zwei notwendige Seiten
der einen Wirklichkeit oder kommt es auch in gewissen Punkten zur Vorherrschaft einer 'Denkform', deren Zusammenspiel oder 'friedliche Ko-
existenz' mit anderen Wahrheitsmomenten nur äußerlich ist? Dies besagt,
daß wir fragend - hinsichtlich ihrer Rechtfertigung oder möglichen Un-
vereinbarkeit - die Spannungen in Althaus' Denken im Auge behalten müssen, etwa (es seien hier beispielhaft einige genannt, freilich in der
Gefahr einer allzu vereinfachenden und deshalb entstellenden Schematisierung) zwischen Gottes schöpferischer und teilgebender Liebe (Schlatter) und dessen nahezu eifersüchtiger Alleinwirksamkeit (Kierkegaard,
Hirsch), zwischen Grundoffenbarung (Schlatter,Troeltsch,Hirsch) und dem
Paradox der Christusoffenbarung (Kierkegaard,Heim,Barth), zwischen guter
Schöpfung und Geschichte als Offenbarung (Schlatter,R.Seeberg,Idealismus)
und der von Anfang an mit Sünde und Bösem vermengten und unter dem Todesgesetz stehenden Schöpfung und Geschichte (Heim,Hirsch,Luthers 'sub
contraria specie'), zwischen Evangelium und Gesetz (Schlatter,Troeltsch)
und dem Gegensatz Gesetz-Evangelium (Luther,Erlanger), zwischen Schöpfungstheologie (Schlatter) und Rechtfertigungstheologie (Kähler,Holl),
zwischen Christologie von unten (Schleiermacher,Ritschl) und Christologie von oben (Kierkegaard,Heim), zwischen Geschichtsorientiertheit
(Schlatter,Idealismus,Troeltsch) und einseitigem zur Ewigkeit unmittelbaren Personalismus (Hirsch, v.Ranke) oder Worttheologie (Kierkegaard),
zwischen Betonung der Tat und des Werkes (Schlatter) und der Bedeutung
der inneren Entscheidung und Gesinnung (Kierkegaard,Hirsch), zwischen
ontologischen Ansätzen (Schlatter) und heilsexistentiellem Denken (Luther,Kierkegaard,Stange), zwischen religionsphilosophischer (Troeltsch)
und christlicher (Kähler,Erlanger) Grundlage der Eschatologie, zwischen
Eschatologie, die mehr ist als Soteriologie (Schlatter) und Eschatologie,
die 'nur Soteriologie' ist (Kähler), zwischen möglichem Analogiedenken
(Schlatter) und radikalem Abbruch denken (Kierkegaard,Heim,Barth),zwi-

schen Unsterblichkeitsgedanke (Schleiermacher,Idealismus,Troeltsch,Heim) und Ganztodtheorie (Stange). - Nur eine systematische Untersuchung der Prinzipien von Althaus' Theologie wird auf unsere Anfrage eine Antwort zulassen.

2. Kapitel: Die eschatologische Problematik: uneschatologische und nureschatologische Theologie als zwei Extreme

1. Ursprung der Situation in der Aufklärung und bei Kant

Um den Verdacht der Enge des historischen Problembewußtseins, wie sie P.Cornehl der gegenwärtigen eschatologischen Diskussion vorwirft, zu entgehen, also um "die notwendige historische Tiefe"[1] als Hilfe zum Verständnis der gegenwärtigen Lage zu haben, nennen wir als eine der entscheidendsten Wurzeln unserer jetzigen geistigen Situation die Aufklärung. Damit man dem Anspruch der Vernunft gerecht werde, sucht man nach einem Standpunkt über der Geschichte, der man nur Endliches, Zeitliches und Relatives entnehmen zu dürfen glaubt. Die Aneignung des überlieferten eschatologischen Lehrgutes vor dem Forum der Vernunft wird dadurch problematisch. Im Prozeß der Rationalisierung der Geschichte und deren Eingemeindung in die Grenzen der - immer mehr subjektiven - Vernunft künden sich bereits Kant und das 19.Jahrhundert an. Vom Geschichtlichen wendet man sich immer mehr zum zeitlos Sittlichen, das in der Polarität zwischen dem Anspruch (Sollen) und der göttlichen Weltordnung (Sein)erfahren wird und darin die Hoffnung auf künftige Unsterblichkeit und Versöhnung begründet.[2]

Der Ratio, die noch den Sprung ins Jenseits wagte und neben der der Glaube noch sinnvoll seinen Platz einnehmen konnte, wurde der Boden entzogen, als Kant der alten Metaphysik samt den hergebrachten Gottesbeweisen im Nachweis der Unmöglichkeit synthetischer Urteile a priori den Abschied gab und den Glauben gleichsam im luftleeren Raum stehen ließ. "Eine apriorische Erkenntnis der Dinge an sich und damit auch der letzten Dinge im eschatologischen Sinne ist nicht möglich"[3], weshalb die Eschatologie nur noch ein Postulat der praktischen Vernunft sein kann. Sie ist damit bereits in Gefahr, nur Extrapolation der menschlichen moralischen Existenz zu sein, von der man sich später - in diesem innerwelt-

lichen Denken zurecht - als Verdrängung und Projektion zu befreien ver-
langte. Althaus sah klar die theologische Konsequenz des kantischen Kritizismus, nämlich die Einengung jeder Aussage über Gott auf die Bestimmung des Gottesbewußtseins des Menschen: "Es gibt also keine 'Heilstatsachen', durch die als solche Gott gehandelt hat, sondern es gibt nur
besondere geschichtliche Wirklichkeit, die uns, wenn wir ihr begegnen,
in unserem Gewissen zum Glauben bestimmt."[4] - Da die drei der menschlichen Vernunft unentbehrlichen Ideen (unsterbliche Seele, Kausalität aus
Freiheit, weltüberlegener Gott) nur regulativen Gebrauch haben, muß der
Mensch ständig nach diesem alles Bedingte übersteigenden Unbedingten stre-
ben, ohne es zu erreichen und ohne über dessen 'objektive' Wirklichkeit
etwas sagen zu können.[5] Althaus kritisiert deshalb Kants Unsterblichkeits-
postulat; sein Versuch sei zwar bedeutungsvoll als Ausdruck der "Notwendigkeit, mit der alle ernsthaft sich besinnende Sittlichkeit durch den
Hiatus zwischen Gesetz und Leben irgendwie zu der Ahnung persönlicher
Fortdauer geführt wird, mag es sich dabei um das Gericht oder um die Möglichkeit weiterer Vollendung handeln" (LD[1] 33 = LD[3] 27), aber diese Begründung "weist in der Tat hinter sich zurück und über sich hinaus auf
Luthers Rechtfertigungsgedanken" (LD[1] 32f = LD[3] 27).

Da nach Kant sowohl die anfangs- und endlose Zeit als auch die anfan-
gende und endende Zeit einen Widerspruch enthalten, befreit sich Kant aus
diesem erkenntnistheoretischen Dilemma, indem er Ding an sich und Erscheinungswelt unterscheidet und die Zeit (und den Raum) als apriorische Form
der Anschauung der zweiten zurechnet. Damit ist alle Erkenntnis an die
Zeit als Form der inneren Anschauung und zugleich an Erfahrungsgegenstän-
de gebunden. Der hier begründete Formalismus, in dem Kant nicht ganz zu
Unrecht eine gewisse Nähe zur Mystik und zur platonischen Zeitlosigkeitsspekulation vorgeworfen wird (vgl.DeD 108f. 146), wird für Generationen
die Diskussion um Zeit und Ewigkeit bestimmen und auch bei Althaus, besonders in seiner Frühperiode, nicht ohne geringen Einfluß sein. Mit dem
Ewigkeitsgedanken beschäftigt sich Kant in seinem Schriftchen 'Das Ende
aller Dinge' (1794). Ewigkeit ist nicht unendlich fortgehende Zeit, sondern begrifflich nicht faßbares Ende aller Zeit. Da eine endgeschichtliche Katastrophe als zeitlich letzter Tag widersprüchlich ist, "so muß
die Vorstellung jener letzten Dinge, die nach dem jüngsten Tag kommen sollen, nur als eine Versinnlichung des letztern samt seinen moralischen,

uns übrigens nicht theoretisch begreiflichen, Folgen angesehen werden";
weil uns jedoch das Gewissen über die Fortsetzung des guten oder bösen
Prinzips belehrt, ist es weise, "so zu handeln, als ob ein anderes Leben, und der moralische Zustand, mit dem wir das gegenwärtige endigen,
samt seinen Folgen, beim Eintritt in dasselbe unabänderlich sei"[6]. Der
heroische Glauben an die Tugend, d.h. den sittlichen Fortschritt der
Menschheit, löst den Glauben an ein überweltliches Eschaton ab. Kant
sieht zwar in der sittlichen Verfassung des Christentums, die in der
Liebe gipfelt, noch "ein unentbehrliches Ergänzungsstück der Unvollkommenheit der menschlichen Natur"; es ist jedoch eine 'Religion innerhalb
der Grenzen der bloßen Vernunft', denn Jesus ist nur der, "der seinen
Mitmenschen ihren eigenen wohlverstandenen Willen, d.i. wonach sie von
selbst freiwillig handeln würden, wenn sie sich selbst gehörig prüften,
ans Herz legt"[7]. Da das Reich Gottes der vornehmste Inhalt und Gehalt
der praktischen Vernunft ist, stehen nunmehr Ethik und Geschichte thema-
tisch im Zentrum. Die kirchliche Verkündigung der christlichen Botschaft
ist jetzt noch notwendiges Durchgangsstadium 'Zum ewigen Frieden',[8] aber
Aufklärung, Bildung und später der technische Fortschrittsglaube werden
sie bald ganz entbehrlich machen.

Als Möglichkeiten für Religion und somit Eschatologie bleiben nur zwei
Wege[9]: Im ersten Weg wird ein vor der theoretischen Vernunft sicheres,
sturmfreies Gebiet im System (also system-immanent) als religiöses Apriori ausgespart, das die Religion als zentrales menschliches Grundgesetz
zuläßt: Religion wird in der Geschichte als Ganzheit oder aber (in Flucht
vor dem Historizismus) in der Innerlichkeit des persönlichen Lebens (Gefühl,Wille,inneres Leben) begründet. Aber da das Absolute einmal aus dieser Welt und Geschichte hinausgeschafft, bzw. 'eingemeindet' worden war,
endeten folgerichtig auch diese Versuche im Relativismus des Historismus, Psychologismus und Evolutionismus. Weil Gott an sich die theoretische Vernunft übersteigt, kann er nur 'gerettet' werden, indem er innerhalb deren Grenzen angesiedelt wird, d.h. indem er und somit die Eschatologie Teil des Systems werden, in monistischer oder dialektischer Iden-
titätsphilosophie. Wenn man auch zunächst noch von Gott spricht, so muß
es notwendig zum 'Tod Gottes' führen; wenn man auch von Eschatologie redet, so ist in Wahrheit 'das eschatologische Büro längst geschlossen'.

Der zweite von Kant her mögliche Weg, den die dialektische Theologie

gegangen ist, gibt die Reltivität aller Erkenntnis, die Nichtigkeit aller irdischen Wirklichkeit, die Immanenz alles Zeitlichen zu, ja radikalisiert sie - und will dialektisch dem Kampf zwischen Geschichte und Vernunft entgehen, indem man glaubt, sich ansiedeln zu können im sturmfreien
Gebiet des reinen überweltlichen Wunders, des von vornherein unserer Kritik entzogenen Göttlichen, das in absoluter Exklusivität zum Geschichtlichen und Zeitlichen steht. Nicht von innen heraus werden Historismus
und Psychologismus überwunden, sondern die absolute Transzendenz kommt
damit gar nicht in Konflikt, denn "Gott ist im Himmel, der Mensch aber
auf Erden!" (RB^2 XIII) Die 'divinisierte' Form der Eschatologie trat an
die Stelle der 'säkularisierten', die nureschatologische Theologie an
die Stelle der uneschatologischen; beide entstammen derselben philosophischen Wurzel.[10]

2. Uneschatologische Theologie des 19.Jahrhunderts
a) Vertreter: Schleiermacher, Hegel, Ritschl, Troeltsch[11]

Nachdem Kants Kritik die Versuche der Aufklärung, eine rationale, aus
einigen für alle einsichtigen Sätzen bestehende Religion aufzubauen, zer-
schlagen hatte, rettete Schleiermacher die Religion als originäre Realität, indem er sie im Gefühl,dem "Sinn und Geschmack fürs Unendliche"[12],
ansiedelte. Religion als ursprüngliche Erfahrung des Unendlichen und
unserer schlechthinnigen Abhängigkeit überwindet deren Ableitung aus der
Moral."'Mitten in der Endlichkeit Eins werden mit dem Unendlichen und
ewig sein in einem Augenblick, das ist die Unsterblichkeit der Religion'
(Über die Religion, S.74). Alle präsentische Eschatologie des Idealismus wird später an diesen Satz Schleiermachers anknüpfen"[13]. Die ganz
sekundäre futurische Komponente kann, wenn überhaupt, nur noch aus dem
Vollgefühl gegenwärtiger Identität, die gleichsam ein Versprechen auf
Zukunft enthält, entfaltet werden. "Die Grenze der Subjektivität öffnet
sich nicht mehr, darin bleibt Schleiermacher der Gefangene der Kantischen Wende ins Subjekt."[14] Auch wenn er die Absolutheit des Christentums in der höchsten Form religiösen Bewußtseins retten und an der persönlichen Fortdauer sowie einem eschatologischen Eingreifen Christi
festhalten will, so ist nicht zu übersehen, "daß jede Spannung des Har-
rensauf die Erlösung fehlt....Das Christentum lebt, der fortschreitenden 'Verwirklichung' der Erlösung in der Zeit gewiß, sicher in der Gegenwart"[15]. Da der Heilige Geist und der idealistische in der Geschichte

fortschreitende Geist ineinander übergehen, führen sie die Kirche zur
vollkommenen Erkenntnis, so daß die Kirche der letzten Tage die Gemeinde
der reinsten Erkenntnis Christi ist (vgl.LD[3] 127-130). Was gemäß Schleiermachers "idealistischem Monismus des Geistes"[16] nicht in die Bewußt-
seins- und Erlebnistheologie der christlichen Persönlichkeit paßt, wird
geopfert, so die kirchlichen eschatologischen Lehren, die ja doch nur
"Versuche eines nicht hinreichend unterstützten Ahndungsvermögens "[17]
sind.

Schleiermachers uneschatologischer Immanenzgedanke rief über kurz oder
lang nach dem Pendelschlag in der Gegenrichtung der nureschatologischen
Transzendenz, wie er in der dialektischen Theologie erfolgte. Für alle
dann folgenden Schleiermacher-Kritiken sei hier nur die schärfste und
lautstärkste genannt: Emil Brunners 'Die Mystik und das Wort'. Er deutet selbst im Nachwort die beiden Pendelschläge an:

> "Schleiermachers ganzes Denken (und das all seiner
> theologischen Nachfahren) ist bestimmt durch das Wort:
> Und, das Göttliche, das zugleich das Menschliche; das
> Geistige, das zugleich das Natürliche; das Gottesreich,
> das zugleich die Geschichte ist, – Gott und die Humani-
> tät, so lautet sein Programm. Hat denn neben Gott ein
> Und Platz?....Wenn in der Theologie Schleiermachers das
> Wörtlein Und das Entscheidende ist, so steht und fällt
> biblisch-reformatorischer Glaube mit dem Worte Solus, ob
> wir dabei mehr an das Lutherische Sola fide oder an das
> Calvinische Soli Deo Gloria denken. Mit diesem 'Gott al-
> lein' ist alles gesagt, was sie meinten."[18]

Althaus wird versuchen, die "klare Disjunktion"[19] zu überbrücken und ins
rechte Lot einzupendeln, nicht durch ein identifizierend einschließen-
des 'Und' oder durch ein jegliche Beziehung ausschließendes 'Solus', sondern durch sein Vermittlungsprogramm 'Gott in der Geschichte'.

Die sich gerade jetzt wieder ständig ablösenden Hegel-Renaissancen
zeigen, daß das Problem seines großangelegten Versuches, nach der latenten Aufspaltung durch Kant die moderne Welt wieder mit der christlichen
Lehre zu versöhnen, noch keineswegs gelöst ist. Es geht dabei vor allem
um die Stellung der Eschatologie.

> "Hegels Philosophie ist nämlich gegenüber der Escha-
> tologie keineswegs neutral....Denn Hegels Religions-
> philosophie vollzieht die Auseinandersetzung mit der
> Theologie und Philosophie ihrer Zeit durchgängig in
> Form einer Kritik der Eschatologie. Positiv formuliert:
> Hegel denkt die christliche Versöhnung als Eschatolo-
> gie....so ist damit jedes Jenseits, jede noch ausste-

hende eschatologische Vollendung radikal eliminiert."[20]
Hegels präsentische Eschatologie, uns begegnend "als sein Pathos der totalen Versöhnung aller Gegensätze, als die Überzeugung der Gegenwart des
Absoluten, der Ewigkeit in der eigenen Zeit"[21], steht der kirchlichen
Lehre von den letzten Dingen kritisch gegenüber, bzw. säkularisiert sie.
Der dialektisch gedachte Geschichtsprozeß, in dem der Geist sich zu im-
mer vollkommenerer Klarheit seiner selbst erhebt, ist zugleich und vor
allem, durch die "List der Vernunft auch gegen allen äußeren Anschein"[22],
die Entwicklung zum Reiche Gottes. Gott wird bei Hegel und im deutschen
Idealismus Teil des Systems. "Für die akademische Theologie der zweiten
Hälfte des 19.Jahrhunderts war die Eschatologie ein erledigtes Thema."[23]
Erst das 20.Jahrhundert brachte mit der dialektischen Theologie den
eigentlichen Gegenschlag: die links-hegelianische Religionskritik wurde
angenommen und zur Prämisse der eigenen Position gemacht. Wieder galt es,
zwei Extreme zu vermitteln. Den Primat der Gnosis gegenüber der Pistis
bei Hegel konnte Althaus jedoch nur kompromißlos ablehnen: "Wer aus dem
Glauben ein philosophisches System macht, in dem alle Welträtsel sich
lösen, der hat dem Glauben sein eigentliches Wesen genommen. Denn Glauben heißt: die Lösung unserer Rätsel und Nöte bei Gott wissen, gerade
nicht bei uns, auch nicht in einer gläubig gewordenen Vernunft."[24]
   Auch Albrecht Ritschl ist Pate der 'Inflation des Offenbarungsbegriffes' und dessen anthropozentrischer Verengung, denn der Begriff der Offenbarung "drückt gerade das Entscheidende der Heilsbedeutung Jesu nicht
klar und scharf aus: nämlich daß Gottes Handeln durch Jesus in dem schon
bestehenden Verhältnis zwischen Gott und Mensch einen neuen Tatbestand
setzt"[25]. Der Eindruck der echten Geschichte zwischen Gott und Mensch,
die sich in der Spannung zwischen Gesetz und Evangelium, Zorn und Gnade vollzieht, fehlt, "so daß die von Ritschl stark betonte göttliche Liebe fast zu einer platten Selbstverständlichkeit wird"[26], dies umso mehr,
da zur "Subjektivierung der Heilsfrage und des Heilsgeschehens"[27] auch
eine anthropologische Sicht der Sünde hinzukam. Nachdem die Christologie
auf ein ethisch bestimmtes Werturteil reduziert wurde, ist in der Person Jesu mehr das Ethische (und später bei W.Herrmann das 'innere Leben'
Jesu) Ort der Offenbarung. Das Verständnis des Reiches Gottes als eines
allgemeinen 'praktischen Lebensideals' bleibt den Aussagen der Schrift
vorgängig und übergeordnet. Die Kirche ist notwendiges Durchgangssta-

dium am Weg zum Reich Gottes; das Christentum selbst ist "eine auf die
Verwirklichung des ihm spezifischen Lebensideals gerichtete sittliche
Religion"[28]. Da das ewige Leben "die im Bereiche der göttlichen Gnade
mögliche geistige Selbständigkeit"[29] ist, kann man auf das Jenseits verzichten. Bleiben tut eine äußerst spannungslose Eschatologie, in der die
bald zu erwartende Reaktion eine unberechtigte Verdiesseitigung sah. Von
der NT-Forschung kam man auch zu einem ganz anderen Ergebnis als Ritschl.
Zwischen dem Reich Gottes als religiös-sittliche Gegenwartsgröße und als
nur verheißene Gabe galt es für Althaus, einen Mittelweg zu finden, in
dem beide Wahrheitsmomente aufgehoben sind.

   "Von links her löste sich aus der Schule Ritschls seit den 90er Jahren des 19.Jahrhunderts in Göttingen die sogenannte 'religionsgeschichtliche Schule'", deren Vertreter eine neue Ära der Exegese und auch der
systematischen Theologie begannen; wir verweilen nur kurz bei Ernst
Troeltsch, denn "zur Bedeutung für das Ganze der Theologie kam die religionsgeschichtliche Richtung erst durch ihren Systematiker Ernst Troeltsch"
[30], weil "bei ihm wie bei kaum einem anderen Zeitgenossen der historische Relativismus und das Evangelium zusammenstießen"[31]. Das Evangelium
wird in die Grenzen des ersteren eingeengt, denn "die Relativierung der
Dinge ist das Wesen der Wissenschaft,....,insbesondere aber ist der Relativismus die Wirkung jedes konsequenten historischen Denkens"[32]. Da
das Evangelium nur das uns abendländischen Menschen zugewandte Antlitz
Gottes - als geschichtliche Gestalt unserer Kulturentwicklung - wieder-
gibt, überzeugt auch nicht der Versuch Troeltschs, durch religionsge-
schichtlichen Vergleich die Absolutheit des Christentums im Höhe- und
Konvergenzpunkt aller erkennbaren Entwicklungsrichtungen der Religionen
zu erweisen, es also als faktisch höchste und damit normative Religion
darzustellen; - ein Versuch, den er auch am Ende seines Lebens als fehl-
geschlagen anerkennt, indem er dem Relativismus sämtliche Positionen einräumt . Damit hatte sich die Theologie als selbständige, durch ihren
Gegenstand begründete Wissenschaft aufgegeben.

> "Inhaltlich bedeutete das für die Auffassung des
> Christentums und die Offenbarung: statt des refor-
> matorischen einen humanistischen Grundzug, statt
> Luther Erasmus oder Sebastian Franck; statt der Kon-
> tingenz, der strengen Einsamkeit und Einmaligkeit
> der Offenbarung Gottes einen Geschichtspantheismus;
> statt des christlichen Dualismus monistische Stim-

mung; statt der Vermitteltheit des Gottesverhältnisses ungebrochene Unmittelbarkeit, 'Durchdringung' von Evangelium und idealistischem Entwicklungsgedanken; statt der Versöhnung durch Christus die von Jesus verkündigte, aber durch sich
selbst überführende Idee der gnädigen Vaterliebe
Gottes."[33]

In dieser Sphäre von bloßen Relativitäten bringt nach Troeltsch allein die Religion - und zwar als Eschatologie - Hilfe, denn die Religion ist "eine Empfindung von 'letzten Dingen', d.h. von letzten Wirklichkeiten und Werten, die absolut und unbedingt, einheitlich und durch sich
selbst notwendig sind im Gegensatz zu den von der Reflexion immer weiter relativierten endlichen Wirklichkeiten und Werten"[34]. Damit diese
absolute Wirklichkeit nicht wieder relativiert werde, nimmt Troeltsch
Anleihe bei der neukantianischen Zeitlosigkeitsspekulation der damaligen Wertphilosophie, die darauf hinausläuft, das Erlebnis des Transzendenten in die immanente Sphäre des Bewußtseins zu verlegen.[35] Wenn die
von der Kulturreligion notwendig erstellten eschatologischen Mythen der
rationalistischen Kritik unterzogen werden, "dann geht die Eschatologie
wieder auf ihr eigentliches Grundmotiv, auf die Empfindung des Absoluten
zurück und bildet von hier aus die zwei Formen der Lehre von den letzten
Dingen aus,....die pantheistische und die personalistische, die immanente, d.h. die auf das überall gegenwärtige zeitlose absolute Sein bezogene, und die transzendente, d.h. die auf den Ideen der Freiheit und des
Werdens beruhende, Form der Lehre von den letzten Dingen."[36] Wenn
Troeltsch auch nur die erste Form der pantheistischen Mystik zuschreibt
und gesteht, daß darin gar keine Überwindung des Relativismus enthalten
sei, und wenn er die zweite Form mit dem personalistischen Schöpfungsglauben (aber auch mit dem Entwicklungsbegriffe!) verbindet und darin
die christliche Lehre wiedererkennt, so ist damit die Eigenart der christlichen Eschatologie nach Althaus sicherlich nicht gerettet, denn sie wird
dem sittlichen Evolutionismus, dem Pantheismus, dem die geschichtliche
Freiheit und Entscheidung entwertenden Apokatastasisgedanken und den Konsequenzen einer geschichtsfeindlichen Zeitlosigkeitsspekulation und Mystik geopfert[37]. Dantes 'Göttliche Komödie' ist nach Troeltsch "das große eschatologische Lehrbuch der Christenheit bis heute"[38], denn in dem
Itinerarium des Menschen durch die drei Jenseitsreiche als Mittel des
Aufstiegs und der Entwicklung der Seele bis zur Einswerdung mit Gott

sieht er den Sinn des menschlichen Lebens. Der idealistische Evolutions-
gedanke überstülpte die geschichtliche Wirklichkeit des Christentums mit
einem metaphysischen System, dem naturgemäß jede Spannung einer wahren
Eschatologie fehlte. Der Versuch, personalistische Vollendungshoffnung
und pantheistische Mystik unter den Nenner 'Eschatologie' zu bringen,
ließ das erste unter die Knechtschaft des zweiten geraten. "Der christliche Glaube kann hier nur ein scharfes Nein sagen." (LD^4 309)

Ein dieser extremen Haltung gegenteiliger Pendelschlag war vorauszu-
sehen. Die Gefahr war groß, nun die 'Wahrheitsmomente' der Troeltsch'-
schen Eschatologie oder Religionsphilosophie zu verwerfen, z.B. das berechtigte Totalitätsinteresse (dem jedoch die persönliche Gottesgemeinschaft nicht geopfert werden darf), die richtig verstandene Einwohnung
Gottes in der Seele und die präsentische Eschatologie (ohne dem Pantheismus zu verfallen), den Wahrheitsgehalt des Entwicklungsgedankens (ohne
den Absolutheitsanspruch des Christentums aufzugeben und dem Evolutions-
gedanken anzuhangen).[39] Wird es Althaus gelingen, sie aufzunehmen und mit
den bei Troeltsch vernachlässigten Gesichtspunkten zu verbinden?

b) Inhaltliche Tendenzen

Schleiermacher, Hegel, Ritschl und Troeltsch und die von ihnen abhängigen Schulen sollten uns, so sehr sie auch voneinander verschieden sind,
als Beispiele eines gemeinsamen Charakterzuges des Großteils der Theologie des vergangenen Jahrhunderts dienen: "Die Dogmatik des 19.Jahrhun-
derts wurde mit wenigen Ausnahmen der Eschatologie nicht voll gerecht."[40]
Es geht uns hier - im Wissen um die Gefahr der Vereinfachung und der zu
groben Schematisierung - darum, rückblickend die zu dieser gemeinsamen
uneschatologischen Haltung führenden sachlichen Tendenzen aufzuzeigen.
Es ist der erste Weg der von Kant her eröffneten Möglichkeiten, Eschatologie in der modernen Zeit nach Abbau aller Metaphysik noch zu lehren.

Gott und Geschichte (Verhältnis von Transzendenz und Immanenz):
Ein immanentistischer Zug zeichnet die besprochenen Autoren und deren
Denkformen aus. Soweit der Transzendenzgedanke noch zu wahren versucht
wird, bleibt er ein Fremdkörper im System, der bei größerer Konsequenz
fallen müßte. "Auferstehung, Gericht, Welterneuerung zog man 'aus dem
Jenseits in das Diesseits, aus der Zukunft in die Gegenwart'..., die
Dramatik der biblischen Hoffnung wurde zum Symbol für geistige, inner-
geschichtliche Erfahrungen." (LD^1 12 = LD^3 3) Meist wird die Spannung

zwischen Unendlichem und Endlichem überbrückt und nivelliert durch den Fortschrittsgedanken. Gott und Geschichte, Offenbarung und Geschichte fallen letztlich zusammen. Schließt die theoretische Vernunft alles Transzendente aus, so wird dasselbe nun Postulat der praktischen Vernunft, die jedoch allzu leicht in formaler Ethik oder inhaltlicher Wertlehre das Transzendente im Immanenten erlebt oder im geschichtlich-immanenten Prozeß der Selbstwerdung als Reich Gottes heraufführt.[41] Indem Gott mit der Geschichte identisch wird, ist dies doch wieder nur höchstens Illustration und Symbol des geschichtslos Metaphysischen und nicht persönlich dialogisch durchlebte Geschichte (vgl.GD[1] I/18). Althaus wollte angesichts dieses Verrats am Evangelium die wesentliche Beziehung des christlichen Gottes zur Geschichte und zugleich den Sinn dieser Geschichte im Transzendenten aufzeigen.

Heilsgegenwart und Zukunft (Verhältnis von Glaube und Hoffnung): Wenn Sünde und Gerichtsgedanken entkräftet und dem Entwicklungsgedanken untergeordnet sind, wenn Gottes Geist letztlich mit dem endlichen Geist identisch und die Einmaligkeit der christlichen Geschichtsoffenbarung relativiert ist, da es nur darum geht, die im Menschen angelegte Religiosität zu entfalten, dann ist klar, daß man von einer Zukunft nichts wesentlich Neues erwarten kann und die Hoffnung daraufhin verblaßt,weil man sich bereits im Besitze wiegt. Was immer Zukunft noch an Entfaltung bringt, es ist bereits grundgelegt und keimhaft gegeben (vgl.LD[1] 23). In der Begründung der Eschatologie hat hier der 'Glaube' gegenüber der Hoffnung einen solchen Primat, daß er nicht mehr diesen Namen verdient, weil er vielmehr schon Schauen oder Haben ist. Die Sicherheit des ewigen Besitzes entnimmt gleichsam dem Zeitstrom. Alle Antithesen werden in der Synthese versöhnt gesehen und diese Versöhnung wird erfahren, oder die 'offene Wunde' wird wenigstens durch unsere ethische Leistung der Harmonie entgegengeführt, denn der Glaube ans Jenseits ist nur mehr die Kraft des Diesseits.

Eschatologie ist auch bei Paul Althaus Folge des Heilsbesitzes. Die Fortdauer über dieses irdische Leben jedoch liegt nicht einfach analytisch in dem Gegenwartserlebnis des ewigen Lebens beschlossen, denn "das erlebte ewige Leben ist nicht ewiges Leben im Sinne des christlichen Ewigkeitsgedankens, und das ewige Leben im wahrhaft christlichen Sinne kann in der Zeit nicht erlebt oder erfahren, sondern nur geglaubt werden"[42].

Althaus' 'Theologie des Glaubens' versucht im Paradox der jetzigen Heilsgegenwart die echte eschatologische Spannung auf die noch zu offenbarende Heilszukunft zu wahren.

Glaube und Geschichte (Geschichtsgebundenheit des Glaubens):
"Der christliche Glaube muß um seiner Existenz willen nach der Geschichtlichkeit seines Grundes fragen." (CW 7) Die Lösung, die das 19.Jahrhun-
dert in den erwähnten Vertretern aufgrund seiner Prämissen gefunden hat,
können wir mit W.Künneth "Geschichts evolutionismus"[43] nennen. Da das
theologisch wirksame Element "die Vergeistigung der geschichtlichen Of-
fenbarungsrealität durch die Bewegung auf ein absolutes Ziel"[44] ist, werden die kontingenten religiösen Einzelfakten unterbewertet und der Akzent
verschiebt sich auf das Übergeschichtliche, wodurch das Historische zum
Transparent des Ewigen wird. Gegen solche Relativierung der Geschichte
und gegen die letztlich nicht theologisch, sondern philosophisch-weltan-
schaulich bedingte Loslösung des Glaubens von einer bestimmten konkreten
geschichtlichen Grundlage mußte eine andere Alternative gefunden werden
als die eines supranaturalen naiv-biblizistischen Historismus.

Ewigkeit und Zeit: Kants Zeitbegriff als subjektive Form unseres
Bewußtseins spiegelt sich, mit K.Heim zu sprechen, in der stabilen Zeitauffassung des 19.Jahrhunderts wider: die Zeit erscheint als in sich ruhende Form des Weltgeschehens.

> "Man stellt sie sich wie eine unendlich lange, an-
> fangslose und endlose Linie vor, auf der sich das
> Jetzt als wandernder Punkt vorwärts bewegt. Je nach
> Stimmung empfinden wir diese Linie wie einen Schie-
> nenstrang, auf dem der Bahnzug der Raumwelt von
> Station zu Station weiter rollt, oder wie eine
> Chaussee, auf der der müde Pilger eine Meile nach
> der andern zurücklegt."[45]

Gerade die Relativierung der Zeit macht sie uns auch verfügbar, denn der
Mensch braucht etwas, was dem Ganzen über den Fluß der Dinge hinweg Sinn
gibt. Der eine Weg bleibt innerhalb der Zeitlinie und sieht die zeitliche Zukunft als geradlinige Fortsetzung dieser Zeitstrecke. Der Entwicklungsgedanke übernimmt in verschiedenster Form die transzendentale
Sinnfunktion, sei es z.B. als fortschreitende Geistwerdung im dialektisch
gedachten Geschichtsprozeß bei Hegel, als Naturwerdung des Reiches Gottes durch Jesus bei Schleiermacher, als die ständig fortschreitende Herrschaft Gottes im Sittlichen bei Ritschl oder als Läuterung der Seelen
bis zum Aufgehen in Gott bei Troeltsch. Diese der Geschichte und Zeit

scheinbar so verpflichteten Meinungen haben jedoch meist die wahre Zeit
und ihre Relativität bereits verlassen und den zweiten Weg des 19.Jahr-
hunderts beschritten, den Weg der Flucht in die nichtzeitliche Sphäre.[46]
Der ganze deutsche Idealismus geht auf diesen Spuren, wenn er das Ewige
als das 'Zeitlose' oder 'Überzeitliche' bestimmt und eine positivere Beziehung von Ewigkeit und Zeit in Kants Gefolge ausschließt.

Karl Barth merkte zurecht, daß bei dieser Problemstellung alle immanentistischen Brückenköpfe zwischen Diesseits und Jenseits letztlich den
Graben zwischen zeitlich geschichtlicher Welt und zeitloser übergeschichtlicher, metaphysischer Wahrheit nicht schließen konnten und "Verrat an Christus" (RB[2] 207) waren, so daß er - selbst noch im Banne der
Problemstellung - mit dem Bruch radikal ernst machte und Gott, Offenbarung, Evangelium usw. nur in der radikalen Transzendenz der ganz anderen Ewigkeit ansiedelte. Althaus machte den Versuch, einen Ausweg zu finden zwischen der geschichtlichen, relativen, offenbarungsfähigen Zeit
und der gotterfüllten Ewigkeit.

Individuum und Universum: "Das Nebeneinander der persönlichen
Vollendung und der Reichsvollendung" (LD[1] 24; vgl.LD[1] 24-26 = LD[3] 23f u.
LD[4] 24-26) war immer eine Crux der Eschatologie, in besonderer Weise jedoch in der idealistischen Philosophie aufgrund des Entwicklungsgedankens. "Die Verschärfung des Problems beruht darin, daß es sich um eine
in sittlicher Arbeit fortschreitende Menschheit handelt, daß also eine
zweifache sittliche Vollendung nebeneinander steht." (LD[1] 25,n.1 = LD[3]
23,n.2) Dabei zu starker Betonung der Unabhängigkeit der Vollendung des
einzelnen der geschichtliche Menschheitsfortschritt und der geschichtliche Endzustand überflüssig würden, mußte in diesem Ringen der Ethik mit
der Geschichtswissenschaft (der genuin christliche transethische Auferstehungsglaube war abgeschafft; vgl.LD[4] 24) die Vollendung des einzelnen
gegenüber der Vollendung des Ganzen zurücktreten und "das unaufgebbare
Interesse an dem einzelnen, seiner Selbstzwecklichkeit und Vollendung"
(LD[1] 25 = LD[3] 23f) wurde nicht selten dem evolutionistischen Denken geopfert. Während bei Lessing, Kant und Fichte das Jenseits der Individualeschatologie noch seinen Platz im Ganzen hatte, gab die idealistische Eschatologie die persönliche Vollendung meist preis, "der Sache
nach in seinem 'beredten Schweigen' über die Unsterblichkeit schon Hegel, ausdrücklich die Hegelsche Linke mit ihrer Ablehnung der persön-

44

lichen Unsterblichkeit." (LD[4] 25)

Althaus bemerkt zurecht, daß diese säkulare, chiliastische 'Mensch-heits-Eschatologie' eine Reaktion vorbereitet, die in einer neuen Stunde für die Individualeschatologie heraufkommt. (LD[4] 26) Er war selbst an dieser Reaktion mit seiner anfangs ganz starken Jenseits-Eschatologie und in seiner leidenschaftlichen Destruktion jeglichen Entwicklungsge-dankens sehr beteiligt. Sein Anliegen war jedoch, beide Momente im rech-ten Verhältnis herauszustellen.

3. Zeitgeschichtliche Anlässe der Wiederentdeckung der Eschatologie
a) Eschatologische Schule

Die vor der Jahrhundertwende aufblühende religionsgeschichtliche Schu-le hat eine eigenartige Doppelstellung: einerseits ist sie selbst Kind des Evolutionismus und Historismus, andererseits zieht sie den ersten Stein des Fundaments weg, um den ganzen Bau des idealistischen Fort-schrittsgedankens zu Fall zu bringen, denn "aus der Rumpelkammer der Ge-schichte hat sie die Eschatologie an das helle Licht des Tages gezogen"[47]. Man gewann neu einen Blick für die Bedeutung und Eigenart der spätjüdi-schen Apokalyptik für Juden und Urchristentum. Damit ist insgeheim dem ethizistisch verarmten und innerweltlich verengten Liberalismus der Kampf angesagt. Zunächst freilich galt noch der Vorbehalt der liberalen Schu-le: Jesus kann kein Apokalyptiker sein, sein Evangelium bleibt weiterhin ewige Wahrheit mit zeitloser Gültigkeit, wie es sich vor allem in der Diskussion um die Reich-Gottes- und Messias-Frage zeigte.[48] Es waren Jo-hannes Weiß und Albert Schweitzer, die eigentlichen Begründer der 'es-chatologischen Schule', die ein für allemal nachwiesen, daß auch Jesu Le-ben und seine Verkündigung ganz von der eschatologischen Haltung geprägt waren.

Johannes Weiß' Interesse in seinem epochemachenden Buch 'Die Predigt Jesu vom Reiche Gottes' war, "den durchaus apokalyptischen und eschato-logischen Charakter der Idee Jesu klarzustellen", denn die "Deutung des Reiches Gottes als eines innerweltlichen sittlichen Ideals ist ein Rest der Kantischen Idee, die vor einer genaueren geschichtlichen Betrach-tung nicht Stich hält"[49]. Die Verwirklichung dieses Reiches ist deshalb nicht Sache der menschlichen Selbsttätigkeit, sondern nur Sache Gottes. Die Auswirkung dieser Erkenntnis auf die systematische und praktische Theologie ließ freilich auf sich warten, denn "zunächst wurde man ange-

sichts dieses Widerspruches zwischen der eigenen und biblischen Frömmigkeit noch weniger an jener als an dieser, weniger an sich selber und seinem Lebensverständnis als an Jesus und seiner bleibenden Bedeutung irre.
Aber der Boden war doch bereitet für ein neues Erfassen des Lebens und
der Bibel zugleich"[50]. Der eschatologische Rahmen und die asketisch negative Ethik Jesu wurden als zeitgeschichtlich bedingt und für uns keineswegs normierend oder aktuell angesehen. "Wir leben der frohen Zuversicht, daß schon diese Welt der Schauplatz einer 'Menschheit Gottes' immer mehr werden wird...und wo sie (= diese neue Stimmung) nicht vorhanden ist, da sollte Predigt und Unterricht alles tun, um sie zu wek-
ken"[51]. Jesus von Nazareth hat übergeschichtliche Bedeutung als "die
höchste und endgültige Offenbarung des Göttlichen in menschlicher Gestalt"[52], m.a.W. als das übliche liberale Idealbild des sittlichen Weis-
heitslehreres.

Ein noch härteres Urteil über das liberale Jesus-Bild fällte Albert
Schweitzer in 'Von Reimarus zu Wrede. Geschichte der Leben-Jesu-Forschung' (1906; [2] 1913) "Jesus hat gar nicht nur, wie Harnack wollte, von
Gott und der Seele gesprochen, sondern er hat mit seiner Person das Reich
Gottes, das Ende der Welt bringen wollen, die große Entscheidungsstun-
de."[53] Er war ein weltferner Apokalyptiker, der mit seinen auf das Weltende und die Parusie gerichteten dunklen Erwartungen und Hoffnungen gescheitert ist und deshalb das Ende durch stellvertretendes Leiden her-
beizuführen suchte. Aber Jesu Tod ist ein tragisches und totales Fiasko.
Nach der ersten Parusieverzögerung beginnt unweigerlich der Prozeß der
Enteschatologisierung. Die sich als Illusion erweisende, daher rein zeitgeschichtliche eschatologische Stimmung Jesu gestattet, daß Schweitzer
im Grunde am humanistischen Jesus-Bild der liberalen Christologie und an
der ethischen Motivation für das Kommen des Reiches festhält und daß die
Eschatologie für ihn selbst keine aktuelle Bedeutung bekommt, sondern nur
"antiquarisches Kuriositätsinteresse" (ArtDeD 320) weckt.[54] Als Ersatz
für die christliche Eschatologie blieb schließlich "eine Kulturethik der
Ehrfurcht vor dem Leben"[55].

Die Denkform der idealistischen Weltanschauung, die die Garantie für
die Wahrheit des Glaubens in unvergänglichen zeitlosen Ideen sucht,
scheint also nicht geeignet, das vom Historismus gestellte Problem zu lösen. Althaus weiß: Eine neue theologische Methode muß kommen, soll die

Theologie der ernsten Aufgabe, "die christliche Hoffnung in erneuter
Besinnung zu begründen, zu entwickeln, zu begrenzen" (LD^1 12 = LD^3 4),
gerecht werden können.

b) Kulturpolitische Hintergründe

Geschichtlich gesehen ist für die Renaissance der Eschatologie der Zusammenbruch der mit den Begriffen 'Kulturprotestantismus', 'Kulturopti-
mismus' und 'Fortschrittsgläubigkeit' nur unvollkommen bezeichneten Hal-
tungen von entscheidendem Einfluß. Die Reaktion war Skepsis gegenüber der
Zukunftshoffnung alten Stils bis hin zu Oswald Spenglers Schicksalsglau-
be in 'Der Untergang des Abendlandes' (München 1922) (vgl.LD^1 9). Die
Mechanisierung und Rationalisierung des menschlichen Lebens rief eine
irrationale, romantisch angehauchte Reaktion hervor; Revolutionen hatten
die bürgerliche Gesellschaft und ihre Normen erschüttert. Die Weimarer
Republik blieb von dem allgemeinen Gefühl der Krise nicht verschont und
es gewann eine nationale, antidemokratische Bewegung an Bedeutung.[56] Beides, Krise und nationale Bewegung, wurden durch die Niederlage im ersten
Weltkrieg noch gesteigert. "Ein in den Wurzeln erschüttertes Geschlecht
vermag nicht mehr evolutionistisch zu denken. Darum auch nicht eine Theologie, die sich mit dem Zeiterlebnis verbunden weiß und seinen Gottes-
ernst herausstellen soll."[57] "Wo der Humanitätsglaube zerbricht, da gewinnt der Gottesglaube größeren Raum", so daß die kommende 'Theologie
der Krisis' als "eine kraftvolle Reaktion des Glaubens gegen die Fäulnis
der Kultur auftreten konnte" (DeD 185).

Als die Geschichte selbst durch den ersten Weltkrieg apokalyptischen
Charakter angenommen hatte, war die völlige Wende unausbleiblich. "Das
Massensterben im Kriege hat aufs neue zu dem uralten Problem des Jenseits
der Seele gedrängt. Stärkere und tiefere christliche Ewigkeitspredigt
sucht ihm die Antwort zu geben." (LD^1 9 = LD^3 1) Die Jahre 1914 und 1918
sind für Althaus bedeutsam geworden. "Das Erleben eines 'Endes' und der
tiefe Eindruck von der immanenten Sinnlosigkeit der Geschichte machten
die Zeit reif für Eschatologie."[58] Gottes Gottheit tritt neu in Erscheinung, die Theozentrik nimmt wieder den ersten Platz ein, nicht zuletzt
durch die zu gleicher Zeit beginnende Luther-Renaissance, die in allem
die religiös orientierte Grundanschauung Luthers hervorhebt und vor allem gegen den Idealismus, insbesondere Schleiermacher, polemisiert. Eschatologische und besonders pietistische Strömungen finden jetzt einen

fruchtbaren Boden. "Die eschatologischen Träume der Sekten wagen sich siegesgewisser denn je an den hellen Tag und auf den lauten Markt" (LD[1] 10;vgl.LD[3] 1f); der 'Religiöse Sozialismus' ruft in seinem urchristlich chiliastisch verstandenen Sozialismus die eschatologische Spannung wieder wach (LD[1] 10f;LD[3] 2). Zu einer existentielleren Haltung und einem neueren Zeitverständnis trug auch die Lebensphilosophie F.Nietzsches, H.Bergsons und O.Spenglers bei. Dazu kamen die Erschütterung des statisch-mathematischen Zeitbegriffs (des kantischen Schematismus) durch die neuen physikalischen Errungenschaften, z.B. Einsteins Relativitätstheorie, und die existentielle Betroffenheit von der Relativität aller Wahrheitserkenntnis mit dem damit verbundenen Gefühl der Heimatlosigkeit, nachdem der Glaube des 19.Jahrhunderts an die Welt und an die Einheitlichkeit der Weltgeschichte verlorengegangen war. Nach langer Vorherrschaft des Rationalismus wurde R. Ottos Buch 'Das Heilige' (1917) in der Betonung des Kreaturgefühls, des Geheimnisses Gottes und seiner völligen Andersheit und des Irrationalen neben Barths 'Römerbrief' der theologische 'Bestseller'. Die ebenfalls sich ausbreitende Paradoxmethode schien auch geeigneter, die neu empfundene eschatologische Spannung wiederzugeben.[59]

Althaus war sich der Wende deutlich bewußt, da er sagt: "So stehen wir in einer ausgesprochenen Gegenbewegung gegen die fortschreitende 'Enteschatologisierung' (A.Schweitzer) des Christentums, wie sie das Zeitalter der Aufklärung und der deutschen idealistischen Philosophie sowie die von ihr beeinflußte Theologie und die 'Geheimreligion der Gebildeten' kennzeichnete", (LD[1] 11f = LD[3] 3) Er war einerseits Teil dieser großteils auch kulturpolitisch bedingten Gegenbewegung, weshalb auch an ihm G.Sauters kritische Frage gestellt werden muß:"Ist aber so nicht nur den Konjunkturkurven der Daseinsstimmung theologisch recht gegeben? Vermag Eschatologie lediglich das zu bestätigen und vielleicht noch zu unterstreichen, was kulturkritisch festzustellen wäre?"[60] Andererseits war er von Anfangan in wesentlichen Punkten Gegner Karl Barths, des eigentlichen Exponenten dieser Reaktion, dessen dialektischerTheologie wir uns jetzt zuwenden müssen.

4. Nureschatologische Theologie der dialektischen Schule

Was auf exegetischem Gebiet bereits längere Zeit gesehen wurde und was im kulturpolitischen Hintergrund eine existentielle Bestätigung zu

finden schien, wurde nun auch - vor allem von jungen Pfarrern, die unter
der Not der Verkündigung litten[61] - in die systematische Theologie umgesetzt. "Man ist beinahe versucht, im Blick auf die Systematiker jener
Zeit - von Barth bis Heim und Althaus - zu sagen: 'es eschatologisier-
te'."[62] Aus diesem geistigen Klima erstand eine Theologengruppe, die sich
um die neugegründete Zeitschrift 'Zwischen den Zeiten' scharte. Ein
Außenstehender gab ihren Lehren den Namen 'Dialektische Theologie', während die Bezeichnung 'Theologie der Krise' oder besser 'Theologie des
Wortes' eher zutreffen würde; einig waren sie sich in der Reaktion gegen
liberale Theologie, die über den Menschen sprach, während sie glaubte,
über Gott zu sprechen.[63]

a) Die Eschatologie des jungen Karl Barth

Wir halten diese kurze Darstellung der frühen Eschatologie Barths für
notwendig, denn Althaus' Position ist, wenn auch nicht so sehr im ersten
Entwurf als vielmehr in dessen Ausbau und Absicherung, durch Barths Werk
bestimmt. Die positive Übereinstimmung scheint mehr der Zeitlage zu entsprechen, die Verschiedenheit jedoch zielt oft direkt auf Absetzung von
Barth. "Die Abgrenzung gegen die Barthsche Theologie durchzieht überhaupt das ganze theologische Werk von Althaus....Althaus war um eine Alternative zur Barthschen Theologie bemüht, die nicht die Alternative
Bultmanns war."[64] Wenn nach Althaus in der Eschatologie die Fäden der
ganzen Theologie zusammenlaufen, müssen dort auch die Differenzen umso
klarer zur Geltung kommen. Später schienen zwar politische Meinungsverschiedenheiten die beiden immer mehr zu trennen, "aber die Differenz war
zutiefst theologisch bedingt"[65]. Die Auseinandersetzung mit Barth ist
auch deshalb unerläßlich, denn "die gegenwärtige Eschatologiedebatte erweist sich strukturell als abhängig vom theologischen Programm Karl
Barths"[66]. Außerdem mag das Folgende beispielhaft sein für die dialektische Theologie, deren größter Exponent der junge Karl Barth ist.

aa) Das neue Kriterium: der unendliche qualitative Unterschied

Hatte sich bereits vor 1920 etwas vom Kommenden angemeldet, so zeigt
sich Barths Pathos für das 'Letzte' richtig erst ab dieser Zeit.

> "Eine durchgreifende Relativierung aller vorletzten
> Gedanken und Dinge, eine Bereitschaft für letzte Fra-
> gen und Antworten, ein Warten und Eilen letzten Ent-
> scheidungen entgegen, ein Lauschen auf den Ton der
> letzten Posaune - die von der Wahrheit Kunde gibt, die

jenseits der Gräber ist, das ist die Gotteserkenntnis, die als Abschluß und Inbegriff des Alten Testaments im Neuen ans Licht tritt."[67]

Zu Overbeck und Kierkegaard, die Barth im Anschluß daran zitiert, fügt
Barth selbst als Ursachen des Durchbruchs Plato, Kant, Dostojewski, die
Kritiken von RB[1] und das vertiefte Paulusstudium hinzu (RB[2] VII). An
einer anderen Stelle nennt er Kierkegaard, Luther, Calvin, Paulus und
Jeremias und macht ausdrücklich auf das Fehlen Schleiermachers in dieser
Ahnenreihe aufmerksam[68]. 1922 folgt die große Explosion, die zweite Auf-
lage des Römerbriefkommentars mit dem alles umwerfenden Kriterium: "Wenn
ich ein 'System' habe, so besteht es darin, daß ich das, was Kierkegaard
den 'unendlichen qualitativen Unterschied' von Zeit und Ewigkeit genannt
hat, in seiner negativen und positiven Bedeutung möglichst beharrlich im
Auge behalte. 'Gott im Himmel und du auf Erden'." (RB[2] 270) "Und so eifert
Barth wie ein alttestamentlicher Prophet für Gottes Gottheit, für seine
Heiligkeit und Jenseitigkeit,dafür, daß Gott totaliter aliter, ganz und
gar anders ist als der Mensch."[69] Jeder Übergang, Auf- oder Abstieg, jede Entwicklung, jeglicher Brückenschlag sind unmöglich. In Christus begegnen wir zwar zwei Welten, aber sie trennen sich zugleich. Der historische Jesus ist "die Bruchstelle zwischen der uns bekannten Welt und
einer unbekannten,...die verborgene Schnittlinie von Zeit und Ewigkeit,
Ding und Ursprung, Mensch und Gott....Jener Punkt der Schnittlinie selbst
aber hat wie die ganze unbekannte Ebene, deren Vorhandensein er ankün-
digt, gar keine Ausdehnung auf der uns bekannten Ebene"; was von ihm in
dieser Welt bleibt, sind höchstens "Einschlagtrichter und Hohlräume....
Und sofern diese unsre Welt in Jesus von der andern Welt berührt wird,
hört sie auf, historisch, zeitlich, dinglich, direkt anschaulich zu sein"
(RB[2] 5). Unter dem Kriterium des unendlichen qualitativen Unterschiedes
erweist sich alles menschliche Denken, Fühlen und Handeln, alle Kultur
und Geschichte als "Krankheit zum Tode" (RB[2] 123) und als Götzendienst.
Gott"bejaht sich selbst, indem er uns, wie wir sind, und die Welt, wie
sie ist, verneint" (EB[2] 16). Wird jedoch Gottes Gericht in all seiner
Schwere und Aussichtslosigkeit angenommen, wird Gottes Gottheit also in
nichts verkürzt, so wandelt sich in der Begegnung mit Gottes Zorn sein
Gericht in Gnade. Karl Barth will echt reformatorische Lehre aufnehmen,
wenn er Gottes Nein im Grunde sein erlösendes Ja bedeuten läßt, wenn die
positive Antwort das eigentliche Ziel der so radikalen negativen Zuspit-

zung ist [70].

Welches Kriterium hat man zu unterscheiden, ob es tatsächlich eine
irreversible Geschichte ist? Warum sollte die Geschichte nicht ebenso
auch nach rückwärts verlaufen? Eigentlich schrieb nämlich der dialektische Weg vor, "beides, Position und Negation, gegenseitig aufeinander zu
beziehen, Ja am Nein zu verdeutlichen und Nein am Ja, ohne länger als
einen Moment in einem starren Ja oder Nein zu verharren"[71], damit die
unanschauliche, unfaßbare Mitte freigelassen werde. Was hinderte daran,
daß die von der Philosophie übernommene Dialektik, der theologischen Intention überdrüssig, selbstgefällig ihrer eigenen Gesetzmäßigkeit folgte und so vielleicht gar heimlich wieder zum Griff nach Gott wurde? Die
Faszination der Krise wurde Barth selbst zur "Versuchung: die Unmöglichkeit seiner Lage als endgültig zu deuten, die Dialektik nicht mehr als
Korrektiv, sondern als das Wesen der Theologie zu verstehen. Die Stand-
punktlosigkeit nun doch als Standpunkt zu erklären, und dadurch die un-
erträgliche Last von sich abzuwälzen"[72]. Was Barth nur als "Korrektiv",
als "Randbemerkung und Glosse" intendierte, weil er nicht "im bekannten
Sinn des Wortes Schule machen" wollte[73], war in Kürze zum eigenen gewaltigen System, zur 'dialektischen Schule' geworden. Eines war den meisten, so vor allem auch Paul Althaus, klar: "Die Dialektische Theologie
als Verkündigung des Todes, des radikalen Unterschiedes von Zeit und
Ewigkeit, der Transzendenz des Heils und der Erlösung, fordert neue eschatologische Haltung der ganzen Dogmatik und Ethik, des kirchlichen
Denkens und Wirkens überhaupt."[74] "Ein harmloses 'eschatologisches Ka-
pitelchen am Ende der Dogmatik'" (RB[2] 484) wurde bei Barth abgelöst von
einem Christentum, das "ganz und gar und restlos Eschatologie ist" (RB[2]
298).

bb) Gott gegen Geschichte (Verhältnis von Transzendenz und Immanenz)

Da durch den unendlichen qualitativen Unterschied Gottes Transzendenz
aufs höchste gesteigert ist, steht alles Geschichtliche unter dem göttlichen Nein, dem Gericht und Tod verfallen. Gott ist "der nur in Negation
zu Beschreibende" (RB[2] 257). Alles, was diesseits der Todeslinie ist, ist
nicht nur geschöpfliches Sein, sondern bereits unanschauliche Sünde, insofern es als solches Gott gegenübertritt. "Wie die in Christus der Welt
offenbarte Gerechtigkeit (....) so ist auch die in Adam in die Welt ein-
gezogene Sünde die zeitlose, die transzendentale Disposition der Men-

schenwelt." (RB^2 149;vgl.149-151) Geschichte kann deshalb nicht der Ort
der Offenbarung sein, natürlich auch nicht des Heils (RB^2 32). Aber das
neue Kriterium hat nicht nur Geschichte und Gott trennende, sondern infolge der dialektischen Exklusivität auch geschichtsvereinende Wirkung.
Heil liegt nur in der Aufhebung der Geschichte, in der Eschatologie, in
der Ewigkeit. Jetzt müssen wir im (letztlich kantischen) "als ob" (RB^2
298.300.306) leben, in der Unanschaulichkeit und Unmöglichkeit der reinen Hoffnung, denn die Todeslinie trennt uns von der Erlösung. Die eschatologischen Daten sind damit über alle Zeitrelation erhöht, sie sind
keine Ereignisse in Zeit und Geschichte, sondern gehören zum unzeitli-
chen transzendenten Sinn alles Geschehens, zum zeitlosen 'nunc aeternum'
(vgl.RB^2 316): Die Ewigkeit ist also kein zukünftiger neuer Äon, sondern "zeitloses Symbol für die aktuelle Gottesrelation", und Naherwartung
ist nur "die absolute Negativität des menschlichen Lebens im Schatten
Gottes oder auch des Absoluten" (DeD 238f). Das Interesse am realen Tod
tritt zurück; er ist nur Gleichnis und Symbol für die Zeit, so wie es die
Auferstehung für die Beziehung unseres ganzen geschichtlichen Lebens auf
seinen Ursprung in Gott ist (vgl.RB^2 480-485). Weil der ewige Augenblick
nie eintreten wird, erkennen wir "die Würde und Bedeutung des uns gegebenen zeitlichen Augenblicks, seine Qualifizierung und sein ethisches Gebot", die Würde des "Jetzt, das dieser Zeit Geheimnis ist" (RB^2 297), so
daß "die Parusie erwarten" letztlich heißt, "unsere tatsächliche Lebens-
lage so ernst nehmen wie sie ist (RB^2 485)und heute anfangen zu lieben.
In dieser punktuellen Eschatologie muß die Parusie als kosmische Katastrophe ausbleiben, da sie immer schon im 'nunc aeternum' stattfindet.
Das Unhistorische ist ja "Wesen und Gehalt alles Historischen" (RB^2 123).
   Der historische Jesus kann der historischen Kritik restlos freigegeben werden. Die Auferstehung Jesu ist ja "kein Ereignis von historischer
Ausdehnung neben den anderen Ereignisssen seines Lebens und Sterbens...,
sondern die...Beziehung seines ganzen historischen Lebens auf seinen Ursprung in Gott" (RB^2 175). Nicht im historischen Jesus der liberalen
Theologie, sondern im erhöhten übergeschichtlichen Kyrios der Kierke-
gaardschen 'Gleichzeitigkeit' ist uns Hoffnung gegeben (vgl.RB^2 138f.
155). - Ist die Offenbarung in Jesus also "nur ein Spezialfall der allgemeinen Offenbarung, die aus dem dialektischen Verhältnis von Gott und
Welt sich ergibt"[75],so daß Christus nur mehr Symbolkraft besitzt und

"das Kreuz Christi zu einer Chiffre wird, zum Ermöglichungsgrund der eschatologischen Erkenntnis der Krisissituation für den Menschen"[76]? Dies
scheint von Barths Gleichsetzung des Themas der Bibel mit der Summe der
Philosophie (RB^2 XIII), der 'Ursprungs'-Philosophie, nahezuliegen. Ist
aber in einem solchen aprioristischen Offenbarungsgedanken nicht die Auflösung jeder Offenbarung gegeben?[77]

Die Umwandlung des Eschatologiebegriffs, die in RB^2 geschehen war,
fand eine konsequente Fortführung in Barths 'Die Auferstehung der Toten'.
Es geht nach Barth im ersten Korintherbrief wesentlich um die letzten
Dinge (AdT 54), jedoch nicht im endgeschichtlichen Sinn von "Schlußmög-
lichkeiten", sondern im Sinne von "Urgeschichte,...Grenze aller und jeder Zeit, und damit notwendig Ursprung der Zeit" (AdT 57f). Der Tag Jesu Christi ist kein Tag, sondern als die über der Zeit liegende Ewigkeit
"der Tag aller Tage" "vor, hinter und über unserem Lebenstage" (RB^2 297).
Barth ist sich völlig bewußt, daß damit nicht die Rede ist von der "'Eschatologie' in dem Sinn, den das Wort etwa in der üblichen Dogmatik hat"
(AdT 60). Ihm geht es um den Sinn des Ganzen, um die in Gott bereits immer schon vollzogene Identifikation und um die uns in Hoffnung gegebene
Identität der Toten und der Auferstehung derselben, um die Identität von
Zeit und Ewigkeit (vgl.AdT 60f.123). Die Auferstehung Christi ist "die
ganz konkret gewordene Botschaft, daß Gott der Herr ist"; Auferstehung
der Toten ist letztlich nur "eine Umschreibung des Wortes 'Gott'" (AdT112).
Als "die alle Menschen aller Zeiten angehende Krisis" bedeutet sie, daß
wir alle für Gott leben und daß "das für unsere Blicke unendlich auseinander gezogene Band der Zeit" (AdT 122) vor Gott gleichzeitig - im sogenannten futurum resurrectionis (oder aeternum) - dasteht und deshalb
als ganzes der Krisis unterworfen ist. "Die Auferstehung geschieht quer
durch das Leben und Sterben der Menschen, sie ist die Heilsgeschichte,
die ihren Weg geht durch die andere Geschichte". (AdT 122) - Hat jedoch
eine so verstandene, völlig entmythologisierte Heilsgeschichte noch etwas mit 'Geschichte' zu tun? - Ein geschichtsloses, überzeitliches philosophisches Gesetz - die Dialektik mit ihren Postulaten - hat die Herrschaft übernommen und dabei genau das, was zu retten es ausgezogen war
(vgl. DeD 19), erst recht in Abhängigkeit gebracht, nämlich den lebendigen Gott der Bibel. Denn ist die Eschatologie nicht Chiffre oder Mythos
des metaphysischen Grundes der Wirklichkeit im Absoluten und der ständi-

gen Krisis durch dieses Absolute geworden?

cc) Gegenwart und Heilszukunft (Verhältnis von Glaube und Hoffnung)

Da sich in der Welt als solcher durch die Offenbarung in Christus
nichts Besonderes ereignet hat,bleiben die beiden Welten völlig geschieden, in der Hoffnung jedoch, und nur in ihr, ist die Gleichzeitigkeit der
Lebenden und der Toten in der Auferstehung gegeben. "Die Soteriologie
wird von der Eschatologie verschlungen."[78] "Zwischen uns und Christus
besteht keine Kontinuität. Nur die Beziehung der Hoffnung." (AdT 118;
vgl.99) In uns ist weiter die Macht der Sünde und des Todes; das Heil
bleibt in radikaler Exklusivität die Wirklichkeit Gottes und damit reines Hoffnungsgut, nur Gegenwart in Hoffnung (AdT 124f). Der Glaube geht
ganz in der Zukunftsbeziehung auf - oder besser, in der Beziehung zur
Transzendenz, denn, wie Hoffmann treffend sagt, "die Heilszukunft wird
so einseitig betont, daß sie aufhört, im eigentlichen Sinne Zukunft zu
sein, und zur bloßen transzendenten Beleuchtung des gegenwärtigen Augenblicks zu werden droht"[79]. Das Nein hat jedes Ja verdrängt und herrscht
unumschränkt; jede subjektive Gewißheit, jedes Unterpfand und jeglicher
Vorgeschmack der künftigen Erfüllung werden ausgeschlossen. Es bleibt
eine Theologie des reinen Wartens. Unsere Wirklichkeit ist nur gähnende
Leere, ein Hohlraum und ein "Loch"[80], nur in dieser Negativität, der der
Glaube entspricht, auf die letzten Dinge bezogen. Wenn die Hoffnung Ausdruck der transzendentalen Bezogenheit des Menschen ist, so kann die
dialektische Spannung gar nicht aufhören und die Ewigkeit nicht wirklich eintreten, denn "im Begriff der Relation ist das in Relation stehende immer mitgesetzt und kann aus ihm nicht weggedacht werden"[81].

Aber gibt es vielleicht doch ein Eintreten der Heilsverwirklichung,
eine Endvollendung, wenn "die uns sphärisch (nicht nur in der Verlängerung nach vorne gesehen) umgebende Zeitgrenze"[82] im Tode fällt? Zumindest scheint sich in AdT dieser Aspekt mehr abzuzeichnen. Es muß jedoch
gesagt werden: "diesem ontologischen Sachverhalt entspricht keine noetische Realität, weil es im nunc aeternitatis um ein eschatologisches Geschehen geht, das jenseits der uns gesetzten Todeslinie liegt"[83]. Jede
weitere Aussage ließe Gott nicht Gott sein, denn "von den letzten Dingen wüßte nur der recht zu reden, der hinter ihnen in dem stände, der
aller Zeiten nicht nur Ende, sondern auch Anfang ist"[84]. Woher aber wußte Barth von der ontologischen Wirklichkeit als eschatologischem Gesche-

hen ohne Erkenntnisgrund? Aprioristisch oder sich selbst widersprechend?[85]

Mit Barths Entwertung des Menschlichen und der Geschichte und mit der Verlegung jedes nur anfänglichen Heils in die Eschatologie hängt auch sein Verdikt über sämtliche Religionen, selbst die christliche Religion als solche, zusammen.[86] In der Religion liegt die ärgste Sünde, der größte Götzendienst, "die Geburt des Nicht-Gottes, der Götzen" (RB[2] 25). Das Nein über die Religion gilt in verstärktem Maße ihrer ausgeprägtesten Form, der Kirche. Sie "ist der mehr oder weniger umfassende und energische Versuch, das Göttliche zu vermenschlichen, zu verzeitlichen, zu verdinglichen, zu verweltlichen, zu einem praktischen Etwas zu machen."(RB[2] 317) Die Kehrseite der Medaille ist Barths 'Christomonismus' oder 'christologische Engführung', ein Anliegen, dem er wohl sein Leben lang treu blieb.[87]

Konsequent verurteilt Barth streng jedes ethisch gefärbte Christentum, also auch die sittlich bestimmte Geschichtsauffassung Althaus', der in seiner Schrift 'Religiöser Sozialismus' Barth und die Religiös-Sozialen von der Grundlage der Lutherschen Zwei-Reiche-Lehre her angegriffen hat. In dieser Lehre sieht Barth den Kampf gegen das moralisch-religös Rechthaberische, nicht - wie Althaus - die Möglichkeit einer einheitlichen sittlichen Haltung, denn direkte Erfüllung des Willens Gottes ist uns unmöglich: unser Berufshandeln ist Liebeswerk nur "auf dem Umweg über ein Trotzdem! von unerhörter Paradoxie"[88]. So bleiben wir die "auf Gottes Barmherzigkeit ganz und gar und für alle Zeit Angewiesenen"[89]

dd) Glaube gegen Geschichte (Geschichtsgebundenheit des Glaubens)

Barths Eschatologiebegriff bedeutet praktisch die Alleinwirksamkeit Gottes unter Ausschluß jeder menschlichen Mitwirkung. Aus dieser Souveränität der göttlichen Initiative folgt die Ablehnung jeder 'natürlichen Theologie' und jeglicher Glaubensbegründung, die sich nicht ausschließlich auf das Wort Gottes stützt. Im Gegensatz zum 'Geschichtsevolutionismus'des 19.Jahrhunderts wird die Frage nach der Geschichtsgebundenheit des Glaubens also hier mit radikaler "Geschichtstranszendenz"[90] beantwortet. Jeder Augenblick der Zeit ist Gleichnis des ewigen Augenblicks, d.h. in ihm kann Glaube Wirklichkeit werden, wodurch jedoch der Augenblick zum nunc aeternum wird und der linearen Funktion der Geschichte entrückt ist. Der Glaube ist "der Respekt vor dem göttlichen Inkognito, die Liebe zu Gott im Bewußtsein des qualitativen Unterschieds von

Gott und Mensch, Gott und Welt, die Bejahung der Auferstehung als Wel-
tenwende, also die Bejahung des göttlichen Nein! im Christus, das er-
schütterte Haltmachen vor Gott" (RB^2 14). Der Glaube ist "kein Boden,
auf den man sich stellen, keine Ordnung, die man befolgen, keine Luft,
in der man atmen kann..., vielmehr das Bodenlose, der Anarchismus, der
luftleere Raum" (RB^2 84f), der "Sprung ins Leere" (RB^2 14); "der Wille
zum Hohlraum, das bewegte Verharren in der Negation" (RB^2 17).[91] Die Zuwendung Gottes ist Wunder, "ihre geschichtliche und seelische Seite ist
immer ihre Unwahrheit" (RB^2 77). Der Glaube als die anknüpfungslose Tat
Gottes ist der reine Widerspruch.

ee) Ewigkeit gegen Zeit

Gemäß dem unendlich qualitativen Unterschied stehen Ewigkeit und Zeit
in unaufhebbarer Dialektik; die Ewigkeit ist die transzendentale Voraussetzung der raumzeitlichen Wirklichkeit und somit Ursprung und Ende der
Zeit in einem (AdT 60). Nur aus der Fragwürdigkeit und Nichtigkeit der
Zeit erwächst uns Erkenntnis der Ewigkeit, jedoch nicht im Sinne eines
zeitlichen Nacheinanders, sondern eines formal-dialektischen In- oder
Hintereinanders.[92] Eschatologie bedeutet also Ende der Geschichte nicht
in einem nachgeschichtlichen, sondern nur in einem urgeschichtlichen Sinne als gegenwärtige, überzeitliche, immer und überall gleichzeitige Ewigkeit, als das allein wirklich Erste und Letzte, Protologische und Eschatologische. Diese ständige Begrenzung der Zeit durch die Ewigkeit, die
in der nicht temporal zu verstehenden Naherwartung zum Ausdruck kommt,
die ständige Krisis, aber auch die uns im Entscheidungscharakter des
Augenblicks von Gott als Hoffnung geschenkte Gleichzeitigkeit von Zeit
und Ewigkeit ist die 'Auferstehung der Toten'. Eschatologie wird zu ungeschichtlicher Symbolik. Die letzten Dinge sind nicht zeitlich letzte,
sondern existentiell äußerste Daseinsrelationen.

Es zeigt sich hier Barths Abhängigkeit von Kant und der neukantianischen Wertlehre H.Cohens und P.Natorps. "Barth hat offensichtlich geglaubt, aus Kants Antinomienlehre seine Zeit-Ewigkeits-Dialektik ableiten und begründen zu dürfen."[93] - Werden die viel beschworene Aktualität
und Existentialität der letzten Dinge und der Ernst des Gerichtes durch
die ständige dialektische Spannung nicht letztlich spannungslos und matt,
denn solche letzte Dinge und ein solches Gericht scheinen aus ihrer Schwebe gar nicht zu Wirklichkeit übergehen zu können?

ff) Individuum und Universum

Da die einzige authentische christliche Existenz die des absoluten
Glaubenswunders und des daraus gelebten je individuellen Glaubensaktes
ist, wird die horizontale Verbindung mit Mitmenschen und mit dem Kosmos
zurückgedrängt. Der Glaube als der mathematische Punkt der Wende droht
die Weltwirklichkeit völlig aufzuheben. "Mag das Weltliche, das dem Wort
gegenübersteht, gewiß etwas und nicht nichts sein, so kann es doch nicht
anders denn als ein verlorenes, hoffnungsloses erscheinen, dem man als
bestes das Nichtsein wünschen möchte."[94] "Nicht auf dem Umweg über 'das
Ganze', sondern in eigener Not und Hoffnung steht der Mensch vor der
Gottesfrage. Nicht 'Teil' ist der Einzelne, sondern selber das Ganze"
(RB[2] 406;vgl.427f).

Daraus sind das (bis 1927) fehlende Verständnis für Kirchlichkeit und
für die Gemeinschaft der Heiligen und die Verurteilung der Kirche erklärlich (vgl.RB[2] 316). Hieraus entsteht auch die lähmende Wirkung der Barthschen Theologie für die Mission. Das Verhältnis von Missionar und Heide
ist zwar ein horizontal-kontinuierliches, jedoch das zwischen Gott und
Mensch nur ein diskontinuierliches, weshalb "die Gnade, wo und wie immer
die Sprache anknüpfen möge, das reine Wunder und kein Brückenschlag und
als Wunder und nicht als überhöhte Natur zu verkündigen ist"[95]. Die je
individuelle Gerichts- und Gnadengewißheit drängt auch die universale
Komponente in der Endvollendung zurück, sofern sie Wirklichkeit werden
kann. Gegen den Universalismus des 19.Jahrhunderts gedeiht jetzt der Individualismus, die Persönlichkeitsvollendung; gegen die Diesseitseschatologie entsteht eine Jenseinseschatologie, die in Gefahr ist, völlig
welt- und geschichtslos zu sein. Es kostete Barth einige Mühe in den kommenden Jahrzehnten, die weltliche, kirchliche und damit auch die inkarnatorische Wirklichkeit mehr in seine Theologie hineinzuholen.

b) Althaus' Stellung zu Barths dialektischer Eschatologie
aa) Frage der Abhängigkeit

Barths eschatologischer Entwurf in RB[2] war wie ein in den Teich der
Theologie geworfener Kiesel, der zur Folge hatt, "daß in den folgenden
Jahren so ziemlich jeder, der überhaupt zur Sache das Wort ergreifen
wollte, nun eben in die eschatologische Debatte eingreifen mußte"[96]. Im
selben Jahr 1922 erschien die erste Auflage der 'Letzten Dinge' von Paul
Althaus. Und viele sehen bereits darin den ersten von Barth ausgelösten

Wellenschlag. Anhalt dafür sucht man vor allem in der Erwähnung von RB[2]
in LD[1] 11,n.1, (fehlt in den späteren Auflagen) und in LD[1] 12,n.2 (=
LD[3] 4,n.1) (Verweis auf die vielzitierte Stelle vom nureschatologischen
Christentum in RB[2] 298).

Nachdem H.W.Schmidt in seiner polemisch einseitigen Auseinandersetzung
Althaus bereits direkt unter die Dialektiker eingereiht hatte[97], meinte
der einflußreiche Holmström: "Die ursprüngliche Form seines epochemachenden Entwurfes vom Jahre 1922 ist von dem unwiderstehlichen Eindrucke zu
stark geprägt worden, den das fast explosive Hervorbrechen der eschatologischen Leidenschaft in Barths zweiter Römerbriefauslegung von demselben Jahre auf die theologischen Zeitgenossen machte." (ArtDeD 330) Althaus behauptet dagegen entschieden, daß diese Annahme der historischen
Wirklichkeit widerspreche, denn seine "Grundgedanken, die den Entwurf
von 1922 bestimmt haben", waren bereits "1921 fertig, als noch niemand
unter uns Barth kannte und las. Sie lagen in der Luft. Nicht Barth war
es, der diese Welle in unsere nordischen Gewässer trieb; er wurde selber von einer Welle getragen, die früher und breiter war als seine Arbeit und seine Wirkung"[98]. Er verweist vor allem auf den entscheidenden
frühen Einfluß von K.Heim; außerdem führt er seinen Vortrag 'Das Kreuz
Christi als Maßstab aller Religion' und das Apologetische Seminar in
Wernigerode, beides aus dem Jahre 1921, an.[99] Holmström blieb weiter bei
seiner Behauptung, vor allem mit Hinblick auf die zwei erwähnten Barth-
Hinweise (DeD 280,n.1).

Das eigentlich sachliche Argument läßt sich nicht aus dieser Rede und
Gegenrede erschließen, wenn man auch Althaus selbst wohl besseres Wissen um den Zusammenhang zutrauen muß. Vielsagender ist u.E. Althaus'
früh einsetzende und massive Kritik an Barths Konzeption, die doch tief-
gehende theologische Unterschiede von Anfang an vermuten läßt. Dem acht-
samen Leser entgeht nicht, daß die Fußnote, die auf "Barths originelle
Neuprägung des Eschatologiebegriffs" (DeD 280,n.1) hinweist, Zusatz zu
einer Kritik an Barth ist: "Manchem scheint jetzt das Christentum in seiner Hoffnung aufzugehen. Die Eschatologie, vordem ein lange vernachläs-
sigter Anhang, will der Kern und Sinn des Ganzen werden." (LD[1] 12 = LD[3]
3f) Aus Althaus' frühen Stellungnahmen zu RB[2] und AdT und aus seiner
sonstigen Sicht der dialektischen Theologie[100] können wir ein Kriterium
nehmen und gleichsam den Rahmen abstecken,in welchen Sinne seine Escha-

tologie, vor allem seine zweideutigen, oft mit Barth fast gleichlauten-
den Stellen in LD, zu deuten sind. Wir glauben deshalb - gegen F.Holm-
ström -, W.Lohffs Meinung auch auf die Anfänge der Althausschen Theologie ausdehnen zu dürfen:

> "So ist er immer wieder der frühen dialektischen
> Theologie und dann vor allem Karl Barths entgegen-
> getreten. Wohl weiß er sich der theologischen Er-
> neuerungsbewegung verbunden und hat Barths Verdienst
> an der Neuorientierung des theologischen Denkens im-
> mer wieder dankbar hervorgehoben. Er erhebt jedoch
> Einspruch, wo nach seiner Meinung die neue theolo-
> gische Lehre der vollen Weite der christlichen Lehr-
> überlieferung nicht gerecht wird."[101]

Eine Auseinandersetzung hinterläßt freilich, zumal bei einer so offenen, vermittelnden Persönlichkeit wie Althaus, ihre Spuren, so daß auch
er, obwohl seine Einstellung zu Barth "von vornherein kritisch und über-
wiegend ablehnend" war, "sich dem Einfluß dieser kraftvollen, prophetischen Persönlichkeit nicht hat völlig entziehen können"[102]. Auch Barth
hat Althaus geschätzt, denn "mit Althaus uns zu beschäftigen, lohnt sich
für uns....darum, weil er mehr, als er Wort haben will, mit uns ein Su-
chender, ein Mann der Grundfragen und nicht gewisser Grundantworten ist
....er ist einsichtig und aufrichtig genug, um sich ganz unter den Zwang
des Problems zu stellen"[103].

Diese gegenseitige Achtung und der Wille, einander näherzukommen, gehen vor allem auch aus dem persönlichen Briefwechsel beider hervor, der
"mit dem Wunsch nach Verständigung und Gemeinschaft geschrieben ist"[104].
Trotz heftiger gegenseitiger Kritiken bekräftigt man immer wieder "die
Absicht zur Zwiesprache"[105]. Es kommt zur ersten "erfreulichen persönlichen Begegnung" im Okt.1924 in Göttingen.[106] Die größte Nähe erreichen
die beiden Theologen von Dezember 1924 bis etwa zum Jahre 1927. Es beginnt mit Althaus 'Theologie des Glaubens', "dessen 2.Teil - laut Althaus - jene größte mir mögliche 'Sonnennähe' darstellt"[1o7] - eine Vermutung, die Barth freudig bestätigt: "wie sehr ich mich über Teil II ge-
freut habe - so sehr daß ich mich frage, über was ich mich nun eigentlich mit Ihnen streiten soll?"[108] Althaus nimmt jedoch seine Angriffe
aus TG "unbeschadet der im zweiten Artikel (=TdG) deutlichen Gemeinsamkeit" keineswegs zurück, wenn er auch "seither das Motiv" von Barths Thesen besser versteht[109]. Es kommt jedoch nicht zu einer "offiziellen Klärung" des Verhältnisses; man macht die Not zur Tugend und sieht die

Schwierigkeit gegenseitigen Verstehens als "fruchtbaren Nebel" - in der
Hoffnung auf die "Stunde des 'transibit'"[110].

Die Schwierigkeiten sind jedoch einfach zu groß und die Voraussetzungen zu verschieden. Wenn Althaus auch gesteht, dazugelernt zu haben, so
konnte doch die dialektische Theologie ihm nicht das bieten, was es für
die Jüngeren war, denn, so schreibt er an Barth, "ich hatte immerhin bei
Schlatter, Kähler, bei Luther und Calvin schon soviel gelernt, daß mich
Ihre Anklage gegen die ganze Theologie fremd berührte, zumal aus dem
'bißchen Zimt' eben doch eine selbständige, kräftige Speise wurde....
Auch war ich weder dem Kulturprotestantismus noch der Erlebnistheologie
je verfallen - so fühlte ich auch keine Befreiung"[111]. Deshalb spürt er
immer wieder "neben der starken Verbundenheit....doch den weiten Abstand.
Am stärksten, offen gesagt, in den ethischen Fragen"[112]. Ab 1927 wird
der Blick noch nüchterner; der Konflikt konzentriert sich zunächst auf
die Christologie. Während Althaus bei Barths Christologie "der Atem ziemlich ausgegangen"[113] ist und er selbst eine Christologie von unten fordert, zeigt sich Barth wenig beeindruckt von Althaus' "Schreckensruf vor
den Gespenstern der Orthodoxie" und nennt seine eigene Position besser
"als die ethische Limonade"[114] einer anthropozentrischen Christologie.
Die politischen Anschauungen während des Dritten Reiches vergrößerten
die bereits bestehende Distanz. Althaus beantwortete nach dem zweiten
Weltkrieg für seinen Teil "die längst wache Frage....ob es nicht.....
zwischen Ihnen und mir wieder zu einer neuen Fühlung kommen müsse", mit
dem an Barth gerichteten "Wunsch,....wenn möglich zu gelegentlichen Zeichen - sagen wir: der Kollegialität, der Mitarbeiterschaft an einem uns
beiden zuletzt gemeinsamen Thema zu kommen"[115]. W.A.Mozart eröffnet zwischen beiden nochmals "eine schmale, aber solide Brücke,...zu der es
wenn es um 'Uroffenbarung', 'Gesetz und Evangelium' und dgl. ging bis
jetzt offenbar nicht kommen wollte"[116]. Die theologische Differenz war,
scheint es, trotz der vielfachen Versuche, das Gemeinsame herauszustrei-
chen, zu groß.

Wenn wir zum Schluß noch einmal die Frage der Abhängigkeit stellen,
so ist u.E. sehr zutreffend das Bekenntnis, das Althaus selbst in seinem
Alter in einem Brief an Barth ablegt:

> "Ich glaube auch zu denen zu gehören, die dankbar
> bekennen, was wir durch Sie gelernt haben (obgleich
> ich, wie Sie wissen, immer nur in der inneren Ab-

grenzung gegen Sie von Ihnen gelernt habe, ja in
der Polemik, der gedruckten und ungedruckten....
Ich habe gewiß z.T. auch umgelernt. Aber eine Kehre
oder gar eine Bekehrung theologischer Art habe ich
nicht erlebt – und kann auch nicht zugeben, daß die
durch Sie bewirkte Wendung, aufs Ganze der damaligen Theologie gesehen, eine Umkehr oder die Nötigung
zu einer Umkehr bedeutet hätte."[117]

Mehr noch als der Person Barths wußte sich Althaus u.E. gewissen Anlie-

gen der dialektischen Theologie verbunden. Deshalb "konnte und wollte er

sich dem in ihr vollzogenen theologischen Aufbruch nicht völlig verschlie-

ßen"[118].

bb) Gemeinsame Anliegen

Im "eigentlichen Worte der dialektischen Theologie"[119] will sich Alt-

haus eins mit ihr wissen. "Das Christentum - so schärfte man ein - ist

nicht, wie im Liberalismus, ein Sonderfall menschlicher Religion, nicht

die edelste Blüte menschlichen Geisteslebens, sondern der christliche

Glaube und die Kirche stammen aus Gottes souveräner Tat der Offenba-

rung."[120] Im Zeugnis von Gottes Subjektivität und Freiheit, von Gott als

Gott, liegt wohl das eigentlichste Wort der dialektischen Theologie, das

auch das tiefste Anliegen Althaus' war.

> "Gegenüber dem Erlebniskultus, der 'Religiosität',
> der Religion als Stimmung, Weihe und Lebenserhö-
> hung, erklingt es streng und scharf: Gott ist nie
> und auf keine Weise und an keinem Menschen zu 'er-
> leben'....Gegenüber der Bedürfnisreligion, die vom
> Menschen ausgeht und Gott durch 'Werturteile' er-
> kennt, hat es tiefe Wahrheit, wenn wieder verkün-
> digt wird: Gott ist Gott, nicht identisch mit dem,
> was wir aus unserem Wertbedürfen heraus Gott nen-
> nen. An Gottes Ehre liegt es, und nicht die Heils-
> gewißheit ist das wichtigste Anliegen der Theolo-
> gie." (TG 745)

Um der Betonung des Transzendenzgedankens willen hält auch Althaus die

'theologische Dialektik' für notwendig. Diese Dialektik von Frage und

Antwort, die "das Geheimnis aller Seelsorge" ist, zeugt "von Gottes letz-

tem Worte als wirklich Gottes Worte, das selber aber nicht dialektisch,

sondern lauter Thesis ist. Für Gottes undialektische These kann die Theo-

logie nicht anders zeugen als indem sie als menschliches Wort dialek-

tisch redet"[121].

Barth und Althaus liegt die Aktualität der Eschatologie am Herzen,

die Betroffenheit des Heute von den 'letzten Dingen', das Pathos für die

Bedeutung des Augenblicks. Deshalb sieht Althaus mit Genugtuung eine gewisse Neuorientierung an der Reformation und Kierkegaard. "So kommt es, daß die Bewegung von Luther her und die dialektische Theologie zum Teil ineinander geflossen sind."[122] Ebenso wurde das bei ihm vor allem von Kähler geweckte Interesse für die Rechtfertigung noch gesteigert, eng verbunden mit seinem Vorstoß in Luthers Kreuzestheologie, "der wohl nicht zufällig während der ersten Blütezeit der Dialektischen Theologie erfolgte und der darauf aus war, "die innere Verwandtschaft mit Grundanschauungen der Dialektischen Theologie festzustellen"[123]. Althaus verwehrte sich jedoch gegen Barths Meinung, die Betonung der Freiheit und Transzendenz Gottes seien nur calvinische, nicht lutherische Gedanken, ja er wirft ihm sogar eine im letzten unreformatorische Herkunft vor: "Die entscheidenden Sätze seiner Theologie, jedenfalls im 'Römerbriefe', stammen nicht aus der Theologie Calvins oder aus reformierter Tradition, sondern aus ganz anderen Quellen, aus Overbeck, dem Marburger Neu-Kantianismus und einigen Gedanken Kierkegaards."[124] Für ihn selbst ist Luther Kriterium der Wahr- und Unwahrheit der dialektischen Theologie.

Wenn wir nun das Gegensätzliche hervorheben, so kann es, wie W.v. Loewnich sagt, "nicht schaden, daran zu erinnern, daß man damals weiterhin Gemeinsamkeiten empfinden konnte, wo wir heute längst wieder die damals natürlich auch schon vorhandenen Gegensätzlichkeiten erkennen.... Muß darum die damals von vielen empfundene Gemeinsamkeit nur ein Irrtum gewesen sein?"[125] Nein, keineswegs! So empfindet es auch wohl Althaus, wenn er 1950 über das Erbe der damaligen Zeit schreibt:

> "Das Gemeinsame ist wohl das: die Theologie ist von der Verkümmerung und Verweltlichung im theologischen Liberalismus wieder zu der Mitte der Bibel, zu dem Bekenntnis der Kirche hingeführt worden, zu der Botschaft von der Menschwerdung Gottes in Jesus Christus, von der Versöhnung und Erneuerung durch Jesu Tod und Auferstehung. Sie hat aufs neue erkennen und aussprechen gelernt, was eigentlich heißt, daß Gott Gott ist; was der heilige Name Gottes im Ernste bedeutet."[126]

cc) Althaus' Kritik an Barth

Wenn es auch stimmt, daß Althaus mehr "auf die faktischen Ergebnisse (was an sich möglich ist!), statt in einer Interpretation in meliorem partem das von Barth Intendierte - und wegen der unglücklichen Begrifflichkeit Unsagbare! - zu benennen"[127], bedacht war, so gehört doch seine

Kritik zu den ersten und bedeutendsten. Selbst Stadtland gesteht, von den
"scharfsinnigen Arbeiten von P.Althaus" viel gelernt zu haben[128]. Althaus
sieht das Grundübel der dialektischen Theologie Barths in der "Pseudomorphose", die das eigentliche Anliegen durch "eine rationale dualistische
Metaphysik" in der Gestalt einer"ontologischen Dialektik" erfahren hat,
"deren berüchtigter Grundansatz die absolutierte Formel Kierkegaards von
dem 'unendlichen qualitativen Unterschied' von Zeit und Ewigkeit, Gott
und Mensch ist"; nicht Gott, sondern das 'neue Kriterium' ist Maßstab:
"hier ringen zwei unvereinbare Mächte miteinander"[129].

Kritik des Gottesgedankens: Das Erste und Entscheidende, das unter
dem neuen Kriterium zu leiden hatte, ist der Gottesgedanke selbst, denn
die Transzendenz Gottes glaubte man zu retten "in der ganz untheologischen, widerchristlichen These von dem rein dialektischen, das heißt exklusiven Verhältnis zwischen Gott und Welt, Gott und Mensch, Ewigkeit
und Zeit, Offenbarung und Geschichte usw."[130] Allzu teuer wird jedoch
Gottes Transzendenz erkauft, nämlich "mit dem Verzichte auf die konkreten
Inhalte des biblischen und reformatorischen Glaubens" (TG 754). Das persönliche Antlitz Gottes verschwindet; es bleibt ein unpersönlicher, formal abstrakter, aprioristischer Gottesgedanke, der die ganze Theologie
beherrscht, denn alle Folgerungen sind nur "analytische Wiederholungen"
(TG 742) des Gottesgedankens. "Der Schöpfungsglaube bleibt ganz im Schatten der Sündenlehre, das Schöpfungsverhältnis geht unter im dialektischen Verhältnis." (TG 743) Althaus kann auch sagen: "Der Gegensatz
'Gott und die Sünde' wird verschlungen von dem anderen 'Zeit und Ewigkeit'."[131] Kritisch wendet er sich deshalb gegen die alles verzehrende
Todeslinie, die in einem falschen Konkurrenzverhältnis jede positive inhaltliche Beziehung zwischen Gott und Mensch ausschließt (TG 743). Das,
wogegen Barth in der Übernahme des totalen Relativismus als pracambula
fidei mit aller Vehemenz kämpft, nämlich eine Analogie zwischen Gott und
Welt, kehrt ungewollt bei ihm in negativer Gestalt wieder. "Bekommen wir
nicht doch auch bei ihm ein religiöses Erlebnis, wenn auch das negative
des Hohlraumes?" (TG 753) Mit dieser Methode wird aber die Begründung
des Gottesgedankens überhaupt unmöglich, denn "wer leichtsinnig auf den
Sinn der Geschichte verzichtet, der kann auch ihren Unsinn nicht als Hinweis auf Gott retten wollen" (TG 753).

Trotz aller Todesgesetze der Geschichte, letztlich gründet Geschichte

bei Althaus in der von Gott schöpferisch eröffneten Möglichkeit des Dialogs der Liebe, dem ein Leben des Glaubens entspricht. "In Barths Theologie fehlt ein inhaltsvoller Gedanke der Liebe Gottes" (TG 755). Eigentlich kann Barth nicht einmal die Absolutheit Gottes wahren, denn erst
"in der höchst inhaltvollen Erkenntnis seiner freien, Gemeinschaft stiftenden Liebe" (TG 761) kommt die Transzendenz voll zur Geltung.Weil Gott
von Althaus gesehen wird "als der, der sich in der Inhaltlichkeit heiliger Güte offenbart" (TG 762), bleibt er, ohne Einebnung des Abstandes,
nicht der völlig Unbekannte, sondern wird in seinem heiligen guten Willen erkannt. Auf diesen Willen hin sind wir geschaffen und er ergreift
"uns als sittliches Gebot im Gewissen" (TG 762).

Da der Nihilismus durchbrochen ist durch die Gegenwart Gottes in dem
uns erkennbaren sittlichen Gebot, kann Althaus - etwas mißverständlich -
von einem "ethischen Gottesgedanken" (TG 761f) sprechen und die Ethik
den "Schlüssel zur Geschichtsphilosophie" (TG 747) nennen. Darin liegt
nach Barth der tiefste Unterschied: "Was Althaus eigentlich von uns
trennt...,sind nicht die spezifisch 'religiös-sozialen' Probleme....Wir
sind aber nicht unzweideutig einig in dem, was wir 'Gott' heißen....es
gibt da große, grundlegende, schwer zu behebende Gegensätze."[132] Für
Barth hat Althaus die in der Rechtfertigung begründete Erkenntnis des
Luthertums vergessen, "daß all unser Tun umsonst ist auch in dem besten
Leben"[133]. Er vermutet, "daß (erg.: bei Althaus) der Entfernung der Eschatologie von der Ethik die Absicht zu Grunde liegt, die erstere zu ver-
harmlosen und die letztere aus dem drohenden Schatten der ersteren ad
maiorem gloriam hominis hinauszurücken"; folgerichtig sieht er den "be-
denklichsten Punkt" in Althaus' Buch 'Religiöser Sozialismus' im "Mangel
an Distanzgefühl", in der "Verdunkelung des kritischen Charakters der
Begriffe 'Gemeinde' und 'Schöpfung'"[134]. Während jedoch Barth Althaus
einer ethizistisch-anthropologischen Verengung beschuldigt, wirft Althaus unausgesprochen der dialektischen Theologie vor, letztlich Anthropologie zu sein, da sie die Erhabenheit Gottes nicht zu sichern vermag.[135]

Die formale Dialektik ist bei Althaus vom inhaltlichen Gottesgedanken
her auf Ermöglichung von Geschichte und von wahrer Vollendung hin gesprengt, ohne daß der Gottesgedanke selbst aufgespalten wird. Ein leerer
Gottesgedanke vermochte dies nicht, da ihm in falscher Betonung der Differenz die Vermittlung nicht gelingt und er im 'Monolog Gottes' oder in

der Anthropologie unterzugehen droht. Althaus hat, wie H.W.Schmidt gesteht, durch seine Kritik der Theologie der Krisis den Blick auf deren
Schicksalsfrage gelenkt: "was für Möglichkeiten läßt die Dialektik, die
Zeit und Ewigkeit auseinanderreißt, für eine Beziehung Gottes zum Menschen und des Menschen zu Gott noch übrig?"[136]

   Kritik der Geschichtsauffassung: Durch Barths Gettesgedanken war jede
direkte religiöse Wertung der Geschichte ausgeschlossen: "Gott in der
Geschichte - das gibt es nicht....Gott in der Geschichte, geschichtliche
Offenbarung - das sind Widersprüche. Nur der Tod ist echte Offenbarung
Gottes in der Geschichte." (TG 744)[137] Wenn die Auferstehung der Toten
der einzige Inhalt des Heils ist, dann muß man freilich Geist, Leben, Erneuerung und jegliche Verbindung zu Gott rein eschatologisch mit Auferstehung gleichsetzen. Dagegen meint Althaus, daß wir nach Paulus schon
jetzt der Wirkung der Auferstehung Christi teilhaftig würden, so daß unserer Auferstehung "eine nicht leere, sondern gerade durch Christi Auferstehung reiche Gegenwart, in der Gottes Geist und Leben schon mächtig
ist, voraufgeht"[138]. Auch Althaus kennt sehr wohl das Nein und weiß,
"daß jeder geschichtlichen Offenbarung ein 'Noch nicht' innewohnt, und
daß sie über sich hinausweist auf das Schauen Gottes" (TG 747), aber er
vermißt bei Barth das Ja am Nein und mit ihm die Spannung beider. Da
Barth die geschichtliche Existenz des Menschen vom Sündenfall herleitet,
sind die letzten Dinge eine Wiederherstellung der ersten Dinge. Das platonische Schema gestattet nur eine Rückkehr zum Ursprung, weshalb der Ge-
schichtsverlauf nivelliert und ein wirkliches Nacheinander aufgehoben
ist. Aus dieser"nihilistischen Theorie der Geschichte" (TG 747) folgt die
"Epochenlosigkeit" [139] in Gottes Handeln, die Althaus an Barth immer wieder bemängelt, weil sie die Unterscheidung und Reihenfolge von Gesetz
und Evangelium als Gottes "Stationen" (CW 59) im Handeln mit der Menschheit unterdrückt, aber auch der eigentliche theologische Grund für sein
Übersehen der Uroffenbarung ist. Da es bei der Uroffenbarung um einen im
Gottesgedanken begründeten zentralen theologischen Unterschied geht,kann
man verstehen, daß von Althaus "nach dem 'Nein!' Barths ein ebenso entschlossenes 'Doch!'"[140] Althaus kam. Ebenso fordert Althaus gegen Barths
rein anthropologisches, apriorisches Verständnis der Religionen (TG 744)
eine mehrschichtigere, 'dialektischere' Theologie der Religionen (vgl.
CW 138), denn "der dialektische Federstrich, mit dem abstrakt die Abso-

lutheit des Evangeliums statuiert wird, hilft der missionierenden Kirche herzlich wenig"[141].

Kritik der Ethik: Wenn nach Althaus die Ethik der "Schlüssel zur Geschichtsphilosophie" (TG 747) ist, so wird die sittliche Erfahrung sozusagen zum Offenbarungsträger; dann nämlich ergreift uns "in den sehr bedingten Aufgaben der unbedingte Herr, in dem Geschichtlichen das Ewige" (TG 748). Die Geschichte ist weiterhin zum Tod bestimmt, aber sie ist gleichsam Vehikel der Verantwortung, die das "Innenbild der Geschichte" (TG 747f) ist, an der das Ewige aufgeht. "Ewigkeit und Zeit stehen nicht nur im Verhältnis der dialektischen Spannung, sondern zugleich, um der Erfahrung unbedingter Verantwortung willen, im Verhältnis der Immanenz." (TG 748)

Hat Barth nicht recht, wenn er das Gericht der Rechtfertigung auch über die Ethik des Gewissens und der Geschichte ausdehnt? - Ja und Nein. Als Mittel zur Rechtfertigung untersteht sie dem Nein, aber als Evangelium von Gottes liebender Mitteilung dem Ja, denn der Gott des Gesetzes ist der Gott des Evangeliums. "Nicht die Ethik, sondern die Verletzung des Sittlichen durch das moralische Selbstgefühl wird in der Rechtfertgung gerichtet." (TG 752) Sicherlich muß die Rechtfertigung die "stets gegenwärtige alleinige Begründung" (TG 782) sein, doch dem "verkümmerten Begriff der Rechtfertigung" (TG 782) Barths wirft Althaus mangelndes Vertrauen auf die Erneuerungsmacht des göttlichen Ja und auf die in Christus entstehende Lebensgemeinschaft mit Gott vor. Es gibt nicht nur das transzendentale eschatologische neue Ich, sondern im durch die Erkenntnis Christi bewirkten "Ja zu Gottes Gericht ist der neue Mensch schon da, den Gottes Liebe schuf, ein neues Ich" (TG 783), das zuversichtlich "fröhlich eigene Schritte" (TG 784) wagt (vgl.TG 784;LD[3] 62f). Daraus folgt: Gott "bezeugt sich nicht nur in unserem Nicht-Wissen, sondern auch in unserem Erkennen, nicht nur im Bankrott der Kirche und dem Stillstand ihrer Werke, sondern auch im Gelingen" (TG 785).

In Barths hamartiozentrischem System wird die Krisis der Ethik ausgedehnt vom ethischen Subjekt (guter Wille) auf das ethische Objekt (neue Welt). Dagegen sieht Althaus nur in der Krisis des Subjekts eine ethische Wirklichkeit; die Krise des Objekts selbst ist, weil Daseinsgesetz, gutenteils meta-ethisch (vgl.TG 756;LD[3] 159,n.2). "Ohne Chiliasmus, und wenn es nur ein Quentchen wäre, keine Ethik",[142] kann nur meinen, daß

all unser Tun nur in der Hoffnung des Tages Gottes getan werden kann,
daß es letztlich davon Gleichnis, Zeugnis und Verheißung gibt, weil es
diese neue Welt immer schon 'meint', ohne daß jedoch "dieses Ziel, von
dem aus das Handeln erst Sinn empfängt, 'sittliches Objekt', also letzter Ertrag des Handelns" sein muß: "das Ziel ist durchaus meta-ethischer
Art. Es verwirklicht denken heißt: die Geschichte aufgehoben denken"
(LD[3] 161).

Allerdings ist in Althaus' vor allem durch die ethischen Normen bestimmten immanent-transzendenten Charakter der Offenbarung die Richtung
der Geschichte "nicht die Längendimension, sondern die Tiefendimension,
ihre Grundform nicht die Periodizität, sondern Polarität, ihre innerste
Bewegung nicht aufsteigende Entwicklung, sondern Spannung, Spannung zwischen menschlicher Schuld und göttlicher Heiligkeit"[143]. - Ist damit aber
schon ein 'positiver' Begriff der Geschichte erreicht - in ihrer zeitlich sich erstreckenden, kommunitären, leibhaftigen und antizipatorischen
Dimension? Droht bei dieser letztlich intentionalen Gewissensethik nicht
die Gefahr, daß die Tat und das Werk zu wenig Eigengewicht bekommen, -
daß die weltlich-geschichtliche Wirklichkeit doch nur Bühne und Kulisse
ist, aber selbst nicht Teil des Dramas?

Kritik an der Negativität der Offenbarung Jesu: Als Geschichtlicher
ist auch Jesus bei Barth von der ganzen Fragwürdigkeit, selbst von der
Sünde der Religion belastet (TG 764f). Althaus weist klar auf die Tendenz Barths hin, den Glauben von der Geschichte zu lösen. Die Auferstehung ist jetzt nur mehr Dialektik des Kreuzes, Sonderfall und Ausdruck
des allgemeinen dialektischen Umschlagens des Nein ins Ja, der Krisis in
Gerechtigkeit, des Todes ins Leben: "So im Nein das Ja hören, das heißt
'Glauben'" (TG 774). Für Althaus dagegen gilt: "Die gleiche Menschlichkeit Jesu ist Grund des Ärgernisses und Grund des Glaubens. Also jedenfalls auch Grund des Glaubens!" (TG767)[144] "Das Glauben durchmißt immer
aufs neue die mächtige Spannung von dem finitum incapax infiniti bis hin
zu dem finitum capax infiniti." (TG 767)

Bei Barth ist 'indirekt' gleich 'negativ' (TG 767), bei Althaus dagegen führt der Glaube 'durch' die Verhüllung der Geschichte zur Offenbarung, 'durch' das Nein zum Ja, d.h. zu positiven inhaltlichen Eindrük-
ken von Jesus, die als solche direkt "das 'Akosmistische' mitten in der
Geschichte" (TG 769) ergreifen lassen. Glaube ist deshalb nicht nur Wun-

der, sondern auch "Gehorsam gegen einen Inhalt, der uns fordert und überwindet" (TG 770). Zumal im Kreuz kommt nicht nur das Scheitern, sondern
auch die höchste Positivität der Liebe zum Ausdruck: "So fehlt uns zweierlei in Barths Kreuzesliebe, erstlich....daß Jesus die Anfechtung (!)
der Gottverlassenheit überwindet durch seine mächtige Gottesliebe (....);
sodann der Zug der leidenden, vergebenden Sünderliebe Jesu" (TG 771).
Althaus hatte erkannt, daß eine solche Vergleichgültigung des geschichtlichen Lebens Jesu "dem Doketismus die Türe offnet und die Christologie
bodenlos macht"[145]. - Genügt es aber, in paradoxer Weise das Gleiche als
Grund des Ärgernisses und des Glaubens zu sehen, ohne dieses scheinbar
"unentwirrbare Ineinander" (TG 767) genauer zu differenzieren?

Kritik der Eschatologie: Auch der Rechtfertigungsgedanke ist vom unendlichen qualitativen Unterschied bestimmt. "Daher wird diese Theologie im ganzen zur Eschatologie. Nicht als ob sie eine Lehre von den letzten Dingen, einen Aufriß der Endgeschichte gäbe. Das ist gerade von den
Voraussetzungen Barths aus unmöglich (R.Br.486). Eschatologie bedeutet
ihm: die Erlösung ist in keinem Betrachte Gegenwart, Besitz, Haben, sondern nur 'Zukunft', Verheißung, Hoffen." (TG 778) Letztlich ist Eschatologie nur eine Tautologie des neuen Kriteriums. Aus der Ablehnung psychologischer Bewußtseinswirkung des Glaubens folgert Barth fälschlich
die Unwirklichkeit des neuen Lebens und vergißt, "daß wir im Glauben nun
wirklich zu leben anfangen, jetzt, hier, wir, diese geschichtlichen
Menschen " (TG 779). Althaus ist sicher, daß Barth seine theologische
Exegese kompromittiert, denn die durchgehende nureschatologische Auslegung der Auferstehung Jesu ist ein "Fehlgriff"[146] und deren Gleichstellung mit der Parusie eine "Verarmung der Theologie"[147]. Auferstehung Jesu als "gewährte Vergebung, vollzogene Rechtfertigung, Begründung der Gemeinde des Heiligen Geistes" ist sicherlich "immerdar wieder
Verheißung der völligen Erlösung, aber Verheißung eben um deswillen, was
an ihr schon Erfüllung ist"[148].

Bei Barth bezieht sich die überzeitliche Parusie auf jeden zeitlichen Augenblick, bei Althaus dagegen nur auf den Augenblick des Sterbens in der Gleichzeitigkeit aller im Tode. So wie bei Barth deshalb
die Betrachtung des wirklichen Todes zurückgeht, da ja alles Konkrete
in der Monotonie der Krisis untergeht, so auch die des wirklichen Gerichtes, das deshalb seinen eigentlichen Ernst verliert (vgl.TG 757).

Dem Gerichtsgedanken verdankt die dialektische Theologie ihre zeitbedingte Faszination, aber gerade hier ist eine ihrer größten Schwächen. Der
Ernst des Gerichtes und das Gewissen kommen zu kurz, wenn undifferenziert
Sünde mit Zeitlichkeit und Vergänglichkeit alles Geschichtlichen gleichgesetzt wird. Dagegen betont Althaus: "Unsere Kreatürlichkeit und unsere
Schuld mögen tief zusammenhängen. Aber sie sind zweierlei" (TG 758). Da
das Ja im Nein gehört werden muß, folgt bei Barth die Apokatastasislehre. Althaus dagegen frägt: "Könnte nicht Gottes Richten nur ein Nein, die
endgültige Zerstörung der Gemeinschaft, der ewige Tod sein?" (TG 775)
Das Ja der Vergebung im Gericht ist nicht automatisch gegeben. "Es bleibt,
vom Nein aus gesehen, etwas schlechthin, nicht nur dialektisch, Neues,
das Wunder einer Gottestat....das Glauben hat Grund neben dem Nein."
(TG 776)[149] Dieser Grund ist gegeben in der inhaltlich gefüllten Geschichte Christi und des Christen.

c) Althaus und Rudolf Bultmann

Es ist uns unmöglich, die verschiedenen Positionen der anderen bedeutenden Dialektiker, also Gogartens, Brunners und Bultmanns, darzustellen.
Für sie gründete der dialektische Charakter der Theologie in der Dialektik der menschlichen Existenz, nicht in der verneinenden Tat der Offenbarung. Deshalb warf ihnen Barth eine Anknüpfung der Theologie an anthropologische Voraussetzungen vor, an eine zweite souveräne Instanz neben
dem Worte Gottes. "Ihr personales Schema hat faktisch die kritische Gewalt der Offenbarung gegenüber allem von Gott Verschiedenen eingeengt."[150]
Deshalb hat die Eschatologie auch nicht mehr ganz die einzigartige Stelle wie bei Barth. Bei Brunner wurde schon 1924, bei Gogarten spätestens
1926 der Grund gelegt zur inneren Auflösung der Gruppe der dialektischen
Theologen, die sich dann 1933/34 auch äußerlich vollzog. Wir beschränken uns auf einige Bemerkungen zu Rudolf Bultmann.

Barths Römerbriefkommentar in zweiter Auflage war von Bultmann freund-
lich und zustimmend aufgenommen worden[151]. Bald jedoch betonte Bultmann
als Exeget und Systematiker das Selbstverständnis des Menschen als Beginn jeder theologischen Besinnung.[152] Das 'Jesus'-Bild Bultmanns ist
streng eschatologisch, jedoch nicht im apokalyptischen Sinn. Dieser Jesus ist uns aktuell nahe, indem er uns im Jetzt in die Entscheidung
drängt. Die Zukunft geht auf ein eschatologisches Jetzt, im Entscheidungscharakter des Augenblicks.[153] Das Endgeschichtliche wird "zu einem blo-

ßen Symbol des existentiellen Ernstes" (DeD 248). M.a.W.: das phänomenal-ontologische Existential der Zeitlichkeit und Geschichtlichkeit wird zur grundlegenden Eigentlichkeit und alles, was man normal Geschichte nennt, zur abkünftigen Zeit und Geschichte. Der Glaube jedoch ist die der phänomenal-ontologischen Struktur des Daseins als Offensein für die Zukunft entsprechende Haltung, die aus der pragmatig-linearen Zeitlichkeit und der endgeschichtlichen Eschatologie zur wahren Eigentlichkeit des Lebens aus der Zukünftigkeit Gottes in jedem Augenblick wird. Die formale Leere der Bultmannschen Entscheidungskategorie wirkt sich auch in der Ablehnung jeglicher inhaltlicher Ethik aus, so daß selbst "das berühmte Liebesgebot nichts über den Inhalt der Liebe aussagt"[154]. Jesu geschichtliches Leben wird schließlich auf diese eine notwendige Funktion hin entmythologisiert: Von Jesu Wort und Tat bleibt nur "ein inhaltsloses, absolutes Entscheidungswort" (DeD 251).

Es sei hier auf zwei Kritikpunkte Althaus' an Bultmann aus den ersten Jahren hingewiesen, auf die Kritik seines Offenbarungs- und seines Eschatologiebegriffs. Althaus meint zwar, in entscheidenden Zügen Bultmann freudig folgen zu können, äußert jedoch offen Bedenken gegen Bultmanns Versuch, das Neue Testament "mit einem durch moderne Existentialphilosophie begrenzten Blicke lesen" (LD[4] 55) zu wollen. Die Offenbarung geht über das individualistische Selbstverständnis hinaus. Der nur restaurative Offenbarungscharakter bei Bultmann hängt wohl auch mit der Vergleichgültigung des historischen Jesus zusammen. Althaus warnt Bultmann vor der Gefahr des Doketismus, der nur durch ein echtes Verständnis der im geschichtlichen Christus erschienen en Liebe Gottes, die dem neuen Selbstverständnis vorausgeht, vermieden wird.[155] Gemäß dem Eschatologiebegriff Bultmanns werden Eschatologie und Offenbarung vollkommen gleichgesetzt. "Eschatologisch heißt jetzt, sich im rechten Verhältnis gegenüber Gott und damit zugleich gegenüber der Welt zu befinden. Das ist primär eine formale Bezeichnung."[156] Für Althaus steht jedoch der inhaltliche Aspekt im Vordergrund. "Weil Christus uns mit dem Worte von ihm heute in eine 'letzte Stunde' stellt, in das Jetzt des Heils oder der Verlorenheit, darum kommt die eine letzte Stunde, der 'Jüngste Tag'." (LD[4] 3) Es mag wahr sein, daß Althaus' Frage (LD[4] 4) an Bultmann, ob die 'echte Zukunft' jemals kommt oder immer Zukunft bleibt, im Rahmen des Bultmannschen Zukunftsbegriffes falsch gestellt ist[157], so ist aber doch in Althaus'

Kritik die Schwäche eines ontologischen Ansatzes aufgedeckt, der die Frage nach der Erwartung der noch in der Zukunft liegenden Erlösungsvollendung gar nicht stellen läßt. Die endgeschichtliche Eschatologie verabsolutiert die inhaltliche Seite und läuft deshalb Gefahr, in falscher Objektivation die letzten Dinge analog zur innerweltlichen Geschichte als deren Abschluß und Verlängerung zu verstehen. Bultmann dagegen löst das Was in das Daß, die Dinge in das formal Letzte auf und läuft deshalb Gefahr, über die irdische Glaubenssituation nicht hinausführen zu können; es entsteht deshalb leicht der Eindruck, "als bestünde die Eigentlichkeit schlechterdings darin, ewig uneigentlich zu sein und das bewußt auf sich zu nehmen"[158].

Althaus will auch hier einen Vermittlungsweg gehen, der die präsentische Eschatologie zu ihrem Recht kommen läßt, aber darob die eschatologische Ausrichtung des ganzen Christentums nicht mit Eschatologie an sich gleichsetzt, denn gemäß dem Wahrheitsmoment der endgeschichtlichen Richtung zielt die Vorläufigkeit auf Endvollendung. Es besteht "Zusammenhang" zwischen Heilsgegenwart und Heilszukunft, aber "Verwurzelung ist nicht Selbigkeit (LD[4] 5). Bultmanns verengtes Selbstverständnis, demgemäß die neutestamentliche Eschatologie "entmythologisiert" wird, muß sich fragen lassen, ob es "nicht mit der 'mythischen' Eschatologie die biblische Hoffnung überhaupt preisgibt"[159]. Wenn alles, worin das Jenseitige als Diesseitiges erscheint, als Mythologie abgetan wird, so ist jede Vermittlung und künftige Durchdringung von 'Jenseits und Diesseits' unmöglich, aber ebenso eine die Leiblichkeit und Welt einschließende reale Erlösung. "Eine 'entmythologisierte' Verkündigung wird eschatologielos sein"[160]. Nach Althaus ist aber durch diesen Ausfall des Wartens auf das Ende und die volle reale Erlösung in der neuen Welt Gottes das Entscheidende der biblischen Hoffnung unterschlagen.

5. Formale Verwandtschaft der beiden Extreme (Rückblick und Ausblick)

Wir kehren zum Anfang unserer etwas schematischen Überlegungen über die eschatologische Problematik zurück, nämlich zum gemeinsamen Ursprung beider Wege, des immanentistischen und des exklusiv-transzendentalen, in der Aufklärung und bei Kant. Dieser gleiche Quellgrund ist auch die Ursache, daß beide Wege trotz der augenscheinlichen totalen Disparität innerlich verwandt, unter gewissen formalen Aspekten sogar nahezu identisch sind. Es erhebt sich der Verdacht, daß die zu große 'Formalität'

philosophischer Voraussetzungen ein Grundfehler war, so daß selbst beim
Versuch inhaltlicher Füllung das Ganze unter einem formalen Kriterium
blieb, das die inhaltliche Differenzierung nicht zuließ. Ein entscheidender Grund war sicherlich der Ausgang von der Zeit als inhaltloser
Form und die sich daran anschließende philosophisch orientierte Zeitlosigkeitsspekulation, außerdem die Leugnung der Metaphysik mit den spezifischen Konsequenzen für die Bestimmung von Vernunft, Glaube, usw. und
die damit gegebene Versuchung, je nach der vorherrschenden philosophischen Voraussetzung verschiedene extreme Wege zu gehen. In der Überbetonung der radikalen Geschichtstranszendenz oder – immanenz wird der Glaube von einer konkreten geschichtlichen Grundlage losgelöst, "weil man
eine andere Sicherheit im Jenseits aller Zeitlichkeit an deren Stelle
gesetzt hatte"[161]. Beide Wege wollen der Offenbarung und deren Höhepunkt
in Christus denkerisch nachspüren, aber durch den Ausgang von vorgefaß-
ten philosophischen Kriterien unterstellen sie sie menschlichen Denkformen, die als solche der Unvorherschbarkeit und Unverfügbarkeit der Offenbarung und erst recht dem 'Emmanuel', dem Gott mit uns in der Geschichte, der Transzendenz in der Immanenz, der 'Vermittlung in Differenz',
nicht gerecht werden können. Schon G.Hoffmann wies auf die falsche Alternative hin: "Wird das Verhältnis Gottes zur Welt ausschließlich durch
den Gedanken der Transzendenz, der radikalen Scheidung bestimmt, so können wichtige Züge der Ewigkeitsgewißheit nicht berücksichtigt werden,
genau so wie andererseits das einseitige Betonen des Immanenzgedankens
es überhaupt nicht zu einer Eschatologie kommen läßt, die diesen Namen
verdient."[162] Hinter beiden Extremen steht im Grunde platonisch-orige-
nistisches Ursprungsdenken, denn letzteres ist auch Voraussetzung der
Theologie der Krisis: "Nur auf diesem Hintergrund einer ursprünglichen,
vorausgesetzten Identität ist die ganze Dialektik des 'Römerbriefes'
möglich. Daran ändert auch nichts das in der zweiten Fassung mächtig
aufklingende Pathos der Distanz. Denn Identität bedingt von neuem den
Ausfall des Begriffs der Natur."[163] Auch wenn wir F.Buris Lösung nicht
billigen, so hat er doch recht, daß auch die nureschatologische Theologie ein "Versuch" ist, "die endgeschichtliche Naherwartung des Neuen
Testaments auszuschalten, und zwar ganz analog den Erdrosselungsversu-
chen in der früheren uneschatologischen Theologie"[164].

"Gibt es keinen Weg zwischen Szylla des Extrinsezismus und Charybdis

des Immanentismus!"[165] - Eine Vermittlung zwischen beiden Tendenzen ist
Althaus' Anliegen. Dies ist aber nur möglich, indem er deren gemeinsame
Voraussetzung, das Identitätsdenken, durchbricht. Der Ausgangspunkt und
die beste Gewähr für ein solches vermittelndes Denken sind die Tatsache
der Menschwerdung, also das Denken, das ausgeht von der beide Momente in
sich vereinenden Wirklichkeit des Gottessohnes, Schöpfungsdimension und
Gotteswirklichkeit, untrennbar und unvermischt, offen auf den actus pu-
rus Gottes hin (von dem her letztlich Barth alles denkt) und offen auf
den Menschen hin (den das 19.Jahrhundert zu sehr zum systembildenden
Zentrum macht). Althaus möchte des Grundschema, die Denkform beider Richtungen, nämlich "die Ermöglichung und Erklärung der Differenz und Ent-
zweiung aus einer protologisch-eschatologischen Einheit und Identität"[166]
sprengen. Dies wird ihm gelingen, soweit er durchgehend beide in der
Inkarnation gegebenen Momente zu wahren weiß. So werden wir in Hinblick
auf unsere Arbeit die Frage im Auge behalten müssen, ob die Gefahr eines
von oben oder von unten denkenden Identitätssystems durchgängig, also
nicht nur in der Schöpfungs- und Offenbarungsebene, sondern auch in der
Soteriologie vermieden ist, m.a.W. ob der Gottheit-Gottes-Begriff genügend christologisch, d.h. inkarnatorisch, geprägt ist oder ob durch den,
"von Luther her empfangenen Eifer um Gottes Gottheit"[167] in der Christologie (und Rechtfertigung) auch Elemente eines apriorischen Gottheit-
Gottes-Begriffes enthalten sind.

3. Kapitel: Die Denk-Wirklichkeitsform des Glaubens

Die quantitativ verschiedenen Größen der ersten Auflagen der 'Letzten Dinge' sind bereits ein Anzeichen für die zweifellos vorhandene Entwicklung der Althaus'schen Eschatologie.[1] Die Kenntnis dieses Weges ist
nicht nur von historischem Interesse, da die in der Frühzeit gelegten
Fundamente für das Verständnis des Folgenden wichtig sind. Dazu kommt,
daß die verschiedene Beurteilung der Frühperiode deren Studium unumgänglich macht. Eine getrennte Darstellung zumindest der Grundlegung soll
der Notwendigkeit einer gewissen Sonderbehandlung der 'Zwanzigerjahre'
nachkommen. Wir werden im folgenden zeigen, daß einerseits das innere
Baugesetz der Althaus'schen Eschatologie zwar später erweitert, aber
doch schon in der Frühperiode zugrunde lag, so daß die spätere Entwick-

lung kein grundsätzlicher Bruch war, daß aber andererseits zeitgeschichtliche Umstände und vorgegebene philosophisch-begriffliche Mittel eine
Pseudomorphose des Anliegens und darin auch eine Entstellung mancher Inhalte bewirkten, obgleich jenes philosophische Rüstzeug einen gewissen
inneren Bezug zu einem Moment der theologischen Grundlegung zu haben
scheint. Der Tatsache, daß die Eschatologie, "als Wort von der Vollendung, selber zusammenfassende Vollendung, die den Sinn aller anderen Aussagen bestimmt und verrät"[2], ist und daß in ihr die Fäden der ganzen systematischen Theologie zusammenlaufen (LD[3] X), muß darin Rechnung getragen werden, daß wir zuerst nach der Denkform, also nach dem "Begriff von
Glaubenserkennen überhaupt" (LD[3] X) fragen, daß wir also versuchen, auf
diese Denkform hinzuhören, sie "aufzuspüren, sich in sie hineinzufühlen
und den Sinn von Einzelaussagen auf diese Denkform hin durchsichtig zu
machen"[3].

1. Denkform des Glaubens
a) Glaube statt angemaßter Zuschauer-Theologie

Die Denkform des Glaubens als der einzig sachgerechte Zugang zu der
Wirklichkeit, mit der es Theologie zu tun hat, war Althaus' Feldzeichen
gegen alle gegenständlichen unbeteiligten Beobachterhaltungen. Heilsge-
schichtlern und Anhängern des Historismus warf Althaus rationalisierende
Vergewaltigung des gott-menschlichen Verhältnisses vor: die einen theo-
retisieren Gottes Verheißungen in der endgeschichtlichen Eschatologie,
die anderen begnügen sich mit innerweltlich verfügbarer Kultureschatologie; beide bleiben im 'Außenbereich' der Menschheitsgeschichte. Auch
die supranaturalistische Orthodoxie flieht aus der existentiellen Betroffenheit in die objektivierende Ruhe stolzer gedanklicher Bewälti-
gung der Geheimnisse Gottes. Für Althaus ist eine solche Denkform "die
Charakterlosigkeit in Form höchster Bildung, die Entheimatung des modernen, überall sich zu Hause wissenden Menschen....entscheidungslose
Haltung, die doch als solche wider Willen selber Entscheidung ist"[4].

Im Widerspruch zu unserem natürlichen Gefälle verweist der Glaube in
den Entscheidungscharakter unseres Lebens, in den 'Innenbereich' der Geschichte: dem Worte Gottes, das uns in der Mitte unserer Person, wo Erkennen und Wollen, Wissen und Entscheiden noch eins sind, trifft, entspricht nur der Glaube als "immer neuer Kampf um sein Leben, immer neues Ringen mit der Wirklichkeit der Welt, die es zu überwinden gilt; Hin-

gabe, die immer wieder angesichts aller scheinbar widersprechenden Wirklichkeit wahrhaftig sein will"[5]. Diese Denkform des Glaubens bleibt "der
Nerv der Grundlegung" der Theologie und ebendarin auch der Eschatologie
Althaus'; dagegen ist manche (nicht alle) philosophische Einkleidung der
Frühperiode großteils zeitgeschichtliches Mittel des Ausdrucks, für sich
selbst also nur "mondäne Fassade"[6]. Althaus gesteht später selbst "das
allzu friedliche und ungeklärte Nebeneinanderstellen der Wertphilosophie
und der Begegnung des Glaubens mit dem Ewigen"[7] zu, weshalb eine gewisse
"Pseudomorphose"[8] des Anliegens und des Inhalts unausbleiblich war, doch
"das wahre innere Baugesetz des Entwurfs von 1922"[9] ist (wir gestehen es
Althaus zu) die Denkform, bzw. die Theologie des Glaubens.

b) Glaube als sinndeutende ständig aktuelle Stellungnahme

Dem Glauben entsprungene Erkenntnis ist immer auch "Zeitkritik und
Kulturkritik im tiefsten, schöpferischen, befreienden Sinne"[10] und damit Sinndeutung, aber nicht als Flucht in die ewige Welt des Wesens,
sondern als ständig aktuelle Stellungnahme. Glaube ist notwendige Grundform menschlichen Verhaltens; er gilt also "keineswegs nur für die im
engeren Sinne religiösen Gegenstände der Erkenntnis"[11]. Wissenschaft als
"Gehorsam gegen das Wirkliche" verlangt deshalb "Erlösung von uns selber", weil sie unter dem eschatologischen Ernst des Gerichtes steht -
Erlösung nicht im Sinn einer höheren ruhenden Überwelt mitten in der
Zeit, sondern als Kampf und Gericht, "zuletzt an dem Tage, von dem es
heißt, daß eines jeden Werk durch Feuer muß, ob es feuergerecht sei oder
nicht"[12]. Erst recht ist geschichtliche Erkenntnis von ethischem Ernste
beladen. Die Geschichtskunde steht im "Kampfe letzter Deutungen...;
nicht über dem Gegenstande, sondern gerade in ihm wird die tiefere Erkenntnis gewonnen", die aus dem Chaos eine Einheit gestaltet[13]. Nur geschichtliches Erkennen als Sinndeutung, letztlich als Deutung des Verhältnisses der Menschheit zu Gott, läßt "eine allen gemeinsame Geschichte" erkennen[14]. Sie kann nicht in einem historischen Prozeß abgelesen,
sondern nur im Glauben erfaßt werden.

c) Sinndeutung ist Beziehung auf 'letzte Dinge'

Als Gehorsam der Wirklichkeit gegenüber ist Sinndeutung von woanders-
her getragen. Wissenschaftliche Entscheidung ist deshalb "Beziehung auf
letzte Dinge, auf den unbedingten Herrn"[15]. Althaus verspürt eine starke

Sehnsucht in der damaligen Bildungswelt "heraus aus dem Zeitalter des
historischen Relativismus mit seiner Heimatlosigkeit hinein in die klare begründete Erkenntnis der letzten Dinge"[16]. Es gibt keine profan-neu-
tralen, a-religiösen Menschheitsfragen, denn wir sind Frage und Heimweh
nach Gott und selbst in dessen Verleugnung, in Weltangst, Gottesflucht
und Trotz noch Gott-bezogen. "Vom Wesen religiöser Erfahrung oder metaphysischer Besinnung" (LD[1] 16) entsteht die Notwendigkeit eschatologischer Gedanken, die in den höheren Religionen "geradezu Transzendenz-
gewißheit im prägnanten, unvergleichbaren Sinne, 'Ewigkeits'-Erfahrung
in völliger Bewußtheit und Unwidersprechlichkeit" LD[1] 19 = LD[3] 17) wird.
Im Glauben wird unsere tiefste Wirklichkeit erfaßt: die völlige Abhängigkeit von Gott und das Eingeladensein zur Gemeinschaft mit ihm. "Nicht
den Gegenstand, sondern die Form der Theologie bildet der Glaube. Aber
an dieser Form unserer Erkenntnis, die zugleich die Form unseres Lebens
mit Gott ist, wird ihr Gegenstand kund, wird Gott als Gott erkannt."
(TdG 106) Anerkenntnis ist der einzige Weg der wahren Erkenntnis Gottes
und darin des wahren Anfangs des Lebens mit Gott, sonst wird er 'Objekt',
entgottet. "Durch seine Form wurde der Inhalt Glaubensgrund, weil die
Form erst den Sinn des Inhaltes unzweideutig bestimmte. Die Form ist hier
eben mehr als bloße Form, sie hat inhaltliche Bedeutung."[17]

Das je gegenwärtige Durchleben der Menschheitsfragen wird Hinweis auf
letzte Dinge, Gegenwart des Ewigen in der Frage, "Logos, ein Moment we-
senhafter Notwendigkeit" als Verweis "auf das Evangelium vom Reiche Gottes..., das aller menschlichen Geschichte und Geistigkeit Gericht, Sinn
und Ziel ist"[18]. Für Althaus trägt deshalb die Wirklichkeit selbst durch
ihren 'Fragecharakter', der theologische 'Verweisungsqualität' hat, eschatologischen Sinn. In ihrem Angefordertsein durch den heiligen unbedingten Willen Gottes ist der Letzte (Eschatos) in gewissem Sinne schon
da - nicht nur als die der Antwort harrende Fraglichkeit, sondern immer
schon 'unter' der selbstgemachten Antwort, so daß der Letzte da ist als
Gericht und Verhängnis gegen den Widerwillen und als Drängen nach der
Überwindung jenes Dualismus. M.a.W.: Die Sinnfrage, die der Mensch selbst
ist, zeugt von einer gewissen Gegenwart des 'Letzten' als Angesprochensein in seiner Schöpfungswirklichkeit vom heiligen Willen des unbedingten Herrn. Althaus war zeit seines Lebens bemüht, diesen 'Grunddialog'
des Menschen mit Gott und dessen Ablehnung und Verkehrung durch den

Menschen in dessen "selbstgemachten Antworten"[19] zu betonen. Das Wissen
um die Verkehrung des Grunddialogs ist notwendig, um den von Gott gnadenhaft eröffneten 'Christodialog' verstehen zu können; darin sind Krisis
und Abbruch, aber auch Zusammenhang und Vollendung gegeben, denn "auch
als Mensch der Sünde bleibt der Mensch Gottes Geschöpf, auch als Welt
des Todes bleibt unsere Welt Gottes 'sehr gute' Schöpfung"[20].

2. Transparenz der Einzelaussagen auf die Denk-Wirklichkeitsform hin
a) Wahres Erkennen ist Glauben - im Grund- und Christodialog
    Von der prägenden Denkform des Glaubens her soll in einer Art her-
meneutischen Vorgriffes versucht werden, das der Frühperiode Althaus'
zugrundeliegende Bemühen aufzuzeigen.
    Das schöpfungsgemäße Sein in allen Dimensionen, also in Leben und Tod,
ist 'Gespräch mit Gott'. Diese Bezogenheit auf 'letzte Dinge' ist das
Hereinragen des Ewigen in die Geschichte, das Hinausragen der Geschichte
in die Übergeschichte, aber nicht im Sinne eines Ruhens jenseits des
Wechsels der Zeit, sondern im Ergriffensein von der werbenden Herrschaft
Gottes, die hinzielt auf das kommende Reich Gottes. Nur die dem Wort
entsprechende Glaubensdimension verhindert, daß die Gegenwart Gottes zur
innergeschichtlichen oder zur von der Geschichte völlig getrennten Realität (uneschatol. oder nureschatol.Theologie) wird, daß also ein Monolog des Menschen oder Gottes entsteht. Freilich kann nur in sehr analo-
gem Sinn von 'Dialog' die Rede sein. Des Menschen Entscheidungsfreiheit
ist nicht Bindungslosigkeit, sondern Gehorsam gegenüber Gottes Gottheit
selbst, die darin besteht, "daß er Schöpfer und Geber ist"[21]. Wir leben
als durch Gottes freie Huld Gerechtfertigte: "die Gnadenordnung ist Gottes ursprünglicher, wesentlicher, ewiger Wille" und "die Ursünde ist es,
von etwas anderem leben zu wollen als allein von seiner Huld"[22]. Das
Rechtfertigungsverhältnis ist nicht dazwischengekommen, weil wir etwa
das Gesetz nicht erfüllen konnten, sondern es ist unser Urverhältnis zu
Gott. Deshalb stellt die Rechtfertigung des Gottlosen gleichsam auf be-
zeichnendste Weise diesen theozentrischen Sinn heraus: es ist "der erhabenste Sonderfall der Schöpfung aus nichts"[23]. Der im konkreten geschichtlichen Moment an uns ergehende Anspruch trifft uns in unserer
eigenen Entschiedenheit für das Böse und offenbart unsere Schuld. Im
Wissen darum ist ein Mitwissen um die dialogale, des endgültigen Wortes
harrende Verfaßtheit des Menschen gegeben; 'unter' der Verkehrtheit

bleibt die Sehnsucht nach dem neuen Äon, den zu erwarten der Mensch im
Grunddialog aufgerufen war. In dieser schöpfungsgemäßen Grundwirklich-
keit gründet, wie Althaus sagt, die Einheit von Evangelium und Geistesleben, jene Einheit, "mit der Frage und Antwort, auch die verzerrt gestellte, gehemmte, schuldhaft verborgene, ihres letzten Sinnes nicht bewußte Frage: oder auch: die geahnte und entstellte und die echte Antwort
aufeinander bezogen sind"[24].

Der sich in der Schöpfungs- und Geschichtswirklichkeit bezeugende Wille Gottes, der unter allem Widerwillen bleibt und unsere Bestimmung offenbart, ist als Anspruch an uns der 'Grunddialog' (oder die 'Grundeschatologie', insofern die im Ungenügen und Widerstreit dunkle Durchsich-
tigkeit eines verheißenden Geheimnisses die Verheißung einer schließli-
chen Auflösung der ungelösten Spannung und Frage ist). Man könnte hier
von 'relativem', noch nicht endgültigem Glauben sprechen: der Mensch ist
Viator und deshalb letztlich nur auf sein Ziel hin und von ihm her verständlich; er entdeckt das "Schreiten auf das Kommende hin, Herankommen
des 'Letzten', der Herrschaft Gottes"."Das als Experiment verstandene erste Gebot ist die Dominante der Theologie"[26]: wenn Christus und das erste Gebot wie Inhalt und Form zusammengehören, so ist der 'Christodialog' oder die 'Christoeschatologie' der Inhalt der darauf hin offenen
Form des Grunddialogs oder der Grundeschatologie. Der definitiven, schon
ergangenen Herrschaft entspricht 'absoluter', qualifizierter und deshalb
alles andere relativierender Glaube. Weil der Mensch von sich aus diese
Spannung der "prophetischen Eschatologie"[27] auf die christliche Eschatologie hin immer schon selbstgenügsam abgebrochen hat, herrscht statt
Glaube Unglaube, der die Wurzel und Tiefe aller anderen Sünden ist; da
er nicht frei von Gott empfängt, der doch seinem Wesen nach umsonst gibt,
"nimmt er Gott die Ehre seiner Gottheit"[28]. Die eigenmächtig beantwortete Sinnfrage wird Unsinn, Sinnlosigkeit.

Christus eröffnet durch die stellvertretende, Gottes Willen heiligen-
de Radikalität seines Glaubens bis in die Kenosis des Kreuzes und Todes
einen neuen, nämlich göttlichen Sinnboden für die im Unglauben geeinte
und unter dem Zorne und Todesverhängnis Gottes stehende Menschheit. Das
Christusereignis ist Gericht und Vergebung, aber zunächst und dem Wesen
nach ist es theozentrisch zu verstehen: nicht bloß Rückführung zum Prinzip, sondern 'letzte Dinge' als Überhöhung der 'ersten', vollendende Neu-

schöpfung. Dem Menschen, der eintritt in das durch Christus erreichte
Stadium des Gesprächs, wird göttliches ewiges Leben zuteil, allerdings
nicht als ruhender Besitz, sondern nur in der Spannung und im Paradox
des Glaubens. Eben dieser Glaube blickt in die Zukunft und harrt des
Wiederkommenden, der überführenden Gestalt seiner Offenbarung, die den
Glauben zum Schauen wandelt.

b) Verhältnis von Philosophie und Theologie

Glaube und Philosophie sind voneinander beeinflußt. Ihr Bezugspunkt
sind 'letzte Dinge': "Keine große Theologie ist ohne Lernen an der Philosophie zu denken!...Beide, Glaube und Philosophie, haben es auf alle
Fälle mit dem Letzten: mit dem tiefsten Wesen und Sinne der Wirklichkeit
zu tun."[29] Althaus sagt ein dreifaches Ja zur Philosophie, zunächst als
zur Wissenschaft vom Wissen und Erkennen. Für die Theologie, die "Vollzug des Glaubensaktes in der Sphäre des Denkens ist"[30], bedarf der Glaube der Schulung durch die Philosophie in der Sauberkeit des Denkens und
in der Notwendigkeit philosophischer Durchdringung theologischer Gehalte,
was z.B. alles andere als positivistisch-biblizistische Aneignung eschatologischer Aussagen erwarten läßt. Sodann bewahrt Althaus die Philosophie als zusammenfassenden Ausdruck für das Selbstverständnis einer Zeit,
z.B. ihres tiefen Fragens, auf das der Glaube Antwort sein soll.

Schließlich kann die Philosophie sogar "Wegbereiterin des Glaubens"[31]
sein. Die Philosophie hat "die Aufgabe und die Möglichkeit, die Wirklichkeit des Menschen und das in ihr liegende Problem zum Ausdruck zu
bringen", denn gemäß dem traditionellen Unterschiede "zwischen einer natürlichen und der übernatürlichen Offenbarung Gottes" kann der Mensch
schon vor der Offenbarung der Bibel um seine Gottbezogenheit wissen: "In
den Gesetzen seiner eigenen Existenz weist der Mensch über sich selber
hinaus, auf seinen Schöpfer und Herrn, auf seine ewige Bestimmung. In
diesem Sinne gibt es eine 'natürliche Theologie', d.h. eine Besinnung
auf die Spuren des lebendigen Gottes in der Wirklichkeit unseres Menschseins"[32]. Die Bescheidung und Verunsicherung des Menschen, die im 'Me-
mento mori' der modernen Philosophie enthalten ist, kann "niemals nur
dumpfer Verzicht des Geistes vor dem Chaos sein, sondern sie wird zur
Ahnung des Glaubens, daß jenseits der Grenzen unserer weltverstehenden
und weltgestaltenden Vernunft ein uns jetzt noch unfaßbarer Reichtum des
Lebens und eine jetzt noch undurchschaubare übermenschliche Gerechtig-

keit waltet"[33]. Dieses Fragen und Ahnen ist es, "dessen auch der Glaube, sobald er zu denken und seine Gedanken auszuprägen anfängt, sich bedient, das er begrüßt und bedankt"[34]. Die durch Frage, Ahnung und Weissagung 'prophetische Eschatologie' begnügt sich deshalb nicht mit natürlicher Seligkeit. - Können wir nicht sagen, daß auch bei Althaus, um mit der Tradition zu sprechen, die 'Natur' wesentlich 'potentia oboedientialis' ist (oder, um die Geschichte mehr hereinzuholen, 'Hörer des Wortes'), also nie nur Natur, denn sie beginnt die Geschichte im Lichte des unbedingt Kommenden zu erfassen?

Althaus kennt aber sehr wohl auch "einen Anspruch, einen Zug in der Philosophie, wider den der Glaube kämpft, wenn er sich selber recht versteht"[35]. Es ist die vom 'Unglauben' angesteckte Philosophie, die nicht die 'offene Wunde' des 'relativen' Glaubens behält, die also die Schwebe und Spannung des Dialogs in selbstgemachter Antwort abbricht, sich in die Immanenz einschließt, die eschatologische Spannung aufhebt und so Gott die Ehre nimmt, z.B. durch den Vorrang der Gnosis vor der Pistis.- Das Ja und Nein zur Philosophie kehrt auch unter dem Thema 'Vernunft und Offenbarungsglaube' wieder. "Die Antwort auf die radikal durchgeführte Existenzfrage wird dem Menschen allein in der kontingenten geschichtlichen Offenbarung, als ein Geschenk höher denn alle Vernunft." (GD[1] I/53). Für die sündige selbstherrliche menschliche Vernunft ist die Offenbarung Begrenzung und Gericht, ihr gegenüber ist die Offenbarung nicht nur "supra rationem", sondern "contra rationem"; sofern aber die Vernunft die Geisthaftigkeit des Menschen ist, deren Bestimmung als 'offene Wunde' für das Wort Gottes auch unter deren Verkehrung bleibt, muß man auch sagen: "ratio in revelatione et fide sublata (aufgehoben und getragen)" (GD[1] I/55).

c) Kritische Anfrage

Kant hatte das Wissen von Gott aufgehoben, um dem Glauben Platz zu machen. Althaus sieht Kants Bedeutung für die theologische Erkenntniskritik darin, daß Glaube und Wissen nicht mehr als zwei Stufen gleichartigen Erkennens, sondern als zwei Dimensionen von Wirklichkeitsbeziehung unterschieden werden. Durch die Erfassung des "existentiellen" Charakters religiöser Erkenntnis ist eine intellektualistische Auffassung der Offenbarung unmöglich gemacht (GD[1] I/50). "Existentiell" heißt dieses Erkennen,"weil es mit der geschichtlichen Existenz des Menschen

und ihrem Sinne zu tun hat und weil es den Einsatz der Existenz selber
fordert, d.h. nur in Freiheit als Entscheidung, Bekenntnis, Glaube vollzogen wird" (GD[1] I/52). Durch die Festlegung auf die von Kant her geprägte Erkenntnisform des Glaubens entsteht die Gefahr eines einseitigen Personalismus, der sich zu sehr aus der - nach Kant - nur in vergegenständ-
lichendem Wissen zugänglichen Raum-Zeit-Welt in die Innerlichkeit der
personalen (vertikalen) Entscheidunssituation (d.h. der 'dritten Geschichte') zurückzieht und ungenügend die notwendig zeitlich sich erstreckende, leibhaftig-soziale Wirklichkeit des Menschen und seiner Welt
und auch der göttlichen Offenbarung würdigt. Die Beziehung auf 'letzte'
Dinge kommt dann trotz allem in Gefahr eines zeitlosen metaphysischen
Sinnbezuges; die von Althaus aufgezeigte Dialogsituation (Frage und Antwort) droht, 'metaphysiert'und einseitig verinnerlicht zu werden. Diese
Vereinseitigung muß keineswegs mit der richtig verstandenen Denk-Wirklichkeitsform des Glaubens auftreten. Die Sinnfrage wird nicht nur von
der Innerlichkeit des Menschen gestellt, sondern auch von Natur und Geschichte, also von der ganzen Schöpfungswirklichkeit. Wäre nicht in der
Ausdehnung des schöpferischen Urwortes Gottes auf die ganze Wirklichkeit
anfanghaft eine Überwindung der Aufteilung der Wirklichkeit gegeben, begonnen (oder liegt der Beginn bereits bei Luther und früher?) von Descartes' Trennung von res cogitans und res extensa bis zu Kants Entgegensetzung von Erscheinungswelt und Ding an sich, Natur und Geist, reiner
und praktischer Vernunft, Zeit und Ewigkeit?

Auch im Grund-'dialog' muß die Theozentrik, also die Unverfügbarkeit
und Souveränität Gottes gewahrt bleiben, d.h. der Mensch muß Gott gehorsam sein. Ist es aber nicht gefährlich, Gottes Gottheit derart als
Schöpfertum aus dem Nichts zu bestimmen, daß die Rechtfertigung des Sünders die erhabenste Weise der Offenbarung der Gottheit Gottes ist? Kann
man hier noch sagen, daß die "Mitte" einer solchen Gottheit Gottes die
"Botschaft von Gottes Gottsein als Ermöglichung des Menschseins des Menschen"[36] sei, oder ist nicht, wenn unser Urverhältnis "eine einfache Anwendung von der Alleinwirksamkeit Gottes"[37] ist, die Gefahr gegeben, die
geschöpfliche Wirklichkeit (auch die Jesu) unterzubewerten oder paradox
zum Geschaffensein auch sündig sein zu lassen, damit das Urverhältnis
auf erhabenste Weise zum Tragen komme? Ist dann noch 'Vermittlung in
Differenz' möglich und kann man noch vollgültig sagen: "Jesus Christus

hat in seiner Person beides vereinigt", das Gottsein Gottes und das Menschsein des Menschen[38]?

3. Kategorien der Denk-Wirklichkeitsform des Glaubens

"Wenn man erkannt hat, daß der Schlüssel zum Verständnis der Welt das 'Wort', d.h. Gottes Handeln mit persönlichen Geistern ist" (LD[3] 196), wenn uns also Gott auf den "Weg der Entscheidung und des Glaubens"[39] gewiesen hat, ist das 'sola fide' das alles tragende Prinzip. Althaus' programmatischer Aufsatz 'Theologie des Glaubens' (= TdG) - damals von vielen "als einzige Alternative zu der eben aufblühenden dialektischen Theologie"[40] verstanden -, später ergänzt durch 'Christologie des Glaubens' (= ChdG), sprach dies klar aus. Im folgenden geht es um die 'Kategorien' der TdG, also die Bedingungen der theologischen Aussage, um der Wirklichkeitserfahrung des Glaubens gerecht zu werden. Dies ist für uns sehr wichtig, denn, wie Althaus selbst sagt, "besonders deutlich tritt die Eigenart der 'Theologie des Glaubens' in der Eschatologie heraus, wie denn überhaupt die Eschatologie die Geheimnisse jeder Dogmatik offenbart" (TdG 117f).

a) Aktualität

Antiquarische und futurische Haltung entsprechen nach Althaus dem beobachtenden Denken der uneschatologischen Denker und der 'heilsgeschichtlichen' Theologen des 19.Jahrhunders, die die religiöse Beziehung in die horizontale Längsrichtung hineinprojizieren und die Geschichte von sich aus periodisieren. Dem Glauben dagegen entspricht die aktuelle Haltung, denn Glaube ist Bewegung in sich, ein Schritt, der ständig neu getan werden muß, und die Dogmatik nimmt als das, "was wir von Gott zu sagen haben, notwendig an der lebendigen Bewegung und inneren Spannung des Glaubensaktes teil" (TdG 100). Die Aktualität drohte zwar zur zeitlosen, rein vertikalen Über- und Ungeschichtlichkeit zu werden und die Zukunftsbeziehung preiszugeben, aber die Lebensnähe, der unmittelbare Ernst und die Aktualität der eschatologischen Aussagen waren "mein eigentliches Motiv von der ersten Auflage des Buches an. Ich muß aber gestehen, daß der Angriff auf die endgeschichtliche Eschatologie im Namen der Aktualität, also recht eigentlich im Namen der Theologie, in der ersten Auflage eine Art von Pseudomorphose (um mit Spengler zu reden) erlitten hat, deren Spuren auch in der dritten Auflage noch nicht ganz getilgt

sind"[41]. Positivere Formulierung findet das Anliegen 1928 durch die 'Aktualisierung' des Chiliasmus- und Antichristsgedankens, wodurch der theologische Charakter der endgeschichtlichen Eschatologie wieder zutagetre-
ten soll.

b) Personalität

Im Glauben wird uns das Ich-Du-Verhältnis offenbar[42]. Glaube ist "der
ständige actus des sich in Gottes Arme Werfens" (TdG 84), "Antwort auf
seinen Anspruch,...Hingabe und Einsatz....Denn Gott ist keine sachliche,
sondern die persönlichste Wahrheit, als der Herr" (TdG 100). Daraus
folgt die Personalität - im Gegensatz zu theoretisch-dinglicher Sach-
haftigkeit. Die völlige Subjektivität der Wahrheitserfassung - in der
Bedeutung persönlicher Bezogenheit der Wahrheit - ist hier 'objektiv'
und nicht Leugnung des 'extra nos'. Das Sehen der nackten Tatsachen der
Geschichte ist nur Voraussetzung, allein das von Glauben durchdrungene
Geschichtserkennen dringt darin durch zur Heilsgeschichte, zur Daseins-
dimension der Begegnung Gottes mit dem Menschen.

'Personalität' bewahrt das Christentum vor dem Gottes- und Heilsgedan-
ken und dem Heilsweg der Mystik. Nach Althaus ist Gott für die Mystik

> "das ruhende, höchste Sein, jenseits aller Bestim-
> mungen und Prädikate, die Abstraktion von allen Kon-
> kretheiten. Das Heil besteht in der unmittelbaren
> 'substanziellen' Berührung, ja dem Einswerden der
> Seele mit dieser Gottheit, in der unio. Da der Got-
> tesbegriff in strengster Transzendenz gedacht wird,
> ist der Weg zur Einheit die Lösung von der Außenwelt
> und allen ihren Inhalten, von der Gemeinschaft und
> allen ihren Beziehungen, von dem geschichtlichen
> Ich und allen seinen Gedanken und Wollungen, ja vom
> Ichbewußtsein selbst...-im mystischen Tode restlosen
> 'Entwerdens' versinkt das Ich in Gott" (TdG 78).

Der personale Glaube hingegen weist in das Ich-Du-Verhältnis und damit
in die Geschichte (TdG 79). Althaus lehnt alle unpersonalistisch-mysti-
sche Frömmigkeit ab, denn sie ist "eine in sich allgenügsame Erfahrung
letzter Dinge, die nichts vom Harren weiß" (LD[1] 26;LD[3] 25,n.1), die also das Noch-nicht vergißt. Die Begründung der Gottesgemeinschaft muß in
einer geschichtlich konkreten Person vollzogen werden, "und zwar in eben
dem, der den Zorn überwindet und den Widerstreit zur Höhe des Erlebnisses in sich und an sich bringt"[43]. Mystik und Gesetzesreligion sind Flucht
vor der Wirklichkeit Gottes, denn die Mystik ist die Auflösung der im

Glauben gesetzten Spannungen zwischen Gott und Mensch, Geschöpflichkeit
und Sündigkeit, Offenbarung Gottes in der Zeit, Kreuz, Auferstehung der
Toten und Neuschöpfung der Welt. Weil aber Gott auch "das uns umfassende
Leben, der Geist, der uns bis in die letzte Faser trägt und durchdringt"
(TG 754) ist, hat die Mystik als Wahrung dieses Geheimnisses des gött-
lichen Lebens 'für uns' und 'in uns' ihr Recht – nicht als selbständige
Religion, sondern als "Mystisches an aller Gotteserfahrung" (TdG 80).
Althaus spricht sogar von "Glaubens- oder Christusmystik" (TdG 84) und
"Wortmystik", denn "im verkündigten Worte seines Richtens und seiner gnä-
digen Berufung ist der Lebendige gegenwärtig"[44].

c) Vorläufigkeit

Wenn die Dialektik der Ich-Du-Beziehung ruhendes ontologisches Prinzip
wird, zwingt sie den Dialog in ein Korsett, das ihn zum über die Freiheit
des anderen verfügenden Monolog werden läßt: dies ist Althaus' Vorwurf
gegen die Dialektik des Idealismus und Barths.[45] Der Glaube dagegen ist
durch nie fertige, unverfügbare Kenntnis von Vorläufigkeit geprägt, von
Demut vor Gottes je größerem Tun, von Gehorsam und Kampf als Überwindung
des je Gegebenen (TdG 96). Diese Spannung des Kampfes, die durch die
Sünde noch verschärft ist, ist zunächst Grund für die Vorläufigkeit des
Glaubens; letztlich ist es die Freiheit Gottes, die wir nie einzunehmen
wagen dürfen, z.B. in der Frage des Ausgangs dieser Welt (vgl.TdG 115),
ja die Gottheit Gottes selbst, denn "Gott ist Gott nur als der, auf den
es immer wieder gewagt sein muß. Daher gehört der Widerstand, die Verhüllung und die Spannung zum Wesen des Lebens mit Gott, nicht nur anfänglich, sondern immer" (TdG 100). Die Unfertigkeit beruht auf Gottes un-
erschöpflichem Reichtum (TdG 97f).

d) Paradoxität

Der Glaube geschieht gegen den äußeren Schein, im 'Dennoch', das zunächst in der Freiheitsstruktur des Dialogs seinen Grund hat und durch
den Widerwillen der Sünde radikalisiert ist. Glaube ist "ein unter Furcht
und Zittern sich emporringendes Wagen auf Gottes Verheißung und Hoffnung,
wider Hoffnung auf Hoffnung" (TdG 105); es heißt, "den Zorn Gottes, den
wir erfahren, nicht mehr als das letzte ansehen, sondern hindurchschau-
en in die Liebe" (TdG 98). 'Gott in der Geschichte' kann nur unter der
Kategorie der Paradoxität ausgesagt werden (LD^3 58). Die Paradoxität ist
dort am größten, wo die wahre Stellung des Menschen zu Gott, sein Wider-

wille, ganz offenbar wird - am Kreuz -, aber ihr letzter Grund ist nicht
die Sünde, auch nicht der Gegensatz zur Vernunft, sondern sie gründet
letztlich in Gottes Gottheit selbst als Schöpfertum, denn es ist "Gottes
Freude, aus dem Nichts zu schaffen, aus dem Tode Leben, aus der Verdammnis Heil. Glauben aber heißt genau entsprechend: dort von Gott etwas erwarten, wo nichts zu erwarten ist; harren wider allen Augenschein"[46].
Daraus folgt, daß "Glaube und Geschichte, Glaube und Unsichtbarkeit Gottes, Glaube und Kampf, Glaube und Tod unlöslich zusammengehören"[47].

Hier müssen wir an unsere kritische Anfrage erinnern. Reißt diese
letztlich nicht infralapsarisch bedingte, sondern im Gottheit-Gottes-
Begriff begründete Paradoxität nicht alle Schöpfungsfreudigkeit in ihren
Strudel - zumindest so, daß Althaus, der als Schlatter-Schüler an der Positivität der Geschöpfe festhält, paradox daneben Sündigkeit und Nichtigkeit des Menschen und der Geschichte behaupten muß, ohne die beiden in
ein Verhältnis zueinander setzen zu können, da dies einer so gearteten
Theologie des Glaubens widerspräche? Ist der de facto immer schon sündige Mensch nicht in Gefahr, prinzipiell Sünder zu sein?

e) Liebe und Freiheit als letzter Grund und bleibendes Prinzip

Alles ist durchwaltet von dem Grundgeheimnis, daß der Absolute zugleich die Liebe ist (TG 755). In dieser "ungelösten Spannung von Gottes
'Absolutheit' und 'Persönlichkeit'" (TG 756), im "Paradox der Schöpfung
persönlichen Lebens" (GD[1] I/72) ist die Wurzel des Paradoxes der Offenbarung, der Notwendigkeit dialektischen Redens[48], ja schließlich auch
der eschatologischen Spannung und der Notwendigkeit ihrer Lösung gegeben.
Gottes "Eintritt in die menschliche Geschichte der Relativität und des
Todes bedeutet Offenbarung in der Verhüllung, Grund des Glaubens da, wo
die Möglichkeit des 'Ärgernisses' besteht" (GD[1] I/73). Dahinter steht das
um uns werbende 'Wort' der Liebe, die nicht zwingt, sondern uns in Freiheit ihre Gemeinschaft schenken will. "Weil Gott den Menschen so zur Gemeinschaft erlösen will, setzt er frei die Geschichte als Entscheidungsleben unter der Todesbestimmtheit. Das aber ist Kenosis Gottes. Nicht in
der Geschichte übt er Kenosis, sondern mit ihr, die er um seiner Liebe
willen gesetzt hat. Geschichte heißt Kenosis."[49] Weil nur Kenosis Glauben
und darin das wahre Urverhältnis ermöglicht, setzt Fülle Kenosis, Ganzheit Stückwerk, Schauen Glauben voraus. Die Kenosis, die Gottes ewiger
Herrlichkeit ganz zu widersprechen scheint, wird gerade von ihr gefordert,

denn nur durch sie kommt es zur Anbetung einer Gemeinde (LD^3 59). Aber
ebenso entsteht "die Gewißheit, daß Gott, weil er Gott ist, mit seiner
Herrschaft kommen wird", daß ein neuer Äon heraufkommen wird[50].

Der oberste 'Konstruktionspunkt' der Welt, wie sie Althaus sieht, ist
also nicht Naturnotwendigkeit, sondern Freiheit, durchpulst von der werbenden Liebe Gottes. Diese Liebe begründet die Freiheit als Möglichkeit
der Entscheidung im Glauben zur Gemeinschaft mit Gott. Weil die Geschichte als Ort der Begegnung geschaffen wurde, ist sie als ganze (in ihrer
Lebendigkeit und in ihrem Sterben) Einladung der werbenden Liebe Gottes,
also in ihrer Ganzheit zunächst theozentrisch zu verstehen. Die Geschichte "als von Gottes Liebe gesetzt, welche persönliche Gemeinschaft der
Freiheit der Hingabe will", ist also "gerade in ihrer Unzulänglichkeit
Gottes Weg zu seinem ewigen Ziel, zur reinen Erscheinung seiner Herrschaft"[51]. Weil es Gottes Freude ist, personale Selbstmitteilung zu sein,
setzt er Schöpfung als Entscheidungsleben frei (in notwendiger, aber relativer 'Selbständigkeit'), als Frage und Sehnsucht nach 'letzten Dingen', als Ermöglichung und Voraussetzung der personalen Begegnung zwischen Gott und Mensch – zunächst in der paradoxen Dimension des Glaubens,
dann in der endgültigen Dimension des Schauens. Nur von der Eschatologie
her erhält die Geschichte ihren Sinn (vgl. LD^3 58).

Das Unbegreifliche als solches auszusagen – das ist Funktion der Dialektik, dazu sollten die Kategorien des Glaubens unzulängliche, aber notwendige Mittel sein. Sie widersprechen ihrer eigenen Funktionalität, wenn
sie, statt 'offene Wunde' gegenüber der nicht einholbaren Gottheit Gottes
zu sein, selbständige ontologische Dialektik werden.[52] Deshalb widerspricht Althaus der, wie er glaubt, über den Abstand zwischen Gott und
Mensch in positiver oder negativer Weise verfügenden Dialektik der uneschatologischen und der nureschatologischen Theologie. Die Wahrung des dialogischen Charakters der Dialektik gegen monologische Tendenzen war nur
durch eine Hinwendung zur anthropologischen Fragestellung, einem Erbe
Schlatters, möglich, d.h. durch die Anerkennung eines Grunddialogs. "Indem die Theologie in der Dialektik von Frage und Antwort verharrt, den
Faden also nie abreißen läßt, nie die Antwort von sich aus als letztes
Wort verkündigt, zeigt sie von Gottes letztem Wort, das selber aber nicht
dialektisch, sondern lauter Thesis ist."[53]

Wir glauben, daß Althaus' Geschichts- und Glaubensauffassung auf den

Pfeilern der Liebe und Freiheit als letztem Grund und bleibendem Prinzip
aufruhen. Aber es wird auch ihm die Frage gestellt werden müssen, ob er
sein eigenes Fundament nicht zu untergraben beginnt, d.h. ob nicht der
personal-dialogische Charakter der Dialektik und somit des Glaubens gefährdet wird – und zwar dort, wo das Moment der Paradoxität dahin über-
steigert wird, daß die von der werbenden und selbst die Möglichkeit des
Neins einholenden Liebe durchpulste Kenosis zur ontologischen Paradoxie
zu werden droht (da Gottes Gottheit erst dann voll zur Geltung kommt),
m.a.W. wo der Gott, dessen Freude es ist, personale Selbstmitteilung zu
sein, in Widerstreit zu stehen scheint mit Gott, dessen Freude es ist,
"aus dem Nichts zu schaffen, aus dem Tod Leben, aus der Verdammnis Heil"[54].

4. Kapitel: Die prophetische Eschatologie und die Christoeschatologie
    (Gott als der Letzte und das Letzte in Gott)

1. Theozentrik der Lebendigkeit und der Todeswirklichkeit

a) Grunddialog als Angebot Gottes

Die ganze geschichtliche Wirklichkeit ist bei Althaus theozentrisch
zu verstehen – als Ort der Begegnung mit dem Ewigen. Die Geschichte ist
Einladung, Gottes Angebot seiner Gemeinschaft anzunehmen (LD[1] 63; LD[3] 58),
zugleich ist sie "nur Durchgang", denn "durch die Kenosis will Gott zu
seiner größten Herrlichkeit, der Anbetung einer Gemeinde kommen" (LD[3]
59). Der Ursprung der Eschatologie ist nicht die Erfüllung menschlicher
Bedürfnisse durch übermenschliche Werte, nicht Anthropozentrik, sondern
Theozentrik, bzw. alle Antropozentrik ist "theozentrisch-unterbaut" (LD[1]
31 = LD[3] 26).

Wir sind in der schwierigen Situation, vom Angebot Gottes (Grunddialog) sprechen zu müssen, obwohl es der Mensch schon immer abgelehnt hat
(Monolog). Aber als bleibende tragende Struktur der Geschichte ist es Ermöglichung dessen was de facto ist. Die Aussagen von Althaus haben deshalb schillernden Charakter, je nachdem sie von unserer Verkehrtheit
oder unserer unverlierbaren Bestimmung, von der infralapsarischen Sündigkeit oder unserer theozentrischen (supralapsarischen) Schöpfungsbe-
stimmung sprechen. Althaus warnt vor dem damals üblichen Kurzschluß,
"daß alle Anthropologie nur von dem Sündenfall des Menschen handeln und

seine jetzige Existenz nur von dort her verstehen könne und dürfe"[1].
Nur unter der Voraussetzung der bleibenden Bedeutung der Schöpfungswirklichkeit kann das Eschaton Lebensbedeutung haben; nur so ist es nicht
nur Abbruch, Diskontinuität, Verneinung der Identität, sondern auch Anknüpfung, Zusammenhang, Erfüllung – im Gegensatz zur vollen Identität
oder Disparität in uneschatologischer bzw. nureschatologischer Theologie.
Gegen den Verdacht eines Zurückgreifens auf philosophische Anthropologie
bezeugt Althaus, anderer Meinung zu sein, "wo die theologische Anthropologie aufhört und die philosophische beginnt"[2]. Unser Reden von Gott darf
'anthropomorph' sein, da unsere Wirklichkeit selbst 'theomorph' ist.[3]

In der Annahme des Grunddialogs waren für Althaus von Anfang an "auch
bestimmte Weichen für die Gotteslehre, die Anthropologie und die Christologie (wir ergänzen: und die Eschatologie) gestellt"[4]. Die 'Grundeschatologie' selbst ist von einer unauflöslichen Dialektik durchdrungen, denn
Lebendigkeit und Sterben der Geschichte, Leben und Tod des Menschen sind
auf letzte Dinge bezogen; beide sind Teil der Einladung Gottes, in seine
Gemeinschaft zu treten. "Gott ist der Herr der Geschichte, das heißt ihr
Schöpfer und ihr Gericht (also nicht nur dieses!), ihr Sinn und ihre Grenze. Die Ewigkeit ist das Übergeschichtliche, das heißt nicht: die Verneinung der Geschichte, ihr Abbruch nur, sondern wiederum: ihr Sinn und ihre
Grenze."[5]

b) Gott als Schöpfer

Althaus lehnt eine ausschließlich vom Tode her entworfene Theologie
ab, denn "wir ehren Gott nicht nur dann, wenn wir mit ihm sterben, sondern auch dann, wenn wir mit ihm leben"[6]. Weil sich in der Lebendigkeit
der Geschichte der unbedingte Wille Gottes zeigt, ist für Althaus diese
Gewißheit um Gegenwärtiges schon Eschatologie – Letztes, das als von Gott
Begründetes bleibt. Diese Gewißheit der bleibenden Gottesbeziehung wird
aber auch zum Harren auf die Verwirklichung des göttlichen Willens, auf
das Kommen des Reiches Gottes, das "die Ruhe und die bewegende Unruhe
unseres Lebens....das Thema und die lebendige Unruhe der Geschichte"[7]
ist. Weil Gott das Reich heraufführt, erwarten wir auch "eine in der Geschichte erharrte 'Vollendung' aller Geschichte, ihre Aufhebung, die
doch ihren Ertrag stellt (das – symbolisch gesprochen – Nachgeschichtliche)" (LD[1] 63). Prophetische Eschatologie ist für Althaus nicht wegen
der Sünde 'Theologie des Irrealis', denn die Gottbezogenheit ist "auch

im Irrwege, auch in der religiösen Sünde, auch im Gerichte gegeben....
Das 'fecisti nos ad te' Augustins muß, so oder so, das innerste Geheimnis aller menschlichen Geistesgeschichte sein"[8]. Die Theologie darf deshalb "über dem Abstande die Bezogenheit zwischen dem Wort von Gott und
aller menschlichen Geistigkeit nicht vergessen, sie darf über der völligen Neuheit des Evangeliums die Einheit alles geschichtlichen Lebens
und Denkens nach Thema und tiefstem Sinn nicht verschweigen, sie darf
hinter der Verkündigung der Christusoffenbarung nicht die umfassende Gegenwart der Gottesfrage zurückstellen"[9].

Der Ruf Gottes, unsere Bestimmung für Gott, wird erkannt in der 'Grund-
offenbarung', wie sie Althaus schon 1925 lehrt und wofür er als Lehrer
A.Schlatter, F.Brunstäd, E.Hirsch und P.Tillich (von diesem stammt der
Name) anführt.[10] Gott ist uns näher als wir uns selbst sind, denn der
Mensch ist letztlich Gottverhältnis und bleibt es auch unter der Sünde.
Dies verlangt nach einer ursprünglichen Gottesbezeugung in der Schöpfungswirklichkeit (notwendige Bedingung prophetischer Eschatologie).
Die Folge ist eine positive Wertung der Schöpfungsgaben, denn sie sind
Verheißung eschatologischer Erfüllung. So hat positives sittliches Tun
als sittliche Aneignung des Leibes eschatologischen Sinn, denn es "lebt
von der Hoffnung auf Erfüllung in der Auferstehung der Toten"[11]. Ebenso
hat die Kultur eschatologischen Sinn, denn "alles höhere Kulturhandeln
nimmt Sinn und Freudigkeit, unbewußt oder bewußt, von dem Glauben an eine
kommende Welt Gottes"[12]. Deshalb ist es dem Christen möglich, in sitt-
lichem Tun, und in Kultur bereits Andeutung, Weissagung und Verheißung
der neuen Welt zu sehen. Sie verlieren diesen schöpfungsgemäßen Sinn
nicht in der sündigen Welt.

Die Unaufhebbarkeit der Gottesbeziehung begründet die Unsterblichkeitsgewißheit. "Daher ist das Verständnis des 'ewigen Todes' als Auslöschung
der Existenz des Ich ein unmöglicher Gedanke" (LD[1] 28;vgl.LD[3] 29). Nicht
erst die Heilsgewißheit, die Gottesgewißheit schon begründet 'Eschatologie'.
"Die Gottesbeziehung und die Gottesgemeinschaft sind zweierlei. Es ist
unmöglich, die christliche Theologie auf die Soteriologie einzuschränken." (LD[1] 30,n.1) Das 'Daß' der bleibenden Gottesbeziehung in seiner
gleichsam funktional vorgelagerten Eingeschlossenheit nennt Althaus "Unsterblichkeit" (LD[1] 29f;LD[3] 32) oder "Unzerstörbarkeit der durch Gott
angeredeten Person" (LD[3] 286). Um das Mißverständnis einer substanzion-

tologischen Selbständigkeit zu vermeiden (wie es für ihn die metaphysische Unsterblichkeitslehre ist; vgl.GD[1] II/54f), spricht er später von
"Unzerstörbarkeit der einmal in Kraft getretenen Gottesbeziehung", "Unaufhebbarkeit des menschlichen Daseins als eines Existierens vor Gott",
um "noch schärfer und unmißverständlicher" auszudrücken, "das 'unsterb-
lich' die Relation ist"[13]. Uns für die Sünde Entschiedenen trifft der
Gedanke der Fortdauer aus der Gewißheit des göttlichen Gerichts – als
"Heilsungewißheit", "Gerichtsgewißheit", "Unheilsgewißheit" (LD[1] 29f;
LD[3] 32), "Gewißheit des Richters" (LD[3] 29).

Nur unter der werbenden Liebe und der erwählenden Leitung Gottes wird
(gegen unseren Widerstand) immer klarer, daß die in der menschlichen Sinnfrage eröffnete Ahnung des Glaubens (der 'relative' Glaube) "radikal verstanden, ernst genommen, nichts anderes als schon ein Ausdruck des Evangeliums" sein will[14]. In dieser Hinführung zum Evangelium folgerte das
Alte Testament immer klarer die Gewißheit ewigen Lebens aus der Tatsache
und dem Gebot des Gebetes. Das erste Gebot war deshalb auch das letzte
Fundament für Luthers Eschatologie (LD[3] 18,n.1;vgl.WA 31,1). Wir müssen
jedoch stärker, als dies Althaus meist tut, betonen, daß die Haltung von
"Glauben und Hoffnung, Haben und Harren" (LD[3] 25) in der prophetischen
Eschatologie wesentlich verschieden ist von der entsprechenden Haltung
in der Eschatologie des Evangeliums, denn das Evangelium überragt entscheidend jeden der Gottesgewißheit entsprungenen Prophetismus: in Jesus
ist die Herrschaft Gottes da. "Das exklusive Nacheinander der Äonen wird
durchbrochen, ohne doch aufgehoben zu sein.... Neben das Futurum tritt
das Perfektum Präsens."[15] Neben die Frage, Ahnung und Hoffnung tritt die
Antwort und die Gegenwärtigkeit.

c) Gott als Grenze

Gottes Gottheit ist "Grund und Maßstab alles Wirklichen"[16], auch des
Todes und der Sterbenswirklichkeit. Die Todesgesetzlichkeit ist "also
nicht einfach von der Sünde, sondern jedenfalls auch von dem Glauben her
zu verstehen"[17] und deshalb letztlich "von der Liebe Gottes aus"[18] als
Gestaltungsprinzip der Geschichte. "Das Lebensrätsel birgt sich in der
Todesfrage"[19]. Gäbe uns Gott kein lösendes Wort, blieben wir furchtvoll
in diesem Schweigen, "denn das Verharren in einer Frage, die Gott stellt,
ist gehorsamer und frommer als selbstgemachte Antworten, in denen wir um
der Einheit und Freiheit unseres Lebens willen zur Ruhe kommen möchten"[20].

Auch hier geht es, können wir sagen, um Grund-dialog und -eschatologie,
denn "in dem schmerzlichen Endlichkeitserlebnis (erg.des Todes) bezeugt
sich (wie sehr immer der menschliche Lebenshunger selbstisch verzerrt
sein mag) unsere Beziehung auf ein Ur-Lebendiges, eine ursprüngliche Bestimmung zu Leben und Freiheit. Wir werden an der Sterbe-Not zwar keineswegs des Heiles, aber wohl der Wirklichkeit 'ewigen Lebens' und unserer Beziehung auf sie gewiß" (GD^1 I/11).

Gott ist deshalb die Grenze unserer natürlichen sittlichen Kräfte,
Krisis der Ethik. Die Gottesfrage ist auch "die Besinnung auf die Fremd-
heit echter Religion gegenüber dem Humanitätsanliegen,....auf die Gottes-
herrlichkeit als das Ende, das Gericht, die Todesgrenze"[21]. Deshalb ist
alle Kampf-, Konflikts- und Todeswirklichkeit nicht nur Folge der Sünde
sondern es gehört zur wesenhaften Gestalt geschichtlichen, ja kreatürlichen Daseins überhaupt" (LD^1 53). "Um unsertwillen, in diesem tiefen Sinn,
um unseres Lebens mit Gott und seines Entscheidungsernstes willen ist unsere Welt überall eine Welt des Kampfes und daher des Todes" (LD^3 51).
Gott ist nicht nur in unserer Lebendigkeit gegenwärtig, sondern auch in
deren Zerbrechen (GD^1 II/22f) - als Aufruf zur Entscheidung für ihn, um
durch den Glauben zum Schauen zu kommen. Nur "wenn der natürliche Lebens-
wille 'aufgehoben' ist in dem Willen zum Dienste Gottes, dann ordnet sich
das Sterben als ein Gottes-Sterben dem Begriffe des wahrhaftigen Lebens
ein" (GE^1 64). Der Tod als Eröffnung des "Raumes zum vollkommenen Gottesdienste" sollte uns mit Dank erfüllen dafür, daß wir sterben dürfen[22].
Die todesgesetzliche Geschichte ist also nicht nur Abfall, sondern Gottes
ursprünglicher, freilich nicht endgültiger Liebeswille.

Der schöpfungsgemäße Sinn von Leben und Tod hat bedeutende Folgen für
die Eschatologie, denn damit ist das Repristinationschema (Barths Rückkehr zum Prinzip) durchbrochen: "Die Geschichte hat für uns nicht nur die
Bedeutung, die Erlösung zu bringen, sondern sie ist auch Mittel göttlicher Schöpfung. Es geht in ihr nicht nur um Entscheidung, sondern auch um
Entwicklung."[23] Christus, der Gottes Willen ganz erfüllt, bringt diesen
Sinn ganz zur Erfüllung. Des Sohnes irdischer Kreuz-Weg war "ein Mittel
Gottes, um Neues, Größeres in dem Verhältnis von Vater und Sohn zu schaffen"[24] - zunächst in Hinblick auf den Sohn und durch ihn in Hinblick auf
die Menschheit als deren Haupt.

d) Gott als Richter

Der positive Sinn des Todes kommt "dem Wesen nach zuerst"[25], weil begründet im ursprünglichen Gottesverhältnis, doch dazu steht in polarer Spannung die Beurteilung der Welt als Stätte der Sünde und des Todesgesetzes, das in den 'Übeln' erscheint (LD[1] 51 = LD[3] 67). Das Gewissensurteil weiß um den Tod als Ausdruck des Zornes und der Strafe Gottes über die Sünde und als schuldhafte Begrenzung der Herrschaft Gottes. Durch unsere Ichsucht sind wir würdelos und schuldig, was den inneren und als dessen Besiegelung den äußeren Tod zur Folge hat. Die Erfahrung der Gegenwart Gottes ist deshalb nicht nur die der Grenze aus der Not jedes endlichen Seins, sondern die des Richters aufgrund der Sünde (LD[1] 18f = LD[3] 16f): "es ist Gottes Antwort, daß er uns im Tode entmächtigt und zunichte macht"[26]; es ist nunmehr die richtende Gegenwart letzter Dinge (vgl.LD[1] 28,n.1).

e) Zwischen Idealismus und Anti-idealismus

Todeswirklichkeit hat also für Althaus immer ein doppeltes Gesicht: ursprünglicher Wille Gottes und Folge der Sünde, immer beides zugleich und ganz. Althaus' Aussagen sind deshalb sehr verwirrend, die Gesichtspunkte wechseln oft. Einerseits ist das Kampfgesetz Voraussetzung kreatürlichen Daseins, andererseits Folge der Sünde, so daß der Todeszug aller menschlichen Werke und Werte ebenso Ausdruck der der Eitelkeit überantworteten Welt ist. Die Welt als Entscheidungsleben, die nur die Möglichkeit des Bösen einzuschließen schien, scheint jetzt die Tatsache des Bösen gleichsam vorauszusetzen, denn "Entscheidung gibt es nur, wo das Böse ist!" (LD[3] 48). Einmal sagt Althaus, daß wir "in der Sünde das Wesen und die Bestimmung unseres Lebens zerstört haben und zerstören" LD[3] 91), ein andermal bezeichnet er den Unfall "im tiefsten identisch mit der Person" oder " als unser Wesen"[27]. Einerseits will Althaus das Nebeneinander mehrerer Beziehungen nicht teleologisch erklären, andererseits aber sagt er, daß unsere Entscheidungswelt "mit dem Bösen zusammengeordnet (sei),...Gott im Blicke auf die Sünde geordnet" (LD[3] 196) habe, "nicht durch...,so doch mit dem Bösen, 'für' das Böse" (LD[3] 43).

Läßt sich die paradoxe Spannung in diesen Aussagen überwinden? Aber gerade metaphysische Erklärungen, z.B. in der Form ätiologischer Ableitung der Strukturen unserer Welt und Geschichte aus einem Prinzip, lehnt Althaus als "spekulative Grenzüberschreitung"[28] ab; nur Deutung unserer

gegenwärtig-aktuellen Welt von unserer Geschichte mit Gott ist erlaubt:
"Dann bescheidet man sich bei der Einsicht, daß das Böse und die Geschichtlichkeit als Entscheidungsleben zusammengehören, ohne eines von
dem anderen herzuleiten."[29] In dieser Abweisung aller Erklärungsmöglich-
keiten glaubt Althaus den rechten Mittelweg zwischen uneschatologischer
und nureschatologischer Theologie gefunden zu haben, da er weder idealistisch nur das Geschöpf sehen noch antiidealistisch die Lehre vom Menschen in der Lehre von der Sünde aufgehen lassen wollte. Die anti-idali-
stische Erklärung sah in unserer Welt nur Schatten unserer Bosheit und
im Tod nur Gottes Strafe. Erst der Urfall brachte Kampf, Leiden und Tod
in die ursprünglich sehr gute Schöpfung. Geschichte wird Folge des Sün-
denfalls, so bei K.Heim, K.Barth u.O.Piper; sie ist

> "nicht Gottes ursprünglicher, sondern sein durch die
> Sünde der Menschheit abgewandelter Wille....Die letz-
> ten Dinge, die ihr ein Ende machen, sind Wiederher-
> stellung der ersten Dinge, von denen die Menschheit
> in die Geschichte hinabfiel. Das Reich Gottes ent-
> springt dem Paradiese. Die Erlösung bedeutet Resti-
> tution. Die Geschichte ist nur zwischeneingekommen
> das nicht Seinsollende. Die Erlösung, zu der wir ge-
> wiß in ihr berufen werden, ist doch Erlösung von ihr,
> zu dem, was vor ihr war"[30].

Weil Althaus in seiner Eschatologie nicht Barths Rückkehr zum Prinzip,
sondern Überhöhung und Neuschöpfung lehren wollte, darum lehrte er so
hartnäckig die 'unter' unserem Sündersein stets gegenwärtige Grundoffenbarung und Grundeschatologie. Auch die idealistische Einordnung des Falles in die Geschichte verfiel Althaus' Kritik, da man die Sünde für notwendig erklären und einer supralapsarischen dialektischen Entwicklungs-
lehre einordnen wollte. Wir haben gesehen, daß Althaus jedoch das Wahrheitsmoment festhält: die Geschichte ist "die Bedingung dafür, daß aus
dem Vorläufigen das Endgültige werde, aus den ersten Dingen die letzten",
weshalb die letzten Dinge "mehr als Wiederherstellung der ersten Dinge"[31]
sind. Althaus sieht infolgedessen in Urstand und Urfall nicht geschichtliche Ereignisse am zeitlichen Anfang der Geschichte, sondern überzeitliche, gegenwärtige, weil in Vergangenheit und jetzt gültige Tatbestände. Der Urstand ist ein bleibendes inneres Moment der 'Geschichte' nicht
chronologischer, aber theologischer 'Vor'-geordnetheit. Er ist "Ausdruck
für die jedem lebendigen Gewissen eigene Gewißheit, daß wir in der Sünde in jedem Momente nicht einer Naturnotwendigkeit unterliegen, sondern

gegen unsere schöpfungsmäßige Bestimmung streiten und unser Wesen zerstören" LD[1] 83).[32] Der Urfall ist die alle Menschen einende, jedem Akt schon
vorausgehende sündhafte Grundgesinnung. Aufgrund der Vorläufigkeit des
Entscheidungslebens, vor allem aber aufgrund der Gezeichnetheit dieser
unserer Geschichte vom Todesverhängnis als Ausdruck des Zornes Gottes
'sprengen' sowohl Erlösung als auch Vollendung notwendig die Geschichte.
Deshalb ist für Althaus Heilsgeschichte eine "Geschichte, die ihrem ganzen Wesen nach nicht in der Zeitlinie die Richtung ihres Fortschritts
und ihrer Vollendung haben kann" (LD[1] 82;vgl.LD[1] 85).

Althaus' Weg zwischen Idealismus und Anti-idealismus scheint die besten Voraussetzungen zur Verwirklichung seines Anliegens 'Vermittlung in
Differenz' mitzubringen. Von der Sicht 'Gottes als Schöpfer' her, der
die unaufhebbare Gottesbeziehung und die positive Sicht der Schöpfungswirklichkeit entsprechen, ist die Vermittlung möglich; von der Sicht 'Gottes als Grenze' her, derzufolge die Immanenz gebrochen und der Glaube an
die Transzendenz Gottes und die eschatologische Spannung gewährleistet
sind, ist die Differenz garantiert. Des Idealismus' Identitätsdenken (Erlösung innerhalb der Geschichte), aber auch Barths Rückkehr zum Prinzip
(Erlösung von der Geschichte) sind vermieden; das System ist gesprengt.

Nun kommt dazu aber noch ein Drittes: "Gott als Richter". Auch über
die Richtigkeit dieses Gesichtspunktes dürfte kein ernster Zweifel bestehen. Wie jedoch bereits an den zweiseitig schillernden Aussagen Althaus' zu spüren war, bedarf das Verhältnis der beiden Sehweisen des Todes, einmal als Folge 'Gottes als Grenze', das andere Mal als Folge
'Gottes als Richter' einer Klärung. Einerseits ist der Tod Gottes ursprünglicher, aber nicht endgültiger Liebeswille, andererseits Abfall und
Folge der Sünde; einerseits wird ein 'dem Wesen nach zuerst' des ersten
Aspektes behauptet, andererseits ist der zweite Aspekt - und somit die
Sünde - vom ersten nicht zu trennen oder ins Verhältnis dazu zu setzen.
Was zunächst nur Aspekt der 'Vorläufigkeit' ist, wird sodann genauso ur-
sprünglich Aspekt der unter der Sünde stehenden 'Paradoxität', denn eine
Differenzierung der beiden (die möglich schien) wird als sich distanzie-
rendes, beobachtendes Attentat auf die notwendig aktuelle Denk-Wirklich-
keitsform des Glaubens gewertet. Hat aber hier nicht das bereits die
Schöpfung prägende Exodusprinzip die latente Tendenz, die Entscheidungssituation zur Entschiedenheit für das Böse, den Kampf zum Krieg, die

Schöpfung zur sündigen Schöpfung zu machen? Wird nicht die Geschichte paradox nebeneinander supra- und infralapsarisch definiert? Werden nicht ,
da es 'spekulative Grenzüberschreitung' ist, die beiden in ein Verhältnis zu setzen, der faktisch gefallene Mensch und seine Welt insgeheim
doch ebenso zu prinzipiell gefallenen? Sind Urstand und Urfall, deren
aktueller Aussagegehalt zurecht betont wird, nicht einseitig übergeschichtliche, gleich gegenwärtige Zustände, ohne daß noch ein 'Zuerst'
echt herkünftiger Kreatürlichkeit zum Tragen käme, weil die rein polar-
vertikale Spannung jede Beziehung horizontaler Geschichtlichkeit verschlingt? Nicht schon dort, wo es um die Gottesbeziehung (Grunddialog;
prophetische Eschatologie), aber dort, wo es um die Gottesgemeinschaft,
um Sinnantwort, um Heil geht (Christdialog und -eschatologie), ist es
des alleinwirksamen Gottes Freude, ex nihilo sub contraria specie zu
schaffen, also aus dem Nichts, dem Tode und der Sünde. Fällt von hier
nicht ein Licht darauf, daß die Versuchung naheliegt, schöpfungsmäßigen
Tod und Sündentod in nicht differenzierbarer gleicher Ursprünglichkeit
zu sehen?

2. Ausrichtung der prophetischen Eschatologie auf die Christoeschatologie

a) Christus - "Wort Gottes über Leben und Sterben"[33]

Der Mensch ist nie einfach Vorhandensein im Sinne fertigen Seins; die
Sinnfrage drängt ihn, sein Leben auf Glauben und Hoffnung zu gründen.
Bloße Kreatürlichkeit ist eine Abstraktion in einer Geschichte, deren
Struktur durch die Kenosis der Liebe Gottes geprägt ist. Das 'Nur-
Menschsein' ist Schuld, Verlustwirklichkeit, Makel, denn es sollte mehr
sein. Gott hatte immer nur einen Willen, nämlich den, der im jeglichen
Gesetz umschließenden und tragenden Evangelium erscheint, weshalb die
Dialektik von Gesetz und Evangelium nicht ein Ursprüngliches und Letztes
sein kann. In Christus ist die Erfüllung der Bestimmung gegeben, nicht
im idealistisch-natürlichen Sinne der dialektischen Aufhebung, in der
das letzte Glied schon am Anfang mitgegeben ist, sondern jenseits aller
immanenten Fruchtbarkeit und schöpferischen Entwicklung als einmalige
rettende Erbarmungstat Gottes. Christus ist das Zentrum, der Mittelpunkt
der Geschichte (LD[3] 85f), doch er setzt den Glauben an den Schöpfer voraus. In ihm erhalten die Frage und Sehnsucht, das Heimweh und Verlangen
nach letzten Dingen Erfüllung. Geschichte, Natur und Kultur, die insge-

heim Ruf nach Evangelium waren, erhalten in ihm die Bestätigung, daß sie
nicht nur "ein vielleicht für die Menschen subjektiv notwendiges, aber
zuletzt doch sinnloses Spiel" sind, sondern daß sie auf die kommende Welt
verweisen, wie sie selbst schon von dem leben, was mehr ist als sie
selbst[34]. Das Humanum lebt auf das Christianum hin und von ihm her. Christus ist nicht nur Erlöser der Schuldigen, sondern auch Vollender der
Schöpfung. Als Ort der abschließenden Gegenwart Gottes und Mittler der
Vergebung finden Offenbarungs- und Heilsfrage der Religionen in Christus die Antwort. "Von der 'Erfüllung' aus allein versteht man die Weissagung ganz, von dem Heil aus die Wege der religiösen Menschheit als Sehnsucht, Sünde, Hybris, Entartung. Wir verstehen die Religionen von Christus her, auf ihn hin."[35] Man kann das Evangelium nicht neben anderen berechtigten Perspektiven vertreten, ohne es zu verraten, denn die Antwort in Christus ist "ein Gotteswort, in keines Menschen Herz gekommen,
daher nie vor uns und anderen irgendwie zu begründen, denn es ist selbst
der Grund...Das Golgatha des Sohnes ist das Wort Gottes über Leben und
Sterben, Golgatha im Osterlichte"[36].

Da in ihm das Gottesverhältnis des Menschen ganz "durchlebt, durchlitten und durchliebt" ist, "ist die religiöse Christusgebundenheit im gesteigerten Sinne Erfahrung und Gewißheit 'letzter Dinge'. Alle Religion
bedeutet Beziehung auf das Letzte, weil sie Gottesverhältnis ist, aber
dem Christen hat sich nicht nur Gott als das Letzte, sondern das Letzte
in Gott erschlossen. Der Christusglaube ist die Religion in Potenz, ihr
gegenüber wird alle andere Gottesbeziehung ein Vorletztes" (LD[1] 33f = LD[3]
28). In Christus findet auch die schöpfungsgemäße Kampfes- und Todeswirklichkeit ihre Erfüllung. Christi Tod ist Geburtshelfer des neuen Lebens, denn "die Erhöhung des Sohnes , die um seines Leidens willen geschieht (Phil 2), bedeutet nicht Wiederherstellung seines vorgeschicht-
lichen Zustandes, sondern mehr: Überhöhung dieses Standes", Begründung
von Neuem[37].

b) Christus - Überwinder des Zornes

Nicht nur Erfüllung aller Schöpfungsgedanken, sondern auch Gerichts-
und Gnadengeschichte ist Christi Leben. Das Kreuz ist rücksichtslose
Enthüllung der wahren Stellung der Menschheit, "richtender Maßstab",
"schneidende Kritik", "das heilige Nein über alles Menschentum"[38], und
als solches hat es übergeschichtliche Bedeutung. Heilsgeschichte ist

nicht nur Spannung vorläufiger Schöpfung und Neuschöpfung, sondern auch menschlicher Schuld und göttlicher Heiligkeit. "Diese Spannung müßte die Geschichte von ihrer Tiefe her zersprengen, wenn der Heilige nicht Gnade wäre, d.h. wenn er nicht die höchste Wirklichkeit der Spannung zugleich als ihre 'Aufhebung' setzte" (LD³ 85f). So wird das Kreuz, Ausdruck des Zornes Gottes, auch dessen Überwindung.

c) Zwischen göttlicher Allwirksamkeit und geschichtlicher Freiheit

Jesu Wirklichkeit bedeutet wie sonst nichts in der Welt Durchleben des Dualismus, aber Gott behauptet seine Majestät gegenüber aller Verneinung. Wir stehen nach Althaus vor der unauflöslichen Dialektik: Gottes Allwirksamkeit verleugnet nicht den Freiheitscharakter der Geschichte, aber dieser All(-ein)wirksamkeit "entspricht die Geschichte als Entwicklung, als Werden....in ihrem Zusammenhang (des göttlichen Erziehungswerkes), als Ineinander von Gegenwart und Zukunft"[39]. So kann die Sünde in der Hand Gottes als Mittel dienstbar gemacht werden: indem wir durch unsere Sünden der Unmöglichkeit des Moralismus gewiß werden, werden wir zurückgeworfen, von der Vergebung zu leben[40]. "Die Sünde steht, ehe der erste Mensch sich verging, vor Gottes Blick"(LD³ 196). Der Anschein aller Nachträglichkeit im Handeln Gottes muß vermieden werden, denn dies bedeutete hamartiozentrische Theologie und dies wiederum Selbstbehauptung des Menschen als Versuch, die Geschichte zu lenken. Hamartiozentrik ist "Werkgerechtigkeit unter umgekehrten Vorzeichen"; im Blick auf die 'letzten Dinge' stehen der Mensch des Urstandes und der Mensch des Urfalls in einer Linie, denn dem einen wie dem anderen schenkt sich Gott nur als Gnade, so daß "es dabei letztlich unerheblich ist, ob der Mensch nun Schuldner oder bloß Bettler oder sogar Kind ist"[41]. Die Sünde kann die Vorläufigkeit der Welt nicht festhalten: Gott kommt. Aus der Dialektik von Gottes werbender, zum Siege führender Liebesallmacht und der menschlichen Freiheit entsteht ein Doppelverhältnis von Schuld und Gnade:

> "Vom Standpunkte der Verantwortung und des Schuldbewußtseins aus ist die Gnade der Rechtfertigung Antwort auf die in Gottes Welt einbrechende Sünde; für die Gewißheit der göttlichen Liebesallmacht erscheinen Sünde und Rechtfertigung in einem Zusammenhange, den Gott setzte, um seine Liebe ganz zu offenbaren... Das bedeutet dann aber, daß sich der Sinn unserer Geschichte mit Gott nur in zwei Sätzen vollständig ausdrücken läßt: die Rechtfertigung ist um der Sünde willen da; und: die Sünde ist von Gott beschlossen

> unter die Rechtfertigung und ist insofern auf die
> Offenbarung der Gnade Gottes hin gesetzt. Die Sünde
> geht der Rechtfertigung, aber zugleich die Rechtfer-
> tigung der Sünde wesentlich voraus" (LD[3] 241f).

Althaus warnt auch vor der darin gegebenen Gefahr, die Urantinomie unseres Lebens vor Gott durch die Überordnung einer angeblichen Betrachtung
vom Standorte Gottes aus aufzuheben, denn dies würde Gott zum Bewirker
des Bösen machen und den Ernst der Geschichte aufheben.[42]

Durch Christus treten der Tod und die Gestalt dieser Welt in ein neues Licht: was Erfahrung seiner Liebe sein sollte als Geburtshelfer zum
Leben und durch die Sünde zugleich zum hoffnungslosen Gericht der Verwes-
lichkeit geworden war, wird von Christus her dem Glaubenden zur Gnade
des Sterbendürfens. Seither gilt: "Die Geschichte ist uns ebendort Ausdruck des Zornes Gottes, wo sie zugleich Ausdruck seiner Liebe und Gnade
ist" (LD[1] 63). Diese Gnade ist die tiefste Erfüllung der Sehnsucht der
Welt, zugleich aber ist Christus "das völlig Transzendente, das schlecht-
hinige Jenseits aller Menschenmöglichkeiten (die ja insgesamt aus Schuld
und Tod nicht herausführen), aller denkbaren Entwicklungsperspektiven
und Weltumwälzungen" (LD[1] 34 = LD[3] 33). Dieses Wunder hatte allerdings
eine besondere Vorbereitung, denn Israels Geschichte ist "in sich stu-
fenmäßig fortschreitende 'Weissagung' auf die Erfüllung in Christus"
(LD[3] 83), indem es allein durch Gottes Erwählung die Schranken der anderen, Mystik und Moralismus, durchbricht; freilich im übrigen ist sie
an eine Volksgeschichte voll Beschränktheit und Sünden gebunden.[43] Die
christliche Erfüllung ist allerdings selber wiederum Verheißung, "An
Jesus Christus entsteht notwendig Eschatologie" (LD[3] 86f): die in ihm gekommenen 'letzten Dinge' sind im Raum der 'ersten Dinge' nur im Paradox
des Glaubens gegeben.

Es kommt zur Dialektik zwischen dem Freiheitscharakter der Geschichte
und der Geschichte als 'Werden' der göttlichen Liebesallmacht, die die
Sünde 'eingeplant' hat, zwischen der Abfolge von Gegenwart und Zukunft
und deren 'Ineinander'. Wir halten sie für legitim und notwendig, insofern die Möglichkeit einer Schöpfung personaler Geister, also einer das
Wagnis des Neinsagens einschließenden Schöpfung voraussetzt, daß Gott die
Freiheit seines Geschöpfes bis in deren letztmögliche Auswirkung der Re-
bellion und Selbstverdammung in sich einzubergen vermag, m.a.W. insofern
unsere Schuld eine 'felix culpa' sein kann (Notwendigkeit der 'Differenz').

Diese Einbergung muß jedoch liebend und teilhabend von innen heraus ge-
schehen dadurch, daß Gott in menschlicher Freiheit und in menschlichem
Gehorsam die jemögliche Zukunft einholt, also durch "eine von innen, im
Mitvollzug menschlicher Freiheit deren Möglichkeiten überholende Weite"[44]
(Notwendigkeit der 'Vermittlung'). Sie darf nicht von außen durch eine
der Majestät Gottes entsprechende Logik geschehen, denn dann wird der
Freiheitscharakter der Geschichte aufgehoben und unsere Urantinomie, wenn
auch Althaus vor dieser Gefahr warnt, bei ihm selbst in der Frage des
Heils durch eine übergeordnete Betrachtung vom Standpunkte Gottes aus
entschieden. Ist dieser Blick in den "Zusammenhang, den Gott setzte, um
seine Liebe ganz zu offenbaren" (LD^3 241), nicht ein 'spekulativer Grenz-
überschritt', ein illegitimer Blick hinter die Kulissen der Geschichte
('sub specie aeternitatis')? Wird solcher Eifer für die Gottheit Gottes
nicht gerade an ihr schuldig? In der Dialektik zwischen Rechtfertigung
um der Sünde willen und Sünde um der Rechtfertigung willen würde schließlich doch das zweite Moment den Sieg davontragen und alles in dem einen
entscheidenden Gedanken, dem der Rechtfertigung, enden, in deren Licht
auch die Sünde zu sehen ist, denn "darin erscheint seine Gottheit in ihrer ganzen Herrlichkeit" (LD^3 236,n.1).

3. Die Christustatsache

a) Christologie des Glaubens

Als Durchleben des alle vereinenden Widerspruchs bis zur Glaubensge-
meinschaft mit Gott überholt die Offenbarung Gottes in Christus alle Möglichkeiten menschlicher Freiheit, selbst die der rebellierenden Freiheit,
und antizipiert durch dieses endgültige Ereignis alle mögliche geschichtliche Zukunft. Nur in einer konkreten Person kann Gott 'das Lezte in ihm',
die Tiefe seines Wesens, erschließen (LD^3 38). In Jesu Ohnmacht konnte
Gottes Liebesallmacht, Gottes Gottheit zum notwendigen Durchbruch kommen.
Gott selbst bahnte den Weg aus der Ausweglosigkeit, bzw. ließ die Ausweglosigkeit nur zu, weil er gegen allen Widerwillen seine Liebesmajestät
siegen lassen kann.

Wenn Glaube der einzige Zugang zum schöpferischen Urwort ist, in dem
sich 'Gott als der Letzte' bezeugt, so ist er dies umso mehr zum voll-
personalen Wort, in dem sich 'das Letzte in Gott' (LD^1 34 = LD^3 28) offenbart. Im Christusdialog haben die Kategorien des Glaubens, die im Grund-

dialog prophetisch vorausgenommen sind, als solche der Christologie volle
Wirklichkeit, so daß die Offenbarungsqualität sowie die Wortwirklichkeit
jeweils eine andere sind. Letztlich ist nur ein konkret-geschichtlicher
Mensch für uns wirkliche Offenbarung in dem Sinn, daß wir darin Gottes
Person ganz begegnen; außer Christus bleibt Dunkel und Rätsel.[45]

Wenn Althaus von Christus als dem Wort spricht, das allein zwischen
Gott und Mensch sein kann, so meint er, eine nicht-objektivierbare 'Objektivität', "denn Jesus ist 'Heilstatsache' eben darin, daß er Gottes
Selbsterschließung zur Gemeinschaft, also 'Wort' ist"[46], das Glauben fordert und wirkt. Er ist allein im Glauben erfaßbare eschatologische Tat
im vertikalen 'Innenbereich' der Geschichte, die die äußersten menschlichen Möglichkeiten überholt - durch die Tat Gottes selbst. Der Grund
des Glaubens an Christi Gottheit ist in der geschichtlichen Wirklichkeit
Christi zu suchen, freilich nicht im Sinne von zwingender Überführung
durch historische unzweifelbare Tatsachen (CHdG 206-208;GD[1] I/19).[47] "An
dem Gegebenen entsteht allerdings durch das Rätselhafte und Unerhörte der
Erscheinung für jeden ernsten und lebendigen Menschen eine Entscheidungsfrage. Die Geschichte trägt für jedes Auge übermenschliche Züge. Aber das
Übermenschliche ist nicht schon das Göttliche, es könnte auch das Dämoni-
schesein" (CHdG 209;vgl.TdG 103.109f)[48]. Glaube ist also nicht einfach
Sprung ins Leere, sondern Gehorsam, nicht ohne existentielles Engagement.
Solcher Glaube bleibt immer in der Spannung und läßt das Ärgernis, die
Anfechtung und die Furcht nie hinter, sondern immer unter sich: es ist
die in einer dogmatischen Formel unauflösbare Spannung des Weges von der
historischen Erkenntnis zur Glaubenserkenntnis, vom finitum non capax infiniti zum finitum capax infiniti.[49]

Mit dieser Deutung widersetzt sich Althaus der liberalen Theologie,
die die Christologie auf das historisch Belegbare reduziert und an der
phänomenalen Außenseite verbleibt; er erledigt sich aber auch nicht des
garstigen Grabens des Historischen als eines Mythos, wie es die radikale
Kerygmatheologie Bultmanns tut. Althaus "wehrte sich gegen falsche Alternativen",[50] was u.E. "wahrhaftig nichts mit einer zweispurigen Kompro-
mißbereitschaft zu tun hat"[51]. Althaus sieht das zu hütende Geheimnis
über das Wie der Gegenwart Gottes auch in ontologischen und psychologischen Theorien verletzt, denn sie sind für ihn 'ruhende' Formeln, Selbstand, der der immer verpflichtenden Spannungshöhe des Glaubens scha-

det (vgl.ChdG 215). Den gegenständlichen Kategorien setzt Althaus als
einzig dem 'Wort' adäquate "Kategorie" (ChdG 221) die des Glaubens entgegen, denn erstere sind Anspruch des Menschen und Moralismus, wie er es
vor allem in der katholischen Kirche zu finden glaubt.[52] Diese Theologie
des Glaubens ist Grund seiner Ablehnung der Zweinaturenlehre, der Keno-
sislehre, der Zweiwillentheorie und der Enhypostasielehre.[53] Althaus
sieht Sinn und Ertrag der christologischen Formeln "in der Abwehr bestimmter Entartungen, also in ihren Negationen und nur so, indirekt, re-
gulativ in ihren positiven Lösungsversuchen" (ChdG 213).

Zurecht beginnt u.E. auch die katholische Theologie, in ihren 'Definitionen' wieder mehr zunächst eine negative Theologie zu sehen - ohne
damit freilich den positiven Sinn zu leugnen -: als "Verzicht auf den
Ausweg und das Stehenbleiben im Geheimnis", als "eine Grenzaussage, eine
verweisende Geste, die ins Unnennbare hinüberzeigt, nicht eine Definition, die eine Sache in die Fächer menschlichen Wissens eingrenzt; nicht
ein Begriff, der die Sache ins Zugreifen des menschlichen Geistes geben
würde"[54]. Man wird Althaus auf dem Hintergrund dessen, was für ihn 'Ontologie' ist, zustimmen müssen. Freilich offenbart er darin ein doktrinali-
stisches Mißverhätnis des katholischen Glaubensbegriffes und eine Fehlinterpretation der traditionellen Ontologie. Es bleibt auch ihm die Frage, ob nicht der denkende, auf das Sein des anderen geöffnete Mensch gerade um des Geheimnisses und seiner notwendigen Voraussetzungen willen
ontologische Aussagen machen muß (wie es Althaus später selbst bezüglich
der Präexistenz Christi tut), ob also dialogische und ontologische (freilich nicht im Sinne additiver Seinsvorhandenheit) Auffassungen sich nicht
widersprechende, sondern ergänzende und einander fordernde Aussagen auch
einer "theologia viatorum" (ChdG 222) sind. Dies ist allerdings nur möglich in einem gewandelten Ontologieverständnis, in dem Sein nicht moralistisches Von-sich-selbst-sein, sondern als zutiefst aktuelle Lebendigkeit offen ist auf das, was Christus uns lehrt und vorlebt, nämlich daß
Sein Liebe ist.

Das Reden vom Glaubensgrund in der Geschichte läuft bei Althaus Gefahr, haltlos zu werden, denn allzusehr zieht er die Unzulänglichkeit
der historisch -kritischen Forschungserkenntnisse als Begründung der
durch die Geschichtsgebundenheit gegebenen Glaubensspannung heran, so
daß die Spannung gesetzt wird zwischen der "unmittelbaren Erkenntnis der

Wirklichkeit des Geistes....zu der historisch-kritischen Forschung mit
ihren offenen Fragen und ihrer nie mehr ruhenden Bewegung" (GD[1] I/25)[55].
Freilich wird vieles historisch nicht mit letzter Sicherheit gesagt werden können, doch auch aus historisch gesicherten Erkenntnissen ist Heils-
erkenntnis nie logisch deduzierbar oder spannungslos und Glaube nicht ohne Wagnischarakter. Althaus meidet u.E. auch hier nicht die Gefahr, die
zum Glauben einladenden Züge in den Strudel der Paradoxität des Glaubens
zu ziehen, die Kenosis der Liebe zur Todeswirklichkeit nach ihren beiden
Seiten werden zu lassen, also neben der positiven Seite und dem notwendigen geschichtlichen Inkognito zugleich in nicht auflösbarer Paradoxie
das Nein zu betonen, aus dem Gott allein in reiner Vertikalität ('Innenbereich der Geschichte') - so seine Gottheit ganz offenbarend - retten
kann? Dieser einseitig personal - polare, aktuell-existentielle Geschichtsbegriff ist jedoch 'verkümmert', denn es fehlt ihm die komunitäre leibhaftige und ontologische Komponente. Der Geist wird zu geschichts-
ungebunden, die dialogische Geschichtskonzeption zu ungeschichtlich und
- weil der Mensch seine Freiheit in 'leibhaftiger' Geschichte verwirklicht - zu undialogisch.

b) Der Kreuzweg des Sohnes als eschatologische Heilstat Gottes

Gottes Heilstat in Christus vollendet sich in Kreuz und Auferstehung.
Weil Jesus auf seiten der Menschen und auf seiten Gottes steht und deshalb in ihm der Riß ganz aufgerissen und von Gott geschlossen wird, kommt
heiligendes sittliches Verzeihen zustande. "Der Heilige Gottes, der ganz
eins mit Gott Gottes Menschheitsnot leidet, trägt zugleich, in der Liebe
ganz eins mit seinen Brüdern, der Menschheit Gottesnot."[56] Althaus spricht
von der Notwendigkeit des Kreuzes" (5-7) und zeichnet es "in eine Analyse
der göttlichen Heiligkeit ein, die auf die vergebende Liebe als auf ihre
Konsequenz und Höhe hinausführt" (12). "Jesus darf die Vergebung Gottes
vollziehen, weil er der zum Kreuz Gehende, der Gekreuzigte ist" (247).
Indem er im Gehorsam ganz für Gott da ist, darf er in der Vergebung ganz
für uns da sein. Der Tod Jesu ist als radikalster Glaube bis in das Dunkel des Todes hinein vollkommener Gottesdienst. Als an Gott völlig hin-
gegebener Sohn wird das Leiden unter der Welt zu seinem äußeren und inneren Schicksal: er stirbt im Namen der Sünde, die die ganze Menschheit
eint. Als Vertreter der Menschheit aber leidet er auch mit der Welt unter Gott, besonders in der Erfahrung der Abweisung im Gewissensgericht.

Sein Leiden ist nicht "das ausgleichende Ableisten der von den Menschen
verschuldeten Strafe, sondern das solidarische Eintreten in die Not ihrer
wirklichen Strafe, damit es zu der vollendeten, der eschatologischen Strafe nicht komme; (261f). In Jesu Hingabe, ist Gottes Heiligkeit am Ziel
und kann Gottes Liebe geglaubt werden. "Die Wehrlosigkeit der an unserem
Widerspruche leidenden Liebe macht als das Einzige in aller Welt uns wehr-
los bis ins Letzte. Hier zerbricht der Trotz. Das Lamm Gottes ist der Lö-
we, der die Empörung wider Gott ganz überwindet" (35)[57]. Als der Gekreuzigte führt Christus Gottes eschatologische Herrschaft herauf.

Weil Vergebung immer Stellvertretung sein muß (vgl.LD[1] 56; LD[3] 58),
ist Jesus der zweite Adam. Auf diesem Gebiet des persönlichen Lebens
geht es um inklusive Stellvertretung, denn "Sinn und Ziel der Stellvertretung ist es, die Vertretenen in die innere Haltung des Vertretenden
hineinzuziehen" (37)[58]. Sie ist allerdings auch "exklusiv, insofern sie
einen Tatbestand schafft, ohne den die Tat unmöglich ist" (41,n.1). Dieses exklusive Moment gilt der letzten Tiefe unseres Gottesverhältnisses,
in der wir alle der gleichen Verdammnis würdig sind. Das in Jesus begründete neue Gottesverhältnis umgreift deshalb die Geschichte nach vorwärts
und rückwärts; es ist von übergeschichtlicher Bedeutung. Weil Christus extra nos ist (Ungleichheit durch die Sohnschaft), kann er Christus pro
nobis sein. Als schöpferische Kraft ruft das in ihm begründete neue Verhältnis auf zu neuer Tat und befreit dazu.

Althaus' Betonung des von der Sünde unabhängigen, in Jesus ganz ver-
wirklichten Urverhältnisses zeugt davon, daß Christi Leben der Kenosis
mit dem Höhepunkt auf Golgotha nicht einfach - als Vergebung - in den
'Urstand' zurückversetzt, sondern daß es den Menschen voll-endet und zur
von Anfang an als göttliches Ziel der Geschichte intendierten eschatologischen Gottesgemeinschaft führt. Er kritisiert daher eine "absolute
theologia crucis, welche den Dank für die Gaben des ersten Artikels er-
stickt"[59]. Weil der Glaube das eschatologische Leben als Erfüllung alles
Schönen auf dieser Erde ahnt, tritt "neben die 'verneinende' Theologie..
..auch hier die Theologie der Steigerung", sind die Schönheiten dieser
Erde "vordeutende Strahlen der ewigen Herrlichkeit"[60], was bei einer rein
hamartiozentrischen Kreuzestheologie nicht möglich wäre. So sehr Althaus
lutherisches Christentum "Karfreitagschristentum" nennt und den Karfrei-
tag und den eigenen Sterbetag als "die beiden großen Tage im Leben des

lutherischen Christen" bezeichnet[61], wie es sich auch im Reichtum der
lutherischen Sterbe- und Ewigkeitslieder widerspiegelt, so sieht er aber
auch in dieser Überschätzung der Sterbestunde eine Grenze und Schranke,
weil anderes, wie die Berufung zur Vollendung der Schöpfungswirklichkeit
in Christus, hintangesetzt oder verschwiegen wurde.[62]

Der Vergebende ist zugleich der Erneuernde; der Christus extra nos ist
der Christus pro nobis, weil er der Christus in nobis officacissimus zu
werden imstande ist. Dies ist gegen Orthodoxie und dialektische Theologie (nur exklusive Stellvertretung) und gegen Mystik und Schleiermacher
(nur inklusive Stellvertretung) gesagt. Diese Kreuzestheologie ist also
Althaus' Fundament für seinen Weg zwischen Szylla und Charybdis der nureschatologischen und der uneschatologischen Theologie: das Kreuz ist unser Friede und unser Kampf, unsere Ruhe und Anstoß zu ewiger Bewegung.
Ein paradoxes Ineinander des göttlichen Nein und Ja ist unseres Lebens
Grundstimmung: "Wir sind Menschen eines zwiespältigen Weltgefühls geworden....Im Leben des Christen klingen zwei Lieder widereinander: Der
hohe Preis der Welt Gottes und das Lied des Heimwehs, das von der Stätte
der Versuchung und Gottesferne sich heimwärts sehnt. Weltfreude und Weltangst kämpfen in uns."[63] So wird der eingeschlagene Mittelweg bei Althaus
infolge dieses absoluten christlichen Dualismus (LD^3 146) nicht nur zum
Weg, der von der notwendigen doppelten dialektischen, aber zueinander
differenzierten Spannung (auf Vollendung und auf Erlösung) geprägt ist,
sondern zum Weg deren 'paradoxen Ineinanders'. Das Eschaton kann sowohl
Erlösung und Vollendung sein. Bleiben jedoch der Mensch und die Menschheit in ihrer Leibhaftigkeit und wesentlich zeitlich sich erstreckenden
Geschichtlichkeit aufgrund des 'absoluten Dualismus' von der Vermittlung des Heils nicht ausgeschlossen, so daß die Soteriologie in der göttlichen Differenz aufzugehen droht? Bekommt der "Durchgang des Sohnes
durch die irdische Welt" auch bleibende Bedeutung für das Weltverhält-
nis Gottes und ist des Sohnes Menschwerdung auch Weg, um "Neues und Größeres"[64] im Verhältnis von Gott und Mensch(heit) zu schaffen? Die Christustatsache ist zweifelsohne das entscheidende Prinzip für die Eschatologie, doch die Frage ist, ob bei Althaus deren 'Logik' genügend die
der 'Vermittlung in Differenz', also der Inkarnation, ist.

4. Folgen der Christustatsache für die Eschatologie

a) Logik der Christustatsache:
   hermeneutisches Prinzip der Eschatologie

Althaus bemängelt an der Eschatologie die große Uneinheitlichkeit der
Methode. Er versucht deshalb, "die theologische Erkenntnis auch auf die-
sem Gebiet so streng wie möglich zu gewinnen....Es ist die Aufgabe des
Dogmatikers, hinter die großen Hoffnungsworte und mächtigen Bilder des
Neuen Testamentes zurückzugehen und nach der Notwendigkeit zu suchen, mit
der sie aus der Erfahrung der Tat Gottes herausgewachsen sind (LD^1 13 =
LD^3 5)^{65}. Diese Tat Gottes ist die Christustatsache; sie ist die "verborgene 'Logik'" (LD^1 13.53f), aus der die Hoffnungsworte entstanden sind.
In der Eschatologie "geht es um diese 'Logik der Christustatsache', um
die "Logik des Glaubens", um die "Analyse des Sinnes des Christusglau-
bens und der sinnhaften (nicht 'psychologischen') Notwendigkeit, mit der
er zum Hoffen wird" (LD^3 72,n.1). Freilich darf es keine aprioristische
Konzeption sein, sondern man bleibt in lebendigem Verhältnis zur Bibel;
"echter Biblizismus" (LD^1 14) sucht jedoch darin "Grund, Sinn-Zusammen-
hang, Notwendigkeit" (LD^3 53).

Die Christustatsache, die das "Faktum des gekreuzigten und lebendig
erstandenen Christus und des durch ihn begründeten Christenstandes" (LD^1
14 = LD^3 5) ist, weckt als gegenwärtige Macht den Glauben, "d.h. bei dem
Christusglauben muß eine theologisch mögliche Eschatologie einsetzen,
aus ihm ist jede Aussage abzuleiten" (LD^1 14 = LD^3 6f). Weil in der
Christustatsache das Eschaton als Prolepse gegeben ist, denken wir in
ihrer Logik Gottes eigene Gedanken nach (LD^3 60). In Christus, dem Gekreuzigten und Auferstandenen, ist das Reich Gottes gegenwärtige Wirklichkeit, in ihm hat Gott sein wesentlich überweltliches (weil Überwindung der Sünde und des Todes) und übermenschliches (weil jenseits
menschlichen Handelns) Reich und somit das Ende dieser Welt heraufge-
führt.^{66} Hier ergibt sich nicht nur Gewißheit bleibender Gottesbeziehung (Grunddialog), sondern im Glauben die "Gewißheit unzerstörbarer
Gemeinschaft mit Gott" (LD^1 35 = LD^3 33) und im Unglauben die Gewißheit
ewigen Gerichtes (vgl.LD^3 28). Der Tod kann diese Herrschaft Gottes nicht
mehr beschränken, so daß der Glaube daran angesichts des Todesschicksals
notwendig zum Hoffen wird (LD^1 36;LD^3 35).

Warum sprechen wir auch vom Grunddialog und der 'prophetischen Escha-

tologie', wenn nur die Christustatsache und der in ihr begründete Heils-
stand hermeneutisches Prinzip der eschatologischen Aussagen ist? Wir meinen, daß das darin Aufgezeigte zum richtigen Verständnis des in der Christustatsache Geschehenen gehört, also Teil ihrer Logik ist, damit Christus nicht als verkürzte, bloß nachträgliche, sondern als volle, übergeschichtliche Offenbarung und Verheißung mit universalem und totalem Anspruch erkannt werde. Als Höhepunkt der Kenose und darin der sie setzenden, Gemeinschaft begründenden Liebe ist sein Leben Erfüllung des 'schöpfungsgemäßen' Sinnes der Geschichte in ihrem Leben und ihrer Todeswirklichkeit, aber auch Überwindung der Sünde und des Todes als Strafverhäng-
nis. Das Verständnis des 'Epilogs' der Christustatsache setzt die Kenntnis ihres 'Prologs' voraus. Offenbarung und Eschatologie, erste und letzte Dinge, Anfang und Ende, Frage und Antwort müssen auch in ihrem gegenseitigen Verhältnis verstanden werden.[67]

In Christus ist das Jenseits aller Zeit Gegenwart, jedoch in paradox
kenotischer Gestalt, nur dem Dennoch des Glaubens erfaßbar. Wir stehen
vor der Grundparadoxie des Christentums (Widerspiegelung des Paradoxes
der Offenbarung der absoluten Liebe): die Paradoxie zwischen dem absoluten, übergeschichtlichen Charakter der christlichen Offenbarung und ihrer
geschichtlichen Begrenzung, zwischen ihrer Universalität und Partikulari-
tät, zwischen dem menschlich begrenzten Leben Jesu und seiner übermensch-
lichen Bedeutung. Daraus ergibt sich das paradoxe "Wesen des Christenstandes: Gott in der Geschichte: Gott ist da und handelt - das ist immer
etwas Ganzes. Gottes Tat ruft nach Vollendung, weil sie vollendet ist.
Die Gemeinschaft ist immer vollkommen und unvollkommen zugleich" (LD[1]
60;vgl.LD[3] 72). Aus dieser Spannung entsteht das, was Althaus christliche axiologische und teleologische Eschatologie nennt[68]. Sie entstammen
beide einer Wurzel, denn die Gegenwart des Reiches Gottes, das in der
Geschichte 'erlebte' Jenseits aller Geschichte (das 'Übergeschichtliche')
verlangt ob des paradoxen Glaubenscharakters die volle Enthüllung, die
Aufhebung der Geschichte (das 'Nachgeschichtliche'). Weil uns im Glauben
die Endgültigkeit der Erlösung gewiß, sie aber in der Kampfzeit der Geschichte noch verborgen ist, versteht Althaus unter Eschatologie sowohl
das gegenwärtige heilsgewisse Ergriffensein vom Eschaton im Glauben (axiologische Eschatologie) als auch die 'Aufhebung' der mit der geschichtlichen Offenbarung notwendig gegebenen Spannung in der 'zukünftigen' Voll-

endung (teleologische Eschatologie). Aus der Logik der absoluten, aber
tectum cruce geschehenen Offenbarung folgt die Bipolarität: Gewißheit
des zeit- und todüberlegenden Lebensstandes und Sehnsucht nach Entschränkung, Entspannung, Vollendung; Haben und Warten, wenn auch verschieden
akzentuiert wie bei Paulus und Johannes, gehören zusammen (LD[1] 58f;LD[3]
69f), 'Ewiges Leben' in der Geschichte ist nur in der Polarität von fertig und harrend, ausruhend und eilend, gelöst und gespannt, siegesjubelnd
und seufzend, gegenwarts-lebensfreudig und sterbens-himmelssehnsüchtig,
im Kampf des Glaubens und in der Spannung der Hoffnung möglich (LD[1] 61f;
LD[3] 72-74), worin wir die zwei in den lutherischen Gesangsbüchern immer
wiederkehrenden Pole erkennen.[69]

Christliche Eschatologie entspringt also nicht anthropozentrischer
Weltverneinung oder egoistisch—eudämonistischen Bedürfnissen unserer
Endlichkeit, sondern sie erwächst am Ja der Liebe Gottes, das um des
liebenden Ja willen in der Geschichte noch ein Nein einschließt (LD[1] 57;
vgl.LD[3] 60). Althaus kritisiert deshalb die alte lutherische Frömmigkeit,
zumal des 17.Jahrhunderts, weil sie das gegenwärtige christliche Leben
zu negativ sieht und die Hoffnung und die Kraft des Heimwehs zu sehr im
Nein, in der Negativität des irdischen Lebens statt im Glauben an die
schon gegenwärtige Gnade begründet.[70] Eschatologie als 'Postulat' des
Glaubens ist für Althaus keine Intellektualisierung[71] des im Glaubensleben unmittelbaren Miteinanders von Glaube und Hoffnung, sondern die theologische Erhebung des Weges, der vom Glauben zum Hoffen führt, ins gedankliche Bewußtsein (LD[3] 60,n.2). Glaube und Hoffnung sind voneinander
untrennbar:

> "1. Die Hoffnung wächst aus dem Glauben, die Escha-
> tologie aus der Heilsgegenwart.
> 2. Der Glaube wird notwendig zum Hoffen. Beide Sätze
> zusammen beschreiben die Eigenart des christlichen
> Standes, daß er ein Haben und ein Noch-nicht-Haben
> ist."(LD[3] 62)

Althaus sprach sich also in der Begründung der Eschatologie für den Pri-
mat des Glaubens aus, der dialektische Barth und auch G.Hoffmann für den
Primat der Hoffnung. Die Frage bewegt auch die heutige eschatologische
Debatte.[72]

b) Paradoxa des Christentums

aa) Christologisches Paradoxon

Weltgegenwart Gottes ist immer paradox, bereits irgendwie in seinem

Urwort, in dem er die Welt in Existenz und in je neue, Entscheidung fordernde geschichtliche Situation ruft, und erst recht in seiner personalen
Selbsterschließung in Jesus Christus. Da Geschichte und Kenose zusammengehören, konnte Gott nur in der Knechtsgestalt eines konkreten Personle-
bens in der Geschichte erscheinen. Nur das Dennoch des Glaubens erkennt
in der geschichtlichen Begrenztheit Christi Gottes Gegenwart. Christi Herrschaft drängt danach, die Grenzen der durch ihn schon jetzt an der Ewigkeit teilhaftigen Welt aufzuheben. (LD^1 42-45;LD^3 39-42) Jeder Evolutionismus ist jedoch ausgeschlossen, denn von der Sünde zur Gerechtigkeit,
vom Tod zum Leben, also im 'Innenbereich' der Geschichte, gibt es keine
Entwicklung. Um der Majestät des Unbedingten willen (LD^1 43 : "weil Gott
Gott ist und Jesus der Sohn") "weiß der Glaube, daß der Widerstreit aufgehoben werden muß" (LD^1 43 = LD^3 42) und er erwartet deshalb, daß der
Heilige aus der Knechtsgestalt der viatorischen Geschichtlichkeit in die
widerstandslose Herrschaft heraustrete - was gemeint ist, wenn von der
'Wiederkunft Christi' die Rede ist.

Aus der Herren- und Urbildchristologie folgert Althaus eine zweifach
ausdrückbare Bedeutung der Ostertatsache: Der Herrengedanke drängt aufgrund des Widerspruchs zwischen seinem Anspruch und der Ablehnung der
Welt zur Parusie; der Urbildgedanke begründet die Hoffnung für alle Glieder der Menschheit. Das "Paradoxon unserer Christusbruderschaft....drängt
zur gewissen Erwartung eines Letzten, das die Spannung löst" (LD^1 55f =
LD^3 57f). Die Logik dieses 'Postulats' ist "die der Wahrhaftigkeit, Treue
und Herrlichkeit Gottes, oder (...:) die Logik der Erstling- und 'Haupt'-
stellung Christi in der neuen Menschheit, der einmal begonnenen Schicksalsgemeinschaft mit ihm" (LD^1 57;vgl.LD^3 60). Damit ist bereits der Übertritt zum soteriologischen Paradoxon getan.

bb) Soteriologisches Paradoxon

"Die Rechtfertigungslehre besagt: der Mensch wird nicht durch seine
Leistungen gerecht vor Gott, sondern allein durch Gottes freie Huld, um
Christi willen, im Glauben, mit dem der Mensch auf alle eigene Leistung
verzichtet und allein von Gottes Huld vor ihm leben will."[73] Diese Ur-
Ordnung gilt auch für den zum vollen Gehorsam Wiedergeborenen.Durch die
Vergebung in Christus sind wir ganz rein, jedoch nur auf paradoxe Weise,
denn wir sind Sünder und Gottes Kinder zugleich; wir müssen täglich neu
aus dem Dennoch der Vergebung, aus der Gänze der Tat Gottes ob unseres

Stückwerks leben. Dieses Paradoxon der Rechtfertigung steht und fällt mit
der irdischen Geschichtlichkeit unseres Daseins. Einerseits betont Althaus sehr die der Rechtfertigung entspringende Kraft der Heiligung. Er
spricht sich deshalb gegen Barth aus, der glaubte, Luther für eine rein
forensische Rechtfertigungslehre in Anspruch nehmen zu können (TG 779-781),
denn darin wird neben der berechtigten Spannung die lebensgestaltende
Mächtigkeit Christi vergessen. Andererseits betont Althaus aber ebenso,
daß niemand die Entscheidung je hinter sich habe, weshalb das ganze Leben Kampf des 'Geistes' mit dem 'Fleische' sei und kein Erfolg der Heiligung das Paradoxon der Rechtfertigung aus unserem Leben schaffe.[74]
Deshalb darf aus dem Zusammenhang zwischen Vergebung und der durch sie
begründeten Erneuerung kein hinreichender Grund für die sittliche Möglichkeit von Gottes Rechtfertigungsurteil in Christus erschlossen werden, denn dieses Urteil ist in jeder Hinsicht synthetisch. Deshalb hat-
so Althaus gegen Karl Holl - auch die eschatologische Rechtfertigung denselben synthetischen Charakter, denn angesichts der vergangenen Schuld
ist der Mensch gegenwärtig schuldig und die Vergebung in Christus bleibt
metaethisches Geheimnis der Liebe. Die eschatologische Beziehung der Vergebung macht diese sittlich also nicht vertretbarer. Auch ist es nicht
erlaubt, von Gottes überzeitlicher Allwirksamkeit her die Rechtfertigung
analytisch begreifen zu wollen, denn es würde den unbedingten Ernst der
Geschichte mit Gott und das Ringen Gottes um die freie Entscheidung des
Menschen aufheben und schließlich Gott zum Bewirker des Bösen machen.

Es geht Althaus also darum, das 'propter Christum' in seiner vollen
Gültigkeit zu erhalten, darin "die Wunde des ethischen Problems der Ver-
gebung offenzuhalten gegenüber allen modernen ethizistischen Theorien"[75].
Solche Verletzung des 'propter Christum' sind auch alle vom Fortschritts-
und Entwicklungsgedanken angesteckten Eschatologien, die den Frieden auf
Erden und das eschatologische Heil in der Geschichte zu finden und sein
Kommen beeinflussen zu können meinen. Jedoch "die Aufhebung der Kriege
ist ebenso wie das Abtun des Todes unter keinen Umständen Gegenstand der
Ethik, sondern nur der Eschatologie des Glaubens"[76]. Die grundsätzliche
Überwindung der Sünde am Kreuze und die anfanghafte bei uns auf Erden
muß im Tod und im Gericht der Gläubigen zur vollen Wirklichkeit werden,
die sittliche Wahrhaftigkeit der göttlichen Vergebung verlangt nach der
totalen Entsündigung und völligen Befreiung der Sündenmacht, zu der Gott

seine Kinder in der Ewigkeit führt (LD[1] 46;LD[3] 45f). In der Spannung des
'simul iustus et peccator' läßt Althaus die Eschatologie entspringen,
denn diese Spannung verlangt um Gottes willen nach einer Lösung durch
endgültige göttliche Gerichts- und Heilstat: "Das Endbild muß die Züge
der Rechtfertigung tragen". (LD[3] 203 = LD[4] 175;vgl.ArtDeD 355f).

Sosehr der Tod schöpfungsmäßigen Sinn hat,so sind doch unsere Welt und
deshalb Schwachheit und Sterblichkeit 'zugleich' "auch Grenze der Gottesgemeinschaft und des völligen Gottesdienstes" (LD[1] 49;vgl.LD[3] 50). Dies
betrifft zunächst unsere Leiblichkeit als Todesleib, der mit seinen psychologischen Hemmungen und Gesetzen der Ermüdung und des Alterns auch
unser Glaubensleben beeinflußt und die um Geist verheißene Gottesgemeinschaft begrenzt, sodann unsere Zerrissenheit in Raum und Zeit, das Ver-
drängungs-, Konkurrenz- und Konfliktsgesetz unseres geschichtlichen Lebens, das den durch den Geist geschenkten unendlichen Liebeswillen begrenzt. Dieser paradoxe Widerstreit zwischen Inhalt und Gefäß ist nicht
haltbar: die Herrlichkeit des uns verliehenen Geistes muß die Schranken
des Todesleibes und der Todeswelt brechen, an die wir gebunden bleiben,
obwohl wir bereits im tiefsten davon erlöst sind. Der Fortgang der Geschichte kann dieses Paradox nicht aufheben: Geschichte und Tod gehören
zusammen (vgl.LD[3] 52). So wird die Geistesgegenwart zur Erwartung einer
neuen dem Todesgesetz entnommenen Geist-Leiblichkeit und im Gefolge davon
einer 'neuen Welt', der Erlösung des Kosmos in Natur und Geschichte, der
Erneuerung des ganzen Weltbestandes. Jesu Wunder sind "als Durchbrechung
des Gesetzes der Sünde und des Todes....eschatologische Vorzeichen der
hereinbrechenden völligen Gottesherrschaft und Welterlösung" (LD[1] 52,n.1
= LD[3] 62,n.1). Das Paradox des irdischen Reiches Gottes, das die ganze
Wirklichkeit betrifft, ist also Wurzel der teleologischen Eschatologie,
d.h. des Postulats der Aufhebung des Widerspruchs zwischen der inneren
Fülle des Christenstandes und seiner äußeren Unansehnlichkeit. Weil diese eschatologische Spannung zum Wesen der geschichtlichen Offenbarung
gehört, folgt für Althaus:

> "Das Reich Gottes oder auch nur eine 'Annäherung'
> an dieses ist nicht das Ergebnis der Geschichte.
> Die eschatologische Spannung zwischen dem 'schon'
> und dem 'noch nicht' betrifft das Ende des Chri-
> stenlebens nicht weniger als den Anfang, das En-
> de der Weltgeschichte nicht weniger als die ur-
> christliche Zeit. Die Spannung entlädt sich nicht

chronisch in Annäherung des persönlichen und des
Weltlebens an das Reich Gottes, sondern akut, innergeschichtlich in kämpfender Buße und sehnsüchtiger
Hoffnung, geschichtsendlich in Parusie, Gericht
und Auferstehung."[77]

c) Zusammenfassung der Problemstellung

Indem Althaus die Heilszukunft im Paradox der im Glauben erfaßten Heilsgegenwart gründen läßt, bezieht er eine Mittelstellung zwischen der Überbetonung des selbstgenügsamen mystischen Glaubens der uneschatologischen
Theologie und der Überbetonung der rein 'zukünftigen', geschichtsentwer-
tenden Hoffung der nureschatologischen Theologie. Althaus' Anliegen scheint
in der damit erreichten Untrennbarkeit von Glaube und Hoffnung gewährleistet. Um in der Erarbeitung der reifen Gestalt der Althaus'schen Eschatologie das Ob und Wie der 'Vermittlung in Differenz' beantworten zu können, sei das sich in Althaus' Mittelstellung abzeichnende Problem kurz
zusammengefaßt.

Zurecht entsprechen sich Logik der Christustatsache und Logik des Glaubens. Die Christo-logik wirft ihr Licht voraus auf den 'Prolog' (Grund-
eschatologie) und läßt es scheinen auf den 'Epilog' (Christoeschatologie).
Es entsteht jedoch - um im Bild zu bleiben - eine Dunkelzone, falls in
der Denkform ein Moment ist, das seinen Schatten auf die bestimmende
Christo-logik wirft, also diese irgendwie vorbestimmt. Wir fragen kritisch an,ob nicht von Althaus' lutherischem Gottheit-Gottes-Begriff im
Moment der übersteigerten, undifferenzierbaren Paradoxität ein solcher
gefährlicher und die Heils-'Vermittlung in Differenz' gefährdender Schatten gegeben sei. Die Gottheit Gottes scheint doxologisch überbetont zu
sein, so daß das Vermittlung gewährende Fundament nur noch in 'theoretisch' unauflösbarem Paradox, also unvermittelbar, neben dem allein von
Gott bewirkten Heil zu stehen kommt. Das 'Postulat' der Lösung der Paradoxien, das vom Schatten dieser soteriologischen Engführung mitgeprägt
ist, gefährdet die Geschichte, die 'als Sphäre der Freiheit der Ort
kämpfender Werte und Willen' ist, gerade in dieser offenen Dialogizität.
Trotz der Betonung des 'propter Christum' bleibt die Frage, ob nicht in
der 'von Gottes wegen' gegebenen Notwendigkeit der Eschatologie das 'von
Christi, des Gottmenschen, wegen' zu kurz kommt. Soll die Eschatologie
nur daraus folgen, 'weil Gott Gott und Jesus der Sohn ist', oder nicht
zuletzt daraus, weil der Sohn Gottes Mensch geworden ist?

Wir beschränken uns im letzten Kapitel dieses 1. Teils unserer Untersuchung auf die stark von philosophischen Strömungen beeinflußten Grundlinien der frühen Eschatologie Althaus'. Wie er später selbst erkannte,
war das damalige philosophische Rüstzeug nicht geeignet, die theologische
Grundlegung in die Eschatologie zu extrapolieren. Es bleibt freilich die
Frage nach einer gewissen inneren Affinität zwischen beiden. Die theologische Problemstellung soll im 2.Teil der Arbeit einer Klärung und
Stellungnahme zugeführt werden.

5. Kapitel: Die philosophische 'Pseudomorphose' in der ungeschicht-
           lichen Jenseitseschatologie

1. Kritik aller endgeschichtlichen Eschatologie im ersten Entwurf

Aus dem Paradox der Gegenwartserfahrung ewigen Lebens in der Geschichte folgt die Hoffnung auf künftige Entschränkung und Vollendung. Was Althaus jedoch anfangs unter dieser 'künftigen' Entschränkung und Vollendung
versteht, kommt erst klar in dem berühmten 3.Kapitel von LD[1], der Kritik
aller endgeschichtlichen Eschatologie, zum Ausdruck.[1] Thesenhaft stellt
Althaus fest:

> "Die teleologische Eschatologie hat es ohne Frage
> mit der Vollendung der Geschichte zu tun, also ir-
> gendwie auch mit dem Ertrage der Geschichte....Aber
> der Ertrag der Geschichte liegt nicht in ihrem zeit-
> lichen Endzustande vor, sondern wird in dem Jenseits
> der Geschichte erhoben. Und die Vollendung der Ge-
> schichte ist weder als ein geschichtlicher Endzustand
> zu denken noch in besondere Beziehung zu diesem zu
> setzen. Die 'letzten Dinge' haben mit der letzten
> Periode der Geschichte nichts zu tun. Die Eschatolo-
> gie ist an der Frage nach einem geschichtlichen End-
> zustande nicht interessiert. Sie hat daher auch nicht
> die Aufgabe, Aussagen über eine zu erwartende Entwick-
> lung oder über eine Abfolge von Perioden der Geschich-
> te zu machen." (LD[1] 64f)

Althaus weiß, daß auch die biblische Eschatologie als Lehre von einem
endgeschichtlichen Idealzustand einsetzt, ebenso die Theologie der Jahrhun-
derte bis herauf zur Säkularisierung der theologischen Eschatologie
in der deutschen idealistischen Philosophie oder im Marxismus (LD[1] 67).
Doch von seiner Kritik des Fortschrittsbegriffes und des üblichen Begriffes der 'Heilsgeschichte' unter biblischer und systematischer Hin-

sicht (LD^1 69-95) kommt er zu dem Ergebnis, daß die Bibel die Verknüpfung der biblischen Geschichte mit Anfang und Vollendung der Menschheitsgeschichte in bezug auf Gott nicht anders als in der Projektion auf eine
längendimensionale, auf ein endzeitliches Ziel fortschreitende Geschichte ausdrücken konnte, obwohl diese Geschichte ihrem Wesen nach nicht in der
Zeitlinie   die Richtung ihres Fortschrittes und ihrer Vollendung habe,
denn deren Wirklichkeiten z.B.Urstand und Sündenfall, sind nicht geschichtliche Ereignisse am Anfang oder Ende, sondern ständig gegenwärtige
Tatbestände. "Entsprechend ist über das 'Ende' der Geschichte der Menschheit mit Gott zu urteilen." (LD^1 83) Die Heilsgeschichte will deshalb in
jedem Geschlechte anfangen und vollendet werden, denn sie ist überzeitlich."Jede Zeit ist in diesem Sinne letzte Zeit" (LD^1 84), denn "die
Grundform der Gottesgeschichte ist die Polarität von Sünde und Gnade, Tod
und Leben" (LD^1 84f), nicht die Periodizität der Aufeinanderfolge der
Zeit. Deshalb deutet Althaus die eschatologischen Vorzeichen nicht 'endgeschichtlich', sondern 'reichsgeschichtlich' (LD^1 94f),d.h. als "ständige Grundverhältnisse" (LD^1 95). Da es Eschatologie "demgemäß nicht mit
der Endgeschichte oder mit dem Geschichtsende, sondern mit dem Jenseits
der Geschichte zu tun" (LD^1 95) hat, ist dem Chiliasmus und der Apokalyptik das Urteil gesprochen. Jede Generation ist unmittelbar zum Gerichte
wie zur Vollendung; nicht eine Endperiode im besonderen, sondern jede
Periode bereitet die Parusie vor.

Die Frage nach dem Wann der Vollendung ist "sinnlos" und "falsch gestellt" (LD^1 96;vgl.dagegen LD^3 173,n.2). Biblisches Wachen und Warten
bedeutet: "Ernst damit machen, daß jede Zeit letzte Zeit ist, unmittelbar zum Gericht und zur Vollendung; bereit sein" (LD^1 97; vgl. LD^3 187f).
Althaus will an der Parusie festhalten, doch seinem Nachdenken über das
Verhältnis von Zeit und Ewigkeit (LD^1 96,n.1), von Zeit und Überzeitli-
chem, von Zeit und Gott (LD^1 98) erschließen sich Parusie und Auferstehung als überzeitliches Ereignis - als "eine universale Tatsache, eine
gemeinsame und gleichzeitige Erfahrung aller" (LD^1 98), denn:

> "Alle Senkrechten, die wir auf der Zeitlinie errichten,
> um auf die Ewigkeit, die Parusie, die Vollendung zu sto-
> ßen, treffen sich im Überzeitlichen in einem Punkte. Was
> sich uns in ein Nacheinander menschlicher Tode, des En-
> des von Geschlechtern, Völkern, Zeiträumen zerlegt, das
> ist, von dort gesehen, der gleiche Akt und das eine,
> 'gleichzeitige' Erlebnis der Aufhebung der Geschichte,

des Eintritts der Geschichte in die Ewigkeit" (LD[1] 98).

Trotz der gerade an diesem Entwurf geäußerten Kritik[2] geben viele dieser ersten Auflage der 'Letzten Dinge' im Vergleich zu den späteren den Vorzug, so z.B. H.W.Schmidt wegen der Auszeichnung durch größere "Klarheit der systematischen Linienführung" im Gegensatz zu den Sicherungen und Konzessionen in LD[3] [3], G.Hoffmann, der den "klaren geschlossenen Gedankengang" den Einschüben, Zusätzen und Vorbehalten der Neubearbeitung vorzieht, wodurch "viel von der ursprünglichen Geschlossenheit verloren gegangen" war, ohne eine neue zu erreichen[4], oder F.Holmström, der auch "Althaus' originale Intentionen sich am besten in der ursprünglichen Skizze der beiden ersten Auflagen widerspiegeln" sieht[5].

Ist tatsächlich die konkrete Ausprägung der Eschatologie in LD[1] die notwendige Konsequenz des inneren Baugesetzes seiner Theologie des Glaubens oder liegt sie etwa nur einem ihrer Momente nahe? Ist wirklich die Differenz zum jüdisch.biblischen Bild in allem, wie er meint, "nicht eine religiöse, die Sache betreffende, sondern eine geschichts-philosophisch-theologische, die auf die Struktur der Eschatologie sich bezieht" (LD[1] 100,n.1)? Ist eine rein überzeitliche Eschatologie die richtige 'Morphe' der Eschatologie des Glaubens oder eine 'Pseudomorphe'? Verlangt das, worauf es ihm ankam, nämlich "der Kampf gegen die Unaktualität der üblichen endgeschichtlichen Eschatologie" (was er durch keine Kritik getroffen glaubte)[6], nach ungeschichtlicher Jenseitseschatologie?

Wir sehen in Althaus' Kritik der Endgeschichte eine notwendige und berechtigte Folge seiner Geschichts- und Offenbarungskonzeption, insofern ein innergeschichtliches Erscheinen des Eschatons oder ein notwendiger, einsichtiger Zusammenhang zwischen innergeschichtlichem Reifen und dem Ende der Geschichte oder eine anschaulich, menschlich verrechenbare Darstellung des Zugehens der Zeit auf die auf uns zukommende Ewigkeit Gottes ausgeschlossen wird. Wir halten jedoch die extreme Einseitigkeit der überzeitlichen Eschatologie, die an der universellen Zukunft und am künftig ausstehenden Ende letztlich uninteressiert ist, also jene "radikale Neugestaltung des traditionellen Eschatologiebegriffs" (ArtDeD 335) für das schon damals Althaus bewegende Anliegen der 'Vermittlung in Differenz' sehr abträglich und meinen, daß darin neben einem wichtigen und bestimmenden theologischen Moment verschiedene philosophische Einflüsse wirksam sind, die es herauszustellen gilt. Wir glauben, daß die jederzeit durch Gottes Ewigkeit geschehende Aufhebung der Geschichte keinesfalls eine notwendige Folge der 'Theologie des Glaubens' ist, ja dieser vielmehr widerspricht.

Alle Zeit ist eingeborgen in die Zeit Christi und, insofern die eschatologische Grenze zur Ewigkeit in Christus schon gegeben ist, weil im Gottmenschen vermittelt, ist jede Zeit in gewissem Sinne gleich unmittelbar zur Vollendung und zur Ewigkeit. Diese Unmittelbarkeit jedoch - dies sei hier gegen Althaus gesagt - gestattet nicht, nur an einen senkrechten Wiederaufstieg aus der Zeit in die Ewigkeit zu denken, denn die richtig verstandene Gewißheit des Stehens auf dem Boden der Ewigkeit in der Aktualität des Glaubens ist alles andere als die Erfahrung ewig allgemeingültigen metaphysischen Sinnbezuges oder zeitlos gültigen Wertes. Jesu Zeit ist weder bloße Weltzeit (uneschatologische Theologie) noch zeitlose Überzeit (nur-eschatologische Theologie), sondern es ist allein im Glauben zu erfassende Antwort Gottes auf den Gang der Geschichte, der in Christus als in Gottes heile Ewigkeit einmündender Ausgang geoffenbart und antizipiert ist. Obwohl und weil jede Zeit unmittelbar zu Gott ist, ist ihre christologische Wirklichkeit im Mitgehen mit Christus durch Gericht und Tod, also durch das noch ausstehende Ende, auf das sie in ihrem horizontalen Verlauf zugeht, auszutragen. Der Glaube an die Heilsgegenwart wird notwendig zum hoffenden Ausblick auf ein zeitlich zukünftiges Ende als unanschaulichen Berührungspunkt von Geschichtszeit und ewigem Leben. Wenn Althaus in der Christustatsache nicht nur Abbruch und Andersheit, sondern auch Zusammenhang, Anknüpfung und vollendende Neuschöpfung sieht, kann er nicht Geschichte und Kosmos beiseitelassen und in ein geschichtsloses Jenseits fliehen. Der Horizont der Hoffnung darf nicht aufgehen in der senkrechten Grenze der Zeit gegen die zeitlose Ewigkeit hin; der Sieg wird eingebracht in einem das zeitliche Ende der Geschichte besagenden 'Später'.[7] Ein Ausweichen in jenseitige Überwelt, die nichts zu tun haben will mit dem Wechsel der Zeit und letztlich den Vorläufigkeitscharakter unserer Glaubensexistenz mit der notwendigen Ausrichtung auf das Endgültige (nicht Allgemeingültige) aller Wirklichkeit nicht ernst nimmt, ist verboten. Wie der Glaube an die konkrete Geschichte gebunden bleibt und Althaus nicht ihren 'garstigen Graben' durch rein existentiale Interpretation überspringt, so darf er auch nicht den Graben der Zu-

kunft der Geschichte überspringen und sich mit einer an jede Zeit gren-
zenden zeitlosen metaphysischen Sphäre zufriedengeben. Genügt die Kenn-
zeichnung der Zeit als Endzeit, ohne je zu 'enden'? Wird nicht die intendierte Aktualität des 'immer' so zum 'nimmer'?[8] 'Endzeit' ist ein paradoxer Begriff, innerzeitlich in unlösbare Antinomien führend (vgl.Kant).
Gott setzt das Ende, und zwar ebenso schöpferisch und unanschaulich, wie
er als Schöpfer den Anfang setzte.[9] Gott führt aber seine Ewigkeit nicht
als senkrechte Zeitlosigkeit herauf, sondern als Zeit- und Geschichts-
mächtigkeit, da er in Jesus Christus in die Geschichte eingegangen ist,
ohne in ihr unterzugehen. Die Flucht der ungeschichtlichen Jenseitseschatologie ins reine Nach-Oben, die den Blick in die ausstehende Zukunft
vergißt, ist ebenso einseitig wie die Flucht ins reine Nach-Vorn einer
Nur-Hoffnungstheologie, die die Heilsgegenwart vernachlässigt.

Althaus bezeichnet es später als "die Schranke des Entwurfs von 1922",
daß "diese Spannung....nicht auf das in der Zeit auf uns zukommende Ende
der Geschichte an der Ewigkeit, sondern statt dessen allein auf die jederzeit durch Gottes Ewigkeit geschehende Aufhebung der Geschichte bezogen"[10] wird. Die Bedeutung dieses Endes der Geschichte, das keineswegs
ein unterbrochenes Fortschreiten auf einen geschichtlichen Idealzustand
besagt, muß sachlich gewahrt bleiben. Ob man deshalb den Ausdruck 'endgeschichtlich' beibehalten müsse, wie E.Thurneysen glaubt, oder ob dafür
besser 'endzeitlich' gesagt werde, wie G.Hoffmann meint, ist letztlich
zweitrangig.[11] Mit W.Kreck können wir sagen:

> "Jüngster Tag ist, darin hat Althaus recht, nicht
> einfach nur ein letzter geschichtlicher Tag oder eine
> Endphase der Menschheitsgeschichte mit mancherlei merk-
> würdigen Begebenheiten. Aber er ist auch nicht nur dies
> jeweilige Jetzt oder ein über der Geschichte schwebendes
> Jenseits. Es geht um wirkliche Begegnung des kommenden
> Herrn mit dieser Zeit und Geschichte, die ihr Ende und
> ihre Vollendung zugleich ist. Hier versagen unsere Ge-
> schichts- und Zeitbegriffe ähnlich wie bei der Schöpfung."[12]

Die Tat Christi ist in einem gewissen berechtigten Sinne ein Ereignis
"vertikal zur Horizontale der Weltzeit mit samt ihrer echten undetermi-
nierten Zukunft"[13]. Echter 'Theologie des Glaubens' ist aus dieser "Gewißheit unzerstörbarer Gemeinschaft mit Gott" (LD[1] 35) die untrügliche Hoffnung der siegreich barmherzigen Eingeborgenheit der noch ausstehenden Zukunft in die eschatologische Herrlichkeit Christi verbürgt, so daß sie
deren Vollendung in einer dem Todesgesetz entnommenen 'neuen Welt' erwar-

tet. Insofern Althaus' 'Theologie des Glaubens' bei einer ungeschichtlichen Jenseitseschatologie endet, ist darin ein falsches Moment gegeben,
das den 'Überschwang' der Vertikalen über die Horizontale einseitig über-
treibt, so daß Vertikale und Horizontale letztlich auseinandergerissen
werden, der Geschichtsbegriff 'verkümmert' und die Eingeborenheit der
noch ausstehenden Zukunft zu sehr in Gott allein, nicht im Gottmenschen
Jesus Christus, verbürgt gesehen wird. Der tiefste Grund, warum im christlichen Denken die vertikale Dimension nie die horizontale verdrängen darf,
liegt in der Inkarnation. Seither hat die dialogische Tiefendimension der
Geschichte (die 'dritte Geschichte'), das Gespräch mit Gott, ein neues
Gesicht bekommen: es ist Gespräch mit dem Menschen Christus und in ihm
mit allen Menschen, so daß nunmehr die Mitmenschlichkeit und Mitweltlich-
keit für die Heilsgeschichte mit konstitutiv sind.

> "Denn in Christus, dem Menschen, treffen wir Gott;
> in ihm treffen wir aber auch auf die Gemeinschaft
> der anderen, deren Weg zu Gott durch ihn und so zu-
> einander läuft. Die Orientierung auf Gott ist in ihm
> zugleich die Orientierung in die Gemeinschaft
> der Menschheit hinein, und nur die Annahme dieser
> Gemeinschaft ist Zugehen auf Gott, den es nicht ab-
> seits Christi und so auch nicht abseits der ganzen
> menschlichen Geschichte und ihres mitmenschlichen
> Auftrags gibt."[14]

2. Überzeitlicher und endzeitlicher Aspekt in der dritten Auflage

Die zweite Auflage der 'letzten Dinge' erschien unverändert 1924, also
im selben Jahr wie der grundlegende Aufsatz 'Theologie des Glaubens'.
Auch in der dritten Auflage von 1926[15] will Althaus keineswegs seinen Angriff auf die endgeschichtliche Eschatologie abschwächen, sondern nur
noch umfassender und tiefer im Zentrum der Theologie begründen, aber zugleich sieht er sich genötigt, eine positive Ergänzung zu bringen und
einige unvorsichtige Formulierungen aus LD[1] zu beseitigen (LD[3] VIII).

Althaus betont nun bewußt, vor allem im Anschluß an M.Kähler, das
"Ineinander von heilsgeschichtlichem Verständnis der Offenbarung und Eschatologie" (LD[3] 83) in der Religion Israels, die darin den Anfang aller
Geschichtsphilosophie bildet. Die Folgerung, daß daraus eine 'endgeschichtliche Eschatologie' folge, weil sonst die Bedeutung der Geschichte und die geschichtliche Art des Handelns Gottes mit der Menschheit in
Frage gestellt sei, lehnt Althaus nach wie vor ab, denn "die Eschatologie ist Gewißheit um das Ziel der Geschichte, nicht Aussage über die

Endgeschichte, d.h. die letzte Periode der Geschichte" (LD^3 84). Ganz
ähnlich wie in LD^1 betont er den Selbstwert jeder Epoche, die Unmittelbarkeit jeder Zeit zum Gerichte, die Aufhebung aller Zeit in die Ewigkeit. Er bringt das damals beliebte Bild vom Schlagen jeder Welle an den
Strand der Ewigkeit (LD^3 174), das "mit prägnanter Symbolik und monu-
mentaler Einfachheit" (DeD 347) die Grundkonzeption der übergeschichtlichen Periode ausdrückt, und reiht sich in die Liste derer, die mit Vorliebe das Ranke-Wort von der Unmittelbarkeit jeder Epoche zu Gott zitieren (LD^3 174,n.1)^{16}.

Doch darin liegt, sagt Althaus nun, nicht die ganze Wahrheit, denn jede Zeit stehe außerdem auch in einem Zusammenhange und die Verantwortung
beziehe sich auf etwas Kommendes, das ebenfalls für die Ewigkeit Bedeutung habe. "Die Zeiten sind, auch in ihrem Verhältnis zur Ewigkeit, verschieden" (LD^3 175). Es gibt – durch allgemeine Lebensgesetze oder durch
Gottes unableitbare Freiheit – ungleiche Stunden, deren Verhältnis zur
Gleichheit "das große geschichtsphilosophische Rätsel" (LD^3 176) ist.
Diese Ungleichheit hat Bedeutung für die ewige Vollendung, so daß Ewigkeit "nicht nur Aufhebung, sondern auch Ernte der Geschichte" (LD^3 176)
ist. Freilich verhindert die Welt des Todes und der Sünde immer einen
direkten Übergang in die Ewigkeit, so daß auch eine im besonderen Sinne
letzte Zeit zwar nur "vordeutendes Sinnbild der ewigen Stadt Gottes" sein
kann, aber doch "dem Ziele der Geschichte näher als die andere" ist und
im besonderen Sinn zum "Gleichnis und Anbruch des Dies irae" (LD^3 176f)
wird.

LD^1 konnte den Eindruck machen, die Ewigkeit liege nur jenseits einer
nie endenden Zeit. Daß es Althaus aber eigentlich um die Abwehr aller mit
dem Kontinuum unserer Zeit verrechenbarer Eschatologie ging, nicht um die
Leugnung eines Geschichtsendes, zeigen zwei vielsagende kurze Einschübe
in den sonst unverändert abgedruckten 'Thesen' aus LD^1 64f: "Die Geschichte hat wohl ein Ende, aber kein geschichtliches Endziel....Die Eschatologie ist keine Apokalyptik." (LD^3 77f). Althaus lehnt es ab, in
der Endzeit ein wesentliches Moment der Geschichtsreife zu sehen (LD^3
173f), aber er gesteht, sie hätte "die Bedeutung, das Ende zu sein"(LD^3
177). Die Kritik an LD^1 sei berechtigt gewesen, "als sie das theologische Interesse an dem kommenden Ende der Geschichte neben der starken
Betonung des ständigen Strandens der Zeit an die Ewigkeit,d.h. des je-

derzeit gegenwärtigen Endes, vergaß"; er sagt nun sogar: "Das Ende der
Geschichte ist die geschichtszugekehrte Seite der Parusie. In diesem
Sinn, als Ende der Geschichte, ist die Parusie eine geschichtliche Tatsache, die wahrhaftig nicht leer und arm, sondern höchst inhaltvoll und
positiv ist" (LD^3 177,n.1).^{17} Diese Zugeständnisse scheinen uns jedoch
bedeutsam, denn was heißt größere chronologische Nähe zu einer überzeitlichen 'Gleichzeitigkeit' oder was heißt geschichtszugekehrte Seite der
Parusie, wenn nicht schon die rein vertikale Aufgipfelung der Ewigkeit
auf die Zeit überschritten ist und neben die punktuelle Gleichzeitigkeit
insgeheim eine Bereicherung tritt, die die individualistische Grundeinstellung zu unterhöhlen beginnt? Was heißt "gliedliche Verantwortung für
das Lebensganze der Geschichte" und "Lebenszusammenhang mit allen anderen" (LD^3 178f), wenn nicht der Mensch in seiner pluralen Wirklichkeit
zu sehen begonnen wird und, weil sich der Blick auf die Vollendung des
Ganzen als Menschheit und ihrer Geschichte richtet, sich notwendig zum
präsentischen 'Trans'und 'von oben' der Aspekt des zukünftigen 'Post'
und 'von vorne' gesellt? Kommt es jedoch auch zu einem berechtigten 'von
unten' und 'nach vorne'?

Immerhin bekennt Althaus nun, in der Betonung der überzeitlichen
Gleichzeitigkeit das Geheimnis der Ewigkeit im Verhältnis zur Zeit verletzt zu haben (LD^3 181,n.1), denn der Gleichzeitigkeitsgedanke sei
ebenso wie der Fortschrittsgedanke Rationalisierung der Geschichte. Althaus stellt deshalb die zwei Grenzsätze auf:

> "Die Ewigkeit ist das 'überzeitliche' und daher
> gegenwärtige Jenseits jeder Zeitspanne, aber darin
> liegt nicht das Recht, gegen die Längsrichtung der
> Geschichte gleichgültig zu sein und die Ewigkeit nur
> gleichsam in der Senkrechten zu suchen. Die Ewigkeit
> nimmt 'nachzeitlich' den Ertrag der Geschichte auf,
> aber damit ist nicht gesagt, daß man die Bedeutung
> der Längsrichtung als einheitliches Fortschreiten
> zu einem endgeschichtlichen Ertrage verstehen dürf-
> te." (LD^3 180)

Alle Fragen, die sich notwendig daraus ergeben (Wann der Parusie - vgl.
LD^3 73,n.3 -, Verhältnis von 'Gleichzeitigkeit' der Parusie zu ihrer
'Nach-Zeitlichkeit'), sind nach Althaus unauflösliches Geheimnis (LD^3
180f). Aber es ist bezeichnend für das Neue, das sich bemerkbar macht,
daß nun die Unmöglichkeit des Zwischenzustandes, die in LD^1 kategorisch
behauptet worden war, nun als Frage hingestellt wird. In der Interpreta-

tion des biblischen Wachens wird nun zwar die geschichtliche Stunde in ihrer 'qualitativen' Besonderheit erkannt (LD[3] 185), aber der für die Geschichte als Ganzheit wesentliche Bezug des 'Post' droht immer wieder im 'Trans' unterzugehen, da immer noch "kein futurum historicum, sondern ein futurum aeternitatis in Frage kommt" (LD[3] 181,n.1).

"Es will hier etwas Neues ans Licht, eine Überwindung des alten Entweder-Oder zwischen endgeschichtlicher Eschatologie und Platonismus. Aber dies Neue hat noch keine deutliche Gestalt gewonnen." So charakterisiert Karl Heim richtig die dritte Auflage der letzten Dinge[18]; auch von anderen wurde rasch die Unausgeglichenheit festgestellt[19]. Die neuen Aspekte wurden teils neben völlig unveränderte Abschnitte aus LD[1] gestellt, so daß "sein Standpunkt noch komplizierter und schwerer übersehbar" (DeD 338) war. Die fortschreitende Erkenntnis des Besonderen der christlichen Eschatologie scheint Althaus zu veranlassen, in seinem Eschatologie-Artikel in RGG[2] religionsphilosophische Parallelen deutlich einzuschränken, das endzeitliche Moment mehr hervorzuheben und die Kritik der Endgeschichte vor allem in der Kritik des Fortschrittsgedankens zu suchen. Ohne also die jederzeit durch Gottes Ewigkeit geschehende Aufhebung der Geschichte zu behaupten, war sein Anliegen dasselbe geblieben: der "Gegensatz gegen die Ent-aktualisierung der Enderwartung" (LD[4] 268)[20].

3. Außertheologische Einflüsse

Das konkrete Bemühen Althaus', die Aktualität und Lebensnähe der Eschata neu einzuschärfen, geschah einseitig als Reaktion auf gewisse vorherrschende (geschichts-)philosophische Tendenzen, so daß - nolens volens - eine Abhängigkeit der Theologie von außertheologischen Quellen zustande kam. "Die theoretische endgeschichtliche Eschatologie wurde bekämpft durch ein theoretisches Nein zu ihr, die Theorie der sich zum Ende steigernden Geschichte durch die Theorie von der Unmittelbarkeit jeder Zeit zur Ewigkeit, die Horizontale der übergeschichtlichen (das Wort nicht im Sinne M.Kählers gebraucht!) Nähe der Ewigkeit. Dagegen hat die Kritik sich mit Recht gewehrt."[21] Einseitigkeiten als Folge der methodischen und philosophisch-begrifflichen Denkmittel, deren sich Althaus bediente, waren dadurch unvermeidbar. Es sollen hier einige die 'Pseudomorphose' seines Anliegens begünstigende außertheologische Einflüsse genannt werden.

a) Parallele zur Wertphilosphie

Althaus' "Religionsphilosophische Einleitung" (LD[1] 16) in seine Eschatologie war verhängnisvoll, da eine Parallele zu philosophisch selbstgenügsamer Eschatologie, wie es die Wertphilosophie ist, nicht geeignet war, "eine wirkliche Einsicht in die Besonderheit der christlichen Eschatologie" (LD[1] 16) zu geben, sondern diese eher verstellte. Durch die Parallelisierung der christlichen Ewigkeitserfahrung zur Erfahrung der Wertphilosophie wurde nicht nur die Benennung 'axiologisch' für beide übernommen[22], sondern es entstand auch sachlicher Einfluß, da die christlichen 'letzten Dinge' allzu leicht in Gefahr kamen, im Sinne allgemein zeitlos gültiger Werte verstanden zu werden. Unter der Einwirkung von W.Windelbands Philosophie der Werte[23], aber auch Troeltschs Lehre von den Kulturwerten sah man im 'Letzten' das Unbedingte im Sinne der zeitlos gültigen, über- und ungeschichtlichen Norm und drängte es aus dem Diesseits des Bedingten und Geschichtlichen in das Jenseits des Unbedingten und Wesenhaften, letztlich in die der Zeit enthobene Mystik. In der Norm der Wahrheit, im Gedanken der Gültigkeit stößt der Mensch auf das Ewige als Unbedingtes, "auf das wir mitten in bedingten Beziehungen und durch sie bezogen sind" (LD[3] 15). Das in der Glaubensentscheidung erfaßte Ewige dagegen läßt nicht zur Ruhe kommen, weil darin Begegnung mit dem Du geschieht; es ist Ewigkeitsgewißheit im Kampfe des Glaubens, der um den Widerstreit gegen Gott weiß, harrend der Zukunft des Schauens (vgl. LD[1] 16;LD[3] 15). Nur die Ewigkeitserfahrung von wirklich persönlicher Gemeinschaft, wie sie selbst von höheren Religionen nicht überall erreicht wird, ja eigentlich nur im Christentum gegeben ist, durchbricht die Mystik, denn sie geht nicht unter in der gegenwärtigen mystischen Seligkeit des Gotthabens, sondern drängt zur Gewißheit der Fortdauer nach dem Tode, während nicht-personalistische und mystische Frömmigkeit die Frage nach der Fortdauer, also den Blick in die Zukunft, als Zeichen der Mangelhaftigkeit der Gotteserfahrung und als Verrat an ihr ablehnt, weil für sie der Augenblick die Ewigkeit trägt (LD[1] 19-21;LD[3] 18f).[24]

Wenn auch stimmen mag, daß die Analyse der neutestamentlichen Eschatologie mit der Erkenntnis der christlichen Gegenwartserfahrung des Ewigen sachlich früher war als die Bezugnahme zur Philosophie, daß also die Sache der axiologischen Eschatologie nicht einfach, wie F.Holmström

meint, aus der Philosophie stammt[25], so hat aber doch die Parallele zur
Wertphilosophie die Betonung des Glaubenscharakters der christlichen
axiologischen Gewißheit gehemmt und dementsprechend die Erfassung der
teleologischen Eschatologie einseitig im Sinne einer jederzeit geschehenden Aufhebung der Zeit durch die Ewigkeit umgebogen. Althaus kam dadurch in gefahrvolle Nähe des dialektischen Barth. Gott ist aber nicht
als irgendein Unbedingter das Eschaton, sondern er ist es "so, wie er
der Welt zugewendet ist, nämlich in seinem Sohn Jesus Christus, der die
Offenbarkeit Gottes und damit der Inbegriff der 'Letzten Dinge' ist"[26].
Letztlich müßte die 'Logik der Christustatsache' der ungeschichtlichen
Jenseitseschatologie widersprochen haben. Bereits 1928 verurteilt Althaus selbst indirekt die Parallele zur Wertphilosophie: Aus der Gewißheit des Unbedingten folgt nicht Eschatologie, denn die Zeit als Geschichte bleibt unentdeckt; in der Erfassung des Widerstreits dieser
Welt zum heiligen Willen Gottes bekommt die Zeit und zeitliche Welt ganz
neue Bedeutung: "Nicht auf die ruhende Überwelt, sondern in die heran-
kommende 'Zukunft' geht der Blick; das Ewige ist das 'Letzte' nicht mehr
einfach im Sinne des überzeitlich-gegenwärtigen Wesenhaften, sondern im
Sinne des 'Endlichen'."[27]

b) Zeit-Ewigkeits-Spekulation

Althaus selbst sagt, daß seine im 3.Kapitel von LD[1] gezogenen Folgerungen aus dem Nachdenken über das Verhältnis von Zeit und Ewigkeit kommen (vgl.LD[1] 91,n.1;98). Ist auch bei ihm wie beim frühen Barth die Zeit
"das Gefängnis, in dem der Mensch schmachtet, der Schleier, der das Bild
der Wahrheit verhüllt"[28]?

Die ungeschichtliche Jenseitseschatologie der Frühperiode Althaus'
stand unter dem Einfluß einer philosophischen Spekulation, die in der
Aufklärung begonnen und in Kant ihnren Weichensteller für die kommende
Entwicklung gefunden hat. "Die Frage nach dem Christentum wird zur Frage nach seiner geschichtslosen, rein menschlichen Idee, nach einem Christentum ohne Christus und die Kirche, ohne Heilsgeschichte".[29] Dialektische Identität oder Exklusivität von Zeit und Ewigkeit in uneschatologischer oder nureschatologischer Theologie - beide sind philosophisch an
Kants erkenntnistheoretischem Formalismus und der daraus folgenden Zeitlosigkeitsspekulation orientiert und führen zu zeitdesinteressierter
Eschatologie, denn radikale Geschichtsimmanenz oder Geschichtstranszen-

denz lösen den Glauben von einer konkreten geschichtlichen Grundlage und suchen Sicherheit im Jenseits aller Zeitlichkeit.

Althaus hätte diese Verengung nicht mitmachen müssen. Gegen alle –ismen (immanentistische Monismen verschiedenster Form) betont er die Spannung des Widerstreits zwischen Gott und Mensch, die Wirklichkeit der Sünde, die Distanz von Schöpfer und Geschöpf und die 'Objektivität' der Heilstatsachen. Aber ebenso spricht er sich gegen das exklusive Verhältnis von Gott und Welt, Ewigkeit und Zeit aus. Der inhaltliche Gottesbegriff, die Betonung der ursprünglichen und bleibenden Gutheit der Schöpfung, die Abwehr der Hamartiozentrik, die Auffassung der Geschichte als Begegnungsraum von Gott und Mensch und die Notwendigkeit verschiedener 'Stationen' in diesem Dialog lassen eine Flucht ins zeitlose Jenseits nicht zu. Hier hat die Geschichte ein Fenster zur Ewigkeit; Geschichte und Zeit sind ein Vorschmecken und Unterpfand letzter Dinge. Obwohl in Christus die letzte Zeit angebrochen und alle mögliche Zukunft überholt ist, ist der Sprung ins Jenseits nicht erlaubt, denn noch harren wir der Herrschafts- und Herrlichkeitsgestalt des in ihm endgültigen, durch nichts mehr zu gefährdenden Ereignisses. So ist, wie H.Fries sagt, die tatsächliche Zukunft noch da, "um die in der Erfüllung gegebenen Dimensionen auszulegen, sich entfalten zu lassen, um in der zeitlichen Erstreckung sich – man kann es nicht besser sagen – in den Menschen und für sie 'auszuzeitigen'"[30]. Der Blick darf deshalb, wie es bei Althaus die Gefahr ist, nicht einfach dialektisch nach oben gehen, sondern er richtet sich auf die 'Aufhebung' und Vollendung – freilich nur durch das Gericht hindurch – der Menschheit und ihrer Welt in der noch ausstehenden Zukunft. Althaus hatte es nicht nötig, vor einem totalen Relativismus einen salto mortale in eine zeitlose Ewigkeit zu machen. Bei Barth war das Eschaton letztlich transzendentaler Sinn aller Zeit, der nie in die historische Zeit eingeht; die Schlattersche Linie von Althaus' Denken widersprach solcher Entwertung der Schöpfung und Geschichte. Zeitlosigkeitsspekulation ist auch der Aktualität der Eschata nicht zuträglich. Metaphysische Verneinung der Zeit ist lebensfremd und unaktuell, während die in Christus angebrochene letzte Zeit als Gnadenzeit stets zur Entscheidung aufruft. Der Nachdruck, mit dem Althaus von Anfang an den Ernst der Geschichte hervorhebt, hätte ihn die Bedeutung auch der zeitlichen Erstreckung dieser Geschichte sehen lassen müssen, denn die

Entscheidung des Menschen ist ein geschichtliches Werden, wie sein Sein
"ein im Nacheinander erfolgendes Werde-Sein"[31] ist. Auch folgende frühe
Aussage steht u.E. eindeutig im Gegensatz zur Zeit-Ewigkeits-Spekulation:

> "Gottes Überzeitlichkeit besagt nicht einfach die
> Zeitlosigkeit seines Daseins, denn der Überzeitli-
> che ist zugleich in der Geschichte handelnd gegenwär-
> tig, in einer Geschichte, die nicht Schein, sondern
> auch für ihn tiefer Ernst ist. Unsere Begegnung mit
> Gott in der Geschichte führt uns zu der doppelten
> Gewißheit, einmal, daß diesem Übergeschichtlichen
> die Vergangenheit, Gegenwart und Zukunft gleich na-
> he sind und er auch als der in der Geschichte Rin-
> gende der unbedingte Herr ist; sodann aber, daß für
> ihn das geschichtliche Werden und sich Entscheiden
> von wirklicher Bedeutung und er im Ernste der seine
> Herrschaft erst Heraufführende ist." (LD[1] 130)

H.W.Schmidt sah vor allem in Althaus' Ablehnung einer geschichtlichen
Vollendung die Folge der dialektischen Spekulation über den unendlichen
qualitativen Unterschied und warf ihm Kantianismus vor.[32] Wir haben jedoch gezeigt, daß nicht ein formal-dialektisches Gottesbild des negativ
'Ganz Anderen' hinter der Ablehnung der endgeschichtlichen Eschatologie
steht, sondern die Inhaltlichkeit der Liebe Gottes, die uns heiligen will
durch unser freies Ja zu ihrer Offenbarung. Solche Offenbarung aber setzt
die Zusammengehörigkeit von Geschichte und Glauben, Geschichte und Tod
voraus und hat die Unmöglichkeit ihrer innergeschichtlichen Vollendung
zur Folge (vgl.LD[3] 152). Das berechtigt aber (hierin ist das Wahrheitsmoment der Kritik) Althaus nicht, das eschatologische Ende in dem Sinne
überzeitlich zu denken, daß dieses Ende nicht auch Vollendung und Aus-
zeitigung der zeitlich sich erstreckenden Zeit und Geschichte wäre. Der
übergeschichtliche Gleichzeitigkeitsgedanke ist eine Entwertung der Geschichte, denn, wie Karl Rahner sagt, "die verklärte Ewigkeit des Irdischen und Geschichtlichen ist nicht einfach identisch mit der Ewigkeit
Gottes, die jedem Zeitpunkt gleich unmittelbar und gleich nah ist, auf
die daher zeitliche Aussagen nicht angewandt werden können. Die verklärte Ewigkeit des Irdischen ist vielmehr die Frucht der Zeit und Geschichte selbst"[33]. Die geschehene Geschichte der Welt und ihre theologische
Zukunft stehen also durchaus in einem wirklichen Beziehungsverhältnis
zueinander; Zeit und Ewigkeit sind nicht voneinander trennbar, wenn auch
nicht aufeinander verrechenbar, da unsere Vorstellung über die ge-
schichtsvollendende Dimension der Ewigkeit versagt.

Wenn die Schlattersche Linie des Althausschen Denkens der Zeit-Ewigkeits-Spekulation widersprach, der letzteren Einfluß jedoch trotzdem
nicht gering war, so war Althaus, wie wir glauben, nicht nur unbewußt
einer philosophischen Zeitströmung verfallen, sondern es zeigt sich auch
eine andere Linie seines Denkens, die von Luthers Gottheit-Gottes-Begriff und der entsprechenden Sündenlehre her kam und zumindest in der
Soteriologie das Feld behauptete. Dort hatte die Zeit letztlich doch kein
Fenster zur Ewigkeit!

c) Individualistische Verengung

aa) Zurücktreten der Gesamtvollendung hinter der Einzelvollendung

Althaus wußte um das in der Vollendungserwartung des Einzelnen und
der Menschheit verborgene Problem. "In dem Nebeneinander und dem Verhältnis dieser beiden Gedanken liegt das Problem der teleologischen Form der
Eschatologie" (LD^1 23;vgl.LD^3 22). Nachdem im Judentum zunächst die Erwartung dem Volke, dann erst dem Einzelnen galt, vereinigte die spätjü-
dische Eschatologie "die messianisch-endgeschichtliche und die persona-
listisch-übergeschichtliche" Gedankenreihe durch die Auferstehung, wodurch alle persönlich Vollendeten Anteil an der Vollendung der Geschichte
im Reich Gottes auf Erden gewinnen. Die urchristliche Eschatologie
schließt sich daran an und nimmt den Zwischenzustand als Brücke zwischen
Tod und Auferstehung (LD^1 23f;LD^3 22f). Da für Althaus Schleiermacher
und F.D.Strauß "die unlösbare Schwierigkeit" (LD^1 24) dieses Gedankens
aufgezeigt haben, meint er, das Problem des Nebeneinanders der persönlichen Vollendung und der Reichsvollendung durch den Gedanken der gleichzeitigen Überzeitlichkeit zu lösen. Dadurch fiel freilich der Gedanke
des Zwischenzustandes weg (LD^1 99;vgl.dagegen LD^3 180 u.180,n.3). Wir
meinen jedoch, daß dadurch das Problem vermieden, nicht gelöst wurde.

Die Hoffnung der universalen Vollendung wird hier auf den Zeitpunkt
des eigenen Todes als Punkt des Übergangs in die überzeitliche Gleichzeitigkeit bezogen, so daß die Gesamtvollendung stark hinter der Einzelvollendung zurückbleiben muß. Die ungezählten senkrechten Linien,die
von der Geschichte zum Jenseits der Ewigkeit aufsteigen, in der alles in
einen Augenblick zusammenfällt, haben eine individualistische Verengung
der Eschatologie zur Folge. Philosophischer Einfluß steht hinter dieser
'Lösung', die in Wirklichkeit keine ist, sondern das Problem gleichsam
durch einen "Kunstgriff mit dem Zeitbegriff"[34] verdeckt. Althaus bemüh-

te sich, in LD^3 eine Akzentverschiebung zugunsten der universalen Vollendung vorzunehmen, indem er das Fundament einiger Argumente in dieser Richtung erweiterte[35], aber die Konzentration auf den Tod gab der Eschatologie des Einzelnen das Schwergewicht. Solange die Kategorien des Diesseits und Jenseits gegenüber denen der Gegenwart und Zukunft überwogen[36],
war das Interesse für das universale Ende der Geschichte noch gering.

bb) 'Dritte Geschichte'

Althaus selbst bezeichnet in der Rückschau den "aus rein theologischen Motiven gebildeten Begriff der 'dritten Geschichte' "als Grund der
übergeschichtlichen Ausrichtung seiner Frühperiode: "Der Gedanke der
'dritten Geschichte', also die 'radikal-übergeschichtliche' Wertung der
Heilsgeschichte erschien uns damals gegenüber dem Ansturm des Historismus als die einzige Möglichkeit, überhaupt noch die 'Absolutheit' Christi und seines Kreuzes zu vertreten"[37]. In einer Verteilung der Spannungs-
pole auf zeitliche Perioden fürchtete Althaus eine Auflösung des existentiellen Ernstes der Eschatologie.

Die Betroffenheit durch die in Christus zu Ende geführte Geschichte,
die Aktualität des in der Christustatsache ergangenenAufrufes zum Glauben, die Andersartigkeit der Zukunft Christi zu jeder innerweltlichen
Zukunft - das alles war in der 'dritten Geschichte' mitausgesagt, doch
in deren konkreten Althausschen Auffassung spiegeln sich der Einfluß
Kants und vor allem auch die Reaktion auf die damals herrschende Geschichtsphilosophie wider - eine Reaktion, die aus der Angst kommt, Teil
eines übergeordneten Ganzen zu werden: "Jeder Einzelne, jedes Lebensal-
ter, jeder Tag ist unmittelbar zu Gott. Das macht frei von dem Fron-
dienst aller herrschenden Geschichtsphilosophie, die im Grunde nur die
längendimensionale Geschichte kennt und in ihr den Menschen nur als Ar-
beiter an einem Kulturbau, der durch Jahrtausende geht."[38] Die Betonung
der individuellen Lebenserscheinungen (Reaktion auf Hegel) half offenbar mit, die Eschatologie individualistisch zu verengen und den Blick
in den Zusammenhang der Geschichte und auf die universale Vollendung zu
verdunkeln. In der dritten Auflage betont Althaus zwar stärker die Ver-
kettung der einzelnen Epochen (LD^3 175), aber wie es in der Welt- und
Geistgeschichte keinen zusammengefaßten Ertrag der Geschichte gibt, weil
jede Generation neue Aufgaben habe, so, folgert er, kennt auch die 'dritte Geschichte' keinen Fortschritt und Zusammenhang und stellt jeden je-

derzeit vor das Ende.

cc) Volks-Ideologie

Althaus spricht nicht nur vom Beruf des Einzelnen, sondern auch vom Beruf eines Volkes, also einer Gemeinschaft. Die besondere Art jedoch, wie Althaus von diesem Beruf und dessen Erkenntnis in der konkreten Gewissensentscheidung durch geniales 'Führertum' spricht, zeugt eher von individualistisch-romantischer Volks-Ideologie, aus dem das nationalsozialistische Gedankengut seine Rassenideologie schöpfen wird, als von theologischer Erfassung eines echten Gemeinschaftsaspektes. Mit Althaus' Auffassung über das Volk hängen eng zusammen seine Ideen über Krieg, Friede, Pazifismus, sein stark biologischer Geschichtsbegriff und seine Vorstellungen über die Lebensgesetze der Geschichte. Es ist schwer, auf diesem Gebiet die Grenzen zu ziehen und zu sagen, was seinen theologischen Prinzipien uns was seinen politischen Überzeugungen entsprungen ist und ob und wie sich beide gegenseitig zu stützen suchen.

Freilich meint Althaus, daß seine Zeit in der Entdeckung des Volkes den Individualismus der Aufklärungszeit überwunden habe und dadurch reifer für die biblische Botschaft geworden sei.[39] Er sprengt auch immer wieder das 'Völkische' hin auf das Größere des Reiches Gottes, denn "alles völkische Wollen 'meint' zuletzt, sich selber unbewußt, in, über, hinter dem erneuerten deutschen Volke, der zur Bruderschaft wiedergeborenen Gesellschaft, hinter der neuen Welt das Gottesreich"[40]. Aber diese universale Komponente bekommt aufgrund der letztlich individualistischen politisch-ideologischen Geschichts- und Volksauffassung wenig Bedeutung und verschwindet allzu leicht in die vertikale ethische Innerlichkeit, ohne die horizontale geschichtliche Gemeinschaftsdimension zu ergreifen. Althaus betont zwar auch stark die Grenzen der Durchdringung von Kirche und Volkstum, da der Rhythmus des Lebens der Völker ein anderer als der des Reiches Gottes ist, doch es wäre zu wünschen, daß "die Not der Wanderschaft", die alle verbindet, mehr Betonung in der Hervorhebung der universalen Menschheitsgeschichte und ihres Zugehens auf die Vollendung fände, denn "wir schauen aus nach dem Tage, da das Volk eine Kirche sein wird und da in der weltumfassenden Kirche die Gemeinschaft der Völker wohnt"[41].

dd) Die Kirche

Althaus kritisiert die individualistische Eschatologie des 16. und

17.Jahrhunderts. "Die Hoffnung wird jedesmal dann eng und arm, wenn das
Verständnis für die Kirche Gottes erlahmt", denn "die Ewigkeitshoffnung
des Neuen Testaments ist in gleicher Stärke Hoffnung auf die Vollendung
des Reiches Gottes wie Sehnsucht nach der persönlichen Befreiung des einzelnen zur völligen Gemeinschaft mit Gott, sozial und individualistisch
zugleich"[42]. Da das Christentum wesentlich eine Religion der Gemeinschaft
ist, findet der Christ das individuelle eschatologische Heil nur in der
Gemeinschaft,"denn der 'Himmel' ist nichts anderes als die aller Schranken entledigte, aller Halbheit und Schwachheit entnommene Gemeinschaft"[43].
Auch in LD[1] warnt Althaus vor individualistischem Mißverständnis des ewigen Lebens, denn "eine individualistisch, einsam gedachte Seligkeit wäre
nicht die Seligkeit des Christen, den Gott in der Gemeinde und zur Gemeinde erlöst hat." (LD[1] 127)

Trotz all dieser positiven Ansätze blieb der kirchliche, gesamtmensch-
liche (und kosmische) Aspekt systematisch jedoch zu wenig berücksichtigt.
Althaus selbst gesteht die Unvollständigkeit ein, wenn er z.B. nur vom
Gericht über den einzelnen, nicht über Völker, Familien und die Menschheit als ganze handelt (LD[1] 125,n.1).H.E.Weber sah zurecht, daß es sich
in der Lehre von der überzeitlichen Gleichzeitigkeit "um die Auflösung
des Menschheitsproblems in die ungezählten individuellen Menschenproble-
me, um die Beiseiteschiebung der Gemeinschaft" handelte, denn "die Kirche mündet in die Ewigkeit, sofern und indem alles persönliche Leben,
das sie erfaßt und pflegt, in die Ewigkeit mündet"[44]. Webers Absicht war
es, im Zusammenhang mit der Würdigung des heilsgeschichtlichen Christus-
glaubens, den Althaus gegen Barth festhalten wollte, und mit dem Kirchengedanken als "Antrieb und Hilfe" "auch die Wahrheit der neutestamentlichen Eschatologie sich aus der Kritik zu erobern"[45]. Tatsächlich entdeckt Althaus die Kirche immer mehr als eschatologische Größe. Er betont, daß sie durch Kritik an den Ordnungen der Welt und durch Dienst am
Menschheitsleben von der neuen Menschheit und der neuen Welt zeugen sollte: "Ihr Handeln hat zwar nicht den Sinn, das kommende Reich heraufzu-
führen (diese Teleologie kennt das Evangelium nicht!), aber es ist eine
Bitte um das kommende Reich, ein Zeugnis für das gekommene und kommende.
Das Harren der Gemeinde geschieht im gehorsamen Arbeiten, aber das Arbeiten muß sich immer wieder zum Harren demütigen. Eschatologie und Tat
gehören zusammen."[46]

4. Rückblick: Kosmische Weite und realistische Art oder Jenseits-
    eschatologie?

Müssen wir uns nach unserer Darstellung und Kritik der Grundlegung
der Eschatologie in der Frühperiode Althaus' nicht fragen, "ob die Eschatologie des jüngeren Althaus - wenn man einmal von ih rem wertphiloso-
phischen Begriffsapparat absieht - nicht erhebliche Vorzüge vor der des
späteren hat "[47]? H.Grass, der diese Frage stellt, glaubt,sie bejahen
zu müssen. Er sieht in Althaus' Konzentration auf den Tod und in seiner
Abwehr der endgeschichtlichen Eschatologie den richtigen Ansatz zu einer
'Jenseitseschatologie', wie er sie selbst verteidigt und weshalb er Althaus' Entwicklung in Richtung einer 'endgeschichtlichen' Eschatologie als
biblizistische Ergänzung betrachtet. Eine Kombination der Jenseitseschatologie, die ihren Grund in der hier und jetzt gewährten Gemeinschaft
mit Christus hat, mit der Hoffnung für Geschichte und Kosmos, wie sie
Althaus versucht, lehnt Grass wegen des mythologischen Charakters der
den Kosmos betreffenden Gedanken ab. "Was aber das Schicksal dieser Welt
anbetrifft, so dürfen wir es getrost Gott befehlen", so wie wir das säkulare, der Bibel entstammende, aberjetzt längst mündig gewordene Ge-
schichtsdenken sich selbst überlassen können[48]. Für uns sind folgende
Althaus selbst betreffende Fragen wichtig: Wie verhalten sich die von
ihm vertretene "kosmische Weite und realistische Art" (LD[1] 49) zu seiner theologischen Grundlegung und zur Jenseitseschatologie der Frühperiode? Wie stehen sie zu der sich bereits abzeichnenden Entwicklung in
Richtung einer stärkeren Betonung der temporal ausstehenden Zukünftigkeit der Eschata? Zunächst ist zu sagen, daß Althaus grundsätzlich daran schon seit LD[1] festgehalten hat. Aus dem Paradoxon des im Heiligen
Geist gewährten grenzenlosen Liebesdienstes und dessen ständiger Beschränkung durch die Verdrängungs- und Todesgesetzlichkeit der Natur
und Geschichte erschließt Althaus die Hoffnung auf eine neue Welt, auf
die Erlösung des Kosmos (LD[1] 47-49). Althaus gesteht jedoch seinen Kritikern, diese 'weltliche Hoffnung' noch "früher und grundsätzlicher"
(LD[3] IX) einführen zu müssen. Wie aber tut er dies innerhalb seiner Theologie?

Die mit dem Menschen und seiner Welt unweigerlich gegebene Sinnfrage
ist für Althaus der 'Anknüpfungspunkt' für den Offenbarungsglauben. Die
Geschichte,deren tiefstes Ziel das Reich Gottes ist, hat "Spuren und

Zeichen, welche hinführen können zu der Dimension, in welcher der Glaube
möglich ist"[49], doch durch die Radikalität der Sünde und des Todes ist
schließlich alles Schöpfungspositive nur in und unter dem Unsinn, das
Angebot des ins Leben führenden Dialogs nur in und unter dem in den Tod
führenden Monolog gegeben. Weil Christus endgültige und zugleich vergebende Antwort auf die Frage nach dem Sinn des Ganzen ist, geht es in ihm
um eine Vollendung, die erst ganz abgeschlossen ist, wenn mit dem Menschen die Universalgeschichte und der Kosmos durch Gottes Gnade an der
Herrlichkeitsgestalt der Erlösung teilhaben. Diese Vollendung geht deshalb nicht auf im 'Trans' des Todes der Einzelnen, sondern blickt auch
aus nach einem unanschaulichen, die Geschichte und Kosmos aufnehmenden,
richtenden und vollendenden 'Post'. Denn Überweltlichkeit

> "besagt nicht 'Jenseitigkeit', als wäre das Reich
> Gottes der 'Himmel' jenseits der jetzigen Schöp-
> fungswelt, als käme es nur, indem diese unsere
> Welt der Vernichtung anheimfällt. Diese Fassung
> der Transzendenz wird durch den Schöpfungsglauben
> verboten....Die eschatologische Kosmologie muß
> aber der Anthropologie genau entsprechen....Die-
> ser Leib, diese Natur, diese Gemeinschaft, diese
> Weltbeziehung des Menschen im Erkennen und Ge-
> stalten (Kultur) warten - nicht ihrer Vernichtung,
> sondern ihrer Freiheit und Erfüllung im Reich Got-
> tes"[50].

In dieser Endgültigkeit findet nicht nur die Leiblichkeit und die Welt
als Organ des Lebens in Gottes Gemeinschaft eine entsprechende Vollendung in einer neuen Leiblichkeit und einer neuen Welt (LD^3 35), sondern
hier erhalten auch der 'Eigensinn', den Althaus in Natur, Kunst und Geschichte sieht, ihre 'bewahrende Vollendung'. Althaus wehrte sich dagegen, seine Ablehnung der endgeschichtlichen Diesseits-Eschatologie mißzuverstehen in dem Sinne eines spiritualistischen Vollendungszustandes,
in einem Reich der Geister, so daß Natur, Weltgeschichte und Kultur nur
als Gerüst für den Bau des seelischen Reiches Gottes in Betracht kämen.[51]
Deshalb hat Gottes Herrlichkeit eine sinnliche Seite als Vollendung
sinnlich-irdischer Schönheit. "Die irdische Natur weist als Verheißung
auf eine Erfüllung (LD^1 136;LD^3 255). Wenn auch die neue Welt nicht ver-
klärtes Ergebnis des irdischen Kulturprozesses sein kann, so sieht doch
Althaus im kulturellen Wirken selber "Bedingung und Verheißung der ewigen Welt", so daß auf ernste kulturelle Arbeit "ein Glanz ewigen Sinnes"
(LD^1 137 = LD^3 256) fällt und sie einen "Vorgeschmack des Lebens in der

neuen Welt" (LD^3 256) enthält, wenn sie auch hier immer wieder Stückwerk
bleibt. Erst recht ist die Heiligung unseres Leibes mehr als Material zur
Pflichterfüllung: in der Heiligung der Glieder beruht eine innerpersön-
licheAufgabe, ein eigener Sinn, deren Erfüllung über sich hinausweist –
auf die neue Leiblichkeit. "So hat die Hoffnung der Parusie notwendig
kosmische Weite; sie schließt den Abbruch und die Erneuerung des ganzen
Weltbestandes ein." (LD^3 43) Unsere Schicksalsgemeinschaft mit der Welt
also kann von der Erlösung in Christus nicht unbetroffen bleiben. Da die
Welt an der paradoxen Lage des Menschen als "Gottes Welt - und doch Welt
der Sünde"teilnimmt, erhält die Gewißheit der Gerechtfertigten, daß das
Böse abgetan wird, einen den ganzen Kosmos umgreifenden Sinn (LD^3 47f).

Grass meinte: "Es soll niemand verwehrt werden, 'mehr'zu glauben, als
eine Jenseitseschatologie zu bieten vermag."[52] Althaus war der Meinung,
'mehr' glauben zu müssen,und diese Erkenntnis versuchte er immer tiefer
zu begründen. Wenn die Geschichte nur durch die jederzeit oder im Tode
des Einzelnen geschehende 'Aufhebung' ihr Ende fände, stünde neben dieser Ewigkeit schließlich die vom Schöpfungsglauben so stark bejahte Welt
der Universalgeschichte und des Kosmos in ihrer dauernden Gottgeschieden-
heit als nie gelöstes Problem da. Althaus rückte deshalb von der als
'Pseudomorphose' erkannten Jenseitseschatologie, in der die 'kosmische
Weite und realistische Art' unterzugehen drohten, immer mehr ab. Es
bleibt jedoch die kritische Frage, ob Althaus selbst ein genügend soli-
des Fundament für sie zu legen vermag.

Dem Schlatter-Schüler fiel der 'Anknüpfungspunkt' im 'Natürlichen'
einer positiven Schöpfungstheologie nicht schwer. Er konnte aber letztlich bei ihm nur im paradoxen Nebeneinander zur Verneinung alles 'Natürlichen' gehalten werden, denn die Entscheidung war im 'Innenbereich' der
Geschichte immer schon gegen Gott gefallen, so daß der 'Außenbereich',
also die Horizontalgeschichte und die leibhafte 'Gestalt der Welt' immer schon mit und für das Böse geordnet sind. Nur über diesen unauslot-
baren Graben des undifferenzierbaren Paradoxes hinweg konnte die Erfüllung der Schöpfungsdimension geschehen. Heißt dies aber nicht, daß die
'Vermittlung in Differenz' des Heiles gänzlich unvermittelt geschehen
mußte, also letztlich nur in Differenz, durch Gott allein, - daß also
Identität, Kontinuität und Bewahrung über den genannten Graben hinweg
nur in der Treue Gottes liegen, weil das Geschöpflich-Natürliche von

Gott (sogar in Christus) nur zur Offenbarung, aber nicht zur von ihm souverän getragenen und ermächtigten Heilsvermittlung angenommen werden
kann? Werden aber 'kosmische Weite und realistische Art', die über solche personal-ethische Engführung vermittelt, bzw. besser, un-vermittelt
werden, nicht fraglich und schließlich überflüssig? Ist die Behauptung
des vom Menschen unabhängigen 'Eigensinnes' in Natur, Kunst und Geschichte nicht ein Versuch,das durch die Trennung von Innen- und Außenbereich
wacklig gewordene Fundament auf einem Umweg zu konsolidieren? Folgt daraus aber nicht eher ein 'Postulat' als eine aus der dialogalen Freiheitsgeschichte zwischen Gott und der Menschheit (samt ihrer Welt) sich ergebende Vollendung? - Bleibt etwa nach Zurückdrängen außertheologischer
Einflüsse auch in der reifen Gestalt der Eschatologie Althaus' eine sich
in der Soteriologie äußernde theologische Denkform zurück, die in Widerstreit steht mit der Schlatterschen Linie seines Denkens, m.a.W. die
verhindert, daß nach Zurückstellung des 'Trans' und dem wiedergewonnen-
en Ausblick ins 'Post' auch das geschöpfliche 'Per' seine relative Berechtigung erhält? Darauf wollen wir im 2.Teil unserer Arbeit   zu antworten versuchen.

2. TEIL: ALTHAUS' ESCHATOLOGIE IN IHRER ENDGÜLTIGEN GESTALT

Unter dem Einfluß der Kritik wird die bereits 1928 sichtbare Neuorientierung der Betonung der Zukunftsrelation, der universalistischen Richtung, des eschatologischen Kirchenbegriffes usw. weiter ausgebaut. "Es geht jetzt nicht mehr so sehr um die radikale Kritik, als um das Zurechtrücken des Anliegens aller endgeschichtlichen Eschatologie."[1] Mit zeitlicher Distanz zu LD[1] und LD[3] merkt Althaus mehr und mehr deren Mängel; er gewann dazu etwas inneren Abstand und fand - in LD[4] (1933) - "die Freiheit zu ganz neuer Gestaltung"; trotz der gleichen Grundgedanken sei, meint er, sein Buch "doch ein neues geworden" (LD[4] VII). Der vorwiegend kritisch abgezielte 'Entwurf' wird nun zu einem 'Lehrbuch' (LD[4] VIII), an dem Althaus auch in kommenden Jahren kaum etwas ändert.[2] Weil u. E. Althaus' eigentliches Anliegen der 'Vermittlung in Differenz', aber auch die theologische Grundlegung im wesentlichen gleich geblieben sind, dürfen wir was W.v.Loewenich von Althaus' Lutherinterpretation nach 1933 sagt, in abgeschwächtem Sinne auch von seiner Eschatologie sagen: "Was folgt, war kein Neubau, sondern höchstens Akzentverlagerung innerhalb der Grundposition."[3] Diese Grundposition seiner 'reifen' Eschatologie und deren Entfaltungen gilt es im folgenden anhand von LD[4] und seiner übrigen Schriften, speziell seiner Dogmatik, aufzuzeigen.

Da in der Eschatologie die Fäden der ganzen systematischen Theologie zusammenlaufen (LD[3] X = LD[4] VIII), ergibt sich für ihn und für uns die Forderung, "daß die Grundlagen der eschatologischen Sätze schon überall in den bisherigen Teilen unserer Dogmatik gelegt sein müssen. Diese müssen ständig auf die Eschatologie voraus —, die Eschatologie wiederum auf sie zurückweisen" (CW 658; vgl.GD[1] II/166). Dies macht die Notwendigkeit des dogmatischen Unterbaus und dessen relativer Länge verständlich. Unsere Arbeit ist dadurch ein Beitrag zum Gesamtverständnis der Theologie von Paul Althaus.

1. Kapitel: Ursprung und Grund der Eschatologie (Dogmatischer Unterbau)

1. Selbstbezeugung Gottes in der Wirklichkeit (Sinnfrage)

a).Existenzwiderspruch und Ursprung eschatologischer Gedanken
   Die Wirklichkeit des Menschen und der Welt selber ist Ursprung escha-

tologischer Gedanken, d.h. der "Erwartung des Vollkommenen, Ganzen, der
Erfüllung, des Heils"[4]. Der Mensch erfährt sich nämlich als unvollkommen,
widersprüchlich, des Ganzen bedürftig. Sein Dasein ist gezeichnet von dem
Zwiespalt des Wissens um den Tod und des Hungers nach Leben, des Todes-
erlebnisses und des Unsterblichkeitsgedankens, der Ruhelosigkeit und der
Sehnsucht nach Frieden, des Seins und des Sollens, der Sinnwidrigkeit und
der Sinnerfahrung. Das Wissen um Elend und Widerspruch ist zugleich ein
Übersteigen der Begrenztheit, ein ursprüngliches Wissen um das Ganze und
Vollkommene, das Wahre und die Bestimmung (CW 23); es ist ein aus der 'Uroffenbarung' stammendes. Hinter unserer Sinnfrage steht heimliches Wissen
um Gott, der der Grund unserer Heimatlosigkeit, aber auch unseres Heimwehs, unserer Sehnsucht nach endlicher Erfüllung ist.[5] Der Mensch, der
als sündiges, aber auch schon "als unfertiges geistiges Wesen selbst
wurzelhaft die fragende Suche nach dem erfüllenden, das Heil schenkenden
Unbedingten ist."[6], ahnt, daß etwas mit dieser Wirklichkeit nicht stimmt,
d.h. daß sie aus den 'ersten Dingen' gefallen ist, - was aber auch Erhoffen und Ahnen kommender Aufhebung des Widerspruches, also 'letzter Dinge'
bewirkt. "Auf dem Heute aller Menschen liegt der schwere Schatten eines
Gestern und des Morgen, oft heimlich, tief verborgen... Das Wissen um das
verlorene Paradies geht heimlich durch die Menschheit als ein stilles
Weinen....Das ist unser Leben: immer im Heimweh nach einem Gestern, immer
im Schatten eines Gestern voller Schuld, immer voll Hoffnung und Angst
der Zukunft zugewandt - wir haben kein wahres Heute!"[7] "Das führt zu jener tiefen metaphysischen Traurigkeit, die immer wieder des Menschen Teil
geworden ist mit, in und unter vordergründiger Lebensfreude. Davon zeugen alle Religionen und alle tiefen Philosophien."[8]

Wir sind hiermit auf das bei Althaus zentrale Thema der Uroffenbarungslehre gestoßen. Es ist unmöglich, sie hier gemäß ihrer Wichtigkeit und
Umstrittenheit genauer darzulegen[9], aber wir dürfen sie auch nicht einfach übergehen, weil sie für Althaus' Theologie von entscheidender Bedeutung ist und darin auch wichtige Weichenstellungen für seine Eschatologie gelegt werden. Althaus hat sich nicht gescheut, mit dieser Lehre
meist "gegen den theologischen Strom von heute" zu schwimmen, und Barths
leidenschaftliches 'Nein!' machte nur den ästhetischen Eindurck eines
schönen Gewitters; es hinterläßt keine theologische Nachwirkung, außer
daß "nach dem 'Nein!' Barths ein ebenso entschlossenes 'Doch!'"[10] von

Althaus folgte.

Die "ursprüngliche Selbstbezeugung oder Ur-Offenbarung oder Grund-Offenbarung" (CW 41) ist nicht im historischen, sondern im prinzipiellen Sinn 'ur' -sprünglich; sie ist also nicht eine an das erste Geschlecht ergangene Offenbarung, wie sie bei den Katholiken verstanden wird[11], sondern bleibende, für jeden Menschen gültige Voraussetzung der Heilsoffenbarung in Christus. Es geht also um von Gott herkommende, von der Christusoffenbarung verschiedene, jedoch auf sie bezogene und jederzeit gegenwärtige Kenntnis Gottes.

b) Notwendigkeit der Uroffenbarung

Die Notwendigkeit der Uroffenbarung[12] liegt in der "Rückbeziehung des Evangeliums" auf sie, denn das Evangelium ist "'Anknüpfung'" (CW 42) an die Uroffenbarung. Dreifach bezieht es sich darauf zurück:

1. als "Botschaft von der Vergebung" von Schuld bezieht sie sich "auf eine ursprünglich empfangene Wahrheit, an der die Menschen schuldig geworden sind und ständig werden";

2. es nimmt die uroffenbarte Wahrheit auf, bestätigt und bewahrt sie;

3. es erfüllt "die in der Ur-Offenbarung begründete, wie immer entstellte Heils-Erwartung" (CW 42).

Als Anknüpfungspunkt, als "Prius des Evangeliums für jeden Menschen" (CW 60) ist nicht tatsächlich 'vorhandene Gotteserkenntnis' nötig, sondern die dem Menschen von Gott her mögliche Erkenntnis, die den Menschen in seinem tatsächlichen Nichterkennen des Anspruches Gottes schuldig macht.

"Althaus hat diese Lehre von der Uroffenbarung mit viel Fleiß entwikkelt. Und zwar in offenkundiger Antithese gegen Karl Barths Anschauung von einer Offenbarung allein in Christus."[13] Althaus sieht in Barths (und Heims) Lehre nicht theologische, sondern philosophisch-weltanschauliche Nötigung, nämlich "das Ja zu dem modernen Relativismus und Skeptizismus, der keine Begegnung mit dem Unbedingten in der Wirklichkeit unseres Lebens mehr kennt" (CW 56). Barth leugnet das wirkliche Nacheinander, die "Stufen" und "Stationen" in der "personhaften Geschichte" (CW 59) Gottes mit der Menschheit. Das Evangelium ist nach Althaus "als solches das schlechterdings Neue, ganz Andere gegenüber dem, was dem Menschen vorher von Gott kund ist", es ist jedoch "nicht ohne Beziehung auf die Wahrheit, die dem Menschen schon kund ist, sondern ganz und gar auf sie bezogen", weshalb Christus nicht einfach alles vorchristlich Religiöse und Ethische abtut, sondern "er nimmt auch auf und bestätigt"

(CW 45).

Zu dieser uroffenbarten Wahrheit gehört auch die in der ganzen Menschheit und allen Religionen anzutreffende Erwartung der letzten Dinge. Diese Ahnungen der Menschheit können nicht nur "verkehrte, trügerische Bilder sündiger Phantasie des Menschen,....Abdruck seines selbstischen Lebenswillens, seiner Flucht vor Gott" sein (CW 49f); sie stammen aus einem "unentrinnbaren Gottesverhältnis kraft göttlicher Selbstbezeugung" (GD^5 17), sie sind "in der Tiefe eine echte Frage und Ahnung aus der wirklichen Lage des Menschen vor Gott", (CW 49). Der Ursprung der Eschatologie im Existenzwiderspruch trägt also etwas von der Wahrheit der Uroffenbarung an sich, aufgrund deren "Welt und Mensch in ihrer empirischen Wirklichkeit ihrem eigentlichen Wesen, ihrer Bestimmung entfremdet, jedenfalls noch nicht zu ihrer Verwirklichung gekommen"[14] erscheinen.

Nach Althaus ist es die Schrift selbst, die die Tatsächlichkeit und Notwendigkeit der Uroffenbarung lehrt.[15] Vor allem wichtig sind Röm 1 und 2, aber auch Röm 7,14ff: Durch eine "ursprüngliche Bekundung" (CW 38) weiß die Menschheit um Gott, nämlich daß er die Welt erschaffen hat, die nunmehr von ihrem Schöpfer zeugt, und daß er dem Menschen die Vernunft gegeben hat zur Erkenntnis des Schöpfers und der Schöpfung (vgl. BR 18). Diese Uroffenbarung gilt schon den Heiden – nicht nur in einem der Vergangenheit angehörigen Urstand, sondern als "eine andauernde, gegenwärtige, auch an den sündigen Menschen, an alle Geschlechter ergehende", denn "die Schöpfung bleibt Schöpfung und als solche auf den Menschen eindringende, ihn beanspruchende Bekundung der Schöpfermajestät und Schöpfergüte Gottes" (CW 38).

c) Ort der Uroffenbarung

"Von Gott reden....heißt nicht: meine unmittelbare Wirklichkeit hinter mir lassen, sondern gerade in ihr bleiben, sie völlig ernst nehmen",[16] denn wenn wir es mit uns selber oder miteinander zu tun haben oder wenn wir die Geschichte durchleben, haben wir es mit Gott zu tun. Für das glaubende Erkennen ist alles Geschehen "reichsunmittelbar", also Wort Gottes an mich (CW 322). – Althaus hat verschiedene Einteilungen für diesen 'Ort' der Uroffenbarung gegeben; wir folgen in etwa CW.[17]

Existenz des Menschen[18]: Diese Selbstbezeugung Gottes geschieht in unmittelbarem Innewerden, "in lebendigem Er-

griffensein", "in und mit dem Bestimmtsein unseres Seins" (CW 64). Unser
Selbstbewußtsein ist Innewerden der schlechthinnigen Gewirktheit unseres
Daseins, damit aber auch Wissen um Gott als die alles wirkende, allgegen-
wärtige Schicksalsmacht. An der Begabung wird die Schöpferherrlichkeit
und- güte der uns setzenden Macht kund. Als der gebietende Wille beweist
sich Gott in der unbedingten Beanspruchung; er stellt mich darin unter
sein Urteil, das über die Dimension der Ewigkeit entscheidet. In der
menschlichen Einsamkeit "in der Frage und dem Verlangen nach einer Liebe,
die auch in diese Einsamkeit zu dringen vermöchte" (CW 70), liegt eine
Frage nach Gott als dem ewigen Du. Schließlich liegt in dem Leiden an Ungenügen und Bruchstückhaftigkeit und unserem "Hinausdrängen über die
Grenze, in welche dieses Leben gebannt ist" (CW 71), ein Fernweh, das nur
als Heimweh nach Gott verstanden werden kann. "Unser Menschsein ist in
Unruhe nicht nur hin auf das Ewige, sondern auch auf den Ewigen. Wir
schauen aus nach dem Du, über jedes menschliche Du hinaus....Unser Leben wartet auf Gott, ist in der Unruhe zu ihm....Auch wenn wir nicht bewußt nach Gott fragen, wir selber in unserem Sein sind Frage nach der
Ewigkeit, Frage nach Gott."[19] Althaus spricht sogar von "ontologischem
Heimweh", in dem heimliches Wissen um die Heimat, freilich nicht um unser tatsächliches Heimkommen liegt[20].

Geschichtliches Leben[21]: Ganz besonders ist das handelnde und erlei-
                        dende Erleben der Geschichte eine dem Evan-
gelium grundsätzlich vorausliegende Gotteserfahrung. Außer im Ruf durch
die Ordnungen und Stände zeigt sich Gott als der Herr der Geschichte,
"der Leben anvertraut und ebendamit zugleich Einsatz fordert bis zur Hingabe des eigenen Lebens für das anvertraute" (CW 73), in der Berufung an
Einzelne und Völker in besonderen geschichtlichen Stunden. Das Ethos der
Geschichte zeugt von der sittlichen Ordnung, deren Verletzung göttliches
Gericht nach sich zieht. Trotz der Verborgenheit Gottes ist die Kunde von
ihm doch "genug, um an ihm schuldig zu werden" (CW 76). Im geschichtlichen Leben haben wir es miteinander, damit aber letztlich mit Gott zu
tun, denn "Vertrauen ist immer ein unbewußtes Bekenntnis zu Gott über
unter hinter dem Du....Die Vertrauensfrage ist in der Tiefe immer die
Gottesfrage."[22]

Das theoretische Denken[23]: War das Bisherige "Gotteserfahrung", so ist
                        der Selbsterweis Gottes an das Denken "Got-

teserweis" (CW 76), gleichsam Vorbereitung und Bestätigung der lebendigen Erfahrung. Althaus will nicht die alten Gottesbeweise "in ihrer überlieferten Gestalt von Syllogismen, vor allem Kurzschlüssen" wiederholen,
aber ihren "unaufgebbaren Wahrheitsgehalt" auch gegen Kant verteidigen:
"Die Gewißheit Gottes hat auch 'rationale' Gründe oder doch Bestätigungen."
(CW 77) Wenn er darauf hinweist, daß es sich "nicht um den Turmbau einer
prometheisch-selbstherrlichen Vernunft, sondern um den Ausdruck einer Nötigung,....nicht um eine eigenmächtige Aktivität, sondern um 'Passivität', um ein Vernehmen der Vernunft" (CW 79) handelt, so will er sich von
selbstherrlicher natürlicher Theologie absetzten, doch es dürfte schwierig sein, hier noch den Unterschied von recht verstandener, katholischer,
natürlicher Theologie aufrecht zu erhalten.[24]

Von der Wahrheitsbeziehung des Geistes[25], in der die ontologische Beziehung zwischen Denken
und Sein, Geist und Welt erscheint, ist ähnliches zu sagen. Unsere Bezogenheit auf Wahrheit und unser Leiden an Irrtum und Skepsis zeugen von
Gott als der die Gemeinschaft in einer und derselben Wahrheit ermögli-
chenden Wahrheitsmacht.

Natur[26]: Psalm 19 und 104, aber auch Röm 1, 20 weisen auf die Kenntnis
Gottes aus der Natur. Reichtum und Schönheit der Natur, theologische Ordnung, Bestand und Werden der Organismen sind Selbstbezeugung
Gottes. Dieses Wort weist freilich über sich hinaus, zunächst auf Gott
als "Herrn der sittlichen Welt" (GD[5] 29), schließlich auf Gottes endgültiges Wort in Christus.

d) Dialektik der Uroffenbarung

Gott erweist sich uns in der Uroffenbarung durch den tiefen Widerspruch, in dem wir stehen, als "rätselhaft-doppeltes Antlitz" (CW 92),
als "ein zwiespältig-Erscheinender, der verborgene Gott" (CW 93), der
uns die quälende Sinnfrage auflegt: "was will er zuletzt mit uns?...Quid
Deus velit erga nos?" (CW 92). Die Uroffenbarung ist also keine eigenständige, selbstgenügsame Größe, sondern sie ist über sich hinausweisen-
de Sinnfrage; "sie wird streng auf die Heils-Offenbarung Gottes in Jesus
Christus bezogen"[27], und zwar auf doppelte Weise: erstens wird sie von
der sündigen Menschheit immer schon im Empfangen durch heidnische Deutung und Auswertung entstellt, so daß sie zu ihrer reinen Erfassung
schon des Wortes der Bibel bedarf; zweitens deckt sie unsere Schuld auf
und läßt die Heilsfrage offen. Aus Uroffenbarung entspringt 'Eschatologie',

nicht etwa als Hoffnung einer von Christus unabhängigen natürlichen Seligkeit, sondern als Aufzeigen der unsterblichen Sinnfrage.

Die Aussagen Althaus' sind u.E. nicht rein phänomenologisch[28], sondern
spiegeln etwas wider von dem 'unter' der Sünde liegenden ontologischen Stande der Verantwortung, der die dialektische Spannung der ursprünglichen
Schöpfungsordnung in glaubendem Wagnis übernehmen sollte, und von der
tatsächlich immer schon geschehenen Verkehrung dieses Anspruchs. Wegen der
Sünde darf das Positive nicht mehr isoliert gesehen werden, denn wir stehen immer schon unter der Dialektik der Offenbarung des Zornes Gottes, des
Gerichts über alles 'Natürliche', soweit es Mittel menschlicher Selbsterlösung geworden ist. Nach Althaus' Sündenlehre wird das 'soweit' jedoch
zum 'ganz' erweitert! So bleibt schließlich doch nur unsterbliche Sinnlosigkeit, "das Geheimnis des ewigen Todes", weil "der Mensch in alle Ewigkeit von der Ur-Offenbarung verfolgt wird"[29]. Dabei wird aber Althaus nicht
müde, immer wieder zu betonen: "Auch durch den Stand der Sünde hindurch
bleibt das Menschsein des Menschen....Hier waltet ein Durchgängiges, ein
Kontinuum."[30] Er kritisiert deshalb als unzureichend Otto Webers Lehre:
"Das Kontinuum, das von der Schöpfung her durchhält, ist überhaupt nicht
im Geschöpf, sondern im Schöpfer"[31], denn die Treue Gottes, mit der er an
seinem Geschöpf festhält, muß sich in dessen Verfaßtsein wiederfinden.
Althaus spürt vermutlich selbst die Schwierigkeit der Kohärenz dieser
Haltung mit seiner radikalen Sündenlehre, wenn er sagt, daß Gott an diesem Verfaßtsein "auch an dem Sünder festhält oder immer neu setzt", oder
daß er den 'inneren Menschen' "sich selbst, dem Sünder, bleibend gegenüberstellt"[32]. Gewährt ständiges Neuansetzen Identität und Kontinuität?
Sind der 'innere Mensch' und der Sünder ein oder zwei Subjekte?

Althaus kritisiert von Paulus her die pessimistische Auffassung Luthers von der totalen Sündhaftigkeit des natürlichen Menschen, da sie
am Sünder nicht mehr das Geschöpf Gottes erkennen lasse.[33] Er entscheidet sich an diesem Punkt für Paulus gegen Luther, dagegen in den Aussagen über den Christenmenschen für Luther gegen Paulus (und Schlatter),
d.h. gegen die paulinische positive Sicht des gerechtfertigten Menschen
für das lutherische ständige 'simul iustus et peccator'. Die Erklärung,
daß im zweiten Fall die Differenz allein auf der missionarischen, bzw.
Naherwartungs- oder der bereits volkskirchlichen Situation und einer
Verfeinerung des Persönlichkeitsgefühls beruhe, befriedigt kaum und man

vermutet eher, es verberge sich dahinter eine Systematisierung des Paulus durch die lutherische Rechtfertigungslehre. Ist es 'Biblizismus', sich für den Apostel und gegen den Reformator zu entscheiden? – Da andererseits jedoch zwar Fleisch und Geist, nicht aber Vernunft und Geist Gegensätze sind, bestehen Anknüpfung und Kontinuität zwischen dem Menschen ohne Christus und dem Menschen in Christus (PL 65f). Man muß wohl von einer "unverlorenen Personalität des natürlichen Menschen"[34] sprechen, also von der menschlich-personalen 'Natur', unter der Althaus die "geschaffene geistleibliche Personhaftigkeit im Gegenüber zu Gott"[35] versteht. Die 'Form' unseres Personseins sind Gewissen und Freiheit. Da die beiden als "Erscheinungen des fecisti nos ad te" (CW 327) zu verstehen sind, zeigt sich der Gehalt des Menschseins als Bestimmung und Verfaßtheit zu der in freier Hingabe zu ergreifenden Gemeinschaft mit Gott. Daß ich schöpfungsmäßig 'Mensch für Gott' und 'Mensch vor Gott' bin, ist schon Erweis der Liebe Gottes (CW 327-329).

Was ist nun von der Uroffenbarung zu halten? Ist der Schimmer des Positiven angesichts der Sünde nicht doch unberechtigt? – Ja, wenn er neben der Sicht des Stehens unter dem Zorne Gottes und als von sich aus zielführend durchgehalten wird – denn der Mensch hat sich gegen seine Bestimmung ausgesprochen. Nein, wenn er als innere bleibende Voraussetzung und ständiger neuer Hintergrund des Sich-Verfehlens gesehen wird. Als Bedingung der Möglichkeit der Schuld bleibt die Uroffenbarung in ihrer Positivität. Mehrdimensionales dialektisches Reden ist also unumgänglich. Uroffenbarung und Zornesoffenbarung sind unscheidbar, aber doch zweierlei (GD[5] 18).

Angesprochensein setzt u.E. Ansprechbarkeit voraus, Verwirklichung der Bestimmung setzt Fähigkeit des Ja- und Nein-Sagens voraus, Freiheit als Stand der Verantwortung. Althaus schließt die Möglichkeit der Transzendenz des Menschen ein als Fähigkeit, den Anspruch Gottes anzunehmen und Gott zu erkennen. Sind nicht der relative Selbstand und die ontologische Identität der ver-antwort-lichen Person Bedingung der Möglichkeit dieser Erkenntnis?[36] Die Person gründet letztlich im in seinem Sein unmittelbar gegebenen dialogalen Bewußtsein von Gott, das, weil Beziehung zwischen zwei Freiheiten, als inneres Moment die Fähigkeit der Antwort und Verantwortung, der Aufnahme der Offenbarung mitenthält – auch dort wo dieser Dialog abgelehnt wird (vgl. CW 42: "mögliche Erkenntnis"). Er-

löstsein setzt Schuldigsein, dieses zumindest mögliche Erkenntnis eines
ursprünglichen Willens Gottes und Freiheit einer Person voraus, die nicht
in ihrer Relationalität aufgeht, sondern ihr gegenüber verantwortlich
'ist'. Aus der Notwendigkeit der Unterscheidung zwischen Schöpfung und
Sünde hält Althaus den Gedanken des Urstandes als "Grenzgedanken"[37]
fest. Obwohl es kein neutrales Empfangen der Uroffenbarung gibt (GD[5] 30)
und sie de facto überall entstellt ist, so scheint die Rede von einer
bleibenden, ontologischen, dem Anspruch dialektisch vorausliegenden Möglichkeit, sich von Gott ansprechen zu lassen, auch Althaus erforderlich
zu sein. Gnade der Schöpfung (Grunddialog) und Gnade des Bundes (Christusdialog), beide setzen den 'Menschen der Verantwortung' voraus. Wir
sehen darin eine Möglichkeit, daß bei Althaus das Wahrheitsmoment bewahrt
werde, das die katholische Theologie mit ihrem 'Restbegriff' (K.Rahner)
Natur und der Lehre von der Möglichkeit der natürlichen Erkenntnis Gottes auszudrücken sucht. Weil die Schöpfung immer schon in der Berufung
zur Gemeinschaft mit Gott gesehen wird, d.h. zur dialogalen Freiheitsgeschichte, die in Christus ihren Höhepunkt und ihr Ziel hat (CW 107),
wäre auch bei Althaus das Moment der Fähigkeit, Gott in seinem Wort wie-
derzuerkennen, (erkenntnistheoretische Transzendenz des Menschen) nur ein -
allerdings notwendiger - Restbegriff oder 'Grenzgedanke' als bleibendes
inneres 'natürliches' Moment der immer schon unter dem Ruf der Gnade
stehenden Existenz des Menschen. Dieses innere Moment muß auch in der
"sündhaften Ablehnung der verlierbaren Erfüllung"[38] als Anknüpfungspunkt bleiben. Insofern die bleibende Verantwortung auch unter der Sünde 'aufgehoben' ist, ist das anvisiert, was die katholische Natur-Lehre
letztlich sagen will:

> "Die eigentliche Intention der katholischen Lehre über die nichttota-
> le Zerstörung der menschlichen Freiheit durch die Erbsünde und über
> die Möglichkeit der natürlichen Erkennbarkeit Gottes zielt weniger
> auf die Herausstellung des Wesens der menschlichen Natur als solcher
> als vielmehr auf die Betonung der Bleibendheit der Verantwortung des
> Menschen vor der Gnade Gottes, die er frei annimmt oder zurückweist
> und seiner grundsätzlichen Fähigkeit zur Annahme der göttlichen Offen-
> barung."[39]

Aufgrund seiner Lehre der Gottfähigkeit und Gottverwiesenheit des Menschen ist Paul Althaus, wie H.G.Pöhlmann trefflich sagt, "nicht Abgren-
zungs-,sondern Anknüpfungstheologe....Die Gnade Gottes platzt nicht beziehungslos wie ein Meteor in unsere Welt herein, sondern sie nimmt Bezug auf die Personalität des Menschen...sie ist Antwort auf seine Frage."[40]

Der Mensch muß nach dem "Gesamt-Sinn" fragen, er darf sich nicht mit einem "Teil-Sinn, einem Nahziel" zufriedengeben[41]. "Sinngebende Instanz ist kein anderer als Gott....Die Frage nach dem Sinn, in der Tiefe genommen, ist die Frage nach Gott."[42] Wir tragen nicht erst Sinn in eine sonst sinnlose Welt, jedoch Gott beansprucht unsere Freiheit, die 'sinnbereite' Welt zu aktualisieren, indem er zu jeder Stunde ein "Sinn-Angebot" macht und uns die "Chance der Sinn-Erfüllung" gibt[43]. Bei Verweigerung des Sinn(an)gebotes, bei Umwandlung der "Betroffenheit" von Gott in das menschliche "Vermögen und Unternehmen" der autonomen "Vernunft" (CW 58), die Gott von sich aus erkennen will, verwirklicht sich 'Gegen-Sinn'. In diesem Wendepunkt des bleibenden Von-Gott-her zum Von-Gott-weg steht der Mensch der Verantwortung, der 'Gottfähigkeit'; dort 'ist' der Mensch Freiheit. Die monologische Antwort hat - auch nach katholischem Verständnis - gewichtige Auswirkungen auf die 'Gottfähigkeit' selbst, weil "Sünde und Schuld ursprünglich die Offenheit für eine Erkenntnis Gottes fundamental mitbestimmen, denn diese Offenheit ereignet sich nicht, wenn nicht die Wahrheit dialogisch gewollt wird"[44]. Althaus geht aber darüber noch wesentlich hinaus, denn nach seiner Lehre ist es Gottes Strafe, daß die Gestalt dieser Welt in einer ätiologisch unverrechenbaren Weise ebenso Ausdruck und Wirklichkeit der Sünde, des Gerichts und der Verlorenheit ist, so daß nun die schöpfungsmäßige Dialektik - "in mehrfacher Beleuchtung" stehend[45] - zur Dialektik der unverlierbaren Bestimmung und der totalen Nicht-Erfüllung, des totalen Verlustes der ursprünglichen Offenheit und des alles betreffenden Todesgerichtes wird. Wir sind Sünder, weil wir nicht glaubten; aber auch: weil wir Sünder sind, bleibt der Glaube nur umso mehr der einzige Weg, den aber die Sünde gerade ganz unmöglich macht. Das 'natürliche' Moment der 'Gottfähigkeit' bleibt nur als Bedingung der Möglichkeit der Schuld (vgl.CW 58.328) und kommt schließlich in der Soteriologie ganz ins Wanken.

Althaus wollte, wie G.Zasche sagt, die "ungeschmälerte unmittelbare Geschöpflichkeit des Menschen 'unter' und zugleich mit der totalen Sündigkeit und damit dem totalen Verlust der ursprünglichen schöpfungsmäßigen Unversehrtheit dieses Geschöpfes"[46] aussagen und darin das unaufgebbare Anliegen unserer Unruhe nach Gott, unseres 'Vorverständnisses' (damit seine Gnade nicht extrinsezistisch bleibe) retten. Insofern ist Althaus' Position tatsächlich "eine dringende Frage an alle gegenwärtige

evangelische Theologie, wie weit sie das Problem der Schöpfungswirklichkeit und nur so die Sünde radikal ernst nimmt, wieviel Raum sie für das
Miteinander von Schöpfung, Sünde und Gnade dem biblischen Lobgesang über
die Wirklichkeit einräumt, die jeden Augenblick neu und gut aus der Hand
Gottes hervorgeht"[47]. Uns bleibt aber die ebenso dringende Anfrage an Althaus selbst nicht erspart, ob denn dieses 'Miteinander von Schöpfung, Sünde und Gnade' nicht bei ihm zu einem unvermittelbaren Nebeneinander zu
werden droht, dessen Mittelgräben nur durch das Paradox übersprungen zu
werden vermögen, und ob nicht das vom Verhältnis zwischen Schöpfung, Sünde und Gnade geforderte mehrdimensionale dialektische Reden durch das undifferenzierbare Zueinander von Positivität und Negativität zu einem unidimensionalen Paradoxschema wird.

Althaus' Absicht ist sicherlich die der Unterordnung der Uroffenbarung
unter die Christusoffenbarung, aber manche positive Aussagen bleiben im
Vergleich dazu so unvermittelt daneben stehen, ja scheinen sogar die Basis eines möglichen Heilsweges abzugeben, so daß sich die Interpreten
der Althausschen Theologie vor die Wahl der Deutung seiner Lehre in Richtung der genannten Unterordnung oder in Richtung einer Nebenordnung der
beiden Offenbarungen, wie einige Ausnahmen zu empfehlen scheinen, gestellt sahen. D.Bonhoeffer, K.Barth, W.Krötke, E.Hübner, H.Thielicke u.a[48].
haben Althaus nach diesen Ausnahmen gedeutet und in der Uroffenbarungslehre den Versuch gesehen, "unter dem Deckmantel einer Offenbarung einige Grundstrukturen des Menschlichen den Folgen der Sünde und der völligen Angewiesenheit auf Christus zu entnehmen, um nicht die zivile Sittlichkeit, Kunst und Kultur, kurz alles innerweltlich Wertvolle, samt allem menschlichen Werterlebnis völlig obdachlos dem Sündenverdikt preiszugeben"[49]. Wir dagegen meinen, daß die Überhöhung der 'urständlichen'
Positivität gewisser Schöpfungswirklichkeiten (z.B.Geschichte, Natur,
Kultur) durch einen vom Menschen unabhängigen 'Eigen-Sinn' dem Wunsche
des Schlatter-Schülers Althaus entstammt, diese Schöpfungswirklichkeiten auch angesichts der totalen Verderbtheit durch die Sünde nicht preiszugeben und sie jenseits des Paradoxgrabens in der Erlösung wieder zum
Zuge kommen und ihre Vollendung finden zu lassen. Der unzerstörbare
Eigensinn soll den Anspruch auf diese vollendende Erlösung gleichsam
schon diesseits des Grabens begründen, weil eine Annahme dieser Wirklichkeiten als bleibendes Heilsinstrument, also eine 'Vermittlung in

Differenz', aufgrund der radikalen Sündenlehre nicht möglich war. Indem Althaus dazu neigt, die 'Natur' und 'Person' des Menschen zu identifizieren, werden die genannten Schöpfungswirklichkeiten freilich zu einem sekundären Sein, das sich durch einen Eigen-Sinn zu legitimieren sucht. Die Identifikation von 'Natur' des Menschen und 'Person' hinwieder ist mit ein Grund der Radikalität der Sündenlehre, denn nun drohen die Gnade zur Natur und zur einzigen Wahrheit und der Sinn zum Sein des Menschen zu werden, so daß bei Fehlentscheidung - wie sie tatsächlich eingetreten ist - nicht nur die Gemeinschaft mit Gott, sondern auch die Natur verlorengeht und sich das Problem der Kontinuität stellt. Dieser Personbegriff betont vor dem Sein das Werden, die Selbstsetzung; der metaphysische Personbegriff wird abgelöst durch den modernen Persönlichkeitsbegriff, bzw. durch einen theologisch-existentiellen Personbegriff: Person ist Selbstwerden in je neuer Urtat des Ich.

Wesen und Beziehung des Wesens müssen jedoch (so sagen wir gegen Althaus) deutlicher unterschieden werden, ohne sie zu trennen, "weil der Mensch die aktive Rückbeziehung auf Gott und die Anerkennung dessen, was Gott auf ihn hin tut, verweigern kann; er verfehlt sich dadurch gegen sein Wesen, aber er hört nicht auf, noch ein Mensch zu sein"[50]. Im Aufzeigen des auch 'unter' der Sünde bleibenden 'urständlichen' Verfaßtseins des Menschen als Menschen scheint Althaus an der 'Variabilität' des gleichen kreatürlichen Wesens festhalten zu wollen. Diese Variabilität ist unentbehrlich, weil der Mensch nicht erst durch die Gnade Mensch wird und durch Gnade auch nicht aufhört, Mensch zu sein. Die Zuordnung der Gnade zur Person muß im Gegensatz zu verdinglichenden Kategorien lobend anerkannt werden, denn "der Mensch steht offen für die Gnade, insoweit er Person ist"[51]. Die Identifikation von Natur und Person gefährdet jedoch Althaus' eigenes Anliegen, da die Person auf eine Ich-Du-Relation reduziert und die Bestimmung zum Wesen der menschlichen Person gemacht wird. Dies kommt aber letztlich einer Leugnung der Kreatürlichkeit oder aber einer notwenigen Sündigkeit der menschlichen Person gleich, da nur in Gott 'perfectio formae' und 'perfectio finis' zusammenfallen. Auch wenn die Personhaftigkeit des Menschen in den stets aktuellen Vollzug aufgelöst wird, wird die Kreatürlichkeit übersprungen, da Person und Tätigkeit nur in Gott zusammenfallen. Um von der Aufgabe des Menschen, die Natur total in die Person einzubeziehen, damit jeder

actus hominis zum actus humanus werde, recht reden zu können, müssen Sein
und Sinn in ihrer wesentlichen Zuordnung, aber auch in ihrer Differenz
gesehen werden. Sie dürfen also nicht durch die Verwendung nur-personaler
Kategorien insgeheim identifiziert werden. Geschieht letzteres, so ist
die Variabilität des kreatürlichen Menschenwesens geleugnet: unser jetziges (faktisches Sünder-) Sein ist totales Sündersein. Nur noch im Paradox kann die Variabilität festgehalten werden.

Da die kreatürliche Doppelheit aber insgeheim aufgegeben ist, muß die
Paradoxität letztlich in Gott selbst hinein übertragen werden. "Der Widerspruch unseres Daseins unter der Selbstbezeugung Gottes....bedeutet
aber zugleich einen Widerspruch Gottes selbst....Er macht uns lebendig
und tötet uns....Er wirft uns das Heimweh in die Seele und schließt uns
von ihm aus" (CW 92). Althaus' Anknüpfungstheologie droht zu einer Anknüpfung Gottes innerhalb seiner selbst, zu einem Verhalten Gottes zu
sich selbst zu werden. "Gott knüpft hier im Grunde an Gott an. Gott ist
Gott."[52] In diesem 'Allein' Gottes ist sicherlich jedes synergistische
Mißverständnis der Anknüpfung ausgeschlossen, jedoch gleichzeitig sind
die menschliche Freiheit und der Dialog überhaupt gefährdet. Gibt es keine Alternative, die den Unterschied der göttlichen und menschlichen Freiheit nicht gefährdet, sondern darauf aufbaut?

e) Folgerungen für die Eschatologie

Aus einem zweifachen Existenzwiderspruch entspringen die eschatologischen Gedanken. Zunächst aus dem Widerspruch zwischen der Vorläufigkeit der Schöpfung und deren Bestimmung. "Aus der Struktur des endlichen Daseins und seiner Welt", also noch abgesehen vom Fall, gibt es in
der Schöpfung "Leiden", "Widerspruch" und "Not"; daraus folgt: "Wir können es nicht als Gottes letzten Willen mit uns verstehen."[53] Letzte Dinge werden geahnt als Bewahrung und Überhöhung der ersten Dinge. Es folgt
daraus die eschatologische Spannung von Schöpfung und Vollendung. Dieses grundlegende Prinzip der Eschatologie Althaus' ist in der Uroffenbarungslehre zugrundegelegt. Trotz der 'Neuschöpfung' ist der natürliche
Mensch Anknüpfungspunkt. In Verfolgung dieser Linie kann man sagen: So
kommt die Gnade bei dem Menschen an und hat die Erfüllung 'Sitz im Leben',
so geschieht Begegnung zwischen Offenbarung und menschlicher Lebenswirklichkeit. Christus ist überschwengliche Erfüllung der Heilserwartung,

nicht überflüssige Draufgabe. Uroffenbarungslehre ist für Althaus deshalb vor allem auch ein Erfordernis der Pastoral, damit das Evangelium 'ankomme' und Antwort sei auf die Frage, vor allem auch auf die Zukunfts- und Todesfrage des heutigen Menschen.[54] Darauf beruht letztlich die Möglichkeit und das Gebot der 'via symboli' oder 'via analogiae' für die Eschatologie. "So könnte man sagen: der Schöpferglaube hängt an der Eschatologie. Das ist richtig, wenn zugleich das Umgekehrte gesehen wird:die christliche Hoffnung ruht auf dem Schöpferglauben." (CW 302)

Freilich, und das ist wichtig zu betonen, kann auch diese anti-hamartiozentrische Vollendung nur durch den Tod hindurch geschehen, nicht durch Verklärung eines natürlichen selbstherrlichen Substrates, auch nicht im idealistischen Sinn der dialektischen Weiterentwicklung oder der dialektischen Positivität des Negativen, sondern nur im dialogalen Sinn des Todes als Einladung zum radikalen Glauben. Glaube und Tod gehören in diesem Sinne zusammen; schon deshalb ist innergeschichtliche Vollendung unmöglich. Auch die 'via negationis' der Eschatologie gründet also schon in der Schöpfungsordnung. Dieser Tod als Glaubensgeschehen scheint aber - auch bei Althaus - nicht den Sinn einer Ver-nicht-ung zu haben, da damit sein dialogaler Sinn selbst in Frage gestellt wäre. Wenn die Rede vom Restbegriff einer 'natürlichen Unsterblichkeit' wegen Mißverständlichkeit auch vielleicht besser vermieden wird, so muß man doch im Menschen eine radikale Fähigkeit annehmen, Gottes Wort zu hören und aufzunehmen, das Gnadenheil und schließlich das ewige Leben zu empfangen.

Der zweite reelle Existenzwiderspruch ist die Spannung zwischen dem Schöpfungswillen Gottes und unserem Widerwillen, dem Angebot des Dialogs und unserem Monolog, demzufolge der Zorn Gottes die zum Leben bestimmte Schöpfungswirklichkeit ganz unter den Bann des Todes stellt. Letzte Dinge werden geahnt als Gericht, Verzweiflung, ewiger Tod. Daraus folgt für Althaus ein zweites grundlegendes Prinzip, nämlich das der eschatologischen Spannung von Sünde und Erlösung. Von uns aus ist das Ahnen letzter Dinge das Bleiben des Gerichts, des hoffnungslosen Endes und Abbruchs, so daß eine kommende Vollendung immer auch den Aspekt der Erlösung, der Wiederherstellung trägt. Die 'via negationis' hat von hier aus noch eine ganz andere Dringlichkeit und Tiefe. Zusammenfassend läßt sich über den Menschen sagen:

"Als Sünder wartet er auf die Versöhnung und Erlösung in Christus. Als

Geschöpf Gottes wartet er auf die Erfüllung und Vollendung seines Ge-
schaffenseins in Christus....Christi Werk bedeutet nicht nur 'Wiederherstellung' in den Urstand, sondern auch Vollendung der ursprünglichen Schöpfung des Menschen, nicht nur Erlösung von dem Falle, sondern auch Überhöhung des 'ersten Menschen'." (GD[5] 168f;vgl.CW 259)

Althaus versucht also das Miteinander von Schöpfung und Sünde zu wahren. Da zur Schöpfung personaler Glaube und Tod, jedoch vor allem der
Widerspruch der Sünde gehören, scheidet uneschatologische Theologie aus.
Da die Schöpfung bleibende Voraussetzung und inneres Moment der Verlorenheit ist, scheidet nureschatologische Theologie aus. Echte Eschatologie entsteht nur, wo keiner der beiden aufgezeigten Widersprüche vom Menschen eigenmächtig aufgehoben, noch einer auf den anderen reduziert wird.
Die uneschatologische Eschatologie reduziert den zweiten auf den ersten
(Sünde = Kreatürlichkeit), so daß sie die letzten Dinge nur in der Verlängerung der jetzigen Wirklichkeit sucht (immanentistischer Weg);die nureschatologische Theologie den ersten auf den zweiten (Kreatürlichkeit =
Sünde), so daß sie die letzten Dinge in der Restitution der der jetzigen
Wirklichkeit vorgängigen ersten Dinge sucht (transzendentalistischer Weg).
Althaus wollte beide Auffassungen korrigieren, indem er deren Wahrheitsmomente zu wahren suchte. Doch aus unseren bisherigen Ausführungen läßt
sich bereits ahnen, daß der Vermittlungsversuch wohl kaum gelingt, da
der zweite Existenzwiderspruch den ersten so stark überlagert, daß aus
dem - berechtigten - differenzierten dialektischen Zueinander der beiden
aufgezeigten Spannungen ein paradoxes, allein in Gott selbst auflösbares
Nebeneinander zu werden droht, so daß die zwei Seiten der 'via negationis' zu einer 'via paradoxi' werden. War auf der Offenbarungsebene 'Vermittlung in Differenz' möglich, so muß mangels derselben auf soteriolo-
gischer Ebene die der 'via analogiae' entsprechende Vollendung sich um
einen unzerstörbaren schöpfungsmäßigen Eigen-Sinn umsehen.

2. Wirklichkeitsentsprechung in den prophetischen Religionen(Sinnrichtung)

a) Die Heilserwartung der Religionen - das "'Noch-nicht' des Evange-
                                        liums" (CW 137)

aa) Religion als Echo der Uroffenbarung

    Eschatologische Gedanken sind meist Gut der Religionen, darin aber Fol-
ge der Uroffenbarung, denn "von dieser Ur-Offenbarung, von der wir jederzeit herkommen, leben die Religionen der Menschheit"[55]. Sie sind das"Echo

des Menschen" darauf und "Ausdruck seiner Lage unter ihr" (CW 93). Auch dieses Echo hat zwei Seiten und auch hier wird die eine oder andere Seite mehr betont, je nachdem ob gegen Barths "rein anthropologische Religionstheorie" (CW 138) der Wert der Religionen oder gegen Troeltsch angesichts der Absolutheit des Christentums deren Versagen betont werden soll.[56] Die Religion enthält Wahrheit und ist zugleich Abbild der Entstellung durch die menschlichen Selbsterlösungsversuche (CW 94.139).'Unter' aller Entstellung ist jedoch als Möglichkeitsbedingung Wahrheit: "Gott ist das Apriori aller Götzen....der Mensch, der sich da ausspricht, ist....in diesem Sinn nie 'Gott-los', und muß so selbst im Zerrbilde von ihm zeugen."[57] Das Evangelium ist deshalb Gericht der Religionen, "sofern sie Lüge, Sünde sind"; es ist aber auch Erlösung und Erfüllung zu der Urwahrheit, von der sie herkommen und selbst in der Entstellung zeugen.[58] "Es ist der Fehler der sogenannten 'dialektischen Theologie' Karl Barths, daß sie in ihrer Theorie der Religion ganz undialektisch bleibt."[59] Aber der Verzicht auf die Uroffenbarungslehre "zwingt unverweigerlich zu jener rein anthropologischen Religionstheorie" (CW 138).

bb) Wahrheitsgehalt der Religion und Sinnrichtung der Eschatologie

Die positive Beziehung der Religion zum Evangelium beruht auf deren Wahrheitsgehalt.[60] Auch die eschatologischen Gedanken enthalten tiefe Wahrheit. Die Einsicht, daß diese Welt unter dem Gesetz der Sünde und des Todes steht und als solche dem eigentlichen Schöpferwillen Gottes nicht entspringt (bzw. nicht sein endgültiger Wille ist), führt zur Erkenntnis, daß 'die Gestalt dieser Welt vergeht' (1 Kor 7.31).

"Wahrheit ist in den nichtchristlichen Religionen, soweit sie um die Verfallenheit und Verzweiflung des menschlichen Lebens wissen, von der Unreinheit und der Schwere des Todesschicksals zeugen; soweit in ihnen das Nein zu der Welt, wie sie ist, Ausdruck findet, die Erwartung eines ganz Neuen, die Sehnsucht nach Erlösung und Verwandlung der Welt. Fast alle Religionen wissen um ein kommendes Ende der Welt."[61] Darüber hinaus erfaßt man, wenn auch entstellt, "daß es zum Leben nur durch Sterben geht" und im Erfassen dieses Exodusprinzips alles Seins kommt es in den höchsten Höhen außerbiblischer Religion, den 'Gnadenreligionen' des Ostens, der Bhakti-Frömmigkeit Indiens und dem Mahayana-Buddhismus Chinas und Japans, sogar zur Einsicht, "daß das Geheimnis der Erlösung ein rettender göttlicher Liebeswille, und auf seiten des Menschen das reine, werklose Vertrauen ist"[62].

Hier ist nicht mehr nur die Sinnfrage, sondern "in allem Irren auch

ein Ahnen von der Richtung, aus der das Heil kommen müßte"[63], ein Verspüren der Sinnrichtung: es kann nur die Richtung auf ein personales Verhältnis sein, wo Gott als heiliger Wille im Glauben erfaßt wird. "'Höhen'
sehen wir gerade dort, wo die außerchristliche Religion sich der Umklam-
merung durch die Mystik entrissen hat, wo der Gedanke des persönlichen
Lebens vor Gott lebendig geworden ist; wo an die Stelle der mystischen
Versenkung in Gott der Grundbegriff geschichtlicher, persönlicher Religion, der Glaube tritt."[64] Die Personhaftigkeit ist das Wesen aller Offenbarung (CW 25-28). Das Du Gottes begegnet uns zunächst in der Erkenntnis des Gesetzes (GD^5 126). Althaus nannte später diese supralapsarische
Bedeutung des Gesetzes als das Angebot seiner Liebe 'Gebot' im Unterschied zum infralapsarischen 'Gesetz', das die Erfüllung des Anspruchs
nicht als Bedingung des Lebens vor Gott, sondern als "zureichenden Grund"
(GD^5 126), als Mittel zur Selbstrechtfertigung ansieht[65]. Das Gebot ist
die Erfahrung des "heiligen unbedingt sittlichen Willens, der auf die ganze Welt gerichtet ist, handelnd und fordernd, und an ihr sich durchsetzen will" (LD^4 7,vgl.CW 598,BR 82). Soweit dieses Gottesbild erkannt wird,
wird die Sinnrichtung unserer Ahnung letzter Dinge richtig erkannt; davon geben die "prophetischen oder Geschichtsreligionen"[66] das mächtigste
Zeugnis, so der Parsismus, der Islam, die jüdische Religion und das Christentum (LD^4 7). Geschichte wird gesehen als ungleicher Kampf, in dem
Gott gegen unseren Widerwillen und gegen widergöttliche Mächte seinen
Willen durchsetzen und das Reich als "Aufhebung des gesamten Daseins-
Widerspruches"[67] herbeiführen wird. Im Gegensatz zur Erfassung des Seins
als Natur und ewigen Kreislauf (LD^4 8) wird hier die Zeitlichkeit des Seins
erst ganz verstanden und Sein als Geschichte erfaßt, "als Geschehen....
auf das unbedingte Telos, auf die Zukunft Gottes" (LD^4 7), als "gerichtete Bewegung, Schreiten auf ein Ende und Ziel zu, Herankommen des Letzten", als "Mittel Gottes, an sein Ziel zu kommen"[68]. So wissen diese Prophetischen Religionen um den Ernst der Geschichte, um die Spannung des
Geschehens auf den Jüngsten Tag (LD^4 10). Das "Harren auf die Zukunft"
(LD^4 10) - das ist die uroffenbarte, in den eschatologischen Religionen
aufbewahrte wahre Sinnrichtung; es geht um "zeitlich auszudrückendes
Nacheinander dieses und des kommenden 'Äons'"[69], also um - hier ist eine
große Akzentverschiebung im Vergleich zu Althaus' Frühperiode eingetreten - eindeutig auch temporal ausstehende Zukunft.

cc) Möglichkeit positiver Anknüpfung und Verhältnis zur Heilsgeschichte

Aus diesem Wahrheitsgehalt der Religionen folgt "Möglichkeit und Notwendigkeit positiver Anknüpfung der missionarischen Botschaft"[70], wie die Übernahme außerbiblischen Gedankengutes im AT und NT beweist (CW 46-50). Dazu berechtigt letztlich die Uroffenbarung, die unserer religiösen Sprache in "lauter Anthropomorphismen, lauter Analogien und Gleichnissen aus der menschlich-geschichtlichen Wirklichkeit" ein gutes Gewissen gibt[71], so daß Althaus folgert: "Das Evangelium muß im Lichte der Religionsgeschichte und die Religionsgeschichte im Lichte des Evangeliums verstanden werden." (GD^5 94) Althaus zeigt u.a. ein konkretes Beispiel einer positiven Beziehung zwischen der Eschatologie des Evangeliums und einer Gestalt außerbiblischer Eschatologie, und zwar im Einfluß des Parsismus auf AT und NT. Aus dieser iranischen Religion stammt der Dualismus des Welt- und Geschichtsbildes. Da die jetzige Weltzeit wesenhaft die des noch unausgetragenen Kampfes zwischen Gott und Satan ist, ist die Erlösung transzendent: "Befreiung von dieser Weltordnung und Weltgestalt, neue Welt. Sie beginnt mit der Auferstehung der Toten und dem allgemeinen Weltgerichte" (CW 47). Diese Gedanken wurden in der spätjüdischen Eschatologie erst durch den Parsismus entbunden; an erstere wiederum "schließt Jesus und die urchristliche Verkündigung mit ihren entscheidenden Begriffen sich an" (CW 47). Auch andere Vorstellungen und Begriffe des NT knüpfen an außerbiblische Messiasbilder und Erlösungsmythen an, so daß Jesus als der erscheint, "in dem das religiöse Verlangen aller Welt erfüllt ist, die offenen Heilsfragen der Zeit gelöst sind" (CW 48). Das Nein an den Mythos darf also dessen positive Würdigung nicht ausschließen, denn das Evangelium ist die "Erfüllung des Mythus in seinem tiefsten Sinn" (CW 49). Auch in den Religionen ist der Geist (CW 44f. 344f); sie sind nicht einfach natürliches, menschlich eigenmächtiges Machwerk, sondern Teil der Ordnung Gottes, die zur Gemeinschaft mit ihm führen sollte, also auch Ausdruck und Suche nach der Gottesebenbildlichkeit, unter der Gnade stehender Ausblick und Dynamik auf das Evangelium hin.[72]

Sind sie auch Gegenwart des Heils?[73] Das Harren auf die Zukunft in den eschatologischen Religionen ist offenbar nicht nur ein reines Harren. "Auch der end-gerichtete Glaube weiß von Gegenwart des Heils, die alle denkbare Zukunft in sich schließt. Das ist vor allem im Alten Testamente und vollends im christlichen Glauben deutlich" (LD^4 10f) - also doch nicht nur im AT und Christentum, sondern auch in außerbiblischer prophetischer Religion. Voraussetzung ist die in Gottes Offenbarung begründete "Verbundenheit mit Gott" (LD^4 11). Wie und wiefern in Uroffenbarung, so und sofern gibt es auch in Religion Glaube und Gottverbundenheit.[74] Und deshalb gibt es u.E. beim richtigen Gottesbild, d.h. bei der Erkenntnis seines heiligen unbedingten Willens, Hingeordnetheit auf die Gegenwart des Heils und demgemäß Gegenwart im Sinne unbeirrbarer (Bleiben!) Heilsgerichtetheit und Spannung und Harren auf das Kommen des Telos dieser Gerichtetheit, auf das Ereignis des Endes dieses von Gott her gegebenen Anfangs (vgl.LD^4 11). Religionen sind also nicht Wunschbilder der Völker, sondern Teil der Heilsgeschichte, insofern sie Uroffenbarung haben und dieses Haben nicht selbstgenügsames Ruhen, sondern wesentlich ein hoffnungsvolles Harren auf das Kommen der endgültigen Herrschaft Gottes ist. Und dies sind sie in gewissem Sinn auch gegen den Widerwillen der Menschen. 'Prophetische Eschatologie' kann aber per definitionem nicht selbst das Heil geben, da sie 'Vorgeschichte', 'Vorstufe', 'Station', 'Noch-nicht des Evangelium'[75] ist, also durch Endgültiges abgelöst werden muß. Das Ungenügen der außerchristlichen Religion ist also nicht nur Folge der Sünde. Dieses - auf das Ziel hin - relative Ungenügen wird jedoch bei Althaus zum absoluten Versagen, wo selbstgemachte Antwort sündhaft Gottes endgültiges Wort nicht abgewartet hat. Darin sind wir aber alle eins und deshalb letztlich alle verschlossen für die Zukunft, so daß das " Stück Wahrheit in Ahnungen, aus welcher Richtung das Heil kommen müßte", "doch in einem Zusammenhang, der als ganzer Trug und Lüge bedeutet"[76], steht. So nehmen die Religionen auch am anderen Aspekt der Geschichte teil, am Stehen unter dem der Sünde geltenden Zorn Gottes; sie sind Teil der sündigen Entstellung der von Gott begründeten und ständig bleibenden Bestimmung.

Die Logik der Christustatsache ist zweifach Prinzip alles eschatologischen Redens: als die den dialogalen 'Prolog' vollendende und erfüllende und als die den Monolog wieder zum Dialog erlösende Logik, beides in einer unaufhebbaren Dialektik. Der allgemeine Heilswille Gottes (vgl.CW 273.618; DTL 238-243) scheint auch den Prolog, die Vorstufe, schon in das Licht des Heils zu rücken. Es bleibt jedoch die Frage: auch in die Möglichkeit eschatologischen Heils? Sofern und soweit die Richtung des

Glaubens und Ausschauens in die Zukunft, von der her uns Gott Heil zuteil werden läßt, eingeschlagen und bewahrt ist, muß Ja gesagt werden
(vgl.CW 139:"relatives Heil"); sofern ein Abweg beschritten wird, muß
uns Christus herausführen. Würde Althaus nur diese dialektische Sicht
der Religionen lehren, müßten wir voll zustimmen, denn wie auch W.Kas-
per sagt, das Christentum "steht immer im Verhältnis des Ja und des Nein,
der Erfüllung und des Gerichts zu den Religionen und zur menschlichen
Kultur"[77]. Wie wir jedoch in der Dialektik der Uroffenbarung bereits
sahen, wird auch die Dialektik der Religionen zur grundsätzlichen Widersprüchlichkeit, die keine Komplementarität mehr erlaubt, weil der Heilsweg zwischen Herüben und Drüben (Problem der Kontinuität) abgeschnitten
ist, denn das positive und das negative Element werden zu unabhängig und
extrem ausgebildet, so daß sie in der Paradoxität einander zu verlieren
drohen.[78]

b) Die eschatologische Hoffnung des Alten Testaments –
"die Vorbereitung auf die Heilsoffenbarung" (CW 98)

aa) Sätze des Bleibens und Kommens in Universal- und Individualeschatologie

Die Doppelheit von Haben und Erwarten ist "vor allem im Alten Testamente (LD^4 10f) deutlich. Die Eschatologie besteht deshalb aus zwei Arten von Sätzen: "solchen, die vom Bleiben, und solchen, die vom Kommen
reden" (LD^4 16). Die zwei Arten von Sätzen entsprechen der Spannung von
bereits unbedingter, alles entscheidender Glaubens-Wirklichkeit und der
alle überführenden Ver-wirklichung: "Indem Gottes Bund sich in seiner
Verwirklichung behauptet, kommt er zu voller Verwirklichung. Indem das
Leben mit Gott nicht aufhört an den Grenzen alles Menschentums, vollendet es sich." (LD^4 17)[79] Dies gilt für das ganze Volk und für den Einzelnen.

Das Bleiben ist begründet in der Gewißheit der freien Erwählung des
Volkes Israel durch seinen Gott, der seinem Bunde unbedingt treu bleibt.
Trotz des Ungehorsams seines Volkes läßt Gott von seinem Anspruch nicht
ab."In dem Mißverhältnis zwischen dem Sinne des Bundes und seiner unzulänglichen Verwirklichung wird Eschatologie geboren, die Verheißung und
Hoffnung dessen, was da kommen soll, des 'Tages Gottes', seines Gerichtes, seines Reiches, des ihm ganz geheiligten, von ihm in der Welt ganz
zu Ehren gebrachten Volkes." (LD^4 12) Seit Jeremias und den Psalmen wird

auch "das persönliche Gottesverhältnis erfahren" (LD[4] 13). Im Gebet als Zugang zu dieser Gemeinschaft des Einzelnen mit Gott und als deren Ausdruck liegt deshalb Verheißung ewigen Lebens; im ersten Gebot als Glaube an den Gott der Lebendigen ist daher bei Luther das letzte Fundament der Eschatologie. "Is 25,8;26,19; Dan 12,1; vielleicht auch Ps.49,16 und andere Stellen" (LD[4] 14,n,2), wie Ps.16,9ff (CW 198), sind gleichsam die Ouverture zum Gedanken der Auferstehung (vgl.GD[5] 70); vor allem aber führt Psalm 73 an die Schwelle des Evangeliums: Im Leiden eröffnet sich dem Beter Gottes Wirklichkeit als Maßstab für das, was das wahre Leben ist – ein übernatürliches Leben mitten in der irdischen Wirklichkeit (CW 198f).

Die Hoffnung ging also einerseits über den Tod, andererseits über das Ende der Geschichte hinaus. Das Alte Testament verband die beiden Linien, die individuelle und die universale, durch die Erwartung der Auferstehung am Jüngsten Tage, was den Gedanken des 'Zwischenzustandes' mit sich brachte.

bb) Die drei Gebundenheiten alttestamentlicher Hoffnung

In der Eschatologie des AT zeigt sich Gottes Führung ganz besonders in der Reinigung der Hoffnung von drei Gebundenheiten, von "nationalpartikularistischer, empiristischer und legalistischer Bindung hin auf das Evangelium" (CW 192)[80].

Das Ineinander von politischer und religiöser Erwartung wurde durch nationale Katastrophen, die von Propheten als Gericht des sich durchsetzenden göttlichen Willens gedeutet wurden, geläutert. "An die Stelle des religiös begründeten nationalen Imperialismus tritt der Universalismus der Wahrheit und des Heiles des Gottes Israels." (CW 194) Jedoch es bricht auch immer wieder die partikularistische Erwartung durch, so daß im AT doch "Zwiespältigkeit der Erwartung" (CW 194) bleibt. "Jesus hat diese Eschatologie nicht erfüllt, sein Kreuz richtet sie und tut sie ab, nicht nur für diesen Weltlauf, sondern auch für die Ewigkeit." (CW 195) (vgl.LD[3] 99f.104.111;LD[4] 296-302).

Ganz empiristisch verfangen, erwartete man die letzten Dinge auf dieser Erde – in irdischem Glück, im Kindersegen, in äußerem Schicksal, in der politischen Existenz des Volkes, bzw. in irdischem Unglück usw. Diese "Kinderstufe des Gottesverhältnisses" (CW 196) zeigt sich z.B. in der Lehre von der irdischen Vergeltung, ganz besonders in den Unschuld-Rachepsalmen. Wie man in Psalm 16 und 73 sieht, drängt die Not jedoch zum "Durchbruch durch die Schranke des religiösen Empirismus" (CW 197), so daß Gottes Gnade und ihre Erscheinung nunmehr auseinandertreten. Zwar ist Gott auch jetzt noch in irdischen Schicksalen gegenwärtig, und wir mögen darin auch Zeichen und Gleichnisse seines Erbarmens und Strafens ergreifen, z.B. den politischen Frieden als Gleichnis des Friedens im Reiche Gottes, aber Gottes 'Wort' in seinem Geschichts- und Schicksalswalten ist verborgen. Das Evangelium vom Kreuze zerbricht die empiristische Bindung; die Entsprechung von Gnade Gottes und irdischer Wohlfahrt, von Zorn Gottes und Unglück fällt weg (CW 199). Damit ist bereits das Urteil über die endgeschichtliche Eschatologie und den Chiliasmus gesprochen: "Gottes Reich ist nicht ein künftiger Idealzustand dieser unserer Geschichte, der jetzt schon anbrechen oder sich teilweise verwirklichen könnte und sollte, sondern es ist über dieser Geschichte, trotz ihr und nur insofern auch mitten in ihr gegenwärtig, in der Dimension der Ewigkeit, also ganz anders und doch ganz nahe und ganz wirklich." (CW 199) Daraus darf jedoch nach Althaus keine idealistische Lähmung der Eschatologie folgen, denn das Wahrheitsmoment des Empirismus, nämlich daß Gottes Gnade in unserer leiblich-geschichtlichen Wirklichkeit erscheinen müsse, muß bewahrt bleiben; die eschatologische Erfüllung muß tatsächlich "nicht nur Seligkeit, sondern auch Herrlichkeit, Überwindung des Leidens und des Todes, Erfüllung aller Sehnsucht nach Gesundheit, Kraft und unzerbrechlichem Leben des ganzen Menschen" ((CW 200; vgl.LD^4 298f) sein, freilich nur durch den Tod hindurch.

Aufgrund der gesetzlichen Gebundenheit der alttestamentlichen Hoffnung (CW 200f) wurde das Gesetz nicht in seiner Hingeordnetheit auf das Evangelium erkannt. Noch galt neben dem "Menschlichen im Gesetz" auch das "Jüdische", nämlich der Versuch gesetzlichen Heilsweges (CW 190 f. 204f). Beides läßt sich äußerlich nicht trennen, denn "Gott hat die Geschichte seiner Offenbarung unlöslich gebunden in eine Volksgeschichte voll Beschränktheit und Fehlsamkeit und Sünde, voll Entstellung der Gotteswahrheit. Das Wort ward wahrhaft Fleisch!"[81] Indem das AT jedoch den theozentrischen Sinn aller Gebote herausstellt, ist es "der Ursprung aller Geschichtstheologie" (GD^5 69) und es erscheint in ihm die Tiefe der Sünde als Verrat an Gott (CW 100). Dadurch kommt es zu einer Klärung und Verinnerlichung der eschatologischen Hoffnung, denn alle andere Daseins-

not tritt gegenüber der Hoffnung auf Gemeinschaft mit Gott und auf Vergebung der Sünde zurück. Für die christliche Hoffnung werden hier der nö-
tige 'Resonanzboden' und die Kategorien für die Erfahrung der Tat Gottes
in Christus geschaffen, so daß im AT Gottes "Heilstat in Christus schon
beginnt" (CW 100);zumindest bietet es "reiner als irgend eine andere Religion die Wirklichkeiten und Wahrheiten, innerhalb deren allein Christus
recht verstanden werden kann"[82].

cc) Mittelstellung des Alten Testaments

    Das Alte Testament ist die Stimme desselben Gottes, von dem auch Jesus
spricht und der "in Jesus Christus das endgültige Heil hat anbrechen lassen" (CW 191), aber es ist – dies betont Althaus immer wieder gegen Barth
(CW 59.205f) – nicht schon "das Wort von Christus, sondern das Vor-Wort
Gottes, das die Ur-Offenbarung herausstellt" (CW 206). So steht der Alte
Bund in einer seltsamen Mittelstellung. Einerseits ist dieses "prophetische Gotteszeugnis" (CW 97) mit dem NT "unlöslich" verwachsen und ihm
"eingegliedert" (CW 191). Der Alte Bund ist deshalb in der Dogmatik nicht
unter 'Uroffenbarung' behandelt, sondern unter 'Heilsoffenbarung' (als
deren Vorbereitung) – abgesondert von der "Vorgeschichte des Evangeliums
auch außerhalb der Geschichte Israels" (CW 94) – als eine "besondere Offenbarung Gottes an Israel...,die sich von aller anderen Offenbarung,
wie sie hinter den Religionen steht, abhebt" (CW 98), "so verwandt er ihr
bleibt" [83]. Er ist nämlich "von Anfang an anderen Wesens", "ein Eingriff
Gottes in die Religionsgeschichte", unvergleichbar mit allen anderen Neu-
anfängen (CW 98). Zur "Besonderheit dieses Anfangs"kommt die "Besonderheit einer geschichtlichen Führung des Volkes, die offenbar den Sinn in
sich trug,...aus den Gebundenheiten der ersten Stufe der Gotteserkenntnis dieses Buches zu lösen – hin auf Christus, auf das Verständnis des
Handelns Gottes im Kreuz, hin auf Anbetung im Geist und in der Wahrheit"[84].
Das AT ist zur Wahrheit des Evangeliums hinsichtlich des Gottesgedankens
"mindestens schon unterwegs", "an der Schwelle des Evangeliums, das darin
"keine wesentliche Originalität" hat (CW 103). Andererseits bezeugt und
deutet das AT nur die an alle ergehende Uroffenbarung (CW 192;GD[5] 69).
Auch Israel bleibt ihrer Entstellung "vielfach verhaftet und offen" (CW
97). Seine "Exklusivität und Intoleranz" (CW 98) bestand gerade darin,
diese Uroffenbarung neu und rein herauszustellen, weshalb das AT zu jedem, auch ohne Umweg über das Evangelium, redet, nicht nur religionsge-

schichtlich, sondern "wesentlich, existentiell, theologisch" (CW 101),
weil dem AT die Autorität der Uroffenbarung eignet. Gerade so ist es
Vorbereitung auf Christus, indem es dem Menschen seine wahre heillose Lage vor Gott, in der er nach Christus fragen lernt, klarmacht. Da die AT-
Offenbarung nur als "Vor-Wort", als "Vorgeschichte" hin auf Christus geschieht, gestattet sie nur "christusbezogene, christozentrische", aber
nicht "christologische" Auslegung im Sinne Barths (CW 206f).

Es ist nur konsequent, wenn Althaus auch hier die personale Heilsfrage offen läßt (CW 101). Zunächst muß er dies tun aus dem Wesen der das
endgültige Wort erwartenden Uroffenbarung, dann vor allem wegen des
menschlichen Widerwillens (CW 206). Gottes Wort ergeht im "Medium der
'israelitisch-jüdischen' Religionsgeschichte", "in den Schranken einer
bestimmten Stufe der Glaubensgeschichte", also immer auch, manchmal sogar exklusiv, in der "Stimme des Menschen" (CW 204). Wenn auch das AT
"nicht nur hin auf Christus, sondern....in ihm auch schon da" ist, "nicht
nur Frage, sondern auch schon Antwort" ist und "nicht nur Gesetz, sondern
auch schon Evangelium" bringt (GD^5 71) und wenn auch in einzelnen geschichtlichen Ereignissen Vergebung erwartet und erlebt wird, so wurde
die Sünde doch nicht wirklich überwunden. Die volle Gemeinschaft mit
Gott "wird zum Gegenstand der Hoffnung, der Verheißung, der Eschatologie:
Gott wird eine Zeit heraufführen, einen neuen Bund machen, mit immer gültiger Vergebung der Sünden, mit endgültiger Reinigung durch Gericht hindurch (Jer.31,23; Jes.33,24 u.a.)." (CW 101).

Wie ist also die Mittelstellung des AT bei Althaus zu bewerten? Oder
ist es eine Sonderstellung, so daß wir eine dreidimensionale Heilsgeschichte vor uns haben: Religionen, Israel, Christentum? Ist es berechtigt, das AT unter die 'Sinnrichtung' der prophetischen Religionen zu subsumieren statt es unter der 'Sinnantwort' zu behandeln? Es ist schwierig, eine definitive Antwort zu geben, denn einerseits weist er auf den
wesentlichen Unterschied, andererseits meint er, "das Gotteszeugnis der
Bibel vor dem Evangelium" habe - im Gegensatz zu Barth - keinen anderen
Inhalt als die Uroffenbarung, weshalb es doch nur zwei Dimensionen der
Offenbarung gebe (CW 60;vgl.CW 99.206). Tatsächlich scheinen der Wahrheitsgehalt und die Lüge der Religionen von denen des AT nur graduell
unterscheidbar zu sein. Das AT ist vor allem im entscheidenden Punkte gemeinsam mit den Religionen zu behandeln, im Fehlen der Vollmacht Christi

(CW 104); es scheint also Vorbereitung auf Christus im Rahmen des Grunddialogs zu sein, indem es die 'Sinnrichtung' des Grunddialogs unter Gottes besonderer Führung wacher als alle anderen und gleichsam paradigmatisch für alle anderen durchlebt und dadurch für das endgültige Wort, den
Christusdialog, empfänglich wird. Insofern sich der Glaubende des AT dieser Sinnrichtung ganz geöffnet hat, kann Althaus sagen: "Der Mensch des
Alten Testaments hat schon Vergebung Gottes erfahren. Alle wahrhaft erfahrene Vergebung aber geschieht in Christus" (GD[5] 71). Er deutet zumindest gelegentlich eine ähnliche Möglichkeit bei außerbiblischen Religionen
als Frage oder Wissen an.[85] So scheint es fast, als ob auch er-wie K.Rahner-
die "Dialektik" dahin deutet, "daß das AT durch den Glauben, der immer
möglich war, in die Wirklichkeit, die das AT nicht ist, einweisen kann,
weil es das Vorläufige ist, das in der Kraft des Späteren existiert"[86].
Er ist jedoch nicht zu einer einheitlichen Lehre gekommen, zumindest unterscheidet er nicht genau, ob er 'Insofern'- oder kategorische Exklu-
siv-Aussagen macht und ob die 'Insofern-Aussagen' neben dem 'Noch-nicht'
der praeparatio negativa auch das 'Schon' der praeparatio positiva, bzw.
der Antizipation in Glaube, Hoffnung und Liebe zulassen. Gerade von der
Soteriologie her scheint schließlich doch nicht mehr als eine 'praeparatio negativa' übrigzubleiben.

dd) Weissagung und Erfüllung

Durch Althaus' Auffassung der AT-Offenbarung ist eine wichtige hermeneutische Frage für das Verständnis des eschatologischen Prinzips
'Weissagung und Erfüllung' gegeben. Insofern "das AT und seine Heilsgeschichte als paradigmatisch für die vorchristliche Religionsgeschichte
überhaupt betrachtet werden"[87] können, muß Althaus sagen: "Wenn wir etwa 'Weissagung' in einem weiteren Sinne alle Menschheitssehnsucht, aller
Mythen Ahnungen von der Erlösung, auch wo sie noch so fern und entstellt,
nennen wollten, die Geschichte Israels ist dann jedenfalls Weissagung im
durchaus unvergleichbaren Sinne".[88] Nur so wird das AT nicht als "Dublet-
te" des Evangeliums, sondern als "Vor-Wort" (CW 209) verstanden, das auch
für die Christenheit bleibende Bedeutung hat. Jesus erfüllt den Inhalt,
dessen Verheißung und Hoffnung, in seiner Person: "Erfüllung der prophetischen Endverheißung - das ist seine wahre Beziehung auf die Propheten"
(CW 104).

Weil das AT als Vor-Wort auch Menschenwort ist und weil Christus

"Grund und Maß der Autorität des Alten Testamentes in der Kirche" (GD[5] 67) ist, decken sich Weissagung und Erfüllung nicht einfach. Jesus selbst bestimmt allein, wo von Gott gegebene Weissagung ist, indem er sie "teils erfüllt, teils enttäuscht und abtut" (CW 209): "für die nationalistischen, nomistischen, empiristischen Züge, mit denen das AT in sich selber kämpft, ist Jesus nicht Erfüllung, sondern das Nein" (GD[5] 72). Damit lehnt Althaus eine biblizistische Auffassung der Weissagungen ab, denn vom historischen Sinn des Buchstabens her kann die Weissagung Grund des Glaubens oder des Ärgernisses sein. So können wir aus der Eschatologie des AT aufgrund dessen Uneindeutigkeit keinen unmittelbar christologischen Schriftbeweis führen, sondern nur einen christozentrischen, der aufzeigt, "wie das Alte Testament als Gesetz und als Evangelium über sich hinausweist und hinzielt auf Jesus Christus, wie die Bewegung des alttestamentlichen Gottesglaubens erst in ihm zur Ruhe kommt"; dadurch ist sie "Glied der zu Christus hinführenden wirklichen Geschichte des Glaubens" (GD[5] 73) und deshalb Weissagung.

3. Wirklichkeitsverkehrung: Sünde als Leugnung des Sinnes der Gottheit Gottes

a) "Im Evangelium kommt Gottes Gottheit zur Geltung, überall sonst wird sie verraten und verhüllt"[89]

   Es geht Althaus und Luther letztlich immer um die 'Gottheit Gottes'. Sie, der alles entscheidende Maßstab, ist sein Schöpfertum. Zunächst besagt dieses ein unaufhebbares Gegenüber: der Mensch ist vor Gott verantwortlich und kann schuldig werden. Sonst würde Gott zum Bewirker des Bösen; der Versuchung, diese Folgerung zu ziehen, ist Schleiermacher verfallen, wogegen Luther "gegenüber allem theologischen Logizismus für das Geheimnis Gottes und unserer Existenz durch ihn und vor ihm" (DTL 107) plädiert.[90] Das unaufhebbare Gegenüber in Verantwortlichkeit ist aber vor allem das Verdikt über alle Mystik. "Gott hat uns in ein Gespräch gezogen, das in Ewigkeit nicht endet. Er hat uns in ein Gegenüber zu sich gestellt, aus dem wir nie fliehen können, aus dem auch der Tod nicht zu reissen vermag."[91] Personalismus ist also auch in der Ewigkeit nicht eine in Mystik zu überwindende Stufe; personale Redeweise ist "nicht ein unzuverlässiger Anthropomorphismus" (CW 266).

   Gottes Schöpfertum besagt sodann Gottes Allmacht und des Menschen

schlechthinnige Abhängigkeit. Alle Schöpfung geschieht 'ex nihilo'. An
Gottes Gottheit entscheidet sich die Eschatologie. "An Gottes Alleinwir-
ken hängt die Unveränderlichkeit und Unerschütterlichkeit seines wirkenden Willens und damit die Glaubwürdigkeit seiner Verheißungen (und Dro-
hungen)." (DTL 103) Gottes Gottheit ist deshalb bei Luther der Grund der
neuen Lebendigkeit aus dem Tode.[92] Selbst wenn der Mensch mit seinen
Kräften mitwirken könnte, gäbe es keinen anderen Heilsweg als den der
Gnade. Die Gottheit Gottes verlangt, daß die Rechtfertigung streng theozentrisch begründet ist. Das sola fide gilt schon, weil Gott Gott und der
Mensch Mensch ist. Es ist wesensgerecht für Gott, des Menschen Heiland
zu sein, so wie es wesensgerecht für den Menschen ist, sein Gerechtsein
wunderbar von Gott zu empfangen. "Gerechtigkeit schaffen, die Sünde zerstören, Leben geben - das ist alles das Werk des Schöpfers allein." (DTL
115) Damit ist die Rechtfertigung der grundlegende Maßstab der Eschatologie und, da in dieser strengen Alternative Theozentrik - Anthropozentrik keine andere Möglichkeit in den Blick kommt, ist das Verdikt über
jeden eschatologisch-moralistischen Weg gesprochen.

Gottes Schöpfertum besagt schließlich, daß Gott sein Werk 'unter der
Hülle des Gegenteils', 'sub contraria specie', schafft. Der letzte Grund
dafür liegt darin, daß Gott durch die Verborgenheit seines Handelns Raum
für den Glauben, in dem allein die Gottheit Gottes zur Geltung kommt,
schaffen will (also zunächst noch unabhängig von der Sünde) und daß er
uns von 'Natur' Selbstsichere (hier spielt aber schon die Sünde mit
herein!) nur durch den Weg vom opus alienum zum opus proprium für sein
Heil öffnen kann. Gottes Widerwille gegen das Böse vollzieht sich als
Strafe (CW 398). Der Glaube an Christus erkennt jedoch, "daß Gott mich
straft mit der Verkennung seiner selbst und daß auch in diesem Strafen,
in der ganzen Schwere seines Zürnens nichts anderes als sein Liebeswille
züchtigend am Werk war"(CW 272), so daß auch das Wunder der Vergebung
nicht die innere Einheitlichkeit seines Willens aufhebt. Nur im Stellen
unter das Nein Gottes des Richters erfährt man das heimliche Ja Gottes
des Vaters. Althaus' 'Theologie des Glaubens' soll durch die ständige
Bewegung der Begegnung mit Gott verhindern, daß ein religiöser Gedanke
zum beherrrschenden und zugleich die Spannung auflösenden Gedanken gemacht wird. Jede Aufweichung in eine selbstverständliche, flache Liebe
Gottes des Vaters ist Verrat an der Heiligkeit der Gottheit Gottes. Deshalb hat die Gegenüberstellung von Gerechtigkeit und Liebe ein bleibendes

Wahrheitsmoment; nur in Christus kann sie überwunden werden; nur in ihm ist die Ineinsschau von Zorn und Gnade als "Durchbrechung des ewigen Zornes möglich. Nicht ein anderer Gottesgedanke ist die Neuheit des Christentums; "das ganz Andere ist Jesus Christus selbst", denn in ihm hat Gott "den entscheidenden Schwerpunkt seiner Geschichte mit der Menschheit gesetzt"[93].

"Christus heißt: die Gottheit Gottes macht sich an uns, für uns geltend....Und im Evangelium kommt Gottes Gottheit zur Geltung, überall sonst wird sie verraten und verhüllt"; Christus ist als "ein gegenüber der ganzen sonstigen Religionswelt grundsätzlich, wesentlich Neues, ganz anderes, Unerreichbares", dem gegenüber "der Inbegriff der nichtchristlichen Religionen als Einheit in der Lüge, als 'Heidentum' erwiesen" ist[94]. Dieser Maßstab zeigt, daß sich alle Religionen an der Gottheit Gottes versündigen, an der Sinnrichtung der Uroffenbarung, denn "das Evangelium hat es mit dem Menschen in jener Tiefe seines Menschseins, in jener Not seiner Existentialität zu tun, in der wir, unterhalb aller Unterschiede von Kulturen und seelischer Veranlagung, überall und zu allen Zeiten durch die Jahrtausende hin eins sind, der eine Mensch Adam"[95]. Nur in Christus wird Gott als Schöpfer aus dem Nichts unter der Hülle des Gegenteils geehrt. Die anderen Heilserwartungen halten nach Althaus den Existenzwiderspruch, dem sie entspringen, nicht durch: sie verleugnen das Gegenüber in der Mystik (Sinnentleerung) oder die schlechthinnige Abhängigkeit im Moralismus (Sinnverrat) oder sie finden Gottes Liebe selbstverständlich und leugnen die Spannung des 'sub contraria specie' (Sinnentstellung). All das sind nicht Wege zum Heil der letzten Dinge, sondern "Irrwege, ja Fluchtwege, von denen man die Menschen fortrufen muß"[96]. Im Kreuz sind nach Althaus alle Aspekte bewahrt, weshalb das Kreuz "der letzte Maßstab für allen ihren Wahrheitsgehalt, für Wahrheit und Lüge über das Verhältnis von Gott und Mensch"[97] ist. Für das Christentum genügt deshalb keine Ehrenstellung, weder als höchste Entwicklungsstufe noch als individuelle abendländische Ausprägung (CW 133; GD[5] 96f). Jesus ist "mehr als ein Moment der Religionsgeschichte,...mehr als ihre Höhe, nämlich ihr Gegenüber" (CW 106). So kommt mit Christus ein "totaler Bruch"[98] mit allen anderen Religionen, weil sie doch "über ihre Gebundenheit in unterpersönlicher Gottesbeziehung oder in Moralismus nicht entscheidend hinauskommen zu persönlicher oder theozentrischer Religion" (LD[3] 95).

Ist es aber nicht gefahrvoll, Gottes Gottheit einseitig als "creatio ex nihilo sub contraria specie' zu bestimmen und Gott mit den Menschen nur im Widerspiel handeln zu lassen? Ist es nicht gegen Althaus' positive Schöpfungslehre, wenn es Gottes Freude sein soll, aus dem Nichts zu schaffen, aus der Finsternis Licht, aus dem Tod Leben, aus der Verdammnis Heil?[99] Die relative Eigenständigkeit und der gewisse Eigensinn der Schöpfungsordnung droht hier wieder unterdrückt zu werden und Althaus gerät stark in die Nähe Barthschen Diskontinuitätsdenkens. Sosehr das Kreuz die unerhörte Neuheit ist, darf doch die Schöpfungswirklichkeit nicht nur unter einem Prinzip der Verhüllung und des Gegenteils gesehen werden, das zwischen der Verborgenheit, die aus der Spannung zwischen Schöpfung und Vollendung, und der Verborgenheit, die aus dem Gegensatz zwischen göttlichem und menschlichem Willen folgt, nicht differenzieren läßt. Dann kommt es – gegen die intendierte 'Theologie des Glaubens' – zu einem unidimensionalen Nein, also doch zur Beherrschung durch einen religiösen Gedanken, der letztlich Ausdruck findet im 'Gott wider Gott'. Gerade ein Gott, bei dem die Sünde gleichsam schon eingeplant ist, um das 'Monopol' der Gnade walten zu lassen, kommt in die Nähe des Harnack'-schen selbstverständlich guten Vatergottes, denn die Freiheit und Geschichtlichkeit des Dialogs und die relative Selbständigkeit der Naturordnung drohen unterzugehen, obwohl sie unerläßliche Voraussetzung zum Verständnis Christi und des Dramas von Golgotha sind.

Hier sind u.E. unberechtigt christologische Motive in die allgemeine Gotteslehre vorgezogen, bzw. Althaus' Bemühen, Gottes Transzendenz hervorzuheben, läßt ihn Gottes Gottheit einseitig sehen und den positiven Aspekt der Liebe, der Freiheit, der Teilhabe vernachlässigen. Wenn alles nur von 'sub contraria specie' her, wie es am Kreuz seine höchste Wirklichkeit hat, beurteilt wird, also von der äußersten und höchsten göttlichen Sinnspitze der Heilsgeschichte, so entsteht doch wieder ein einseitig geschichtsloser oder übergeschichtlicher Blickwinkel, der die heilsgeschichtlichen Epochen des Menschen und der Menschheit vernachlässigt und nur polare, am Jüngsten Tag zu lösende Spannungen zuläßt, und nicht schon eine Wertung der Geschichte hier und ein grundsätzliches Zu-eigensein der Huld Gottes in Christus in der Geschichte (freilich nur als Glaubens-Wirklichkeit). Althaus wollte doch gegen Barth die 'Stationen' der Heilsgeschichte verteidigen, doch es bleibt zumindest bei einer ungelösten Ambivalenz: das von Schlatter her bestimmte Gottesbild wahrt relative Eigenständigkeit der Natur und schließt Hamartiozentrik aus; das mehr zu Barth verwandte Gottesbild ist zu sehr von der Transzendenz der Gottheit Gottes und der daraus bestimmten Torheit des Kreuzes geprägt und tendiert dahin, die Sünde ins System einzubauen, die freie gnadenhafte Mitwirkung des Menschen auszuschalten, weil nur das Für-uns-sein Christi, nicht auch sein Mit-uns-sein betrachtet wird.[100]

b) Sinnentleerung in der Mystik

"Das volle Gegenteil zur eschatologisch-gespannten Religion ist die Mystik. Sie löst die Eschatologie auf." (LD^4 8)[101] Nicht Gegenüber, Dialog, Wille und Ruf zur Gemeinschaft sind bestimmend, sondern letzte wiederzugewinnende Identität, ein letztes 'Sein', in das alles Zerteilte und Entfremdete heimkehrt. Diese Heimkehr aber ist nicht ein Ausblick in die Geschichte und Zukunft, nicht eine Heimkehr zu einem Du, in dessen Gemeinschaft ich ganz ich bin und bleibe. Es ist der religiöse Akt, der nach Althaus den "ontisch-metaphysischen" (LD^4 9) Dualismus, d.h. die vertikale in die Überwelt des wahren Seins gerichtete Spannung, von endlichem und unendlichem Sein, von Absolutem und Relativem, von Ewigkeit und Zeit aufhebt. Es kommt zur Vergleichgültigung von Geschichte und Zeit, zur Entleerung der Spannung auf die Zukunft. So vermittelt das Jetzt alles, was die eschatologische Religion in der Zukunft erwartet: Sterben, Gericht, Schauen Gottes und Ewiges Leben. Auf die im Existenzwiderspruch aufgeworfene Frage wird aus eigenen Mitteln eine Antwort gegeben in einer Erlösung nicht mit der Welt, sondern aus ihr (CW 142). Letztlich ist die Mystik "ohne Interesse an geschehener Geschichte" (CW 7), deshalb auch an der Geschichtlichkeit Jesu und seiner in ihm begründeten Zukunft. In ihrem selbstbewußten Glauben an den Besitz des Heils ist sie angesichts des Evangeliums "ein Fluchtversuch vor der personhaften Wirklichkeit Gottes und aus der wahren Lage des Menschen vor ihm" (CW 141); es bleibt schließlich, wie z.B. im indischen Theopanismus, nur "Atheismus oder Apotheose der Kreatur und vor allem des tiefsten Ich"; "Erlösung aus dem Gegenüber ist ihr Ziel, statt Erlösung im Gegenüber, ja zum wahren Gegenüber"[102]. Es ist eine "gottlose Sinn-Entleerung der Welt" (CW 402).

Auch das katholische Gottesbild mit seiner Übernatürlichkeitslehre, die - neben der Selbsthingabe Gottes - von der Gnade Gottes als übernatürlicher Gabe, als "Überseinspartizipation" spricht, ist von Althaus'

Kritik betroffen, "denn der Gott dieser Gnade ist ein Gott, der dem Menschen letzte Erfüllung schenkt nicht durch seine Gemeinschaft, sondern
durch die Teilgabe an einem Übersein, durch die dieser Mensch im natur-
haften Sinn vergöttlicht wird"[103]. Die zugrundeliegende aristotelische
Denkform ist nach Althaus eine Entstellung der Uroffenbarung, weshalb
auch die Vorstellung der eschatologischen Seligkeit bei den Katholiken
zu bemängeln ist: "Die Seligkeit ist noch 'mehr' als mit dem Willen Gottes eins sein. Das Heil und der Gehorsam gegen Gottes Willen fallen auseinander, Gott selbst ist eben noch mehr als der ewige, gute Vaterwille,
er ist das überpersönliche höchste Sein."[104] - Es zeigt sich Althaus' Ablehnung der mystisch oder moralistisch verstandenen ontologischen Kategorien, um die Transzendenz Gottes zu wahren. Seine Kritik der katholischen Seligkeitsvorstellung mag trotz ihrer Vereinfachung ein Aufruf sein,
die dialogal-personale Dimension der Gnadenlehre und Eschatologie und
deren Primat besser herauszustellen. Ihm gegenüber ist aber auch zu zeigen, daß "der Grund, warum der Katholizismus die innere Umwandlung des
gerechtfertigten Menschen lehrt" (und die damit zusammenhängende bleibende Notwendigkeit der Ontologie), ebenso die Sorge ist um das bleibende
Gegenüber des Dialogs, um die Gratuität der Gnade und die wahre Transzendenz Gottes, m.a.W. die Sorge, daß Gottes persönliche Hingabe nicht
"im Grunde nur eine Beziehung Gottes zu sich Selbst"[105] werde.

c) Sinnverrat im Moralismus

Religionen, die das Gegenüber zu Gott ernst nehmen, vergehen sich jedoch an der Gottheit Gottes, wenn sie unsere schlechthinnige Abhängigkeit moralistisch verleugnen. Der Moralismus verkennt die Tiefe der Sünde, aus der sich der Mensch selbst nicht befreien kann, aber darüber
hinaus ist er von der Urordnung her in sich selber Sünde: "eine sittliche
Religion vergeht sich nur dann nicht gegen Gottes Gottheit, wenn sie Religion der Rechtfertigung ist"[106]. Alle moralistischen Gedanken, die
selbst das eschatologische Heil bewirken wollen (herauf bis zum AT) und
der Rechtfertigung in Christus widersprechen, sind aus der Eschatologie
zu verbannen. Im sola gratia und sola fide des Christentums entlarvt sich
der Moralismus als Selbsterlösung und Verrat der Erlösung in Christus.

Weil dieses gesetzliche Verständnis nach Althaus vor allem für die
katholische Kirche "bezeichnend" ist (CW 203), sind seine Angriffe besonders gegen die katholische Eschatologie und ihren Verdienstgedanken ge-

zielt. Dies hängt u.a. mit seinem Verständnis der Substanzontologie zusammen, in der er eine Rechtfertigung der Selbstbehauptungstendenz des
sündigen Menschen sieht. "Nach römischer Lehre ist die Gnade Mittel zum
Zweck des Heiligwerdens und dieses wiederum hat seinen Sinn darin, die
Seligkeit zu verdienen. Das Leben der Christen tritt unter den Gesichtspunkt der 'guten Werke'." (CW 231). Das Heil wird fälschlicherweise in
einem physischen Seinskontakt mit Gott gesucht, da Gnade im Katholizismus vor allem sachlich als Gnadengabe unpersönlicher Art verstanden werde (CW 281). Weil also die katholische Übernatürlichkeitsvorstellung die
Strukturen der Sünde zu ratifizieren scheint, gehört sie ausgeschlossen.[107]

Vom Vorwurf der moralistischen Selbsterlösung blieben auch die 'Gnadenreligionen' Asiens (Bhakti-Hinduismus und Mahayana-Amida-Buddhismus),
die das sola fide und das sola gratia zu erfassen scheinen, nicht frei.
Gott erlöst nicht einfach aus einem Rad der Wiedergeburten, sondern aus
der Verlorenheit von Sünde und Schuld. Dagegen hier: "Gottes Liebe ist
eine selbstverständliche Wahrheit. Von Gottes Freiheit weiß man nicht.
Die Wahrheit der Liebe hat man als Idee zur Verfügung. So kann man von
ihr aus einen Mythus ohne geschichtlichen Grund gestalten."[108] Diese Religionen haben Wahrheit, "insofern sie die Richtung ahnen, aus welcher
die Hilfe für die Menschen kommen muß"; sie sind aber "Trug,weil sie das
zu Recht Ersehnte als Wirklichkeit behandeln und fälschen": der Mensch
weigert sich, "die Wunde der Existenz offen zu halten in Erwartung des
wahren Heilandes" (CW 142). So sind diese Religionen für Althaus doch
nur 'natürliche Theologie' im Sinne einer Todfeindin des Glaubens, denn
der Mensch selbst macht sich durch den 'Besitz' eines einsichtigen Gottesgedankens der Liebe zum Herrn seines Lebens und geht den "Weg der Selbsterlösung, der alle natürliche Religion kennzeichnet"[109].

d) Sinnentstellung in der säkularisierten Eschatologie

Hatte Althaus in LD[1] christliche und idealistische Eschatologie "allzu friedlich nebeneinander gestellt" (LD[4] 18), so wird die philosophische Eschatologie nun in einen 'Anhang' (LD[4] 19-26, bes.23,n.1) abge-
schoben und klar als 'Säkularisierung' der religiösen Eschatologie erkannt, so daß nunmehr ihre Strukturverwandtschaft auf einer Entstellung
der letzteren beruht. Der axiologische Begriff des Ewigen, in dem Althaus
nun die "säkulare Entsprechung zu der biblischen Erkenntnis des Bleibenden" (LD[4] 20) sieht und den er nun für von der Wertphilosophie (W.Windel-

bands) unlösbar erkennt (LD^4 17f), kann nicht zusammengeordnet werden
mit der Gewißheit gegenwärtiger Gottesgemeinschaft, denn Gott als Person
kommt nicht zur Geltung (LD^4 18;vgl.DeD 404-406). Im teleologischen Begriff des Letzten hat die Erwartung des Kommenden ihre Säkularisierung
gefunden. Die chiliastischen Ideen z.B. von Lessing, Kant, Fichte, sind
der Theologie entlehnt, jedoch gründlich verweltlicht, denn das Reich
kommt im Idealismus nicht durch eine Wundertat Gottes, sondern "durch den
immanenten Logos der Geschichte selber"; es ist "ein geistiges Reich der
Vernunft, Freiheit, Humanität, nicht transzendent, sondern immanent, auf
dem Boden dieser Geschichte als ihr Ertrag wirklich" (LD^4 23).

Der Idealismus ist letztlich eine lähmende Synthese eines evolutionistischen Immanenz- und eines eschatologischen Transzendenzgedankens.
Er widerspricht in allen Elementen der Gottheit Gottes, denn die Gegenwart des Göttlichen nimmt die geschichtliche Bewegung in sich hinein, die
Geschichte ist selber das sich entfaltende Leben Gottes, das das Kommende
potentiell schon enthält, so daß der Ernst der Entscheidung und der Geschichte wie auch die ganze eschatologische Spannung verlorengeht und im
monistisch-immanenten Entwicklungsschema verraten wird. Im übrigen, meint
Althaus, ist keine der großen Menschheitsfragen, auch und gerade nicht
durch den technischen Fortschritt, einer Lösung nähergekommen; L.v.Ran-
kes u. J.Burckhardts Betonung der Unmittelbarkeit jeder Zeit und des
Selbstwerts jeder Epoche bleiben weiterhin für Althaus bestimmend.[110]
Auch die marxistische Antithese ist ein Religionssurrogat, weil sie eine
"säkularisierte, innerweltliche Heilsgeschichte von immanenter Dialektik"
ist, in der "starke Leidenschaft für eine neue Welt", "'Naherwartung',
eschatologisch-apokalyptische Spannung auf das Eschaton" lebt[111]. Die
Herleitung der Religion aus der sozialen Not ist eine grobe Wirklichkeitsverkehrung. Das Sterben wird nicht als Infragestellung alles Sinnes
erfahren, weil der Einzelne nur Durchgang der dialektischen Bewegung,
nicht einmalige Person ist.

Idealismus und Marxismus sind als selbstgemachte Antworten Verleugnung des Schöpfertums Gottes, da sie die letzten uns nur von Gott zukommenden Dinge aus dem Jenseits in das menschlich verfügbare Diesseits
ziehen. In der christlichen Hoffnung gilt nicht der Gedanke der Entwicklung, sondern Tod und Auferstehung (LD^4 26). Althaus sieht jedoch in der
Zuversicht der idealistischen und marxistischen Geschichtsphilosophie

auch eine tiefe Wahrheit, denn in allen Menschen lebt "die Sehnsucht und Ahnung eines Tages Gottes, der wahrhaften Freiheit und Brüderlichkeit der Menschen, an dem die Menschheit erlöst ist von den Gesetzen der gegenseitigen Verdrängung, des Kampfes, des Todes....Nur muß die Zukunftserwartung....zurücktransportiert werden zu dem, woher sie entsprungen ist, zu der biblischen Erwartung des kommenden Reiches Gottes"[112].

e) Theozentrischer Charakter der Sünde (Urstand, Urfall und Eschatologie)

Daß Gott des Menschen Gott sein will, hat zur Folge das "Grundgebot: daß der Mensch Gott nun wirklich seinen Gott sein lasse" (CW 355). Dies ist konkret das Gebot des Glaubens und der Liebe. Die Ursünde als "verkennendes und verkehrendes Ergreifen der wirklichen Bestimmung des Menschen" (GD5 162) ist deshalb der Unglaube Gott gegenüber in Selbstherrlichkeit und Weltseligkeit, was die Lieblosigkeit gegenüber den Mitmenschen zur Folge hat (bewußtseinsmäßig kann es umgekehrt sein). Die Verleugnung Gottes als Gott und des Bruders als Bruder ist letztlich dieselbe Ichhaftigkeit.[113] Die Sünde ist zutiefst theozentrisch zu verstehen; sie betrifft die tiefste Dimension der Geschichte, deren Innenbereich, das Verhältnis Gottes zum Menschen. Es ist letztlich die dialogale, dem historisch-empirischen Sein zugrundeliegende, also die das Schema raumzeitlich-historischen Geschehens überschreitende Dimension des Angebots der Liebe Gottes zum Leben bei ihm, das in unserer Tat ergriffen werden soll (CW 382). In dieser Dimension des 'Strukturgesetzes' der empirischen Geschichte ist die Menschheit noch "ein Mensch, ein Wille" (CW 385); es ist die Dimension des Sinnes der Geschichte, der Verwiesenheit auf den metaethischen Sinn alles Gesetzes, auf die Anerkenntnis der Gottheit Gottes.

Sosehr Althaus auch einen Zusammenhang zwischen schöpfungsmäßigem und sündigem Sein zugesteht, so muß der Schlatter-Schüler doch jede spekulative Herleitung des zweiten aus dem ersten ablehnen. Dagegen spricht unsere Personhaftigkeit als Subjektivität und Freiheit; auch die reine Menschheit Jesu ist "ein kritisches Halt für jeden Versuch, die Sünde in der Natur des Menschen oder der Geschichte und Welt zu verankern" (CW 378). Der Sünde wird deshalb eine teleologische Sinngebung nicht gerecht, weder im idealistisch-ethischen Sinn (z.B.Schiller, Hegel), denn Vergebung und Freiheit folgen nicht selbstverständlich, noch im theologischen Sinn (z.B.Zwingli: Gott setzt die Sünde, um seine ganze Liebe zu offenba-

ren), denn diese Offenbarung der Liebe setzt die Sünde als freie Tat
aus, soll nicht alles Spiel sein (CW 380–382; GD[5] 166f). Daraus folgt:
"Zur Sünde kommt es durch eine unableitbare, unbegreifliche Tat, durch
einen Fall. Damit wird der Gedanke eines Urstandes unumgänglich, aus dem
der Mensch gefallen ist." (CW 382) Wenn auch die Sünde in Gottes Liebeswalten einen Sinn hat, ist uns jede Spekulation darüber versagt. Urstand
und Urfall dürfen nicht zu einem ruhenden historischen Bild dogmatisiert
werden. Sie sind gleichsam unsere stets (und nur) aktuellen Existentia-
lien, denn sie bezeichnen den "Ursprung, von dem wir in unserem historischen Sein und Tun immer schon herkommen" (CW 383). Die Frage nach dem
Ursprung der Sünde ist deshalb die Frage nach dem Ursprung meiner Sünde.
Urfall ist Personsünde, weshalb der einzelne geschichtliche sündige Akt
immer schon zurückweist auf den Sündenfall des ganzen Menschen. Der Urfall liegt 'hinter' - "wesentlich, nicht zeitlich gesprochen" (CW 383) -
dem empirischen sündigen Akt, in der Dimension des Transhistorischen,
des Metaethischen, des transzendenten Sinnbezuges.

Dieses existentielle, aktualistische Verständnis von Urstand und Urfall ist bei Althaus in erster Linie nicht eine apologetische Notwendigkeit angesichts der naturwissenschaftlichen Anthropologie und Prä-
historie[114], sondern es ist für ihn theologische Notwendigkeit, denn es
geht hier um "eine tiefere Dimension der Wirklichkeit, die in unserer
Menschheitsgeschichte nicht faßbar ist, aber ihr zugrunde liegt" (CW
385). Die personale Entscheidung Gott gegenüber wird in den geschichtlichen Entscheidungen "Ereignis" (CW 373), aber nicht durch sie gewirkt.
sie geht der Geschichte allerdings nicht so 'voraus', als ob sie vor der
Geburt oder in einem früheren Leben geschehen wäre, sondern so, daß sie
geschieht in "einer verborgenen Dimension der Geschichte...,in der die
zeitlich und räumlich Fernen im Miteinander, in der Einheit des einen
Adam leben" (CW 386) und "in solcher Einheit und Gleichzeitigkeit" den
Urfall tun (CW 385). Damit ist bei Althaus unsere Stellung zum ersten Gebot, unser "Personalverhältnis zu Gott" (CW 367) gemeint. Die Verkehrung
dieses Verhältnisses ist unsere 'Ursündigkeit', die den Menschen zum
'Fleisch' macht, auch wenn neben ethisch bösen Akten auch ethisch gute
sind. Die "Einheit und Durchgängigkeit dieser Grundhaltung" widersprechen einem ethischen Aktualismus, einem teils-teils guter und böser Akte
als ausreichender Beschreibung; aufgrund dieses "streng religiösen meta-

ethischen, theozentrischen" und damit "totalen Charakters" der Personsünde ist "alles Sein und Tun des Menschen von dem Bruch der Gemeinschaft mit
Gott umschlossen, bestimmt geprägt" (CW 366f).

Althaus bekennt sich also in diesem Sinne zur totalen und bleibenden
Sündigkeit des Menschen, wie sie Luther gelehrt hat (gegen die Kritik von
Seiten Ritschls, Schlatters und der Katholiken), ohne ethischen Nihilismus lehren zu wollen. Luthers Wort von der Sünde ist für ihn keine Übertreibung, auch nicht für die Realität des Christen, denn das Böse sitzt
"erstlich unter allem unserem Guten und darüber hinaus an allem unserem
Guten"[115]. Da der Mensch 'Fleisch' nicht durch eine ethische Entwicklung
geworden ist, kann er es auch nicht durch eine ethische Entwicklung aufhören zu sein. Erlösung, Eschatologie muß im Bereich des sittlich Unmöglichen, des Metaethischen geschehen. Althaus weiß auch um die geschichtliche Wechselwirkung unserer sündigen Akte, wodurch "die Mitschuld aller
an allen" (CW 371) entsteht und wir ins 'Reich der Sünde' (Schleiermacher-Ritschl) verflochten sind[116]. Eine Rückführung der Sünde auf solche
Menschheitssünde gestattet er jedoch nicht, denn dies erklärte die Sünde als Hang, der aus einzelnen ethischen Akten bei Wiederholung entstehe,
statt die einzelnen Akte als Ausdruck und Verwirklichung der meta-ethi-
schen Auflehnung gegen das erste Gebot zu sehen (CW 372).

Die Sünde hat eine "Sinn-Entleerung" (CW 402) des Menschen und seiner
Welt zur Folge, d.h. Zorn und Gericht Gottes. Die Ursünde ändert zwar on-
tisch nichts an der raum-zeitlichen Welt, denn diese war schon 'vorher',
als zum Glauben einladend, kampfesgeprägte und todesgesetzliche Welt,
"notwendiger Durchgang Gottes mit uns" (CW 419), aber unser Gewissen erlebt die Gestalt dieser Welt als Widerspiegelung der Sünde des Unglaubens.
Theologie hat es mit dem existentiellen Verstehen unserer Weltgestalt
als Moment unserer Geschichte mit Gott, nicht mit gnostischer Naturgeschichte oder kosmischer Urgeschichte zu tun[117], weshalb die "existentiale Zuordnung der Weltgestalt zu unserer Sündigkeit....keine metaphysische
Herleitung unserer Welt von dem Sündenfall" bedeutet (CW 418). Unsere
Welt wird also auch transsubjektiv unter das Gesetz der Verdrängung gestellt;unser willentlicher Widerstand wird zum schicksalhaften Widereinander; Gott "objektiviert unsere Haltung in der Gestalt dieser Welt" (CW
417f). Die Wirklichkeit unseres Lebens mit Gott fordert jedoch auf, "die
Todesgestalt unseres Lebens und alles Lebendigen nicht nur von der Sünde

und Gottes Zorn her, sondern auch von der Gnade Gottes und von der Liebe Gottes her, in der er uns zur Gemeinschaft mit sich beruft, zu verstehen" (GD[5] 178).

Wir können deshalb von unserer Welt nur dialektisch reden - in zwei denkerisch nicht in Einklang zu bringenden Gesamtbildern. Einerseits ist und bleibt diese unsere Welt Gottes ursprüngliche, aber vorläufige Schöpfung, die durch 'Glauben' offenbleiben sollte zum Übergang ins wahre Leben, in dem "die Kreatur von ihrer jetzigen, als vorläufig gesetzten Daseinsgestalt frei zu ihrer ewigen Gestalt, auf die hin Gott sie geschaffen hat", wird (CW 419;vgl.GD[5] 169). Andererseits ist diese Welt samt Tod auch Reaktion von Gottes Zorn auf die Urschuld des Menschen, Ausdruck des Gerichtes Gottes, das ohne Evangelium den ewigen Tod zur Folge hätte.

Schon hier entsteht Eschatologie, denn wir können unserer Gottesbeziehung nicht entfliehen: Gott bleibt - aber als Richter.[118] Gottes Ordnungen werden für den Sünder zu Gerichtsordnungen. Es ist immanentes Gericht Gottes, daß alle sündigen Akte durch die in der Geschichte ausgelöste Auswirkung und Gegenwirkung gleichsam organischen Charakter bekommen. Dazu kommen "die freien Gerichtsakte Gottes über die menschliche Sünde"(CW 4o4), das Schicksals-Gericht. Das Gericht Gottes darf den Menschen nicht nur real-objektiv in seinem Leben, sondern es muß ihn auch subjektiv-personal in seinem Gewissen treffen - als Verweisung des Sünders aus der Gemeinschaft Gottes im Gewissensgericht. Der zu Gott hin geschaffene Mensch erfährt die Abweisung aus dessen Nähe als das größte Leid, als Tod, "aber ein Tod, den der Mensch leben muß. Denn Gott, der ihn aus seiner Gemeinschaft ausstößt, ist ihm zugleich mit seiner Allgegenwart ständig nahe (Ps.139,7-12)"(CW 408). Diese Unendlichkeit des Gerichtes ist die völlige "Sinnwidrigkeit", "der 'ewige Tod'", d.h. die Hölle (CW 408,GD[5] 174). Hoffnung konnte nur entstehen in der einmaligen, unableitbaren Tat Gottes in Jesus Christus, in dem die Sinnrichtung im Evangelium ihr Telos, die Sinnentstellung im Kreuze ihr Gericht und die Sinnfrage durch die Anerkennung der Gottheit Gottes in der Auferstehung ihre Antwort bekam. Im Evangelium findet auch die kritische Frage der Uroffenbarung und der Religionen, o b sie Heil vermitteln, ihre endgültige, und zwar negative Antwort: alle haben die offene Heilsfrage von sich aus beantwortet und darin ihr "Nichtwissen um Gottes Liebe" (GD[5] 101; GD[1] I/62) gezeigt, denn von dieser Lie-

be kann man nur in Jesus Christus wissen. Der negative Wesenszug über-
wiegt also schließlich ganz und führt zum Unheil, so daß die Religionen
doch nur 'praeparatio negativa' für das Evangelium sind.[119]

Wir stellen an dieser Stelle wiederum einige kritische Überlegungen
an. Wäre die von Althaus in LD[1] behauptete und später von ihm selbst kritisierte 'Gleichzeitigkeit' nicht in einem je besonderen Zusammenhang zur
geschichtlich-historischen Zeit und also doch keine 'zeitlose Gleichzeitigkeit', sondern einfach die jedem und überall gegenwärtige Entscheidungs-
dimension, so müßte die Gleichzeitigkeit der ersten Dinge und diejenige
der letzten Dinge in zeitloser Gleichzeitigkeit zusammenfallen - eine
absurde Folgerung, die Althaus ferne liegt. Doch müßte er seine Einsicht
bezüglich der Bedeutung des temporalen Aspektes der 'Geschichte',des
historischen Fundaments des Glaubens, des Harrens auf die Zukunft und
der geschichtsendenden Seite der Vollendung nicht auch analog auf den Ursprung unseres historischen Sünderseins anwenden und in diesem Sinne
(ohne die Aktualität, die völlige Andersheit der protologischen Herkunft
und der eschatologischen Zukunft von allem innergeschichtlichen Herkommen und Hingehen zu leugnen und ohne das unserem Willen inhärente Moment
der Erbsünde zu untergraben) von einer spezifischen Bedeutung der ersten
für die ganze Menschheit entscheidenden 'Grundentscheidung' sprechen,
die das Angebot des Dialogs abweist und den Monolog des Unglaubens vorzieht? U.a. ist es auch die Furcht, daß eine besondere Bedeutung der Sünde
Adams die spekulative Herleitung der Gestalt dieser Welt von der Sünde
und somit die Verarmung der Eschatologie zu einem Restitutionsschema zur
Folge habe, die Althaus zur nur-existentiellen Interpretation geführt hat.
Durch die Verlegung der Sünde in den vertikal-personalen 'Innenbereich'
entsteht aber bei ihm selbst ein unhaltbarer Dualismus, in dem der 'ab-
gewertete' horizontal-leibhaftige 'Außenbereich' nur noch durch ein Paradoxschema auch 'aufgewertet' bleibt.

Althaus versichert zwar, daß er die "Gestalten oder Kategorien unserer
raum-zeitlichen Geschichte" nicht in Schein auflöse, sondern als harte
Wirklichkeit, aber nicht vollen Ausdruck unserer Einheit und 'Gleichzeitigkeit' im Menschsein betracht (CW 385), aber hinter seiner aktuali-
stisch-existentiellen Auslegung stehen immer noch von Kant her kommende,
das geschichtslos Intelligible und das geschichtlich Empirische trennende Gedanken.[120] Er weiß, daß die Personsünde zugleich Menschheitssünde

ist. "Personalismus und Naturalismus" gehören zusammen (CW 369). Die Wahrheit dieser Einheit sagt nach Althaus zurecht der Ausdruck 'Erbsünde' aus: "Es ist das Geheimnis eines immer schon vor mir entschiedenen Gesamtwillens, der mich bestimmt und trägt, doch so daß ich selber will und ihn mit trage."[121] Aber die 'Menschheit' ist bei Althaus individualistisch verstanden. Selbst die in gewissem Sinne alle einende Vertikalität der Sünde Adams darf jedoch, so sagen wir, nicht einfach der Horizontalität, in der sie Ereignis und ohne die sie gar nicht ist, entgegengesetzt werden, denn die Innendimension darf nicht ohne die Außendimension, die 'dritte Geschichte' nicht ohne die notwendig sich auch zeitlich erstreckende leibhaftige universale Geschichte gesehen werden, will sie überhaupt Geschichte, also Dialog zwischen göttlicher und menschlicher Freiheit sein und nicht - durch die Leugnung der 'Variabilität' des kreatürlichen Menschenwesens - die Voraussetzung für eine mögliche Wiederaufnahme des Dialogs nach der Ursünde Adams unterbinden. Althaus' aktualistisch-existentielle Identifikation von Natur und Person neigt dazu, den analogen Charakter von Erbsünde und persönlicher Sünde, von Erbsünde und Tatsünde völlig zu verwischen. "Alle meine Sünde ist 'Erbsünde', d.h. überindividuelle Menschheitstat, und alle meine Sünde ist persönliche Tat" (GD[5] 165).

Unsere Entscheidung der Gottheit Gottes gegenüber schloß freilich die Möglichkeit der Sünde ein (CW 380), doch bei Althaus kehrt auch immer ein höheres Gesetz wieder, das die Notwendigkeit der Sünde aussagt. Er hält zwar eine mögliche Teleologie der Sünde im Liebeswalten Gottes für Geheimnis (CW 382), aber in seinem Begriff der Gottheit Gottes dringt er selbst in das Geheimnis vor. "Der Allwirksamkeit Gottes enspricht es, daß wir auch die Sünde seinem Plan, mit der Menschheit zu handeln, eingeordet erkennen. Zu dem Wesen der Geschichte als Entscheidungsleben, wie wir sie von Gottes uns zu personhafter Gemeinschaft berufender Liebe gesetzt wissen, gehört die Wirklichkeit der Sünde notwendig hinzu." (GD[5] 166f) Dadurch wird aber die Spannung der 'Theologie des Glaubens' durch einen Gedanken beherrscht, der gerade die Freiheit des Entscheidungslebens aufzuheben droht. Dieser eine Gedanke sorgt zwar auch für eine Lösung aller Paradoxien (das Paradox des Einzelnen, das zugleich das Paradox der ganzen Menschheit ist, prägt der Welt und der Geschichte seinen Siegel auf) (vgl. GD[5] 179f), aber eine Lösung, in der Freiheit, Geschichte, Dialog und recht verstandenes gnadenhaftes Mitwirken zu kurz kommen.

Einerseits ist lobenswert, daß Althaus die personale Perspektive der Erbsünde als "tiefen Widerspruch des Herzens gegen das Angebot der Liebe Gottes" (CW 373) sieht, also in der dialogalen Dimension ansiedelt, so daß Sünde wesentlich Dialogunfähigkeit ist; andererseits darf jedoch die Heilsgeschichte nicht nur im Leben jedes Einzelnen geschehen, sondern sie muß auch in der Menschheitsgeschichte als ganzer zu ihrem Anfang und zu ihrem Ende kommen. Deshalb ist durch eine universalgeschichtliche Öffnung eine das existentielle Moment nicht aufhebende Differenzierung erforderlich, denn Gott ruft zum Dialog nicht nur die Einzelmenschen, sondern auch alle zusammen als korporative Persönlichkeit: Weil mein Monolog teilhat am Monolog der Welt, bekommt er einen überpersonalen sündhaften Charakter.[122] Weil aber durch die Variabilität der menschlichen Natur die Fähigkeit gegeben ist, daß Gottes Anruf gehört, durch Gottes Huld bejaht wird und so seine Gnade in das Sein, Haben und Tun des Menschen eingeht, ist auch in der Soteriologie die Alternative Entwicklung oder reine Unmittelbarkeit der Zeit zur Ewigkeit, reine Existentialinterpretation oder Gnosis, bzw. Kosmogenese, Aktualismus oder historisch ruhendes Bild, einseitige Theozentrik oder falsche Anthropozentrik nicht ausschließlich: die Inkarnation läßt sich in keines der beiden Modelle pressen.

4. Wirklichkeitsversöhnung durch Gott in Christus - Schon und
                                        Noch-nicht (Sinnantwort)

a) Rückblick und Vorschau: Christus - "klar ersehnte Wendung des Verhält-
                              nisses zwischen Gott und Mensch"(CW 106)

Von seiner Verfaßtheit her trägt der Mensch schon Hunger und Durst nach der neuen Welt und er ahnt die Richtung, aus der die Antwort kommen soll, aber er nimmt die Antwort doch immer wieder selbst vorweg, indem er sich monistisch mit einem Äon begnügt und die Wunde nicht offenhält. Deshalb ist das Wissen um Gott ein Nicht-Wissen, der uroffenbarte Gott der verborgene, der Gott der Liebe der Gott des Zornes, der in seinem Gericht auch die Gestalt der Welt und den Tod der Sünde zuordnet. Geschöpf und Sünder - das ist der Mensch; ursprüngliche Schöpfung und Sold der Sünde - das ist diese Welt. Wir können der bleibenden Gottesbeziehung nicht entfliehen, doch gerade sie führt uns in eine ausweglose Situation: Gott ist uns verborgen, vieldeutig, widersprüchlich (CW 92f).

Der Mensch kann dieses 'Quid Deus velit erga nos? ' mit all seiner

natürlichen Erkenntnis und Religion nicht auflösen. Gott selbst tut es,
indem er das Letzte in ihm offenbart: Jesus Christus, Gott und Mensch.
Gott muß er sein als das einmalige, unableitbare endgültige Ereignis,
Mensch als unser Bruder und Urbild, in dem sich die doppelgestaltige Erwartung (des Geschöpfes und des Sünders) erfüllt. In ihm erreicht die Geschichte der Offenbarkeit Gottes ihren Fluchtpunkt. Es ist ein Kennen-
lernen Gottes gemäß seinem 'Herzen', d.h. als der den Menschen versöhnen-
de Gott, als "die auf ihn gerichtete Liebe" (CW 109). In Christus wird
die letzte Ordnung sichtbar, indem Gott gleichsam durch Gott hindurch-
bricht, durch die Ordnung, über die sich unser Gewissen nicht hinwegset-
zen darf: "Gott handelt frei über seiner eigenen Ordnung und wider sie,
schlechthin unausdenkbar, unbegreiflich, und doch uns überführend, in der
neuen Ordnung in Christus."[123] Christus ist nicht bloß "eine neue Stufe
in der Geschcihte des menschlichen Gottesbewußtseins", sondern er ist
"die überall mehr oder weniger stark und klar ersehnte Wendung des Verhältnisses zwischen Gott und Mensch" (CW 106).

Althaus löst die Offenbarung nicht in 'pro me' oder 'extra me' auf.
Es geht um den in Christus gesetzten 'pro-personalen' Tatbestand der Vergebung, "der vor ihm (=Gott) gilt, gewiß mit Beziehung auf uns, aber
doch vor unserem Wissen darum"[124]. Es ist wesentlich, daß Jesus nicht nur
Weg oder Symbol ist, sondern "daß er selbst, seine Person und Geschichte
die erlösende Wahrheit nicht nur bringt, nicht nur bildhaft darstellt,
sondern ist"[125]. Loslösung seines Werks von seiner Person ist "die moderne humane Form der Kreuzigung"[126]. Das "Skandalon für das idealistische Denken aller Zeiten", des Heils Gebundenheit an ein konkret-histori-
sches einmaliges Ereignis, das universale Geltung haben soll (CW 105),
ist das entscheidend Christliche, denn darin hat Gott "dem einen Menschen 'Adam', dem ewigen Menschen gegenüber den einen Schwerpunkt der Geschichte" gesetzt, darin entscheidet sich "die Geschichte in ihrer vertikalen Dimension, als Geschehen mit Gott" (CW 107). Ein Mythus kann die
Versöhnung, auf der die christliche Eschatologie beruht, nicht begründen:
"Die Vollmacht hierzu setzt voraus, daß er in seiner Person und Geschichte
ganz bei Gott und ganz bei den Menschen steht, ganz Stellvertreter Gottes und ganz Stellvertreter der Menschen ist:völlig an Gott hingegeben
und völlig in der Lage der Menschen, weder Gott noch die Menschen preis-
gebend." (CW 465) - "Gründet die christliche Hoffnung mindestens als

Heils-erwartung entscheidend in der Christologie"[127], so folgt daraus zunächst unsere doppelte Aufgabe, als Fundament der Eschatologie bezüglich
der Person und bezüglich der Geschichte Jesu sein Ganz-bei-Gott-sein und
sein Ganz-bei-den-Menschen-sein aufzuzeigen.

b) "In seiner Person....ganz bei Gott und ganz bei den Menschen"
(CW 465)

aa) Da die zur Entscheidung rufende Geschichte der Ort personhafter Verhältnisse ist, kann die Selbsterschließung Gottes zur Gemeinschaft
nur in geschichtlichem Handeln geschehen. Heilsoffenbarung aber kann
nicht ein allgemeiner, überall erlebbarer Gehalt alles geschichtlichen
Lebens sein, denn dies käme einer Leugnung der Tat der Sünde und der Zerstörung der Gemeinschaft gleich. Sie geschieht deshalb in einem bestimmten, räumlich-zeitlich geschichtlich einmaligen Leben (GD^5 37f). Diese
Gebundenheit des Glaubens an den historischen Jesus hat Althaus sein ganzes Leben gegen die liberale und die existentiale Theologie verteidigt.
Bultmanns Kerygma-Theologie sieht zwar von der symbolistischen Relativierung des historischen Jesus ab, doch "wir haben es mit einer ahistori-
schen, ja antihistorischen Haltung zu tun" (DSK 15). "Nach dem Neuen
Testamente ist das Wort Fleisch geworden....In der Kerygma-Theologie ist
das Wort Kerygma geworden." (DSK 27)[128] Bultmanns und Gogartens Vergleichgültigung des Historisch-Tatsächlichen durch den willkürlich gebildeten
existentialistischen Geschichtsbegriff wird zurückgewiesen, denn der
Glaube ist an der 'welthaften' historischen Seite brennend interessiert,
da das Heilsgeschehen "im Elemente eines historischen Vorgangs" (DSK 35)
geschieht. Auch die Berufung auf den eschatologischen Charakter der Geschichte lehnt Althaus ab, denn "ihr eschatologischer Charakter haftet
an einem historischen Geschehen, das zweifellos welthaften Charakter hat
und insofern auch erinnert und nach der Zuverlässigkeit der Überlieferung von ihm befragt werden kann und muß" (DSK 33).

Wie aber ist die Frage nach dem Grund in der Historie angesichts des
"Wahrscheinlichkeits- und Unsicherheits- und Mittelbarkeitscharakters
historischen Erkennen" (DSK 42), konkret der historisch-kritischen Forschung mit ihrem Hin und Her möglich? - In einer Theorie allgemeinen historischen Erkennens kommt Althaus zu dem Ergebnis, daß es eine unmittelbare intuitive Begegnung des Geistes mit vergangenem Leben, ein vorwis-
senschaftliches Verhältnis zu ihm gebe, das unbedingte Gewißheit in

sich trägt, sofern der Erkennende ein Verhältnis zur Mitte jenes Lebens hat.[129] Diese Erkenntnis muß sich an der induktiven Forschung bewähren und sich mit ihr auseinandersetzen. Die entscheidenden Züge der Person und Geschichte Jesu sind uns so durch alle Vermittlung und Ausgestaltung hindurch erhalten geblieben - als Zeichen, die nicht den Glauben apologetisch sichern oder die Entscheidung abnehmen, die aber zu ihr rufen. (DSK 43;CW 122) So ist "ein in den Grundzügen einheitliches Bild Jesu und seiner Geschichte....nicht erst dem Historiker, sondern jedem Menschen" zugänglich[130]. Weil sich die Frage der Echtheit des Christusbildes schließlich jedoch in der Auferstehungsfrage zuspitzt, kann die Antwort um den Geschichtsgrund des Glaubens letztlich doch nur durch das Zeugnis des Hl.Geistes zuteil werden (GD^5 44), also "in unmittelbarer Erkenntnis des Glaubens gewiß" (GD^5 46) werden.Es geht also letztlich doch um "Urteile des Glaubens", jedoch auch hier ist "ein rein geschichtliches Moment" eingeschlossen (CW 119). Allerdings ist zu fragen, ob Althaus von seiner historischen Gebundenheit nicht wieder allzuviel zurücknimmt, wenn er z.B. sagt, "daß die Unterscheidung von Historie und Legende nur von relativer, nicht von entscheidender und letzter Bedeutung für die Frage nach der Wirklichkeit Jesu Christi ist" (CW 128).

Der Grund des Glaubens muß zugleich verborgen sein (CW 245). Gott will uns ja nicht durch die offenkundige Erscheinung seiner Majestät vergewaltigen, sondern er wird 'Fleisch', um "mit seinem Worte, d.h. mit dem Anspruch heiliger Liebe an unser Herz" (LD^4 34) um uns zu werben. Gottes Gegenwart in Christus kann deshalb weder in 'offenkundigen Tatsachen' (Wunder, Auferstehung,...) seines Lebens noch in Tatsachen unserer 'Erfahrung' objektiv zwingend bewiesen werden. Den ersten Weg versuchte die supranaturalistische Orthodoxie, den zweiten Schleiermacher und die Erfahrungstheologie zu gehen. Erst in der Verkündigung durch die Kirche geht mich die Geschichte Jesu auch innerlich an, wirbt sie um Anerkennung und stellt mich in die Entscheidung. (CW 112.473) Dem äußeren Worte der Verkündigung der Kirche entspricht das innere,den Glauben hervorrufende Wirken des Heiligen Geistes. In dieser "Gegenwärtigkeit der Geschichte Jesu" werden wir im Entscheidenden zur einmaligen Geschichte Jesu alle gleichzeitig" (CW 115); diese Allgegenwart Christi umfaßt die Zeit 'vor' ihm und 'nach' ihm (CW 107).[131]

Jesus, ein Mensch wie wir, tritt zugleich in ein Gegenüber zu uns:

"Jesus ist gewiß und nimmt in Anspruch, Gottes eigenes Handeln an den Menschen zum Heil zu tragen und zu vollziehen." (CW 430) Diese Sendung und die beanspruchten Würdenamen weisen zurück "auf ein einzigartiges Sein, auf eine von allem anderen Menschentum unterscheidende Hoheit des Seins, auf das Geheimnis der wesenhaften Stellung zu Gott" (CW 431). Da aber nur ein Lebendiger und gegenwärtig Handelnder Vollmacht haben kann, ist das Osterzeugnis, gemeinsam mit dem geschichtlichen Jesus, es einfassend und tragend, der letzte Grund des Glaubens. "Denn die Katastrophe, die seine Hinrichtung bedeutete, stellte und stellt allen Grund des Glaubens in seinem geschichtlichen Leben in Frage."[132]

bb) Glauben an Jesus besagt nicht Glauben an einen neuen Gottesgedanken (CW 102f), sondern die Anerkenntnis seines Handelns als Gottes Handeln mit uns, das Wagnis und der Mut, sich bei ihm durch Gott als Söhne angenommen, sich in Gottes heiliger Liebe gerichtet und geborgen zu wissen, also: "insofern Jesus mit Gott ineinssetzen" (CW 433). Der Glaube stößt also durch zur die Eschatologie begründenden Dimension, zur Endgültigkeit dessen, was Christus zu tun beansprucht, denn er ist Glaube an die "Gottes-Vollmacht Jesu zur Versöhnung und Erlösung der Menschheit" (CW 102).

War Althaus in den ersten Jahren bezüglich Seinsaussagen über Jesus noch zurückhaltend, so ist jetzt die Antwort auf die Frage nach der Notwendigkeit von Seinsurteilen klar positiv, denn gewisse Sätze 'christologischer Theorie' sind nach Althaus mittelbare theologische Folgerungen, die gedankliche Sicherung bereiten (CW 438). Hier ist "mehr als Autorisation und Inspiration, nämlich Inkarnation" (CW 105). Das Ich Jesu steht uns, unbeschadet seiner vollen Mitmenschlichkeit, gegenüber mit der Vollmacht Gottes - als der 'Herr'; sein Gottesverhältnis muß ein ganz anderes sein.

"Wir können es verstehen nur als das unvergleichbare Gegenüber der Liebe in Gott selbst, nicht in der Zeit erst geworden, wie das unsere, sondern wesenhaft zu Gottes Leben gehörig, ein innergöttliches und als solches ewiges Gegenüber. 'Präexistenz' will diese Ewigkeit der Liebesgemeinschaft des 'Sohnes' mit dem 'Vater' in der Gestalt zeitlichen Denkens ausdrücken."[133]

Der Gedanke der Unterschiedenheit von Gottheit und Menschheit Jesu und der Menschwerdung des ewigen Sohnes wird deshalb unumgänglich. Zweierlei folgt daraus: "Jesus Christus, wie der Glaube ihn erkennt, ist in seinem Sein und Werden Wunder und Mysterium Gottes" (CW 439). Wunder ist er

als "der Sündlose", "der neue Mensch, der Erstling der neuen Menschheit,
die Verwirklichung des Schöpfergedankens Gottes mit dem Menschen, der bei
uns verkehrt ist", das"eschatologische Wunder Gottes" (CW 439;vgl.GD^2 II/
45). Und doch "Glied unserer adamitischen Menschheit", d.h. "auch er ist
wie wir versucht zum Ungehorsam" (CW 467). Das nicht aus menschlichen
Entwicklungsmöglichkeiten begreifliche, sondern durch einen Schöpfungsakt
Gottes von schlechthin einziger Art gesetzte(CW 323f.439) Wunder der Urbildlichkeit findet Nachfolge in dem eschatologischen Wunder unserer Wiedergeburt zu Söhnen Gottes, wodurch wir zu Jesu Brüder werden (CW 379.
444). Mysterium ist Jesus Christus als "der menschgewordene ewige Sohn"
(CW 439), worin er keine Nachfolge hat (CW 439.444). Die Theologie
Schleiermachers und Ritschls übersieht, daß der erstgeborene Bruder zugleich der 'Herr' ist und bleibt, "der uns mit Akten göttlicher Hoheit
begegnet, welche auf eine Seinshoheit zurückweisen, an der wir auch in
Ewigkeit keinen Anteil bekommen. Sein Gegenüber zu uns ist nicht nur
funktional, sondern seinshaft "[134]. Weil Jesu Seinsverbundenheit mit Gott
"nicht ein Höchstes innerhalb der Möglichkeiten des Menschlichen, sondern ein ganz menschlich Unmögliches" (CW 457) ist, gibt es christliche
Hoffnung und Eschatologie, nicht bloß uneschatologische Theologie (vgl.
CW 455-458;DSK 49).

Althaus sieht auch in Bultmanns Existenztheologie eine Verkürzung und
Verfälschung des Mysteriums Christi, die schwerwiegende Folgen für die
Eschatologie hat. Das Christusgeschehen wird reduziert auf die "Existenz-
hilfe" (DSK 47), die es bedeutet. Die urchristliche Eschatologie wird
durch die existentiale Interpretation restlos aufgelöst als Ausdruck für
die 'Situation der Entscheidung' (CW 175). Trotz alles Redens von Eschatologie fällt der Kern christlicher Eschatologie, das Warten auf die neue
Welt, der Verkürzung durch die Beziehung auf die moderne Existenzphilosophie Heideggers und das heutige naturwissenschaftliche Weltbild zum
Opfer. Darin sieht Althaus einen "Substanzschwund", denn der Erkenntnis-
gehalt des Glaubens greift über das 'Christus quoad me, pro me' weit
hinaus: "Das Neue Testament sieht Jesus Christus nicht nur in seinem Verhältnis zu uns, den heilsbedürftigen Menschen, sondern auch in seinem
Verhältnis zu dem Vater ....Gott handelt zu Ostern gewiß selbst durch
Christus mit uns, aber er handelt zuvor an Christus selbst."(DSK 49f).
Ostern ist deshalb nicht bloß "Durchdenkung der eigenen, neuen Existenz",
neues Verständnis der Welt und neues Verhältnis zu ihr, sondern mit der

Auferstehung Christi bricht die neue Welt, das regnum potentiae et gloriae, welches auch erlöste Leiblichkeit bedeutet, an: "Der Anbruch der Herrschaft ist freilich des Menschen Heil. Aber daß Gott herrscht, das ist ein selbständiges Thema. Es darf nicht in anthropologische Enge eingezwängt werden." (DSK 52) Althaus vermißt bei Bultmann "das Moment der Zukunft, der verheißenen und erwarteten Erlösung und Vollendung", "das Warten auf das Ende, auf die neue Welt Gottes, die reale Überwindung des Todes und Erlösung der Leiblichkeit, die vollkommene Gerechtigkeit"[135]. Wenn es nicht Menschwerdung als Erniedrigung und Auferstehung als Erhöhung gibt, Handeln Gottes zunächst an Jesus selbst, also eine 'mythologische' Eschatologie, so bleibt nach Althaus letztlich nur eine "ständige Bezogenheit unserer Existenz auf eine intelligible Welt 'letzter Dinge', aber niemals das Bekenntnis zum Kommen des Reiches Gottes in unsere Welt"[136] im Sinne einer die Leiblichkeit und die Welt einschließenden realen Erlösung. - War Althaus einer der treffendsten Kritiker des 'dialektischen Barth', so sind u.E. auch seine Argumente zu Bultmanns Existenztheologie von dieser noch nicht aus dem Wege geräumt worden.

cc) Gegen die Verkürzung der Eschatologie im subjektivistischen oder existentialen Sinne sieht Althaus in Seins-Aussagen über die beiden Naturen Jesu die Gewähr, daß Christus tatsächlich der Eschatos ist und das eschatologische Heil bringt. Der Glaube erkennt, daß Gottheit und Menschheit, also "was seinshaft weit geschieden einander gegenübersteht, ...seinshaft in Jesus beieinander" liegen (CW 445) - in einer Einheit des Wesens, nicht nur des Willens - , was sich jedoch nicht "in ein denkbares, begreifliches, aussagbares Verhältnis setzen", sondern nur "in zwei widereinander gespannten und streitenden Aussagen", in Antinomien, ausdrücken läßt: "Das Bekenntnis des Glaubens, daß das Ewige irdischgeschichtlich, daß Gott Mensch geworden ist, ist für das Denken schlechthin das Paradox....Es kann nur heißen: Jesus Christus, wahrer Gott und wahrer Mensch" (CW 445).

Ohne aufzuhören Gott zu sein, geht Christus in die Maße menschlicher Existenz ein, in Sterblichkeit, Versuchlichkeit und Leiden, "um eben auf dem Wege der Entäußerung in der Erlösung seine ganze göttliche Herrlichkeit geltend zu machen"[137]. Die Kenosis ist der freien Liebe Gottes entsprungen, sofern dieselbe Liebe die Geschichte als solche freigesetzt hat. Da geschichtliches Leben Vorläufigkeit, Verhüllung, Hingegebenheit an die Todesgesetzlichkeit besagt, kann es auch heißen: "In dieser Welt ist Gottes Gegenwart notwendig und unaufhebbar Entäußerung seiner Majestät....Die Entäußerung bezeichnet nicht eine von Gott frei gewählte überwindbare Phase seiner Gegenwart in unserer Welt, sondern ihre notwendige und innergeschichtlich unaufhebbare Gestalt." (LD[4] 41;vgl.GD[5] 165;Betonung Vf). 'Seit' dem Urfall besagt geschichtliches Leben jedoch auch Zusammengehörigkeit von Sünde und Todesgestalt. Da der Urfall in der Innendimension der Geschichte geschah, ist jede Differenzierung dieser Doppelseitigkeit des Todes untersagt, so daß Menschwerdung dort am tiefsten ist, wo zugleich das Nein über alles Menschentum den größten Ausdruck findet, - wo nicht nur Verhüllung und Tod, sondern völliges Paradox ist. "Die Christologie muß vom Kreuze aus denken: in der völligen Ohnmacht, in der Todesnot des Gekreuzigten, aus der man keine 'göttliche Natur' heraushalten darf, waltet die volle ungeminderte Gottheit Gottes."[138] Es ist ein "Gesetz des Lebens Gottes selbst"[139]: "in der tiefsten menschlichen Niedrigkeit die ganze Gottheit Gottes!" (CW 451) Christologie muß "Christologie des Kreuzes" (CW 458) sein, d.h. Gott selbst ist in den Widerspruch eingetreten - im Leiden des Sohnes - und bleibt darin ganz Gott, "in seinem Außer-sich-Sein ganz er selbst, in der tiefsten Entfremdung von der göttlichen Weise zu sein ganz bei sich selbst, ganz Gott" (CW 459). Ohnmächtiges Menschsein ist als solches Träger der Macht und Herrlichkeit der barmherzigen Liebe Gottes. Die wesentliche, nur dem Glauben offenbare Verborgenheit der Gottheit in und unter der Menschlichkeit Jesu ist jenseits jeder Möglichkeit einer begrifflichen Theorie;[140] sie ist auch jenseits einer direkt inner-empirischen psychologischen Erfassung und jenseits jeglicher innergeschichtlichen in unseren Möglichkeiten liegenden Aufhebung. Es bleibt nur der existentielle, 'subjektive' Zugang des Aktes des Glaubens und der Hoffnung, daß Gott am 'Jüngsten Tage' selbst die Verborgenheit in Offenkundigkeit, das Glauben in Schauen überführe.

c) "In seiner....Geschichte ganz bei Gott und ganz bei den Menschen"
(CW 465)

aa) Es muß nun von der zweiten Voraussetzung der Versöhnungsvollmacht Jesu gesprochen werden, von seiner Geschichte, in der die Person erst das ist und wird, was sie ist (CW 462). Diese Geschichte ist Jesu gesamtes geschichtliches Wirken, aber es kommt nach dem Zeugnis des NT in Kreuz und Auferstehung als den wesentlichen eschatologischen Taten Christi zum Höhepunkt und zur Vollendung[141]. In seiner Geschichte ganz bei Gott und ganz bei den Menschen sein, bedeutet angesichts der Sünde, "daß er den Widerstreit zwischen Gott und Mensch ganz an sich selbst erfährt, sowohl der Menschen Stehen wider Gott wie Gottes Stehen wider die Menschen - und eben in diesem Widerstreite an Gott und am Menschen festhält" (CW 465).

Ganz an den Vater hingegeben, zieht Jesus den Widerspruch der Welt gegen Gott auf sich und muß leiden. "Weil Jesus in seinem Sterben Gott das vollkommene Opfer der Liebe bringt, hängt an seinem Sterben, seinem 'Blute' die Vollmacht, uns zu versöhnen und zu Kindern zu machen" (CW 467). Daraus darf jedoch nicht - wie in der mittelalterlichen Satisfaktionslehre und der altlutherisch-orthodoxen Lehre - auf ein Verdienst Christi geschlossen werden, das auf uns übertragen und für uns angerechnet wird. Ethisch-juristische Wiedergutmachung meines Ungehorsams ist schlechthin unmöglich. Das an den völligen Sohnesgehorsam Jesu gebundene Wunder der Vergebung geht frei schöpferisch darüber hinweg; der Mensch bleibt ganz ohne Anspruch (CW 475f).[142]

'Ganz bei den Menschen', ist Jesus auch "versuchlicher und versuchter Mensch" (CW 468). Um in sich die Sünde zu überwinden, ging der Sohn in "die zur Sünde versuchende Leiblichkeit" ein, nicht in die urständliche, sondern in die gefallene Menschheit; er wurde "Sündenfleisch" (CW 468). Jesus mußte den im Gesetz und in den Ordnungen der Welt 'inkarnierten' Zorn Gottes durchleiden, also selbst 'Fleisch' werden, um auch diese leibhaftige Dimension mit Gott zu versöhnen. 'Ganz bei den Menschen', nimmt Jesus Gottes Gericht auf sich. Weil er um Gottes Gemeinschaft weiß, durchleidet er allein unser Menschenlos bis in seine tiefste Not der Gottverlassenheit und Hölle. An dem solidarischen Durchleiden dieser Not für uns hängt Jesu Vollmacht, uns zu versöhnen, (im Erleiden der wesenhaft unendlichen Strafe ist jeder unvertretbar) jedoch nicht als Abbüßen unserer verdienten ewigen Höllenstrafe, sondern Gott läßt es dazu nicht kommen, indem das Wunder der Vergebung im schöpferischen, schlechthin irrationalen Durchbrechen des Zornes Gottes über die Verdientheit der Hölle hinweggeht (CW 476f).[143] - Gerade in Jesu Gottverlassenheit ist Gott ganz bei ihm. Das Kreuzesgeschehen ist letztlich innertrinitarisches Geheimnis in seiner inneren Einheit und Verschiedenheit:

"Gott ist er selber auch in Jesus: es ist seine Liebe, die in Jesus die Sünde der Welt zugleich richtet und trägt, die Sühne fordert und leistet, das Opfer bringt und empfängt....Gott ist sich selbst gegenüber, je entgegen in der Wirklichkeit des Vaters, der den Sohn inmitten der Sünde die Gottverlassenheit durchleiden läßt, und des Sohnes, der unter dem Vater leidend nach ihm ruft – und doch nun eben so ganz in Gott ist, von des Vaters Liebe nicht nur bewegt, sondern auch getragen und umfaßt." (CW 472)

Es ist also ein "Kampf Gottes mit Gott",[144] "eine Auseinandersetzung mit Gott selbst, Gottes mit sich selbst" (CW 478), "im innertrinitarischen Gegenüber" (DTL 177).

Mit dieser theozentrischen Kreuzestheologie setzt sich Althaus scharf ab von allen neueren 'satanozentrischen' Deutungen der Versöhnungs- und Kreuzeslehre. So versteht z.B. K.Heim das Kreuz nicht primär als Sühnung unserer Sünden vor Gott, sondern als Kampf mit dem Satan. Im NT fehlt jedoch der Satan in der Sinndeutung des Todes Jesu ganz. "Gott, nicht der Satan, ist das eigentliche Gegenüber des leidenden Jesus."[145] Satanozentrische Kreuzesinterpretation schwächt die menschliche Sünde ab, so daß Althaus frägt: "Droht hier nicht die Gefahr, daß, um Raum für den Satan zu machen, die Willentlichkeit, der positive Willenscharakter der menschlichen Sünde verdunkelt wird?"[146] Auch liegt darin die Gefahr einer dualistischen Erweichung des im Verhältnis von Gottes Zorn und Liebe gelegenen Geheimnisses Gottes.

Indem Jesus vollkommenen Gehorsam darbringt, tut er das, was wir nicht vermögen, "an unserer Statt", als unser exklusiver Stellvertreter: "Um seinetwillen nimmt Gott uns an, wie wir sind" (CW 474).Weil aber das Kreuz Christi das Ziel und die Macht hat, uns in das Sterben mit Christus – in der Preisgabe an Gott in bußfertigem Glauben – hineinzuziehen, weil der 'Christus für uns' zum 'Christus in uns' wird, ist seine Stellvertretung inklusiv: seine lebendige Macht über uns ist Unterpfand unserer eigenen eschatologischen Erneuerung, sie "bürgt Gott für eine neue von ihm bestimmte Menschheit" (CW 474).

bb) In der Geschichte ganz bei Gott und ganz bei den Menschen ist Jesus letztlich nur, weil er auch der Auferstandene und Erhöhte ist. "Die Theologia crucis, d.h. der Glaube an den Sieg und die Gottesmacht gerade im Sterben und Unterliegen....steht auf der einmaligen Ostererfahrung der Apostel."[147] Ostern drückt "das Kundwerden der Erhöhung", Himmelfahrt "ihre 'objektive' Bedeutung für Jesus Christus und unser Heil" aus (CW 490). Jesu Herrsein über den Tod ist nicht bloß, wie bei E.Hirsch, "innerliches Überwinden im Glauben an das von Gott im Tode bereitete Leben"[148], denn das Leben ist nicht im Tod, sondern wird zuteil durch Erweckung aus dem Tode. Althaus widersetzt sich jeder Psychologisierung der Ostererfahrung, bzw. der Spiritualisierung ihres Gehaltes, denn dadurch wird auch die christliche Eschatologie spiritualisiert (CW 200).

Erhöhung Christi ist zunächst "selbständig vor und gegenüber der Existenzbeziehung" primär als christologisches Seinsurteil zu verstehen, denn es ist "ganz abgesehen von jeder Bekundung in sich selbst Durchbruch durch den Tod, Anbruch der Welt der Herrlichkeit in der Person Jesu Christi" (DSK 50). Jesu Menschsein wird in das ewige Leben Gottes hinein vollendet. Daraus folgt, daß wir auch den Grenzgedanken der 'leiblichen Auferstehung'[149] Jesu bilden können und müssen, ohne freilich eine dogmatische Aussage über diese Leiblichkeit machen zu können. Die Inkarnation bleibt dauernde Gegenwart. "Das ist auch für das innergöttliche Leben ein Neues. Die Erhöhung Jesu stellt nicht einfach den gottheitlichen Stand des ewigen Sohnes wieder her, sondern der Mensch Jesus tritt in Gottes Gottheit ein" (CW 491). Erst weil Jesus der Erstgeborene unter den Toten ist und viele Brüder bekommt, hat die Erhöhung Bedeutung für uns. Sie ist Bedingung und Grund unserer Hoffnung. "Jesus ist zu Gott erhoben als eben der, der er unter den Menschen und für sie war, also mit seinem Heilandsberufe und Heilandswillen." (CW 491) "Damit gewinnt das geschichtliche Werk Christi übergeschichtliche Gegenwärtigkeit und Gültigkeit bei Gott."[150] Durch das in der Kirche ergehende Zeugnis von seinem Leben übt er seine geistige Herrschaft aus ('regnum gratiae'). Aber der dadurch gewirkte Glaube weiß ihn auch als Herrn der Natur und Geschichte, denn letztlich herrscht im Gang der Geschichte und in den Einzelschicksalen nur die in Jesus offenbare Liebe Gottes ('regnum potentiae').

Ostern ist also in sich eschatologische Wirklichkeit; die Erscheinungen des Auferstandenen sind "das nie zuvor erhörte und hinfort bis zum Jüngsten Tage nie mehr zu erwartende schlechterdings einsame Wunder Gottes, das Wunder der letzten Dinge", "eschatologisches Geschehen" in ihrer objektiven und subjektiven Seite (CW 488f)[151]. Ostern jedoch "berührt die Weltgeschichte nur, verwandelt und sprengt sie nicht" (CW 493). Die Herrlichkeit des Reiches wurde in Geschichte und Kosmos noch nicht

offenkundig. "Nur als Verheißung wurde sie ihr eingestiftet, als ihr öster-
liches Geheimnis. Aber der Glaube weiß um diese Verheißung, die Jesu Christi Werk, die Versöhnung, die Auferstehung bedeutet."[152] "Daher wird
der Glaube an Jesus notwendig zum Warten auf ihn, darauf, daß sein in Gott
verborgenes Leben als unser Leben kund werde und ihr Wesen in sich aufhe-
be." (CW 493). Das 'regnum gratiae et potentiae' ist Verheißung des 'regnum gloriae'. Christologie und Eschatologie gehören notwendig zusammen,
denn Christologie spricht sich erst als Eschatologie ganz aus.

Die zum Menschenwesen gehörigen Hoffnungen dürfen jetzt neu aufleben.
Jetzt wissen wir, was wir aufgrund "der existentiellen Kontingenz, Freiheit und Unverfügbarkeit des Vergebens, mit dem ein Vater seinen Sohn nach
schwerer Verschuldung wieder annimmt" (CW 106), nicht wissen konnten:
"Gott narrt uns nicht. Daß er uns auf Leben, Wahrheit, vollkommene Gemeinschaft, Gerechtigkeit bezogen und den Hunger danach ins Herz gegeben hat,
darin können wir nunmehr, als die Versöhnten, eine Verheißung ergreifen,
die er erfüllt." (CW 108f) Die Auferstehung Christi bedeutet, daß des
Menschen "Gewißheit, daß das Reich kommt,...doch kein Irrwahn eines
Schwärmers gewesen" ist, daß unsere Sehnsucht doch nicht lauter Wahn ist,
denn Gott wird die Gestalt unserer Geschichte zerbrechen und zugleich
herrlich erfüllen: "Das ist das Ziel, zu dem die Geschichte unterwegs
ist. Ostern macht es uns gewiß."[153] Jesu leeres Grab ist "Zeichen" dafür, daß unsere Auferstehung zu leiblichem Leben geschieht und Erfüllung
des in der jetzigen Leiblichkeit Verheißenen ist[154]. Von der in Jesus be-
zeugten Liebe ist volles Heil, also nicht nur Restitution, sondern auch
Vollendung aller Schöpfungsgedanken zu erwarten. Beide Spannungen,"die
zwischen peccator und iustus" und die "zwischen der ersten und zweiten
Schöpfung", "beide finden ihre Lösung in Christus, dem Gekommenen und
dem Kommenden" (CW 259). Ohne Christus ist alle natürliche und außerchristliche Eschatologie letztlich völlig fragwürdig und eitel, mit und
in Christus findet sie jedoch volle Erfüllung, denn in ihm knüpft Gott
wieder an seiner auch 'unter' der totalen Sündigkeit bleibenden guten
Schöpfung an. Die Frage des 'Wie?' gibt jedoch einige Probleme auf.

d) Der in Christus versöhnte Mensch (Rechtfertigung)

aa) Althaus folgt in der Rechtfertigungslehre ganz eng Luthers Spuren.[155]

Im Ausdruck 'Rechtfertigung des Sünders' kommt "das Paradoxon des

Aktes Gottes" treffend zum Ausdruck: trotz der Wahrheit von Gott dem Richter handelt hier der souveräne König, "der mehr ist und mehr darf als der
Richter" (CW 597). Hier zeigen sich zutiefst Einheit und Widerstreit von
Gesetz und Evangelium. Da das Evangelium die Gültigkeit des Gesetzes
voraussetzt[156] und bestätigt, kennt es den Menschen nur als Schuldigen
und zeigt im Anbieten der Vergebung dessen ungeminderte Geltung; im Evangelium durchbricht Gott die Gesetzesordnung zwischen sich und dem Menschen. Für die Glaubenden ist das Gesetz als lex accusans et condemnatrix,
zu dem das 'Gebot' durch den Sündenfall geworden war, wegen Christus abgetan: Gott nimmt den Unreinen 'super legem', 'contra legem' an und er
setzt so den Menschen "in das durch die Sünde und Gesetz verlorene Grund-
verhältnis zurück, in den Urstand des bedingungslosen Kindesvertrauens"[157]
– freilich vom Urstand auch verschieden, weil jetzt immer mit dem Schmerz
der Buße und Umkehr verbunden. Das Gesetz wird wieder zum Gebot, doch
jetzt hat es die negative Form des Verbots (wegen unserer bleibenden Sündigkeit) und es wird nur im Kampfe verwirklicht.

Gott erkennt dem Sünder in freier Setzung um der in Christi reinem Gehorsam und Leiden geschehenen Heiligung des Gesetzes Gottes willen die
Gerechtigkeit zu: "nicht durch übernatürliches Umschaffen zu einem neuen
Sein, sondern durch das Geschenk einer neuen Geltung, Ehre, Würde, unbeschadet dessen, daß der Mensch kein anderer ist als der Sünder, kein
neuer, sondern der selbe und alte" (CW 599)."Gottes Gottheit erweist
sich....in Vergebung wirklicher Schuld".[158] Von dieser Zentrierung auf
den Vergebungsgedanken her scheint Althaus Sein und Sündersein gleich-
zustellen: "Das Rechtfertigungsurteil über mich ist zugleich Todesurteil
über mein Sein, Verheißung und Anfang der Hinrichtung meines Sünderseins"
(CW 600). Die neue Geltung, die "völlig paradox", "'synthetisch' über
und wider alle offenkundige Wirklichkeit des Menschen" (CW 601) ihm zu-
gesprochen wird, wird als solches rein forensisches (CW 636) Totalurteil
vom Glauben empfangen.

Rechtfertigender Glaube ist gerade nicht aktive (von der Gnade gewährte) Mitarbeit, sondern Preisgabe aller Aktivität, "Wollen der reinen Passivität, Leidenschaft des Nicht-Handelns,...die ausgestreckte Hand des
Bettlers, die sich füllen lassen will" (CW 600), "nichts als empfangen,
nichts als: das an sich geschehen lassen, was Gott tut" (CW 603). "Hier
gilt die particula exclusiva:sola fide!" (CW 603), nicht in dem Sinn des

zu leistenden Glaubens, sondern "allein in dem Sinn, daß er die Haltung
des Empfangens selbst ist, wobei nichts an dem immanenten Werke der Haltung, sondern alles nur an dem Empfangen liegt. Die Gerechtigkeit des
Glaubens ist nicht immanente, sondern transzendente, fremde" (CW 604).

Die neue Geltung ist also zunächst nicht "Veränderung des Seins", son-
dern nur "in Jesus Christus ergangene Zusage" (CW 601). Das Paradoxon des
Urteils Gottes und des Glaubens entsprechen einander; Glaube und Recht-
fertigung stehen in der Dialektik von Gesetz und Evangelium; auch der
Glaube flieht vom Richter zum Vater,er kommt immer vom Zweifel, von der
Beugung unter sein Gericht her. "Erst im künftigen Leben ist es mit dem
Zweifel völlig zu Ende und herrscht die Gewißheit vollkommen." (DTL 61).
Die Rechtfertigung muß aber letztlich, ebenso wie der Glaube (DTL 49),
theozentrisch verstanden werden. "Denn die Rechtfertigung gilt nicht nur
und nicht erst, weil wir Sünder sind, sondern weil wir Menschen sind,
und Gott Gott, der Schöpfer und Herr."[159] Nur durch solch theozentrische Begründung bleiben wir vor falscher Anthropo- oder Hamartiozentrik
bewahrt und erfassen das wahre Wesen der Sünde als Verleugnung der Gottheit Gottes.

Althaus unterscheidet Rechtfertigung und Erneuerung, um alle ethizi-
stische Trübung auszuschalten (CW 635). Er leugnet letztere nicht, sondern fordert sie als die andere Seite der Heilstat Gottes am Menschen.
Die Rechtfertigung ist total (iustum reputari), der mit und aus dem Glauben entstehende neue Gehorsam bleibt dagegen von der Sünde beflecktes
Bruchstück: "unser neues Sein ist partikular" (CW 603) (iustum effici).
- Luther und mit ihm Althaus sehen richtig, daß - wie bei Paulus - Glaube gelebtes Bekenntnis der Gnade als Gnade und darin Ausschluß alles Sich-
Rühmens ist, aber er und mit ihm Althaus übersehen u.E., daß die Gnade
wirklich empfangen und angeeignet wird, und zwar in freier begnadeter
Antwort des Menschen. Allerdings betont Althaus: Der rechtfertigende
Glaube will im selben Akt unsere Erneuerung. Diese ist zwar nicht zurei-
chender Grund der Rechtfertigung, doch letztere geschieht hin auf Erneuerung, ist deren Verheißung, und insofern ist Rechtfertigung nur im
Zusammenhang der beginnenden und kommenden Erneuerung möglich. Die neue
Geltung vor Gott ist also "Verheißung" und "eine sichere Anwartschaft
auf völlige Erneuerung" (CW 636). - Das Gesagte vorausgeschickt, erhält
der Mensch durch das bedingungslose Empfangen und die Preisgabe aller

Ansprüche auch ein "neues Sein" (CW 637) (allerdings nicht zu verstehen
als scholastische 'infusio gratiae habitualis', sondern als Wandlung zu
neuem Gehorsam), "neues Leben" (CW 108), denn, obwohl des Sünders Glaube, ist er "grundsätzlicher Bruch mit der Sünde", "eine völlige Wendung
unseres Verhaltens zu Gott" (CW 637). Dieser Glaube schließt Demut, Furcht,
Vertrauen und Freude ein (GE^2 70)[160]. Althaus übernimmt für dieses neue
Sein die traditionellen Begriffe wie neue Schöpfung, Wiedergeburt und
Bekehrung; es geht um eine paradoxe Einheit einer göttlichen und menschlichen Tat, in der die menschliche ganz in der göttlichen begründet, von
ihr getragen und umfaßt ist.

Da der ganze Mensch in die todesgestaltige Daseinsform hineingebunden
ist, ist der Glaubende ein völlig neuer und der Glaube eine "creatio ex
nihilo" (CW 639). Creatio ex nihilo im strengen Sinn gibt es jedoch nur
in der ersten Schöpfung; seither wirkt Gott "auch das Neue im Zusammenhang mit dem, was schon da ist", also den Menschen Jesus und die neue
Menschheit in Zusammenhang mit der alten Menschheit (CW 309f). Die Neuheit geschieht in der formalen und inhaltlichen Identität der Personal-
als Mensch für und vor Gott -, im selben Ich, "in der Kontinuität der
Geschichte, die Gott schon mit ihm hatte" (CW 639), d.h. im Abtun des
Geistes und des Gewissens des Menschen,"sofern" sie ungläubig sind, im
Erfüllen, "sofern sie Mitgift des Schöpfers an den Menschen sind" (CW
639;vgl.CW 345), m.a.W. in Anknüpfung an die uroffenbarte 'Natur'[161]
des Menschen. Althaus glaubt deshalb, trotz aller Andersheit und Diskontinuität zugleich die Identität, Einheit und Kontinuität wahren zu können.
Es geht um die bleibende "Verfassung des Menschen, in der er bestimmt
ist zur Gemeinschaft mit Gott" (CW 337), das Selbst vor Gott, das sich
im Zu-sich-selbst-verhalten zu Gott verhält und so die vertikale Geschichte bestimmt und seine 'Natur' festlegt. Dieses Ich der vertikalen
Geschichte, das Ich im Ansehen Gottes wird erneuert und befindet sich
jetzt schon durch dieses personale Neuwerden im 'Reich', jenseits des
Todes (LD^4 117).

Scheint einerseits eine Kontinuität in einer Art variablen 'Natur' gegeben zu sein, so heißt es andererseits, daß Wiedergeburt nur "in der
grundsätzlichen und stets gegenwärtigen Abkehr von dem, was wir von Natur jederzeit sind" (CW 640), gegeben ist, also im Festhalten an der Kontinuität der Treue Gottes gegen die von uns her nicht nur ständig drohen-

de, sondern bestehende Diskontinuität. Wenn Althaus sagt, daß im Christen alter und neuer Mensch in einem sind, so ist das im radikalen lutherischen Sinn zu verstehen: der Christ ist nicht ein Versuchter, sondern in seinem Sein ein Sünder, denn das neue Leben ging nie in sein Sein ein, es ist immer Bruchstück neben der alten 'Fleisch'-Existenz. "Als glaubende Sünder stehen wir, solange unser Leben und dieser Äon währt, in der Spannung zwischen Gesetz und Evangelium, Fleisch und Geist, altem und neuem Menschen, Erwartung des Gerichts und Gewißheit des Heils, Entschiedensein und noch ausstehender Entscheidung unseres Lebens" (CW 242). Der Glaubende ist "gerecht und Sünder zugleich, am letzten Tage nicht anders als am ersten, da er glauben lernte" (CW 642); er bedarf bis zum letzten Tag der Vergebung Gottes. Es bleibt beim 'Christus allein'. "Was von dem neuen Sein in uns schon angebrochen ist, kommt für Gottes Totalurteil nicht in Betracht."[162] Aber die dem Glaubenden immer gewährte Vergebung enthält die Verheißung der kommenden völligen Erneuerung nach dem Tode: "Der Rechtfertigungsglaube wird notwendig zum Hoffen." (CW 642) Es ist allerdings kein statisches Verhältnis zweier Totalaspekte, sondern zwischen ihnen besteht Bewegung und ständiger Kampf, der auch ein Fortschreiten ermöglicht. Die Erneuerung schreitet also der Vollendung entgegen, ohne freilich die eschatologische Grenze zu überschreiten und die ständige Beflecktheit durch die Sünde zu überwinden (DTL 211-123.234f).

Althaus verteidigt Luthers Rechtfertigungslehre gegen deren Angreifer. Diese werfen Luther eine zu negative Sicht der Vergebung, ein zu radikales Ernstnehmen der Formel 'simul iustus et peccator', die Einseitigkeit des nur synthetischen Urteils Gottes, ein Zukurzkommen der erneuernden Macht Christi und der Bedeutung des Werkes und der Verantwortlichkeit der menschlichen Persönlichkeit vor (M.Lackmann spricht von reformatorischem Monergismus). Gegen diese 'katholisierenden' Einwände (vgl.PL 23,n.3) betont Althaus den Doppelsinn des iustificari bei Luther und die Gleichzeitigkeit von Gerechtsprechung und Gerechtmachung, das neue Sein und dessen eschatologische Grenze, die Heilsbegründetheit und den Heilscharakter (nicht die Heilsbedeutung) des christlichen Handelns, das durch das Evangelium ganz von mir absieht und dem Nächsten dient; ebenso hebt er die Notwendigkeit des Werkes als Kennzeichen, Übung und Stärke des echten Glaubens hervor, als Anbruch des Lebens im Heil, d.h. als Gehorsam und

Liebe, jedoch nicht als Leistung.[163]

bb) Das neue Sein ist Wirkung des Heiligen Geistes. Gegen die traditionelle soteriologische Verengung fordert Althaus jedoch "eine zwei-
schichtige Lehre vom Geiste Gottes...; von dem Heiligen Geiste Christi,
der den Glauben schenkt und im Glauben geschenkt wird, ist zu unterscheiden das allgemeine Geisteswirken Gottes, durch das jeder Mensch von
ihm weiß und an ihm schuldig wird" (CW 44). Dieses schöpfungsmäßige (ur-
offenbarende) Wirken des Geistes schafft das bleibende und nie verloren-
gehende Ebenbild Gottes. Diese Verwandtschaft des Menschen mit dem Schöpfer zeigt sich darin, daß er Mensch vor Gott und Mensch für Gott ist. In
der Ordnung der zweiten Schöpfung hat der Heilige Geist die Aufgabe, uns
in einem fortgehenden inwendigen Wunderwirken gegen unsere 'natürliche'
Tendenz dazu zu bewegen, die verkündigte Geschichte zu glauben. Dieses
Geisteswirken ist "nicht ein Sonderfall oder eine neue Stufe jenes schöpfungsmäßigen Geisteswirkens, sondern von ihr verschieden wie die Erlösung von der Schöpfung – das Wunder Gottes an den Sündern" (CW 345). Das
Erlösungswirken des Geistes Jesu knüpft an das Schöpfungswirken des Geistes an, nimmt es auf, führt es aus dem Widerspruch der Sünde und gegen
ihn zum Ziele, so daß der Glaube "weder sacrificium intellectus noch sacrificium conscientiae" ist [164].

Das soteriologische Geisteswirken entspricht dem Menschen als Ebenbild
Gottes im zweiten, im christologischen Sinn, das Erfüllung des ersten
Bildes ist. Christus ist der erste Mensch, der dieses Bild trägt. Durch
seine Erlösungstat und seinen Geist werden wir ihm gleichgestaltet. Die
Gestaltung zu einem kreatürlichen Abbild des Lebens der Liebe Gottes beginnt durch die Tätigkeit des Geistes in der Gegenwart des Christenlebens,
vollendet sich aber erst im zweiten Äon bei der Offenbarung von Christi
Herrlichkeit. Das Fehlen des Ebenbildes in der Menschheit ohne Christus
hängt nach Paulus nicht nur mit der Sünde, sondern auch mit der Vorläufigkeit der ersten Schöpfung zusammen. "Adam und die Adams-Menschheit
warten auf Christus nicht nur als die Gefallenen und Verlorenen auf den
Retter und Erlöser, sondern auch als erste vorläufige Schöpfung auf die
zweite vollendende".[165] Dieser Widerspruch bei Paulus vereinigt als zwei
Pole das 'nicht mehr' des Bildes Gottes der hamartiozentrischen und das
'noch nicht' des Bildes Gottes der christozentrischen Gedankenreihe: "Im
Blick auf Christus müssen wir sagen: das Bild Gottes kommt uns erstmalig

durch ihn zu; im Blick auf unsere Sünde: wir haben das Bild Gottes ver-
scherzt. Dort entstehen futurische, eschatologische Sätze, hier auch prä-
teritale, protologische. Dort gehört das Bild Gottes zu den letzten Dingen, hier auch zu den ersten Dingen."[166] Althaus schließt daraus, "daß
die Theologie kein eindeutiges Bild der Menschheitsgeschichte Adam-Chri-
stus zu bieten vermag"[167] und daß, um ein Abgleiten in uneschatologische
christozentrische oder nur-eschatologische hamartiozentrische Theologie
zu verhindern, beide theologischen Geschichtsbilder festgehalten werden müssen, jedoch nur aktuell-expressionistisch verstanden werden dürfen—als Projektionen der existentiellen Wahrheit, daß das Fehlen des
vollen Bildes Gottes unsere Schuld ist und daß es dieses Bild nur durch
und in Christus gibt.

Hat der Mensch als Ebenbild Christi nur teil am 'Wunder'-Charakter
oder auch am 'Mysterium'-Charakter? Althaus bleibt hier u.E. unklar. Die
Teilhabe am 'Wunder ist eindeutig. Die Mitteilung des Geistes Christi
macht uns zu 'Söhnen Gottes'; Urbild und Grund dieser Gottessohnschaft
ist Jesu eigene 'Sohnschaft' als Verwirklichung des Schöpfergedankens
Gottes mit dem Menschen. Dies ist gesagt in Abhebung vom 'Mysterium'
Christi, das ja keine Nachfolge findet. Wie aber Jesus nicht das eschatologische Wunder des Sündenlosen sein konnte, ohne mit Gott seinshaft
verbundener Sohn zu sein (CW 445), also nicht ganz Mensch Gottes (CW 342)
sein konnte, ohne das Menschsein zu sprengen, scheint der Glaubende mit
der Teilnahme an der Urbildlichkeit Christi auch Teil zu bekommen an der
Einzigartigkeit des Mysteriums Christi und so die Möglichkeit des Menschseins zu sprengen (Übernatur). Im Glaubenden ist eine doppelte Gegenwart des Heiligen Geistes – er ist da als uns gegenüberstehende Person und
als Glaube samt dem mit ihm in uns einziehenden Wesen Gottes, als Wirker und als Werk. Letzteres ist "das neue geistgewirkte Leben in uns",
d.h. "neue Bestimmtheit unseres eigenen Personseins" (CW 497).

"Der Geist Jesu ist aber der Geist Gottes selbst als menschgewordener.
So wird Gottes eigenes Wesen unser eigen. Wir bekommen teil an Gottes
persönlichem Sein....Gott gibt uns sein eigenes personhaftes Wesen in
uns hinein. Damit schenkt er uns sein ewiges Leben. So bedeutet das
Einziehen des Geistes Jesu in uns auch seinerseits Menschwerden des
Lebens Gottes, Wirkung und Forsetzung der Inkarnation, die in Jesus
geschah." (CW 495)

Also doch, unbeschadet der Einzigartigkeit, Teilnahme am Mysterium?
Ob diese Behauptung voll und ganz durch Althaus bestätigt wird, wie G.

Zasche meint, bezweifeln wir, da eine gewisse Doppelgleisigkeit nicht
wegfällt.[168] Oder besser gesagt: Wenn Althaus von Gottes ewigem Leben in
uns als von 'Wirkung und Fortsetzung der Inkarnation' in uns spricht, so
versteht er darunter etwas anderes, als was der Katholik vermuten würde,
weil er schon die "Inkarnation, die in Jesus geschah" (CW 495), anders
versteht. War schon in Jesus selbst die Menschheit nicht 'vergöttlicht',
sondern gleichsam paradoxer Ausdruck des Sieges der Gottheit Gottes, so
ist auch das 'Werk' des Geistes Jesu nicht als unserem Sein, Haben und
Tun zueigen gewordene geschaffene Gnade zu verstehen, sondern als neuer
Gehorsam unseres neuen - über den Paradoxgraben hinweg zum ursprünglichen Ich identischen und kontinuierlichen - Ichs.

Heißt es von der Gegenwärtigkeit Gottes im Menschen, "daß die Gottheit sich nicht in Menschheit verwandelt und der Mensch nicht vergottet
wird"[169], so heißt es vom Einwohnen Gottes im Glaubenden auch 'nur':
"Menschwerden Gottes, nicht Gottwerden des Menschen" (CW 495). Zwar gilt
das Wohnen Gottes im Menschen als seiner Behausung von uns wie von Jesus
(CW 495), aber es ist in uns doch nur beginnende Erneuerung, die an unserem Sündersein ontologisch nichts im Kerne ändert. Unsere seinshafte
Verbundenheit mit Gott scheint also nur 'theologische', von Gott her in
Christus gegebene, unsere und doch nicht unsere eigene Wirklichkeit zu
sein; letzteres wäre für Althaus schon "organologische" (oder "organische" oder "neutrisch-dynamistische") (CW 498f) Kontinuität, während er
- so wie für die Kontinuität der Person - nur personalistische, theologische Kontinuität zuläßt: "Der Heilige Geist bleibt bei uns nur dadurch,
daß Gott in seiner Treue unserer Untreue zum Trotz bei uns Sündern bleibt."
(CW 497).

cc) Der Heilige Geist "wirkt gewiß nicht nur auf unser bewußtes Person-
leben, sondern auch in die Tiefe des Unterbewußten, bis in unsere
'Natur' und Leiblichkeit" (CW 544), vor allem aber wirkt er als "Wurzel-
grund neuen Lebens" (CW 637), d.h. als neuer Gehorsam hinein in das Handeln und somit in die geschichtlich-leibhaftige Dimension der Welt. Das
Werk ist nicht nur Kennzeichen des echten Glaubens und Heilsstandes, sondern es ist auch Vollzug des Glaubens, denn dieser "existiert nicht anders als in der immer neuen konkreten Verwirklichung seiner selbst inmitten der Welt, also in der Tat, in bestimmten Akten" (CW 648). So gehören
Glauben und Nächstenliebe, Heil und neues Leben zusammen wie Ein- und

Ausatmen. Die guten Werke sind "gelebte Gemeinschaft mit Gott", nicht nur Vorbereitung eines fremden Seinszustandes, sondern "Heil selbst im Anbruch" (CW 650).

Aber auch diese 'Verleiblichung' nimmt an der mit unserer Geschichte notwendig gegebenen Verborgenheit des Wirkens Gottes teil. Der Innenbereich der Geschichte bleibt auch in seinen Auswirkungen in den Außenbereich hinein seiner Bedeutung nach verborgen, denn Geschichte und Kenosis gehören zusammen. Heil innerhalb der Grenzen unseres irdischen Seins kann deshalb nur Anbruch und Tat — Bitte an Gott sein um das endgültige Heil, das nicht unser Ethos, sondern allein Gott bewirken kann (CW 650f). "Im rechten lutherischen und überhaupt evangelischen Christentum gehören ernster, freudiger Kampfeswille und demütiges Wissen um die eschatologische Grenze aller Siege zusammen."[170]

Was bei Jesus Christus in einem beschlossen ist, das legt sich in seinem Wirken an uns in das Nacheinander von gegenwärtigem, stückwerkhaftem, verborgenem und zukünftigem,offenkundigem und greifbarem Heile aus. Gegenwart ist die Rechtfertigung als neue Geltung vor Gott und die Versöhnung als personales Neuwerden unseres 'Selbst vor Gott'. Gegenwart ist auch "die innere geistige Erlösung von der Existenznot", d.h. das versöhnte theologische Selbst ist jetzt schon innerlich frei von der Daseinsnot und erkennt schon im zeitlichen Auseinandertreten von Versöhnung und Erlösung Gottes Schule der Glaubensbewährung, wodurch unser Leben "reifen für das ewige Leben" soll (CW 109). Gegenwart ist auch der Anbruch des Heils in Werken des Glaubens. Wer Gottes Leben haben will, ohne dieses schmerzvolle Interim des Noch-Nicht, will letztlich nicht Gott. "Weil er uns....sein Leben ganz geben will, darum gibt er es zunächst 'gebrochen', er stellt uns auf wagenden Glauben und führt uns so in die Gemeinschaft mit ihm, die doch des ganzen Lebens Verheißung in sich trägt" (LD^4 35). Zukunft ist die im Gegenwärtigen verheißene reale Erlösung aus der Nichtigkeit des Daseins dieser Weltgestalt zur neuen Welt, in der auch die prophetische Ahnung und Verheißung außerhalb des Evangeliums ihre Erfüllung findet. So harrt der Christ auf den, von dessen Vollmacht er heute schon im Heile lebt und dessen Wiederkommen notwendig Ende der Geschichte bedeutet.

5. Kritische Überlegungen zu Althaus' Anthropologie, Christologie und
Rechtfertigungslehre

Hans Grass weist auf die Spannung in der Christologie Althaus' zwischen dem Paradoxgedanken und dem Ausgangspunkt von unten hin und er
zweifelt, ob die bei Althaus zusammengefügten Elemente auch tatsächlich
so harmonisieren.[171] Wir meinen, daß diese Spannung symptomatisch für
Althaus' Theologie ist, und möchten deshalb kurz ihren Hintergrund be-
leuchten und einige kritische Überlegungen - vor allem in Hinblick auf
die Folgen für die Eschatologie - anschließen.

Mit der Renaissance setzte ein Absetzen von der Metaphysik ein, u.a.
auch vom metaphysischen Personbegriff. Die Entwicklung vom Person- zum
modernen 'Persönlichkeits' - Begriff hatte mehrere Stationen: zuerst erfolgte die Wende zum Subjekt gemäß dem dynamischen Naturbegriff der Renaissance, sodann die Wende zum empirischen (Descartes) und transzendentalen (Kant) Bewußtsein (sittliche Person). Gegen die Metaphysizierung
des letzteren im deutschen Idealismus protestierte Kierkegaard in der
Herausstellung des individuellen Selbst vor Gott im theologisch-existen-
tialen Person-Begriff. Person ist auch jetzt, wie im neuzeitlichen Be-
wußtseinspersonalismus, nicht ein ruhendes Sein, sondern Werden und
Geschehen in der einmaligen Tat der Entscheidung, als Geschichte, die
der Mensch als seine Geschichte selbst schafft und ist, da er nur in ihr
Person ist. Der Mensch als Selbst vor Gott, als 'theologisches Selbst',
kann seiner Beziehung vor Gott nicht entrinnen, auch in der Abkehr von
ihm nicht. In Christus ergeht - nach Kierkegaard - das 'jetzt und hier'
des Aufrufs zum wesenhaft eigenen Selbst vor Gott.[172]

Ein u.a. von Kierkegaard herkommender relationistischer Person-Begriff
liegt auch Althaus' Theologie zugrunde: "Person als das 'Selbst vor Gott'
in einer Art 'urdialogischen Verhältnisses', primär von Gott her, sekundär vom Menschen zu Gott hin oder von ihm weg, wobei letzterer (negativer) Modus auch das neutrale Verhalten gegenüber Gott in sich begreift."[173]
Die Persönlichkeit des Menschen Adam als Prinzip der freien Selbstbestim-
mung hat sich im Grunddialog gegen Gott entschieden. In dieser hinter aller Anschaulichkeit liegenden umfassenden Grundtat einmaliger Bestimmungs-
kraft bestimmt sich der Mensch als Sünder (CW 343). Da er seine eigentliche Wahrheit - trotz der auch betonten, aber nicht durchgehaltenen relativen Selbständigkeit der Uroffenbarung - nur im Ebenbilde Christi hat
(m.a.W. der Sinn des ersten Bildes ist das Sein im zweiten Bild, der

Sinn der Natur ist die Übernatur), muß er beinahe Sünder sein; nicht daß Christus der Grund der Sündigkeit wäre, doch dessen Abwesenheit läßt dem Menschen - scheint es - nahezu keine andere Möglichkeit, als gegen Gott zu rebellieren, weil er schließlich doch nur in Christus weiß, wer er ist, und er nur in ihm Gott als Schöpfer und Richter anerkennen kann. Ist in der Offenbarungslehre Althaus' von der relativen Unabhängigkeit und der gegenseitigen Bezogenheit der Schöpfungs- und Erlösungsordnung die Rede, so wird hier das Band so eng, daß das Ebenbild Christi Erfordernis der Natur wird, die ja mit der Person eins ist (CW 448), und der 'Rest-begriff' Natur, den wir erheben zu dürfen glaubten, verschwindet.[174]

Aus der Sorge, daß "die Gemeinschaft mit Gott nicht als für den Menschen von Natur wesentlich, sondern als ein zusätzliches übernatürliches Geschenk erscheine, dessen Verlust das Menschenwesen nicht bis in die Wurzel schädigt und verdirbt" und daß die Imago Dei im ersten Sinne (Vernünftigkeit und Freiheit des Menschen) "gegenüber dem Gottesverhältnis neutral zu stehen kommt" (CW 338), macht Althaus aus der wesentlichen Hinordnung der Natur auf die Übernatur eine deren Gratuität gefährdende Unentbehrlichkeit: wer Christus nicht hat, wer nur 'natürlich' ist, ist Sünder, und zwar seiner Person und Natur nach, so daß die Freiheit für Gott ganz verloren ist (CW 343). Weil außerdem das horizontale Finalitätsdenken durch die Unterbewertung der zeitlich-geschichtlichen Dimension fehlt und alles auf gegenwärtige Polarität reduziert zu werden droht, bleibt nur der Schluß: Sine Christo = Extra Christum. Das läßt Uroffenbarung und Religionen schließlich doch nur in den Strukturen des (negativen) Gesetzes verstehen, das dem Evangelium schroff gegenübersteht und nur negativ - durch Aufdeckung der Sünde, Not und Bedürftigkeit - darauf vorbereitet. Die Variabilität des Menschenwesens und die Finalität der Menschheitsgeschichte erlauben jedoch u.E. auch eine positivere Einschätzung der 'Vorgeschichte' Jesu, denn es bleibt nicht nur die Alternative des Standes ohne Christus (totales Sündigsein) und des protestantischen 'solus Christus' (Gerechtfertigtsein), sondern auch 'vor' Christus die Möglichkeit echten Glaubens in ihm, auf ihn hin, ohne daß der streng eschatologische Absolutheitscharakter des Christentums dadurch angetastet wird.

Die 'vertikale Geschichte' war von einem unheilbaren Riß durchzogen. Wenn auch Althaus eine sehr positive, praelapsarische Schöpfungstheolo-

gie entwickelt, rückt jetzt doch alles - in sehr enger Anlehnung an die
Theologie Luthers[175] - unter den Gesichtspunkt des Dramas zwischen Gott
und Mensch, des Bezuges zum Heil. Alles andere Überlegen und theologisch-
philosophische Denken ist sozusagen 'blockiert', solange nicht von Gott
her die Heilsfrage entschieden ist. Trotz der Betonung, daß der Mensch
immer Gottes gutes Geschöpf bleibt, ist das Evangelium jetzt doch nur
Gottes Handeln mit dem Sünder, so daß es die praelapsarische Urliebe Gottes nicht zu umfassen scheint. Man wird den Eindruck nicht los, daß Althaus die Beziehung zwischen Gott und Mensch einseitig unter dem argwöhni-
schen Blickwinkel der ethischen Leistung sieht und deshalb dem Menschen
den alleinwirksamen Gott gegenüberstellt. Der von Luther übernommene Gegensatz Theologia crucis - Theologia gloriae prägt den Gottesbegriff in
dieser Richtung.

"Gott bewährt sich als Gott in der Umkehrung aller irdischen Maßstäbe
und Verhältnisse. Denn soll seine Schöpfermacht herauskommen, die
Macht, aus nichts zu schaffen, dann muß er die Seinen und die Kirche
zunächst immer wieder in das Nichts, das der Schöpfung vorausgeht,
setzen....So gehören theologia crucis und Gottes Gottheit, d.h.seine
Macht, aus dem Nichts zu schaffen, zusammen. Gerade in der Verhüllung
des Kreuzes kann Gott seine Gottheit offenbaren."[176]

Alles, Schuld und Strafe, scheint sich einer höheren Teleologie unterzuordnen: 'Soli Deo gloria'. "Wir Menschen brauchen offenbar das Gegenbild des Zornes, des Sich-Versagens Gottes, um die Gnade als freie Gnade zu würdigen und zu danken." (CW 630)[177] Da allein das Kreuz der Maßstab für die rechte Erkenntnis der Wirklichkeit Gottes, seines Heils, des
Christenstandes und der Kirche ist, dauert die Verborgenheit in dieser
Welt nicht nur an, sondern sie ist zur grundsätzlichen Paradoxie geworden. Glaube ist geradezu "die Kunst, Gott in seinem Gegenteil zu ergreifen" (DTL 40). Obwohl das Verhältnis von Vernunft und Offenbarung, Wissen und Glauben bei Althaus ziemlich ausgewogen scheint, kommt es dadurch
und durch die damit verbundene übertriebene Anschauung der Sündhaftigkeit
des Menschen auf der heils-existentiellen Seite doch zu einem völligen
Gegensatz der beiden. Die 'Natur' des Menschen, die unter der Sünde nur
mehr negative Offenbarungsqualitäten hat, unterscheidet sich letztlich
nicht von der totalen Hilflosigkeit des sündigen Menschen.

Menschwerdung heißt deshalb bei Althaus: 'Sündenfleisch' werden (CW
468, BR 85), also nicht sosehr der menschlichen 'Natur' als vielmehr
der menschlichen Sünde teilhaftig werden. Menschwerdung Gottes ist des-

halb keine Vergottung des Menschen, keine Mitteilung göttlichen Lebens
an die Menschheit, so daß in dieser Annahme der Menschheit der absteigenden Linie Gottes eine von Gott getragene, vom Menschen Jesus zu ihm aufsteigende Linie entspräche.[178] Althaus macht zwar Seinsaussagen über beide Naturen und er schließt auf die Präexistenz des ewigen Sohnes und dessen Menschwerdung, aber seinem Gottheit-Gottes-Begriff zufolge lehnt er
jede theologische Reflexion über die in der Paradoxchristologie festge-
haltene 'Wesenseinheit' ab (es wäre moralistisches Verfügen über das Geheimnis), so daß ein modalistischer Beiklang kaum wegzudiskutieren ist,
da das Gewicht letztlich allein auf dem als Gott die Tat des Heiles
wirkenden Gott liegt. Er betont zwar stark die wahre Menschheit Christi, indem er das alte genus maiestaticum ablehnt und sogar eine menschliche geschichtliche Person in Jesus fordert. Diese menschliche Persönlichkeit Jesu und die Verwerfung der bei Luther übersteigerten und bei
Calvin verkürzten Lehre vom Austausch der Eigenschaften zwischen dem beiden Naturen Christi, also eine mehr calvinistisch anmutende stark tren-
nungschristologische Auffassung, geben der Althausschen Christologie in
der Betonung der Menschheit ein mehr antiochenisches Gepräge, und doch
meinen wir, daß von Althaus dasselbe gilt, was J.Ternus von Luther sagt:

> "sein Anliegen ist vielmehr die 'theologia crucis': nur über den ins
> Fleisch der Sünde erniedrigten und unter den Fluch des Kreuzes gede-
> mütigten Menschen Jesus ist die Herrlichkeit des Christus und die Of-
> fenbarung seiner Gottheit erkennbar. Klingt dies auch sehr antioche-
> nisch, so ist es doch sachlich von Luther in alexandrinischem Sinne
> gemeint."[179]

Die Paradoxchristologie ist u.E. konsequenter Ausdruck der das ganze
Christusereignis charakterisierenden 'theologia crucis', in der das
Kreuz, nicht die Auferstehung, die Vollendung der Inkarnation zu sein
scheint. Weil in Christus die Gottheit Gottes in ihrer Alleinwirksamkeit,
d.h. in ihrer Gottheit, ganz zum Tragen kommt, wird Christus selbst erhöht und wird er uns zum Heil. Obwohl die Menschheit Christi in das ewige Leben Gottes hinein vollendet und verklärt wird, bleibt doch die Frage um den genauen Sinn dieser Erhöhung: ist es nur Übergang vom 'Sündenfleisch' zum widerspruchslosen eschatologischen neuen Menschsein oder
ist es wirkliche Vergöttlichung seiner Menschheit, Teilhabe an der göttlichen Herrlichkeit, so daß durch das Band der vergöttlichten Menschheit
Jesu ein unauflösbares Band und ein Einfluß zwischen der Menschheit Christi und der ganzen Schöpfung bestünde und letztere bereits bis ins Sein

verwandelt werden könne?

Wenn wir sagten, daß in der Alternative Theozentrik-Anthropozentrik die Christozentrik zu kurz kommt, meinen wir, daß die Menschheit Christi zu kurz kommt, d.h. daß sie nicht als Heilsinstrument auf uns wirkt und nicht, durch Gottes gnädige Huld befähigt, zum Heile beiträgt.[180] Hatte Althaus berechtigte Sorge, daß in einer satanozentrischen Erlösungslehre die Willentlichkeit der menschlichen Sünde verloren gehe, so geben wir unserer Sorge Ausdruck, daß in seiner theozentrischen Soteriologie die Willentlichkeit des freien Ja des Menschen Jesu zu kurz komme. Es ist ja letztlich nicht Drama zwischen Gott und Mensch, sondern Drama Gottes mit ihm selbst – zwischen seiner Gerechtigkeit und Gnade, seinem Zorn und seiner Liebe; er, Gott, nicht Christus als Gottmensch, ist einziges Subjekt des Heils. Der Mensch Jesus zählt nur, insofern Gott in ihm sein eigenes Gesetz der Gerechtigkeit – aus Liebe – durchbricht und im 'Kampf Gottes mit Gott' das Paradox in sich selbst löst. Gott selbst tut in Christus genug, nicht auch der Mensch Jesus in einem sekundären, von Gott völlig abhängigen, aber eigenen Einfluß. Ist so nicht die Christustatsachte nur der sichtbare Ausdruck des unsichtbaren Handelns Gottes? Ist dann der Mensch Jesus nur Ausdruck des Wirkens Gottes, die Kirche nur Ort, in der, nicht durch die Gott handelt? Die Menschheit Christi wäre dann wohl nur die erste, in der Gottes rechtfertigendes Werk als Auseinandersetzung Gottes mit sich selbst zum Siege führt. In dieser Exemplarität bleibt Jesus als Gottmensch bedeutend, insofern seine Gerechtigkeit unsere Sünde ersetzt, ohne unser Sündersein jedoch zu wandeln. Gottes Tat in Christus als Sterben für uns wird in der absteigenden Linie der Heilstat Gottes in die Geschichte und Menschheit auch in uns zum Sterben mit ihm und somit zum Beginn des 'neuen Seins' in uns, aber doch immer so, daß von uns aus unser Sündersein bleibende, erst am Ende der Welt wegen der Gottheit Gottes (nicht auch wegen der vergöttlichten Menschheit Christi) aufzuhebende Wirklichkeit ist. Solange die Gottheit Jesu den Bereich des eigentlichen Seins des Menschen Jesus unberührt läßt, bzw. nur paradox erfaßt, kann auch das Sein des Menschen in dieser Welt nicht ontologisch geändert, sondern nur paradox mit dem neuen Sein in Gott je aktuell zusammengedacht werden.

Die für alle anderen zwar entscheidende, aber nur typische Bedeutung des Menschen Jesus macht jedoch Althaus' Betonung der Bedeutung des

historischen Jesus und des Glaubensgrundes in dessen geschichtlichen Zügen fragwürdig, denn mit ihm kann uns der Heilige Geist im Glauben verbinden, ohne daß ein kausaler Einfluß Christi hinsichtlich seiner geschichtlichen (verklärten) Menschheit bestehen müsse. Die Beziehung zwischen Offenbarung bzw. Glaube und Geschichte bei Althaus hat deshalb
schon immer Kritik ausgelöst. Von der stark polemischen und teils unsach-
lichen Schrift H.W.Schmidts über die eher wohlwollende Darstellung A.
Beyers bis zu den jüngsten Arbeiten der Katholiken F.Konrad, P.Knitter
und G.Zasche wird immer – je nach Grundeinstellung in mehrminder schar-
fer Weise – auf die Unausgewogenheit, Ungeklärtheit, bzw. Einseitigkeit
in dieser Frage in Richtung einer Priorität des Geistes, also einer Unterbewertung der historischen (zeitlich sich erstreckenden) Wirklichkeit
hingewiesen. [181] Dem Kern dieser Kritik (nicht einseitigen Formulierungen) müssen wir zustimmen, denn trotz der Betonung des historischen Grundes wird in der Soteriologie die Zusammengehörigkeit von Glaube und Geschichte zweifelhaft und die Bedeutung der Geschichte erschüttert, denn,
wie von aller Offenbarung Gottes gilt "auch von dem Menschen Jesus, von
ihm als irdisch-geschichtlicher Person":

> "Das Ewige....ist keine Substanz, keine Ursache, die Wirkungen setzt,
> keine geschichtliche Tatsache als solche,....keine geschichtliche Per-
> son als solche, keine Leibhaftigkeit, aber auch keine Innerlichkeit
> als solche....Denn alle irdische Wirklichkeit als solche, die natür-
> liche, die geschichtliche, die personale entbehrt der Merkmale des
> Ewigen" (CW 25)

Kann aber eine irdische Wirklichkeit nicht vergöttlicht werden?

Nach der katholischen Lehre hat der Sohn Gottes als unmittelbar aktu-
ierende Ursache die menschliche Natur Jesu aus dem Nichts heraus mit seiner persönlichen Seinsfülle vereinigt. Die angenommene Menschheit Christi ist zur eigenen Menschheit des Sohnes Gottes geworden. Sein göttliches Handeln verwirklicht sich deshalb immer in menschlicher Gestalt.
Die Menschheit Christi ist wahrhaft menschliche und doch übernatürlich
tätig und manifestiert den Sohn Gottes, freilich unter der Gestalt der
Kenosis, d.h. der Leiblichkeit des gefallenen Menschtums. Auch wenn Subjekt der personalen Attribution der Sohn Gottes ist, sind durch die Annahme der Menschheit zwei konkrete Subjekte der Tätigkeit gegeben: "Ainsi
le Christ n'était pas seulement le lieu où Dieu vaincrait le démon et
exercerait une justice rigoureuse suivie d'un troimphe de son amour; il
était, en son humanité sainte, une source secondaire, mais propre, de

salut."[182] In dieser Sicht kann sich das Heilswerk in das Schöpfungswerk,
dessen Realität es 'benutzt', einfügen. So gibt es auch in der Soteriologie 'Vermittlung in Differenz'. Die Gnade der hypostatischen Union, die
der Person des menschgewordenen Wortes eigen ist, ist das Prinzip der
Vergöttlichung aller mit ihm Verbundenen.[183] Christus ist der Erstling der
vergöttlichten Menschheit, so daß in ihm die Menschheit ihr absolutes Ziel
erreicht, das der Verherrlichung Gottes durch die heilige Menschheit Christi, in der die Schöpfung ihre eschatologische Form gefunden hat, und
das der eigenen Vergöttlichung. Logos und Sarx, Wort und Fleisch, Glaube und Geschichte sind im geschichtlichen Menschen Jesus, der Sohn Gottes ist, eine solch (letztlich in der Auferstehung) endgültige Verbindung
eingegangen, daß sich nunmehr Gott für die Menschen durch die Menschen
hindurch ereignet, "ja, noch konkreter: durch den Menschen, in welchem
das Definitive des Menschseins in Erscheinung tritt und der eben darin
zugleich Gott selber ist."[184] Gott wollte die Hoffnung des Menschen sein,
indem er selbst die Menschheit annahm und verherrlichte. Im durch das
mitmenschliche Du Jesu vermittelten dialogischen Gottesverhältnis ist
die geschöpfliche Distanz ('Differenz') gewahrt, Christus ist aber zugleich der wahre Mittler (durch seine Menschheit) im Dialog zwischen
Schöpfer und Geschöpf ('Vermittlung'), so daß wir im Verhalten als Brüder
und Schwestern Christi eine neue Beziehung zu Gott Vater erhalten.

Althaus preßt das Schöpfungswerk keineswegs in ein christologisches
Schema, wie es Barth tut. Von seiner Unterscheidung von Geschöpf- und
Sünderdasein und von seinem 'Restbegriff' Natur her ließe sich die An-
nahme dieser 'Natur' durch den ewigen Sohn und deren Vergöttlichung denken, somit auch deren geschichtliche Heilsinstrumentalität, doch angesichts der Sünden- und Heilslehre wird die relative Eigenständigkeit der
'Naturordnung' untergraben. Es folgt daraus ein ontologischer Aktualismus,
der angesichts der Erlösungsbedürftigkeit eine gefährliche moralische
Eigenwertigkeit des Menschen ausschalten soll. Die Totalität des Heils von
Gott her (Unterbetonung der Menschheit Jesu) tendiert dahin, die Gnade
der Schöpfung der Gnade der Erlösung anzugleichen, d.h. die menschliche
(von der Gnade ermöglichte und doch freie) Mitarbeit in der Verwirklichung der Heilszueignung unterzubetonen, bzw. auszuschalten. In der
Schöpfungstheologie und teils in der (Offenbarungs-)Christologie geht
Althaus den Weg von unten nach oben, d.h. obgleich er die geistige Kreatur in der innersten Bedürftigkeit nach Sinnerfüllung durch die gnadenhafte Gemeinschaft mit Gott sieht, so versteht er doch nicht den Sinn

als Sein,die Bestimmung als das Wesen, die Gnade als die Natur, auch wenn
die Tendenz dazu seinem Person-Begriff zugrundeliegt. In der Soteriologie
dagegen geht Althaus nur den Weg von oben nach unten und läuft Gefahr,
diese notwendigen Unterscheidungen zu vergessen, also die Gnade zum Wesen, den Sinn zum Sein der geistigen Kreatur zu machen. Die Person hat
dann nicht nur die Bestimmung zur Relation, sondern sie ist nur Relation,
das Wesen der Person hat nicht nur die Hinordnung zur Begegnung, sondern
sie ist nur noch Begegnungswirklichkeit (z.B. Erbsünde muß aktuell gegenwärtige Personsünde sein). Der Substanzbegriff wird deshalb abgelehnt,
denn in aller vor Gott geltenden 'Zuständlichkeit' wird eine Selbstmacht
der Kreatur gegen Gott gesehen. Eine vor jeder ontologischen Zuständlichkeit ängstliche Betonung des Personalen in der Heilsvermittlung macht eine
von der Schöpfungstheologie her vielleicht mögliche 'assumptio carnis'
und dessen übernatürliche Kausalität unmöglich. Die Unterscheidung von
Natur und Gnade, welche nicht Trennung und damit widergöttliche Verselbständigung der Kreatur ist, ist u.E. jedoch ebenso wichtig wie ihr Zusammenhang; sie dürfen auch in der Soteriologie nicht gleichgesetzt werden[185], da dies letztlich einer Vernachlässigung der ontologischen Differenz zwischen Gott und Mensch (Identität bwz. Verschiedenheit von Sein
und Sinn)gleichkommt.

Bei Althaus ist noch weniger als bei Luther die Gefahr eines eigentlichen Monophysismus gegeben, und doch meinen wir, auch an ihm aussetzen
zu müssen, wasY.Congar Luther vorwirft: "il y a monoénergisme, monopra-
xie ou, si l'on veut, monophysisme 'economique': dans l'économie salu-
taire, Dieu seul agit: 'Dieu', avec la nuance modaliste que son absence
de théologie précise de la personne et de la nature donne à la pensée de
Luther."[186] Weil die kreatürliche Person letztlich doch mehrminder als re-
sponsorische Aktualität aufgefaßt wird und deshalb die Ursünde die ganze Person zu 'verschlingen' droht und weil es von 'solus Christus' her
zu einem "clash between his doctrine of Uroffenbarung and justifica-
tion, between his anthropolgy and soteriology"[187] kommt und deshalb letztlich alles von der Heilsfrage her bestimmt wird, diese jedoch allein von
Gott im Menschen Jesus, aber nicht auch mittels der Menschheit Jesu, entschieden werden kann, gewinnt schließlich das 'von oben her' Gottes alleinige Oberhand. "Die Reformatoren und die heutigen evangelischen Theologen reagieren gegen nichts empfindlicher als gegen den Verdacht, Gott

und seine Gnade könnten irgendwie in die Verfügung des Menschen geraten"[188]. In einer solchen Haltung liegen natürlich viele unaufgebbare
Werte, wie z.B. die Betonung der Transzendenz Gottes, des Primats seiner personalen Huld, der göttlichen Freiheit und Unverfügbarkeit, nicht
zuletzt die Warnung vor der Gefahr einer 'automatischen' Heiligung in der
katholischen und liberalen protestantischen Theologie. Soll das Nein Gottes über alle Natur uns helfen, Gottes gnädiges Handeln an der Kreatur
als solches zu würdigen (CW 630), so meint die katholische Theologie, genau dasselbe Anliegen dadurch besser zu wahren, daß sie die totale Sündigkeit ablehnt und an einer gewissen "ontologischen Robustheit"[189] der
geistigen Wesenheit als Möglichkeitsbedingung der freien Annahme und des
'Zueigenwerdens' der Gnade festhält. Wenn das Drama Gottes mit der Menschheit dagegen, wie bei Althaus, zum Drama Gottes mit ihm selbst wird, sind
die Freiheit des Menschen und die Gratuität der Gnade gefährdet.

Insofern das Personsein des Menschen Jesus ungeschaffene Gnade ist,
unterscheidet er sich von allen anderen Menschen. Da aber die Gnade in
der Menschheit Christi als 'gratia Capitis' das Urbild aller Gnade ist,
hängt von der Antwort auf die Frage, "ob die Gnade der Inkarnation allein
als die unerschaffene Gnade der Einigung beschrieben werden kann oder ob
mit dieser unerschaffenen Gnade etwas eingeht in Sein, Haben und Tun der
Menschheit Christi, ob diese in der Einigung nur durch Gott tangiert oder
auch im Kreatürlichen kreatürlich variiert ist"[190], die ganze christliche Theologie bis hin zur Eschatologie ab. Althaus' Paradoxchristologie
erlaubt nur eine Antwort im ersten Sinne, während wir im zweiten Sinne
antworten: Die Erhebung der Menschheit Christi und deren geistigen Vermögens ist möglich wegen der Variabilität der Natur, sie ist wirklich
als Folge der persönlichen Hingabe Gottes an den Menschen Jesus als Vater und als Disposition der menschlichen Aktivität Jesu, die persönliche Hingabe zu empfangen. Daraus folgt eine berechtigte Immanenz der Gnade und eine wahre Bedeutung der heils-'geschichtlichen', inkarnatorischen, sozial-mitmenschlichen Ebene (der Linie 'von unten her'), des
'Reifens' auf die letzten Dinge hin, des 'Weiterschreitens innerhalb des
göttlichen Geschenkes',Gott ist der Kommende, er ist Zukunft (Adventus),
nicht Futur; aber als der jetzt Kommende ist er keine Abstraktion; er ist
es als der uns Anrufende und Ziehende, d.h. sein Ziehen ist auch Realität in uns, seine Gnade ist eine der Freiheit des Gerechtfertigten inne-

wohnende innere Tendenz und Finalität auf die absolute Zukunft Gottes
hin.

Gemäß den christologischen Voraussetzungen kommt in Althaus' Rechtfertigungslehre die Verantwortung und Betätigung der menschlichen Freiheit zu kurz, denn nicht nur Luthers, sondern auch Althaus' "Rechtfertigungslehre ist zutiefst in seinem Gedanken von Gottes Gottheit begründet"[191] . Die auf den ersten Blick gegebene Christozentrik scheint dem
articulus stantis es cadentis ecclesiae untergeordnet zu sein, so daß,
wie H.G.Pöhlmann gesteht, "der Eindruck einer Ideologisierung der Rechtfertigung im Luthertum entsteht"[192] .

Auch die katholische Rechtfertigungslehre bekennt sich zur allein
rechtfertigenden Gnade, zur freien, vom Menschen nicht forderbaren Selbsterschließung Gottes in Jesus Christus, an der der Mensch durch die souveräne Tat Gottes, also nicht durch eigene Werke, Anteil bekommt. "Die
katholische Rechtfertigungslehre bekennt also keinen semipelagianischen
Synergismus, demzufolge das Heil aufgeteilt würde in Gnadentat Gottes
und eine davon unabhängige Freiheitstat des Menschen."[193] Aber die gnädige Tat Gottes muß vom Menschen in freier, Gott antwortender Tat angenommen werden. Freilich ist diese Tat des Menschen selbst noch einmal Gan-
dengeschenk, aber sie setzt voraus, daß der Mensch auch in seinem sündigen Zustand die Fähigkeit hat, von Gott gerufen zu werden, Gott in seiner
Offenbarung zu erkennen. Es genügt dann nicht zu sagen: "Die Freiheit im
Sinne der Willentlichkeit wird in der Unentrinnbarkeit der Sünde nicht
aufgehoben, sondern bewahrt, aber wider ihren schöpfungsmäßigen Sinn ge-
kehrt." (CW 343)

In der katholischen Lehre kommt die Gnade Gottes beim Sein, Haben und
Tun des Menschen wirklich an, so daß aus dem Sünder ein Gerechtfertigter
wird (DS 1529). Sie wird nicht als 'zweiter Stock' der Natur aufgesetzt,
sondern betrifft das Innerste des Menschen, das sie jetzt schon - als
Sinnantwort - anfänglich zu wandeln imstande ist. Aufgrund der gnadenhaft
ermöglichten freien Zustimmung fallen Rechtfertigung, Erneuerung, innere
Heiligung und übernatürliche Erhöhung des Menschen zusammen. Trotz der
wirklichen Veränderung des Menschen ist auch hier die Rechtfertigung "Ereignis der Verheißung, die jetzt nur gegenwärtig ist in dem hoffenden
Glauben, aber hier nie zum autonomen verfügbaren Besitz wird"[194]. Insofern der Gnadenzustand (geschaffene Gnade), als ständig von dem souverän

gnädigen Gott ganz abhängig (ungeschaffene Gnade), nicht der theoretisie-
renden Reflexion zugänglich ist und des Christen eigene tägliche Schwachheit nicht durch seine Reflexion voll einholbar ist, hat das 'simul iustus
et peccator' auch einen berechtigten katholischen Sinn: Der Zustand des
Gerechtfertigtseins ist zugleich noch ein Wandel, ein existentieller
Kampf, also noch unterwegs - vom Ausgangspunkt hin auf den Endpunkt (nicht
nur innerhalb der im Kern gleichbleibenden polaren Spannung des 'simul
iustus et peccator'). Die subjektive Erlösung des Menschen schreitet vo-
ran und erreicht die völlige Freiheit von der Knechtschaft der Sünde erst
in der eschatologischen Vollendung, in der der Mensch die Freiheit hat,
nicht sündigen zu können. Weil der einzige Sinn des 'eingegossenen Habi-
tus' der Liebe letztlich die stets aktuelle, sich selbst vergessende Liebe ist, würde sich von hier aus - nach Karl Rahner - "die Gleichberechti-
gung und gegenseitige Bezogenheit einer ontischen Aussage über die Rechtfertigung wie im Tridentinum (Rechtfertigung als vorbereiteter Wechsel
und als Zustand mit 'Recht' und Verdienst vor Gott) und einer 'existentiellen' Aussage (Rechtfertigung als 'bloß' geglaubte, immer neu zu er-
greifende, eschatologisch zukünftige) ergeben"[195].

Richtig hebt Althaus die Unverfügbarkeit der Tat Gottes und die dauernde Herkunft des Christenstandes von der personalen Begegnung mit Gott,
mit seiner Treue, also die personale absolute Gnade, die Gott selbst in
seiner Zuwendung zu den Menschen ist, hervor. Wo katholische Theologie
den sachlichen und nicht den personalen Sinn des Wortes Gnade in den Vordergrund stellte, trifft sie Althaus' Vorwurf zurecht (CW 281). Auch der
totale Aspekt des rechtfertigenden Glaubens, also dessen Umfangen von
Hoffnung und Liebe, muß bejaht werden. Bei Althaus finden sich ebenso
gute und weitführende Ansätze, die Rechtfertigung auch als neues Sein
und als innere Heiligung zur Geltung zu bringen. Letztlich aber wird die
'theologische Existenz' zu wenig zum Sein des geschichtlich sich in Gemeinschaft verwirklichenden und darin seine gnadenhaft finalisierte Freiheit vollziehenden Menschen. Das existentielle Moment wird überbetont,
bzw. das ontische Element vernachlässigt (vgl.DS 1530: 'inhaeret'). So
bleibt die Kontinuität des Seins letztlich doch nur in der Treue Gottes:

"Was wir unter dem Vorzeichen der Gabe Gottes als ein Sein wissen dürfen, das ist bei uns, gemäß unserer von Gott gesetzten Personhaftigkeit, immer nur als jetzt aufgegebener Akt wirklich....Das Sein hat
seine Wirklichkeit nicht anders als in der Weise personhafter Aktua-

lität. Aber den jeweils geforderten Akt erbitten und nehmen wir von
der Treue Gottes. Sie begründet die Kontinuität unseres Neuseins."[196]
Gibt es aber eine Beziehung zu Gott ohne menschlichen Beziehungsträger?
Ist nicht der Rückzug auf das 'in Christus' nochmals ein Ausweg?

Wenn Gottes Tat Selbstmitteilung an den Menschen und damit an die Geschichte, Annahme der menschlichen Natur durch den Logos und damit Annahme der Menschheitsgeschichte ist, muß in der Rechtfertigung auch die gnadenhaft freie Antwort des Menschen im Glaubensakt und dessen Verantwortung betont werden, also die Seite des Menschen im Dialog zwischen Gott
und Mensch in der Rechtfertigung und in der Heiligung. In der nur aus
der Einheit mit Christus hervorgehenden Kraft kann der Gerechtfertigte
dann auch selber übernatürlich mitwirken, ohne daß das, was der Mensch
tut, in irgendeiner Weise die absolute Gnadenhaftigkeit des göttlichen
Heils vermindert. Die von Gott geschenkte Antwort ist zugleich des Menschen eigene höchst personale Antwort. Die zu weiterer Heiligung führenden Antworten der in Liebe verrichteten Werke werden von Gott selber bewirkt und sind doch zugleich die freien menschlichen Taten, dem Menschen
mit ihrer Heilsbedeutung zu eigen. Das hat zur Folge, daß "die Vollendung der Geschichte nicht nur im Sinn einer einseitigen Inkarnationstheologie von oben, sondern zugleich im Sichauszeitigen von unten"[197] zu verstehen ist, so daß der Exodus aus der Geschichte zugleich Erfüllung als
gnadenhaft ermöglichte Selbstüberschreitung ist. In der Auferstehung Jesu ist bereits die Verwandlung der Geschichte eröffnet, denn Kreuz und
Auferstehung sind bereits objektive Erlösung (nicht nur objektive Rechtfertigung), die in subjektiver inchoativer Erlösung vom Glaubenden angeeignet wird.

Dieser Aspekt - mit seinen ontologischen Implikationen - kommt bei
Althaus zu kurz, denn das strenge 'simul iustus et peccator' läßt letztlich nicht zu, daß menschliches, weil im Kern immer sündhaftes, Wirken
mitbeteiligt sei. Trotz eines möglichen Fortschreitens bleiben die Sünder
und der Gerechtfertigte in einem und demselben Menschen bis zum Eschaton
doch nebeneinander stehen, was natürlich erhebliche Folgen für die Eschatologie hat. Trotz der starken Betonung der Werke und des Zusammenhangs von Glaube und Handeln liegt der Ton bei Althaus auf der existentiellen inneren Bewegung der Glaubensentscheidung, die sich in den Werken manifestiert, nicht sosehr darauf, daß der Mensch auch Glaubender
nur als fleischgewordene Innerlichkeit, Geist-in-Welt, Gottesorientiert-

heit in der Welt- und Nächstenorientiertheit (und nicht vorgängig dazu)
ist. Weil er durch die Verwirklichung dieser Beziehungen erst er selbst
ganz wird, ist auch der Glaube in der Verwirklichung der übergeschichtlichen Komponente auf die geschichtlich-leibhaftige Dimension verwiesen.
Wenn das Handeln die einzige authentische Durchführung und Vollendung des
Seins ist, muß auch das Tun des Menschen, nicht nur sein Sein, neu werden
- nicht wie bei Althaus letztlich nur in der Innerlichkeit der Geltung vor
Gott ohne echte Wirkung, sondern so, daß des Menschen eigenem Sein und
Tun, freilich in totaler Abhängigkeit, die Gnade zueigen wird und er schon
jetzt für die endgültige Ankunft der neuen Welt definitiv mitwirkt, ohne
Gottes Freiheit zu verletzen, weil durch sie ermächtigt und in demütigem
Stellen unter sie. Eine darauf aufbauende 'Eschatologie der Inkarnation'
wird stärker als Althaus das soziale Moment des Glaubens, das Moment des
von Gott geschenkten 'von unten' Reifens zur Geltung bringen und wird
nicht in allen Werken des Menschen letztlich Sünde sehen.

Wie die eschatologische Heilstat Gottes in Christus nicht im Menschen
Jesus ohne den Menschen Jesus geschah, so geschieht die eschatologische
Vollendung nicht in der Menschheit ohne das Mittun des Leibes Christi,
der Kirche. Der Jüngste Tag der Ankunft Christi (Adventus) wird zugleich
der letzte Tag der auf ihn zugehenden Menschheit sein (Futur); das Ende
der Zeiten von oben her wird in einem allerdings empirisch nicht auf-
weisbaren Sinne auch die Zeit des Endes von unten her sein. Unsere Stellungnahme ist letztlich Konsequenz einer Sicht, die den Bindestrich zwischen Jesus und Christus und die Untrennbarkeit seiner Person und seines
Werkes so ernst nimmt, daß es der Bindestrich zwischen Glaube und Liebe
ist, und die Liebe nicht nur Werk des allein-wirksamen Gottes, sondern in
Jesus Wahrheit des menschlichen Seins geworden ist. Daß in Christus der
Mensch des Menschen Hoffnung geworden ist, müssen wir bezeugen, indem
"wir selbst von diesem Maßbild her lebend, einander Hoffnung werden und
versuchen, der Zukunft die Züge Jesu Christi aufzuprägen, die Züge der
kommenden Stadt, die darum so ganz menschlich sein wird, weil sie ganz
Gottes ist"[198].

Althaus' Position dagegen ist Konsequenz einer Sicht, die auf der Ebene der Soteriologie diesen Bindestrich zwischen Jesus und Christus nicht
zieht, sondern zwischen ihnen den Graben des Paradoxes klaffen läßt, weil
nur so die Gottheit Gottes als 'creatio ex nihilo sub contraria specie'

ganz zur Geltung kommt. Auch protestantische Autoren, scheint uns, haben
das damit gegebene Problem gesehen.

H.Schroer bemängelt, daß bei Althaus sowohl das christologische als
auch das soteriologische Paradox 'komplementäres' und nicht 'supplemen-
täres' Paradox sei, also ein umkehrbar polares, korrelatives und nicht
ein gerichtetes, unumkehrbares Paradox, wodurch das Verhältnis von Glauben und Denken zu einfach beschrieben sei und Inkarnation und Heilszusa-
ge nicht genügend zum Tragen kämen. Er findet zurecht die damit verbundene strukturelle Gleichschaltung der Dialektik der Versöhnung und der
Erlösung (vgl. synthetischer Charakter der Rechtfertigung), die der
Eschatolgoie das Gepräge von Sätzen des Bleibens und des Kommens gibt,
bedenklich und meint zu Althaus' Einschätzung anderer christologischer
Theorien, daß man fragen müsse, "ob die von Althaus gebrauchten Normen
der Antinomie und Negation - sie sind ja nichts anderes als die Denkform
der komplementären Paradoxalität - nicht auch eine Theorie sein können"[199].
Hinter der von Schroer signalisierten Gefahr, daß so die Denkform zur
Denktechnik wird, steht u.E. als 'Theorie' Althaus' Begriff der und sein
Pathos für die Gottheit Gottes als 'creatio ex nihilo sub contria
specie', die der Theologie (und Eschatologie) des Glaubens ein besonderes
Moment verleiht,wie wir bereits im ersten Teil unserer Untersuchung des
öfteren sahen.

Die Komplementarität des Paradoxes bei Althaus scheint auch W.Krötke
festzustellen, da auch dem Gerechtfertigten als Sünder das Gesetz zu jeder Zeit gilt (CW 602), "so daß die Zeit des Gesetzes und die Zeit des
Evangeliums nebeneinander treten"[200]. Er sagt dazu kritisch:

> "Hier wird die bleibende Geltung des Gesetzes nicht damit begründet,
> daß der Mensch ein Sünder bleibt, sondern das Gesetz gilt, damit der
> Mensch ein Sünder bleibt. Ist dadurch der Glaube des Menschen, also
> sein Zugang zum Evangelium nicht von einer Bedingung abhängig ge-
> macht, nämlich der vorher zu erbringenden Verzweiflung des Gewis-
> sens?"[201]

Diese Bedingung hängt jedoch u.E. wiederum von der Gottheit-Gottes-Auf-
fassung ab. Im komplementären Paradox wird der Sünde ein ontologischer
Platz angewiesen. W.Joest hat klar nachgewiesen, daß Paulus einerseits
nicht weniger als Luther an der Sünde als innerer, transzendentaler Einstellung der Person interessiert sei, daß er aber andererseits für den
Christen nur die Möglichkeit der Sünde einräume, den ständigen Kampf gegen sie befehle und keineswegs daraus ein dauerndes Existential mache,

so daß es "eine schwere Verzeichnung der Rechtfertigungslehre Luthers"
sei, "wenn man das in ihr waltende Interesse an der Vergebung der Sünde
gegen ein angeblich in ihr zu vermissenden Gesichtspunkt der Aufrichtung
und Durchsetzung des Reiches Gottes ausspielt"[202]. Luthers 'simul iustus
et peccator' sei im Kontext der Auseinandersetzung mit der substanziali-
stischen Gnadenlehre, was die "faktische Zeichnung des Tatbestandes" anbelangt, im paulinischen Sinn zu verstehen - als Trost-, Kampf-,Demuts-
motiv, aber "in der ontologisch wertenden Behandlung, die diesem Tatbestand zuteil wird", sei ein deutlicher Unterschied festzustellen: Luther
macht aus der faktischen "paradoxen Kampfformel" des Paulus eine grundsätzliche "dialektische Seinsformel"[203]. Anfänglich im Demutsmotiv, vor
allem aber im 'doxologischen Motiv' wird die Sünde durch den Zusammenhang mit der Ehre Gottes ontologisch fixiert, da sich Gott gerade darin
als Herr erweist, daß seine rechtfertigende Gnade über dem in diesem Leben bleibenden Sünder waltet. Luther, der hier "an einen äußersten und
gefährlichen Rand angelangt ist", überschreitet diesen Rand illegitimer-
weise, indem er darin die bis zum Lebensende wesenhafte Unausweichlich-
keit des Sünderseins mit aussagt und sogar Reflexionen über das Warum des
Bleibens der Sünde anstellt - in der "Erwägung, die bleibende Sünde der
Christen diene der Ehre Gottes, und Gott lasse zuweilen in Sünden fallen,
weil es die Ehre und Kraft seiner Gnade ist, in die Tiefe zu schauen und
aus der Tiefe emporzuheben"[204].

Joest distanziert sich in seinem Urteil über das lutherische 'simul
iustus et peccator' von demjenigen Althaus' (PL 68.85); für uns ist aber
gerade dieser Unterschied eine Bestätigung für unsere Annahme, daß das
Pathos für die Ehre der Gottheit Gottes, also das zum komplementären Paradox neigende 'doxologische Motiv', auch bei Althaus selbst die berechtigten und von ihm meisterhaft erarbeiteten Motive der 'Theologie des
Glaubens' (Kampf, Trost, Demut) überlagert und Ursache seiner Paradox-
theologie ist, in der die Dialektik zu einem 'lokal - polaren' Widerspruch zu werden droht. Es prägt die Christologie und die Rechtfertigungslehre und kommt in der 'Eschatologie der Rechtfertigung' als Auflösung
der Paradoxe entscheidend zum Tragen. Die Christustatsache als hermeneutisches Prinzip aller eschatologischen Aussagen hat deshalb im katholischen Verständnis einen anderen Sinn als bei Althaus. Letztlich ist es
dieses 'doxologische Motiv', das Althaus' Vermittlungsversuch zwischen

uneschatologischer und nureschatologischer Theologie scheitern läßt, weil
es in der Soteriologie keine 'Vermittlung in Differenz' gestattet.

6. Eschatologie als Verheißung dessen, was unbedingt bleibt, und dessen,
was unbedingt kommt

a) Sätze des Bleibens und Kommens

Die Wirklichkeit Christi führt unmittelbar zur Eschatologie, denn die
Gegenwart des Letzten (LD[4] 16f) besagt "Bleiben des 'Heute', des Heils"
(LD[4] 28). So ist auch der Christenstand das unüberholbar Letzte, der als
Gemeinschaft mit Gott die "Gewißheit der Unzerstörbarkeit" (GD[1] II/164 =
GD[5] 259) in sich trägt: "durch alle Katastrophen des persönlichen Lebens,
der Weltgeschichte, des Kosmos hindurch bleibt er unbedingt"[205]. Da die
Rechtfertigung immer synthetisches Urteil bleibt, also Gericht und Heil
in unlösbarer Dialektik vereint, bedeutet jedes von beiden letzte endgültige Wirklichkeit, unentrinnbare 'Ewigkeit' (als Wirklichkeit der vertikalen Geschichte). "Die Erfahrung Christi als des gegenwärtigen Gerichtes Gottes führt also unmittelbar zu Eschatologie: unser, der Sünder,
Beziehung auf Gott ist 'ewiger Tod'" (LD[4] 28); weil aber Gottes Ziel mitten im Gericht der Ruf in die Gemeinschaft ist, der uns niemand entreißen
kann, führt auch die Erfahrung Christi als der gnädigen Berufung göttlicher Liebe unmittelbar zu Eschatologie (LD[4] 28). Da es nur ein Haben im
Widerstreit ist, entsteht ein neuer auf Lösung drängender Daseinswider-
spruch. "Beides gilt, weil er Gott ist und als Gott frei erkannt sein
will, stellt er uns in den Widerstreit; und: weil er Gott ist und als
Gott herrlich sein will, hebt er den Widerstreit auf." (LD[4] 35) Die
Knechtsgestalt muß zur Herrlichkeitsgestalt werden, "weil Gott Gott ist"
(LD[4] 36). Kenosis, Glauben, Entscheidung sind deshalb nur Durchgang zu
Herrlichkeit, Schauen und voller Gemeinschaft. Dem Glauben als Erfassen der Heilsoffenbarung Gottes 'muß' die Verborgenheit Verheißung kommender Enthüllung und der Widerstreit Hoffnung seiner Lösung im Zerbrechen der verhüllenden geschichtlichen Gestalt sein.

Während einerseits, abgesehen von der Sünde, Geschichte und Glauben
zusammengehören, ist diese Geschichte andererseits durch die Konzentrierung auf die Heilsfrage dialektisch so eng mit der Sünde zusammengesehen,
daß der Aspekt der Verborgenheit erweitert bzw. nahezu verdrängt wird
durch den Aspekt des Widerstreits zwischen sündiger Geschichtswirklichkeit

und heiler Gotteswirklichkeit (strukturelle Gleichschaltung der beiden Dialektiken), so daß die Offenbarung geradezu die Gestalt der 'Gegen-weltlichkeit' (LD[4] 29) bekommt und die Theologie des Glaubens einseitig auf die Theologie des 'simul iustus et peccator' bezogen wird. Aufgrund dieser Verlagerung von Verborgenheit zu Widerstreit kann die neue Geltung in Christus gar nicht zu des Menschen eigenem neuen Sein werden, solange die Geschichte andauert. Die Enthüllung ist Offenbarung des bei Gott schon Gegebenen; sie ist, was uns betrifft, Neuschöpfung. Nicht aus dem, was wir sind, tun und wollen, sondern "aus dem, was Gott ist und an uns getan hat", ergeben sich die eschatologischen Sätze (des Bleibens und des Kommens) als "Postulate des Glaubens-Gehorsams gegen die Verheißung, die Gottes Heils-Offenbarung bedeutet"; "ihre Logik ist die der Gottheit und Treue Gottes, die er uns ins Herz gegeben hat" (LD[4] 36). Althaus lehnt die Alternative präsentische oder futurische Eschatologie als falsch ab, denn Perfektum praesens und Futur, Schon und Noch-nicht, Besitz und Har-ren treten nebeneinander, so daß beide Momente ineinander liegen und ein-ander fordern: "Der Kommende ist zwar gekommen - aber der Gekommene ist gekommen nur so, daß er wieder-kommen muß und wird, daß er der Kommende ist" (LD[4] 17;vgl.LD[4] 27). Die Herrschaft Gottes ist nicht geschichtliche Wirklichkeit (GD[1] II/164), sondern verborgenes Geheimnis des Glaubens, das angesichts der Weltwirklichkeit unbedingt der kommenden Verwirkli-chung harrt. Das Maß der schon gegebenen Heilsgegenwart wird zum Maß des Drängens auf die Heilszukunft (LD[4] 17.28). Zusammenfassend weisen wir nochmals auf das dreifache Paradox und die darin gegebene Verheißung hin.

Christologisches Paradox: Jesu Christi Vollmacht ist verborgen in der Ohnmacht der Knechtsgestalt. Trotz der zum Glauben einladenden Züge wird die Menschheit Jesu von Althaus schließlich doch fast nur als Verbergung der Gottheit Gottes gesehen (CW 28f.676). Der neue Äon wird nur durch den Widerspruch hindurch im Dennoch des Glaubens ergriffen (LD[4] 29f;CW 25; GD[1] I/72). Durch die Auferstehung Christi liegt in der Verborgenheit die "Verheißung kommender offenkundiger Wirklichkeit", deren Inhalt Jesus Christus selbst als Wiederkommender ist (LD[4] 36). Parusie besagt das Heraustreten Christi aus der Knechtsgestalt der der Sünde zugeordneten Wirklichkeit.

Soteriologisches Paradox: Das eschatologische Urteil ist fundamental dasselbe wie das des ersten Momentes des Christseins,denn die aus der

Rechtfertigung folgende Erneuerung erreicht nicht die 'Intensität', daß die gnädige Zuwendung Gottes in Sein und Tun des Menschen eingehe. Rechtfertigung als nur im Wort des Evangeliums zugesprochene, verborgene, das Sein des Menschen nicht (oder erst 'anfänglich') verändernde Geltung muß notwendig zur Eschatologie, d.h. "zur Hoffnung auf die kommende wirkliche Gerechtigkeit des Lebens" (LD^4 38) werden. "Angesichts der Heiligkeit Gottes, die in seinem Nein zur Sünde erfahren wird", versteht der Glaubende die dem Sünder gewährte Gemeinschaft mit Gott "als Verheißung, die Sünde des Menschen ganz zu überwinden" (CW 108;vgl.LD^4 38). Da der Christ an den 'Leib des Todes' und das todesgesetzliche Geschichtsleben gebunden bleibt, kann Gottes Wille in dieser Welt nicht ganz und rein geschehen, d.h. bleibt all unser Tun sünden- und todverfallen (vgl.CW 676; GD^1 I/73). In Ostern ist dem Glaubenden Verheißung unserer eigenen nicht nur grundsätzlichen, sondern auch total effektiven Todesüberwindung und der völligen Erneuerung der geist-leiblichen Lebendigkeit gegeben, denn Christus ist als Erstling der neuen Schöpfung auferstanden.

Ekklesiologisches Paradox: Mit Beziehung auf U.E.Weber (LD^4 33,n.1) entwickelt Althaus nun auch das in der Frühperiode zu kurz gekommene "Paradox der Kirche" (LD^4 33f) als Paradox der "Weltwirklichkeit" Christi (LD^4 40)[206]. Er zeigt die Verborgenheit, bzw. den Widerstreit aller ihrer Wesensmerkmale angesichts der konkreten geschichtlichen Wirklichkeit. Die Kirche ist Fortsetzung der Kenosis Jesu, aber weil "Christi eigene Einheit, Heiligkeit, Katholizität, siegreiche Wahrheitsmacht" (LD^4 39) ihre verborgene Würde sind, muß sie selbst dieses ihr Wesen in Christus wirklich einmal einholen und alle Mißgestalt sprengen.

Eschatologische Erlösung ist also bei Althaus immer die um der Gottheit Gottes willen notwendige Auflösung der Paradoxien, d.h. das 'von oben' geschehende Herausstellen und Offenbarwerden (damit aber auch das Selbstwerden im Menschen) dessen, was wir heute schon auf widerspruchsvoll verborgene Weise 'in Christus' sind. Weil das, was bleibt, jetzt nur paradox gegeben ist, ist der Übergang zu dem, was kommt, hinsichtlich dessen, was wir selbst jetzt noch sind, nur Diskontinuität.

"Von Todesbestimmtheit zu unsterblicher Lebendigkeit, von Adam zu Christus, vom alten zum neuen Menschen führt keine Entwicklung. Tod und Ur-Sünde werden nicht allmählich abgebaut, sondern miteins 'verschlungen', wenn die 'Gestalt dieser Welt', von Gott zerbricht.... Christi Offenbarung in Herrlichkeit, das Kommen des Reiches, die Verwirklichung der Kindschaft ist streng jenseitig." (LD[4] 41)

Auch wir sagen, daß wir Erben des Himmels nur in Christus sind und daß dieser Himmel 'jenseitig' ist, aber wir sind jetzt schon selbst Erben durch Gottes Gnade, die uns als Lebensprinzip zum ewigen Leben geschenkt ist. In uns hat das Eschaton schon durch die Mitteilung der Gnadenfülle Christi so begonnen, daß bei aller notwenigen Diskontinuität, Jenseitigkeit und Verborgenheit des Reiches Gottes auch die Kontinuität zu unserem irdischen Mensch- und Christsein gewahrt ist, denn schon hier sind wir Gerechtfertigte, Freunde Gottes und arbeiten mit am Aufbau des Reiches. Der verherrlichte Gottmensch macht mittels seiner Menschheit die Kirche trotz deren ständiger irdischer Unvollkommenheit der in ihm wohnenden Fülle Gottes teilhaftig, weshalb die Kirche selbst jetzt schon, zwar unvollkommen, aber endgültig, ihre Eigenschaften zu eigen empfangen und in ihr (nicht nur 'in Christus'; freilich aber 'durch Christus') das Eschaton begonnen hat. Das Begonnene soll am Jüngsten Tag geläutert, erfüllt und vollendet werden. Die auf Erden schon zu eigene Gabe ist in ihrer eschatologischen Gerichtetheit auch Aufgabe, dem Jerusalem von oben kommt die Kirche von unten entgegen.

Althaus hat seine Begründung der Eschatologie in der durch Gottes Offenbarung gesetzten Heilsgegenwart, insofern diese nämlich Verheißung ist, gegen G.Hoffmann - u.E. zurecht - bestätigt (LD[4] 42). "Der Glaube wird nicht der Gegenwart von einer in Gottes Zusage verheißenen Zukunft her, sondern der Zukunft von einer in Gottes Zusage bereiteten Gegenwart aus gewiß." (LD[3] 43). Wegen der Paradoxe kann er sich jedoch "als Glaube nicht halten, ohne zugleich Hoffnung zu sein" (LD[3] 43). Am Ende wird der iusuts in spe zum iustus in re. - Heilsgegenwart, in der die Heilszukunft gründet, hat deshalb bei Althaus nicht genau denselben Sinn wie in der katholischen Lehre. Sie bedarf über den von ihr herausgestellten personal-existentiellen Aspekt hinaus (auch zu dessen authentischer Wahrung) u.E. der Ergänzung durch das, was wir 'Eschatologie der Inkarnation' nennen, gemäß der die jetzige geschichtliche Wirklichkeit nicht nur Ausdruck und Zeugnis, sondern - im Glauben! - bereits Gestalt und anfanghafte Verwirklichung der letzten Dinge sein kann, weil die Menschheit Christi Ursakrament des Heiles ist.[207]

b) Verhältnis von Glaube und Hoffnung

Althaus sieht richtig, daß im NT Glauben und Hoffen durch die gemein-

same Grundlage des Vertrauens auf den gnädigen Gott so eng miteinander
verbunden sind, daß die beiden Begriffe auch gegenseitig ausgetauscht
werden. "Das Glauben ist ja immer ein Auf-Gott-warten, das Hoffen immer
ein Akt des Glaubens." (LD[4] 44). Indem Althaus den Glauben als "Gewißheit um die Heilsgegenwart" und die Hoffnung als "Zuversicht zu der Heilszukunft" bestimmt, will er deren wesentlichen Zusammenhang und auch Unterschied festhalten (LD[4] 46). Folgende zwei Sätze, die zugleich Abhebung von der un- und der nur-eschatologischen Theologie sind, geben nach
Althaus das Schon und Noch-nicht des Christenstandes wieder:

> "1. Die Hoffnung wächst aus dem die Heilszusage als gegenwärtiges Heil
> ergreifenden Glauben, die Eschatologie aus der Gewißheit um die
> Heilsgegenwart" (LD[4] 64). Darin hat die Hoffnung "ihre sie von der
> eigenwilligen, eudämonistischen, illusionären, natürlichen Hoff-
> nung unterscheidende Gesundheit"[208].
> "2. Der Glaube wird notwendig zum Hoffen." (LD[4] 46) Ohne sie ist er
> eitel und stirbt.

Wir finden beide Sätze in ihrem Wortlaut richtig, denn auch nach katholischem Verständnis wird der Rechtfertigungsglaube notwenig zum Hoffen.
Das Althaus'sche Verständnis der Heilsgegenwart bedingt jedoch natürlich
auch das der Heilszukunft. Sofern von Althaus der Glaubens-charakter
der Heilsgegenwart gegen Empirismus und Subjektivierung der uneschatologischen Theologie oder die Angefochtenheit des Christseins gegen unexistentielle Sicherheit verteidigt werden, ist voll zuzustimmen; sofern
jedoch das Geheimnis des Glaubens nur Paradox und in Gegenweltlichkeit
gesehen wird und nicht auch in der Annahme und noch verborgenen übernatürlichen Erhebung geschöpflicher Wirklichkeit, verlangen wir die Ergänzung durch die 'Eschatologie der Inkarnation'.

Die aufgezeigten Sätze vom Bleiben und Kommen entsprechen nach Althaus der Doppelheit christlicher Heilsgewißheit als Glaube und Hoffnung:
Ruhen im Bleibenden und starkes Verlangen nach dem ausstehenden Ziel, Haben und Erwarten, Sieg und Kampf, Einheit und Spannung von Gegenwart und
Zukunft - das ist das christliche Leben, wie es auch dem neutestamentlichen Tatbestand, auch Johannes (LD[4] 3f.55), entspricht. Althaus führt diese Doppelheit auf das Grundproblem unserer Gottesbeziehung zurück: Handeln des Ewigen mit geschichtlichen Menschen. Wo Gott handelt, ist immer
ein Ganzes, Entschiedenheit, Sieg - da stehen wir auf dem Boden der Ewigkeit; wo Gott in der Geschichte handelt, bleibt das Geheimnis des Glaubens, darum Kampf, Noch-Nicht, Ringen, Warten auf Entscheidung (LD[4] 56;

GD[1] I/72f). Von Gott her ist das Heil nunc aeternum, sind wir mit Christus gestorben und auferstanden und sind in ihm neue Kreatur, von der Geschichte her ist das Heil tunc futurum, warten wir auf das Todesgericht und die Auferstehung und "harren wir dessen, der uns neuschaffe" (LD[4] 57). - Obgleich viele Formulierungen Althaus' darüber hinauszugehen scheinen, bleibt es doch beim Paradox, bei der "Polarität" des "zugleich in der Ewigkeit und nicht in der Ewigkeit" (LD[4] 57f), in dem u.E. die Geschichte und auch das 'Gott in der Geschichte' zu kurz kommen. In diesem Sinn sind auch Althaus' folgende Sätze zu verstehen:

"Die Ewigkeit Gottes wird in Christo der Gehalt unseres Lebens, aber so, daß sie eben damit sein Ziel wird. Sie ist überzeitlicher Gehalt und zeitendliches Ziel der Geschichte zugleich - das ist das dialektische Verhältnis von Ewigkeit und Geschichte, das in der Spannung und Einheit von Haben und Harren im Christenleben erscheint." (LD[4]59).

Althaus hat im Vergleich zur Frühperiode eindeutig gelernt, das eschatologische Ziel nicht in einer metaphysischen geschichtslosen Übergeschichtlichkeit, sondern in der zeitendlichen (nachgeschichtlichen) Ewigkeit, also in Blickrichtung auf die Zukunft zu sehen. Aber es gelingt ihm nicht, in diesem zeitendlichen Ziel auch das 'Ergebnis' der übernatürlichen Mitwirkung der Menschheit Christi und der durch Christus daran teilhabenden Kirche und schließlich sogar jedes Glaubenden zu sehen, ohne daß dadurch diese neue Welt aufhörte, ganz Tat Gottes zu sein. "Gott schenkt das Heil so, daß es vom Menschen mitgetan werden muß. Deswegen geht der Mensch auf die von Gott erhoffte Zukunft zu, indem er auf seine innerweltliche Zukunft zugeht."[209] Damit ist freilich keine fröhliche Fortschrittsromantik gemeint, denn "die Zukunft des Menschen hängt am Kreuz"[210]. Auch nach katholischer Lehre verursacht das Mitwirken nicht das Erreichen des Ziels, aber in seiner freien Selbstmitteilung an die Menschheit Jesu hat Gott seinen Willen und seine Macht bekundet, daß das eschatologische Ziel unter Einschaltung der freien, ihn aber dennoch nicht einschränkenden Liebestätigkeit des von ihm erhobenen Menschen erreicht wird.

c) Begriff der Eschatologie

Dem Wortsinn nach ist Eschatologie Lehre von den letzten Dingen, jedoch nur sofern der Ausgang ein Moment des Gottesverhältnisses ist. "Es geht in der Eschatologie um das von Gott her zu erwartende Telos." (LD[4] 1) Althaus unterscheidet zwischen der dogmatischen Disziplin als Eschato-

logie im engeren Sinn und der Enderwartung des christlichen Glaubens als
Eschatologie im weiteren Sinn. Er wendet sich gegen eine alles in Krise
ziehende, liebeleere Eschatologie, die doch nur Ausdruck des Nihilismus
unserer Zeit ist; ebenso gegen die Existential-Theologie, die die Begriffe Eschatologie und eschatologisch nur "als Ausdruck für die durch Christus, durch die Botschaft vom Kommen des Reiches gegebene Situation der
Entscheidung" verwendet, da die Weglassung des wirklichen zukünftigen
Kommens "eine offenkundige Verkürzung der christlichen Wahrheit" ist[211].

Althaus spricht zwar von den Sätzen des Bleibens und des Kommens als
Eschatologie und eschatologisch, doch er gesteht, daß er diese Begriffe
mitunter nur "in dem üblich begrenzten Sinne der Sätze vom Kommen" gebraucht (LD[4] 72,n.2); schließlich behält er den Begriff der Eschatologie
überhaupt für die Aussagen über die wirklich in der Zeit an uns heran-
kommende Zukunft vor. Nun besteht über die Bedeutung des wahren zukünftigen Endes kein Zweifel mehr. "Die 'echte Zukunft' ist auf alle Fälle zeitliche Zukunft." (LD[4] 4). Als "theologische Selbstbesinnung der christlichen Hoffnung" (GD[5] 259 = GD[1] II/164) ist Eschatologie die "End-Erwar-
tung des christlichen Glaubens" (LD[4] 2), "die Aussagen über den Ausgang,
die unbedingte ewige Zukunft des Menschen und der Welt, also über den Tod,
das Ende der Geschichte, den Jüngsten Tag, das Kommen des Reiches" (LD[4]
4), "die Lehre von dem Letzten, den 'letzten Dingen' (Sir 7,36 (Vulg.40)),
d.h. von dem Ausgange und Ziele des Menschenlebens, der Menschheitsgeschichte, der Welt"[212].

Wir werden also von der personalen, der universal-geschichtlichen und
der kosmischen Dimension der Eschatologie zu sprechen haben, freilich
unter Voraussetzung ihrer unscheidbaren Einheit, denn "niemand wird selig, außer in und mit der Gemeinde, in und mit der Befreiung aller Schöpfung" (GD[1] II/168 = GD[5] 263).

2. Kapitel: Methode der Eschatologie

1. Dogmatisches Erkennen ist Glaubenserkenntnis als personhafte Begeg-
nung mit Gott

"Die theologische Methode kann in der Eschatologie keine andere sein
als in jedem anderen Lehrstück der Dogmatik" (LD[4] 60)[1], weshalb auch von
der Methode der Dogmatik überhaupt gesprochen werden muß. Die Theologie

als "die wissenschaftliche Selbstbesinnung des christlichen Glaubens"
(CW 5) durchdenkt unsere gesamte Existenz im Lichte der im Glauben empfangenen, uns heute betreffenden Wahrheit. Dabei sind einige methodische
Prinzipien zu beachten, die hier in Hinblick auf die Eschatologie aufgezeigt werden sollen.

a) Ort der Erkenntnis

aa) Theologische Grenze (Personalität und Aktualität)

Die Selbsterschließung Gottes ist der Grund aller theologischen Erkenntnis. Die Erfahrung Gottes als die des ganz Anderen geschieht an, in
und durch die Erfahrung der Welt hindurch (CW 21-25), vor allem aber ist
es eine geisthafte Offenbarung. Die Offenbarung ist nämlich "nicht Mitteilung einer sachlichen Wahrheit, einer 'Lehre', sondern personhafte Begegnung Gottes mit uns" (CW 238), "nicht Offenbarung von etwas, sondern
die Selbstbezeugung der Person" (CW 27), Wort Gottes "als Träger persönlichen Willens, eines persönlichen Verhältnisses, Verwirklichung personaler Gemeinschaft oder Feindschaft, Träger von Liebe und Zorn" (CW 27f).
Dem entspricht von seiten des Menschen das personale, existentielle Erkennen, d.h. das Glauben (CW 29), also ein Wissen, das die Freiheit einschließt und uns im Gewissen zu Erkenntnis und Anerkenntnis 'bezwingt'.
Weil personale Erkenntnis den Ort in der Begegnung hat, muß sie eine stets
aktuelle, die Möglichkeit des Zweifels und des Unglaubens immer wieder
überwindende Erkenntnis, "immer ein neu zu ergreifendes Geschenk von Heute" (CW 32) sein, das von uns weder erdacht noch erwirkt werden kann, das
wir jedoch sehnsüchtig erwarten dürfen.

Aus der Personalität und Aktualität der Offenbarungserkenntnis ergibt
sich für Althaus die 'theologische Grenze' (CW 241): die Offenbarung ist
in personaler Hinsicht total, aber "Gott bleibt auch in seiner Offenbarung eben als Gott, als der Herr, als die Majestät, als der Schöpfer der
Verborgene" (CW 28). Die Transzendenz Gottes muß im Gegensatz zu allen
Versachlichungs- und Entpersönlichungstendenzen, wie sie Althaus besonders der katholischen Theologie vorwirft (CW 239), gewahrt bleiben, d.h.
es muß gesorgt werden, "daß Gott Gott bleibt und der Mensch Mensch" (CW
241). Gott bleibt uns unzugänglich in seinem Seinsgeheimnis: Gott, die
Trinität, Jesu Christi Wesen und Ursprung, sogar wir selbst und alle Kreatur bleiben ein undurchschaubares Geheimnis. Dazu kommt Gottes Frei-
heitsgeheimnis: Gott hat seiner Freiheit die Antwort auf gewisse Fragen

vorbehalten. Auch wenn es möglich ist, daß etwas von der theologischen
Grenze mit dem Jüngsten Tage aufgehoben wird, bleibt sie grundsätzlich
auch in Gottes ewigem Reiche (CW 241). Weil alle eschatologischen Lehren
diese Grenze zu wahren haben, folgt Bescheidung und Zurückhaltung. Seinsaussagen sind nur gestattet soweit sie zum rechten Verständnis der Offenbarung notwendig sind. Die Unberechenbarkeit der Geheimnisse Gottes auch
im Kommenden (LD^4 75), die 'offene Wunde', die sich jedem System und allen ruhenden Theorien widersetzt, muß bleiben.

Es seien im Rückblick auf unsere Stellungnahme zum 'dogmatischen Unterbau' ein paar kritische Anmerkungen gemacht. Wir haben gesehen, daß bei
Althaus durch eine einseitige Betonung des 'inconfuse, immutabiliter'
die Geschichte selbst immer nur "innerweltliche Wirklichkeit" (CW 25)
bleibt. Gottes geisthafte Offenbarung geschieht nur an und durch Natur
und Geschichte, so daß diese - auch in Jesus - den Anschein erwecken, nur
Ort zu sein, wo sich Gott offenbart, aber nicht selbst Offenbarung. Es
droht die Gefahr, daß die gegenständliche Seite nur benützt werde, damit
sich "Gott als Geist....meinem Geiste bezeugt" (CW 26). In der Spannung
der Geschichte – Geist ist die Geschichte zwar unerläßliche Vermittlung,
aber sie übt selbst, weil rein innerweltlich, keine Kausalität aus und
wartet, "daß hier Geist überführt wird von der Wirklichkeit meines Schöpfers und Herrn" (CW 26). Solange das Geschichtliche in der Offenbarung
nur innergeschichtliche Wirklichkeit und gleichsam nur 'conditio sine qua
non' ist, kann man wohl konsequenterweise nur dem Geist die Kausalität
zuschreiben. Die inkarnatorische Wirklichkeit der Gnade kommt infolgedessen zu kurz. Der personalistische Aktualismus, der Voraussetzung oder
Konsequenz der fehlenden Immanenz der Gnade ist, wird von Althaus so
stark betont, daß alle heilsgeschichtlich relevanten Daten, um nicht in
den Verdacht der unexistentiell beobachtbaren, gegenwartsentrückten
'sachlichen' Wirklichkeit zu kommen, als gleichzeitig gegenwärtig verstanden werden.[2] 'Gleichzeitigen' Grundbeziehungen entspricht eigentlich überzeitlich-ungeschichtliche, nicht futurisch nachgeschichtliche
Lösung. Althaus 'überlädt' die Dialektik und überfordert die "existentielle Polarität" (GD^1 I/73). Die Dynamik des schon begonnenen neuen Lebens kommt zu kurz. Sicherlich, "der alte Mensch wird nicht durch Entwicklung, sondern durch den Vollzug des göttlichen Urteils im Tode überwunden"; aber ist der alte Mensch nicht etwas an uns oder "immer wieder wir

selber ganz", so daß das Ich ganz "aufgehoben" werden muß[3]? Vor allem
aber wird in der aktualistischen Gleichzeitigkeits-Heilsgeschichte eine
Universalgeschichte nur schlecht Platz finden.

Sosehr wir schließlich Althaus' Absicht der Wahrung des Geheimnisses
Gottes begrüßen, fragen wir: Wird nicht unsere seiner freien Liebesoffen-
barung in Christus entstammende Erkenntnis Gottes zu Unrecht einer Erkenntnis des 'Seins' Gottes entgegengesetzt? Denn eben, weil der Grund
der Offenbarung seiner Freiheit und Liebe innerlich ist, erkenne ich Gott
in sich selbst; sonst "trennt man Heilsgeschichte und Geheimnis Gottes,
göttliche Herablassung und die unaussprechliche Liebe, aus der sie hervorgeht, man trennt methodologisch zwischen dem, was die Väter 'Oikonomia'
(Gott für uns) und was sie 'Theologia' (Gott in sich) nannten"[4].

bb) Eschatologische Grenze (Vorläufigkeit und Paradoxität)

Aus unserem Unterwegssein diesseits des Todes folgt die Vorläufigkeit
und Paradoxität, d.h. die 'eschatologische Grenze' unserer Offenbarungserkenntnis. Unsere Erkenntnis ist als 'theologia viatorum' - "ihrem Wesen nach in dieser Welt" (CW 241f) - von Not, Verhüllung und Angefochtenheit gezeichnet, denn "man wird auf alle Fälle zugeben müssen, daß Gott
die Menschheit auch abgesehen von der Sünde in einen vorläufigen Stand
gesetzt hat, der also seinerseits durch die eschatologische Grenze bestimmt ist" (CW 242;vgl.GD[1] II/167 = GD[5] 262). Die Betroffenheit durch
die eschatologische Grenze wird für uns als Sünder ('theologia peccatorum') gleichsam potenziert; unter den damit gegebenen Spannungen und Paradoxen fühlen wir sie vollends.

Gnostische Neugier, apokalyptische Liebhaberei und theoretisches Interesse sind deshalb falsch am Platz. Auch die Fülle von chronologischen,
topographischen, anthropologischen und kosmologischen Aussagen über die
Eschata, wie sie manche Autoren aus der Theorie der Bibel als übernatürlich unfehlbarem Buche folgen, ist abzulehnen (CW 74f). Auch Jesus und
Paulus haben sich grundsätzlich auf die großen Grundzüge des Kommenden,
die für die Gemeinde aktuell waren, beschränkt. Apokalyptik darf deshalb
nicht als intellektualistische Mitteilung jenseitiger Geheimnisse verstanden werden, denn die Eschatologie berührt "ein dem menschlichen Vorstellen schlechterdings entzogenes Geheimnis"[5]. "Die Grenze verbietet ein
geschlossenes theoretisches Bild der letzten Dinge" (LD[4] 75). Grundsätzlich stimmen wir dieser Forderung Althaus' zu; bezüglich der konkreten

Notwendigkeit der Anwendung sind wir nicht immer derselben Meinung. Althaus fordert zunächst daraus die Unmöglichkeit eines Nacheinanders der Individual- und Universaleschatologie (LD[4] 75-77). Sofern seine Intention ist, "ein anschaulich-gegenständliches Bild des eschatologischen Hergangs" in einem naiv gedachten Nacheinander abzuwehren[6], stimmen wir voll zu; auf weitere damit gegebene Fragen kommen wir im letzten Kapitel zu sprechen. Begründeter scheint uns dagegen Althaus' Forderung, aus dem Wissen um die Grenze der Ewigkeit auf eine 'Theorie' des Ausgangs dieser Welt verzichten zu müssen (CW 77), auch wenn wir seine Lösung nicht ganz teilen. Unsere Kritik an Althaus setzt dort an, wo die eschatologische Grenze allein von der 'theologia peccatorum' und deren Dialektik bestimmt zu werden droht.

cc) Dialektik als Folge der Begrenzung (via negationis et analogiae)

"In der **Notwendigkeit** dialektischen Redens macht sich die theologische und eschatologische Grenze der Glaubenserkenntnis geltend" (CW 242). Wir können die Wahrheit also nur in zwei sich gegenseitig spannenden und fordernden Sätzen ausdrücken. Unser gegenständliches Erkennen und Denken ist von der Todesgestalt unserer Welt gezeichnet. Da die neue Welt Aufhebung und Abbruch der jetzigen Gestalt ist, ist uns eine positive Aussage verwehrt: "die via negationis ist die sachlich gebotene Weise eschatologischer Erkenntnis und Rede" (LD[4] 77). Althaus verweist auf die Verneinung von Zügen dieser Welt und dieses Lebens, doch gerade seine biblischen Beispiele ('unvergänglich', 'unbefleckt', 'unverwelklich') stärken die konkrete Anwendung seines Prinzips nicht zur Gänze, denn an den genannten Bibelwörtern wird nur Negatives dieses Lebens verneint.

"Die Eschatologie handelt von dem, 'das in keines Menschen Herz gekommen ist'....Wir können darüber nicht reden und müssen es doch. Die Rede vom Letzten bedarf des Gleichnisses".[7] Aber dieses Gleichnis ist nicht ganz unberechtigt: aufgrund seiner Schöpfungstheologie und der auch unter der Sünde bleibenden 'Bestimmung' bringt für Althaus das Ende auch "Vollendung, Erfüllung, also auch Bewahrung" (LD[4] 78). Die alte Welt wird zu ihrer Bestimmung erneuert, so daß alle positiven Züge unseres Lebens (Freude, Ganzheit, Geborgenheit, Befreiung) trotz ihrer Mängel vom Kommenden reden: "Leben und Welt, obgleich durch Tod und Ende von dem Kommenden geschieden, sind doch auch Gleichnis des Ewigen Lebens und der neuen Welt....Neben der via negationis ist die via analogiae Weise es-

chatologischen Erkennens und Redens" (LD^4 78). Die via analogiae
heißt auch 'via symboli' (GD^1 II/167;GD^5 262). Wir müssen also aufgrund der Doppelbeziehung Gottes zu unserer irdischen Wirklichkeit zugleich zwei Sätze sagen: "Wir reden im Gleichnis und doch nicht nur im
Gleichnis; in der Verneinung und doch nicht nur in der Verneinung."(LD^4
78) Zur ersten Spannung kommt nun noch die alles erschwerende Dialektik,
daß Gott uns Sündern im Eschaton nicht nur als Schöpfer, sondern auch
als Richter begegnet. Wir sind nicht nur die aus der Vorläufigkeit zur
Endgültigkeit, sondern auch die aus der Sündigkeit zum Gerettetsein Ge-
führten (CW 257-259).

Dem daraus folgenden Prinzip (für alle Eschatologie) des "notwendigen
Miteinanders von Verneinung und Gleichnis" (LD^4 78), daß es sich also
immer um Abbruch und Kontinuität, Andersheit und Selbigkeit, Aufhebung
und Erfüllung, Ende und Vollendung, Negation und Bewahrung handelt, stimmen wir voll zu. In der konkreten Anwendung desselben Prinzips unterscheiden wir uns jedoch von Althaus, da er aufgrund seiner Soteriologie
Schwierigkeiten hat, die Anknüpfung, Kontinuität und Identität nicht nur
zu beteuern, sondern auch aufzuzeigen.

> "Der Zusammenhang der alten Welt mit der kommenden besteht für uns al-
> lein bei Gott, der in der jetzigen Welt die Verheißung auf eine kom-
> mende gab, und in der Verantwortung, zu der uns dieser Leib, diese
> Welt anvertraut sind für ein Handeln an Leiblichkeit und Welt in der
> Gewißheit der Auferstehung des Leibes, der Vollendung aller 'Kultur'
> in Gottes ewigem Reiche."[8]

Liegt dazwischen ontologisch der absolute Nullpunkt? Genügt die nur personale, 'theologische' Kontinuität? Wenn nicht - freilich in Funktion
einer personalen Ordnung - auch eine 'ontologische' Kontinuität gegeben
wäre gemäß den Restbegriffen 'Natur' und 'Stand der Verantwortung', die
wir in der Anthropologie erheben zu dürfen glaubten, kann wohl kaum von
'Bewahrung' die Rede sein. Von Althaus ist deshalb nicht nur das Konsta-
tieren der Dialektik gefordert, sondern auch eine Differenzierung derselben und eine klare Aussage, was z.B. der Tod ist, wenn er nicht Nicht-
sein[9] ist, was Unzerstörbarkeit der Gottesbeziehung ist, wenn sie auch
etwas auf seiten des Menschen sein soll. Freilich hat die Notwendigkeit
der radikalen Neuschöpfung den 'positiven' Effekt, daß hier die Gottheit
Gottes als Schöpfertum aus dem Nichts unter der Hülle des Gegenteils ganz
zum Tragen kommt. War jedoch nicht der Effekt auch schon in gewissem Sinne
eine die Sündenlehre, Christologie und Rechtfertigungslehre prägende Ur-

sache?

Anders gesagt: Unsere Bedenken beginnen überall dort, wo die der
'theologia viatorum' und die der 'theologie peccatorum' entsprechenden
Dialektiken um der Ehre der Gottheit Gottes willen (doxologisches Motiv)
zugunsten der letzteren strukturell gleichgeschaltet werden, so daß sie
völlig undifferenzierbar sind. Daraus folgt nämlich das Christenleben als
'komplementäres Paradox', das die echte Geschichte in ihrer Bedeutung bedroht. Das Fundament der Vollendung der geschichtlich-weltlichen Schöpfungsdimensionen, die nur über den Graben des Paradoxes hinweg geschieht,
bleibt ungesichert.

Auch in einer 'Eschatologie der Inkarnation' darf die Diskontinuität
nicht vernachlässigt werden, denn Inkarnation geht durch das Kreuz. Aber
durch die geschenkte Immanenz der Gnade als Lebensprinzip der Vollendung
bekommt die via analogiae den Charakter des Hinweises auf die Antizipation des Endgültigen. Die via negationis muß bleiben, doch nicht einfach
im Sinne einer totalen, dialektisch aufzufangenden Vernichtung, sondern
im Sinne einer Verneinung alles Negativen, also des noch von unseren Sünden und den Sündenfolgen Bestimmten und noch nicht endgültigen Entschränk-
ten (im Gerechtfertigten), so daß die via analogiae auch via eminentiae
ist (also durch keinen Nullpunkt durch muß).

b) Inhalt der Erkenntnis

aa) Gottes Handeln mit der Menschheit zum Heil (Dialektik von Geist und
Buchstabe)

"Glaube und Begegnung gehören so zusammen, daß der Glaube an der Begegnung nicht nur seinen Ort, sondern auch seinen Gegenstand hat." (CW
240) Der Inhalt der Erkenntnis ist deshalb diese Begegnung und deren Sinn:
"Gottes gnädiges Handeln mit der Menschheit zur Gemeinschaft mit ihm in
seinem Reich" (CW 267). Dieser Inhalt verbietet ob seiner Personalität
jedes unexistentielle Anschauen und Betrachten. Deshalb bleibt uns eine
"Metaphysik der übersinnlichen Welt", also auch eine Physik der letzten
Dinge, ebenso wie ein umfassendes Begreifen von Natur und Geschichte versagt. Eschatologie ist inhaltlich begrenzt, weil es nicht um ein gnosti-
sches oder kosmisches Problem, sondern um die "Vollendung der Geschichte
Gottes mit der Menschheit" (GD[1] II/167 = GD[5] 262) geht. Es handelt sich
deshalb auch nie "um die Erkenntnis Gottes an sich, um eine Ontologie
Gottes"; doch Althaus beeilt sich, sofort hinzuzufügen, daß dieses "Gott

für uns" keinesfalls subjektiv anthropozentrisch - Gott als Wert für uns -,
sondern theozentrisch zu verstehen sei: Gott will uns für sich, was um
das rechte Verständnis der Begegnung willen ein Wissen um die Gottheit
an sich, um das, "was er abgesehen von seiner Zuwendung zu uns und vor
ihr ist" (CW 240), also 'Theorie', Anschauen und Bedenken einschließt
(vgl.CW 257).

Da jeder Satz christlicher Lehre und somit auch der Eschatologie "notwendiger Ausdruck dessen ist, was in der Offenbarung Gottes, d.h. in einer
Begegnung mit dem Menschen, dem Glauben als Wahrheit sich erschließt",
gehört inhaltlich nichts in die Dogmatik und somit auch nichts in die Eschatologie, "was auf diesem Wege nicht zu erreichen und damit zu begründen ist" (CW 244). Nicht der Glaube als empirisch glaubendes Bewußtsein
oder die Reflexion auf ihn, sondern die glaubenwirkende, im Glauben er-
griffene Offenbarung ist Quelle und Norm der Erkenntnis der Eschatologie.
Es geht in dieser "dialektisch-existentiellen Glaubens-Theologie" um
"eine Weise des Erkennens, die von ihrer Wurzel im Glauben her ebenso 'existentiell' wie 'objektiv' bestimmt ist"[10]. Der Glaube geht unserer Erkenntnis der Eschatologie nicht voraus, sondern indem sich der Glaube neu
auf seinen Grund besinnt, insofern er Verheißung ist, vollzieht sich in
ihm Erkenntnis der Eschatologie.

Die Ablehnung eines spekulativen Systems heißt aber nicht, daß die
Glaubenserkenntnis nicht systematisch sein müsse. Sie ist dies zwar nicht
im Sinne einer Deduktion oder Evolution, aber im Sinne einer theologischen Einheit: "Gott ist immer der eine und selbe, die 'Logik' seines
Heilsgedankens geht durch alles hindurch; alles, Mensch und Welt, die
ersten und die letzten Dinge, tritt in ein und dasselbe Licht" (CW 250).
Der uns verheißene Heilige Geist zeigt uns diese 'Logik' - hindurch durch
die Vermittlungen der Heiligen Schrift, des Bekenntnisses und der Tradition der Kirche (CW 247-249). Damit ist die Notwendigkeit der ständigen
Beziehung auf die Schrift und auf die dogmatische Tradition der Kirche
gegeben. Der Schriftbeweis darf jedoch nicht von einem gesetzlichen Verständnis der Einzelaussagen geführt werden, sondern in Freiheit von der
Mitte der Schrift her. Entsprechend dem dialektischen Verhältnis von ge-
schriebenem Wort und Geist entsteht eine niemals in endgültigen Ergebnissen ganz zur Ruhe kommende Bewegung von und mit der Bibel (bzw. dem Bekenntnis der Kirche) zur Sache, in und von der Sache zur Bibel (bzw. dem

Bekenntnis) (vgl.LD[3] 6, LD[4] 66; CW 248). Weil bei Althaus in dieser Dialektik von Buchstabe und Geist (Geschichte und Geist, Geschichte und
Glauben) der Geist ein solches Übergewicht hat, daß der Buchstabe nur
'condicio sine qua non' zu werden droht, ist auch die Möglichkeit theologischer Kritik der Schrift und der kirchlichen Tradition von der 'Sache' her weiter als im katholischen Verständnis der Schrift, der Dogmen
und der Tradition.[11]

Wir halten Althaus' methodischen Ausgang von der gegenwärtigen Glaubenswirklichkeit für die Erkenntnis der Eschatologie für richtig. Allerdings glauben wir, daß der Inhalt dieser Glaubenswirklichkeit einer
personalen Engführung unterliegt, da er zusehr von der personal-aktuali-
stischen, zumal durch die Paradoxalität bestimmten Denkform des Glaubens
geprägt ist. Der "Mensch als Beziehungsmitte"[12] ist zu individualistisch
in der geschichtslosen Polarität gesehen, die den allzu selbständigen
Innenbereich der Geschichte charakterisiert. Übertriebene Angst vor der
Spekulation (als Sünde gegen die Gottheit Gottes) bringt die Gefahr mit
sich, gerade in dem, was unlogisch ist, im Paradox, die für die systematische Erkenntnis notwendige Logik zu sehen, also die Denkform des Paradoxes zur Denktechnik zu machen, indem man nie zu endgültigen Ergebnissen kommen darf. Dahinter steht eine vor allem von Kierkegaard und K.Heim
geerbte Haltung, die A.Ahlbrecht zurecht "Agnostizismus des Glaubens"[13]
nennt. Der Grund der 'Allergie' Althaus' gegen Seinsaussagen liegt nicht
zuletzt darin, daß für ihn Akt primär und Sein sekundär ist, daß er also Sein in seiner tiefsten Dimension nicht als Akt, sondern als akt-
abkömmlich versteht.

bb) Wirklichkeit Jesu Christi als entscheidendes hermeneutisches Prinzip

Die Sache, das Licht, die Logik und somit das Prinzip aller eschatologischen Aussagen ist letztlich nichts anderes als die Christustatsache:
" die Verheißung, die Jesus Christus, der Gekreuzigte und Auferstandene
selber ist" (GD[4] 64).[14]

> "Die systematische Theologie denkt....dem Zusammenhang nach, in dem die
> biblischen eschatologischen Gedanken an dem in Jesus Christus ergehen-
> den Worte Gottes hangen, der Notwendigkeit, mit der sie aus diesem im
> Glauben vernommenen Worte ur-springen, der Einheit, dem Logos göttli-
> chen Heil-Schaffens, den sie ausdrücken." (LD[4] 64f)

Die Hoffnungsworte werden in ihrer Wurzel, der Wirklichkeit Jesu Christi,
vor allem dem Ausgang seines Lebens in Kreuz und Auferstehung, begründet.

Darin selbst liegt das kritische "Prinzip für das Verständnis, die Unterscheidung, die Aneignung der biblischen Eschat-logie", der "Schlüssel zu
der lebendigen Einheit der biblischen Zukunftsgedanken", der "Maßstab
für die inhaltliche 'Echtheit',d.h. Offenbarungsgemäßheit der Prophetien:
das Kriterium zur Unterscheidung von Bild und Sache,...das Maß für die
Vollständigkeit und Ganzheit, mit der die Verheißung sich in den Verheißungen ausdrückt" (LD⁴ 66). Eine Übernahme ohne dieses Prinzip der Ordnung und Auswahl verletzt das wahre Wesen der Autorität der Schrift als
Wort Gottes und ist nicht imstande, die Verheißung in den Verheißungen
zu hören.

Formal stimmen wir diesem christozentrischen Prinzip voll zu;[15] inhaltlich unterscheiden wir uns jedoch, da die Wirklichkeit Jesu Christi bei
Althaus und bei uns verschieden bestimmt ist.

2. Falsche Methoden

a) Paratheologische Methoden: Okkultismus, Spiritismus, Anthroposophie,
                                                              Ekstasis

Das gewonnene theologische Prinzip schließt von vorneherein außertheologische Methoden aus. Althaus leugnet nicht die Möglichkeit okkulter
Wirklichkeit, doch von echter Kunde aus dem Jenseits des Todes kann im
Okkultismus nicht die Rede sein. Selbst unter der Voraussetzung, daß es
sich nicht um unbewußte Kräfte des Mediums handle, z.B. um Telepathie
(animistische Theorie), sondern tatsächlich um die Wirksamkeit abgeschie-
dener Seelen, geht es bei den durchwegs völlig bedeutungslosen Mitteil-
lungen um ein 'Nachzittern' des diesseitigen Lebens, nicht um echte Information über das Jenseits.[16]

Beim Spiritismus kommt zur grundsätzlichen Unmöglichkeit noch die
menschliche Anmaßung, Geistererscheinungen methodisch wachzurufen und auszuwerten. Solches Fragen ist "selbstische Neugier" statt Ausrichtung auf
die Herrlichkeit Gottes; "Hintertreppen-Schleichen bringt Hintertreppen-
Auskünfte. Nichtiges Fragen erhält nur Plattheiten und Nichtigkeiten und
lächerlich Absurdes zur Antwort." (LD⁴ 71)

Zwar wird in Theosophie und Anthroposophie sittlicher Ernst und ständige Reinigung sehr betont, jedoch auch hier wird die Transzendenz Gottes
eindeutig unterhöhlt, denn "Schauen auf Grund göttlicher Berufung und
Schauen als Ertrag menschlicher Exerzitien bleibt zweierlei" (LD⁴ 72;

vgl.LD[1] 80). Außerdem frägt man um für den Glauben Belangloses oder Un-
würdiges. Den größten Fehler sieht Althaus jedoch in der moralistischen
Verkehrung: "die Gedanken vom Karma und von der Seelenwanderung schlagen
dem Gottesglauben Jesu und des Neuen Testaments, den christlichen Gedanken von Gottes freier Gnade, von Tod und Gericht hart ins Gesicht." (LD[4]
72). Althaus lehnt die Voraussetzungen der Seelenwanderung strikt ab: den
phantastischen, metaphysischen Dualismus von Leib und Seele, die moralistische Erklärung der Schicksale, den geschichtslosen Individualismus,
das rational verfügbare Weltgesetz, gemäß dem der Mensch handelnd die
Störung der Ordnung selbst rückgängig machen kann. "Gott ist größer, reicher und wunderbarer als ein moralisches Weltgesetz."[17] Die Verdichtung
der Stofflichkeit als Folge der Sünde und die erlösende Rückverwandlung
des Stoffes in reine Geistigkeit widersprechen außerdem dem christlichen
Schöpfungsglauben und Geistgedanken.

Exstatische Erkenntnis mag es zwar geben und sie mag für manche Große
bedeutsam sein, aber da es die theologia viatorum "allein mit dem zu tun
hat, was dem Gewissen und dem Glauben an Christus sich als Erkenntnis der
Geschichte und der Ewigkeit erschließt", ist auch sie als Erkenntnisquel-
le letzter Dinge ungeeignet (LD[4] 73). Abgesehen davon, daß selbst Visio-
nen in der christlichen Gemeinde meist allzu deutlich des Empfängers
eigenen Geist widerspiegeln, dienen sie nicht für eschatologische Erkenntnis, denn sie können "dämonische Versuchungen, aber auch Tröstungen und
Rufe Gottes" (LD[4] 97) sein.

b) Biblizistische Methoden

aa) Althaus' Stellung zur Schrift

Weil es sich in anderen Traktaten um im Glauben erfahrbare Wirklichkeit handle, in der Eschatologie dagegen nicht, begründete man oft die
Eschatologie – im Gegensatz zur anderswo verwendeten Methode – ausschließlich (unkritischer Biblizismus) oder in einem besonderen Sinne (kritischer Biblizismus) in den Zukunftsworten der Bibel, bzw. Jesu. "Durch den
methodischen Zwiespalt wurde nicht nur die Eschatologie untheologisch,
sondern vielfach auch die Theologie uneschatologisch....die Eschatologie
bekam den Charakter des Anhangs" (LD[4] 61). Als "die innere Notwendigkeit,
die Logik des Glaubens an den in Christus offenbaren Gott" (CW 658) darf
jedoch christliche Eschatologie nicht einfach Wiederholung der biblischen
sein. Aus der Einsicht in die echte Geschichtlichkeit der Offenbarung ent-

223

steht "die Gewißheit, daß das biblische Welt- und Geschichtsbild die
Züge seines geschichtlichen Ortes trägt und von uns nicht einfach übernommen werden darf, wenn wir dem lebendigen Geiste, der uns heute neu
erkennen heißt, gehorsam sein wollen (LD^3 185,n.3). "Allein von besserem
und tieferem Denken aus der Sache heraus" (LD^3 185,n.3), d.h. aus der
Verheißung, die in Gottes gegenwärtiger Begegnung mit uns durch Gesetz
und Evangelium liegt, erwächst der echte 'Biblizismus' (CW 658). Althaus rief deshalb auf zur endgültigen Überwindung des orthodoxen Schrift-
prinzips (Bibel ist ein übernatürlich unfehlbares Lehrbuch) und dessen
monophysitischer Inspirationslehre (Verbalinspiration) und zur Rückkehr
zum lutherischen Schriftprinzip.

Luthers Stellung zur Schrift ist gekennzeichnet durch die Polarität
von 'Gehorsam und Freiheit'[18]. Einerseits besteht eine große Freiheit
gegenüber dem Bibelbuchstaben; andererseits wird eine große Treue zum
Schriftbuchstaben verlangt. Das lutherische 'was Christum treibet' ist
auch Althaus' oberstes Kriterium, sowohl für den Kanon der Schrift als
auch für die Inspirationslehre (CW 164f.169.180-182). Einerseits gilt
"nichts über die Schrift hinaus!" (CW 170) und "alles ist an der Schrift
zu messen!" (CW 171), andererseits ist aufgrund der Kondeszendenz Gottes
und der Möglichkeit der 'Katholisierung' das Evangelium bereits im NT
(CW 172f.177f) von seinen theologischen Gestalten zu unterscheiden, ohne
daß man sie streng voneinander scheiden könnte. "Jede Dogmatik ist in
sich selbst der Versuch, das eine ewige Evangelium in neuer Gestalt auszusagen. Sie muß konkret entscheiden, z.B.....: wiefern die urchristliche
Eschatologie für uns verbindlich ist und wiefern nicht....Es gibt kein
festes objektives Kriterium für die vorzunehmende Unterscheidung. Jeder
Theologe muß sie in eigener Entscheidung vollziehen und verantworten."
(CW 175)

bb) Kritik der biblischen Begründung des unkritischen Biblizismus

Für den älteren heilsgeschichtlichen Biblizismus des 18. und 19.Jahr-
hundert[19] ist die Schrift wie die Heilsgeschichte selbst ein "vollständi-
ger und unfehlbarer Organismus, der die ganze Länge der Heilsgeschichte
von der Schöpfung und dem Paradiese an bis zu dem Antichristen und Tage
Jesu als geistgewirkte Urkunde und Prophetie umfaßt" (LD^3 87 = LD^4 249).
Angesichts der fast völlig vernachlässigten historisch-kritischen Forschung mußte gerade der teils idealistische Gedanke des Organismus als

Vergewaltigung der Schrift angesehen werden, da ein Blick auf die Ver-
bildungen, fremden Einflüsse und Gegensätze in der Schrift erkennen läßt,
daß unser Verhältnis zu ihr "spannungsvoller, bewegter, schmerzensreicher"
(LD^3 90 = LD^4 252) geworden ist. Der Organismusgedanke macht nicht Ernst
genug mit der Kenosis Gottes, dem es gefallen hat, durch eine sehr unor-
ganische Geschichte und durch ein sehr unorganisches, nur in der Spannung
des Wunders des Glaubens zugängliches Buch zu uns zu reden. Der unkriti-
sche Biblizismus betrachtet vor allem die Apokalypsen als "mächtiges Gesamt-
gebilde   biblischer Geschichtsphilosophie und Geschichtsschau" (LD^1
73) und erkennt in ihnen den Grundriß der Eschatologie. Althaus zeigt dagegen: Apokalypsen sind "nicht ein geschichtsphilosophisches und eschatologisches Wahrsagebuch für alle Zeiten der Kirche, sondern ein Kampf-
und Seelsorgebuch für ihre Gegenwart, die damalige harte Geschichte von
Gott aus verstehen und in der Gewißheit des Sieges Christi durchkämpfen
lehrt" (LD^1 77). Über die geschichtliche Bedeutung hinaus geben sie Zeugnis von den großen Grundgedanken religiös-christlicher Geschichtsdeutung;
sie haben also 'reichsgeschichtliche' Bedeutung:

"Christus ist Herr und Ziel der Geschichte, seine Gemeinde, in den
schweren Entscheidungskampf hineingestellt, darf seines Sieges und
ihrer Erlösung gewiß sein – dieser Dualismus, diese Teleologie, die
christozentrische Geschlossenheit sind der bleibende Ertrag der biblischen Apokalypsen für das christliche Verständnis der Geschichte."
(LD^3 100; vgl. LD^4 256).

Althaus verlangt, daß man Ernst macht mit den literarischen Gattungen,
z.B. daß erlebte Geschichte oft in der Form von Weissagungen des Zukünftigen zur Sprache kommt. Es darf nicht durch ein "Gesetz der prophetischen
Perspektive" verhüllt werden, daß sich gewisse Weissagungen nicht erfüllt
haben (LD^3 102f = LD^4 255). Letztere werden fälschlicherweise vom Biblizismus herangezogen, das chiliastische Zukunftsbild konkret und realistisch auszubauen. Da Christus aber nicht nur Erfüllung, sondern auch
Kritik und Überwindung der Weissagung ist, muß gegen solches 'Judenzen'
die Christustatsache urgiert werden.

Althaus legt sein Verständnis der biblischen Prophetie in einer Klärung des Verhältnisses von 'Weissagung' und 'Wahrsagung' dar. Weissagung
ist "gottgewirkte Gegenwartsdeutung" (LD^1 79), "geistgeschenkte prophetische Einsicht in das Notwendige" (LD^3 104 = LD^4 257), die dem auf Gott
Horchenden in der Überführung des Gewissens als Schau der Gesetze von
Gottes Zorn und Erbarmung zuteil wird und 'theonom' ist, also religiö-

sen Glauben erfordert. Wahrsagung ist "Voraussage geschichtlicher Einzelheiten und ihrer Folge" (LD^3 104 = LD^4 257), die als höheres anthroposophisch - mantisches Wissen der Eingeweihten heteronom ist und als "religiös ganz gleichgültige Tatsache" (LD^1 79) keinen religiösen Glauben "im
strengen Sinn" (LD^3 105 = LD^4 258) fordert. Im ersten geht es also um
eine pneumatische Wirklichkeit, im zweiten um ein psychisches Phänomen.
Daraus folgt ein Dreifaches:

"Erstens: nicht in der Wahrsagung, sondern in der Weissagung liegt das
Besondere der biblischen Prophetie....
Zweitens: soweit die Prophetie aus der Weissagung zur Voraussage von Perioden oder bestimmten äußeren Ereignissen kam, ist sie vielfach ohne Erfüllung geblieben....
Drittens: nicht nur die Tatsache einer aus Vorausschau stammenden Wahrsagung, sondern auch der Inhalt ihrer Orakel ist für das religiöse und theologische Erkennen unerfaßbar und belanglos."
(LD^1 79f;vgl.LD^3 104-108; LD^4 257-261).

Biblizistische Methode scheitert jedoch nicht nur an der Lehre vom
Wesen des Wortes Gottes und der Heiligen Schrift, sondern auch an der
Wirklichkeit der Bibel selber. Zunächst bilden die biblischen Zukunftsworte allein weder ein genügend sicheres Fundament noch eine lehrhaf-
te Einheit (LD^4 62). Eine Harmonisierung zwischen AT und NT käme nicht
an einer Judaisierung des NT oder an einer stillschweigenden Fehlinterpretation des AT vorbei. Auch die NT-Weissagung für sich zeigt "große
Unterschiede, ja im einzelnen unleugbare Widersprüche" (LD^4 62), deren
organische Behandlung nicht ohne gewaltsame Umdeutungen möglich ist.
Ist eine einfache Übernahme biblischer Gedanken schon erschwert durch
die Schwierigkeit, die Urgemeinde-Theologie genau von den Worten Jesu
abzugrenzen, so muß man auch dort, wo man den geschichtlichen Jesus zu
hören meint, nach der zeitgeschichtlichen Bestimmtheit und Begrenztheit
seiner Zukunftsworte und nach Bild und Sache in ihnen fragen. Ferner sind
die biblischen Zukunftsworte kein genügend breites Fundament der Eschatologie. Jesu 'Worte' genügen schon allein daher nicht,da Kreuz und
Auferstehung unbedingt zur Deutung seiner Person und seines Werkes gehören. Jesu Konzentriertheit auf die Erwartung Gottes hat hinsichtlich
eines endgeschichtlich-diesseitigen Charakters ganz 'undogmatischen'
Charakter, so daß darüber die systematische Besinnung entscheiden muß.

Althaus will den Biblizismus aus einem gesetzlich-positivistischen Verständnis des Wortes Gottes zur Zurückhaltung rufen, denn aus all den prophetischen und apokalyptischen Bildern können wir "eschatologisches Dogma

gewinnen nur, indem wir den inneren Zusammenhang der Zukunftsbilder mit dem Christus des N.T., dem Verhältnis Christi zur Geschichte usw. erkennen"[20]. Demgemäß dürfen das Hören auf die biblische Eschatologie und die systematische Besinnung über die Sache nicht neben-, auch nicht ergänzend nach-, sondern müssen in gegenseitiger völliger Durchdringung ineinander liegen. "Die Entscheidung über die Eschatologie fällt in der Lehre von der Schrift doch nur so, daß umgekehrt über die Stellung zur Schrift durch die theologische Besinnung der Eschatologie entschieden wird." (LD[3] 118,n.1)

cc) Kritik der biblischen Begründung des kritischen Biblizismus

Der kritische Biblizismus lehnt die Gleichstellung von AT und NT, den Chiliasmus und eine konkrete Periodenfolge und deren Ausmalung ab, aber eines glaubt er, von der Bibel übernehmen zu müssen: "die Richtung auf die Endgeschichte, die Auffassung des Endes als eines ungeheuren Zusammenstoßes, in dem der im Laufe der Geschichte fortschreitende Gegensatz von Gottesreich und Weltreich zu seiner Höhe und Reife kommt, die Überwindung der zum Höchsten gesteigerten Macht des Bösen durch den wiederkehrenden Christus" (LD[3] 113). In dieser Richtung warf Althaus auch seinen Lehrern A.Schlatter und Kähler biblizistische Verunreinigung vor.[21]

Gegen diese biblische Begründung der endgeschichtlichen Eschatologie versucht Althaus die Naherwartung als das Ursprünglichste und Lebendigste der NT-Hoffnung herauszustellen. Jesus gibt seinen Jüngern kein Vorauswissen oder Vorausberechnen des Künftigen, sondern mahnt sie zu Wachsamkeit und Treue. "Alles Apokalyptische bei Jesus und dann auch bei Paulus bleibt völlig in den Grenzen der Naherwartung" (LD[4] 261). Deren Nichterfüllung ruft das Interesse an den Stadien der Endgeschichte (jüdisches Erbe) hervor. Man erwartete vor dem Ende noch eine furchtbarere Steigerung des Bösen als am Kreuz und erstellte also Perioden in einem geschichtlichen Nacheinander. Das eigentlich Wesentliche, die Naherwartung, verliert ihren Sinn und wird als zeitlich-geschichtliche Schranke abgetan. Althaus stellt jedoch dazu die Frage, "ob es angeht, von der Naherwartung abzusehen und das übrige als Grundzüge aller christlichen Eschatologie zu dogmatisieren" (LD[3] 113). Aber "wenn wir die Naherwartung Jesu und des NT naturgemäß nicht in unsere Theologie aufnehmen, sind dann nicht auch die anderen, eben genannten Momente einer systematischen Erwägung zu überweisen?" (LD[3] 117) Das 'Judenzen' bei den kritischen Bi-

blizisten muß sich systematisch, d.h. aus dem Wesen der Sache, also der
geschichtlichen Offenbarung ergeben oder es muß als unbegründbare Dogmatisierung abgelehnt werden!

c) Stellungnahme

Wir können nicht übersehen, daß - so sehr wir Althaus' Ablehnung des
Biblizismus und seine Forderung nach gegenseitiger Durchdringung von biblischer und systematischer Arbeit begrüßen - seine Stellung aufgrund seiner dogmatischen Voraussetzungen von einem gewissen Subjektivismus und
Individualismus bedroht ist. Althaus selbst sieht ja die Gefahr der subjektiven Willkür im 'Prinzip des Geistes' und fordert als Korrektiv die
rückhaltlose Beugung unter den objektiven Buchstaben der Schrift.[22] Aber
wie kann das Schriftwort Maßstab sein, wenn gemäß der Priorität des Geistes über die Geschichte die historische Wirklichkeit der Christustatsache (zu der nun auch mal die Zukunftsworte Jesu gehören) doch zu kurz
kommt, wenn der Prozeß zwischen Buchstabe und Geist immer beweglich sein
muß und nie zu klaren, bleibend gültigen Aussagen kommt und wenn schließlich doch jeder einzeln für sich entscheiden muß?

Durch die einseitige Betonung der je aktuellen, notwenig personalen
Glaubenserkenntnis kann zwar die existentielle Haltung der urchristlichen
Naherwartung gewahrt werden, aber Althaus müßte besser die Bedeutung der
Gemeinschaft, der Universalgeschichte und des Kosmos zum Tragen bringen.
Der Kritik an der Organismustheorie stimmen wir zu, insofern durch die
historisch-kritische Forschung und das Ernstnehmen der Knechtsgestalt
ein systematisch zu fassendes oder nachkonstruierbares Wachstum und eine
Geschlossenheit der Form abgelehnt werden. Aber Althaus' Reaktion gegen
die 'Heilsgeschichtler' alten Stils geht dort zu weit, wo die geschichtliche Horizontalbetrachtung fast verschwindet. Wir schließen uns G.Weths
Urteil an:

"Die ausschließliche Anwendung der Vertikalbetrachtung gibt kein vollständiges und richtiges Bild, weil sie die einzelnen Offenbarungs-und
Heilserweise Gottes aus ihrer offenbarungsgeschichtlichen Verknüpftheit löst und so über den einzelnen Heilsgeschichten die Idee der einen,
großen Heilsgeschichte verliert."[23]

Auch die Rechtfertigung ist kein überzeitlich polarer Zustand, sondern
Gottes gnädiges Nahekommen in einer besonderen Geschichte des Heils. Insofern das eschatologische Geschehen diese Geschichte beendet und vollendet, kann auch von End-geschichte, bzw. muß auch von Geschichtsende

und geschichtszugekehrter Seite der Parusie gesprochen werden, freilich
nicht von 'Vergeschichtlichung' der letzten Dinge. Würde die Unterscheidung von Weissagung und Wahrsagung nur alles Zeitgeschichtlich-Bedingte
und Mantisch-Anthroposophische ausschließen, wäre nichts gegen sie einzu-
wenden. Wir müssen jedoch unsere Bedenken äußern, da sie die Geschichte
auf die schon oft erwähnte zeitlos typische Polarität reduziert und die
temporale Spannung nach vorne und die auch den 'Außenbereich' umspannen-
de heilsgeschichtliche Dynamik unterbewertet. Damit soll natürlich keineswegs erlaubt sein, von einem endgeschichtlichen Stufengang und einem
periodenhaften Fortschritt zu reden und eine ungebrochene Linie zu einem
Vollendungs-Ende zu ziehen. "Die ökonomische Betrachtungsweise, die ihr
Recht behalten muß, kann mit der aktuellen Parusieerwartung nur so ge-
einigt werden, daß man auf eine Ausmalung und Festlegung der Vorgeschichte des Endes und auf eine Vorzeichentheorie durchaus verzichtet."[24] Althaus hat diesen Verzicht voll geleistet, doch er hat der ökonomischen Betrachtungsweise nicht ihr volles Recht gegeben. Die Ökonomie Gottes ist
aber die Inkarnation, d.h. die Aneignung des Menschseins durch den Sohn
Gottes, bzw. das Ankommen des göttlichen Seins bei der geschichtlichen
Menschheit.

3. Kapitel: Die personale Dimension der Eschatologie

1. Phänomenologie des Todes (Todesfrage und Todeserfahrung)

"Die Frage des Sterbens ist jedem von uns auch durch das Gefälle seines eigenen Lebens hin zum Tode gestellt. Der Tod gehört zum Leben."[1] Die
Todesnot wird zwar in verschiedenen Zeiten verschieden erlebt, die Todesfrage selbst aber darf nicht geleugnet werden.

Alles Wissen um die Gemeinschaft darf die Frage nach dem Tod als Frage
nach dem Sinn des Einzellebens nicht kollektivistisch aufheben. "Wir sollen handelnd und opfernd uns vergessen über unserem Bruder und über unserem Volke, für das wir leben. Aber fragend nach dem Sinn unseres Lebens dürfen wir uns selbst, die Einzelnen, nicht vergessen....Eine Religion, die hier schweigt, gibt unserem Geschlecht nicht das Brot, dessen wir
bedürfen."[2] Die Betrachtung der Wirklichkeit des Todes darf also nicht
von vornherein als unengagierte platonische Vertröstungspolitik entwertet
werden. Auch für Althaus ist, wie für Gollwitzer, der Tod "die dringend-

ste Anmeldung der Sinnfrage"[3]; für ihn gilt des Dichters Wort: "Der Tod
ist die Rednertribüne des Lebens. Wenn wir von dort aus sprechen, werden
wir verstanden."[4] Er stellt uns allerdings vor ein großes Geheimnis.
Der Mensch teilt das Todesschicksal mit allen Lebewesen. "Das Altern
und Sterben beginnt mit der Empfängnis. Das Leben selbst ist von Anfang
an todesträchtig."[5] Zerstörung und Sterben gehören wesentlich zur 'Natur'
der Geschöpfe. "Die Schöpfung will das Leben als solches, sie will den
Aufstieg bis zur Menschheit und das Leben der Menschheit im Ganzen. Aber
bei dem einzelnen Leben will sie zugleich seinen Tod. Der Tod gehört zum
Leben." (CW 89) "Die Sterblichkeit des Einzelnen ist also ein wesentlicher Zug göttlichen Schaffens. Sie ist ein Schöpfungsgesetz." (CW 410)
Der Mensch erfaßt darin seine Schicksalsgemeinschaft mit aller Kreatur
(GE[2] 104). Der Tod des Menschen ist und bleibt ihm aber ebenso zutiefst
Unnatur, Widernatur. Sein Grauen vor dem Sterbenmüssen ist "nicht ein-
fach ein Sonderfall des animalischen Entsetzens überhaupt, sondern etwas
Eigenes, Besonderes"[6], denn der Mensch geht dem Tod als Ende, als Unter-
gang des persönlichen Seins wissend entgegen. Die darin begründete"'Angst
des Sterbenmüssens, die potentiell gegenwärtig ist in jedem Augenblick'
(P.Tillich), das Grauen vor dem Tode als Versetzung in das Nicht-sein"[7]
ist nicht Feigheit, auch nicht Angst vor dem biologischen Vorgang des
Sterbens, sondern "Grauen vor dem Ende als solchem, vor der Entselbstung,
dem Aufgelöstwerden des Geistes, der Freiheit, der Gemeinschaft, vor der
Ohnmacht, vor dem Untergang in das Nichts" (CW 411). Gegen diesen Feind
und Zerstörer des von Gott gegebenen Menschseins rebelliert die Freiheit
des Geistes. "Liebe will Ewigkeit! Was mir da entrissen wird, ist Leben
von meinem Leben, ein Stück von mir, mein zweites Ich."[8]
    Die Antwort des Naturalismus auf die Todesfrage - alles Sterben ist
schlichtes Naturereignis - befriedigt deshalb nicht, denn es ist gerade
"das Rätselvolle, das Wundes des Menschseins, daß das 'Natürliche', das
Sterbenmüssen uns doch tiefste Unnatur ist."[9] Ebenso wenig befriedigt die
Antwort des Idealismus - der Einzelne stirbt, aber das Ganze lebt -, denn
ein Du ist mehr als nur Werkzeug und Träger des Geistes: "der einzelne
Mensch hat einen eigenen Sinn, ist zu einem eigenen Leben berufen....
Gott will Personen, den Einzelnen, mich und dich."[10] Das christliche Ver-
ständnis des Todes widerspricht auch scharf dem mystisch-idealistischen
Verständnis, denn die Bewegung vom Gericht zur Gnade des Sterbens ge-

schieht nicht in der platonisch-spiritualistischen Selbstgewißheit des
Denkens, sondern allein im wagenden Glauben an das Evangelium. "Dem idealistischen Gedanken von der zweiten Geburt, von der Befreiung der Seele
müssen wir uns hart widersetzen, um des Ernstes Gottes willen, der uns
sterben heißt, ganz, nach Leib und Seele."[11] Die Frage nach dem Wesen des
Menschen läßt sich angesichts der auch noch philosophisch erhebbaren Natur und Unnatur des Todes selbst mit philosophischen Wesensdaten nicht
beantworten, was - wohl auch für Althaus - ein Hinweis darauf ist (wie
B.Thum sagt),

> "daß die aufgeworfenen Fragen in einen Bereich eingetreten sind, in
> dem die Wesensbestimmtheiten sich mit Tatsachen der Metahistorie
> (Protologie und Eschatologie) des Menschen, die Statik der Wesens-
> forderungen sich mit Sinnhaftigkeiten und Zusammenhängen in der Ab-
> folge der Seinszustände so eng verbinden, daß die vom geschichtlichen
> Menschen ausgehende philosophische Überlegung allein nicht mehr prä-
> sumieren und voraussetzen darf, alle in den Kreis der gegenwärtigen
> Problematik fallenden Fragen mit Bestimmtheit entscheiden zu können"[12].

2. Theologie des Todes

a) Rechtfertigung und Sterben

Der Mensch kann sich nicht damit beruhigen, daß der Tod ein allgemeines Gesetz sei. "Wir müssen das Sterben zu verstehen suchen, als Moment
der Geschichte Gottes mit uns." (CW 412) Althaus verweist auf den engen
Zusammenhang zwischen der reformatorischen Rechtfertigungsfrage und der
Sterbensfrage. Luther begründet die Einsamkeit und den unbedingten Charakter des Glaubens mit dem Hinweis auf das Sterben: "Im Sterben ist ein
jeder ganz einsam und muß einen eigenen Tod sterben....Soll mein Glaube
da standhalten, dann muß er ganz und gar mein persönlicher Glaube, meine
eigenste Gewißheit sein." (DTL 57) Die Reformation ist an der Todesgrenze entstanden, denn Luthers Frage nach dem frohen Gebetszugang zu dem
heiligen Gott ist zugleich die Todesfrage, wie der Mensch in Gottes Ewigkeit vor seine Augen treten könne.

> "Noch mehr: nicht nur die Rechtfertigungsfrage und die Sterbensfra-
> ge fielen für Luther zusammen, sondern die Rechtfertigung war ihm ein
> Durchleben des Todesgerichtes, 'daß nichts denn Sterben bei mir blieb'
> ....Daher ist die Erfahrung der Rechtfertigung für Luthers Christen-
> tum eine fortwährende Vorwegnahme der Todesstunde."[13]

Rechtfertigungsglaube ist deshalb immer wesentlich Sterbefrömmigkeit, wie
sie in den vielen nicht etwa nur zeitbedingten Sterbegesängen des Luthertums zum Ausdruck kommt. "Die Größe des lutherischen Sterbeliedes tritt
darin hervor, daß es mit unbedingter Offenheit dem Tode ins Auge schaut

und nichts von seiner Furchtbarkeit verhüllt"; zugleich aber als Stehen
vor Gott, der im Richten Gemeinschaft begründet und Leben schafft, sind
wir auch zu frohen Worten und lieblichen Bildern vom Sterben des Christen berechtigt, so daß "zwei Melodien zugleich erklingen, völlig verschieden und doch einander fordernd und die frohe erst durch die harte
zur ganzen Majestät, zum jauchzenden Schritte der Freude erhoben"[14].
Gott handelt ja auch mit dem Glaubenden immer nur in der Dialektik von
Gesetz und Evangelium – am Beginn seines Christenlebens bis zu seinem
Tod, der deshalb auch die Züge des immer synthetisch bleibenden Recht-
fertigungsurteils trägt. So ist Luthers Wort vom Tod auch ein doppeltes:
vom Gesetze her betrachtet ist er der Hölle Rachen (opus alienum), vom
Evangelium her Schlaf (opus proprium)[15].

Gemäß Althaus' Ablehnung der Hamartiozentrik ist sein theologisches
Wort vom Tode ein voneinander unterschiedenes, aber nicht scheidbares,
ständig andauerndes dreifaches Wort: vom Schöpfungs-, Zornes- und Gna-
denverhältnis aus. "Der Tod ist nicht nur Strafe, aber er ist es immer
auch. Der Tod ist niemals nur Gnade, aber für den Glaubenden ist er es
immer auch. Der Tod ist in keinem Fall nur Berufung zum Opfer der Gottesliebe, aber er ist es immer auch." (LD[4] 85) "Mit der Bereitschaft zu sterben beugen wir uns als die Geschöpfe unter den Schöpfer, der allein Unsterblichkeit hat, als die Sünder unter den Richter, vor dem alles Leben verwirkt ist, und geben uns als die Kinder angesichts des Nichts de-
mütig und getrost in seine Hände." (GE[2] 75)

"Die Theologie fragt nicht nach der Ursache, sondern nach dem Sinn des
menschlichen Todes."[16] Es geht daher nicht um eine spekulative Kosmogonie,
um eine Herleitung unserer Weltgestalt und des Todes von einem chronologischen Sündenfall, nicht um ihre metaphysische Erklärung, "sondern um ihr
Verständnis, um ihre Beziehung auf....Gottes Handeln mit der Menschheit"
(LD[4] 82). Es geht auch nicht um die Psychologie des Sterbens, sondern um
den Sinn der Sterblichkeit (LD[4] 81;LD[3] 195,n.1).

b) Sterblichkeit des Menschen als Gnade der Schöpfung
   (Der Tod im Lichte des Gebotes)

Hier ist zunächst vom Tode im Lichte des ursprünglichen Schöpferwillens Gottes zu reden. Der ursprüngliche Sinn des Todes ist die "Berufung
zur Furcht und Liebe Gottes"[17]. Die Sterblichkeit drückt nämlich durch
die Todesgrenze den Abstand zwischen Gottes und des Menschen Leben und
die Abhängigkeit des letzteren vom ersteren aus. Der Tod ist das Zeichen

der Transzendenz Gottes (LD^4 84;GD^2 II/22), "ein Fanfarenzeichen unserer Geschöpflichkeit"[18]. So gehört der Tod als Teil der "Ur-Ordnung des Schöpfers"[19] zur Selbstbezeugung Gottes, zur 'prophetischen' Eschatologie. Gottes Selbstbezeugung geschieht im Leben und im Tod, im Geben und im Nehmen, oder besser: in der Dialektik von Leben und Tod. "Die Wirklichkeit unseres Lebens als eines sterbenden beruft uns sowohl zum Leben wie Sterben." (GE^1 64). Der Tod offenbart, daß der Mensch nur durch das Sterben hindurch an Gottes Leben, am 'ewigen' Leben teilnehmen kann. Das Exodusprinzip (Kenosis) durchzieht die ganze Schöpfung; es gilt auch für Jesus, weshalb das Kreuz nicht rein hamartiozentrisch zu verstehen ist (LD^3 195). Da der Tod dem Leben strenge Einmaligkeit gibt, "bekommt Gottes Gebot, im Heute für ihn da zu sein, und das Heute, in dem wir für ihn da sein sollen, erst den ganzen Ernst, die unbedingte Dringlichkeit. Der Tod macht jeden Tag zum letzten Tag."[20]

Der tiefste 'ursprüngliche' Sinn des Todes, der uns Sündern allerdings erst durch das Evangelium wieder klar wird, der aber immer gegenwärtig blieb, ist die Berufung und Gelegenheit zum radikalen Glauben und zur vollen Liebe im Tode.[21] "Das Sterben ermöglicht den vollkommenen Gottesdienst ....Die Begegnung mit dem Tode ist Bedingung für die Erfüllung des Lebens in Glaube und Liebe." (CW 413) Willig sterben heißt, Gott als Gott anerkennen, heißt Glauben als Sich-allein-auf-Gott-Verlassen. Dort wo der Glaube nicht mehr vermischt sein kann mit Selbst- und Weltvertrauen und daher mit Gott allein ist, bekommt er sein Vollmaß. "Der Tod ist die Lage, in der die Bejahung Gottes völlig sein soll (2 Kor.1,9)" (CW 413), in dem das erste Gebot ganz erfüllt wird. Auch die übrige Schöpfung trägt die Gestalt des Todes und Leidens,damit wir die Tat des Glaubens und der Liebe erlernen. "Erst in der Gefährdung kommt es zum männlichen Wagnis, zum vollen Opfer des Lebens....Der Kampf stellt vor den Tod und zwingt damit den Glauben an Gott und die Bereitschaft zum Dienste auf die letzte Probe....Weil Gott Mannheit will, tapfere Leute, setzt er das Kampfgesetz der Geschichte." (CW 417) Alle Liebestat unseres Lebens ist ein Stück Sterben, aber es ist unvollkommen; nur der Tod gibt die Möglichkeit, im Opfer des Lebens sich ganz darzubringen. "Die Liebe bedarf des Todes, um ganz wirklich zu werden." (CW 412) Das Sterben für die Brüder im Opfertod als Bewährung der Liebe ist "Gnade der Schöpfung"[22].

Althaus verteidigt diesen schöpfungsmäßigen Sinn des Todes vor allem

gegen Helmut Thielickes 'Tod und Leben'[23], der den Tod wesentlich nur auf
unsere Sünde bezieht. Er will "keine falsche Aktivierung und Heroisie-
rung des Todes"[24], denn das Erleiden des Todes und dessen Unnatur bestehen weiter; er hat auch Verständnis für die nach dem zweiten Weltkrieg
etwas einseitige Betonung des Todes als 'passio' - als Reaktion auf das
zuvor herrschende übertrieben aktivistische Todesverständnis, aber Gott
läßt uns den Tod im Gehorsam gegen seine Führung auch als Tat annehmen.
Diese "'natürliche Theologie' des Todes"[25] steht zu Jesus nicht einfach
im Gegensatz, sondern wird von ihm erfüllt und zur Vollendung gebracht:
in seinem Kreuzestode für uns (1 Jo 3,16).

Dieser Sinn des Todes, das 'Gebot' des Todes, setzt uns zugleich in
ein unzerstörbares Verhältnis zu Gott, in eine bleibende Beziehung zu
ihm, in "den Stand der Verantwortung....Dieser Stand bleibt: der Mensch
wird aus ihm niemals entlassen, er kann aus ihm nicht fliehen, etwa durch
den Selbstmord; der Stand geht mit ihm auch durch den Tod, ein unsterblicher Stand"[26]. Auch wenn dieser unentrinnbare Stand der Verantwortung
immer schon - de facto - gegen Gott entschieden ist, bleibt er als Möglichkeitsbedingung der Entscheidung, als 'natürlicher' Restbestand 'vor'
-gelagert. Und er müßte - meinen wir - bleiben als etwas im Menschen
selbst, nicht nur als Treue Gottes "jenseits wie diesseits des Todes"[27].

c) Sterblichkeit des Sünders als Erfahrung, Gestalt und Ausdruck des
   göttlichen Gerichtes (Der Tod im Lichte des Gesetzes)
   Weil wir durch Verweigerung der Anerkennung Gottes als Gott den
Schöpfungssinn nicht leben, bekommt der Tod von Gott her für uns auch
noch einen ganz anderen Sinn. "Wir müssen sterben, weil wir nicht in
Glauben und Liebe lebendig, sondern in Selbstsucht tot sind." (CW 414)
Das durch Gottes Wort erweckte Gewissen weiß, daß Gott das Todeslos der
Sünde 'zugeordnet' hat als Strafe, "als Gestalt und Ausdruck des Zornes
Gottes"[28]. "Die Erfahrung der Grenze wird, sobald wir uns durch Gottes
Wort als Sünder erkennen, zugleich Erfahrung des Gerichtes Gottes....Die
Sündigkeit und Brüchigkeit unseres Lebens gehören zusammen." (LD[4] 8).
Das biologische Widerfahrnis des Sterbens wird objektive Gestalt und Aus-
druck des Neins Gottes zu uns. Nunmehr heißt der Tod: "Gott zerbricht den
ihm widerstrebenden Willen und macht ihn zunichte....Tod und Gericht gehören also zusammen." (LD[3] 195f) Durch die Sünde erhält der Tod seine
"furchtbare, rätselhafte Unnatur", denn nun fürchtet der Mensch nicht

allein den Schöpfer, sondern auch den Richter, und kraft seines Gewissens sieht er nun im Sterbelos aller Kreatur Gericht über die Sünde (LD^3
196).

Da in unserer, die Möglichkeit der Sünde einschließenden Welt des Glaubens und der Entscheidung (LD^3 48) die Sünde schon vor Gottes Blick steht,
ehe sich der erste Mensch verging, hat Gott die Geschichte im Blick auf
die Sünde geordnet, jedoch "der Sinn der Welterfassung erschließt sich
weder genetischer Forschung, der Physik und Paläontologie, noch objek-
tiver Metaphysik, sondern allein dem von Gott angeredeten Gewissen" (LD^3
196). Es ist deshalb - nach Althaus - der Theologie nicht gestattet, das
Nebeneinander von Tod als Gnade der Schöpfung und als Reaktion Gottes
auf die Sünde gegenseitig zu differenzieren, den Tod als leibliches Ableben metaphysisch von dem Sündenfall der Menschheit herzuleiten und
darin einen strafenden Eingriff Gottes in die ursprüngliche Gestalt seiner Schöpfung zu sehen, also Röm 5,12 als gnostische Theorie zu verstehen (CW 415f). Dasselbe dialektische Verständnist ist von der Gestalt
dieser Welt verlangt. Die Kehrseite der positiven Sicht des Kampfes, das
furchtbare Tötenmüssen, läßt uns erkennen, daß das Verdrängungsgesetz der
Natur und Geschichte unserem schuldhaften Verdrängungswillen zugeordnet
ist; es ist dessen transsubjektive Objektivation in der Gestalt der Welt,
dessen schicksalhafter Ausdruck. "Ich muß das Gesetz der Sünde, dem ich
willentlich verfallen bin, in der Welt als Gesetz des Todes objektiv wiederfinden." (CW 418) Diese Unterwerfung der Kreatur unter die Nichtigkeit
meint Paulus in Röm 8,19ff (BR 92-94). Entsprechend dem Doppelantlitz des
leiblichen Todes muß von der Weltgestalt - gegen einseitige idealistisch-
uneschatologische oder hamartiozentrisch-nureschatologische Theologie -
auch beides gesagt werden: Werkzeug des Liebeswillens und Ausdruck des
Zornes. Auch hier darf das Miteinander der ursprünglichen und der gefallenen Schöpfung nicht in ein Nacheinander umgesetzt werden.

Der in Richtung Sünde entschiedene Mensch, d.h. jeder Mensch, weiß um
den unsterblichen Stand der Verantwortung als unsterblichen Stand der
Schuld gegenüber Gott dem Richter. "Wir erfahren ihn ständig darin, daß
Gott uns verklagt und straft. Aber das geschichtliche Verklagen und Strafen Gottes ist noch nicht vollständig offenbar. Es weist über sich hinaus
auf eine letzte endgültige Begegnung mit dem Richter und Verantwortung
vor ihm."[29] Das Handeln Gottes mit dem Menschen unter dem Licht des Ge-

setzes findet - auch für den Christen! - seinen Abschluß und Höhepunkt in einer letzten Begegnung des Todes mit dem Richter - im kommenden endgültigen Gericht. Der Tod muß als Gottes gerechtes und endgültiges Gericht anerkannt werden. Es ist auch noch für den Christen synthetisches Urteil über dessen wahres Sein.Paradoxerweise ist es aber gerade dieses Gericht, das uns über den Tod hinauszudenken zwingt, ja, das geradezu Unsterblichkeit begründet (LD^4 104).

> "Denn Gericht ist der Tod nicht als bloße Auslöschung unserer Existenz, sondern als Erfahrung des Neins Gottes....Hier entspringt die Gewißheit des den Tod überdauernden Gerichtes. Gott hat den Menschen vor sich gestellt zu einem Gegenüber, das auch der Tod nicht aufhebt. So ist es zunächst das Gesetz, das uns gewiß macht: unser Dasein geht im Tode nicht für immer unter." (CW 660)

d) Kreuzweg und Tod Christi

Der Tod als Berufung zum Sein für Gott "ist wie nirgends anders an Jesu Bereitschaft und Gang zum Tode abzulesen"[30], an seinem ihn vollendenden vollkommenen Todesgehorsam (LD^3 199). Auch wenn Jesu Sterben als 'Sterben für' in seinem Charakter und Gehalte völlig einsam und unvergleichlich ist, hat es eine Analogie im Leben der Menschheit und ist nicht nur Gegensatz, sondern auch Erfüllung der Ahnungen über die Bedeutung des Opfertodes. Jesu Tod ist jedoch nicht nur vollkommener Gottesdienst, sondern auch Tod der Sünder. Ja, für ihn hat der Tod die größte Unnatur, denn er kennt die Gottesgemeinschaft und "er allein schmeckt das Sterben wirklich als Gottverlassenheit, als Preisgabe an die Macht des Verderbens, als Hölle" (CW 471). Der von seiner Auferstehung untrennbare Tod Jesu ist so die Antwort auf die Todesfrage des Menschen geworden. "In seinem Lichte hebt ein Begreifen des Sterbens an."[31] Weil Jesus es gesagt hat und er zu Ostern beglaubigt ist, glauben wir, daß die persönliche Gemeinschaft mit ihm "ein unsterbliches Verhältnis, ein unaufhebbares ewiges Gegenüber" der Liebe ist [32]. Hier tut sich auf, daß der Tod im Lichte des Gesetzes und des Evangeliums zuletzt kein Gegensatz, sondern Einheit im Wollen und Wirken Gottes ist. "Das Todesgericht steht im Dienste der Schöpfung des neuen Menschen. Die Gnade des Evangeliums gibt dem Tod seinen ursprünglichen schöpfungsmäßigen Sinn zurück."[33]

e) Sterblichkeit des Gläubigen als Gnade der endlichen Erlösung
   (Der Tod im Lichte des Evangeliums)

Im Lichte des Evangeliums wird der Gerichtstod des Sünders zum Akt der

erlösenden Liebe Gottes. Denn die im Evangelium uns zugewandte Liebe ist
Ausdruck eines endgültigen, ewigen, allmächtigen Willens; von dieser Liebe kann den Menschen, dem sie gilt, nichts mehr trennen; "sie läßt ihn
nicht im Tode fallen, sondern hält und führt ihn durch das Sterben hindurch zu unsterblicher Gemeinschaft"[34]. Der Glaube darf unter dem Zorne Gottes seine eifernde Liebe spüren, so daß der Tod zur Befreiung wird
und wir ihn lieben dürfen, weil in ihm unser 'natürliches' eigenwilliges
Leben stirbt. Weil dieser alte Mensch bereits im Ergriffensein durch Christus 'stirbt' und die Taufe sakramentaler Ausdruck dieses Sterbens ist,
werden Taufe und Tod zusammengesehen: Der Ernst des Todes prägt die Taufe, die Freude der Taufe auch den Tod. Schon für Luther war die Taufleh-
re "nichts anderes als seine Rechtfertigungslehre in konkreter Gestalt"
(DTL 305). Diese durch Christus an uns geschehene Versetzung in den Tod
wird zwar im christlichen Leben und Handeln als Sterben des alten Menschen immer neu akualisiert, aber "das Verlangen des Christenmenschen,
von seinem alten Wesen frei zu werden, wird erst im leiblichen Tod ganz
erfüllt. Er erfüllt die Verheißung, die Jesus Christus jedem in der Taufe versiegelt hat. Der Tod führt den Glaubenden in die Freiheit der Söhne
Gottes"[35]. Der Tod löst erst die höchst paradoxe Wirklichkeit des irdischen Christseins als 'simul iustus et peccator', die als solche nach
dieser Lösung ruft und das Kommen des iustus in re verheißt.

> "Gottes paradoxes Ja zu dem sündigen und sterblichen Menschen ist of-
> fenbar eine Prolepse, deren Sinn verwirklicht werden will....Die vol-
> le Befreiung von beiden (erg.: Todesverhängnis und Sündigsein) kann
> nur die Aufhebung der irdischen Existenz durch den Tod und die Auf-
> erstehung bringen."[36]

Der Glaube erkennt, daß Gott auch die zerstörerische Macht der Sünde
und den Tod zum Mittel der Gemeinschaft mit sich macht. Indem ich dem
Herrn sterbe, ist der Tod, auch wenn sein Charakter als Gericht und Strafe bleibt, Gottesdienst, und zwar in erster Linie als völlige Hingabe
an das bitterschwere Erleiden des göttlichen Gerichtes, wodurch der Tod
seinen ursprünglichen Sinn 'zurück' - bekommt. Solches im Glauben bejahte Sterben ist kein Widerspruch mehr zum Leben, denn es ist nicht nur
Ende, sondern Vollendung des Lebens. So wird der Tod im Lichte des Evangeliums zum unsterblichen Stand der Vergebung, da er das Bleiben der Liebe besagt.

Die drei aufgezeigten Sinngebungen des Todes dürfen nach Althaus nicht
in einem exklusiven Nacheinander verstanden werden, sondern sie bilden

für uns während des irdisch-geschichtlichen Lebens eine vollkommen gleichzeitige Ordnung.

3. Tod und Unsterblichkeit

a) Fragestellung

Als Reaktion auf eine Verdiesseitigung des Christentums in den pan-
theisierenden Tendenzen des Idealismus haben viele protestantische Theologen in den letzten Jahrzehnten scharf den Unterschied zwischen Auferstehungsglauben und Unsterblichkeitsgedanken betont. Letzterer wird heute
vom Großteil der evangelischen Theologen verworfen, z.B. von A.Schlatter,
C.Stange, W.Künneth, W.Elert, E.Brunner, K.Barth, H.Thielicke, O.Cull-
mann, R.Bultmann. Es sind meist verschiedene, untereinander meist zusammenhängende Argumente dafür entscheidend: positiv der Ernst des Todes,
die Verantwortlichkeit des ganzen Menschen, das totale Stehen unter dem
Schöpfertum Gottes, die aktualistische Seelenlehre, die biblische Ganz-
heits-Anthropologie; negativ der Vorwurf des platonischen Leib-Seele-Dualismus, der Verdacht der Hellenisierung, der Vorwurf des Moralismus, wohl
auch die heutige Unsicherheit und Angst um die eigene Nichtigkeit, die nur
das von Gott Getane für sicher hält, schließlich eine antiphilosophische
Haltung (als Befreiungsprotest), die zusammengeht mit "einer möglichst
radikalen Fassung des göttlichen Gnadenhandelns, also einem Denken von
oben nach unten, das sich bewußt und entschieden der philosophischen Auf-
stiegsschematik widersetzt"[38] und deshalb Begriffe wie 'Unsterblichkeit'
und 'Seele' als Platonismus-verdächtig abschaffte. Aber auch der Unster-
lichkeitsgedanke kann auf eine lange christliche Tradition zurückweisen.
Es scheint, als seien die beiden christlichen Traditionen, die der kreatürlichen Sterblichkeit und die der kreatürlichen Unsterblichkeit, gleichsam Spiegelbild der beiden Seiten des Todes, seiner Natur und seiner Unnatur.

Wo steht Althaus in dieser Frage? Ist es wirklich - wie M.Schmaus und
viele andere sagen - "vor allem P.Althaus mit seinen Schülern"[39], der
die alte Irrlehre des Thnetopsychitismus (3.Jahrhundert in Ägypten), also die Ganztodtheorie, erneuert? Diese Antwort ist u.E. ungenau und trifft
für Althaus, der auch hier zu vermitteln sucht, in dieser kategorischen
Weise keinesfalls zu.

b) Althaus' Kritik des Unsterblichkeitsgedankens

(Der Ernstcharakter des Todes)

Althaus' erster Angriffspunkt ist vor allem die hinter dem Unsterblichkeitsgedanken vermutete dualistische Seelenmetaphysik. 'Leibhaftigkeit der Seele' bedeutet für ihn nicht nur Ausdruck eines schon vorausgesetzten Fertigen im Leiblichen, sondern Gestalt des Seelisch-Geistigen,
denn das Leben der Seele kommt weithin erst in der Annahme der leiblichen
Gestalt zu sich selbst und ist erst dann ganz. "Es drängt aus sich selbst
zur Verleiblichung"[40], wie im Sprechen und Dichten als Verleiblichung des
Denkens, im Wort-Gebet und im leiblichen Singen bis hin zum leiblichen
Akt des Kniens als Ausprägung der Bewegung des Herzens zu Gott, im La-
chen und Weinen als leiblicher Gestalt der Freude und des Schmerzes ersichtlich ist. "Daher können wir auch das Sterben nicht mehr in der Weise des Seelenglaubens auffassen: als trenne sich eine selbständige, unsterbliche Seele vom Leibe, in dem sie bisher gewohnt...; sondern das
Sterben trifft auch die Seele....Indem der Seele ihr Leib genommen wird,
wird sie auch sich selber genommen."[41] "Das Sterben hat Ganzheit"; alles
andere sind "metaphysische Verfälschungen der existentialen Realität des
Sterbens" (CW 411). Von dieser Radikalität und Ganzheit des Sterbens ist
auch der Christ nicht ausgenommen. Da alles, auch das glaubende und be-
tende Ich samt seinem Seelenleben, an die Todesgesetzlichkeit und Sündigkeit dieser Welt gebunden ist, gibt es "keine empirische Innerlichkeit
in uns, in der wir rein aus dem Geiste Gottes lebten, rein 'in Christus'
wären und uns daher von dem Sterbenmüssen ausgenommen denken könnten" (CW
663). Jede Vorstellung, "als wenn unsere Leiblichkeit diesseitiger wäre
als unser jetziges Seelentum und unser Seelentum ewigkeitsnäher als unsere Leiblichkeit" (LD[4] 125), wird energisch zurückgewiesen.

Immer wieder sind wesentliche Züge der dualistischen Todeslehre in die
christliche Theologie eingedrungen (LD[3] 197). So sieht Althaus z.B. auch
hinter dem Einsegnen des Leibes bei den Katholiken einen dualistisch-na-
turalistischen Glauben (CW 662). "Die Unsterblichkeitslehre hat einen
halben Tod und darum eine nur den halben Menschen betreffende Auferstehung. Wir aber wollen vom ganzen Tod sprechen, weil wir mit der Schrift
alles von der Auferstehung erwarten."[42] Humes und Kants Kritik, die Ergebnisse der anthropologischen Wissenschaft und vor allem der Widerspruch
zur biblischen Anthropologie sind für Althaus' Stellung nach seinen eigenen Angaben entscheidend. Wenn auch der antike Dualismus der animisti-

schen Weltanschauung sich gelegentlich in der Bibel bemerkbar mache, so widersprechen solche Stellen doch klar der Mitte des AT und NT (CW 330).

Gibt es aber nicht noch andere Argumente für Althaus' Stellung "gegen die überlieferte theologische Lehre" (LD[4] 88)? Die biblischen Beweise werden später in den 'Retraktationen' relativiert. Ausschlaggebender als die philosophisch-anthropologischen Fundamente scheinen uns die systematisierenden theologischen Argumente zu sein, die Althaus' Lehre von der Gottheit Gottes und der entsprechenden Doktrin von Sünde und Rechtfertigung entstammen, wie folgende Zitate erkennen lassen: "Seinen Charakter als Gericht behält das Sterben nur, wenn auch die Seele 'stirbt', wenn die Person das göttliche Nein als Zerbrechen ihrer gesamten Lebendigkeit erfahren muß." (LD[3] 198) "Anlaß zu vollendetem Gottesdienste ist der Tod nur dadurch, daß er wirkliches Ende bedeutet." (LD[3] 199,n.4) Im Sterben des ganzen Menschen als vollkommenem Gottesdienst kommt Gottes Gottheit voll zur Geltung. "Der Tod macht uns wie nichts anderes der unübersteiglichen Grenze eingedenk zwischen Gottes Leben und unserem Leben....wir sind Gott den Tod schuldig"; "weil Gott im Tode ist", geben wir ihm die größte Ehre, indem wir alles gehorsam ihm zurückgeben und ihn allein als Unsterblichen ehren[43]. "Der Glaube weiß, daß Gott mich auch dann hält und nicht in das Nichts sinken läßt."[44] "Seine Treue hält mich jenseits wie diesseits des Todes."[45] Gott selbst ruft uns aus unserer Entselbstung heraus.

Wir stehen vor einer schwierigen Frage, die durch das Schillernde an vielen Aussagen Althaus' noch verschärft wird. Gelegentlich spricht er vom Schlafen und Schlummern der Toten.[46] Ist dadurch die Ganztodtheorie nicht bereits gemildert, denn "der Gedanke vom Seelen- oder Todesschlaf dient in der traditionellen Lehre dazu, zwischen dem irdischen und dem auferstandenen Menschen eine gewisse Kontinuität zu wahren"[47]. Aber er hält das Bild vom Schlafen auch für vollkommen unzutreffend (LD[4] 108). Er unterscheidet Tod und Nichtsein.[48] Allerdings kann der Unterschied nur theologisch behauptet und begründet, aber nicht in ontologischer Aussage beschrieben werden; er besteht nur im Blick auf den Willen Gottes, der mit uns in Ewigkeit reden will. "Über das 'Sein' und 'Bleiben' der Toten ist keine andere Aussage möglich als diese: daß die Toten auch in und mit ihrem Totsein in Gottes, ihres Schöpfers, Hand sind, die sie in den Tod und aus dem Tod führt." (LD[4] 109) Doch andere Aussagen scheinen

über diese 'Treue Gottes' hinauszugehen: "durch dieses Ende unserer ganzen irdischen Lebendigkeit hindurch hält Gott der Herr die Person, die er
aus dem Nichts ins Leben gerufen hat,durch und gibt ihr eine neue Daseinsgestalt - und zwar wieder, wie hier auf Erden, eine seelisch-geistig-
leibliche."[49] Die jetzige Daseinsgestalt wird zur Gänze von Gott zerbrochen, die Person hält er durch (CW 662). Einmal heißt es: "Die natürliche Lebendigkeit wird erhalten" (CW 639), ein andermal muß diese Lebendigkeit "als ganze, leibliche und seelische und geistige, sterben" (CW
663). Althaus nennt den Tod auch "Entmächtigung und Aufhebung unserer gesamten, der leiblichen und geistigen, persönlichen Lebendigkeit" (GD[1] II/
169 = GD[5] 264), "Zerbrechen der Person in ihrem ganzen Lebensbestand...
Der Tod als Vollzug des Gerichtes ist Zerstörung der Person, aber die
Gerichtsbeziehung zu Gott fordert zugleich Unzerstörbarkeit der Person"
(LD[3] 197,n.1)

> "Wir können die Person allerdings nicht gegenständlich-beschreibend
> unterscheiden von der vergehenden Gestalt und das Zerbrechen nicht
> abgrenzen gegen das Bewahren....Die Selbigkeit und Durchgängigkeit
> läßt sich nicht ontologisch, sondern nur theologisch-existential be-
> stimmen: es ist die Einheit eines Gerufenseins als dieser bestimmte
> Mensch, einer mir zugewandten Treue Gottes, einer Verantwortung.
> Gott ruft mich aus dem Tod bei meinem Namen. Wir fassen uns in unserer
> Selbigkeit diesseits und jenseits des Todes allein so, daß wir an Got-
> tes Liebe glauben." (CW 662)

Wie kann "alles an uns....verwesen und aufhören - und wir....doch in unserem Personsein ganz bewahrt" (CW 662) werden? Althaus scheint sich selbst
des Problems bewußt gewesen zu sein, weil er den Unsterblichkeitsgedanken
keineswegs schlechthin ablehnt.

c) Althaus' positive Stellung zum Unsterblichkeitsgedanken
   (Unzerstörbarkeit des Gottesverhältnisses)

Platons klassisches ontologisches Argument für die Unsterblichkeit der
Seele ist für Althaus zwar durch Kants Kritik erledigt, aber trotzdem ist
es " - zwar nicht als Beweis, aber - als Hinweis auf das Problem des Menschen, als Frage nach einer todüberlegenen Lebendigkeit durchaus ernst zu
nehmen" (LD[4] 98f).[50] Es kommt darin zum Ausdruck, daß wir im Erkennen der
ganzen gegenständlichen Welt frei gegenüberstehen, daß wir uns über die
Mannigfaltigkeit des Seienden erheben, es in Begriffen bedenken und durch
die Teilhabe an der übergreifenden Wirklichkeit des Geistes miteinander
denken. Da das Erlebnis des Geistes zu der mit Gewissen ausgestatteten
verantwortlichen sittlichen Personhaftigkeit führt, "meldet sich die Frage

nach dem todüberlegenen Sein des Menschen und die Ahnung eines solchen mit neuer Gewalt" (LD[4] 99), zumal die sittliche Forderung sogar das Opfer des Lebens, den Tod als Tat fordern kann. Bei Kant, Fichte, Herder und Goethe kommt letztlich derselbe Gedanke zum Ausdruck: "das Ergriffenwerden von der unbedingten Anforderung richtet den Blick über die Grenzen des irdischen Lebens hinaus, fordert Unsterblichkeit." (LD[4] 100) Der Unsterblichkeitsgedanke braucht keineswegs zur größeren Ehre Gottes entwertet zu werden, denn es steht dahinter beileibe nicht bloß eudämonistischer Selbsterhaltungstrieb.

> "Der Gedanke der Unsterblichkeit ist begründet in der Ur-Offenbarung Gottes, welche in der menschlichen Existenz selber ergeht....Zum Geiste, zur Freiheit, zur Gemeinschaft, zu unbedingter Verantwortung gerufen - und doch zum Tode verfallen: diesen Zwiespalt soll der Mensch fühlen. Er soll sich gegen sein Sterben als Unnatur aufbäumen....Es ist das Recht und die Wahrheit des Unsterblichkeitsgedankens, daß in ihm die ursprüngliche Bestimmung des Menschen zu 'ewigem Leben' zum Bewußtsein und Ausdruck kommt" (LD[4] 103f; vgl. GD[1] II/54f).

Das Leiden unter dem Tode ist "das Adelszeichen des Menschtums mitten im Elende"[51]. Das Fragen, Ahnen und Heimweh ist von Gott selber ins Herz gelegt: weil wir darin von der Ewigkeit berührt sind, "denken wir nicht gering von alledem, was die Menschen über den Tod hinaus gefragt, geahnt, gehofft haben"[52].

Wie alle Uroffenbarung so muß jedoch auch der Unsterblichkeitsgedanke durch die Dialektik von Gesetz und Evangelium, Gericht und Neuschöpfung, Tod und Auferweckung hindurch. "Als vor Gott Schuldige wissen wir, daß ein Geist und Wille, der trotz allem im Innersten wider Gott steht, nichts anderes verdient hat, als von seinem Schöpfer ausgelöscht zu werden....Hier vergehen uns daher alle Postulate einer neuen Lebendigkeit jenseits des Todes." (CW 659f) Das Gericht Gottes trägt allerdings in sich wiederum Unendlichkeit, Ewigkeit."'Unsterblichkeit' heißt also nichts anderes als die Unaufhebbarkeit der Personbeziehung zu Gott, zum Heil oder zum Gerichte."[53]

Dieses Gottesverhältnis gilt für jeden Menschen, auch für den Sünder, nicht nur für den Glaubenden, wie C.Stange meint (LD[4] 105,n.2), denn "das Mensch-sein des Menschen ist....sein Gottesverhältnis" (GD[1] II/52). Aus der "Unsterblichkeit des Gottesverhältnisses" (GD[1] II§54) die Unsterblichkeit der Seele zu machen, ist für Althaus "eine metaphysische Pseudomorphose" (CW 330) des ersteren, denn für ihn besagt das erste "Bestimmtheit der untrennbar-einheitlichen geistleiblichen Existenz, d.h.

des ganzen Menschen, nach 'Seele', 'Geist', 'Leib', als Inanspruchnahme und Verheißung", die das Todesgeschick nicht abschwächt, das zweite
dagegen "eine Qualität der menschlichen Seele" (GD[1] II/54). Nur unter
Einsicht in den Gegensatz dieser Lehre zur dualistischen Metaphysik – gesteht Althaus zu – "steht freilich nichts im Wege, die Begriffe 'Seele'
und 'Unsterblichkeit' als Ausdruck für das dargelegte theologische Verständnis des Menschen in Gebrauch zu nehmen. Der Mensch hat nicht eine
Seele, sondern ist Seele....das heißt: seine Bestimmung und Verfassung
als Mensch für Gott und vor Gott wird auch durch den Tod nicht aufgehoben" (CW 331).

Ist damit der Wahrheitskern der traditionellen Lehre von der 'natürlichen' Unsterblichkeit der Seele bewahrt? Wahrscheinlich ja, wenn man
Althaus' Anthropologie und Offenbarungslehre für sich betrachtet, eher
nein, wenn sie zusammen mit seiner Sündenlehre und Soteriologie gesehen
werden, denn die 'Natürlichkeit' behält keine relative und damit überhaupt keine Eigenständigkeit und die noch gerettete 'Unsterblichkeit'
als neue Lebendigkeit setzt den Ganztod als Gericht voraus und hat nur
in Jesus Christus – trotz uns, über uns hinweg – ihren Grund (LD[4] 106).
Das 'Im Tode ist nur Gott' konkretisiert sich für den Glaubenden gleichsam zum 'Im Tode ist nur Christus'. In dieser Reduktion ist alles ausgesagt:

> "'In Christus', das ist schon hier auf Erden ihr (der Christen) 'Ort'
> und ihr Stand. Und aus ihm reißt der Tod sie nicht heraus....Ob sie
> noch 'schlafen' oder bei ihm schon leben, das wissen wir nicht, und
> das ist völlig belanglos gegenüber dem einen Entscheidenden: daß sie
> 'in Ihm' sind und bleiben, für den großen Tag, an dem dieses 'in Ihm'
> offenbar werden wird in Herrlichkeit. 'In Jesus Christus' – das ist
> Antwort genug auf die Frage nach dem Wo? und Wie?...Unser Jenseits
> ist Jesus Christus selber."[54]

Ähnlich wie bei der Kritik der Christologie und Rechtfertigungslehre bezweifeln wir auch hier, daß das 'in Christus' Antwort genug auf unsere
Frage sei, vor allem auf die Frage der behaupteten Identität und Kontinuität. Althaus selbst sieht die Schwierigkeit, einerseits vom Tod als
völliger Zerstörung unserer Lebendigkeit nach Leib und Seele zu reden,
andererseits in diesem Todesgericht nur ein Moment einer weitergehenden
Geschichte zu sehen. Er gesteht: "Ontologisch ist die Frage berechtigt:
inwiefern 'ist' und 'bleibt' der Mensch denn nach der Zerbrechung seiner Lebendigkeit durch den Tod? Wird er aus dem Nichts neu gerufen? Oder
wie unterscheidet sich sein Totsein vom Nicht-sein?" (LD[4] 108) Darauf

ist nur eine theologische Antwort möglich: Die beiden Erkenntnisse, Tod
als Ende und Un-endlichkeit des Gottesverhältnisses, werden verbunden
durch den Gedanken, daß Gott aus wirklichem Gestorbensein den ganzen Menschen 'erweckt', also nicht in einer Schöpfung aus dem Nichts; ontologisch müssen wir uns allerdings mit dem Widerspruch zufrieden geben.

Wenn es "von uns her gesehen keine von den Todesgesetzen dieses Lebens ausgenommene Innerlichkeit, mit welcher wir uns ohne 'Verwandlung'
in Gottes Ewigkeit hineindenken können", gibt und demzufolge das neue
Ich "totaliter aliter" ist, wenn trotzdem die "Selbigkeit der 'Person'"
gegeben ist und dieser Zusammenhang von Gott her "in der personhaften Einheit einer Geschichte" liegt, also nur eine theologisch, nicht biologisch
oder ontologisch zu bestimmende Kontinuität vorliegt (LD[4] 114f), so heißt
dies doch, wie G.Zasche sagt, "daß der Mensch in seinem innersten Ursprung, in seinem Selbst gerade sich selbst entzogen ist: daß sein Ich
nicht in seiner, sondern in Gottes Hand liegt, und zwar so, daß das 'von
Gott her' das 'von uns her' wenigstens am springenden 'Übergangspunkt'
auszuschließen scheint....Bleibt dann als 'natürliches' Fundament der
Selbigkeit nicht zuletzt allein der Gedächtnisakt Gottes übrig, mit dem
er sich den Menschen 'merkt', der diesseits stirbt und jenseits des Todes neu wird? Bleibt Gott nicht im Akt seiner Treue mit sich allein, so
daß vom Menschen her im Grunde genommen nichts fortdauert?"[55]

d) Kritische Betrachtung und Althaus' Entwicklung bis zu den 'Retraktationen'

aa) Allgemeine kritische Fragen und Stellungnahme

Gegen Althaus widersprüchliche Theologie des Todes und der Unsterblichkeit hat sich von verschiedenen Seiten Kritik erhoben.[56] An diesem
Problem kommt gleichsam alles im dogmatischen Unterbau Gesagte zu einem
die verschiedenen Fäden vereinenden Kristallisationspunkt; dieser gordische Knoten ist schwer zu lösen. Es müssen hier einige kritische An-
fragen und Anmerkungen genügen.

Althaus' Anthropologie scheint in dem 'unsterblichen Stand der Verantwortung' die dem endlichen Geist wesentliche Gottfähigkeit als ontologische Voraussetzung (potentia oboedientialis) einer möglichen (in
Freiheit zu empfangenden) Selbstmitteilung Gottes zu wahren. Dieser in
gewissem Sinn 'vor'-gelagerte 'natürliche' Stand als bleibende Möglichkeitsbedingung des Standes der Gnade würde dem bei Althaus festgestell-
ten 'Restbegriff' des Urstandes entsprechen; darin wären die notwendige

relative Eigenständigkeit der Schöpfungsordung und zugleich die Bedürftigkeit der übernatürlichen Vollendung mitausgesagt. Die freie Ablehnung der Sinnerfüllung in der Gottesgemeinschaft (Erbsünde) hätten den 'unsterblichen Stand der Schuld' zur Folge, ohne daß der Stand der Verantwortung im Sinne der bleibenden ontologischen Gottfähigkeit verlorengegangen wäre (Variabilität des Menschenwesens). Diese in Christus finalisierte, aber relativ selbständige Schöpfungsordnung kommt jedoch schließlich nicht zum Tragen, denn in der Sündenlehre und Soteriologie wird vom zentralen Begriff der Gottheit Gottes her die relative Unabhängigkeit unterminiert und aufgegeben. Da die Eigentlichkeit des Menschen erst in Christus erscheint, m.a.W. da der Sinn zum Sein, die Übernatur zur Natur gemacht wird, hat der 'schöpfungsmäßige Sinn' des Todes schließlich doch nur die negative Funktion, Möglichkeitsbedingung für den Gerichtssinn des Todes zu sein. Vor Christus erfüllt niemand den Schöpfungssinn, ja kann ihn niemand erfüllen (ähnlich wie bei der Bild-Gottes-Theologie). Sinnfrage, Sinnbedürftigkeit und Sinnahnung, die den notwendigen Unterschied zwischen Sein und Sinn zunächst zu wahren scheinen, werden angesichts des vom Gottheit-Gottes-Begriff her geformten 'Solus Christus' letztlich doch nur zur völligen Sinnlosigkeit, d.h. zur reinen 'praeparatio negativa' der allein von Christus her zu geschehenden Sinnantwort   M.a.W.: Der alles vernichtende Tod wird Voraussetzung des allein von Gott in Christus gegebenen Lebens der Auferstehung. Jede ontologische 'natürliche' Möglichkeitsbedingung kommt notwendig in Verdacht, eine zur Gnade in Konkurrenz stehende Natur, eine zur Auferweckung der Toten in Konkurrenz stehende autonom-moralistische Unsterblichkeit zu sein.

Der Durchgang durch den Gerichtstod ist unerläßlich, denn Gottes Gottheit kommt nur als 'Creatio ex nihilo sub contraria specie' voll zu ihrer Ehre. Der Tod als 'Gnade der Schöpfung' kann bei Althaus nicht anders als zugleich auch als Tod des Gerichtes und 'Gnade der Erlösung' durchlebt werden. Das Paradox komplementärer Art, das den ersten Moment der Rechtfertigung kennzeichnet, ist auch noch die Situation der Todesstunde. Althaus bleibt bei der im Gegensatz zum NT stehenden (wie er selbst weiß) reformatorischen Grunderkenntnis, daß die Situation der Rechtfertigung immer dieselbe ist: "sie transportiert dieses theologische Wesen der Bekehrung nicht in das chronologische Schema einer zeitlich fixierbaren

einmaligen Entscheidung, die das Leben in ein Vorher und Nachher, ein
Einst und Jetzt teilt."[57] Das irdische Christenleben ist nach Althaus von
einem grundsätzlichen 'Simul' gekennzeichnet - ein Simul, das, wie wir
sahen, außer berechtigten Motiven das 'doxologische Motiv' einschließt
und das u.E. in dem Maße, in dem es dies tut, abzulehnen ist. Das Zerbrechen der Person ist die Voraussetzung ihrer Unzerstörbarkeit. "'Persönlichkeit' bedeutet ganz bestimmt: Bezogenheit auf das Gericht Gottes.
So prägnant verstanden erst schließt der Persönlichkeitsbegriff die Unzerstörbarkeit ein" (LD[3] 197,n.1;vgl.CW 660). Wie "die Härte und das
Grauen der geschichtlichen Kämpfe....Werkzeug seines Liebeswillens"(CW
417) sind, so ist es auch der Tod. "Aber für ihn ist das alles - um Luthers Formel zu gebrauchen - opus alienum, fremdes Werk, er wirkt es, so
hart und furchtbar es sein kann, doch nur im Dienste seines opus proprium, des eigentlichen Gotteswerkes, Leben und Heil zu schaffen" (CW 394;
vgl.DTL 138-150). - Werden nicht von dieser höheren Teleologie des alleinwirksamen Gottes her der Tod als Grenze und der Tod als Gericht strukturell gleichgeschaltet, denn Gott führt sein eigentliches Werk, das der
Rechtfertigung, dort am erhabensten durch, wo er aus der Tiefe der Sünde und des Ganztodes hebt? Wird aber Gott so nicht zum Urheber der Sünde?

Es ist letztlich die so verstandene Rechtfertigungslehre, die Althaus -
wie manche andere - zur Leugnung der 'Unsterblichkeit der Seele' und in
die Nähe der Ganztodtheorie bringt, vor deren radikaler Fassung er doch
zurückschreckt. Die 'Unaufhebbarkeit des Gottesverhältnisses' als Zwit-
ter beider Linien befriedigt nicht ganz, denn "was vom Menschen bleibt,
ist eine Beziehung zu Gott ohne Beziehungsträger auf menschlicher Seite"[58]. Damit hat Althaus sicherlich gegen idealistische Tendenzen, die
eine autonome, selbstverfügbare Unsterblichkeit zum Heilsgut machten, den
tiefsten personal-dialogalen Grund des Weiterlebens im christlichen Sinne hervorgehoben und die Unvergleichlichkeit des durch die Auferstehung
Jesu uns geschenkten Hoffnungsgutes zurecht in helles Licht gerückt. Aber
es bleibt die Frage, ob nicht zur Absicherung und zur Möglichkeitsbedingung des postmortalen Lebens durch Angerufensein von Gott eine gewisse
ontologische Kontinuität notwendig von der personalen Tiefenschicht Gottes im Geschöpf 'vor'-ausgesetzt, bzw. gerade in Hinblick auf die Gratuität des zu empfangenden und frei anzunehmenden göttlichen Lebens 'frei'-
gesetzt ist. Wir meinen,dies bejahen zu müssen, damit nicht die Identi-

tät des Menschen Gefahr läuft, in der Beziehung Gottes zu sich selbst
unterzugehen.

Althaus' Begriff der Gottheit Gottes ist mit ein entscheidender Grund,
daß er in allem ontologischen Substanzdenken vom Blickwinkel soteriolo-
gisch enggeführten heilsexistentiellen Denkens her eine moralistische
Verfehlung sieht, nachdem Substanz vielfach als schlechthin sich genü-
gendes (nicht pars substantialis) ens-a-se (nicht ens-in-se et pro-se)
verstanden, bzw. mißverstanden wird. Sein Seinsbegriff hat nicht mehr die
Tiefe wie z.B. die des Thomas von Aquin, bei dem die wesenhafte transzendentale Abhängigkeit von Gott die Kreatur des Selbstandes nicht be-
raubte, so daß sie in Relation aufging, sondern bei dem der Selbstand mit
der größeren Abhängigkeit, d.h. der größeren analogen Seinspartizipation,
direkt proportional wuchs.[59] Da also das Wesen der Dinge und der Wille
des Schöpfers nicht gegeneinander ausgespielt werden dürfen (als ob es
vom Willen Gottes 'unabhängige' Wesen gäbe) und da Sein letztlich als
Akt, dessen Fülle Gott ist, verstanden wird, bedeutet eine ontologische
Begründung keineswegs eine moralistische Autonomie, als ob die Unsterblichkeit Frucht des sittlichen Wertes eines Individuums wäre, wie Althaus gelegentlich zu unterstellen scheint (Vgl.CW 325). Für Thomas v.A.
(Vgl.CW 325,n.1) ist die Geist-Seele (quodammodo omnia) nicht Kontrapunkt gegen Gott oder ein absolutes An-sich, sondern Möglichkeit zu Gott,
Anknüpfungspunkt für dessen Gnade, weil Unaufhebbarkeit des Kreaturver-
hältnisses.

Althaus sieht einen falschen Gegensatz zwischen ontologischem und
heilsexistentiellem Denken. Während die Katholiken in Gefahr sind, das
zweite zu vernachlässigen, kommt bei Althaus das erste zu kurz. Das ontologische 'Substrat' ist jedoch notwendig, damit das Heil wirklich Heil
für den Menschen sei. So ist auch die 'natürliche Unsterblichkeit' (Restbegriff' als eine vom Heil noch nicht qualifizierte Größe) notwendige
'potentia oboedientialis' für das ewige Leben (oder das ewige Sterben).
R.Guardini drückt unser Anliegen sehr gut aus:

> "Es gibt eine Art, von der Gnadenhaftigkeit des neuen Lebens zu spre-
> chen, die verhängnisvoll ist, weil sie die Person des Menschen aus-
> löscht, so daß er wie ein willenloses Ding in das Erlöstsein hineinge-
> nommen wird. Oder sie reißt ihn auseinander, und dann ist da ein
> Mensch, der natürliche, böse; und neben ihm ein anderer, der von der
> Gnade Gottes gerufene und geheiligte; und zwischen ihnen geht es nicht
> hinüber noch herüber."[60]

Angesichts der Aporetik, in die uns Althaus' Theologie des Todes führt,
pflichten wir C.H.Ratschow voll bei:

"Der seit Ritschl die evangelische Theologie bestimmende Hang, sich
anti-metaphysich zu gebärden, der unter den Nachwirkungen Kierkegaards aktualisiert wurde, brachte das evangelische Denken in diese
Aporie....Offenbar ist es einem theologischen Denken gefahrbringend
zu meinen, seinen Gegenstand jenseits von Metaphysik, also nur mit
Logik und Dialektik, aussagen und bewahren zu können....Es ist nicht
wahr, daß Metaphysik eo ipso verdinglichend oder rein spekulativ oder
rein abstrakt oder gar antichristlich sein müßte."[61]

Eigentlich sollte Althaus diese Wende zur Metaphysik, die den durch Descartes und Kant entstandenen Dualismus überwindet, nicht so schwer gefallen sein, denn auch er hält in seiner Uroffenbarungslehre die von Ratschow aufgezeigte "Konvenienz von Gottes Wort und menschlichem Denken"[62];
offenbar aber wurde er daran durch seine Soteriologie gehindert.

Heilsexistentielle Aussagen sind immer von primärer Bedeutung, doch
auch nach katholischer Auffassung können sie sich als solche ohne Eigenrecht der Ontologie "im üblichen Sinne einer von der Heils- oder Unheils-
situation des Menschen abstrahierenden Seinslehre"[63] nicht halten. Selbst
für die Christologie hätte es schwere Folgen. Da Jesus Christus einen wahren Menschentod gestorben ist, ist es erlaubt mit A.Ahlbrecht zu fragen:
"Hätte der ewige Logos sich überhaupt einer solchen der Vernichtung an-
heimgegebenen Natur hypostatisch einen können? Diese Frage stellen heißt
sie verneinen."[64] Bei richtiger und notwendiger Hermeneutik der biblischen Aussagen, d.h. deren philosophischer Vermittlung, "kann die Frage
nicht mehr verboten sein, ob etwas wie der Begriff 'Seele' als hermeneutisches Bindeglied nicht doch notwendig ist, ja vom Befund her selber
sich aufdrängt, auch wenn dieser seine Reflexion nur ansatzweise in diese
Richtung vortreibt"[65].

Althaus' Einspruch gegen die traditionelle Beschreibung des Todes als
'Trennung von Leib und Seele' besteht zurecht, da der Tod damit metaphysisch und vor allem theologisch völlig ungenügend charakterisiert wird.
Zunächst kommt darin nicht zum Ausdruck, daß der Tod den ganzen Menschen
betrifft und daß die Endgültigkeit der geistigen Person sein inneres Moment ist. Da die Einheit des geistigen und materiellen Prinzips im Menschen so zu denken ist, daß sie erst in ihrer Vereinigung den Menschen
bilden, stirbt im Tode der Mensch.[66] Sodann kommt in der erwähnten Todes-
definition die weiterhin bleibende wesentliche Ausrichtung der Seele auf
den Leib, ja nach K.Rahner die darin geschehende Vertiefung des Weltbe-

zuges durch allkosmischen Bezug, nicht zum Ausdruck. Die Auferstehung des
Leibes wäre für unsere Vollendung nicht recht einzusehen und nicht er-
strebbar, hätte nicht das personale Geistprinzip auch zuvor schon Offenheit und Kommunikation zum Kosmos; diese Offenheit fällt durch den Auferstehungsleib nicht weg, sondern - nach K.Rahner - "der Verklärungsleib
scheint so zum reinen Ausdruck der bleibenden Allweltlichkeit der verklärten Person zu werden"[67]. Weil der Mensch im Tode stirbt, bleibt die Unvergleichlichkeit des ewigen Lebens als Heilsfrucht bewahrt. Aber es
bleibt ein wesentlicher Unterschied zu Althaus bestehen. Seine Todesauf-
fassung ist 'radikaler'; sie schließt jede kontinuierliche Existenz,
jedes durchgehende ontologische Kontinuum im kreatürlichen Bestand aus.
Wir glauben daran festhalten zu müssen, "denn es ist nicht möglich, die
Identität des Auferweckten mit dem Menschen im Pilgerstand allein im Wissen und Willen Gottes ohne jedes kreatürliche Kontinuum gewährleistet zu
sehen. Das stellt die Wirklichkeit der Kreatur überhaupt in Frage"[68].
Da es der Bibel bei Leben und Tod nicht um Sein oder Nichtsein im metaphysischen Sinne, sondern um Heil oder Unheil geht, widerspricht die Annahme dieses ontologischen Kontinuums auch nicht den Aussagen der Schrift.

Weil bei Althaus durch die Verdrängung des ontologischen Menschenwesens
die Menschheit Christi in ihrer Bedeutung und die Aneignung der rechtfertigenden Gnade im Menschen, kurz, die Dimension der Inkarnation, vernachlässigt werden und weil die Züge dieser vom Pathos für die Gottheit
bestimmten Rechtfertigungslehre auch die Eschatologie prägen (müssen),
haben wir gewisse Bedenken gegen seine Sicht des christlichen Todes. Auf
die Frage, ob nicht das durch Christus in den Seinen begründete geistliche Leben den Tod überlebe, weil es in sich schon jenseits des Todes sei,
antwortet Althaus negativ, denn unser neues Leben aus Christus haben wir
in der Gestalt eines sehr irdischen, anfälligen, der Ohnmacht und der Sünde verhafteten Seelenlebens, weshalb auch der Christ im Sterben sich ganz
genommen werde.[69] Glaube und Tod gehören für Althaus wesentlich zusammen,
wir könnten auch sagen, Gottheit Gottes und Tod, da das Nichts-Sein und
Nichts-Tun des Geschöpfes gleichsam Möglichkeitsbedingung der Alleinwirksamkeit des Schöpfers sind. In dieser 'Eschatologie der Rechtfertigung' wird um der Ehre Gottes willen ein dem wahren Glauben widerstreiten-
des spekulatives Moment eingeführt, in dem die Bedeutung des menschlichen irdischen Lebens und seines in Freiheit zu verwirklichenden Auftra-

ges für die Ewigkeit (Vermittlung) gefährdet ist, da alles 'Werkzeug' einer höheren Teleologie - nämlich der der Ehre Gottes - zu werden droht (Differenz). DAmit ist aber die von Althaus so stark betonte personaldialogale Mitte des ewigen Lebens der von den Toten Auferstandenen selbst in Frage gestellt.

Auch für den Christen ist der Tod nicht nur Gnade, der endlichen Erlösung, sondern auch noch Zeugnis der Sünde, denn "es führt noch zum Tode, die Sünde auch nur gehabt zu haben....Sein Sterben braucht aber nicht" - dies sagen wir gegen Althaus - "zu bedeuten, daß er auch im Zusammenhang mit Christus unvermindert durch die Sünde bestimmt bleibt"[70] Weil in der 'Eschatologie der Inkarnation' des Gerechtfertigten geschichtliches Tun grundlegende Bedeutung für das ewige Leben hat (Vermittlung), das ihn durch Gottes rettende Tat (Differenz) jenseits des Todes erwartet, wird durch die dadurch gewährleistete Kontinuität des Subjekts dieses ewige Leben als das Jenseits des Diesseits wahre Vollendung sein. "Denn eine Vorstellung von 'Unsterblichkeit', welche diese Frage nach der Identität des Subjekts nicht beachtet, das sich in seiner Geschichte zeitigt, mit dem, das nach dem Tode lebt, ist von vornherein verfehlt."[71] Angesichts des Anspruchs und der Verantwortung des Denkens halten wir an der Notwendigkeit der Ergänzung der personal-dialogalen Sicht durch eine philosophische ontologische Vermittlung fest, denn nur so ergibt sich ein Weg "jenseits rationalen selbstberuhigten Verfügens wie einer irrationalen Hoffnung, von der sich keine 'Rechenschaft' geben ließe (1 Petr 3,15)"[72]. Nur so läuft man - im Gefolge Kants - nicht Gefahr, zwischen Glaube und Vernunft, zwischen dem Gott der Bibel und dem Gott der Philosophen einen unerträglichen Zwiespalt zu schaffen, und nur so läßt sich Althaus' Anliegen der Verbindung des Christianum und des Humanum und der 'Vermittlung in Differenz' des eschatologischen Heils ganz verwirklichen.

bb) Althaus' 'Retraktationen' zur Unsterblichkeitsfrage

Althaus' Schätzung des Unsterblichkeitsgedankens kommt in zwei Artikeln um 1950, der bereits erwähnten Rezension von H.Thielickes 'Tod und Leben' und den 'Retraktationen zur Eschatologie'[73], besonders prägnant zum Ausdruck. Diese beiden Arbeiten verdienen eine Sonderbehandlung, denn einerseits ist darin "innerhalb der reformatorischen Erbsündenlehre wohl das Maximum dessen (erreicht), was man an positiver Haltung gegenüber der

Schöpfungsordnung erwarten kann"[74], andererseits sind diese neuen Akzente nicht mehr in das Lehrbuch 'Die letzten Dinge' oder in die Dogmatik 'Die christliche Wahrheit' hinein verarbeitet worden, so daß diese beiden auch für Althaus' Entwicklung und die Beurteilung seiner endgültigen Ansicht entscheidenden Arbeiten - leider! - ein viel zu wenig beachtetes Dasein im Schatten des großen monographischen Lehrbuches führen.

Gegen H.Thielicke, der im Unsterblichkeitsgedanken nur Flucht vor dem Tode sieht, erkennt Althaus ihn auch als Zeugnis der Ebenbildhaftigkeit des Menschen mit Gott und als "Ausdruck der empfundenen Unnatur des Sterbens," denn die menschliche Seele trägt "das Sehnen und Ahnen des vollkommenen, unsterblichen, ungebrochenen, werterfüllten Lebens schöpfungsmäßig in sich"[75]. Gereinigt durch das Feuer der Schulderkenntnis vor Gott, haben alle Unsterblichkeitsgedanken für den Gerechtfertigten volle Gültigkeit und finden im christlichen Glauben die einzige gültige Antwort. Deshalb fordert Althaus von Thielicke, in ihnen neben und vor der Sünde "auch das Schöpfungsmäßige" zu erkennen, und er versucht zu zeigen, daß Unsterblichkeitslehren nicht unbedingt den Tod entmächtigen müssen, denn neben dualistischer Teilung gibt es auch die Unterscheidung zwischen jetziger Seinsgestalt und wesentlichem Sein des Menschen, das "bewahrt, befreit, zu seinem vollen Leben gebracht" wird und dabei sehr wohl in seiner individuellen Einmaligkeit erhalten werden kann[76]. Wie die "dem griechisch-hellenistischen Denken positiv zugekehrten und verwandten" Stellen der Schrift, in denen klar eine dualistische Anthropologie vorkomme, zu bewerten seien (z.B. 2 Kor 5,11; Mt 10,28), ob als "bedenkliche Anpassung an außerbiblische Weltanschauung oder als unumgängliche, weil durch die Wirklichkeit selber nahegelegte Unterscheidung", ist 1948 für Althaus selbst eine Frage, die er sich stellt[77]. Die Totalität des Sterbens des 'äußeren Menschen' (2 Kor 4,16) und die 'Unsterblichkeit' des 'inwendigen Menschen' gehören zusammen. Schließlich wird man auch von der gesamten kirchlichen Tradition, die die Unsterblichkeit der Seele lehrt, nicht behaupten können, daß sie den vollen Ernst des Todes entmächtigte.

Die 1948 noch vorsichtig formulierte Frage bezüglich der Richtigkeit der scharfen Gegenüberstellung: "nicht Unsterblichkeit der Seele, sondern Auferweckung des ganzen Menschen?" wird 1950 in den 'Retraktationen' noch bedrängender und mündet mehr-weniger in eine negative Antwort ein, denn "das Ärgernis, das wir mit diesem Kampfe in der letzten Zeit öfter

gegeben haben, ist nicht das des Evangeliums![78] Althaus weicht den Fragen
nicht aus:

"Ist das Neue Testament nicht einseitig ausgewertet? Ferner: stimmt es
mit der Berufung auf Luther ganz? Dogmatisch: wird hier nicht ein falscher Gegensatz christlichen und philosophischen Denkens behauptet,
andererseits eine eigene philosophische Theorie als das einzig reine
christliche Denken ausgegeben? Haben wir nicht in diesen Dingen zum
Teil einen Kampf geführt und Positionen geltend gemacht, die nicht als
theologisch-notwendig zu halten sind?"[79]

Althaus, der noch 1935 geschrieben hat: "Die Auferstehung wird erst dann
ganz groß, wenn wir nicht mehr von Unsterblichkeit sprechen"[80], entdeckt
nun "trotz allem Unterschiede, eine Affinität der Philosophie und der biblischen Gewißheit von der Unsterblichkeit"[81], was einem Eingeständnis früherer einseitiger Systematisierungsversuche biblischer Daten im Sinne der
forensischen Rechtfertigungslehre gleichkommt, und er stellt fest:

"Das NT bekämpft nirgends den Gedanken eines Fortlebens der Person und
nimmt nirgends in dieser Sache gegen das griechische Denken Stellung.
Im Gegenteil: wie schon das Spätjudentum unter hellenistischem Einfluß, setzt es die Fortdauer der Person über den Tod hinaus selbstverständlich voraus."[82]

Der paulinische Grundgedanke, daß der Glaubende als der in den Tod
Christi Hineinsterbende lebt (im leiblichen Tod wird es sich ganz offenbaren), findet eine doppelte vorstellungsmäßige Ausführung, entweder entsprechend der überlieferten jüdischen Vorstellung von der Auferweckung
der Toten bei der als nahe erwarteten Parusie Christi oder gemäß der sicherlich von griechisch-philosophischen Anschauungen beeinflußten Vorstellung, daß das Jenseits des Todes für den Glaubenden nichts anderes
als Christus sei, ohne daß hier vom Jüngsten Tag und der Gesamterweckung
die Rede sei (2 Kor 5,1ff; Phil 1,21ff). Die Verwendung des mit der zweiten Vorstellung verbundenen anthropologischen Dualismus (Ich und sōma)
zeigt, wie Paulus "'natürliche Theologie' des Hellenismus in den Dienst
seiner Verkündigung und seines theologischen Denkens gestellt" hat; beide Gedankenreihen laufen nebeneinander her, ohne ausgeglichen zu werden:
"Paulus hat offenbar kein theologisches Interesse an einem eindeutigen
gedanklichen Bilde der letzten Dinge."[83] Bei Luther kommt Althaus zu einem
ähnlichen Ergebnis.

Dadurch erhält nun der Tod als Ausdruck des Gerichtes eine deutliche
Akzentverschiebung: "Das Gesetz bedeutet eschatologisch: Gott entläßt uns
nicht aus der Verantwortung vor ihm, auch nicht im Tod....Die Ganzheit
des Sterbens ist nicht naturalistisch (der Mensch geht nach Leib und See-

le zugrunde), sondern personalistisch auszudrücken:uns wird unsere Zeit genommen und damit wir selbst uns ganz."[84] Der Ernst des Todes besteht also
"vielmehr darin, daß wir im Tode, gleichviel wie er ontologisch verstanden wird, Gott begegnen, unserem Richter....Der Gottes-Ernst des Sterbens
kann auch bei einem dualistischen Verständnis des Sterbens gewahrt bleiben."[85] Da es eine 'rein-theologische' Theologie, bzw. Eschatologie nicht
gibt, muß der theologische Gehalt in der je zur Verfügung stehenden, deshalb wechselnden und mit dem Gehalt nicht identifizierbaren 'ontologischen' Gestalt ausgesagt werden. Für Antike, Mittelalter, Orthodoxie und
einen Teil des NT war diese 'Gestalt' der anthropologische Dualismus des
Leib-Seele-Schemas, der heute durch unsere anthropologischen Erkenntnisse, also durch unseren Fortschritt an ontologischer ERkenntnis, allerdings
überholt sei. Althaus lehnt deshalb nur eine selbstherrlich auf einer unsterblichen Substanz oder Wesenheit der 'Seele' begründete Unsterblichkeit
ab, aber nicht einfach den Gedanken der Fortdauer über das Sterben hinaus,
durch das Sterben hindurch: "der rechtverstandene Gedanke der 'Unsterblichkeit' (als des Durchgehaltenwerdens durch Gott) muß nicht gegen die
Auferweckung stehen und umgekehrt."[86] Eine den Ernst des Todes preisge-
bende Unsterblichkeit weist er zurück, aber der anthropologische Dualismus
an sich muß nicht diesen Ernst untergraben, denn bloße Fortexistenz ist
noch nicht 'Leben'. Er teilt Schlinks Bedenken gegen die von Thielicke
vorgenommene Gegenüberstellung von Substanz und Existenz in mente Dei zu
und scheint damit auch dessen Hinweis auf den analogen Substanzbegriff
der Scholastik zu begrüßen[87], was u.E. eine bedeutsame Annäherung an den
Standpunkt der katholischen Theologie ist.

Wir stimmen zwar Ahlbrecht zu, "daß es sehr wohl philosophische, d.h.
letztlich dem natürlichen Erkennen zugängliche Wahrheiten gibt, die eine
Bedeutung für die Offenbarung haben können"[88], und es könnte sein, daß
die Lehre von Leib und Seele als den beiden partes substantiales des Menschen eine solche Wahrheit ist (DS 1000.1440), aber da man sich nicht
einig ist, ob diese Lehre auch definierte Glaubensaussage sei oder nur
philosophischer Ausdruck einer noch fundamentaleren Intention, der Unvergänglichkeit der von Gott gerufenen und vor ihm verantwortlich bleibenden Person, m.a.W. ob es ein 'ontischer' oder nur ein 'logischer'
Satz sei, ja,da u.E. eher das zweite der Fall ist[89], meinen wir (abgesehen von Präzisierungen oder nicht entwickelten Konsequenzen), daß die Un-

sterblichkeitslehre der Althaus'schen 'Retraktationen zur Eschatologie'
von katholischer Seite nicht nur gutgeheißen·werden kann, sondern letztere auch positiv zu befruchten vermag.

e) Die Kontroverse zwischen Althaus und Stange über die Stellung Luthers
zur Unsterblichkeit der Seele

Das Verdienst C.Stanges, vor allem in der Herausstellung des Gegensatzes zwischen katholischer und protestantischer Anthropologie und der Grenze zwischen Unsterblichkeitsidee und Auferstehungsglaube, ist auch von
P.Althaus unbestritten; er bekennt sich sogar "als einer, der hier seit
langem Entscheidendes von C.Stange gelernt" hat[90]. Trotz allem galt jedoch Stange als "der hartnäckigste Widersacher von Althaus" (DeD 375) und
zwischen beiden entbrannte über einen eschatologischen Streitpunkt eine
langjährige Auseinandersetzung, die man auch "den 'siebenjährigen Krieg'
der eschatologischen Debatte" (DeD 295,n.2) nannte. Der Zankapfel war Luthers Stellung zur Unsterblichkeit der Seele. Diese zunächst theologiegeschichtliche Frage ist, wie A.Ahlbrecht richtig vermutet, "nur die Einkleidung eines höchst aktuellen Interesses am Sachproblem"[91]. Althaus
selbst wünscht, daß die Leser "die in Gestalt des Ringens um Luthers Eschatologie verhandelten theologischen Fragen hindurchspüren, deren Wichtigkeit allein Stange und mich an die historischen Untersuchungen so viel
Arbeit hat setzen lassen"[92]. Wir beschränken uns auf diese mehr systematischen, die eigenen Positionen untermauernden Anliegen, zumal Ahlbrecht der Debatte einen längeren Exkurs widmet.[93]

Für Stange war die Unsterblichkeitslehre und deren anthropologischer
Dualismus gleichsam Kristallisationspunkt aller anti-evangelischen (=ka-
tholischen) Tendenzen. Für den Christen ist nicht eine unvergängliche
Substanz der Seele Garantie künftigen Lebens, sondern des allein unsterblichen Gottes Wundertat, die im Ganztode beginnt, und nur dort![94] Deshalb
war Stange daran gelegen,die Ablehnung der Lehre der Unsterblichkeit durch
Luther herauszustellen. Seine eigene Theorie des Ganztodes im radikalen
Sinn der Auslöschung des Seins übte dabei sicherlich systematisierende
Tendenz aus, denn für Stange gab es nur die Alternative 'Ewiges Leben
oder vergängliches Leben', die er in Luther wiederzufinden glaubte. Die
scholastische Leib-Seele-Lehre, die er im Sinne eines aus zwei für sich
bestehenden Realitäten Zusammengesetzten mißverstanden hat, war seiner
Meinung nach eine platonisch beeinflußte Fehlinterpretation des Aristote-

les, die vom 5.Laterankonzil durch Dogmatisierung der Unsterblichkeit der Seele den offiziellen kirchlichen Segen bekam. Stange und Althaus sahen in den Äußerungen Luthers zu diesem Konzil jeweils eine Bestärkung ihrer eigenen Interpretation. Da für Luther ein Konzil nur ungeklärte und im Ernste strittige Fragen zu behandeln hat (WA 12,236), legt Althaus die in Frage kommenden Stellen als ironische Kritik daran aus, daß der römische Glaube schon so ausgehöhlt, verfallen und 'kindisch' sei, daß man sogar solch selbstverständliche Wahrheiten wie die Unsterblichkeit der Seele zum Dogma erheben müsse[95]. Luther verwirft zwar auch die philosophische scholastische Begründung der Unsterblichkeit als "Menschentraum und Teufelslehre" (WA 7,425,22ff), aber er setzt auf alle Fälle die theologisch begründete als Unaufhebbarkeit der Gottesbeziehung voraus:

> "Als 'Seele' in diesem Sinne, als Gott-Bezogener, Gott-Verantwortlicher, ist der Mensch 'unsterblich', das heißt nicht, wie bei metaphysischer Seelen- und Unsterblichkeitslehre, daß er nicht im Tode stürbe (der Tod ist ja für Luther, im Gegensatz zur Philosophie, Gericht, Verneinung des Menschen in seinem ganzen Bestande), sondern daß seine Gottes-Beziehung ihrem Wesen nach ewig, unauslöschlich ist."[96]

Stanges und Althaus' systematisches Interesse zeigt sich z.B., wenn aus dem folgenden bekannten Luther-Satz der eine nur das ewige Leben begründet und die Gottlosen nicht fortleben läßt[97], während der andere darin auch den ewigen Tod ausgesprochen sieht, weil 'Unsterblichkeit' "das Gemeinsame am ewigen Leben und am ewigen Tod" ist[98]:

> "Wer aber oder mit wem Gott redet, es sei im Zorn oder in der Gnade, derselbe ist gewiß unsterblich. Die Person Gottes, der da redet, und das Wort zeigerlan, daß wir solche Kreaturen sind, mit denen Gott bis in Ewigkeit und unsterblicher Weise reden wolle." (WA 43,481,32ff)

Nach Stange ist der 'ewige' Zorn nicht etwas auch vom Standpunkt Gottes Endgültiges, sondern nur ein notwendiger Durchgang des Glaubens, nach Althaus dagegen bedurfte Luther (und er selbst!) nicht des Evangeliums, um die 'Unsterblichkeit' zu begründen; es genügte dazu die 'Tatsache des Gebets' (LD[3] 272) oder besser, wie Althaus in LD[3] präzisiert, "nicht das Gebet, sondern die Verpflichtung zum Gebet, wie sie im ersten Gebot, bzw. der ersten Tafel liegt. Das erste Gebot aber gilt doch auch für die Gottlosen" (LD[3] 285,n.4); im vollverstandenen ersten Gebot sah Luther nicht nur gelegentlich das letzte Fundament des Rechtfertigungsglaubens, sondern auch das der Eschatologie.

Beide, Althaus und Stange, halten Luthers Eschatologie für eine Durchführung des Rechtfertigungsglaubens. Nach Althaus sind jedoch keine 'ob-

255

jektiven' Aussagen über den Ausgang der Menschheit erlaubt, weil der Glaube grundsätzlich nie ohne Furcht sein dürfe. Luthers Aussagen über die
Auferstehung der Gottlosen und den ewigen Tod bewahren auch vom Rechtfertigungsglauben her ihren ganzen Ernst, weil "er keinen Glauben kennt, der
von der Frage, ob jene Dinge nicht als objektive Wirklichkeit unser und
der Menschheit warten, je loskäme" (LD^3 274). Würde Stanges Meinung stimmen, folge übrigens - nach Althaus - nicht Annihilation der Gottlosen,
sondern Apokatastasis aller, eine Konsequenz, die Luther nie gezogen hat.
Gegen eine theoretische Geschlossenheit der Eschatologie ist auch bei Paulus das Gericht nach den Werken "das notwendige Widerlager des Rechtfertigungsgedankens"[99]. Auch als Verteidiger der Uroffenbarungslehre mußte Althaus mit einem Theologen wie Stange in Konflikt kommen, denn letzterer
behauptete kategorisch: "Sobald wir einem Gedanken anmerken, daß er auch
außerhalb der biblischen Religion gelten würde, hat er für uns seine Bedeutung verloren."[100] Während Stange Althaus idealistische Verunreinigung der Eschatologie vorwarf, glaubte Althaus wiederum an Stange "den
Einfluß außertheologischer, philosophischer Gedanken", und zwar des "Hellenismus und der Mystik" zu sehen, da er die Gottlosigkeit nur als Hingabe an die vergängliche Welt lehre und deshalb das Gericht als Hingabe an
die Vergänglichkeit, an das Nichts, verstehe, während Gottlosigkeit auch
Empörung gegen Gott sei, die ewiges Sterben zur Folge habe[101].

Es bestätigt sich also auch an diesem theologiegeschichtlichen Disput,
daß es schon damals (in der Frühperiode) - und erst recht später! - nicht
"vor allem P.Althaus mit seinen Schülern"[102] war, der die Ganztodtheorie
verteidigte, sondern daß er eher darauf aus war, einen Mittelweg einzu-
schlagen, ja überhaupt das angebliche Dilemma zu überwinden.

4. Auferweckung der Toten und neue Leiblichkeit
a) Doppelter Auferstehungsgedanke
Unter Voraussetzung des Ernstcharakters des Todes ist das neue Leben
aus dem Tode für Althaus nicht irgendein Zwischenzustand, sondern 'Auferweckung': "Die Auferstehung betrifft also den ganzen Menschen, es geht
um Auferstehung der Toten, nicht nur des Leibes!"[103] Wir müssen deshalb von der Auferstehung der Toten und der neuen Leiblichkeit bereits
im Rahmen der personalen Eschatologie sprechen.
Nach Althaus ist - im Gegensatz zu Stange - neue Lebendigkeit jenseits

des Todes "nicht als solche schon heilserfülltes Sein oder dem Heil
sich annäherndes Werden, sondern (es) umschließt die Doppelmöglichkeit
des ewigen Lebens und des ewigen Sterbens" (LD[4] 110). Es geht also zunächst um eine allgemeine Auferstehung durch Gottes allgemeine schöpferische Wirkung, d.h. durch das schöpfungsmäßige Wirken des Geistes, denn
alle Menschen werden von Gott vor sein Gericht gefordert (vgl. GD[1] II/170f
= GD[5] 265f). Aber daneben spricht das Neue Testament vor allem von der
durch die Wirkung des Heiligen Geistes Christi geschehenden Heils-Auferstehung der an Christus Glaubenden. So ist für Paulus die Auferstehung der Gläubigen nicht Sonderfall der allgemeinen Auferstehung, sondern als Anteil an der Auferstehung Christi die durch den Geist Christi
geschehene Versetzung in das Leben Christi, in 'geistliches' Sein.Die
allgemeine Auferstehung dagegen, die Paulus infolge der Möglichkeit des
Unglaubens und des ewigen Zornes Gottes voraussetzt, auch wenn er sie
nicht direkt lehrt, ist "neutrale Wiederbelebung, bloße Voraussetzung für
Heil und Unheil; noch nicht Ausdruck der Entscheidung, sondern nur Voraussetzung für sie" (LD[4]111).

Althaus selbst führt in seinen 'Definitionen' der Auferstehung nur
den Heilsspekt an:"Auferstehung ist das Wunder Gottes, mit dem er in
Christus durch seinen Geist den Menschen aus dem Tode heraus in neue unsterbliche Lebendigkeit versetzt" (LD[4] 110). Läßt sich dieser Satz even-
tuell noch doppelt deuten, so ist im RGG[3] nur noch von dem christozen-
trisch begründeten "Gegenstand der christlichen Hoffnung" die Rede und
die allgemeine Auferstehung wird gar nicht erwähnt: "Auferstehung bezeichnet das von Gott gewirkte eschatologische Geschehen, in dem er kraft seines Geistes die Toten aus dem Todeszustande heraus zu dem Leben in der
Herrlichkeit seines ewigen Reiches führt."[104] Der leibliche Tod ist "für
den Glaubenden nichts anderes als die uns zugekehrte Seite der Auferstehung"[105].

Althaus sieht sich genötigt, die Schwierigkeiten der zwei an Gehalt
und Begründung verschiedenen Auferstehungsgedanken anzunehmen. Trotz aller theoretischen Probleme muß der Glaubende von beiden Gedanken im Blick
auf sich selber reden: "dem Christenstande als Heilsgewißheit entspricht
die Erwartung der Heils-Auferstehung 'in Christo'; dem Christenstande sofern er noch ein 'Laufen nach dem Ziel' (1.Kor.9,24ff), ein Wandeln mit
Furcht vor dem Richter (1.Petr.1,17) ist, entspricht die Erwartung der

Auferstehung zur Entscheidung" (LD[4] 112). Allerdings wird die allgemeine Auferstehung über ihr Daß hinaus nicht zum theologischen Thema, "da
sie nur als notwendige Voraussetzung für das letzte Gericht in Frage
kommt" (LD[4] 112), weshalb praktisch nur von der Auferstehung mit Christus die Rede ist.

Auch durch den Ernst des Todes hindurch bleibt die Identität und Kontinuität gewahrt, denn "Auferweckung ist etwas anderes als creatio ex
nihilo. Sterben heißt nicht Versetzung in das Nichtsein" (CW 661).Allerdings
gilt es hier nicht Seele und Leib zu unterscheiden, sondern die Person und ihre jeweilige Daseinsgestalt. "Sterben besagt: die irdische Daseinsgestalt der Person wird ganz zerbrochen. Auferstehung besagt: Gott
gibt der Person die neue, ewige, todüberlegene leiblich-seelische Daseinsgestalt."[106] Gott 'bewahrt' also im Erwecken das von seinem Geist bestimmte Ich, den inwendigen Menschen (2 Kor 4,16), denn "der Abgrund der
Verwesung, in den wir fallen, ist die Hand Gottes, die uns im Entwerden
bewahrt" (CW 661). So wird die Individualität der Person bis hinein in
den persönlichen Geschlechtscharakter durchgehalten. "Diese Selbigkeit
der Anrede bei meinem Namen, diese Selbigkeit der von mir geforderten Verantwortung und mir geltenden Verheißung ist die wahre Einheit meines Lebens, sein eigentlicher Zusammenhang, sein Kontinuum." (LD[4] 115) Die Bewahrung geschieht jedoch nur in Verwandlung, die Kontinuität nur in Abbruch, die Vollendung nur in Erlösung und Neuschöpfung, die Selbigkeit
nur in völliger Andersheit - hinsichtlich der Daseinsgestalt. Es gibt also keine organische Entwicklung in das andere Leben hinein; alles steht
unter dem Todesgesetz; es gibt "keine Dauer des Ichbewußtseins am Tode
vorbei!" (LD[4] 113)

Wir haben von der Dialektik zwischen Selbigkeit und Andersheit und den
sich daraus ergebenden Fragen und Problemen schon im vorhergehenden Abschnitt gesprochen. Wir wenden uns nun einem besonderen Aspekt des ganzen Problemkreises zu, der Frage nach der neuen Leiblichkeit.

b) Die neue Leiblichkeit

"'Menschliche Natur' ist das Menschsein selber, wie es auch an uns in
Gottes Ewigkeit erhalten bleibt. Dieses Menschsein, diese menschliche Natur läßt sich beschreiben als geschaffene geistleibliche Personhaftigkeit im Gegenüber zu Gott."[107] Christus und wir Menschen alle bleiben deshalb auch in Ewigkeit leibliche Menschen. Daß Althaus von 'neuer Leiblich-

keit' spricht, will keineswegs besagen, daß unsere Leibhaftigkeit "eine
jetzige Notgestalt menschlichen Daseins wäre", sondern "der Christ sehnt
sich daher nach Erlösung von dem jetzigen Leib nicht anders und nicht mehr
als nach Erlösung von seinem jetzigen gebrechlichen und anfälligen 'inneren Leben', seiner 'Seele'"[108].

Die Begründung der neuen Leiblichkeit hat bei Althaus verschiedene
Phasen durchgemacht.

In LD^1 (vgl.LD^1 137-142;LD^3 257-265) weist Althaus darauf hin, daß mit
der Preisgabe der endgeschichtlichen Diesseitseschatologie auch der ursprüngliche Sinn des spätjüdischen Auferstehungsglaubens für uns nicht
mehr gelte. Ebensowenig sind die Erscheinungen des Auferstandenen in leiblicher Gestalt genügend Grund unserer Hoffnung auf neue Leiblichkeit. Abzulehnen ist auch eine Begründung durch einen psychophysitischen Parallel-
ismus, denn das führe eher zur Bestreitung persönlicher Fortdauer oder zu
einem allzu diesseitigen Zukunftsbilde; aber auch metaphysische Erwägungen über die 'Natur' der Seele und deren Verhältnis zum Leib werden abgelehnt.

Althaus läßt die neue Leiblichkeit "ausschließlich in der christlichen Ethik, wie sie durch den Schöpfungsglauben bestimmt ist" (LD^1 138),
begründet sein. Der Leib ist nicht nur Material der Pflicht, Prüfungs-
und Bewährungsmittel, Gelegenheit zur Heiligung der Seele, sondern selbständiger Gegenstand der Heiligung. Die sittliche Aufgabe besteht in der
Berufung zur schaffenden Tat und zum handelnden Dienst an der Welt und
in der immer umfassenderen Gestaltung des Leibes durch die Seele, so daß
beide im Christenleben zusammenwachsen und die individuelle Leibesgestalt
die Schönheit des persönlichen Lebens widerstrahle. Die sittliche Erfahrung der darin erlebten Verheißung ahnt in dem Verhältnis von Seele und
Leib einen selbständigen Gottesgedanken, der seine Erfüllung finden müsse; sie ahnt nicht eine natürliche Kontinuität, aber "einen wesentlichen
Zusammenhang zwischen der sittlichen Treue, in der wir das Körperliche
zum Gepräge der Seele werden lassen, und unserer ewigen Gestalt" (LD^1
142). Alle Näherbestimmungen müssen jedoch unterbleiben, denn die neue
Leiblichkeit ist "jenseits aussprechbarer menschlicher Erfahrung, weil
jenseits von Raum und Zeit" (LD^1 140 = LD^3 263). Nur soviel kann gesagt
werden: Jeder natürliche Zusammenhang zwischen irdischer und himmlischer
Leiblichkeit ist abzulehnen, denn erstere ist Stoff, Bau und Anlage nach

nur in Geschichte denkbar und hängt ganz mit der Todesgestalt der Welt
zusammen, wie z.B. aus Stoffwechsel und Zeugung, Hunger und Geschlechts-
begierde ersichtlich ist, weshalb sie mit ihr als Möglichkeit dahinfällt.
Aber wie der Leib 'Gestalt', Erscheinung des Individuellen der Person ist,
wird auch die neue Gestalt individuell sein als "höchste Erfüllung dessen,
was wir schon hier an Ausprägung der Seele etwa im Antlitz erleben" (LD[1]
141 = LD[3] 264; vgl. LD[4] 125-130). Trotz aller Unzulänglichkeit und dem
bleibenden Geheimnis des Wie hat es deshalb tiefen Sinn zu hoffen, das
Antlitz eines geliebten Entschlafenen wiederzusehen, denn "was die in
Christus von Enge und Kleinheit der Gedanken erlöste Liebe an echter leiblicher Wirklichkeit ersehnt, wird durch die Erfüllung nicht enttäuscht,
sondern herrlich überboten werden" (LD[4] 130). Um der sittlichen Bedeutung
des Individuellen für die Gemeinschaft willen muß ein wesentlicher Zusammenhang zwischen der irdischen und der himmlischen 'Gestalt' bestehen,
so daß die unter Gottes Erziehung fortschreitende Prägung der Leiblichkeit zur 'Gestalt' für den neuen Leib etwas bedeutet. Dieser ist freilich
nicht Erzeugnis sittlicher Arbeit, sondern "Schöpfung des Gottes, der allein Herrlichkeit und unvergängliche Schönheit geben kann" (LD[1] 142 = LD[3]
266).

Althaus sah sich in LD[3] (LD[3] 257-265;vgl.LD[4] 117f) genötigt, "die Begründung....der 'neuen Leiblichkeit' zu erweitern" (LD[3] IX). Er tat dies
durch in LD[1] offenbar noch verbotenes "Eindringen in das Wesensverhält-
nis von 'Seele' und Leib", die so aufeinander bezogen sind, daß man das
eine ohne das andere nicht denken könne. Das entsprechende Todesverständnis legt den Gedanken eines neuen Leibes schon nahe. Dieser Gedanke wird
zur Gewißheit dadurch, daß wir zur Gemeinschaft bestimmt sind und die Leiblichkeit "dienendes Mittel der Gemeinschaft....als Ausdruck des persönlichen Lebens" (LD 260) ist. Allein 'Mittel der Gemeinschaft' wäre zu wenig,
denn es "bleibt die Frage, ob die Gemeinschaft, für die der Leib auch
Hemmung bedeutet, nicht in der Ewigkeit eines Leibes entraten kann und
darf" (LD[3] 261,n.1). Das Entscheidende ist die selbständige Bedeutung des
Leibes als Ausdruck und Gestalt. Nur darin kommt das Ungenügen jedes ethischen Personalismus zum Vorschein. Das daraus erwachsende, der empirischen
Einheit entsprechende innerliche und dauernde Verhältnis ist zwar jetzt
noch gestört, da der Leib jetzt auch noch Schranke ist, doch die Erlö-
sungssehnsucht wird zur Hoffnung,"daß die Leiblichkeit zum vollkommenen

Mittel der Gemeinschaft und das persönliche Leben zum würdigen Gehalte des edlen Ausdrucksmittels verklärt werde" (LD³ 260).

Evangelische Aszetik ist deshalb nach Althaus zutiefst nicht Benutzung des leiblich-sinnlichen Lebens im Dienste der Selbstheiligung, schon gar nicht dessen Ertötung, sondern "die selbstzweckliche Gestaltung des Leibes zum Ausdruck des Lebens der Seele mit Gott" (LD³ 261). 'Auferstehung des Leibes' ist also die Hoffnung, daß der Leib ganz vom Geiste angeeignet und gestaltet werde, wie wir auch eine entsprechende "Welt als die erweiterte Leiblichkeit des Geistes" (LD³ 262) erwarten. Althaus meint, es ginge hier nicht um metaphysische oder psychophysische Zusammenhänge, sondern um die im sittlichen Tun gelegene Verheißung. Die entsprechende Ethik des Leibes gebietet, unsere Leiblichkeit als Glied Christi anzusehen und einzusetzen, um 'Tempel des Heiligen Geistes' zu werden. Aus diesem "Gott-Sinne der Leiblichkeit" (LD⁴ 123) folgt die Hoffnung auf deren Bewahrung, freilich auch auf deren Erlösung von den jetzigen Schranken, vom 'Leibe der Erniedrigung'.

Althaus beharrt auch in LD⁴ auf der Notwendigkeit des anthropologischen Nachweises, daß die in der Auferstehung Christi begründete Hoffnung auf neue heilvolle Lebendigkeit auch die Hoffnung für des Menschen Leiblichkeit einschließe. Nur die anthropologische Besinnung, daß persönliche Wirklichkeit immer leibhaftige Wirklichkeit ist, macht uns nach Althaus der Leiblichkeit der Auferstehung des Herrn gewiß (LD⁴ 117). Althaus bringt (LD⁴ 118-121) noch weiteres Material für diese anthropologische Besinnung: die Erfahrung von Eindrücken und deren Umsetzung in Wirkungen, personhafter Verkehr und persönliche Gemeinschaft, die Sprache der Gebärden, die geistige Wirklichkeit des im Räumlich-Körperlichen tätigen Willens. "Wir haben nicht nur einen Leib, sondern: wir sind Leib", wie leicht zu erkennen ist an der Wirklichkeit des Sprechens, denn "das Wort ist geistige und leibliche Wirklichkeit in einem" (LD⁴ 119). Auch das geistige Leben als Gemeinschaft mit dem Du setzt die gemeinschaftsgründende Leiblichkeit des Wortes (oder des Liedes) voraus, denn die Leiblichkeit ist nicht nur Ausdruck und Organ, sondern die wesentliche Gestalt unseres innerlichen Seins. Althaus warnt deshalb auch in der Liturgie vor "falschem Spiritualismus", denn der leibliche Ausdruck ist "nichts Sekundäres und Unwirkliches", sondern darin ist die Bewegung des Herzens erst voll wirklich"[109]. "Die liturgische Gestalt des Gottesdienstes hat eschatologischen Sinn: sie ist als Schatten des Zukünftigen ein

Bekenntnis der Hoffnung auf die verheißene Leiblichkeit der neuen Welt, Liturgie und die christliche Hoffnung gehören zusammen."[110]

Zu diesem positiven Sinn der Leiblichkeit bekennt sich auch Gott in seinem Offenbarungshandeln, zuhöchst im leibhaftigen Menschen Jesus Christus. "Angesichts der Heilungen wird jeder Spiritualismus der Hoffnung unmöglich."(LD[1] 121) In der Wirklichkeit der leiblichen Auferstehung Christi erhält dieses Bekenntnis seinen endgültigen Siegel. Es wird fortgeführt in den Sakramenten der Kirche, die "Zeichen und Pfand eines erlösenden Handelns Gottes an Seele und Leib" sind, also Verheißung und Hoffnung für beide (LD[1] 122). "So ist das Sakrament die Schutzwehr gegen den Spiritualismus im Verständnis des Heils." (CW 542)[111] Der Heilige Geist, der "bis in unsere 'Natur' und Leiblichkeit" hinein wirkt, ist "das Angeld der künftigen Auferstehung und Verklärung des Leibes....Wir scheuen hier keinen 'Realismus'" (CW 544). Unsere jetzige weithin noch von der unterpersönlichen biologischen Gesetzlichkeit bestimmte Leiblichkeit wird von ihrer animalischen Schranke im Tode befreit und ganz beseelt sein. "'Leibhaftigkeit der Seele' - ganz wird das erst in der Ewigkeit wirklich als die volle Schönheit, zu der der Schöpfer den Menschen bestimmt hat."[112]

Für das Verhältnis der neuen Leiblichkeit zur jetzigen (LD[4] 125-134) gilt das für die Lebendigkeit überhaupt geltende Prinzip: "Abbruch einerseits, Zusammenhang andererseits; Neuschöpfung und Bewahrung" (LD[4] 125). Althaus nennt die Selbigkeit sogar "Seinszusammenhang" (LD[4] 125). Daneben steht jedoch die Anschauung vom offenbar völlig zusammenhanglosen, schon im Himmel bereiten Auferstehungsleib (2 Kor 5,1), derzufolge man sich hüten muß, die 'Verwandlung' bloß als Hinzugabe eines neuen Prädikates, nämlich der Unsterblichkeit, zu verstehen. Ebenso ist Zurückhaltung gegenüber den oft gebrauchten Gleichnissen aus der Natur für das Geheimnis der Auferweckung, z.B. dem Gleichnis vom Samenkorn oder von der Raupe, geboten, denn gerade diese organischen Entwicklungen, die stofflichen Zusammenhang voraussetzen, bleiben mit ihren Möglichkeiten innerhalb der Todesgrenze, während die 'Metamorphose' des Menschen ein qualitativ einsamer Sprung aus der Sterblichkeit in die ewige Lebendigkeit ist (LD[4] 133f). Althaus zieht die Grenze gegen allen unbiblischen Realismus und Naturalismus so scharf, daß er wieder zu die Identität gefährdenden Formulierungen kommt, und man frägt sich, was hier noch 'bewahrt' werde: " Dieses neue Prädikat erhalten heißt ein neues Subjekt geworden sein." (LD[4] 127) "Worin solche Selbigkeit bei aller durchfahrenden Andersheit konkret be-

steht, darüber läßt sich nichts sagen" (LD^4 128); am ehesten noch dient
der Begriff der persönlichen, aber konkret nicht unterscheidbaren Entelechie des Leibes als Bilde-Gesetz persönlicher Eigenheit: diese Entelechie
gestaltet den neuen Leib ganz personhaft, so daß er "nichts anderes mehr
ist als Wort und Werkzeug der Seele" (LD^4 129).

Dieses Gestalten ist aber allein Gottes schöpferische Wunder-Tat im
strengsten Sinne, also von uns jetzt weder erkennbar noch erwirkbar noch
mit den Wundern des organischen Lebens vergleichbar. Die gegenwärtig wesenhafte Verborgenheit und Transzendenz der neuen Leiblichkeit ist ein
Verdikt über alle okkultistischen und anthroposophischen Methoden, Ansprüche und Angebote, schon hier Erkenntnis der neuen Leiblichkeit zu
haben; ebenso ein Verdikt über alle Versuchungen, den neuen Leib als Ertrag der sittlichen Arbeit zu betrachten. Freilich ist die neue Leiblichkeit das Ziel, nach dem sich die Heiligung des Leibes sehnt, und das leibliche Leben wird immer mehr durch das verborgene Leben mit Gott geprägt,
wovon eine gewisse auch körperliche Schönheit reifer Christen - nicht als
Stufe, aber als Gleichnis, Pfand und Zeichen der neuen Leiblichkeit - beredtes Zeugnis gibt, "aber nicht mehr als das, denn auch eine Leiblichkeit, in der wir das Gepräge des Geistes Christi erkennen, bleibt Leib
der Sünde - und des Todes" (LD^4 133).

Althaus weiß, daß die urchristliche Theologie, selbst Paulus, und die
Lehrtradition der Kirche an eine materielle oder organische Kontinuität
glaubten, aber das könne man "nur als einen bildhaften, uneigentlichen
Ausdruck" für die Selbigkeit der Person und die Auferweckung des ganzen
menschlichen Seins werten[113]. Darauf verweist er vor allem auch in seiner
Auseinandersetzung um das Ostergeschehen mit E.Hirsch, der in der Rede von
der Leibhaftigkeit der Auferstehung Mythologie sah. "Jesu Grab muß nicht
leer gewesen sein, damit wir der eschatologischen Leiblichkeit seiner Erscheinung an die Osterzeugen gewiß sein können. Auch unsere, der Christen,
Gräber werden nicht leere sein, wenn Gott uns an seinem Tage zu neuer
leiblicher Lebendigkeit ruft."[114] Wir haben darauf hingewiesen, daß für
Althaus das nach dem Zeugnis der Urkirche tatsächlich leere Grab Jesu
allerdings ein Zeichen und Hinweis Gottes auf die Transsubjektivität des
sich aller Psychologisierung widersetzenden Ostergeschehens ist (CW 488),
aber entscheidend ist die "personhafte Identität der Leiblichkeit, nicht
materielle Identität oder organische Kontinuität"[115].

Hatte sich Althaus immer wieder um die Begründung der Hoffnung auf
neue Leiblichkeit bemüht und die Notwendigkeit dieser Begründung betont
(vgl. LD^4 116), so geht er in seiner Dogmatik aus der für ihn selbstverständlich gewordenen Sicht der Leiblichkeit als wesentlicher Bestimmtheit
unseres Seins so weit zu sagen, daß diese Hoffnung "gar nicht neben der
Hoffnung auf neue Lebendigkeit überhaupt als etwas Besonderes eigens begründet zu werden" braucht (CW 661).

c) Stellungnahme

aa) Zum doppelten Auferstehungsgedanken

Da bei Althaus im Geschehen des Jüngsten Tages alles zusammenfällt,
sind die eben besprochenen traditionellen Teile der Universaleschatologie
bei ihm ebenso ursprünglich (oder ursprünglicher!) Teile der Individualeschatologie. Die dahinter stehenden Fragen klingen jetzt schon an, werden aber im 6. Kapitel nochmals aufgegriffen.

Durch diese Konzentration auf den Jüngsten Tag und die Ganztodtheorie
ergibt sich eine im doppelten Auferstehungsgedanken ausgedrückte Schwierigkeit, die H.Grass folgendermaßen formuliert:

"Eine Eschatologie, welche das Gericht auf die Auferweckung am jüngsten Tage verlegt, muß diese zu einer Art Bereitstellung aller Verstorbenen für das Gericht machen oder eine zweifache Auferstehung, zum
ewigen Leben und zur Verdammnis, lehren oder eine Auferstehung nur zum
Leben behaupten, während die Verlorenen im Tode bleiben. In den letzten
beiden Fällen findet das Gericht dann ohne Beteiligung der Betroffen-
en statt, sie haben es schon hinter sich, wenn sie aus dem Nicht-sein
erweckt werden, können sie das Urteil gleichsam nur noch an seinen Folgen ablesen. Im ersten Fall verliert die Auferweckung den Charakter
einer Heilstat Gottes, den sie doch für christliches Empfinden hat,
denn das Heil oder Unheil bringende Urteil Gottes steht noch bevor."[116]

Gegen Althaus' allgemeine Auferstehung als neutrale Wiederbelebung nimmt
auch A.Winklhofer Stellung, denn auch der Gottlosen Auferstehung zum Gericht gründe in der Auferstehung Christi und sei "deren, freilich schwaches, Nachbild"; ohne Christi Sieg über Sünde und Tod gäbe es sie nämlich
nicht, "weil auch sie als Form der Überwindung Satans in seinem eigenen
Leib von Gott, dem Vater, und unserem Herrn Jesus Christus gewirkt wird"[117].
C.Pozo dagegen stimmt Althaus voll zu und unterscheidet ebenfalls die
Auferstehung als allgemeine neutrale Vorbedingung und als Objekt der Hoff-
nung.[118] Pozo wirft auch die damit zusammenhängende Frage der natürlichen
Auferstehung auf. Diese mehr katholische Frage, ob die 'anima' selbst im
Stande der natura pura nicht definitiv 'separata' sein könne (vgl.Thomas

v.A., S.c.G. IV,79), taucht bei Althaus gar nicht auf, da es für ihn aufgrund seiner Anthropologie gar nicht zu einer anima separata kommen kann. Soweit diese Anthropologie in der Schöpfungstheologie Althaus' begründet ist, soweit also die Kenntnis der 'Leibhaftigkeit der Seele' der Uroffenbarung entstammt, ist darin gleichsam ein legitimer 'Restbegriff' der 'natürlichen Auferstehung' (als potentia oboedientialis der übernatürlichen) enthalten, und zwar in der Bedeutung, daß schon unserem Geschöpfsein eine Auferstehung entspreche, die freilich nicht verabsolutierte Qualität des autonomen Menschen ist, sondern faktisch nur von der Auferstehung Christi her Sinn, Bedeutung und Erfüllung empfängt. Durch diesen 'Restbegriff' (als notwendige ontologische Voraussetzung) ist die 'Menschlichkeit' der tatsächlichen Auferstehung gewahrt, d.h. kann sie zur Gnade und Vollendung des Menschen - als Ebenbild des auferstandenen Christus - werden (Natur-Gnade-Problem).[119]

Wir korrigieren deshalb Althaus in der Richtung, daß die 'allgemeine Auferstehung' ein inneres heils- oder unheilsempfängliches und in diesem Sinne noch ambivalentes oder neutrales Moment der in der Christoökonomie je faktisch geschehenden Heils- oder Unheilsauferstehung sei, also keine 'neutrale' Angelegenheit, der das Gericht erst folge, sondern bereits und zugleich in (positiver oder negativer) Erfüllung des Dialoges mit Gott Vollzug des Gerichtes zum Leben oder zum Tod. Die 'vor'gelagerte Ambivalenz bekommt ihre Deutung und Erfüllung von Christus her, so daß eine gewisse christologische Deutung auch der Auferstehung der Gottlosen berechtigt, ja notwendig ist. Allerdings möchten wir sie nicht wie Winklhofer als "freilich schwaches Nachbild" der Auferstehung Christi[120], sondern eher als deren 'Gegenbild' bezeichnen und darauf hinweisen, daß es sich bei den beiden Auferstehungen keineswegs um parallele gleichrangige Möglichkeiten handle, sondern die Auferstehung der Gottlosen objektiv und subjektiv als Privation der eigentlichen Auferstehung zu betrachten sei.

Solange das 'simul iustus et peccator' des Christen so aufgefaßt wird, daß es über seine berechtigten Motive hinaus(Kampf, Trost, Demut) wegen des doxologischen Motivs zum komplementären Paradox zu werden droht, müssen freilich - als Ausdruck des besagten 'simul' der Rechtfertigung - beide Gedanken der Auferstehung gleichsam in paralleler Weise grundsätzlich von jedem Christen ausgesagt werden: die Heilsauferstehung 'in Christo' und die (Unheils-)Auferstehung zum Gerichte (wie sie des Menschen eigenem Sein entspräche). Solange der Tod als Sold der Sünde so ernst

genommen wird, daß in ihm die Kontinuität unterzugehen droht, geschieht
das Gericht im Tode tatsächlich ohne Beteiligung der Betroffenen, und die
Auferweckung aus solchem Tode muß zur 'Bereitstellung für das Gericht'
werden. Wenn aber, wie in Althaus' 'Retraktationen', die Glaubenden als die
immerdar in Christi Tod Hineinsterbenden schon hier Christi Leben leben
und dieses sich durch den leiblichen Tod oder durch die Verwandlung ganz
in Doxa offenbaren wird und wenn der Ernst des Todes nicht im Tod als solchem besteht, sondern darin, "daß wir im Tode, gleichviel wie er ontologisch verstanden wird, Gott begegnen, unserem Richter"[121], dann kann
die Auferstehung der Toten je schon Gericht zum Leben oder zum Tode sein.
Dies ist auch sachlich naheliegend, da ja das Geschehen, in dem der Leib
ganz Antlitz der Seele wird, in sich bereits beseligend oder peinigend
ist, je nachdem ob es das 'Antlitz' eines Gerechten oder Gottlosen ist.
Dahinter steht eine grundsätzliche Kritik der Althaus'schen Begründung
der neuen Leiblichkeit, die im folgenden zur Sprache kommen wird.

bb) Zur Auferstehung des Fleisches

Die Auferstehung der Toten ist in den katholischen Handbüchern noch
ziemlich durchgängig als Ausstattung der Seele mit dem Leibe, und zwar
ihrem Leibe, dargestellt, auch wenn andere damit verbundene Aspekte nicht
fehlen. Die damit verbundene Diskussion um die Identität des Leibes hat
noch immer keine befriedigende Lösung gefunden. Müssen wir zwischen den
drei Antworten, die gegeben werden, wählen, also zwischen der materiellen,
der formellen und der substantiellen Identität, so fällt unsere Wahl auf
die formelle Identität.[122] Wir halten die materielle Identität für vollkommen unmöglich. Aber auch gegen A.Winklhofers substantielle Identität,
die eine stoffliche Identität beinhalten will,scheinen uns zwingende Gründe zu sprechen, denn diese Theorie ist u.E. allzu künstlich, vermehrt unnö-
tig die Wunder Gottes und macht unbewiesene Voraussetzungen[123].

Thomas v.A. hat durch die Übernahme des aristotelischen Materia-Forma-
Schemas und dessen Befreiung vom aristotelischen Dualismus die biblische Sicht philosophisch in griechischer Terminologie eingeholt; er ist
zumindest dem biblischen anthropologischen Monismus näher gekommen. Die
formelle Identität scheint uns der Einheit des Menschen und den Anfor-
derungen der Identität des Auferstehungsleibes zu genügen. Die Seele als
unica forma corporis steht nicht einem schon 'informierten' existieren-
den Körper als einem ontisch-sachhaften Teil neben ihr gegenüber, sondern

sie wirkt sich aktuell-ontologisch im rein potentiellen Medium der 'materia prima' aus, weshalb der Mensch seelisch und leibhaftg, subjektiv und welthaft-zuständlich ist und weshalb nicht in einem Reich der Unterwelt ein materieller (von einer materiellen Form informierter) Substanzleib für den Jüngsten Tag aufbewahrt werden muß (Winklhofer). Ist also der Leib die welthafte Selbstgegebenheit der Seele, so geht es beim Menschen um "die eine und ständig ganze Wirklichkeit der anima, insofern sie selbst nur wirklich ist im realen Außer-sich-Sein, also als (informierende) Wirklichkeit der materia – als 'Leib'"[124].

Unter dieser Voraussetzung gewinnt der Tod den von Althaus geforderten ganzmenschlichen Ernst, aber ebenso ist die wesentliche Verbundenheit der Seele mit dem Leib, also dessen bleibende Identität, gegeben, ja noch mehr: die Unlösbarkeit vom eigenen 'Leib', auch wenn der 'Körper' im Tode wegfällt und verwest. Ähnlich wie bei Althaus nämlich der Leib durch den Tod hindurch zum hellen Antlitz und zur lichten Gestalt der Seele wird, gilt nach thomanischem Verständnis: "Der Aufgang des Menschen in seine Leiblichkeit und die Eröffnung seines transzendierenden Selbstseins wachsen nicht im umgekehrten, sondern im gleichen Sinn."[125]

Wir glauben, es sei ungenügend, nur von der Hingeordnetheit der Seele auf den Leib, vom bleibenden Leibbezug, zu reden, wenn tatsächlich die Seele als menschliche ständig leiblich ist, auch durch den Tod hindurch. Die Seele muß mehr als menschliches Selbst gesehen werden, also als die von Gott angesprochene menschliche Person, nicht als die den Tod überdauernde 'Seele', die als pars naturae nicht menschliche Person ist. Karl Rahners allkosmischer Bezug ist eine denkbare Antwort. Es sollte nicht so schwer fallen, unserer Forderung nachzukommen, denn alles Fortleben ist Leben im bereits auferstandenen Leibe Christi (oder dessen Privation). Die Verherrlichung von Christi Menschheit eröffnet ja erst den im physikalisch zugänglichen Weltenraum nicht auffindbaren 'Raum' des Himmels mit seiner von jeder innerweltlichen Materialität verschiedenen Leibhaftigkeit, so daß also wirklich die Identität der menschlichen Person als geistleiblicher, und nicht die Identität zweier getrennter und nachher wieder zu vereinender Teile des Menschen, gewahrt bleibt. Wir stimmen Althaus in der Ablehnung jedes naturalistischen oder organischen Zusammenhanges zwischen dieser und der neuen Leiblichkeit voll zu. Der Zusammenhang muß in der personhaften Identität des Leibes liegen. Wir meinen jedoch, daß in

einer Theologie, die die Inkarnation voll zum Tragen kommen läßt, günsti-
gere Voraussetzungen gegeben sind, als dies bei Althaus selbst der Fall
ist, die von Gott angesprochene und darin stets identisch bleibende
menschliche Person (die geistig-seelisch-leibliche Einheit ist) durchzuhalten und die Auferstehung der Toten schon im Tode 'beginnen' zu lassen.[126]

'Caro salutis est cardo'[127] Gott, der Logos, wird Fleisch und als wahrer Mensch erlöst er das Menschengeschlecht durch seinen Gehorsam im Leibe bis zum Tode. Weil das Heil als spezifisch leibhaftiges Heil erschien
(und aufgrund der Möglichkeit der Erhebung der menschlichen Natur erscheinen konnte), hat auch die Ordnung seiner Gnade inkarnatorische Struktur.
Diese neuschaffende, auch das Materielle berührende und verändernde Verwandlung und Verklärung des Geschöpflichen hat in Jesu Auferstehung begonnen; letztere ist "nicht nur ideologisch eine 'Exemplarursache' der
Auferstehung aller, sondern objektiv der Anfang der Verklärung der Welt
als eines ontologisch zusammenhängenden Geschehens, weil in diesem Anfang das Schicksal der Welt grundsätzlich entschieden und schon begonnen
ist und auf jeden Fall objektiv anders wäre, wenn Jesus nicht der Auferstandene wäre"[128]. Die bleibend bedeutsame Leiblichkeit Christi (und damit des Menschen überhaupt) darf nicht individualistisch verstanden werden, denn im biblischen Seelenbegriff ist durch den Leib als Offenheit
für das andere - im Gegensatz zur griechisch gedachten Seele - Mitmenschlichkeit, Geschichte und Gemeinschaft miteingeschlossen, so daß es seit
der Väterzeit nicht an Theologen fehlte noch jetzt fehlt, die daraus -
auch unter Hinweis auf Mt 27,52 - folgerten, daß der Menschensohn gar
nicht allein auferstanden sein 'könne', sondern andere Menschen - als
appendices dominicae resurrectionis - auch schon jetzt leibhaftig bei
Christus im himmlischen Reich seien.[129]

Aus dem Glauben an die in Jesu Auferstehung begonnene und in unserer
Rechtfertigung (als Gerechtmachung) fortgesetzte Wandlung der Geschichte
folgt, daß das Bekenntnis zur Auferstehung des Fleisches "als Ausfaltung
des Glaubens an den Heiligen Geist und seine verwandelnde Macht zu verstehen" ist[130]. Auch der Einzelne geht in seinem Tod nicht in einen welt-
und geschichts-heterogenen Himmel ein, sondern sofern er aus diesem Heiligen Geiste lebte und die Welt und Geschichte mitgestaltete, 'hebt' er einen
Teil dieser Welt und Geschichte 'auf' in deren endgültige Gestalt. Er
geht als der Mensch in das endgültige Leben bei Gott ein, der er im Um-

gang mit der Welt und im Schaffen der Geschichte geworden ist; er läßt
deren vergängliches Sein zurück, aber er integriert sie zugleich in sein
neues 'geistiges' Sein. "Im Tod also geschieht 'Auferstehung des Leibes'".[131]
Der Mensch "tritt gleichsam schon bei seinem Tod in den Jüngsten Tag, in
die Zukunft der Menschheit hinein. Seine ewige Zukunft ist etwas, in das
er bereits unmittelbar nach und mit seinem Tode hineinwächst und sich
hineinerfüllt"[132]. (Betonung Vf).

Damit ist dem besonderen Sinne dessen, was wir mit leiblicher Auferstehung 'am Jüngsten Tag' meinen, kein Abbruch getan. Denn "wenn letztlich
Leib die Offenheit und Gegenwart des Menschen für das Du, seine Wesens-
ordnung auf Mit-Welt besagt"[133], so wird dem Menschen sein 'Leib' zur Gänze erst am Jüngsten Tag in der universalgeschichtlichen und kosmischen
Vollendung 'zurückerstattet', wenn durch die Integration aller Dimensionen in den Leib Christi Christus alles in allem sein wird (Christus totus).
Erst wenn dieser Überstieg aus einer vereinzelt-individuellen Sicht des
Leibes in die umgreifende Dimension von Gemeinschaft und Geschichte in
der Wiederkunft Christi geschehen ist, wird der Leib vollends 'Antlitz'
und erst dann hat die menschliche Person volle 'Wirklichkeit', da die
letzte Spannung von Eröffnung und Verbergung durch die endgültige Überwindung des Todes und die Heimholung aller Menschen in der Wiederkunft
Christi aufgehoben ist. Nur insofern diese 'Gänze' die ungeahnte Aufhebung und endgültige Erfüllung (Pleroma) der irdisch vorläufigen und frag-
würdigen Körperlichkeit ist, also insofern die Materie ein Moment an der
Geschichte des Geistes ist und dieser Zusammenhang von Materie und Geist
am Jüngsten Tage seine letzte bleibende Vollendung findet, wird man -
trotz des Versagens unserer Vorstellung darüber - vom 'körperlichen' Leib
der Auferstandenen und der 'materiellen Körperlichkeit' der neuen Welt
sprechen dürfen. Diese 'Auferstehung des Fleisches' ist in dieser selbst
die Geschichte und den Kosmos umgreifenden Art Vollendung der in Christi
Empfängnis durch den Heiligen Geist begonnenen Inkarnation und Vollgestalt
des menschlichen Heils.

Gerade diese inkarnatorische Struktur der Gnade kommt bei Althaus zu
kurz, da unsere irdisch-geschichtliche Wirklichkeit von der Paradoxie des
'simul iustus et peccator' gekennzeichnet bleibt - eine Paradoxie, die
letztlich individualistisch bleibt und die in der geschichtslosen Ewigkeit ihre 'gleichzeitige' Auflösung findet. Die konkrete infralapsari-

sche Leibesverfassung hat sicherlich für den Glaubenden "wesentlich dialektischen Charakter"[134]; auch der Glaubende kann den leibhaftigen menschlichen Selbstvollzug nie in einem einzigen Akt, sondern nur in der Ge-
streutheit vieler Akte einholen. Während aber bei Althaus der von uns
her gegebene Vorgriff auf das Ganze der leiblichen Existenz, der im Tode
seine Ganzheit erreicht, der sündige Vorgriff unserer bleibenden Personsünde ist, so daß im Tode nochmals die ganze Dialektik von Gesetz und
Evangelium durchzustehen ist, ist dieser Vorgriff des Glaubenden nach
katholischer Auffassung zwar auch ständig gefährdet (insofern bleibt
also tatsächlich die Auferstehung der Gottlosen eine ständige Möglichkeit,
solange wir noch im irdischen Entscheidungszustand leben, und insofern besagt der Tod immer Diskontinuität), aber doch schon von der Dynamik des
Auferstehungslebens getragen, das durch den Tod hindurchgehen muß, um in
der Überwindung und Aufhebung der Zeit sich in die Endgültigkeit der Ewigkeit auszuzeiten. Trotz aller antiplatonischen Beteuerungen Althaus'
steckt hinter der Tendenz, die unumgängliche Mehrdimensionalität des Menschen (die aufgrund der philosophisch uneinholbaren und nicht zu hinter-
gehenden Zwei-Einheit des Menschen nur in einer Differenz in Identität
ihre Vollendung finden kann) durch die Unterbewertung der Geschichte und
der notwendig mit- und umweltlichen Leiblichkeit und der inkarnatorischen
Struktur der Gnade zu unterdrücken, ein geheimer platonischer Zug. Dieser
Krypto-Platonismus kommt der lutherischen Rechtfertigungslehre entgegen
und wird bestärkt durch dualistische (Descartes, vor allem Kant) oder
monistische (Hegel, deutscher Idealismus) Tendenzen neuzeitlicher Philosophien.[135] Nicht zuletzt kommen darin die Freiheit des Menschen, die in
der Welt tätig ist und das von ihr Getätigte nicht bloß als nachher überflüssige und transitorische Wirklichkeit betrachten kann, und deshalb das
'von unten her' der geglaubten und erhofften eschatologischen Vollendung
zu kurz.

Zusammenfassend können wir sagen:
Während in Althaus' Schöpfungs-und Offenbarungstheologie die ganzheitliche Dimension des Menschen (in seiner Mit- und Umwelt) gut zum Ausdruck
kommt, kommt es vom Begriff der Gottheit Gottes her in der Soteriologie
zu einer personal-innerlichen Engführung. Althaus' Personbegriff ist zu
einseitig von Selbstbewußtsein und Freiheit geprägt, so daß die rein vertikale Entscheidungssituation Gott gegenüber zu einem Personalismus der

Geschichtsbetrachtung führt, der die leibhaftig-horizontale, auch mitmenschliche Dimension notwendig unterbewertet, bzw. nur Widerschein des
in der Innendimension der Geschichte geschehenen Urfalles sein läßt.So-
sehr in der Schöpfungstheologie die Leiblichkeit positiv gesehen wird,
ist sie nun von der Sündenlehre her doch ganz und gar Leiblichkeit des
(Sünden-)Todes, die nicht – etwa im Leibe Christi – zum Heilssakrament
werden kann. Die leibhaftige Wirklichkeit Christi kann nur noch in paradoxer Weise der Ort sein, an dem Gott im Kampfe mit sich selbst das Paradox der 'Innendimenion' löst, ohne daß der sekundäre Seinsbereich der
'Außendimension' daran teilnehmen müsse.

Soll die nicht-personale Leibhaftigkeit doch zur neuen Leiblichkeit
werden, so muß in Anbetracht der mangelnden soteriologischen Vermittlung
ein schöpfungsmäßiger (von der Person an sich unabhängiger) Eigensinn
der Leiblichkeit aufgestellt werden, der – 'weil Gott Gott ist', also
dank der Kontinuität, die in der Logik der Gottheit Gottes liegt – als
'selbständiger Gottesgedanke' erfüllt werden muß. Ist solche neue Leiblichkeit fürwahr unsere Leiblichkeit? Wir glauben, daß sie es erst dann
wird, wenn dem darin ausgedrückten 'von oben' (Differenz) das durch das
verklärte leibliche Menschsein Jesu Christi gegebene 'von unten' entspricht (Vermittlung), d.h. wenn sie einer Inkarnation entstammt, in der
die göttliche Gnade in alle Dimensionen des Menschen eingeht – auch in
die Dimension, die sein 'Leib', bzw. die er als 'Leib' ist. Die neue Leiblichkeit als Postulat eines eigenen Schöpfungssinnes bleibt 'Postulat'.
Sosehr wir den anthropologischen Anknüpfungspunkt für die Auferstehung
des Fleisches bejahen, so sehen wir in solchem (nicht anthropologischen)
Eigensinn einen gefahrvollen Mangel echter christologischer Vermittlung.[136]

Es gibt keinen eigenen Sinn neben der Geschichte Gottes mit uns, die
die Geschichte der Fleischwerdung ist. Deshalb gibt es den Himmel nur im
Zusammenhang mit der verherrlichten Menschheit Christi, nicht etwa mit
der ewigen sinnlich-leibhaftigen Schönheit Gottes. Der Leib, der uns von
Gott bereitet ist, muß daher zugleich der 'Leib' sein, den jeder Mensch in
seiner Geschichte geformt hat – eine Geschichte, die ihn notwendig mit den
anderen Menschen und der Welt verbindet und daher ihr Telos nur im Ziele
aller erlangt, die also die echte Geschichtlichkeit und Mehrdimensionalität nicht in die 'Gleichzeitigkeit' des Jüngsten Tages undialektisch und
vor allem un-dialogisch 'verschlingt'. Althaus sieht in seiner 'Escha-

tologie der Rechtfertigung' die in der Kenosis verwirklichte Liebe (trotz
aller Abwehr der Hamartiozentrik) zusehr als die die menschliche Misere
heilende, alleinwirksame Liebesmacht Gottes. Die zwar notwendig noch ver-
hüllte, aber unser geschichtliches Sein schon verwandelnde Macht des Kreuzes und der Auferstehung,d.h.der Gesichtspunkt der positiven, sich mit-
und austeilenden und in allen Dimensionen 'auszeitigenden' Überschwenglichkeit dieser Liebesmacht kommt zu kurz.

5. Gericht und Purgatorium

a) Gerichtslehre der ersten Auflage (LD^1)

Da sich Althaus' Wandel vom übergeschichtlichen zum eher endgeschichtlichen Stadium besonders auch in der Lehre vom Gericht zeigt, sei hier
ein kurzer Rückblick getan (LD^1 97-108.120-122).

Zeittypisch heißt es in LD^1:

"Das Gericht bezieht sich auf jede Generation. Jede ist unmittelbar zum
Gerichte. Die Menschheit erlebt das Gericht als ganze in der Gleichzeit-
losigkeit, die im Jenseits der Geschichte gegeben ist." (LD^1 96)

Althaus unterscheidet zwar gegenwärtiges und kommendes Gericht, doch
durch das Vorherrschen des überzeitlichen Aktualitätsaspektes,und die Unterbewertung der Zukunftsperspektive droht auch hier der 'axiologische'
Blickpunkt, die teleologische Komponente zu 'verschlingen'. Nach der Art,
wie uns Gottes Wille trifft, gibt es ein dreifaches gegenwärtiges Gericht.
Das im Gewissen erfahrene Gericht nach der Gesinnung betrifft unsere innerste Grundhaltung,und es hat seine Höhe im Kreuz als "Verwerfung unseres Wesens und Willens", als "Nein über alles Menschentum" (LD^1 104).
Indem es uns vor das klare Entweder-Oder der Selbstbehauptung oder der
völligen Unterwerfung stellt, wird das Verwerfungsgericht zum Entschei-
dungs- und Scheidungsgericht. Friedlosigkeit und Einsamkeit dieses Gerichts werden in der Anerkenntnis desselben und der Flucht zum Evangelium
überwunden. Das Gericht nach den Werken als "ein durchaus neues und gegenüber dem ersten selbständiges Moment" (LD^1 105) betrifft die Unmittelbarkeit der einzelnen Handlungen zum Gericht. Das Gesetz der Zeit gibt einerseits infolge der Nichtumkehrbarkeit allem Tun selbständige Bedeutung, andererseits stellt es alles in von unserem Willen unabhängige unzerreißba-
re, zum Segen oder zum Unsegen weiterwirkende Zusammenhänge. Gottes Heiligkeit erfährt der Mensch schließlich im Gericht nach dem 'Werk' oder
Ertrag unseres sittlichen Werdens, demzufolge wir den Abstand von dem

Bild, in das Gott uns verklären will, schmerzlich verspüren.

"In allen drei Beziehungen nun weist das in der Geschichte fortwährend von uns erlebte Gericht Gottes über sich hinaus und fordert das Endgericht." (LD^1 1o8) Das Gericht der Gesinnung fordert das transzendente Endgericht zum ersten als notwendige Offenbarung der geschichtlich vollzogenen Entscheidung, d.h. als "einen transzendenten Moment völliger Enthüllung dessen, was Leben und was Tod ist" (LD^1 108), zum zweiten als tatsächliche letzte Entscheidung, denn als stets neuer Lebensakt hat selbst der heilsgewisse Glaube "das Gericht nie hinter sich, sondern immer wieder unter sich" (LD^1 108). Das Gericht nach den Werken verlangt auch beim Glaubenden trotz bleibender davon unabhängiger Heilsgewißheit nach einem End-Beschämungsgericht als Enthüllung versäumter Stunden und verborgener Wirkungen. Schließlich enthüllt und beurteilt das Endgericht nach dem Werk den Charakter, das Gewordensein jedes einzelnen.

E.Hirsch nahm im Artikel 'Das Gericht Gottes' zu Althaus' Gerichtslehre kritisch Stellung. Die Unterscheidung des Gerichtes nach Gesinnung und Handeln setzt - so Hirsch - einen theologisch unhaltbaren Persönlichkeitsbegriff voraus, während ein dynamischer Personbegriff ein Eigendasein der Werke ausschließt, so daß "nur ein Gericht, das nach der Person",[137] bleibt. Das zweite Gericht, das E.Hirsch kennt, folgt aus unserer spannungsreichen Einordnung in Geschichte und Gemeinschaft, die unser Gewissen als für uns nie ganz durchdringbare Gerichtsrede Gottes deutet. So wie der Vollendungsgedanke zwiespältig ist, so verlangt auch die Gerichtserfahrung nach der selbstzwecklichen Vollendung, letztlich in der ewigen Verdammnis, und nach der werkzeuglichen, da Gottes Gericht sein fremdes Werk ist - so daß doch (ähnlich wie später bei Althaus) die Apokatastasis nicht als Lehre, aber als Zielbegriff des Glaubens erscheint. Althaus gibt Hirschs Kritik Recht (LD^3 IX.189,n.1) und unterwirft seine Lehre vom Gericht "weithin einer Neugestaltung und Bereicherung" (LD^3 IX), wodurch der endgeschichtliche Aspekt etwas mehr zur Geltung kommt.

b) Die Gerichtslehre ab der dritten Auflage (ab LD^3)

"Gericht Gottes bedeutet die Reaktion seiner Gerechtigkeit auf das persönliche Sein und Handeln der Menschen"; der Sünde gegenüber ist diese Reaktion "wesensnotwendig Strafgerechtigkeit"[138], denn Gott hält an dem Recht seiner Liebe zum Menschen fest. Die Rechtfertigung muß der Maßstab der Lehre vom Gericht (LD^3 238), die gegenwärtige Erfahrung deren Ausgang sein (LD^3 187;LD^4 165).

An die Stelle von 'Gesinnung' und 'Werk' setzt Althaus ab LD^3 (LD^3 187-191 = LD^4 165-168) die sich innig durchdringende, aber doch bleibende doppelte Beziehung unseres Handelns: dessen Unmittelbarkeit zu Gott und dessen Geschichte wirkende Macht.

"'Geschichte' hat ihre Voraussetzung einmal an der Nichtumkehrbarkeit der Zeit, d.h. an dem unwiderruflichen Stranden jeder Stunde an die Ewigkeit, sodann aber an dem Zusammenhang von Vergangenheit und Gegenwart, zwischen jedem und allen." (LD^3 188 = LD^3 165)

Der "geschichtlich-unmeßbaren Ewigkeitsschwere" und dem "erfahrbaren geschichtlichen Gewichte" (LD^3 188 = LD^4 166) entspricht Gottes Richten, und zwar durch das Gericht in der Innerlichkeit des Gewissens und in der Äußerlichkeit des Schicksals. Gewissensgericht und Geschichtsgericht, die unlösbar aufeinander bezogen sind, m.a.W. Entscheidungsgericht und Vergeltungsgericht sind in der Gegenwart und am Ende die Reaktion Gottes auf unser Tun und Sein.

Schon 1922 hat Althaus festgestellt: "Die evangelische Theologie hat um ihres Kleinodes, des Rechtfertigungsgedanken willen, die Mehrheit der Beziehungen, die in der Gerichtserfahrung und Gerichtserwartung liegen, bisher nicht ausreichend gewürdigt" (LD^1 125). Diese Kritik gilt vor allem der lutherischen Orthodoxie, die aus Polemik gegen die katholische Vergeltungs-, Sühne- und Verdienstlehre die Bedeutung der Tat und ihrer geschichtswirkenden Macht vernachlässigte und für die deshalb das Gericht ganz in der Rechtfertigung aufging. Der "kraftvollen Geschlossenheit" opferte man unaufgebbare, lebensnahe und deshalb gerade jedem Menschen zugängliche (weil der Uroffenbarung entstammende!) "wesentliche Züge des göttlichen Richtens" (LD^3 190 = LD^4 167). Althaus sieht deutlich die Schwierigkeit, die Bedeutung der Tat (Schlatter) und den Sinn für den geschichtlichen Zusammenhang (Schleiermacher, Ritschl) mit dem Grundartikel der Rechtfertigung in Übereinstimmung zu bringen, ohne letztere moralistisch zu gefährden. "Es gilt daher für uns, im folgenden einerseits das Richten Gottes nach allen seinen Erweisungen und Gesetzen zur Geltung zu bringen, andererseits aber dem Gottesgedanken der Rechtfertigung seine beherrschende, alle Gesetze begrenzende Stellung zu sichern." (LD^3 191 = LD^4 168)

aa) Das Entscheidungsgericht in der Gegenwart[139]

Das über der Menschheit lastende unentrinnbare Zornesverhängnis wird im Gewissen erkannt als "das Verstoßen Gottes aus der Gemeinschaft, auf die hin wir geschaffen sind, die allein das Leben ist.... Es ist der ewige Tod, die Hölle selber" (LD^3 192 = LD^4 169f). Allein im Kreuze Jesu wird das Gericht bestätigt, vollzogen und überwunden.

> "Diese Liebe ist die Macht, das Gericht von Grund aus zu wandeln....Wo der Mensch diesen Liebeswillen vom Gekreuzigten her, dieses Ja des heiligen Willens unter dem Nein des wegweisenden Zornes zu spüren beginnt, da hebt in ihm jenes Ja zu Gottes Richten an, das aus wirklicher Liebe zu dem uns in seinem eigensten Wesen kundgewordenen Herrn und Vater wächst und....im Grunde des Gericht schon überwunden hat" (LD^3 193 = LD^4 170f).

Christus fordert jeden auf zur Entscheidung. Nur der Glaube an ihn zeigt die ganze Tiefe unseres Existenzwiderspruches; das erweckte Gewissen erkennt die Unendlichkeit des Gerichtes. Der Glaube bringt aber auch dessen Überwindung im Wunder der vergebenden Liebe Gottes.

Dieses personale oder Gewissens-Gericht ist vor allem auch unentbehrlich in Hinblick auf das zu besprechende reale Gericht der Wirkung, denn letzteres "muß Personalität gewinnen" (CW 408).

bb) Das Entscheidungsgericht am Ende[140]

Das 'letzte Gericht', von dem alle Religionen in ihrer Weise reden, darf keineswegs im Christentum als Restbestand vor- und unterchristlicher, besonders jüdischer Anschauungen betrachtet werden. Die Schlußfolgerung, daß durch die in der gegenwärtigen Rechtfertigung gefällte Entscheidung das Verhältnis zwischen Gott und Mensch endgültig bestimmt und kein 'Jüngstes Gericht' mehr erforderlich sei, wird von Althaus mit denselben Argumenten wie in der ersten Auflage zurückgewiesen: Die Verborgenheit der geschichtlichen Entscheidung verlangt nach deren Offenbarung; die Bewegtheit unseres Glaubens weist als "ein immer neues Fliehen aus der ständigen Wirklichkeit des verwerfenden Gerichtes Gottes zu seiner Barmherzigkeit in Christus" (GD^1 II/172 = GD^5 266) hinaus auf eine noch ausstehende letzte Entscheidung. "Der große Kampf, in dem Christus am Kreuze gesiegt hat, muß im Sterben noch einmal durchgekämpft werden", denn die "Entschiedenheit ist für den Menschen in der Aktualität seines Daseins nur als jeweils gegenwärtige Entscheidung wirklich" (LD^4 174).

cc) Das Vergeltungsgericht in der Gegenwart[141]

Die Vergeltung bezeichnet "das zur Weltregierung gehörende richterliche Handeln Gottes, mit dem er auf den Gehorsam oder Ungehorsam gegen seinen Willen lohnend oder strafend rückwirkt und so die durch seinen Willen ge-

setzte Ordnung in ihrer Gültigkeit mächtig erweist"[142]. Althaus weiß, daß
es sich um ein Gleichnis aus der irdischen Rechtssphäre handelt: einerseits bleibt der theologische Erkenntniswert, denn Gottes Heiligkeit verlangt nach seinem Richtertum, andererseits sprengt die Vergeltung Gottes
alles irdische Rechtsgeschehen. Zwar gibt es auch hier "Entsprechung zwischen dem Handeln des Menschen und der Reaktion darauf", aber "nicht Kon-
gruenz oder Äquivalenz", denn Gottes Lohnen ist überschwenglich, und auch
sein Strafen untersteht allein seiner Herrschaft, da zwischen Gott und
Mensch kein Rechtsverhältnis auf Gegenseitigkeit herrscht.[143] "Jeder wird
seine Strafe erleiden, die ihm und seiner Sünde in ihrer Besonderheit entsprechende" (CW 666). Dies ist aber auch für das positive Urteil zu sagen:

"Unbeschadet dieser Gleichheit aller, die selig werden, ist der Lohn
verschieden....Der Lohn entspricht dem Werk. Aber zugleich ist er dem
menschlichen Opfer gegenüber unverhältnismäßig, überschwenglich....
Dieser Lohn läßt sich nicht 'verdienen', so wenig sich Gottes Strafe
abbüßen läßt. Er ist Gnadenlohn."(CW 668)

Wie das Evangelium das Gesetz nicht ausschaltet, sondern voraussetzt
und bestätigt, so setzt auch die Vergebung die Vergeltung in mehrfacher
Hinsicht voraus: als reines Wunder Gottes verlangt sie nach dem Hintergrund
der bleibenden Möglichkeit und Wirklichkeit der Vergeltung, wie dies seine
höchste Bestätigung am Kreuz Christi erfahren hat. Auch wenn der Glaubende
die Strafe als Mittel der Erziehung ansehen darf, so muß der Glaube doch
"immer wieder die Furcht überwinden, Gottes Strafen könnte selbstzweckliche, nie endende Vergeltung an mir sein"[144].

Weil unser Handeln in unzerreißbaren Zusammenhängen steht, wirkt es
mit Segen oder mit Fluch beladene Geschichte, denn unser Tun und Lassen
läßt überall seine Spuren zurück und verursacht so "das Gericht der Wirkung" (LD[3] 189 = LD[4] 215) oder "das reale Gericht"[145]. Das Böse zeugt weiter nach dem Gesetz des Ärgernisses individuell und sozial ('Reich der
Sünde'). Die Ordnungen werden zu Gerichtsordnungen. Gott wirkt ja seine
Vergeltung vor allem darin, "daß der Mensch sein darf bzw. sein muß, was
er sein will, daß seine Saat aufgeht und sich organisch zur Ernte vollendet"[146], so daß "jeder von uns in sich selber der Ertrag seiner Akte und
Unterlassungen in Gedanken, Worten und Werken" (LD[3] 223) ist und keiner
sich von seiner inneren Vergangenheit ganz lösen kann. Wir müssen das sein,
was wir geworden sind. "Die Ethik erweist sich als Biologe höherer Ordnung". (GE[2] 30) Die durch die Lösung von Gott verursachte Zerstörung von
Leben und Gemeinschaft ist Gottes reales immanentes Gericht (CW 398-404).

"Die Weltgeschichte ist zwar nicht Weltgericht. Aber sie ist auch nicht
ohne sehr reales Gericht Gottes. Ihre Gerichtstage, ihre Katastrophen
sind Vorzeichen des 'Jüngsten Gerichtes' und weisen über sich selbst hinaus auf dieses." (CW 402) Auch der leibliche Tod muß letztlich als ver-
geltende Strafe Gottes gesehen werden, "als Gestalt gewordenes Nein Gottes, ohne damit den Sinn des Sterbens erschöpfen zu wollen"[147]. Neben diesem 'heimlichen' Gericht steht Gottes freies Gerichtswalten in den "Schicksalen, die nicht in erkennbarem gesetzlichen Zusammenhange mit der Sünde
stehen" (CW 405;vgl.CW 404-407). Dieses sich jeder Formel und ethischen
Rationalisierung entziehende freie Walten Gottes bleibt Gottes Geheimnis.
Es kann neben Zorn auch besondere Gnade Gottes besagen, denn "er behandelt nicht alle gleich, legt nicht allen die gleiche Last auf und gibt
demgemäß auch nicht allen das gleiche Maß der Herrlichkeit" (CW 405).

Ob der Verborgenheit und Zweideutigkeit der Geschichte erschließt sich,
was tatsächlich immanentes Strafgericht Gottes ist - im Unterschied zum
bloßen Geheimnis der göttlichen Führung oder zum Todesgesetz der Kultur
überhaupt-, "erst dem Zwiegespräch des Gewissens mit der Geschichte"
(LD[4] 190). Gottes Vergebung hebt diese Zusammenhänge nicht auf, freilich
befreit sie vom Leben-hemmenden Banne wachen oder verdrängten Schuldge-
fühls (LD[3] 224f;LD[4] 200). Das Wirken der satanischen Macht geht durch die
ganze Länge der Geschichte; im "'antichristlichen' Unternehmen angemaßter
Stellvertretung Christi, des Ersatzes für ihn durch ein Pseudoheilandstum,
der Verfälschung des Reiches Christi zu einer geschichtlichen Theokratie"
(CW 681), kommt es auf seinen Höhepunkt.

So sehr jedoch Althaus die Macht Satans, die 'Reaktion' Gottes und auch
die Freiheit des Menschen im Dialog mit Gott betont, so darf es nicht darüber hinwegtäuschen, daß er sehr wohl an seinem Anliegen der Transzendenz
Gottes festhält, denn auch das Gesetz der Sünde steht unter dem höheren
Gesetz der Rechtfertigung. "Gott hat alles beschlossen unter die Sünde,
um dem Glauben sein Erbarmen zu zeigen (Gal.3,22;Röm.11,32)....Nicht nur
trotz, sondern durch unser Böses schafft er Gutes." (LD[3] 217=LD[4] 192)
Durch die Übermacht Gottes ist das Reich der Sünde eingeschlossen in das
Reich Gottes, denn das Böse macht er zum Mittel der Gemeinschaft mit sich
und das Ärgernis wendet er zum Segen, ohne daß uns freilich der Blick auf
Gottes Liebesallmacht der Verantwortung enthebt. Es handelt sich 'nur'
um eine Glaubenseinsicht, also "kein geschichtsphilosophisch erkennbares

und somit verfügbares allgemeines Gesetz" (LD[4] 192). Ebenso weist Althaus
angesichts der Versuchung, mittels des geschichtlichen Gerichtes "das ethische Problem der Menschheit moralistisch zu lösen", auf die Rechtfertigung als den Sinn und das Maß der Bedeutung dieses geschichtlichen Gerichtes (LD[3] 238). Die Rechtfertigung bleibt schließlich – trotz der Einführung anderer Aspekte – der bleibende und einzige Maßstab. "Rechtfertigung
heißt aber: Gott ist größer als jedes Gesetz, unter das er unser Leben
stellt; seine Gottheit zeigt sich darin, daß er die Ordnung setzt, und
darin, daß er sie königlich aufheben kann – an beiden will er als der
Herr erkannt und geehrt sein." (LD[3] 238)

Entschieden weist Althaus die Lehre von der doppelten Prädestination
als Verletzung der Einheitlichkeit und Einheit des Willens und Wesens
Gottes zurück. Trotz aller Verborgenheit des einen Heilswillens Gottes
gilt:

"Gott will mich zu sich ziehen – und alle anderen mit dem gleichen Willen....Die Wirklichkeit der Welt und Geschichte weist tiefe Gegensätze
auf. Der Vernunft wird es immer wieder naheliegen, sie spekulativ in
Gott selbst zurückzuverlegen. Aber im Glauben an den Vater Jesu Christi
wissen wir, daß in Gott kein Widerstreit von Willenspotenzen ist, sondern ein einziger, einheitlicher Wille." (CW 273)[148]

dd) Das Vergeltungsgericht am Ende[149]

Auch Gottes gegenwärtiges Vergelten weist über sich hinaus auf ein endgültiges Vergeltungsgericht. "Diese geschichtlichen Feuer sind nur Vorzeichen und Vorläufer des letzten Tages, da Gott all unser Wirken, alle
unsere Werke und was wir für Erfolge hielten, durchs Feuer gehen läßt."[150]

Althaus betont nun stärker als in LD[1] die bereits in der Geschichte
geschehende Gegenwirkung göttlichen Anziehens als Beginn der realen Überwindung des Zornes und als Begründung der Hoffnung endlichen Sieges (LD[3]
225-227). Gegenüber einer rein negativen Fassung der Heiligung unter-
streicht Althaus – mit A.Schlatter –, daß sie "von dem leichten Anfänger-
Gehorsam zum schweren, vollkommenen" (LD[4] 201,n.2) führe, aber ebenso
bleibt es dabei: "Der Bruch in unserem Leben ist jeden Tag aktuell und
liegt nur so hinter uns, daß er zugleich immer wieder vor uns liegt" (LD[3]
224f). Beide Geschichten, die des bösen Werdens und die des neuen, guten
Werdens, kommen in diesem Erdenleben nicht zur Vollendung. Die "Paradoxie
der Vergebung, daß sie unsere Geschichte wohl im Urteil Gottes außer Kraft
setzt und doch empirisch-psychologisch-historisch nicht außer Kraft setzt"
(LD[3] 225), die Unvollständigkeit der irdischen Erfahrung des göttlichen

Richtens, die Verborgenheit unseres Tuns und Versäumens und der Glaubenscharakter unserer Überzeugung der sich in allem verherrlichenden Liebesmacht Gottes verlangen nach dem vergeltenden Endgericht. Auch müssen wir
den so oft aus Enge und Trägheit unseres Herzens überhörten Ansprüchen
noch einmal begegnen und ihnen gegenüber Rede und Antwort stehen. Dieses
Gericht wird Schmerz, aber auch Belohnung und Freude sein, denn "das Gesetz des Werdens oder Bleibens hat auch eine frohe Seite" (LD[4] 200). Da
im Tode die relative Zweiheit und Selbständigkeit seelischen und leiblichen, inneren und äußeren Schicksals aufhört, ergreift alles Inwendige
die Ganzheit unseres Seins. Die von allen erfahrene Strafe, aber auch der
Gnadenlohn werden deshalb auch leiblich sein.

Das Endgericht ist Entlarvung der Verführungsmacht des Satans als Lüge,
endgültige Niederlage des Satans und Vernichtung des Todes (CW 682). Als
alle der Wahrheit überführendes Gericht ist es kein endgeschichtliches
Gericht, sondern "die Aufhebung der Geschichte", also ein Gericht, das
die ganze Menschheit "in der Gleichzeitigkeit, die das Jenseits der Geschichte bedeutet", erlebt (LD[3] 173). Da uns Menschen ein Grundwille verbindet und wir auch sonst im gemeinsamen Leben vielfach verwoben sind,
wird das letzte Gericht ein öffentliches Gericht nach seiner positiven
und negativen Seite sein. Freilich kann das in Christus grundsätzlich zum
Positiven gewendete Gericht über die Menschheit verschieden von dem über
den einzelnen sein, denn dem auf Erden ständig in Furcht lebenden Glauben
widerspricht eine theologische Theorie, die in allem Strafen Gottes nur
erzieherisches Handeln sieht. Es gibt im Guten und im Bösen Ewigkeit.

In der Frage des Wann des Gerichtes zeigt sich die bereits erwähnte
Schwierigkeit in der Bestimmung der Auferstehung als neutraler. Dementsprechend folgt das Gericht der Auferweckung; diese "ist nicht selber die
Entscheidung, sondern sie führt die Menschen in Gottes letzte Entscheidung"
(GD [1] II/171). Es scheint uns jedoch nicht nur zur Rhetorik der Predigt zu
gehören, wenn Althaus an anderer Stelle auch eine andere Möglichkeit of-
fenläßt: "der Tag wird kommen, da Gott in seiner Heiligkeit unentrinnbar
und unüberhörbar mit dem Gewissen redet – wo und wann, ob im Tode, ob
nach ihm, wir wissen es nicht."[151]

ee) Stellungnahme

Althaus' Gerichtslehre kommt aus zwei Beweggründen. Einerseits betont
er stark gegen den Fortschrittsglauben und alle Systeme der Entwicklung

von der Radikalität der überindividuellen Sünde und der übergeschichtlichen Todesverfallenheit her die Transzendentalität des völlig souveränen
göttlichen Gerichtes, aus dem nur die Rechtfertigung sola fide et sola
gratia rettet. Es geht hier um die vertikale Unmittelbarkeit unseres Tuns
zu Gott, um dessen geschichtlich-unmeßbare Ewigkeitsschwere, die von uns
aus zum Verderben, durch Christus aber zum Heil führt. Andererseits sieht
Althaus aufgrund seines Wirklichkeitssinnes und des Willens, auch die Geschichte zu ihrem Recht kommen zu lassen, die Bedeutung der Tat, des Werkes und die geschichtswirkende Macht unseres Tuns, weshalb er das Gericht
nicht in der Rechtfertigung aufgehen lassen will. Er versucht also, die
Geschichte und in ihr die Freiheit und Verantwortung des Menschen in die
Geschichtslehre zu integrieren, indem er neben dem Rechtfertigungsgericht das Gericht nach den Werken, neben dem Gewissensgericht das Geschichtsgericht lehrt, denn auch er weiß, "daß das Endstadium der Welt
nicht Ergebnis einer naturalen Strömung ist, sondern Ergebnis von Verantwortung, die in Freiheit gründet"[152]. Unsere Frage ist: Gelingt es Althaus,
beide Momente in ihrer Bezogenheit und Einheit richtig zu sehen?

Zurecht besteht ein gewisses Paradox, eine Grundantinomie, ein berech-
tigtes Ineinander von Gericht und Gnade, über das wir nicht hinauskommen. Wir wissen aus der Rechtfertigung um die Radikalität der Gnade, die
Gelassenheit und tiefe Freiheit gibt; wir wissen aber auch um den bleibenden Ernst der Verantwortung und die Gefährdung, die aus der Pflicht der
Rechenschaft kommt. Althaus versucht beides zu halten: die sola gratia
und die Verantwortung und Verpflichtung zum Werk. Aber diesem Ineinander
prägt schließlich die lutherische Rechtfertigungslehre ihr Siegel auf:
Letztlich ist für das eschatologische Heil doch nur das 'Gericht nach dem
Glauben', und nicht auch das nach den 'Werken' und dem 'Werk' entscheidend. "Die Selbständigkeit der Heilsgewißheits- und der Heiligungsfrage gegeneinander ist die Grundeinsicht, von der unsere Betrachtung des
Gerichtes ausgeht." (LD^1 124;Betonung Vf) Das Gericht nach den Werken ist
"unabhängig" (LD^1 123). Es kommt also ganz auf das Rechtfertigungsgericht
der überzeitlich-vertikalen Ausrichtung (der 'dritten Geschichte') an,
nicht auch auf die sich horizontal austragenden Geschichtsgerichte, in die
jedoch die charakteristisch menschliche, sich in Geschichte auszeitigende
und bewährende Freiheit und Verantwortung hineinintegriert wären. Man kann
sich des Eindrucks nicht erwehren, als sei das Entscheidungsgericht am
Ende genau so radikal wie das in der Gegenwart des Christwerdens, gleich

ob ein im Geist gelebtes christliches Leben vorausging oder nicht. Die Betrachtung unseres Handelns in der Doppelbeziehung der Unmittelbarkeit zu Gott und der Geschichte wirkenden Macht spaltet die Einheit des menschlichen Lebens zu sehr auf und verlangt nach einer einigenden Mitte und einem Gericht, denn die Unmittelbarkeit zu Gott besteht gerade in dem freien, die Geschichte stiftenden Dialog, der seit Christus nur mehr über ihn und seine Menschenbrüder geht.

Indem das Geschichtsgericht letztlich vom Rechtfertigungsgericht verdrängt und somit seines Ernstes beraubt zu werden bedroht wird, kommt das Endgericht überhaupt in Gefahr entwertet zu werden, da – als Nachklang der axiologisch-vertikalen Ausrichtung – das Gericht rein aktualistisch immer gegenwärtig ist.[153] Mit der Entwertung der Geschichte geht Hand in Hand eine Entwertung der menschlichen Freiheit, der Mitverantwortung, des Moments 'von unten'. Aus dem dogmatischen Unterbau ist ersichtlich, daß der letzte Grund für diese bei Althaus zwar nicht voll ausgeführte, aber latente Tendenz der Gerichtslehre in der protestantischen Sünden- und Rechtfertigungslehre liegt, also in der Soteriologie, die ihr Korrelat im Entscheidungsgericht hat. Das 'Total-Alleinwirksame' seiner Rechtfertigungslehre hindert Althaus, das andere von ihm betonte Moment richtig zu integrieren.

Althaus weiß, daß die Reformatoren vor allem die sündige Grundgesinnung und das entsprechende Gericht nach dem Glauben betonen, während der Katholizismus mehr Interesse an den einzelnen Taten und deshalb am Gericht nach den Werken hat (LD[1] 102f;LD[3] 189-191). Er sagt zurecht: "um ein Entweder-Oder kann es sich nicht handeln" (LD[1] 103). Wir meinen, daß ihm der Ausgleich nicht gelungen ist, weil auch seine Gerichtslehre im recht verstandenen Sinne der Ergänzung durch die Eschatologie der Inkarnation' bedarf, wobei freilich das Vollendetsein der in Freiheit getanen ganzen Geschichte der Welt von der souveränen Verfügung Gottes ganz abhängig bleibt.

Die zweite Frage, die wir hier kurz anschneiden, betrifft das Verhältnis von 'besonderem' und 'allgemeinem' Gericht.

Bei Althaus ist "der Ausblick auf die Todesstunde und der Ausblick auf das jüngste Gericht, theologisch genommen, eins und dasselbe" (LD[4] 175). Eine Zweiteilung des Gerichtes hat keinen Platz und keinen Sinn, wo es keinen 'Zwischenzustand' gibt, und die Frage nach Berechtigung und Notwendigkeit hängt mit der noch zu behandelnden Frage des Zwischenzustandes zusammen.

Althaus' Gerichtslehre ist im Grunde individualistisch, da die Geschichte doch vorwiegend im vertikalen Querschnitt gesehen wird[154]. In LD[1] erwähnt er des kollektive Gericht über die Sünde als Gesamttat nur in einer einzigen Fußnote (LD[1] 125,n.1) und gesteht das Versagen jeder logischen Bestimmung des Verhältnisses von Einzel- und Kollektivgericht:

"Das deutliche, auf das es ankommt, ist zunächst Gottes Handeln mit dem einzelnen. Wie sich das Gericht, das eine Gesamtheit erleidet, zu dem, was der einzelne erfährt, verhält, ist dialektisch unlösbar wie das Verhältnis von Einzelschuld und Gesamtschuld, ja das Verhältnis des einzelnen zur Gesamtheit überhaupt." (LD[1] 125,n.1;vgl.LD[3] 238,n.2)

Folgt nicht daraus die Notwendigkeit der Aufgliederung des einen seit der Menschwerdung Christi in dieser Welt im Gang befindlichen Gerichtes in zwei voneinander untrennbare Phasen? Dürfen "die zwei Züge, die dem einen letzten Gerichte Gottes eigen sein werden" (CW 681), ganz undialektisch zusammenfallen? - Daß Gottes Endgericht an dem einzelnen im Tode trotz der individualistischen Ausrichtung für Althaus mit dem allgemeinen Gericht zusammenfällt (LD[3] 238.n.2), liegt nicht sosehr an dessen sozialer Komponente, sondern vielmehr an Althaus' (philosophischer) Sicht der Zeit-Ewigkeits-Beziehung, und, wie er selbst sagt, es "bedeutet eine Schwierigkeit nur für den, der die Zeitform in die Ewigkeit hineinträgt und daher auch nach der 'Zwischenzeit' zwischen Tod und jüngstem Gericht fragt" (LD[3] 238,n.2).

In CW (679-681) betont Althaus stärker, daß das Gericht nicht nur persönliche Erfahrung der einzelnen sei, sondern auch die verschiedenen Lebensgemeinschaften (Völker, Gemeinden,...) und die Menschheit im ganzen betreffe, zumal wir eins sind in einem Willen und miteinander verflochten sind durch das 'Reich der Sünde'. Auch die vielfache Verbindung und Abhängigkeit, durch die wir mit- und füreinander Verantwortung tragen und das von Gott gegebene staatliche 'Amt' des Urteils über andere "als Zeugen und Werkzeuge seiner Gerechtigkeit" (Strafvollzug) ausüben, verlangt ob der Möglichkeit menschlichen Fehlurteils nach einem göttlichen öffentlichen Gericht. Nach Althaus müssen wir am existential begründeten Daß der gemeinsamen Gerichtserfahrung festhalten, ohne das uns verborgene "Wo und Wann und Wie" (CW 681) ausdrücken zu können. - Und doch glauben wir, daß Althaus selbst das Geheimnis des 'Wo und Wann und Wie' nicht durchhält, sondern es seiner zu stark philosophisch gefärbten Zeit-Ewigkeits-

Anschauung 'unterstellt', denn die ob ihrer Geschichtsfremdheit und Zeitlosigkeit in .indiskriminierbare 'Gleichzeitigkeit' zusammenfallende Ewigkeit macht von vornherein den Gedanken eines doppelten Gerichtes unmöglich.

Sicherlich muß gesagt werden: Sowohl in der Schrift als auch im Glaubensbekenntnis ist an das allgemeine Gericht am Jüngsten Tage gedacht[155].
Erst in der Zeit vom 13. zum 15.Jahrhundert bahnt sich in Lehrdokumenten
die Unterscheidung zwischen besonderem und allgemeinem Gericht an (DS 856-
858.1000-1002,1304-1306), die zu je verschiedenen Zeiten je verschieden
betont wurden. Zurecht ist man vorsichtiger in der Hervorhebung des Unterschieds beider geworden, denn das besondere Gericht muß "in einem (wie
immer zu denkenden oder vielmehr nicht konkret auszumalenden) dynamischen
Zusammenhang mit dem Endgericht" [156] gesehen werden. Man darf jedoch nicht
einfach alles in 'gleichzeitige' Identität versinken lassen, ohne damit
auch die plurale Wirklichkeit in der Einheit des Menschen zu leugnen. Die
Schwierigkeit der Bestimmung des 'Zwischenzustandes' erlaubt kaum eine
positive Bestimmung des Verhältnisses der beiden Gerichte, aber die ontologische unreduzierbare dialektische Einheit des Leib-Seele-Wesens, das
der Mensch ist, gestattet nicht, die Unterscheidung einfach als mytolo-
gisch abzutun.

"Man wird das 'persönliche Gericht' primär als Aussage über die individuelle Vollendung des einzelnen Menschen, insofern er nicht bloß Moment
am Kollektiv Menschheit ist, auffassen und das 'allgemeine Gericht'
primär als Aussage darüber verstehen, daß die Menschheit und ihre Geschichte als eine und ganze unter dem Gericht Gottes steht, ohne diese
beiden Aussagen miteinander verrechnen zu wollen, indem man ihren Inhalt in einer positiven Aussage an zwei bestimmte Punkte desselben Zeit-
koordinatensystems fixiert."[157]

C) Das Purgatorium

aa) Zustimmung in LD[1]

Althaus weiß, daß seine Lehre vom Scheidungs- und Entscheidungsgericht
dem sich in vielen Entscheidungen entwickelnden Leben nicht zu entsprechen
scheint und daß der Entwicklungsgedanke aller möglichen Schattierungen
(Lessing, idealistische Philosophie, Dilthey, Tröltsch, Anthroposophie)
den Anschein größerer Wahrheit erweckt. Aber angesichts des Urteils des
lebendigen Gewissens, das um die "Einheit eines tiefsten, an Gott sich
vergehenden Willens" und darin um die "Einheit einer Todeswürdigkeit"(LD[1]
114 = LD[3] 208) weiß, der gegenüber alle Entwicklungen belanglos sind, weist
er jedes evolutionistische Verständnis der Sünde scharft zurück und ordnet
den Entwicklungs- und Läuterungsgedanken dem (Ent-)Scheidungsgedanken

streng unter (LD[1] 110-114;LD[3] 205-208). Dies ist das Verdikt über alle moralistischen Vergeltungsgedanken der 'Abbüßung' (Seelenwanderung, Karma,
Fegfeuer).(LD[1] 122-125)

Es muß allerdings - das ist nach Althaus das unaufgebbare Wahrheitsmoment des Fegfeuergedankens - ein völliges Durchleiden des Geschehenen und
Versäumten als dessen wache, schmerzende Erkenntnis geben (LD[1] 122,n.1;vgl.
dagegen LD[3] 220f). Althaus geht sogar so weit, von einem 'Werden' jenseits
des Todes zu sprechen, in dem uns Gott gemäß Christus zu dessen Abbildern
macht, so daß wir die "notwendige Vollendung in die gewollte Gestalt ebenso nach organischen Werdegesetzen sich vollziehend denken wie auf Erden"
(LD[1] 123). Dieses Werden und Entwerden wird als organischer Vorgang an
den Abschluß meines geschichtlichen Werdens anknüpfen und setzt die
willentliche Beteiligung der Person voraus. Wenn es auch als in einem
Augenblick geschehend gedacht werden kann, weil wir jenseits von zeitlicher Geschichte stehen, erkennt Althaus hier dem Läuterungs- und Entwicklungsgedanken - als Werden jenseits des Todes durch Schmerzen hindurch -
ausdrücklich sein Recht zu (vgl.dagegen LD[3] 226 u.LD[4]202). Er kritisiert
deshalb auch die evangelische Predigt, die aus Sorge um den Rechtfertigungsgedanken und aus Angst vor einer katholizisierenden Entstellung den
Drang zur Heiligung und zum Wachsen hinter dem Quietiv der Vergebungsge-
wißheit zurücktreten ließ (LD[1] 124).

Aber auch Althaus kommt zu keiner ausgewogenen Haltung, denn einerseits sagt er zwar: "Daß und wieweit wir es (=etwas) in der Heiligung werden, hat ernste Bedeutung für unseren Eintritt in Gottes Ewigkeit" (LD[1]
125); andererseits behauptet er als Grundeinsicht die Unabhängigkeit der
Heilsgewißheits- und der Heiligungsfrage (LD[1] 124). Trotz aller Versuche,
die inkarnatorische Struktur der Gnade stärker zum Tragen kommen zu lassen und im Fegfeuergedanken ein Wahrheitsmoment zu sehen, bleibt es
schließlich - aus Angst, der Mensch bekomme die Gnade in den Griff! - doch
bei einer einseitigen Betonung der Transzendenz.

bb) Althaus' Kritik des Purgatoriumsgedankens:
    Darstellung und Stellungnahme[158]

Daß Althaus' systematische Voraussetzungen eine gerechte Beurteilung
des katholischen Fegfeuergedankens verhindern, wird in seiner ab LD[3]
streng ablehnenden Haltung ganz klar, zumal im Problem der Sühne. Es
bleibt ihm nichts anderes übrig, als im Purgatoriumsgedanken eine morali-

stische 'Wiedergutmachung' und 'Abbüßung', also eine allein vom Menschen
angestrebte Wiedergutmachung im strengen Sinne zu sehen. Althaus anerkennt
– mit A.Schlatter – die Bedeutung der Sühne, aber ein Versäumtes oder Ge-
schehenes kann ob der Einmaligkeit und der Unwiederholbarkeit der Geschichte und der geschichtswirkenden Macht einer Tat nicht im eigentlichen Sinne 'wiedergutgemacht' werden. Auch die aus der schmerzlichen Erkenntnis des Geschehenen entstehende neue Liebe und Tat dürfen nicht als
moralistisches 'Abbüßen' eines Schuldmaßes aufgefaßt werden: "Alles 'Süh-
nen' kann nur den Sinn haben, Demonstration unserer Schuld zu sein, Ausdruck des bußfertigen Willens, Hinweis auf das, was geschehen müßte und
doch von uns aus niemals geschehen kann." (LD^3 221f). Althaus sieht den
tiefsten Kern der evangelischen Sühnelehre in deren theozentrischer Art –
im Bekenntnis, keine Sühne ausdenken zu können, und im Glauben an Gottes
schöpferisches Genugtun (LD^3 221f). So entspricht sie genau der im dogmatischen Unterbau dargestellten Lehre über Gottes Gottheit und der entsprechenden Soteriologie. Jede Karma- und Sühnetheorie widerspricht dem ersten Gebot und dem Geheimnis Gottes.

Wir unterstützen Althaus' Kritik der anthroposophischen Lehre von der
Seelenwanderung, sei es in deren Dualismus und Individualismus, sei es in
deren moralistischem Karmagedanken, der allzu "anthropozentrisch, pädago-
gisch, moralisch" (LD^4 162) ist (LD^4 152-164). Im letzten Punkte ist freilich Althaus' eigene Kritik einseitig vom 'doxologischen Motiv' bestimmt:
Die "Besonderheit eines Schicksals" nicht anthroposophisch zu erklären,
heißt u.E. noch nicht, es derart "als Ausdruck und Zeichen der Freiheit
des wunderbaren Gottes (LD^4 160) zu begreifen, daß man z.B. sagen kann:
"Könnte das Dasein blöder Menschen nicht auch den – theozentrischen – Sinn
haben, daß Gott sich als Schöpfer aus dem Nichts, aus dem Chaos erweisen
will, wenn er am Auferstehungstage solches unlösbar gebundene Leben wunderbar frei macht?" (LD^4 162). Zurecht weist Althaus die 'Weltmoralität'
und 'Weltgüte' der Anthroposophie zurück, doch ist seine Betonung der
"Begegnung mit der Liebe Gottes als persönlicher Zuwendung des Herzens
Gottes" nicht selbst vom spekulativen Moment bedroht, demgemäß Gott die
Sünde zu ihrer Höhe treibt, "um die Menschen dem Wunder seiner bedingungslosen Gnade entgegenzuführen...,um die Freiheit und Herrlichkeit seiner
Gnade an ihm zu bewähren" (LD^4 163)?

Von Karma im Sinne autonomer Heiligung oder einer Unterordnung der Lie-

be Gottes unter eine durchschaubare und in ihren Forderungen zu befriedigende Weltordnung kann u.e. keinesfalls die Rede sein, wenn diese Liebe
- in ständiger transzendentaler Abhängigkeit von der personalen Huld Gottes - dem Menschen so zu eigen wird, daß sie als geschaffende Gnade in
ihm zum Heile wirkt und alles 'Verdienst' nur die Krönung seiner Gnade
ist. Wir glauben, daß die geschichtliche Macht der Gnade der biblischen
Sicht und auch der Vielschichtigkeit des Menschseins besser entspricht
als die einseitig vertikale Perspektive, ohne daß wir den Bruch von hier
nach dort leugnen wollen. Nach katholischer Auffassung ist dieser Bruch
freilich nicht der zwischen 'simul iustus et peccator' und 'iustus in
re' (bzw. nur in einem speziellen berechtigten Sinne), sondern zwischen
dem noch ständig fehlenden, unter den Sündenstrafen leidenden Gerechten
und dem vollkommenen Gerechten. Wir verneinen, daß der Katholik an ein ra-
tional-verfügbares Vergeltungsgesetz glaube und nie wirklich vor dem
Schöpfergeheimnis Gottes stehe. Er steht sehr wohl davor, denn er glaubt
an den wirklich, bis ins Sein (nicht nur ins Gelten!) verzeihenden und
die Sünden vergessenkönnenden Gott!

Angesichts des bis zum Tode verbleibenden Paradoxes ist es nicht ver-
wunderlich, daß Althaus in LD[3] seine teils positive Einstellung zum Fegfeuergedanken im Sinne einer Entwicklung jenseits des Todes aus LD[1] re-
vidierte (vgl.LD[3] 226,n.3;LD[4] 203f) und die Frage einer gründlicheren Behandlung unterzog (LD[3] IX). Es geht dabei nämlich um "den innersten Mittelpunkt des Evangeliums", um "das schwerste Problem der Heilslehre, das
Verhältnis von Rechtfertigung und Heiligung" (LD[3] 227), m.a.W. um das Verhältnis von 'Eschatologie der Rechtfertigung' und'Eschatologie der Inkarnation'.

Althaus findet die Kritik des Purgatoriums von seiten einer heiligungs-
fremden Rechtfertigung unzulänglich, denn "das Verhältnis der Rechtfertigung zur Ethik ist ein dialektisches: die Rechtfertigung ist Krisis der
Ethik und als solche doch zugleich Begründung von Ethik"(LD[3] 228). Die
Heiligung ist ein fortschreitendes Freiwerden von Sünden; sie "zielt auf
das 'Wachsen' des neuen Menschen, auf die Stärkung und Bewährung des Gehorsams" (LD[3] 229). In LD[3] wird das Purgatorium keineswegs abgelehnt, weil
ein Werden nicht in die Ewigkeit hineingedacht werden dürfe (obwohl vom
Ernst des Todes her bereits gewisse Fragezeichen entstehen). In LD[4] kennt
Althaus jedoch nur mehr die Alternative: "Purgatorium oder Tod und Auf-

erstehung? Fortgang der Heiligung jenseits des Todes oder Vollendung der
Heiligung in Tod und Auferstehung?" (LD[4] 205). Von der Theologie des Todes her entscheidet er sich ohne Konzessionen nur für die zweite Möglichkeit: die Vollendung der Heiligung im Tode. Er wendet sich gegen die Möglichkeit, daß das Durchleben des leiblichen Todes selber das Purgatorium
sein könnte, denn viele durchleben den Tod nicht in seinen richtenden
und erlösenden Tiefen. Aber, so fragen wir, läßt nicht das personale Todesgericht alle die Tiefen des Todes im Gewissen durchleben? Ist es möglich, daß Gott "uns im Sterben wirklich nichts erleben läßt, sondern Geist
und Seele in Nacht schlägt" (LD[4] 208)? Wir bezweifeln es - auch unter Althaus' eigenen theologischen Voraussetzungen.

Unabhängig von aller Psychologie ist die Theologie des Todes ein Nein
zum moralischen Postulat einer jenseitigen Fortentwicklung, zur "Idee des
einen stetigen Zusammenhanges sittlichen Werdens" (LD[4] 206), zum "Glauben, daß der Mensch nur das sein könne,wozu er sich selber, durch Gottes
Gnade befähigt, gemacht hat" (LD[3] 231). Althaus sieht im Fegfeuergedanken
einen Ort der durchschaubaren Gerechtigkeit Gottes und eine Tätigkeit der
moralistischen 'Genugtuung'. Nicht von der dualistischen Auffassung des
Menschen, von der Annahme eines Zwischenzustandes u.ä. her kritisiert
Althaus das Fegfeuer, sondern von dem darin vermuteten Moralismus her.
Die Tatsache des überindividuellen 'Reiches der Sünde', das als übergrei-
fende Geschichte alle mitbestimmt, und der göttlichen Freiheit, die uns
bezüglich Erbe und Umwelt unter völlig ungleiche Bedingungen stellt, macht
die individualistische Forderung, daß der einzelne in persönlichem Ringen
von seinem Gewordensein und Sosein in stetiger Entwicklung bis zum Ende
entsündigt werde, tief ungerecht. Erst recht ist eine solche Forderung unmöglich angesichts der unentrinnbaren Tatsache der 'Erbsünde', des 'servum arbitrium', über die keine sittliche Entwicklung hinausführt. "In der
Tat ist die Erkenntnis der Erbsünde das Ende des Moralismus." (LD[4] 211,
n.1) Nur in der Preisgabe an das göttliche Gericht der Gnade in Jesus
Christus bin ich nicht mehr der erbsündige Mensch, "nicht mehr ich selber,
sondern jenseits meiner selbst, neuer Mensch" (LD[4] 212). Diese Preisgabe
geschieht freilich auch in der glaubenden Tat, also im neuen Gehorsam, in
dem es ein fortschreitendes Absterben von bestimmter Sünde gibt. "Insofern kann es im Christenleben von seinem es ständig tragenden Grundakte
der Preisgabe an Gottes richtende Gnade aus Entwicklung geben, Fort-

schritt der Heiligung." (LD[4] 212f) Und diese geschichtliche Heiligung ist "Tatbekenntnis zu Gottes Verheißung, Zeugnis von der kommenden Vollendung, Bitte um sie" (GE[1] 49). Abgesehen von immer neuem Kämpfenmüssen weiß aber gerade der Christ auch um die paradoxe Dialektik zwischen der Erfüllung des ersten Gebotes und der Erfüllung der anderen, zwischen Rechtfertigung und Heiligung, Glaube und Ethos, Entscheidung und Entwicklung: Im ethischen Fortschritt erstarkt oft der alte Mensch und in der Erfüllung der anderen Gebote übertritt er in religiöser Selbstsicherheit das erste Gebot (LD[4] 213).

So ist das Christentum zwar auch Entwicklung, aber kein Prozeß oder organisches Werden in die Ewigkeit hinein, denn "kein christliches Reifen tötet den alten Menschen unwiderruflich, er bleibt nicht nur in irgendeinem Außenbezirke unseres persönlichen Seins, sondern an seiner Wurzel lebendig und kann von da aus mit der Ur-Sünde alles vergiften" (LD[4] 215). Kein noch so langes Purgatorium würde etwas an meiner nicht durch sittliche Verfehlung entstandenen, sondern als rätselhafte metaethische Notwendigkeit mit mir geborenen und deshalb in sittlicher Entwicklung unüberwindbaren Ursünde ändern. "Daher warten wir nicht auf ein Fegefeuer, sondern auf den Tod, der unserem natürlichen Lebenswillen, dem 'Fleisch', 'gewaltsam' ein Ende macht und uns in die Freiheit führt – durch Gottes schöpferische Gewalt." (LD[3] 232) Wir müssen unsere Zeit nützen zum Wachsen in die Vollkommenheit hinein, und doch besteht diese Vollkommenheit letztlich nicht in der Vollendung der sittlichen Persönlichkeit, sondern in der Gründlichkeit der schmerzlichen Erkenntnis über uns selbst und im Verlangen nach dem Tod, in dem Gottes Willen mit mir im Gnadengeschenk göttlichen Lebens zum Ziele kommt.

"Es gilt beides: die Zeit zu danken und auszukaufen, die Gott uns für die Heiligung gab, und doch zu wissen, daß die entscheidende Geschichte mit Gott keine Zeit braucht, sondern 'in einem Augenblick' ganz geschieht, daß darum die Zeitdauer der Heiligung nicht entscheidend ist und keiner Verlängerung ins Jenseits hinein bedarf." (LD[4] 220)

Versteht man unter Purgatorium die bittere Erkenntnis all unserer Versäumnisse und Sünden und das Geschenk der radikalen Absage an sie, so ist es auch nach Althaus "unerläßlich....Es kann 'in einem Augenblick' und ebensowohl diesseits des Todes wie jenseits geschehen" (LD[4] 218). Jede andere Form des Purgatoriums widerspricht der Rechtfertigung; die beiden schließen sich gegenseitig aus, da das Fegfeuer eine Manipulation der Freiheit des lebendigen Gottes durch eine sittliche Weltordnung ist. "Es

ist der eine und selbe Gott, der Gott der Rechtfertigung, der nicht unsere 'organische' moralische Entsündigung – gesetzt, sie sei möglich –, unsere Würdigkeit für den Himmel abwartet, sondern unsere Fesseln mit könig-
licher Freiheit durchbricht, wann er will." (LD^4 222) Luthers Ablehnung
des Fegfeuers, in der Althaus eine Absage an den Moralismus der kirchlichen Tradition sah, bestärkte ihn in seiner Ansicht.

Zurecht sagt Althaus: "Alles entscheidet sich hier am Verständnis der
Sünde."[159] Wenn man an der Radikalität der Erbsünde als im irdischen Leben ständig bleibender Personsünde festhält und wenn deshalb eine Vergebung der Ursünde und eine Änderung des schon Gerechtfertigten bis in dessen Sein nicht möglich sind, so ist Althaus' Lehre richtig und konsequent.
Unter der Voraussetzung des 'simul iustus et peccator' kann nämlich das
Urteil Gottes entweder nur auf des Menschen eigene innere Sündhaftigkeit
fallen und ihn verdammen oder auf die dem Menschen äußerliche und ihm an-
gerechnete vollkommene Gerechtigkeit Christi und ihn sofort, ohne Verzug,
in die volle Seligkeit führen. Wenn jedoch dem Gerechtfertigten jetzt
schon durch Gottes Vergebung die Gnade und Gerechtigkeit zu eigen werden,
dann bedeutet Purgatorium etwas ganz anderes. Ist diese unsere eigene,
zwar transzendental von der vollkommenen Gerechtigkeit Christi stets ganz
abhängige Gerechtigkeit der Grund unseres Gerechtfertigtseins, so ist unsere Gerechtigkeit eine begrenzte und unvollkommene und noch der Läuterung
bedürftige. Die durch Christus heraufgeführte eschatologische Grundstruktur des Ganzen prägt auch den Bereich des Individuellen als dessen inte-
gralen Teil: "Die durch endgültige Entschiedenheit geprägte eschatologische Situation des gläubigen Daseins erfaßt in ihrer Universalität auch
die Existenz der Toten, die als Teil der Welt – ähnlich wie die Gemeinde
selbst – ob ihrer durch Sünde bestimmten konkupiszenten Verfaßtheit nur
allmählich und inmitten von Bedrängnis und Not sich ganz vollenden kann."[160]

Es geht nicht um 'Tod'-Sünde und deren autonom-moralistische Entsündigung und Genugtuung (satisfactio) im Sinne von Selbsterlösung und
Selbstläuterung, sondern um die nach der Vergebung im Menschen verblie-
benen konnaturalen Folgen der Sünde, um 'Sündenstrafen' und deren Ausleiden (satispassio), nicht um Erbsünde, sondern um deren Folge, die Kon-
kupiszenz. Die Verletzung der personalen Ganzheit des Menschen durch die
Sünde wird durch die Vergebung der Schuld nicht gleich aufgehoben, denn
die Wandlung des innersten Personkerns tut noch nicht alle Erstarrungen,

Krusten und Rückstände der früheren Individualgeschichte ab. Es bleiben die sogenannten 'zeitlichen Sündenstrafen' als die "durch Schuld bedingten Wirklichkeiten unseres eigenen geschichtlich sich formenden Daseins, die, der Schuld entsprungen, diese überleben und deren gerechtes Gericht sind"[161] und nur als erlittene und durchgestandene eliminiert, bzw. in das 'Vollmaß des Alters Christ' (Eph 4,13) integriert werden.

Es geht also nicht darum, einen metaethischen Tatbestand ethisch abbauen zu wollen. Gottes königliche Macht wird nicht moralistisch untergraben, sondern sie ist so mächtig, daß sie durch Vergebung der Erbsünde in der Taufe den Sünder seinsmäßig geändert hat und in ihm die Herrlichkeit antizipiert. Diese Herrlichkeit in ihrer Fülle tritt freilich nur durch den Bruch mit der sündigen Welt und den Folgen der Sünde ein, d.h. mit dem Ausleiden der Sündenstrafen. Weil der Tod im katholischen Verständnis nicht die Auflösung der Paradoxie 'simul iustus et peccator' ist, ist der Fegfeuergedanke kein Moralismus, sondern eine Folge des Übergreifens des bereits eingetretenen Sieges Christi auf alle Wirklichkeitsdimensionen des Menschen, auch auf die Randdimensionen, also ein unter 'willkommenen' Schmerzen geschehendes Ausmerzen alles dessen, was an den alten Menschen erinnert und Gottes völlige Herrschaft hemmt, eine "Reinigung...,die das Werk Gottes in den wahrhaft geretteten Seelen vollendet"[162]. Das Purgatorium ist deshalb eher auf die Zukunft der vollendeten Gemeinschaft mit Gott in der Gemeinde der Heiligen hin zu sehen als von der Vergangenheit her als Strafvollzug in Hinblick auf die Vergehen der Vergangenheit. Der Fegfeuergedanke entspringt keineswegs der individualistischen Forderung einer autonomen Selbst-Entsündigung, sondern - gerade gegenteilig - der Tatsache, daß auch die verstorbenen Auserwählten in die wesentliche Gemeinschaft und Geschichtlichkeit des Menschseins miteinbezogen bleiben.[163] Althaus weist eine katholische Erbsündenlehre zurück, die sich aus seinen eigenen systematischen Voraussetzungen und dem Mißverständnis der katholischen Position ergibt und zurecht abzulehnen ist. Weil im dogmatischen Unterbau die Freiheit und Mitverantwortung des Menschen im Heilswerk von der Sicht des in der Soteriologie alleinwirksamen Gottes her ablehnt, muß er es auch hier tun und notgedrungen im Purgatorium einen Angriff auf Gottes Gottheit sehen.

Althaus' Kritik des Fegfeuergedankens betrifft zurecht allen idealistischen, evolutionistischen oder anthroposophischen Fortschrittsglauben,

der nicht ernst macht mit der Sünde und der einzigen Möglichkeit ihrer
Aufhebung durch Gottes Vergebung, mit der Unwiederholbarkeit des menschlichen Lebens und mit der Unwiderruflichkeit des im Tode erreichten End-
standes. Jedoch der Purgatoriumsgedanke nimmt dem menschlichen Leben nicht
den vollen Entscheidungsgehalt für die Ewigkeit, "weil damit nicht eine
Verlängerung des Pilgerstandes mit der Möglichkeit kontradiktorischer Wendung (Bekehrung) gegeben ist, vielmehr ist diese Läuterung ohne zeitliche
Komponenten als fällige und fehlende Verdeutlichung und Aktualisierung
der im Pilgerstand schon gefallenen Entscheidung zu betrachten"[164]. Althaus' Kritik gilt auch, wir gestehen es, der Haltung und tatsächlichen
Einstellung vieler Katholiken zum Verdienst- und Abbüßgedanken und deren
Vorstellung des Fegfeuers und so manchen teils moralistisch verfälschten
traditionell kirchlichen Praktiken. Nicht zuletzt trifft seine Kritik zurecht eine bis heute selbst durch die Amtskirche andauernde äußerst miß-
verständliche Gepflogenheit, quantitative Angaben über Sündenstrafen und
deren Nachlaß und dgl. zu machen und durch die Terminologie 'Fegfeuer'[165]
und durch zu große Ausmalung in der Katechese der Vorstellung der Ähnlichkeit zum Höllen-'feuer' Vorschub zu leisten, als ob das Fegfeuer 'Hölle
auf Zeit' und nicht 'Vorhimmel' wäre. Eine rückläufige, weil vorsichtige-
re Entwicklung in den Aussagen über das Wie des Purgatoriums ist deshalb
nur zu begrüßen, denn aller theologische Schwulst und bloße fromme Phantasie machen das Daß selbst unglaubwürdig. Es muß deutlich herausgestellt
werden, daß jegliche zeitliche Angabe (wenn sie nicht überhaupt besser
ersatzlos abgeschafft werden soll!) zunächst eine "Hilfsvorstellung" ist,
die uns erst die Möglichkeit gibt, das Dahinterstehende in einer uns erfahrbaren Weise einsichtig zu machen, wobei offen bleibt, ob der Reini-
gungsvorgang nicht ganz anders verläuft, "außerhalb unseres Zeitschemas
und unserer Geschichtsvorstellungen"[166].

Althaus bleibt nicht beim reinen Anti-Eudämonismus einer Pflichtethik
stehen, die nichts von Gottes Lohnen weiß, sondern er hält an dem Lohnge-
danken fest und verkündigt ihn als Trost für die Angefochtenen und Ver-
zagten. "Es lohnt sich, Gott zu gehorchen, aber eben einfältig zu gehorchen. Der Gehorsam aus Strafangst oder Lohnsucht gilt vor ihm nicht."[167]
Wo der katholischen Praxis diese 'Einfalt' des Gehorsams fehlt, m.a.W.
wo die geschaffene Gnade vom Menschen in den Griff bekommen werden will
und nicht mehr in ihrer ständigen völligen Abhängigkeit von der ungeschaf-

fenen Gnade geglaubt, erhofft und selbstlos geliebt wird, ist Althaus'
Kritik fürwahr zu Herzen zu nehmen. Doch es ist ein in der systematischen
Grunddifferenz liegendes Mißverständnis, in der katholischen Lehre vom
Verdienst, von der Sühne und vom Purgatorium "römisch-katholischen Eudä-
monismus"[168] zu sehen, denn es geht nicht um eigenmächtige sittliche Ver-
vollkommnung, die mit Lohnanspruch auftritt, sondern um das durch die
Immanenz der Gnade die Freiheit und die Verantwortung des Menschen mit in
Anspruch nehmende, wachsende christliche Leben, das – in völliger Abhängigkeit von der Huld Gottes und hier auf Erden in ständiger Möglichkeit des
Scheiterns und des Abfalls – alle Wirklichkeitsdimensionen immer mehr
durchdringt, denn der Christ muß sein Christsein (früher oder später) müh-
sam einholen, damit wirklich das ewige Leben der volle Ertrag der Zeit
sei.

Einmal abgesehen vom verschiedenen Verständnis des Todes und des Gerichtes, pflichten wir folgendem Satz Althaus' bei, insofern als das Zentrale des Läuterungsgedankens die Begegnung mit Gott herausgestellt wird:
"In dem Erleiden der bitteren Schmerzen des Gerichtes Gottes geschieht
bei denen, die es im Glauben an die Liebe Gottes durchleben, die letzte
volle Absage an ihre Sünde. In diesem Sinne ist das Gericht Gottes in der
Tat 'Purgatorium'." (CW 667) Hier, in der Begegnung des Menschen mit Gott,
ergibt sich der berechtigte und notwendige gemeinsame Grund zwischen Althaus' Position und unserer Ansicht, die eine Annäherung erhoffen, bzw.
eine Nähe bereits sehen läßt. Auch katholischerseits wird immer mehr gefordert: "Deutlich muß der Zusammenhang der purgatio mit der Gottesbegeg-
nung – und zwar besonders mit dem Herrn des Gerichts – hergestellt werden."[169] H.U.v.Balthasar hat schon vor geraumer Zeit erkannt: "Gelingt es
so, das sogenannte 'Fegfeuer' als eine Dimension des Gerichts als der Begegnung des Sünders mit dem 'Flammenblick' und 'Feuerguß' Christi (Apok.
1,14 = Dan.10,6) verständlich zu machen, so dürfte auch für das ökumenische Gespräch vieles gewonnen sein."[170]

cc) Gebet für die Toten

Althaus' Einstellung zum Gebet für die Toten hängt unmittelbar mit seiner Lehre über das Fegfeuer zusammen. Er weiß, daß das Recht der Fürbitte
für die Toten auf evangelischem Boden alles andere als selbstverständlich
sei und ernster Erwägung bedürfe. Da die an Christus Glaubenden durch den
Tod unmittelbar zu ihm gehen und vollendet sind, bedarf es keiner Ent-

wicklung mehr. Althaus weiß jedoch, daß es einen neben allem einfachen Gottvertrauen auch zur Fürbitte drängt, wenn man glauben darf, daß Gott die ihm noch Unerschlossenen vor eine Entscheidung jenseits dieses Lebens stellt.

"Zur Zurückhaltung und Bescheidung in der Fürbitte für Abgerufene mahnt jedoch die demütige Scheu des Geheimnisses, das über der Welt der Ewigkeit liegt. Der gewiesene Ort alles unseres Handelns, zu dem die Fürbitte gehört, ist die Geschichte. Gottes Handeln mit den Dahingegangenen bleibt jenseits unseres Vorstellens und Denkens. Es fehlt uns der Einblick in die Bedingungen ihres Lebens, dessen die Liebe bedarf, um ernsthaft und dauernd bitten zu können", weshalb sich die Fürbitte wandeln wird zu einem "treuen Gedenken, das ihn in Gottes Hände befiehlt und in der Anbetung Gottes zur Ruhe kommt"[171].

Ist aber die angebliche Notwendigkeit dieser Erkenntnis nicht erst recht eine Rationalisierung des Geheimnisses? - In der Daogmatik CW hält Althaus das Gedenken an die Abgerufenen und die Fürbitte für sie für "selbstverständlich", aber da sie keine Geschichte mehr haben, jedenfalls wir nicht mehr um sie wissen, "wird die Fürbitte hier nur die Gestalt haben können, daß wir die Abgerufenen der Treue und Barmherzigkeit Gottes befehlen" (CW 673). Deshalb hat durch die Abschaffung der Meßfeier und des Fegfeuers in der Reformation die Totenfeier aufgehört, wie im Katholizismus ein Handeln für die Toten zu sein, das auf deren jenseitiges Geschick Einfluß hätte, und das dankbare Bekenntnis zur Auferstehung trat wieder in den Vordergrund.

Damit ist sehr Richtiges gesehen, aber etwas Wesentliches zugleich vernachlässigt: der soziale Aspekt unseres Christseins, die Gemeinschaft der Gläubigen, die auch durch den Tod nicht zerrissen wird, sondern sich hier neu bewähren muß. Das Gebet für die Toten ist der Auftrag, sie in das christliche Für- und Miteinander einzubeziehen, da wir alle Teile des Corpus Christi Mysticum sind und zueinander im Verhältnis von Stellvertretung und Mitverantwortung stehen. In der Beseitigung des Purgatoriums hat sich letztlich wieder der geheime individualistische Zug der protestantischen Rechtfertigungslehre gezeigt, denn Fegfeuer besagt, daß wie der Lebende nicht isoliert sein privates Heil wirkt, so auch der Verstorbene nicht aus der Gemeinschaft des Heils herausfällt; Y.Congar sieht gerade darin den Sinn des Fegfeuers:

"Wenn das Dogma vom Fegfeuer einen Sinn hat, so ist dieser Sinn ein sozialer. Er meint, daß die Seelen ihr Geschick nicht einsam für sich allein erfüllen, sondern in enger Verbundenheit mit dem ganzen Leib Christi, unterstützt durch die Fürbitte der Gläubigen und Heiligen".[172]

Auch Althaus kennt einen 'Schatz der Kirche', zwar nicht als Verdienste
der Heiligen, sondern als deren Glaubenskampf, der als Erbsegen, als Kraft
zum Ringen und Glauben auf die Nachfahren kommt[173], aber er dringt nicht
durch zur Gemeinschaft der Gläubigen, die als Kirche hier auf Erden schon
endgültig Anteil hat am Pleroma Christi und in demutsvoller Unterwerfung
unter Gott den Bedürftigen das Geschenk, aus dem sie selbst lebt, weiter-
schenken darf.

6. Das ewige Leben

a) Beziehung zwischen gegenwärtigem Leben und ewigem Leben

Wie bereits das gemeinsame Wort 'Leben' andeutet, besteht zwischen beiden eine Gleichartigkeit – als Gegensatz zum Sterben und Totsein. "'Leben' – niemand lernt begreifen, was 'ewiges Leben' ist, der nicht zuerst
dieses unser leibliches, irdisches Leben als Gabe Gottes erfaßt hätte....
Damit erhält dieses Leben mit seinen Gütern die Würde des Gleichnisses,
mag das Gleichnis noch so unzulänglich sein."[174] Weil beide Gestalten des
Lebens Gabe Gottes an den Menschen sind, besteht zwischen ihnen "ein Zusammenhang wie von Vorläufigkeit und Vollendetheit, Verheißung und Erfüllung, Gleichnis und Wesen, Schatten und Urbild"[175]. Die Gleichnisspra-
che des Neuen Testaments über das ewige Leben ist legitim als Zeugnis dafür, daß das ewige Leben Erfüllung alles in diesem Leben wirklich Erstreb-
baren und positiv Erfahrenen sein wird. "An aller irdischen Schönheit,Er-
habenheit, Unendlichkeit, die uns das Herz hinreißt, dürfen wir etwas vorahnen von Gottes ewigem Land und seiner unaussprechlichen Herrlichkeit."[176]
Der volle Sinngehalt des Ersehnten, z.B. Freiheit, Wahrheit, sprengt jedoch das Gefäß irdischen Lebens, da er zugleich und im Grunde Transzendentes, also seiner Fülle nach Eschatologisches besagt. Dieser Unterschied
der beiden Lebensarten, der im Wort 'ewig' ausgedrückt ist, ist mehr als
Zeitbestimmung: die todlose Dauer weist auf das Leben ohne äußere und innere Grenze des Todes, auf das 'ganz andere' Leben jenseits des Todes nach
Art der Ewigkeit Gottes, das dem Abbruch des jetzigen folgt.

Das ewige Leben folgt jedoch nicht nur dem jetzigen, sondern es ist im
Glauben an Christus und der darin gegebenen Gemeinschaft mit Gott schon gegenwärtig, wie es besonders Johannes betont. Auch das ewige Leben ist also
axiologisch (gegenwärtig) und teleologisch (zukünftig) zu verstehen (LD[1]
126;LD[3] 239). Aber weil der Christ das ewige Leben hier nur paradox, nur

im Zuspruch Christi an ihn, den Sünder und im Glauben an diesen Zuspruch
hat, überall die Schranken seines Christseins schmerzlich spürend, ist
der futurische Gebrauch entscheidend. Ebenso steht die zum ewigen Leben
gehörende Seligkeit hier unter dem Gesetz der theologia crucis. Die Grenze dieser Seligkeit des Christen rührt daher, "daß er nirgends nur Gottes,
sondern überall auch des Satans inne wird (....) und daß er, der in der
Versöhnung mit Gott Geeinte, zugleich immerdar wider ihn bleibt", und sie
weist ob dieser ihrer Paradoxität "über sich hinaus auf die ewige Seligkeit als ihre Vollendung"[177].

b) Das ewige Leben seinem Inhalt nach

Das künftige Leben ist noch Geheimnis. "Aber weil wir ihn (= Jesus
Christus) kennen und weil wir aus diesem unseren Leben, das seine Schöpfung ist, etwas von seinen Gedanken mit uns wissen und an Jesus Christus
sehen, worauf er mit uns hinaus will, darum können wir über das Leben aus
dem Tode doch einiges schon hier auf Erden sagen."[178]

Ewiges Leben ist "die vollendete Gemeinschaft mit Gott" (GD[5] 270f).
"Teilhabe an Christi durch seine Auferstehung ihm zuteil gewordenen Leben
der Herrlichkeit und Seligkeit....Leben bei Christus....zugleich: Leben
bei dem Vater, gleich ihm, in der vollen Erkenntnis seiner Liebe (1 Kor
13,12), in der vollen Hingabe an sie, im völligen Einssein mit seinem Willen, also in der endlichen Freiheit vom Gesetz der Sünde und des Todes"[179],
Hineinnahme "in sein dreifaltiges Leben, in sein ewiges Gegenüber zu sich
selbst, in seine Liebesbewegung" (LD[4] 308), "ungebrochenes Atmen allein in
der Liebe Gottes, im Empfangen und sich Hingeben" (CW 663). Es hat teil an
der Ganzheit, Ungebrochenheit und Schönheit Gottes. Es vollendet das
menschliche Wirken durch Teilhabe am Geheimnis von Gottes nimmer ruhendem
Liebeswerk, das ein Wirken ohne Widerstand und Arbeit ist (LD[3] 249;LD[4] 323).
Aus der vollendeten Liebesgemeinschaft mit Gott ergibt sich die vollendete, von allen inneren (Selbstsucht) und äußeren (Distanz in Raum und Zeit)
Hemmungen befreite Liebesgemeinschaft des Volkes Gottes, der Menschen miteinander, ohne die Mannigfaltigkeit in der Einheit zu unterdrücken.[180]
Eine individualistische Seligkeit ist christlich unmöglich. Gott, der uns
die Sehnsucht nach Gemeinschaft gegeben hat, wird sie auch erfüllen; er
wird auch die natürlichen irdischen Verbundenheiten vollenden.

"Wie er hier auf Erden nicht ein Schöpfer bloßer Innerlichkeit ist, so
wird er es auch in Ewigkeit nicht sein."[181] Das ewige Leben wird also leib-

liches Leben sein, denn Gott bekennt sich als Schöpfer und Erlöser zur
Leiblichkeit;es ist aber vor allem und für immer persönliches Leben. Das
im Schöpfertum der Gottheit Gottes begründete 'Gegenüber' zu Gott bleibt
auch in der Vollendung. "Die Liebe überwindet die Distanz des Ich und Du,
ohne doch das Fürsichsein des Ich wie des Du aufzuheben." (LD[1] 143 = LD[3]
267 = LD[4] 310) Auch und gerade als in der Communio Sanctorum Vollendete
bleiben wir individuelle Personen, denn gerade die Schöpfung persönlicher Geister ist die höchste und dauernde Gestalt der Liebe Gottes.[182]
So ergeht auch hier noch einmal Althaus' vehementer Protest gegen Mystik
und Pantheismus jeglicher Prägung. Das ewige Gegenüber von Ich und Du
in der Liebe im dreifaltigen Gott selbst ist der tiefste Grund der Ablehnung jedes mystisch-idealistisch-pantheistischen Zukunftsbildes. Die Ent-
persönlichung im Einswerden des Ich mit Gott, d.h. die Ersetzung der communio durch die unio, und die rein präsentische Auffassung des ewigen Lebens werden scharf abgelehnt, denn kein mystisches Sterben und keine Wiedergeburt zur Geistigkeit nehmen die Schuld weg.

Als "Zustand der vollkommenen Lebenserfüllung, wie er im Gefühl der
Freude, des Friedens, der Lust zum Bewußtsein kommt", ist das ewige Leben 'Seligkeit'[183]. In dieser quantitativ und qualitativ höchsten Freude
und Befriedigung erreicht der Mensch seine schöpfungsmäßige Bestimmung,
denn Gott will den Menschen froh machen. Die Seligkeit ist begründet in
der Erfahrung der Liebe Gottes, der Hingabe an seinen Willen und der Gewißheit seiner Herrschaft, also ganz in Gott. Deshalb darf diese völlige
Freude nicht eudämonistisch erstrebt werden, denn "echte Religion weiß:
die Seligkeit ist immer nur gleichsam auf der Hinterseite der Hingabe an
Gott da....Sie ist Gabe, niemals Ziel"[184]. Aufgrund des Zusammenhanges
von Geschichte und Ewigkeit gibt es trotz und innerhalb der großen Gleichheit aller Geretteten ob der einen und selben Gabe Gottes eine Besonde-
rung und Stufung der Seligkeit.

Der ab LD[3] stärker betonte Zusammenhang von Geschichte und Ewigkeit
bereitet Althaus im "gedanklich unlösbaren Problem der Seligkeit geretteter Sünder" (LD[3] 243 = LD[4] 317) erhebliche Schwierigkeiten. Die Ewigkeit als im doppelten Sinne zu verstehende 'Aufhebung' der Geschichte
trägt zwar zu unserer Seligkeit bei, da sie Gottes vergebende Liebe
schauen läßt, aber "kann da ganze Seligkeit herrschen, wo die Narben der
Schuld immer noch ·fühlbar sind?...heißt das nicht zugleich..., daß von der

Geschichte die Seligkeit der Erlösten zwar ihre Tiefe, aber zugleich ihre Grenze empfängt?" (LD^3 240f = LD^4 314). Althaus sieht in dieser schwierigen Frage einen Sonderfall der Grundantinomie unseres Gottesverhältnisses, der schöpferisch-alleinwirksamen göttlichen Liebesallmacht und der menschlichen Verantwortung, die sich widereinander spannen und doch gegenseitig fordern. Aus einer doppelten Sicht des Verhältnisses von Schuld und Gnade versucht er, eine Antwort zu geben: einerseits ist Gottes rechtfertigende Gnade Antwort auf die Sünde, andererseits erstes und eigenes Ziel Gottes, dem die Sünde zur vollen Offenbarung seiner Liebe dient. Er weist so eine hamartiologische Schau der Welt zurück, er entgeht allerdings vom zweiten - beherrschenden - Gesichtspunkt her selbst nicht der Gefahr, die Sünde 'einzuordnen', wenn er z.B. sagt, daß die Sünde "insofern auf die Offenbarung der Gnade Gottes gesetzt" (LD^3 242 = LD^4 315f) sei, und in der Überbetonung der Transzendenz Gottes die dialogale Freiheit zwischen Gott und Mensch zu verkürzen. Er weiß um diese Gefahr, denn der Satz, daß die Vollendeten auch für das Festhalten in der Sünde für die Gnade Gott einmal danken könnten, ist ihm "Verletzung der Grenze" menschlich erlaubten Redens, wenn nicht zugleich die Sünde als "echte Schuld, um die man niemals danken kann, um die man auch in der Seligkeit Schmerz trägt" (LD^3 242f = LD^4 316), betont wird. Er lehnt jede Theorie darüber ab, aber er spricht von der hoffenden Ahnung, "daß der Tag kommt, an dem auch der Schmerz um die Schuld in die Enderkenntnis 'von ihm, durch ihn, zu ihm sind alle Dinge' untergehen darf" (LD^3 243 = LD^4 316).

Obwohl die Eschatologie das Lebensanliegen Althaus' ist, schreibt er nicht viel über das ewige Leben selbst. Es ist eine wohltuende, alle 'Himmelsphysik' verurteilende, sich auf das wesentlich Religiöse beschränkende Reduktion, und was er sagt, zeugt von klugem Maßhalten, von Prägung durch die Heilige Schrift, von tiefem Glauben und Vertrauen, von Leben und Wärme. Es ist die ehrfurchtsvolle Artikulation dessen, was die paradoxe Herrlichkeit und Seligkeit des Glaubens - als Angeld des Kommenden- uns durch die in Christus offenbar gewordene Liebe ahnen läßt von dem, was kein Auge gesehen und kein Ohr gehört hat. Althaus braucht aber auch aufgrund seiner Schöpfungstheologie den Weg des Gleichnisses und Symbols in rechtem Maße nicht zu scheuen. Er hält an der vermittelnden Aufgabe Jesu Christi auch für die Ewigkeit fest, freilich - dies dürfte nach allem bisher Gesagten klar sein - ist u.E. diese vermittelnde Rolle Jesu Christi

zu wenig inkarnatorisch, d.h. die verklärte Menschheit Jesu kommt in ihrer
auch ursächlichen Bedeutung zu kurz.

Althaus' überzeugend dargelegte Sicht des christlichen Personalismus
entspricht den Grundmotiven seines Denkens, es enthält freilich auch die
des öfteren erwähnten 'personalistischen Überschüsse'. Auch die Antwort
auf das 'Problem geretteter Sünder' ist tief religiös; es ist jedoch zu
sagen, daß die vergebende Liebe Gottes noch stärker als eine die Schuld
vergessende, positive, verschwenderische Liebe zu sehen ist, damit die
Sünde nicht der höheren Teleologie der Ehre Gottes eingeordnet werde. Die
gegenwärtige Seligkeit ist auch nach unserer Auffassung eine Seligkeit
nur im Glauben, also unter dem Zeichen des Kreuzes, doch ihr unmittelba-
res ontologisches Fundament ist nicht die fremde Gerechtigkeit Christi,
sondern das in der Gnade zueigen gewordene inchoative ewige Leben, das
freilich Folge und ständiger 'Ausfluß' der Gegenwart der göttlichen Personen selbst ist. Althaus' Kritik am katholischen Begriff des Heils als
physischem Seinskontakt mit Gott (vgl.CW 231.281) hängt mit seinem (Miß-)
Verständnis der Substanzontologie und seiner Ablehnung der Analogia entis
zusammen.

c) Das ewige Leben seiner Form nach

aa) Das 'Formproblem' des ewigen Lebens

"Gott steht jenseits unserer Zeit. Wir leben im Auseinander von Vergangenheit und Zukunft, wir haben keine Gegenwart, stehen unter dem 'nicht
mehr' der Vergangenheit, dem 'noch nicht' der Zukunft, haben kein Sein,
sondern nur ein Werden und Vergehen – Gott aber 'ist', Vergangenheit und
Zukunft sind ihm seine eigene Gegenwart." (CW 276) Daher entsteht für uns
das schwierige 'Formproblem des Ewigen Lebens' [185], denn dieses Leben hat
neben dem transzendenten Inhalt auch "eine den formellen Bedingungen des
irdisch-geschichtlichen Daseins gegenüber transzendente Daseinsform" (LD[4]
317). Wir kennen nur zeitliches Werden und können die Schranken unseres
an die Gesetze des geschichtlichen Lebens gebundenen Daseins nicht übersteigen; dies wäre jedoch zum adäquaten Erfassen der Ewigkeit nötig.

Althaus betont – in starker Abhängigkeit vom 19.Jahrhundert – die Notwendigkeit eines ständigen Zieles für das sittliche Leben. Ein Zustand
der Vollendung und einer nicht zu steigernden Seligkeit seien deshalb unvorstellbar, weil kein 'Leben' mehr. Andererseits aber wird die Möglichkeit von Fortschritt und Entwicklung der Vollkommenheit des ewigen Lebens

nicht gerecht. Ein philosophisch-eleatischer Ewigkeitsbegriff (bewegungs-
loses Sein) bleibt durch die Abstraktion von Werden und Geschehen, dem
Charakteristikum der Zeitform, im Banne dieser Zeitform und ist deshalb
ebenso unbrauchbar wie der naive Ewigkeitsbegriff (endlose Dauer der Zeit).
Richtig folgert Althaus: "die Unveränderlichkeit Gottes ist etwas anderes
als die Starrheit unbeweglichen Seins"; und er beschreibt Gottes Leben in
einer für unser irdisches Denken gegensätzlichen Doppelaussage: "Wirken
und Feier, Wollen und am Ziele sein" (LD^3 ^{246}). So versucht er auch des
Menschen Ewigkeit antonomisch als das "Jenseits der Zeitlichkeit" im Sinne des " Jenseits des Gegensatzes von Werden und Sein", als "Nicht-mehr-
werden und Werden, Ruhe und Tat in einem" (LD^1 130f = LD^3 246 = LD^4 319f)
zu erfassen. Er sagt bewußt 'Jenseits der Zeit', um sich von neuplatoni-
scher 'Zeitlosigkeit' abzuheben. Er weiß um die Unvorstellbarkeit dieser
Antinomie, aber er meint, die Widersprüchlichkeit ergebe sich nur für unser zeitlich-irdisches Denken.

Althaus bringt ab LD^3 eine wichtige Ergänzung, die über die sehr for-
maldialektischen Überlegungen von LD^1 hinausgeht. Gottes Lebensbewegung
kommt nicht aus Unvollkommenheit, sondern aus unendlichem Schöpferreich-
tum, aus der Überschwenglichkeit der Liebe, die ruht, indem sie schafft,
die sich behauptet, indem sie sich hinschenkt. Durch die gnädige Teilhabe des Glaubenden am Geheimnis dieser Liebe ahnen wir etwas von der Form
des ewigen Lebens: die irdische Liebe ist Beginn und Abbild eines heiligen Erkenntnisdranges, der nicht aus der eigenen Armut, sondern ganz aus
dem Reichtum und der Tiefe des anderen stammt, und eines Dienstes, der
nicht nur das Not-wendige und Pflicht-gemäße, sondern in schöpferischer
Unberechenbarkeit das Überschwengliche gibt. Die Vollendung und die volle
Wirklichkeit dieses nicht aus der Not stammenden Liebesaustausches ist
Gottes und des Menschen gegenseitige Liebe im Leben der Ewigkeit.(LD^3 247f;
LD^4 321f) Der Liebe mangelt es auch dann nicht an Gelegenheit zur Tat,
denn "sie ist nicht mit der Unvollkommenheit des Irdischen verschwistert"
(LD^3 249 = LD^4 322), ebenso wie die Erkenntnis sich von Klarheit zu Klar-
heit bewegen kann. "Nicht Entwicklung, im Sinne des Fortschreitens, aber
Entfaltung wird die Lebensbewegung der Vollendeten sein....Das Fortschreiten des Werkes bringt dann auch für die Vollendeten 'Bereicherung'" (LD^4
322,n.2).

Althaus' Versuch einer Antwort auf das Formproblem des ewigen Lebens vom

Geheimnis der Liebe her geht u.E.auf den richtigen Spuren. Sie ließe sich
in thomanischen Kategorien der Akt-Potenz-Lehre wiedergeben:

> Unser irdisch-natürliches Leben ist ein ständiger Übergang von Potenz
> in Akt; unser Glaubensleben ist Angeld und Beginn (weil noch in der
> Gestalt dieser Welt) des alle menschliche Not weit überragenden Le-
> bens aus Gott, in dem keine Potentialität ist; unser ewiges Leben
> schließlich ist überschwengliches, nie ausschöpfbares Leben aus Gott,
> dem Actus purus. Die Bewegung von Potenz zu Akt sucht, was sie nicht
> hat; die lebensvolle 'Ruhe' im Actus purus in der Schau Gottes ist
> überschwenglicher Reichtum.

In der ausdrücklichen Zurückweisung des Zeitlosigkeitsbegriffes versucht
Althaus wohl, einen 'volleren', bezüglich der Geschichte positiveren Ewig-
keitsbegriff zu erhalten. Unsere Zeit ist nämlich keine abtrünnige[186];
Gott nimmt die Zeit, unsere Zeitlichkeit und Geschichte ernst.

> "Mit alledem stehen wir freilich vor dem Geheimnis, das höher ist als
> alles menschliche Begreifen: Gott weiß die Zukunft, den Ausgang, schon,
> für ihn ist das Zukünftige, weil er es will und wirkt, gegenwärtig –
> und doch ist die Geschichte nicht Schein, sondern ganz ernst." (CW 277)

Im Gespräch mit H.W.Schmidt, der die Zeit für ein vorformales, sowohl für
vergängliches als auch für ewiges Leben empfängliches Etwas hält, lehnt
es Althaus 1927 noch ab, einen Generalnenner 'Zeit' zu bilden, da das Wesentliche unserer Zeit das Gesetz des Auseinanders sei, ohne zu leugnen,
daß wir "das Werden, also ein Nacheinander auch in die Ewigkeit hineindenken müssen, wenn wir persönliches Leben in der Ewigkeit denken wollen"[187].
1933 gesteht er jedoch, daß es gut sein mag, "die übliche Vorstellung von
der Ewigkeit als Zeitlosigkeit schon terminologisch dadurch zu bekämpfen,
daß wir Zeit und Ewigkeit nicht mehr einander gegenüberstellen, sondern
den Begriff Zeit als Generalnenner nehmen, der sowohl unsere geschichtliche Zeitlichkeit wie die Form der Ewigkeit unter sich befaßt" (LD^4 325).
Dies ändere jedoch nichts daran, daß die "Zeitlichkeit, wie wir sie kennen",
Sterben heißt und unter dem Gesetze der "Verdrängung des 'Heute' durch das
'Morgen' ins 'Gestern'" steht (LD^4 326). In RGG^3 sagt Althaus sogar: "Als
lebendige Bewegung kann das Ewige Leben auch nicht ohne Zeit sein", wenn
diese Zeitlichkeit freilich auch eine andere als unsere irdische ist[188]. –
Aber es bleibt letztlich doch bei einer metaphysisch-formalen und deshalb
zeitlos-verdächtigen 'Integration' der Zeit in die Ewigkeit, indem die
Ewigkeit noch zusehr als "Ursprung" der Zeit, als "'transzendentale Bedingung' unserer Zeitlichkeit" (LD^4 318,n.1) gesehen wird. Eben hier kommt
die religiöse wesentliche, unaufgebbare Beziehung des christlichen Ewigkeitsbegriffes zur Zeit und Geschichte zu kurz und wirkt die philosophische

Zeit-Ewigkeits-Spekulation der Frühperiode nach.[189]

bb) Korrektur in Richtung einer christozentrischen Zeitbestimmung

Wir sind überzeugt, daß Althaus in seiner Theologie nicht genügend zum Tragen brachte, was er selbst aussprach:

> "In der 'Fülle der Zeit' geht er (= Gott) in Jesus Christus in sie ein (Gal 4,4). Er stellt seine Gemeinde in eine Geschichte, die eine Vergangenheit, Gegenwart und Zukunft hat, deren Nacheinander und Auseinander, Vorher und Nachher vor ihm nicht nichtig, sondern höchst wichtig ist. Das Noch-nicht des letzten Tages ist nicht nur unser, sondern auch Gottes 'noch nicht'; das 'schon' der bereits geschehenen Offenbarung nicht nur unser, sondern auch Gottes 'schon'." (CW 277)

Althaus denkt seine Antwort nicht konsequent genug durch, denn sonst hätte er mehr darauf geachtet, daß "Gott uns an dem Geheimnis seiner Liebe Anteil gegeben hat" (LD^3 247 = LD^4 321) nur in einer Geschichte des Heils, die ihren Höhepunkt und ihre Zusammenfassung im geschichtlichen Gottmenschen Jesus Christus gefunden hat, d.h. daß nicht eine transzendentale, sondern die in der Geschichte Jesu geoffenbarte Liebe uns über das Wie der Ewigkeit etwas ahnen läßt, weil sie die in die Vollendung befreite, also aller Schranken bare Liebe Jesu Christi ist, und daß daher der christliche Begriff des ewigen Lebens wesentlich "durch die Anschauung der geschichtlichen Erscheinung Jesu bedingt"[190] ist. Weil der Gottmensch Christus in alle Ewigkeit der Mittler bleibt, weil wir nur durch die 'ökumenische Liebe' Gottes zur Teilhabe an der 'immanenten Liebe' durchstoßen (sofern diese Unterscheidung überhaupt gestattet ist), ist für den Glaubenden alle Zeit (Zeit hier als Generalnenner) christozentrische Zeit. "Darum ist der Sohn, der in der Welt für Gott Zeit hat, der originäre Ort, wo Gott für die Welt Zeit hat. Andere Zeit als im Sohn hat Gott nicht, aber in ihm hat er alle Zeit."[191]

Hier liegt das wesentlich Christliche im Gegensatz zu allen metaphysischen, idealistischen, mythischen und maythischen Zeit-Ewigkeits-Bestimmungen. Unter dieser Voraussetzung erweckt unsere unvermeidlich gegensätzliche Beschreibung des ewigen Lebens nicht mehr den Eindruck einer nur spekulativen dialektischen Paradoxmethode und der methodischen Verwendung des logischen Widerspruchs (vgl.DeD 303f). Nur so ist unser 'Schon' und 'Noch-nicht' auch Gottes, nämlich Christi 'Schon' und 'Noch-nicht' (CW 277), denn die ganze Weltgeschichte hat ihr Zentrum in Christus und sie wartet auf ihre transzendent-immanente Erfüllung im Kyrios. Auch der verherrlichte Christus harrt noch der Fülle seines mystischen Leibes, da-

mit Christus totus werde und Gott alles in allem sei. Für eine solche Ewigkeit besteht keine Schwierigkeit, einen 'Zwischenzustand' einzusehen, ja
sie verlangt geradezu danach - als wie immer zu fassende Spannung zwischen
der Einsetzung Christi in Herrlichkeit und der vollen Ausübung dieser Herrlichkeit als der Christus totus, zwischen der vorläufigen Vollendung des
Einzelnen im Tode und seiner endgültigen Voll-endung in der gesamten von
der Knechtschaft befreiten Communio Sanctorum Diese christologische Ewigkeit gestattet nicht einen unterschiedslosen Zusammenfall in die 'Gleichzeitigkeit' des Jüngsten Tages.

Wie wir im ersten Teil festgestellt haben, haben philosophische Einflüsse Althaus' Zeit-Ewigkeits-Auffassung begünstigt. Jetzt - nach Kenntnis des dogmatischen Unterbaus und dessen Applizierung - müssen wir hin-
zufügen, daß gewisse protestantische Grundprinzipien, so Althaus' Lehre
von der Gottheit Gottes und die damit verbundene Soteriologie, dieser
Sicht entgegengekommen sind und daß andere auch bei Althaus wirksame Strömungen (Schöpfungs- und Offenbarungstheologie) - bei gleichzeitigem Zurücktreten der philosophischen Fremdelemente - diese Prinzipien zwar zu
modifizieren, aber nicht grundsätzlich zu ändern vermochten. Voraussetzung einer echten christozentrischen Zeitauffassung scheint uns die 'Eschatologie der Inkarnation' zu sein, denn nur in ihr können Christus und
Zeit, bzw. Geschichte wirklich zusammengesehen werden, ohne das christologische 'inconfuse....indivise' (DW 302) aufzugeben. "Die Menschwerdung
Gottes in Jesus Christus, kraft deren der ewige Gott und der zeithafte
Mensch in die einzige Person ineinandertreten, ist nichts anderes als die
letzte Konkretwerdung der Zeitmächtigkeit Gottes".[192] Weil Christi Auferstehung das durch keine Zukunft einholbare Geschehen ist, ist die damit
angebrochene Zeit eschatologische Zeit und "die nach diesem Geschehen noch
mögliche Zukunft ist die Zukunft eben dieses Geschehens....Was noch aus-
steht, ist die Herrschafts- und Herrlichkeitsgestalt eben dieses Geschehens und die durch nichts mehr zu gefährdende, vollendete, unverstellte
und ungebrochene Gemeinschaft mit dem, der bereits erschienen ist und der
Inhalt und Grund des christlichen Glaubens und Hoffens ist"[193].

Weil Althaus in seiner Zeit-Ewigkeits-Bestimmung das Antlitz noch zu
sehr der Vergangenheit zugewendet hat, d.h. einer philosophischen Erfassung, die im Grunde nicht offen sein kann für das Neue und die echte Zukunft des biblischen Gottes und somit für die Zukunft des Menschen, die

in Jesus Christus Gott selbst geworden ist, kommt bei ihm zu wenig zum
Ausdruck (es fehlen nicht die Ansätze und Bemühungen dazu!), daß sich Gott
als der zeigt, "der uns in Jesus Christus die Möglichkeit schenkt, Zukunft
zu schaffen, das heißt alles neu zu machen und die sündige Geschichte unserer selbst und aller zu übersteigen", freilich nicht einfach als menschliche Selbsterlösung oder Ergebnis wissenschaftlicher und technologischer
Planung, sondern im Vertrauen auf Gottes endgültige Zusage in Christus,
denn die eschatologische Hoffnung schließt den Glauben ein, "daß der
Christ durch Gottes Rechtfertigung verantwortlich dafür wird, daß das
irdische Geschehen selbst zu einer Heilsgeschichte wird"[194].

Weil Althaus - in der Terminologie Sauters - noch zu sehr dem apophantischen Logos, dem immanenten Deutewort gegebener Welt, der 'Protologie', der
Deutung der Welt innerhalb des Wesens und Gewesenseins verhaftet ist, was
seine Zeit-Ewigkeits-Bestimmung anbelangt, und nicht genügend dem Zukunft
und Eschatologie eröffnenden Verheißungswort ergeben ist[195], würde Althaus in dieser Richtung einer Ergänzung durch die neueren 'Theologien der
Hoffnung' bedürfen, für die durch die Vertiefung ins biblische Denken und
in die neue Kultur eine Akzentverschiebung im Gottesbild eintrat vom 'Im
Anfang war Gott' zum 'Unsere Zukunft ist Gott' - wobei aber Althaus im
Recht ist, wenn er betont, daß Gott der Kommende nur ist und sein kann,
weil er der Gekommene ist (was in manch neuerer Tendenz vergessen zu werden
droht). Gottes Gekommensein, also die Verankerung in der Heilsgegenwart,

und die Offenheit für echte Zukunft Gottes und für wahre Geschichte der
Menschheit sind u.E. nur dann gegeben, wenn die Inkarnation in ihrer ganzen Tiefe ernst genommen ist. Weil und sofern dies in Althaus' 'Eschatologie der Rechtfertigung' nicht der Fall ist, bedarf sein 'Formproblem der
Ewigkeit' einer Korrektur in Richtung einer christozentrischen Zeitbestimmung. Die zwei Extreme des Immanentismus und des Transzendentalismus
(uneschatologische und nureschatologische Theologie) geben die Geschichtsgebundenheit des Glaubens auf und sind deshalb nicht imstande, das Zeit-
Ewigkeits-Problem im neuen, spezifisch christlichen Sinne zu lösen. Ihre
Voraussetzungen verhindern eine christologische Bestimmung der Zeit. So -
weit Althaus, der über das Dilemma dieser beiden Wege hinauskommen wollte,
selbst an deren Voraussetzungen gebunden bleibt, ist auch seine Antwort
mangelhaft geblieben.

4. Kapitel: Die universalgeschichtliche Dimension der Eschatologie
Fragestellung

Auch Althaus spürte unter dem Druck des modernen Denkens die ganze
Schwere der Frage: "Gehört die universale....mit dem Weltende verknüpfte
Erwartung Jesu und des Urchristentums vielleicht zu der zeitgebundenen Gestalt des urchristlichen Glaubens, die für uns vergangen ist?" (CW 674)
Die Nichterfüllung der Naherwartung, die Hoffnung auf das Leben bei Christus gleich jenseits des Todes neben der Erwartung des Jüngsten Tages
und die präsentische Auffassung der letzten Dinge scheinen auch bibli-
scherweits gegen die Universaleschatologie zu sprechen. Gegen alle Tendenzen, die die universale Hoffnung völlig säkularisierten, individuali-
sierten, verinnerlichten, ihres futurischen Zuges beraubten oder sonst
irgendwie abschwächten, hat Althaus jedoch sein ganzes Leben lang Einspruch erhoben, so gegen die liberale Kultureschatologie der eschatologischen Schule (A.Schweitzer, F.Buri, M.Werner), gegen die Jenseitseschatologie verschiedener Prägung (K.Barth, H.Grass), gegen idealistische Spiritualisierung und Personalisierung (E.Hirsch, W.Herrmann, A.Ritschl),
gegen die aktualistische Existentialtheologie (R.Bultmann, F.Gogarten).
Eine andere Frage ist freilich, ob es Althaus mit seinen Voraussetzungen
und der von ihm verwendeten Begrifflichkeit gelungen ist, Individual- und
Universaleschatologie ins rechte Verhältnis zueinander zu setzen. Wir muß-
ten in Althaus' Frühperiode eine individualistische Engführung feststellen; wir werden darauf achten müssen, wieweit Althaus imstande ist, nach
seiner Abwendung von der ungeschichtlichen Pseudomorphose und nach stärkerer Betonung eines gemeinsamen nachgeschichtlichen Endes die Geschichte
in ihrem universalen Menschheits-Aspekt zur richtigen Geltung zu bringen.

Zu allererst ist festzuhalten, daß es Althaus (und uns) in der Frage
nach der universalgeschichtlichen Dimension der Eschatologie nicht um eine
Frage der Naturwissenschaft oder der Geschichtsphilosophie, sondern der
Theologie geht. Wenn auch die früher selbstverständlich behauptete Unendlichkeit des Kosmos heute problematisch geworden ist, so wäre ein even-
tuelles heute durch atomare Selbstzerstörung mögliches 'natürliches' Ende doch nur das Ende unseres Kosmos, nicht der Welt überhaupt. Allein von
der Theologie her, von Jesus Christus her, in dem der Widerspruch zwischen Gott und der Geschichte bis in seine Tiefe erkannt wird, kommt es
zu einem klaren Wissen um das Ende - und zugleich um eine neue Welt: "ja,

das letztere Wissen ist eigentlich das frühere und grundlegende: weil die
neue Welt, in Christi Auferweckung und seinen Erscheinungen sich schon be-
zeugend, kommen wird, muß die jetzige zu Ende gehen." (CW 676) Damit ist
kein biblizistischer Nachweis gemeint, sondern es ist eine dogmatische
Begründung gefordert, ob, warum und in welchem Sinne der christliche Glaube auf Christus als das Ende der Geschichte (und der Welt) wartet - ohne
freilich damit ein anthropologisches Fundament ausschließen zu wollen.
Diese Begründung sei, meint Althaus, heute mehr denn je erforderlich, denn
ohne den Nachweis der Bezogenheit der christlichen Hoffnung des Reiches
auf die ganze Geschichte ist unsere Hoffnung der Konkurrenz der modernen
säkularisierten Eschatologien nicht mehr gewachsen, denn "da weiß man
sich mit heißer Leidenschaft im geschichtlichen Kampf, hin auf ein Ziel
der Geschichte für alle Menschheit "[1].

1. Reich Gottes und Geschichte

a) Vorläufigkeit der Geschichte

   Liebe und Freiheit (die beiden bedingen einander) sind letzter Grund
und bleibendes Prinzip der jetzigen Geschichte und Weltgestalt. Althaus
kommt deshalb zu einem theologischen Geschichtsbegriff, der die Vorläufigkeit der jetzigen Geschichte notwendig miteinschließt, denn "diese Welt-
verfassung (ist) von Gott dem Glauben und der Liebe zugedacht und zugeordnet....als Gelegenheit, sich zu bewähren"; da aber das Glauben auf
Schauen hinzielt, muß "die Geschichte, in der Jesus gekreuzigt wurde und
in der er der Verkannte und Gekreuzigte bleibt,...enden und einer Welt
Platz machen, in welcher die Herrlichkeit des Auferstandenen erscheint
und seine Liebe alles Lebens Gesetz wird" (CW 677). Der Sinn der Geschichte liegt im Transzendenten, im Reich Gottes, d.h. jenseits des Endes der
Welt, denn "die Welt endet, wenn der Sinn, den ihre Gestalt an den von
Gott in seine Gemeinschaft berufenen Menschengeschlechtern hat, erfüllt
ist" (CW 677). Das Ziel liegt in der Vollendung der Geschichte durch deren
Aufhebung. Die Geschichte ist Mittel und Weg zu diesem Ziel, das jedoch
nicht durch einen kontinuierlichen Prozeß, sondern nur durch Zerbrechen
der jetzigen Weltgeschichte und Weltgestalt durch Gott erreicht wird.
Reich Gottes und 'Ende' der Geschichte gehören zusammen (LD[3] 150f;LD[4] 245f).

   Weil die Menschen eine Gemeinschaft, nicht bloß eine zweckbedingte Ver-
gesellschaftung bilden, ist die ganze Menschheit letztlich von einer Geschichte geprägt (CW 331), in der sie zum wahren Sein, zur Gemeinschaft

mit Gott und miteinander, gerufen ist. "Die Einheit der Geschichte der
Völker besteht in der Tiefe darin, daß Christus in steigendem Maße Frage
an alle, Krisis, Entscheidung sein wird, Stein des Anstoßes oder Eck-
stein" (CW 333). Nicht nur für den Einzelnen, sondern auch für die Menschheitsgeschichte als ganze gilt, daß sie geeint ist im Rufe zum Leben und
durch Entscheidung und Gericht in die Endgültigkeit eingehen muß, in der
ihr bis dahin verborgener Sinn offenbar und ganz wirklich sein wird. Der
Sinn der Geschichte ist also nicht nur persönlich, sondern auch sozial,
'sachlich'; sie hat 'Eigen-Sinn'.

Auch aus der Individualeschatologie zeigt sich für Althaus die Vorläufigkeit der Geschichte, denn zum Genuß der uneingeschränkten Gemeinschaft
mit Gott gehört notwendig die Vollendung der Beziehung zum Nächsten, die
Vollendung der ganzen Menschheit. Die Seligkeit der Vollendeten könnte
nicht vollständig sein, ohne daß die gesamte Menschheit Gegenstand des
göttlichen Herrschaftswillens würde, denn "eine individualistisch, einsam gedachte Seligkeit wäre nicht die Seligkeit des Christen, den Gott in
der Gemeinde und zur Gemeinde erlöst hat." (LD^3 240).

b) Sündigkeit der Geschichte

Wie das Leben des Einzelnen so hat auch die irdische Gestalt der Geschichte in ihrer Todesgesetzlichkeit neben dem Charakter der Vorläufigkeit den der Sündigkeit. Diese Zusammengehörigkeit von Sünde und Geschichte macht uns der Endlichkeit der Geschichte ganz gewiß. Trotz aller Ablehnung jeder rein hamartiozentrischen Auffassung ist die Sünde gleichsam
Konstitutivum der Geschichte: "sie bedingt alles geschichtliche Leben von
der Wurzel an und erzeugt sich in ihm unentrinnbar immer neu" (CW 677);
Althaus definiert Geschichte als "das durch Sünde und Tod gekennzeichnete
Entscheidungsleben" (LD^4 244). Da er aus Angst, aus der Theologie eine
durchschaubare Kosmogonie zu machen, ablehnt, beides in eine genauere Beziehung zu sezten, bleibt nur die rein dialektisch-paradoxe Nebeneinanderstellung: Die Geschichte ist Schöpfung Gottes, aber "die Mächte und Formen
des geschichtlichen Lebens sind wesenhaft immer auch dämonisch. Der Satan
ist nicht nur tatsächlich, sondern zwangsläufig 'der Gott dieser Weltzeit'
(2 Kor 4,4)" (CW 677). Aus dieser 'wesenhaften' Verfaßtheit unserer Geschichte folgt umsomehr, daß eine innergeschichtliche Überwindung der Sünde und des Satans unmöglich sind (CW 678). Das Ende der Geschichte muß
zugleich Gericht sein; der Geschichte als ganzer steht also notwendig das

Jüngste Gericht bevor, dessen Vorzeichen die geschichtlichen Gerichte sind.
Die Bestimmung der Geschichte als sündiger läßt jedoch Gott nicht in Abhängigkeit von der Sünde kommen, denn Gott kann das Böse nicht nur überwinden, sondern es sogar durch die Gegenwirkung seiner Gnade zum Mittel
der Gemeinschaft machen. "Die Erfahrung des Bösen ist ein Aufruf zum Glauben und zur Liebe wie nichts anderes. Das Reich Gottes schließt das 'Reich
der Sünde' in sich ein." (LD[4] 192;vgl.LD[3] 217f)

In der idealistischen Geschichtsphilosophie hat die Teleologie sich
weithin die Eschatologie dienstbar gemacht. In der dialektischen Schule
kam es zum gewaltigen Gegenschlag, der alle geschichtsphilosophische Verkehrung der christlichen Hoffnung verurteilte. Indem Althaus auch das
Wahrheitsmoment der Teleologie, wie sie im universalen Anspruch der Sinnfrage zum Ausdruck kommt, zu erhalten versucht, um die Spannung der Eschatologie in ihrer Geschichtsbezogenheit zu wahren, kommt er zum Schluß,
daß sowohl Vorläufigkeit als auch Sündigkeit nach dem Ende der Geschichte
verlangen. Da er sich aber weigert, die beiden in ein geschichtlich-dia-
lektisches Verhältnis zu setzen und er sie im urgeschichtlich-vertikalen
konstitutiven Bereich der Geschichte ansiedelt, wird es schwierig sein zu
vermeiden, daß das Gewicht beinahe nur auf der aktualistisch-vertikalen
Aufhebung der Geschichte liegt und daß das Charakteristische der Geschichte - als Werden und Reifen in der Zeit - zu kurz kommt, bzw. daß die Geschichte doch wieder unter teleologischer Geschlossenheit zu stehen kommt.
Die Protologie und die Eschatologie entsprechen einander.

c) Christus - Mitte und Ziel der Geschichte

In Kreuz und Tod hat Christus den Riß der Menschheit hinsichtlich ihres
Gottesverhältnisses durchlebt, durchlitten, 'durchliebt' und in der Auferstehung geheilt. Indem er dadurch die Geschichte in ihrer inneren Dimension heilte - dort, wo die Menschheit in ihrer Sünde eins ist -, über-
wand er als neuer Adam die Sünde und den Zorn Gottes. So ist er Mitte der
Geschichte, an dem sich alle entscheiden müssen, und ihr Ziel und Ende
(CW 333;GD[5] 272), in dem die Erlösung von der Sündigkeit und die Vollendung der Vorläufigkeit geschieht und alle mögliche Zukunft schon eingeholt
ist in der Endgültigkeit des Eschatons seines Lebens.

"Die Ortsbestimmtheit der Geschichte Jesu und der Kirche in Zeit und
Raum scheint im Widerspruch zu stehen zu dem Universalismus des Evangeliums, laut dessen das Werk Christi für alle geschehen ist und allen zu-

gute kommen soll."[2] Althaus sieht in der Aussage des 'Descensus ad inferos' im Sinne der Hadesfahrt "eine zeitbedingte mythologische Gestalt,
in der sich die Gewißheit des Glaubens über die Reichweite von Christi
Heilandamt ausdrückt".[3] Selbst wenn die Hadesfahrt im Mittelalter und besonders bei Luther zur Höllenfahrt (als Durchleiden der Hölle in der Gottverlassenheit und Sterbensnot in Gethsemane und Golgotha und als Vorgang
zumindest auch nach dem Tode) wurde – der Gewalthaber des Todes ist nämlich der Satan –, so ist damit für Althaus "keine Aussage über ein chronologisch zu fixierendes Geschehnis neben Kreuz und Auferstehung Jesu"
gemacht, sondern es ist für ihn "Ausdruck für die Tiefe des Leidenskamp-
fes und des Sieges Jesu"[4], Diese die Konstitution der Geschichte selbst
berührende Tiefe, in der der doppelte Existenzwiderspruch ganz durchmes-
sen und gelöst wird, begründet

> "die für den Glauben unentbehrliche Gewißheit...,daß das von Gott in
> Christus bereitete Heil nicht auf die nachchristliche Menschheit und
> hier wieder nicht auf die vom Evangelium erreichten Geschlechter be-
> schränkt ist, sondern daß Gott in Christus allen das Heil anbietet –
> wo und wann und wie, das ist unserem Erkennen und Ahnen entzogen....
> Christus hat nicht nur die Gemeinde, sondern die Welt mit sich ver-
> söhnt (2 Kor 5,19)"[5]

Diese Tiefe ist also Grund dafür, daß Christus die Mitte der Geschichte
ist.

Freilich ist das alles Glaubensaussage. Die mit der Geschichte gegebene bleibende Verborgenheit wird durch die Offenbarung nicht aufgehoben.
Für die Welt bleibt Jesus "der gekreuzigte Mann von Nazareth, eine Gestalt
der Vergangenheit neben anderen, in einer Reihe" (CW 676). Der Glaube versteht das Geheimnis der Geschichte, weil er um ihre Mitte, ihre Polarität
(Antichrist) und ihr Ziel weiß. Wenn er deshalb an einigen Stellen meint,
in der Geschichte Züge göttlicher Teleologie klar zu erkennen, und er ge-
schichtstheologisch z.B. von der Erwählung Israels, von der Fülle der Zeit
usw. spricht, so ist ihm doch in diesem vorläufigen und dämonischen Geschichtsleben keine christliche Geschichtsphilosophie möglich, denn "eine
umfassende Erkenntnis des Rhythmus der Geschichte und des Sinnes ihrer
geheimnisvollen Wendungen gibt uns die Offenbarung nicht" (GD[1] I/55). So
"wartet die Christenheit mit Verlangen des Jüngsten Tages, da Christus,
der Wiederkommende,den Teufel endgültig entmächtigt wird" (DTL 147), m.
a.W.: da Christus, das Ende der Geschichte, dieses Ende tatsächlich ganz
heraufführt. "Gott setzt der Geschichte und Welt ihr Ende an ihm selbst,

nämlich an Christus. Die Geschichte endet vor Christus" (CW 678) - in seiner 'Parusie'. Dieses Ende wird die doppelte die Geschichte Gottes mit der
Menschheit durchziehende Spannung endgültig auflösen, die ursprüngliche
der Vorläufigkeit auf Endgültigkeit und die durch die Sünde entstandene
der Schöpfung auf Erlösung (CW 259).

Die Verbindung von Geschichtsphilosophie und Rechtfertigungsglauben war
immer schon ein Problem. Die in den Mittelpunkt gestellte Rechtfertigungslehre wurde nicht selten in den isolierten engen Rahmen des Individualismus gedrängt. Althaus' Geschichtsanschauung, die Geschichte mit Entscheidung zusammensah, war ein Versuch, gerade das Geschichtserlebnis als Hinführung zur Rechtfertigungsbotschaft aufzuzeigen. Die Erfahrung unserer
Geschichte als Erlebnis unserer Grenze, unseres Schicksals und unserer
Endlichkeit, aber auch unserer Verstrickung in das Böse und deshalb als
Gericht Gottes ist in dieser Spannung "die Wegweisung zu jener Beugung
unter Gottes Gericht, die die Botschaft der Rechtfertigung voraussetzt,
fordert und herbeiführt"[6]. In der geschichtsphilosophischen Besinnung
drängt sich jedoch das Problem Zeit-Ewigkeit auf und trägt auch bei Althaus zur personal-individualistischen Engführung des ganzen Problems bei.
Das allein in Gott verbürgte Ewigkeitsziel macht frei von der Sorge um den
'geschichtlichen' Sinnertrag der menschlichen Entwicklung. Alles wird konzentriert in die Polarität Geschichte - Jenseits der Geschichte, Zeit-
Ewigkeit.

> "Die Schau einer 'übergeschichtlichen' Tiefe, einer 'Urgeschichte', einer
> 'Ewigkeitsgeschichte', in der das Geheimnis des geschichtlichen Lebens
> ruht, findet Raum. Die Rechtfertigungslehre nimmt die Ahnungen auf. Sie
> leiht dem geschichtlichen Leben seinen Ernst, seine Verantwortung, sei-
> ne Zuversicht, aber eben im Blick auf die Ewigkeit. Mit der Rechtferti-
> gung, durch sie gewinnt das Leben recht eigentlich eine 'Ewigkeitsge-
> schichte' im Zusammenhang mit der Ewigkeitsgeschichte der Menschheit,
> die bestimmt ist durch 'urgeschichtlichen' Fall und 'übergeschichtli-
> che' Erlösung."[7]

Trotz aller Betonung universalgeschichtlicher Perspektiven ist also bei
Althaus, wie in diesem Kapitel an verschiedenen Stellen zu zeigen sein wird,
das Geschichtserlebnis in Gefahr, letztlich doch nur die Berufung des einzelnen zu persönlicher Bezogenheit auf Gottes Willen, zur Realisierung der
Freiheit, zum Ernstmachen mit der Ewigkeitsschwere jedes Augenblicks zu
sein. Althaus glaubte, so ein "Geschichtsbewußtsein" zu erzeugen, "das von
endgeschichtlichem Denken nicht im mindesten überboten, ja in ihrer Tiefe
gar nicht erreicht wird" (LD[3] 185). Biblisches Wachen heißt zwar auch,
"die geschichtliche Stunde in ihrer Besonderheit erkennen", doch

es heißt vor allem: "Ernst damit machen, daß jede Zeit letzte Zeit ist, unmittelbar zum Gericht und zur Vollendung, daß sie nach ihrem Richter und ihrem Erlöser ruft und daß der, der beides ist, vor der Türe steht" (LD[3] 184). Wir meinen allerdings, daß dieses 'Geschichtsbewußtsein' das Ergebnis einer personalen Engführung ist, die eine positive Wertung der Geschichte zu sehr in die vertikal-geschichtliche, bzw. übergeschichtliche, stets aktuelle Polarität von Zeit und Ewigkeit einspannt und dadurch die Geschichte in ihrem wesentlich gemeinschaftlichen, zeitlich werdenden horizontalen und auch zuständlichen Aspekt entwertet. Ist hier Christus fürwahr noch die Mitte, oder nur das Ende der Geschichte?[8]

2. Kommen des Reiches und Endgeschichte

a) Althaus' Kritik des säkularen Fortschrittsgedankens

Die Frage nach dem Ende der Geschichte bewegte vor allem die idealistische Geschichtstheorie verschiedener Prägung und deren marxistischen Ableger. Indem der Mensch versuchte, selbst dieses Ende historisch dingfest zu machen - im transzendentalphilosophischen Ausblick auf ein 'Ende aller Dinge' bei Kant, im Erscheinen des absoluten Geistes als Vollendung der Geschichte bei Hegel oder als dem aufgelösten Rätsel der Geschichte im Kommunismus -, und die Eschatologie der immanenten Teleologie opferte, wurde die christliche Hoffnung durch eine geschichtsphilosophische Theorie der Aufwärtsentwicklung ersetzt, d.h. zu einem weltlichen Messianismus säkularisiert.

Für Althaus hatten Herder, L.v.Ranke oder Jakob Burckhardt einen größeren Wirklichkeitssinn als die Idealisten. Sie lehrten zwar einen Sinn der Geschichte, nämlich die Unmittelbarkeit jeder Epoche zu Gott, aber lehnten ein Ziel ab. Althaus glaubt an keinen Fortschritt in Philosophie, Kunst, Sitte, Religion, Staatsbildung, zumindest nicht an eine einzige ansteigende Entwicklung, denn jede Generation müsse aufs neue mit den letzten Daseinsfragen ringen. Er hält den technischen Fortschritt eher für ein Hemmnis als für einen Vorteil, denn "immer deutlicher erkennen wir, daß die Not, wieviel große und kleine Fehler der Menschen immer an ihr schuldig sind, doch weithin nichts anderes als das notwendige Ereignis unserer so hoch gepriesenen modernen Zivilisation, ihrer technischen und wirtschaftlichen Entwicklung ist"[9]. Althaus sieht die Macht des Grundbösen und des Dämonischen weiter am Werk, weshalb er nicht glauben kann, "daß in diesem Menschen der tiefe Übermut und die selbstsüchtige Gier durch Gestaltung, Erziehung, Entwicklung zu überwinden wären; daß also diese Welt und dieser Mensch von sich aus Reich Gottes werden könnten"[110]. Er folgert daraus, daß keine kommende Höhe eines innerweltlichen Heilstages zu erwarten sei, so daß auch der Sinn der Geschichte nicht in der Annäherung an ein solches teleologisches Ende der Geschichte liege. Der Glaube mag die heutige Abkehr vom Fortschrittsoptimismus begrüßen, aber er ist darauf nicht angewiesen. "Sein Wissen um das Ende der Geschichte fließt nicht aus historischer und zeitkritischer Reflexion, sondern aus der in der Verheißung, die Jesus Christus heißt, begründeten gewissen Erwartung des Reiches."[11] Althaus kennt jedoch noch einen anderen Sinn als den der Erfüllung des horizontalen Ablaufs der Geschichte durch das Kommen des Herrn, nämlich den Sinn "in der Vertikale, das heißt Sinn jeder geschichtlichen Stunde in ihr selbst, jeder Generation, jedes Volkes, jedes Einzelnen, Sinn im Heute"; dieser Sinn ist "das von dem Schöpfer anvertraute Leben mit seinen Begabungen und Aufgaben gemäß seinem Schöpfungsauftrag (zu) leben im Dienst am Menschen und an menschlichen Aufgaben, vor allem an der immer neuen Aufgabe der Gemeinschaft unter uns"[12].

Gemäß dieser vertikalen Geschichtsbetrachtung achtet Althaus wenig auf das menschliche Werk als solches, sondern vielmehr auf die darin investierte Hingabe, Treue und Geduld. Es geschieht also eine starke, an die Existentialtheologie erinnernde, zu sehr von der Gemeinschaft, der Welt und der Geschichte abstrahierende Konzentrierung auf die personale Existenz, deren innere Haltung entscheidend ist, denn nicht nach unserem Werke und dem Bleiben unseres Wirkens, sondern "nach der Treue des Wirkens fragt Gott"[13]. "Der Sinn der Geschichte, der uns angeht, besteht nicht in dem Logos ihres Fortschreitens, sondern in dem Ethos jeder Stunde, das an den immer neuen Aufgaben gelebt wird, - in der Unmittelbarkeit zu dem Schöpfer, der uns begabt und in der Begabung ruft und fordert"[14]. - Genügt jedoch solches inneres 'Ethos der Stunde'? Es ist doch, wie H.E. Weber sagt, "zweierlei, den 'modernen' Satz vom Fortschritt als dem Sinn der Geschichte anfechten, und alles Fortschreiten, das sich in die Geschichte Gottes mit der Menschheit hineinverwebt, übersehen"[15].

b) Althaus' Kritik des biblischen Fortschrittsgedankens und unsere kritische Anfrage

Wir haben gesehen, daß Althaus nicht nur die Vorläufigkeit der Geschichte behauptet, sondern auch den Urfall in die geschichts-konstitutive 'innere' Dimension verlegt, so daß Urstand und Urfall zu überzeitlichen

Tatbeständen werden und ein horizontales Heilsgeschichtsverständnis nur
'Vorstellung' der eigentlichen polar-vertikalen Heilsgeschichte ist.[16]
Wir haben seine Ansicht von der grundsätzlichen Unmöglichkeit einer innergeschichtlichen Vollendung begrüßt, jedoch an seiner durch die ungeklärte, undifferenzierbare Paradoxität der Geschichte entstandenen Entwertung der geschichtlichen Zukunft, hinter deren Betonung er überall
Fortschrittsglauben argwöhnte, Kritik geübt. Analog dazu wird unsere Haltung gegenüber Althaus' systematischer Kritik der endzeitlichen Eschatologie sein. Wenn dadurch die Bedeutung der geschichtlichen Zukunft, eines
die Geschichte voll-endenden transzendenten (und nicht nur transzendental ständig gegenwärtigen) Endes und die für uns unverrechenbare Beziehung der beiden untergraben wird, erheben wir Einspruch. Wir geben allerdings Althaus in seiner Kritik des auf die Theologie übergegriffenen Evolutionismus (meist idealistischer Prägung) vollauf recht. Althaus legte
seine Kritik beispielhaft vor allem am System Schleiermachers, Rothes und
am Religiösen Sozialismus dar.

Bei Schleiermacher[17] sind der idealistische in der Geschichte fortschreitende Geist und der Heilige Geist letztlich identisch, so daß die
Kirche in einem nie endenden kontinuierlichen Prozeß ständig in der christlichen Erkenntnis fortschreitet. Die Kirche befindet sich auf dem Weg
der immer kritischeren Ausstoßung alles 'Apokalyptischen' und der immer
größeren Aneignung alles 'Kanonischen'. Althaus dagegen findet es 'kind-
lich' zu meinen, später sei nichts Apokryphes mehr in die wahre Lehre der
Kirche eingedrungen und die Gefahr einer billigen Synthese sei etwa heute
geringer. Freilich lernt man durch Erfahrungen dazu, doch alle Tradition
erspart nicht den Kampf und die Entscheidung jeder Generation für sich,
denn die Geschichte gibt ja nie eindeutig ablesbare, gleichsam das eigene
Engagement ersparende, neutral verwertbare Daten, sondern die "'echte'
Tradition....wird nur in freier und neuer Entscheidung der Gegenwart erkannt" (LD[3] 130 = LD[4] 228). Althaus will damit auch nicht einen tatsächlich erkennbaren Fortschritt leugnen, wie er ihn vor allem in der Reformation als "mächtigem Durchbruch" durch das mittelalterliche Christentum
und durch die griechisch-abendländisch-scholastische Philosophie und Theologie anerkennt. "Andererseits bedeutet der Protestantismus zugleich eine
individuelle Gestalt des Christentums, die sich ihrer Grenzen im Verkehr
mit dem Neuen Testamente und mit anderen Kirchen immer bewußt bleibt."

(LD^3 131 = LD^4 229) Althaus sieht die in der Verheißung begründete Aufgabe des Ringens um die Einheit der Kirche, er fügt jedoch hinzu: "daß
die Verheißung noch in unserer Geschichte eingelöst wird, ist uns nicht
verheißen, so wenig in bezug auf die Einheit der Kirche wie in bezug auf
ihre Heiligkeit" (LD^4 232). Der mögliche Fortschritt besteht - analog zum
'Ethos der Stunde' - im Fortschritt der Stunde: "Wir sollen über alles
Vergangene und Gegenwärtige hinauswachsen, weil das Evangelium in neuer
Zeit neu werden will, aber wir wachsen nicht auf eine endgeschichtliche
Zeit hin, sondern in unsere, die immer sich erneuernde, Zeit hinein."(LD^3
133 = LD^4 231).

Es muß jedoch auch hier die Frage gestellt werden, ob es sich in Althaus' Alternative tatsächlich um eine volle Disjunktion handle oder ob
nicht doch in einem die dialogal-universal-geschichtliche Dimension mehr
betonenden 'Ethos der Zukunft' auch um Fortschritt der Erkenntnis in Hinblick auf die Zukunft gerungen werden darf und muß, ohne damit Zusiche-
rung des fortschreitenden Gelingens und Verfügbarkeit oder gar Vergeschichtlichung einer vollendenden Erkenntnis aussagen zu wollen (was natürlich gegen die Eschatologie des Evangeliums wäre), m.a.W. ob nichtdas
Jetzt der notwendigen Synthesis noch mehr unter dem Aspekt der Zukunfts-
aussichten gemacht werden müßte, ohne dem immanenten Fortschrittsgedanken anzuhangen.

R.Rothe[18], "der Heilige des Kulturprotestantismus" (LD^4 234) sah den
Fortschritt in einer in Christi Gottmenschheit begründeten subjektiven
und objektiven sittlichen Höherentwicklung zu einem vollendeten christlichen Staatenorganismus und in einer fortschreitenden Realisierung des
christlichen Prinzips in der Welt (Gottes Weltwerden). Dieser Fortschritt
ist notwendige Voraussetzung für den übernatürlichen Abbruch der Geschichte und den Übergang ins vollendete Reich Gottes. Für den an Zeitstimmung
sehr verschiedenen, aber im Grundsätzlichen doch nah verwandten 'Religiösen Sozialismus'[19] kommt auch Gott in der geschichtlichen Entwicklung
mehr und mehr zu seiner Weltwirklichkeit und ist der christliche Staatenorganismus mit dem Reich Gottes identisch.

Althaus bestreitet den behaupteten Fortschritt der subjektiven Sittlichkeit und überhaupt die Anwendung des Evolutionismusgedankens auf die innersten und wesentlichsten Gehalte der Kultur. Der Begriff der Versittli-
chung oder Verchristlichung der Weltverhältnisse (objektive Sittlichkeit)
ist für ihn unhaltbar, denn darin werde die Christianisierung mit mensch-

licher Rationalisierung von Wirtschaft und Staat verwechselt, "die Christlichkeit des Wirtschaftslebens mit der sozialistischen Wirtschaftsweise,
die Christlichkeit der Staatsverfassung mit der Demokratie, die Christlichkeit der Völkerbeziehungen mit dem Völkerbunde und dem Weltfrieden"
(LD^3 137 = LD^4 235). Althaus fordert – zurecht – vom Evangelium her eine
kritische Distanz nicht nur zur Gesinnung der Wirtschaftsmanager und Po-
litiker, sondern auch zu den Formen und Ordnungen des wirtschaftlichen
und politischen Lebens.

Wir halten es jedoch für zweifelhaft, ob dazu das 'Ethos der Stunde'
genügt und nicht ein für den konkreten Dienst und für die den Erfordernissen entsprechende Verantwortung richtungsweisendes 'Ethos der Zukunft'
verlangt ist, ohne damit ein für immer gültiges Programm der christlichen
Wirtschaftsordnung oder Politik proklamieren zu wollen. Die teilweise oder
gänzliche Identifikation von einem Staatenorganismus und dem Reich Gottes
ist natürlich zu verurteilen, aber das 'Ethos der Zukunft' kann heute
sehr wohl den größeren Zusammenschluß der Völker zur objektiv geforderten
Aufgabe machen, und zwar nicht nur als Gehorsam gegen die gerade herrschende, jedoch trasitorische biologische Phase, sondern als das sich aus
der Vermittlung von der großen Hoffnung und den kleinen Hoffnungen ergebende objektive Gebot der 'Stunde auf Zukunft hin', ohne diese Zukunft in
den Griff zu bekommen und vorausschauend zu'begreifen'. Die je individuell
neue christlich-politische und christlich-internationale Aufgabe der Gegenwart wäre so mit dem Gang der Geschichte im ganzen vermittelt, da sie
den konkreten und bestimmten Menschen des jeweiligen geschichtlichen
Augenblicks nicht aus dem Auge verliert. In Althaus' Konzession, daß die
'Gegenwart'Generationen umfassen könne (LD^3 139 = LD^4 237), zeichnet sich
die richtige Tendenz ab, die Innerlichkeit des Ethos der Gegenwart zu
sprengen und es immer mehr vom geschichtlichen und schließlich universalgeschichtlichen Horizont her mitbestimmen zu lassen. Auch wenn die Welt
des neuen Völkerfriedens keine geschichtliche Welt mehr ist, so ist es
doch mehr als gefährlich, den Kampf zu den notwendigen, stets gleichbleibenden existentialen "Grundzügen geschichtlichen Lebens" (LD^3 158) zu
zählen.

Es ist Althaus' grundlegend richtige Erkenntnis, daß es vollendete Erlösung nicht "durch die fortschreitende Geschichte", sondern nur durch "Erlösung von der Geschichte" (sofern das 'von' richtig verstanden wird!)
gibt, denn 'christlicher' Entwicklungsglaube ist "unchristlicher Utopismus";

seine undifferenzierte Ablehnung einer möglichen"Vorbereitung der endlichen Erlösung oder Annäherung an sie durch die forschreitende Geschichte"
(LD^4 240;vgl.LD^3 142) ist zwar berechtigt, wo das transzendente Endziel
dadurch verfügbar und verrechenbar wird, doch sie zeugt von übertriebener
Angst vor dem Fortschrittsglauben und von einseitiger Reaktion, wo dadurch die im Kontext der jeweiligen innergeschichtlichen Emanzipationsbe-
wegung und Utopie objektiv erforderte christlich-soziale Tat auf Zukunft
hin in ideologischen Verdacht gerät. Die 'Erlösung von der Geschichte'
droht zur 'Erlösung aus der Geschichte' in ein geschichtsloses, überzeitliches Jenseits zu werden. Es zeigt sich darin wiederum Althaus Unterbewertung der universalgeschichtlich-zukünftigen Komponente. Zwar heißt es
jetzt nicht mehr wie in LD^3, das Kommen des Reiches sei "Gegenwart und
Ewigkeit, Zukunft nur insofern, als es immer wieder und für inner neue
Geschlechter und Völker Gegenwart und Ewigkeit wird" ($LD^3$142f;fehlt in LD^4),
aber das Drängen der Geschichte auf den die Geschichte aufhebenden und
vollendenden Tag Gottes steht auch jetzt noch zu einseitig unter dem polaren individualistischen Aktualitätsaspekt, wie es sich vor allem auch
in Althaus' Kritik der Vorzeichenlehre äußert.

c) Althaus' Kritik der Vorzeichenlehre und seine Erhebung deren theologischen Wahrheitsgehaltes

aa) Aktuelle Eschatologie

Nach der kategorischen Verurteilung der Endgeschichte in seiner Frühperiode bemüht sich Althaus nun, die Wahrung der Aktualität der Eschatologie als deren eigentlichen positiven Sinn herauszustellen (LD^4 VII).
Zugleich zeigter die untrennbare Verbindung zwischen biblischer Naherwartung und den Vorzeichen auf, sofern letztere einen theologischen Charakter haben sollen.[20] Naherwartung darf nach Althaus freilich nicht, wie
das Ausbleiben des nahen Endes selbst zeigte, 'endgeschichtlich' verstanden und als solche dogmatisiert werden, aber, richtig gesehen, ist
sie immer wieder, zumal in aller lebendigen Apokalyptik, aus der Kraft
tiefen Glaubens "die vergängliche und zerbrechbare Form, in der sich die
dem Glauben zu allen Zeiten wesentliche eschatologische Beurteilung der
Welt und sein Wissen um die jederzeit aktuelle Möglichkeit des letzten
Tages ausdrückt" (LD^4 264).

Diese eschatologische Beurteilung hat gleichsam zwei Aspekte: eine –
bei Althaus bei weitem entscheidendere (LD^4 264:"der tiefere Sinn") –

Beurteilung des polar-axiologischen (metaphysischen) 'Querschnitts' der
Geschichte (unmittelbare Ewigkeitsschwere) und eine Beurteilung des zeit-
lich-teleologischen (geschichtlichen) 'Längsschnitts' der Geschichte
(zeitlich-futurischer Aspekt). Die erste Betrachtung gilt dem wesentlichen und grundsätzlichen Ende der Welt an dem Gerichte und dem Reiche Gottes, an Christus, d.h. dem Charakter jeder Zeit als letzter Zeit, dem unmittelbaren Stranden des einzelnen und des Ganzen an die Ewigkeit; die
zweite der ständigen, täglich aktuellen, jederzeit drohenden Möglichkeit
des tatsächlich zeitlichen Endes, der Parusie. Auch unter dem zweiten Aspekt ist jede Zeit für uns letzte Zeit, und doch spricht Althaus hier
auch von 'letzten Zeiten' im besonderen Sinn (wie im Leben des einzelnen),
z.B. "Sterbezeiten einer Kultur, Epochen der Entartung und Katastrophe,
die als ein mächtiges Zeugnis und Gleichnis der Dies irae, dies illa erlebt werden"; man spürt gleichsam das Ende, denn "in jedem innergeschichtlichen Zusammenbruch wetterleuchtet der letzte Tag (LD⁴ 268). "An diese Aktualität der letzten Dinge soll die biblische Nah-Erwartung, die wir als solche uns nicht aneignen können, immer wieder erinnern." (LD⁴ 266)

Zurecht weist Althaus die biblizistische Eschatologie ab, die aus den
biblischen Bildern der Vorzeichen eine "Theorie der Zukunft" macht, denn
"diese Theoretisierung oder Ent-Aktualisierung der Erwartung ist das wahrhaft Bedenkliche, das Untheologische an der endgeschichtlichen Eschatologie" (LD⁴ 266). Er versichert, daß es ständig sein eigentliches Ziel gewesen sei, diese Theorie wieder zur Theologie zu machen, d.h. den letzten
Dingen ihre Aktualität zurückzugeben (LD⁴ 267), also zu zeigen, daß Eschatologie nicht ein lebensfernes Anhängsel der Theologie, sondern der
existentielle Horizont für alles christliche Denken und Tun sei. Die biblischen Bilder des bevorstehenden Endes dienen also nicht zur Beschreibung der kommenden Perioden, noch zur Berechnung des Endes, sondern haben
wesentlich zu unserer Gegenwart Bezug (LD³ 182-185). Althaus weist deshalb jede Spekulation über das Wann des Endes zurück. Wie sich bei ihm die
geistige Bewegung des Lebens nicht auf den Tod hin vollzieht und die letzte Zeit vor dem Tod nicht Summa und kritische Höhe des Lebens und Ernte
der ganzen Zeit ist, so ist auch die letzte Zeit der Gesamtgeschichte nicht
deren Ernte und Höhe. "So schreitet die Geschichte wohl chronologisch dem
Ende entgegen, aber damit noch nicht notwendig in inhaltlichem Reifen, so
daß man an diesem das 'Wann?' ahnen könnte."²¹ Die wesentlichen Vorzeichen
des Endes sind für Althaus Geschichte und Welt selber in ihrer wesenhaften

und durchgängigen Verfallenheit an das Böse und an den Tod.

Es ist zu begrüßen, daß Althaus nun seine kontroverse Negation der endgeschichtlichen Eschatologie zurückhält, stattdessen deren positiven Wahrheitsgehalt herauszustellen versucht und auch die futurisch aufs Ende gerichtete Komponente betont. Er hat dadurch nicht nur, wie er früher glaubte (LD[1] 100; LD[3] 185,n.3), Schönheitskorrekturen an der geschichtsphiloso-
phisch-theologischen Struktur, sondern an der religiösen Sache der Eschatologie vorgenommen. Wir stimmen mit der Kritik der traditionellen Vorzeichenlehre und mit der Hervorhebung der Aktualität der letzten Dinge
voll überein, aber die 'Operation' ging u.E. nicht genügend tief, bzw.
zeigt die für Althaus typischen Symptome: Die Vermittlung zwischen axio-
logischer und teleologischer Betrachtung ist immer noch nicht ganz gelungen; erstere hat eine zu große Relevanz und Unabhängigkeit gegenüber der
zweiten. "Wo sie (=die eschatologischen Aussagen) nicht auch aktualisiert
werden, sind sie einseitig verstanden, und wo die Aktualisation den Vorblick auf das zeitlich Zukünftige verstellt, ist die Aktualisation falsch",
da "das Jetzt nur durch die Zukunft und die echte Zukunft nur durch Gegenwart" aussagbar ist.[22] Aus Angst, eine größere Betonung der zeitlich-geschichtlichen Erstreckung könnte Fortschrittsdenken sein und der Aktualität der letzten Dinge schaden, bleibt das axiologische "Ende....an Christus" (LD[4] 264) zu unbezogen, gleichsam geschichtsfremd, zum horizontal-
geschichtlichen Geschehen. Christus jedoch ist nicht ein zeitlos-ontolo-
gisches, zur Geschichte nur polares Heil, sondern in ihm als Gott-Menschen
ist uns die absolute Zukunft als Vollendung einer sich auf das Ende hin
auszeitigenden, aber dieses Ende nie einholenden und es deshalb als Geschenk entgegennehmenden Geschichte verheißen. "Dies nämlich gehört mit
zur Aussage der offenbarten Prophetie vom Ende: daß die Transposition, wie-
wohl nicht herbeiführbar durch innergeschichtliche Kräfte, dennoch nicht
ohne Beziehung sei zu dem innergeschichtlichen Ablauf; daß vielmehr der
geschichtliche Prozeß selbst auf sein Ende hindränge, daß er jene Transposition (erg.: von der Zeitlichkeit in die Unzeitlichkeit) sozusagen her-
vorrufe - freilich nicht wie einen effectus, sondern wie eine Errettung!"[23]
Soweit nur von der 'wesentlichen Nähe' des Endes ohne das (freilich nicht
verrechenbare und periodisierbare) Hindrängen der Geschichte auf dieses
Ende die Rede ist, ist dies tatsächlich, wie L.Wiedenmann sagt, "nichts
anderes als eine Umschreibung der alten reformatorischen Lehre von der

'iustitia externa' des 'simul iustus et peccator'"[24].

bb) Vollendung der Evangelisation

Nach Mt 24,14 und Mk 13,10 galt die Vollendung der Weltmission als Voraussetzung und daher Zeichen für das Kommen des Endes.[25] Die voranschrei-
tende Evangelisierung und die wachsende Einheit der Menschheit sind scheinbar offene Annäherung an die Höhe und Reife der Heilsgeschichte im endgeschichtlichen Ziel.

Althaus kritisiert sowohl die biblische als auch die sachliche Basis
dieses 'Vorzeichens'. Mt 24,14 spricht nur für die Mittelmeer-Menschheit
der damaligen Zeit, d.h. das Geschlecht zwischen Christus und dem Gericht,
und setzt den Begriff der Oikoumene und der Naherwartung voraus; in Mk 13,
10 sieht Althaus eine spätere Glosse, in der sich urchristliche Theologie
mit dem Ausbleiben der Parusie auseinander-setzt. Sachlich muß man sagen,
daß die Mission nie ans Ende kommt, da "es sich nicht um ein Fortschreiten,
sondern um eine immer neue Aufgabe handelt" (LD[1] 86). Und sollte sie auch
alle Völker erreichen, so umfaßt sie sicherlich nicht alle Generationen,
zumindest nicht die vergangenen Geschlechter und die inzwischen unterge-
gangenen Völker. "Der richtige Gedanke, daß Gottes Gericht und das ewige
Heil für die Menschheit eine Begegnung mit Jesus Christus voraussetzt,
kann nur in dem Gehalt des Artikels vom descensus Christi ad inferos zur
Geltung kommen, nicht in dem Postulat einer angeblich vollendeten Mission".[26]

Auch die angeblich bei Paulus (Röm 11,25f) angeführte und oft im Zusammenhang des Chiliasmus erwähnte Bekehrung der End-Generation Israels zur
Vorbedingung des Endes zu machen, entbehrt nach Althaus jeden Grundes.
Paulus hatte nämlich die Bekehrung seiner ganzen zeitgenössischen Generation der Juden für die nahe Zukunft erwartet, sich aber darin geirrt. Das
Wissen um Israels besondere Stellung in Gottes Heilsplan und das Bemühen
um deren Bekehrung bleiben alleine darin wahr. "Ein Dogma hat die Kirche
aus diesem prophetischen 'Geheimnis' nie gemacht und darf sie nicht ma-
chen, weder in bezug auf das Daß - auch hier bleibt es bei der Frage und
Ahnung - noch vollends in bezug auf das Wie der Erfüllung", nämlich im
Sinne einer endgeschichtlichen oder einer jenseitigen Erfüllung (LD[4] 302).[27]

cc) Kommen des Antichristen

Der Fortschrittsgedanke zeigt sich auch in negativer Form (meist in Verbindung mit dessen positiver Gestalt), d.h. in der Annahme der Steigerung

des Bösen und eines letzten und höchsten endgeschichtlichen Konfliktes im
Kommen des Antichristen: Das Kommen des Reiches Gottes bedingt eine fortgehende Verschärfung des Gegensatzes zwischen Welt und Satan.[28]

Hinter dem spätjüdischen und biblischen Gedanken des endzeitlichen Antichristen stehen nach Althaus zeitgeschichtliche Erfahrungen der Gegner-
schaft gegen den wahren Gott und sein Volk, die als Erscheinung jener mythischen Gestalt gedeutet werden und ihm jeweils konkrete Züge verleihen,
z.B. ist er bei Paulus ein einzelner Mensch, bei Johannes eine Gruppe von
Irrlehrern, in der Apokalypse der römische Staat. Dieses Antichristliche
darf deshalb jeweils nur in der Gegenwart unter je verschiedener Gestalt
gesucht werden, z.B. in der Dämonie des Staates, der Gesellschaft , der
Religion oder der Kirche (Stellvertretung Christi), und wurde daher im
Laufe der Geschichte auch mit Verschiedenem in Verbindung gebracht - mit
Personen, aber auch mit gleichsam von ihren menschlichen Trägern unabhängigen, von einem überindividuellen dämonischen Willen zeugenden Ideen.
Der reine Personalismus ist für die Geschichtsphilosophie ungenügend, da
die Menschen nicht die einzigen lebendigen Mächte der Geschichte sind,
weshalb auch keine Einzelperson oder Einzelkirche mit dem antichristlichen
Willen, dessen Träger sie waren, einfach gleichgesetzt werden dürfen und
der Gedanke des persönlichen Antichristen am Ende der Geschichte unhaltbar ist. Der Antichrist wurde gesehen im Papsttum, in Marx oder Lenin, im
Nationalsozialismus u.a., ohne daß es uns heute möglich wäre, in einer
Theologie der Weltgeschichte die Linie der antichristlichen Wirklichkeit
aufzuzeigen.

"Die Beziehung des Antichrist-Gedankens auf die Gegenwart bedeutet aber
in sich zugleich Beziehung auf die Zukunft." (LD[4] 276) Daß dies jedoch eine
Steigerung des Antichristlichen bis zur höchsten endgeschichtlichen Wirklichkeit besagt, hat seinen "Ursprung in dem von uralten Mythen bestimmten
apokalyptischen Schema, nach dem die Entfesselung der widergöttlichen
Mächte dem Weltende unmittelbar vorausgeht" (LD[4] 276). Althaus lehnt alle
dafür verwendeten Argumente ab: Die Kulturentwicklung hat zwar widergöttliche Wirkung, doch sie kann ebenso die Lebensfrage in ihrer ganzen Dringlichkeit stellen und zur Gottesfrage durchstoßen. Die Strecken der Schöp-
fungen menschlichen Geistes, in denen sie teils der Gefahr der Sünde erliegen, sind oft zugleich Epochen großer Leistungen, die nie einfach als
Übersteigerung aller früheren Epochen, sondern immer als "Lebensindividuen,

als etwas in sich Erstes und Leztes von Eigenbedeutung zu begreifen" (LD^3
146) sind. Auch die rein quantitative Folgerung aus der fortschreitenden
Menschheitseinheit auf die Steigerung des Gottlosen hat mit dem Wesen des
Bösen nichts zu tun. R.Rothe sah parallel zur von ihm angenommenen stets
wachsenden Vollkommenheit der Kirche ein Anwachsen des Widerstandes. Doch
nach Althaus bleibt die Wahrung des Abstandes der Kirche von der 'Welt'
eine jedem Geschlecht neu vorbehaltende Aufgabe. Ebenso versagt eine Begründung   aus dem Wesen der Geschichte und des Bösen, denn das Gerichtet-
sein der Zeit und ihr Gefälle auf das Ende hin sagt noch nicht, daß ihr
Gehalt in der letzten Zeit zusammengefaßt werde. Auch die Erbsünde trägt
nichts zu diesem Argumente bei, denn der Steigerung in der 'Geschichte
der Sünde' entsprechen eine Übersteigerung und Erschöpfung und ein Zu-
wachs in der 'Geschichte des Guten', denn alle Bewegungen "gehören zunächst in die allgemeine Dynamik der Geschichte hinein und bezeugen die
Gesetze von Thesis und Antithesis, Bewegung und Gegenbewegung, Hemmung
und Steigerung, Übersteigerung und Zersetzung, von Durchgang und Ausgang"[29]. Auch darf das Antichristentum nicht als notwendig endgeschichtliche Verkörperung des Weltsinnes gefordert werden, denn der Geschichts-
gedanke schließt dieses auch sonst nicht begründete Postulat der endgeschichtlichen Herausstellung und Überwindung des Antichristen aus.

Althaus betont in LD^1 die völlige Offenbarung des Wesens der Sünde am
Kreuze, so daß der Antichrist-Gedanke nie zur "Vorausbestimmung der Weltgeschichte und Voraussage von Stadien des Endes" (LD^1 89) dienen darf,
sondern nur einen immer "gegenwärtigen Tatbestand", nämlich "das Gesetz
ständiger Polarisation des Gottesreiches und der widergöttlichen Macht"
(LD^1 92) besagt. Der Antichrist-Gedanke, dessen Wahrheit in der "Deutung der erlebten konkreten Geschichte" (LD^1 94) in Hinblick auf deren
"ständige Grundverhältnisse" (LD^1 95) liegt, insofern die Herrschaft Christi auf Erden nur eine kämpfende sein kann, ist "eine wertvolle Schutzwehr gegen allen falschen Fortschrittsglauben"(LD^1 90), ein "mächtiges
Fragezeichen wider allen Entwicklungsoptimismus" (LD^3 183), "das laute
Nein zu allem säkularisierten Chiliasmus" (LD^4 276). Es ist dies "eine
Erkenntnis der Geschichte nicht hinsichtlich ihrer Periodenfolge, sondern
hinsichtlich ihrer (tiefsten) Polarität"; der Antichrist-Gedanke ist also,
"endgeschichtlich gemeint, zeitgeschichtlich zu erklären, als reichsge-
schichtlich-typisch bedeutsam anzuwenden" (LD^1 95 = LD^3 183,n.1). - Es
zeigen sich hier also die für die Frühperiode Althaus' typischen Merkmale:

Das Antichristliche ist ein zeitloses metaphysisches Existential der Geschichte, die in polarer Spannung zur Ewigkeit steht. Wenn aber Christus
eine historisch-geschichtliche Person ist und durch ihn als geschichtlich
Vollendetem das Heil kommt, müßte der Bezug und die Vermittlung des 'Anti-
Christen' nicht auch 'geschichtlicher' sein?

In LD[3] legt Althaus offenbar den Ton mehr auf den Dualismus als Grundzug christlicher Geschichtsbetrachtung: "'Kirche' und 'Welt' bezeichnen
einen geschichtlich immer wieder durchzukämpfenden Gegensatz." (LD[3] 164)
Die Erwartung des Antichristen greift jedoch über die Maße und Möglichkeiten der Geschichte hinaus, denn

> "der Antichrist ist die übergeschichtliche Geistsmacht des Bösen. Sie
> rein verkörpert und als solche in einem geschichtlichen Endkampf zu
> denken, bedeutet einen Widerspruch in sich selbst. Der Gegenspieler
> des erhöhten Christus ist keine geschichtliche Gestalt, sondern der
> Böse selber. Die 'Parusie' des Bösen kann so wenig wie die Parusie
> Christi als geschichtliches Ereignis gedacht werden" (LD[3] 169).

Althaus sieht diese grundsätzliche Ambivalenz der Geschichte, nach der
sie zwar Stätte unbedingter Entscheidungen, aber nicht absoluter Schei-
dungen sein und die Spannung zwischen Kirche und Kultur nie so regeln
kann, daß es hier in der Geschichte die reine Kirche gäbe, im evangelischen Kirchengedanken der Weltlichkeit jeder Kirche bewahrt, während die
pietistische und die katholische Ekklesiologie dagegen verstoßen. Er
"widersetzt sich....jeder Vorwegnahme der ewigen Herrlichkeit in die Geschichte hinein, deren Zeichen, für Christus wie für die Kirche, bis zum
Ende das Kreuz ist" (LD[3] 171; vgl.LD[4] 286). Auch die Vorstellung eines
endzeitlichen Gerichtes sprengt deshalb den Rahmen der Geschichte (LD[3]
175).

1928 meint Althaus, in der 'Übersetzung' der Theorie des Antichristen
in dessen wahren aktuellen Sinn noch einen Schritt weitergehen zu müssen.
Die Kirche "soll sich fürchten in dem Bewußtsein, daß ein schwerer, der
schwerste Kampf erst noch kommen kann, ein unvergleichlich viel ernsterer
als alle bisherigen"; so ist also der Antichristgedanke nicht Voraussage
über Begebenheiten in den letzten Menschheitstagen, sondern "ein unmittelbarer Ausdruck der sehr aktuellen Furcht Gottes" [30], "die unausweichliche
offene Frage und wache Sorge" der Kirche um ihre Zukunft in "Erinnerung
an die jederzeit drohende Möglichkeit" (LD[4] 205) in der Gemeinde selber,
denn "eine Kirche, die vor der antichristlichen Möglichkeit ihrer selbst
nicht mehr bangt, wäre eben damit schon antichristlich geworden" (LD[4] 286).

Ähnlich wie bei Paulus in 2 Thess 2,3ff, dem biblischen Grund des Gedankens, gelten also das Beten und Wachen nicht einem letzten fernen endgeschichtlichen Kampf, sondern dem nächsten, als wäre es der letzte und schwerste. Darin liegt "die regulative Bedeutung"[31] des Bildes des Endkampfes für die Gemeinde.

Wenn Althaus auch weiterhin eine theologische Begründung der notwendigen Steigerung des Bösen ablehnt, so läßt er in LD^4 (im Gegensatz zu LD^3 168f) die Möglichkeit sowohl einer solchen Steigerung als auch einer höchsten Verkörperung des antichristlichen Willens in einer Person zu (LD^4 284). In der Dogmatik CW meint Althaus, die Notwendigkeit der Steigerung sei "schwerlich streng zu begründen und fest zu behaupten" und eine theologische Entscheidung zwischen individuellem und kollektivistischem Antichrist-Gedanken sei nicht möglich (CW 682). Im RGG^3 (1958) betont er noch stärker die - freilich nicht dogmatisierbare-"Möglichkeit einer kommenden größeren und größten Zusammenballung und Energie des Bösen", wenn es auch immer unmöglich sein werde zu unterscheiden, ob eine solche Entfesselung des Bösen die letzte unüberbietbare ist oder nicht[32]. Althaus will nun ein tatsächliches Zunehmen des Bösen seit Jesus Christus feststellen (auch in CW 682) und sagt zum Sinn der Erwartung des Antichristen:

"Wie die Weltgeschichte biologisch ein Gefälle zur Lebenszerstörung hin zu haben und in ein todnahes Altersstadium einzutreten scheint, so muß die Christenheit sich auch auf eine über alles bisherige Maß hinaus gesteigerte Feindschaft wider Gottes Gesetz und Evangelium, auf eine bisher unerhörte Bewußtheit und Dynamik der Gottlosigkeit gefaßt machen."[33]

Wir glauben in Althaus' Deutung des Antichrist-Gedankens von LD^1 bis zu RGG^3 eine deutliche Entwicklung von einer rein überzeitlich gegenwärtig polaren Interpretation zu einer - unter Wahrung des darin enthaltenen Wahrheitsgehalts - größeren Betonung des Ausblicks in die bevorstehende Zukunft, für die man jederzeit gerüstet sein muß, zu erkennen. Es spiegelt sich darin Althaus' allgemeines Bemühen wider, den zeitlich-ausstehenden und zukünftigen Charakter der Geschichte, d.h. die Geschichte selbst mehr zu betonen und mit dem transzendenten uns zu-kommenden Ende in Vermittlung zu bringen.Wir sehen darin eine begrüßenswerte graduelle Abwendung von zu stark durch die Zeit-Ewigkeits-Problematik geprägten geschichtsphilosophischen Erwägungen (Ethos der Stunde) und eine Hinkehr zu stärkerem universal-heilsgeschichtlichen Denken (Ethos der Zukunft), auch wenn diese Linie nicht ausgezogen wird, da gewisse philosophische und

322

soteriologische Grundpositionen daran hindern. Die eschatologische Aussage über den Antichristen kann so eher sinnvoll auf das uns in der Geschichte Jesu und seiner Zukunft zukommende Heil und auf die gerade in
unserer technisch-zukunftsorientierten Menschheit ins Immense gestiege-
nen Möglichkeiten der Zerstörung und des Untergangs, die in Gefahr sind,
der Steuerung durch den Menschen zu entgleiten, bezogen werden, ohne freilich innergeschichtlich die Ambivalenz der Geschichte aufzuheben. Die anfänglich rein polar-ontologische Fassung des Antichrist-Gedankens ist
auch deshalb falsch, weil ein differenzierteres Verständnis der Geschichte zeigt, daß sie aus sich nur die Möglichkeit, noch nicht die Wirklichkeit des Bösen einschließt, denn die Entscheidung für das Gute hat den
ontologischen Vorrang vor dem Bösen, auch wenn sie für geschaffene Wesen
die Möglichkeit des Neinsagenkönnens einschließt, ja das Böse hat gar
keinen positiven ontologischen Wert, sondern ist Privation des Heils.

dd) Vor-Vollendung im Zwischenreich (Chiliasmus)

Die Erwartung einer Vor-Vollendung in einem messianischen (tausendjäh-
rigen) Zwischenreich hat ihren biblischen Grund in Offb 20,1ff und 1 Kor
15,23ff.[34] Althaus stellt ausführlich die Entwicklung des Gedankens dar,
angefangen vom Parsismus und der spätjüdischen Apokalyptik, in der er den
Ausgleich zwischen national-diesseitiger und universal-jenseitiger Hoffnung bildete, über die Verwendung im Neuen Testamente, in dem das Zwischenreich eindeutig bereits dem kommenden Äon angehört, bis zur Geschichte des Gedankens in der Kirche (LD[4] 286-294). Das Überhandnehmen
griechischer Geistesrichtung und die Entstehung der Reichskirche drängten
die realistische Chiliasmushoffnung zurück. Nach Althaus verlor dadurch,
daß der Sieg über die Weltmacht bereits errungen war, die eschatologische Spannung den Ton und die Lebendigkeit, was von der römisch-katholischen Eschatologie bis heute gelte. Die Reformation und die orthodoxe
lutherische Theologie blieben zwar bei der kirchengeschichtlichen, also
'unchiliastischen' Deutung der Geheimen Offenbarung, wahrten jedoch die
Spannung auf das Ende. Hatte der Chiliasmus im Mittelalter bei Joachim
von Fiore und den Hussiten weitergelebt, so jetzt bei den Täufern und
Sektierern, bis er schließlich im Pietismus, in der heilsgeschichtlichen
Theologie und in der Erlanger Schule des 19.Jahrhunderts große Renaissance
feierte.   Der Chiliasmus bot die Möglichkeit, "die übergeschichtlich-
jenseitige Form der Hoffnung und die endgeschichtlich-diesseitige durch

Verteilung auf zwei Stadien gleichzeitig zu behaupten" (LD^1 65 = LD^3 78).
Im strengen Chiliasmus erfolgen aufeinander die Wiederkunft Christi in
Herrlichkeit in dieser Welt, die Herrschaft und der Sieg Christi mit den
Seinen auf Erden und die allgemeine Auferweckung und das Endgericht; im
milden Chiliasmus ist nur von 'geistiger Wiederkunft Christi' und großer
Missions- und Segenszeit der Kirche die Rede.

Eine Begründung des Chiliasmus aus der angeblichen Notwendigkeit verschiedener Heilsstufen oder einer großen ungestörten Missionszeit hält
Althaus für "kindliches Spiel, ohne jeden sachlichen Gehalt" (LD^3 154).
Auch die Herleitung aus den Weissagungen des Alten Testaments über die
kommende Herrschaft Israels ist nicht stichhaltig, da er die Schlußfolgerung, daß auch für die im AT nicht erfüllten Weissagungen bezüglich
Israels Stellung in der künftigen Menschheit die Stunde ihrer Erfüllung
in der Heilsgeschichte kommen müsse, ablehnt. Seine eigene 'Lösung' liegt
in der historisch meist nicht möglichen, aber theologischen Unterscheidung zwischen 'eschatologischen Realismus' und 'nationalem Realismus'.

Der eschatologische Realismus als Erwartung der Erlösung des ganzen
Menschen und der ganzen Schöpfung ist aufgrund der Althaus'schen Schöpfungslehre geboten, denn "wo immer echte Verheißung des Heils geschenkt
wird, da geht sie auf das Ganze, leiblich-reale Erlösung, nicht nur geistlichen Frieden, sondern auch äußeren, nicht nur inneres Leben, sondern
auch reale Todesüberwindung, nicht nur neues Herz, sondern auch neue Welt"
(LD^4 298). Unter diesem Aspekt darf man die diesseitig endgeschichtlichen Züge der biblischen Verheißung unbefangen ernst nehmen. Der irdisch-
judaistische Realismus ist jedoch durch Christus klar kritisiert und abgetan worden: Insofern ist Christus "des Messias Ende" (LD^4 298), denn
darin übertönt menschlich-selbstische, wider-göttliche Stimme den Ruf
Gottes. "Der Chiliasmus erweist sich in dieser Hinsicht als ein christlicher Judaismus, der Christi schroffen Gegensatz gegen die jüdischen Gedanken des Reiches als jüdischer Weltherrschaft noch nicht begriffen hat."
(LD^4 299). Am ernstesten zu nehmen ist die chiliastische Forderung aufgrund der notwendigen Diesseitigkeit, d.h. aufgrund des bereits erwähnten
Realismus der christlichen Hoffnung und der Bedeutung eines Telos für die
christliche Ethik. Warum sollte Gottes Heilswalten, das überall ein Ja
zur Natur und Geschichte war, am Ende ein Nein zu ihr sein? Muß nicht die
Geschichte, die Jesu und der Gemeinde Kampf und Niedrigkeit sah, auch

deren Sieg und Herrlichkeit sehen? Setzt nicht unser Tun notwendig ein
geschichtliches Ziel voraus, wenn sein sittlicher Ernst nicht erschlaf-
fen soll?

Althaus' Geschichtsauffassung jedoch, gemäß der, wie wir sahen, "die
Lebensgesetze des Widerstreits, die zugleich Todesgesetze sind,...zum Wesen der Natur und der Geschichte gehören" (LD[3] 158), schließt jede geschichtliche Vollendung aus. "Was heißt 'Vor-Vollendung', relative Vollendung, die doch nicht die 'neue Welt' bedeutet?...Entweder zersetzt das
Interesse an der Geschichtlichkeit den Vollendungsgedanken, oder das Interesse an der Vollendung stellt die Geschichtlichkeit in Frage" (LD[3] 156).
Der Versuch der Aufteilung des Eschatons in die Stufen der Vorvollendung
(Erlösung der Gemeinde) und der ewigen Vollendung (Vollendung der Welt)
zeugt von einem pharisäisch-judaistischen Zug, da untrennbar Zusammenge-
höriges auseinandergerissen wird, und ist letztlich mythologisch, da er
vergißt, daß alles unter dem Todesgesetze steht und Irdisches nicht 'verklärt' werden kann, "es sei denn durch den Tod hindurch" (LD[3] 157).Auch
eine besondere Friedens- und Blütezeit der Kirche und Mission läßt sich
nicht beweisen. Des Chiliasmus' "Gedanke der Vor-Vollendung ist in sich
selbst ein Widerspruch"[35], "theologisch unhaltbar und widerspruchsvoll"
(LD[4] 303). Dies läßt sich auch von der Kehrseite des Ernstcharakters des
Todes zeigen: "Auferstehung heißt: volles Enden der Geschichte, ihre Aufhebung in die Ewigkeit. Unmöglich ist es, an die Stelle der eschatologischen Zäsur zwischen dieser und jener Welt einen stufenmäßigen Übergang
zu setzen."[36]

Althaus versucht seine Ablehnung des Milleniumsgedankens noch tiefer
in seiner polaren Zeit-, bzw. Heilsgeschichtsauffassung zu begründen. Protologie und Eschatologie entsprechen einander: "Das Paradies auf Erden und
das Millenium gehören zusammen." (LD[4] 305) Der Urstand und die Vollendung
sind bei Althaus zur 'dritten Geschichte' gehörige Wirklichkeiten, d.h.
sie sind die die Geschichte konstituierenden, un-empirischen, aktuell- existentialen Dimensionen, zu denen es von der Geschichte her keine Übergänge
und Stufen geben kann, weil alles, was wir an der irdischen Geschichte
kennen und denken können,immer schon diesseits des Urstandes und diesseits
des Reiches ist. "Die Überwindung des Todes ist nicht als Prozeß, in Stadien, Teil-Siegen denkbar." (LD[4] 306;vgl.LD[3] 90-95)

Hier wird jedoch u.E. der richtige Aufweis der Unmöglichkeit einer innergeschichtlichen Vollendung mit einem zu teuren Preis 'erkauft', nämlich

mit der an die Frühperiode erinnernden Zeit-Ewigkeits-Spekulation, und
deshalb schwer belastet. Diese Argumentation, die auch in der undifferen-
zierten paradoxen Nebeneinanderstellung der Geschichte als Vorläufigkeit
und als Sündigkeit Nahrung findet, kommt 'teuer' zu stehen, da dadurch
die universal-geschichtlich ausstehende Zukunft und der positive Bezug
der sich durch das inkarnatorische Element auch zeitlich zeitigenden Geschichte zum unverfügbar bleibenden Eschaton (das Moment 'von unten' in
Ergänzung zum Moment 'von oben') zu kurz kommen. Wie wir an der entsprechenden Urstands- und Urfallskonzeption Kritik übten, so fordern wir auch
hier eine differenziertere Sicht, die der berechtigten Ablehnung des Chiliasmus nicht andere Wahrheitsmomente opfert.

Wir meinen, daß Althaus selbst ab 1928 in der Herausstellung der positiven "verborgenen Wahrheit" des Chiliasmus[37] die eben erwähnten zu
kurz gekommenen Aspekte wieder etwas einzuholen versucht. Sein existentieller oder 'aktueller Chiliasmus' ist ein "Chiliasmus der Verantwortung",
d.h.

"es geht bei dem Chiliasmus zuletzt....um eine bestimmte Haltung gegenüber dieser Welt und ihren konkreten Aufgaben, hic et nunc": "Chiliasmus heißt: 'der Erde treu bleiben', gerade in der Todesgewißheit, um
'der Auferstehungshoffnung willen; um den Sieg Gottes in Christus in
eben dieser unserer Geschichtswirklichkeit ringen, um die Diesseitigkeit und konkrete Tathaftigkeit des Zeugens vom kommenden Reiche wissen"[38].

"Als Ausdruck konkreter Verantwortung" hat der Chiliasmusgedanke "symboli-
sches Recht" (GE[1] 53). Althaus sieht also darin, ohne von dessen Kritik als
eines gegenständlichen Zukunftsbildes ein Wort zurückzunehmen, das Mit-
(nicht Nach-)einander von Diesseitigkeit und Jenseitigkeit des Reiches,
von Realismus und Überweltlichkeit der Hoffnung ausdrückt: "der Realismus der Hoffnung muß ein transzendenter und die Transzendenz realistisch
sein" (LD[4] 306), denn das Reich "ist nicht 'jenseitig' im Sinne der Preisgabe unserer Welt" (GD[1] II/179 = GD[5] 273).

Durch Althaus' Herausstellung des Zusammenhangs verflüchtigen sich die
eschatologischen Aussagen nicht ins Mirakulöse, da die eschatologischen
Verheißungen in einer 'Entsprechung' zu dem stehen, was der Mensch hier
auf Erden tut und wofür er hic et nunc verantwortlich ist. Aber wir halten
den Zusammenhang zu gering, d.h. er läßt sich schwer über die Behauptung
hinaus aufrechterhalten oder er wird zu 'innerlich', denn er ist uns als
metaphysischer vollkommen verborgen und nur als ethischer offenbar. Wir

sind der Überzeugung, daß ein – bei Althaus allerdings aufgrund seiner soteriologischen Engführung schwer möglicher – ontologischer Zusammenhang bestehen muß, um Identität und Kontinuität neben der notwendigen Diskontinuität zu wahren. Während sich der nur ethische Zusammenhang schnell zum
ständig gleichbleibenden, rein inneren 'Ethos der Stunde' verflüchtigt,
sind bei einem der Geschichtlichkeit des Seins entsprechenden ontologischen Zusammenhang eine Einbeziehung nicht nur der im Werk investierten
Liebe, sondern des Werkes selbst und ein konkreterer Apell hinsichtlich
des je notwendigen Tuns der Menschheit in Hinblick auf ihre innergeschichtliche Zukunft, d.h. ein leibhaftiges 'Ethos der Zukunft', möglich,
ohne den Realismus der Hoffnung in der Immanenz zu 'domestizieren'.

Althaus hat recht: "Eschatologie....kann und darf nicht zur Apokalyptik werden, d.h. zu einer Lehre von der Endgeschichte, ihren Stadien und
Ereignissen. Sie muß sich darauf begrenzen, vom Ende und Ziel zu handeln".[39]
Er hat unrecht, wo die Vermittlung zwischen universalgeschichtlich aus-
ständiger Zukunft der Welt und Geschichte und der absoluten Zukunft Gottes
durch den in der Innerlichkeit des Ethos verbleibenden gegenwärtig-aktuellen Jenseitsbezug zu kurz kommt. Einerseits ist sicherlich "die im tiefsten Grund meta-empirisch bleibende Sittlichkeit der Geschichte"[40] das
einzig Endgültige, das also von seiten des Geschöpfes einen irgendwie
direkten Einfluß auf das Kommen des Reiches Gottes ausübt, das eschatologische Gabe und nicht Ergebnis menschlichen Bemühens ist; wir öffnen uns
Gott gegenüber in der Übung der Tugenden am Material der Welt. Andererseits können wir, wenn wir unseren (und Althaus') anthropologischen Prämissen vom Verhältnis von Seele und Leib, dem Bekenntnis zur Freiheit und
deshalb zur Mitwirkung des Menschen und vor allem der theologischen Tiefe
der Inkarnation nicht untreu werden wollen, das Ergebnis und Werk der Tu-
gendtat trotz der ihm noch anhaftenden Ambivalenz nicht völlig unbeachtet
lassen. Damit sind wir aber schon weit in unseren nächsten Abschnitt 'Eschatologie und Ethik' eingestiegen.

3. Eschatologie und Ethik
a) Luther als Lehrmeister

Die Rechtfertigung, die "erstens das Vorzeichen des sittlichen Lebens
und zweitens seine Quelle" (DEL 11) ist, ist bei Luther "die Klammer" zwischen Dogmatik und Ethik; christliches Handeln ist "'Ethos auf dem Boden

der Rechtfertigung'" (DEL 7). Glaube und Praxis des Lebens stehen im Verhältnis der Immanenz, denn die Praxis als Gestalt und Vollzug des Glaubens ist Aus- und Einübung und deshalb Probe des Glaubens (DEL 23f). Die erfahrene Rechtfertigung führt notwendig zum neuen Gehorsam, der gemeinsam mit dem Kampf gegen die Sünde und den guten Werken Erkenntnisgrund und Bezeugung des rechten Glaubens (Realgrund der guten Werke) ist, freilich nicht Mittel zum Heil (DTL 213-218), "doch es 'schadet' dem Glauben, kein Werk zu haben" (DTL 379), denn "der rechte Glaube erweist sich in der Liebe" (DTL 381).[41]

Die Arbeit wirkt nicht selbst die Güter zum Leben, aber Gott hat sie als Mittel seines Segens geordnet und sie ist Gottesdienst auch unter dem Fluche der Sünde. Gottes Alleinwirksamkeit bleibt erhalten, denn "die Arbeit ist die 'Larve', unter der verborgen Gott selber alles wirkt und den Menschen das gibt, was sie zum Leben nötig haben" (DEL 105);[42] sie bleibt es erst recht in dem "mit dem Rechtfertigungsglauben verwandten" Ruhen, das dem alleinigen Schöpfertum Gottes am nächsten und "mehr als alles andere" Gottesdienst ist, "weil wir mit dem wirklichen Ausspannen des Leibes und der Seele alle Sorge auf Gott werfen und damit ihm die Ehre geben als dem, dessen Segen all unser Arbeiten trägt und umschließt, dessen Wirken für uns auch dann weitergeht, wenn wir ruhen und schlafen" (DEL 108).

Luthers Ethik entspringt letztlich seiner Zwei-Reiche-Lehre. Wir beschränken uns auf einige Anmerkungen zu Althaus' Auslegung und Verständnis derselben; wir würden uns sonst im 'Irrgarten der Zweireichelehre' (J. Heckel) verlieren.[43]

Der allwirksame Gott waltet das weltliche Reich und das Reich der Gnade in Christus, er führt das weltliche und das geistliche Regiment. Das weltliche Regiment ist praelapsarisch in den elementaren Notwendigkeiten dieses irdischen Lebens begründet, also Schöpfungsordnung, 'urständliches Moment', während das 'Reich der Welt', zumindest in Luthers späterer Entwicklung, von der Sünde bestimmt ist. Auch der Christ ist Bürger zweier Reiche, des Reiches der Schöpfungsordnung und des Reiches der Christordnung. "Damit löst die Lehre von den beiden Regimenten sich von dem Dualismus von Gottesreich und gottfeindlichem Weltreich." (DEL 58). Zwischen weltlichem Regiment und der Herrschaft Christi herrscht sogar eine Analogie des 'Herr-Seins' und die beiden Regimente sind aufeinander angewiesen; doch während

das erste (Reich Gottes mit der linken Hand)unmittelbar nur dem irdischen
Leben, der Erhaltung der Welt dient, geht es beim geistlichen Regiment um
das ewige Leben, die Erlösung der Welt (Reich Gottes mit der rechten Hand).
Beiden Reichen gegenüber steht das Reich des Satans. - Die beiden Bereiche
sind zwar nicht völlig getrennt (Schwärmer), dürfen aber auch nicht vermischt werden (Papsttum). "Der Staat als solcher kann nicht christianisiert
werden, und das Reich Gottes wird niemals politische Verfassung der Welt."[44]
Der erste Bereich ist nur Substrat, Mittel, condicio sine qua non für den
zweiten, aber berührt ihn keineswegs 'wesentlich'. "Christi Reich hat innerweltliche Präsenz in den christlichen Personen, und zwar nur in ihnen,
nicht in christlichen Institutionen....Christi Reich ist ethisch gesehen,
hier auf Erden nicht eine Ordnung der Verhältnisse, sondern eine Haltung
der Personen."[45]

Dieser Disparatheit zufolge ist religiöse Freiheit bei Luther nur "Sache des 'Herzens', der inneren Haltung" (DEL 70), die jederzeit bereit
sein muß, zur Tat zu werden, also, meint Althaus, nicht bloß Gesinnungs-
ethik, nicht nur innere Haltung. Das Handeln (und Leiden) der Gläubigen
ist deshalb zweigeteilt: das der 'Weltperson' und das des 'Christen', das
des Handelns im weltlichen 'Amte' und das des Handels im privaten Gegenüber. Trotz der daraus unweigerlich entstehenden Gewissenskonflikte der
'doppelten Person' und "der mächtigen Spannung zwischen dem, was er innerhalb der geschichtlichen Lebensordnungen tun muß, und der Gesinnung, in
der er es tut"[46], entsteht nach Luther (und Althaus) keine doppelte Moral,
da "der Gehorsam gegen Gott und der Gehorsam gegen Menschen in den Ämtern
....grundsätzlich nicht in Konkurrenz" stehen (DEL 81f) und die äußere
doppelte Gestalt (z.B. Straf- und Vergebungs-, Rechts- und Liebesgestalt)
durch die persönliche Haltung der Liebe und des Dienstes in Einheit integriert wird. Die Spannung der ethischen Paradoxie gründet letztlich in der
theologischen Paradoxie des Handelns Gottes, der das Recht waltet und dabei doch nichts als Dienst am anvertrauten Leben, als Liebe ist (DEL 72-84),
und aus dieser Spannung folgt Luthers Lehre vom Staat (DEL 116-158), der
durch die Zwei-Reiche-Lehre entsakralisiert, aber nach Althaus' Meinung
nicht säkularisiert, d.h. seiner Bindung an Gottes Gebot nicht entbunden
wurde. Gottes Handeln freilich ist "zwiespältig, dort zur Erhaltung der
Völker, hier zum Heile in Christus; aber dieses zwiespältige Handeln trägt
dort wie hier die Züge des einen und selben Gottes, des freien Gottes
der Rechtfertigung" [47] (Betonung Vf).

Althaus hat Luthers Ethik nicht kritiklos übernommen. Sein ausgewogener Wirklichkeitssinn ließ ihn einige Korrekturen an der übertriebenen Gehorsamsethik anbringen, denn die Christenheit hat inzwischen erkannt, "daß die vom Evangelium geschenkte Freiheit des Christenmenschen sich auch als soziale und politische Freiheit ausdrücken muß." (DEL 151;vgl.GE[1] 58). Althaus wirft daher dem älteren Luthertum Tat-, Missions- und Zukunftslosigkeit vor und fordert auch Sozialkritik und Kritik der politischen Welt (GE[2] 112).[48] Trotzdem fand Althaus die Orientierung an Luthers Zwei-Reiche-Lehre richtig. Mit ihr glaubte er fähig zu sein, den richtigen Weg zwischen dem verlorenen Fortschrittsglauben des 19.Jahrhunderts und der totalen Diastase der dialektischen Theologie zu finden. Die 'Theologie der Krise' "konnte und durfte (sie) keine konkreten ethischen Weisungen für das geschichtliche Leben geben, keine konkreten Bindungen als klare Setzung Gottes sehen lehren, zu keinem bestimmten Einsatz des Christen für die Gestaltung des geschichtlichen Lebens nach Gottes Willen anleiten"[49]. Luther dagegen zeigt Gott als Schöpfer des geschichtlichen Lebens und dessen Ordnungen, nach denen der Christ das öffentliche Leben in Verantwortung ausrichtet; er bewahrt aber auch durch den eschatologischen Charakter des Evangeliums vor Verrat an Politik und Kultur.

"Mit Luther kommt man weder zur ungebrochenen Weltlichkeit des Kulturprotestantismus noch zur totalen Eschatologie der Krisentheologie. Mit Luther steht man in der biblischen Spannung von Schöpferglauben und Erwartung des überweltlichen Reiches Gottes, von Hinausschauen über diese Welt und zugleich doch Verantwortung für sie."[50]

Ist der Ansatz Luthers aber nicht von Anfang an so einseitig, daß man in seinem Fahrwasser auch bei einigen Wellenschlägen gegen den Strom doch in denselben Strudel mithineingezogen wird? Kommt Althaus wesentlich hinaus über den lutherischen Konservatismus, wo er doch nicht gegen Luther Stellung nehmen möchte, "sondern nur eine neue Anwendung seiner Gedanken gemäß der veränderten Strukturen unserer Staaten"[51] vertreten will?

b) Althaus' 'eschatologisches Ethos': Christliches Handeln und Werk als Bekenntnis zu, Zeugnis für und Bitte um Gottes Reich

Dogmatik und Ethik hängen auch bei Althaus engstens zusammen, denn "die Dogmatik handelt von dem Christenstande, sofern er uns gegeben, die Ethik, sofern er uns aufgegeben ist....Indikativ und Imperativ sind streng und untrennbar aufeinander bezogen und bezeugen erst zusammen die Wirklichkeit der Geschichte Gottes mit dem Menschen" (GE[2] 11;vgl.C W256f). Die religiöse Begründung des Sittlichen ist nichts Nachträgliches, denn "nur wo die

Erfahrung des unbedingten Sollens zum Bewußtsein ihrer selbst als Erfahrung Gottes des Herrn kommt, gewinnt sie ihre volle Tiefe und ihren
ganzen Ernst" (GE 17). Die Antwort auf die in Gottes Offenbarung erkannten Gebote ist der Gehorsam. "Unter dem unbedingten Anspruche....ist die
Stunde, der 'Augenblick', unmittelbar zur Ewigkeit Gottes, ein Totales,
unbedingte Entscheidung" (GE^1 19). "Unter dem Gebote ist jeder Tag letzter
Tag" (GE^2 20), denn in dieser Dimension des Unbedingten entscheidet der
Mensch über Leben und Tod. Die Seligkeit kann nicht für sich erstrebt werden, denn sie ist "die von uns abgekehrte Seite des Willens Gottes" (DTL
125). Das erste Gebot, Gott Gott sein zu lassen, das Vorzeichen aller anderen Gebote sein muß, heißt uns, unsere Existenz von ihm in jedem Augenblick schlechthin zu empfangen. Dadurch "entsteht zum ersten Male wahrhaft 'autonome' Ethik, d.h. der Gehorsam hat nun nicht mehr den verfäl-
schenden Ton einer Leistung, sondern sein einziger und ganzer Sinn ist es,
Gehorsam gegen eine Lebensanforderung von Gott her zu sein"[52]. Die durch
die Sünde hervorgerufene Krisis der Ethik (servum arbitrium) wird nur
durch die Vergebung im Konkretum einer Geschichtstatsache, im Christusereignis, überwunden. Wir kommen dadurch "aus der unethischen oder ethischen
Selbstherrlichkeit in das demütige Sichgründen auf die Gnade allein; aus
dem Vertrauen auf das eigene Ethos in das Lebenwollen allein von Gottes
Huld in Christus"[53]. Das Evangelium ist Krisis der subjektiven und objektiven Sittlichkeit, aber auch deren Neubegründung, "denn es bringt die Vergebung und verkündet den Anbruch des kommenden Reiches Gottes. Das christliche Ethos ist demnach Ethos der Rechtfertigung und Ethos der Gewißheit des Reiches, d.h. eschatologisches Ethos" (GE^1 54 = GE^2 64).

Da Evangelium und Gebot zusammengehören, "gehören Glaube und Handeln,
Heil und neues Leben aufs innigste zusammen", denn "passiv, reines Empfangen ist der Glaube nur relativ, nicht absolut, nämlich allein in der Beziehung auf die Heils- oder Rechtfertigungsfrage"[54]; im übrigen stehen Glauben
und Werke nicht im Verhältnis der Kausalität, sondern der Immanenz. Althaus geht sogar so weit zu sagen: "Für den Christen gilt nach Paulus: alles kommt aus dem Glauben, aber zugleich: alles liegt am Werk." (BR 24)
Der Kampf in der von der Todesgesetzlichkeit bestimmten Welt führt jedoch
trotz aller möglichen Entwicklung nie zum Ziele, ja, der Christ trägt notgedrungen zum Dienst des Todes und Satans bei, denn er ist und bleibt ein
Sünder. So steht der Christenstand "bis zuletzt in der Entscheidung, d.h.
in der gleichen Todesgefahr wie am ersten Tage....die Vollkommenheit, zu

der uns Gott führen will, wartet unser erst jenseits des Todes" (GE[1] 48f).
Hier scheiden sich lutherische 'eschatologische Ethik' und geschichtsphilosophisch orientierte Ethik. "Die Eschatologie hat es mit den letzten
Dingen zu tun, nicht mit der Zukunft der Geschichte, sondern mit ihrem Ende, ihrer Grenze, die Jesu Tag ihr setzt. Die Geschichtsphilosophie, auch
eine christliche, hat es mit vorletzten Dingen zu tun, mit dem kommenden
Geschichtslaufe. Davon redet echte Eschatologie nichts."[55] Hier entspringt
Althaus' heftige Kritik der Reich-Gottes-Ethik verschiedener Prägung, die,
wenn schon nicht von der Verwirklichung des Reiches, "so doch von der Heraufführung eines neuen Tages der Menschheit, der ein Vorgeschmack des endlichen Reiches Gottes sein wird", spricht[56]. Solche Ethik vergißt, daß
"Reich Gottes heißt: des Todes Ende – und Gott allein ist des Todes mächtig
....Auch hier steht nichts Geringeres auf dem Spiele als die Rechtfertigung allein durch den Glauben"[57]. Von dieser Basis aus, vermischt mit politischer Ideologie, kritisiert Althaus Sozialisten und Pazifisten.

Der religiöse Sozialismus versucht, die sozialistische Erwartung religiös urchristlich einzukleiden. Aufgrund des Glaubens an die leibliche Auferstehung Jesu von den Toten wollen die religiösen Sozialisten durch die
Liebe als der revolutionären Kraft des Christentums mithandelnd in das 'omnia instaurare in Christo' eintreten – 'omnia', also auch Gesellschaft und
Wirtschaft, Staat und internationales Leben. So würde die Hoffnung von der
falschen individualistischen Innerlichkeit und Jenseitigkeit des Rechtfertigungsgedankens und von der unheilvollen Trennung in zwei Reiche befreit.
"Sozialistische und urchristlich-chiliastische Zukunftserwartung rücken nahe zusammen."[58] Althaus dagegen glaubt, daß bei Paulus nur der Anbruch der
neuen Welt im Geiste zu erkennen sei und daß aus der Hoffnung auf die kosmische Erneuerung der Welt kein Arbeitsantrieb zur Weltumgestaltung folge,
obgleich das Christentum auch bewegende Kraft in der Sozialgeschichte sei.
Auch aus Jesu Predigt läßt sich kein soziales Programm ableiten; ihm geht
es nur um die Menschenherzen, um das konkrete Liebesgebot. Hier auf Erden
gelten unvermeidlich neben der Liebe und Freiheit noch das Recht (das zwin-
gen kann) und der Staat, so daß die Liebe als Bedingung ihrer Möglichkeit
eine Rechtsordnung fordert (CW 676f). Wir leben hier notwendig in zwei Ordnungen.

Der inhaltliche Unterschied von Recht und Liebe machen eine 'christliche Politik' im eigentlichen Sinne unmöglich, wie ja auch eine 'christli-

che Welt' ein Widerspruch in sich selbst ist. Kriege sind unvermeidlich.
Indem die Christen diese Kämpfe 'entmoralisieren', d.h. den Gegner nicht
als Verbrecher schänden, tragen sie zur wahren Versöhnung bei und erinnern
mitten im Kampfe an die Vergänglichkeit der irdischen Völker und an die
Hoffnung auf die una sancta im kommenden Reich. Für Althaus' politisch-
ideologisch gefärbte Theologie ist die Geschichte "gerade da furchtbar,
wo sie groß und herrlich ist; und umgekehrt" (GE^1 108). Von dieser "gnadenvollen Kehrseite" (GE^2 151) heißt es: "In der Geschichte als Berufung
zum Einsatze (Sterben-dürfen) erleben wir Gleichnis und Vorschule des uns
fordernden Reiches Gottes; aus der Geschichte als Stätte des Gegensatzes
(Töten-müssen) schauen wir aus nach dem Kommen des Reiches Gottes" (GE^1
108). Ähnlich wie der Tod kann der Krieg sogar gnädige Berufung zum Gottesdienste höchster Glaubensliebe werden, denn "die Furchtbarkeit des Tö-
tenmüssens hat zur Kehrseite das dulce et decorum des Sterben-dürfens für
das Vaterland"[59]. Althaus gesteht allerdings, daß in Politik und Krieg
"ein unlösbares Ineinander des 'wahrhaften Krieges' und des Bösen" herrsche und daß selbst der 'wahrhafte Krieg' "nicht idealistisch eindeutig
als ursprüngliche Gottesordnung der Geschichte hingestellt werden" könne,
denn "die ganze krieggebärdende Geschichtsverfassung gehört zu der Welt
des Falles und des Todes"[60].

Die Anspruchnahme des Christentums durch die radikalen und gemäßigten
Pazifisten ist abzulehnen. Den ersten mangelt einerseits Wirklichkeitssinn und biblische Nüchternheit, die weiß, daß es unmöglich ist, die natürliche eigengesetzliche Lebensordnung des Rechtes, der Wirtschaft und
des Staates in die Liebesverfassung des Reiches Gottes aufgehen zu lassen,
andererseits vergessen sie die um des Glaubens willen notwendig kenoti-
sche Gestalt des Gottesreiches auf Erden; den zweiten gegenüber meint
Althaus, daß sie seit Luther, der im Kriegsfall auf einer Seite immer
Rechtsbruch mag, nicht dazugelernt hätten und die großen Entscheidungs-
fragen der Weltgeschichte zu sehr moralisierten: "uns ist inzwischen auf-
gegangen, daß die großen Völkerzusammenstöße viel wurzelhafter aus dem
Wesen dieser unserer irdischen Geschichte stammen."[61] - Würde heute nach
dem zweiten Weltkrieg und angesichts der Möglichkeit atomarer Selbstzerstörung jemand einen solchen Satz wiederholen können, ohne letztlich, rein
menschlich gesehen, der Verzweiflung anheimfallen zu müssen? - Althaus'
Kritik richtet sich auch gegen den 'katholischen Pazifismus', der notwendig aus der uneschatologischen rechtlich verfaßten Organisation der

römischen Kirche als irdischem Gottesreiche folge. "Hinter der päpstlichen Bereitschaft zur Friedensvermittlung steht schließlich der Anspruch auf schiedsrichterliches Eingreifen des Papstes in Streitigkeiten weltlicher Staaten."[62]

Die Stellung Althaus' gegen den Völkerbund, ein internationales Schiedsgericht und dgl., ist allzu offenkundig ideologisch gebrandmarkt, als daß hier darüber lange gesprochen werden müßte; dies zeigt sich z.B. ganz deutlich in der mit E.Hirsch abgegebenen Erklärung 'Evangelische Kirche und Völkerverständigung', in der angesichts der Verlogenheit der internationalen Lage eine christliche und kirchliche Verständigung und Zusammenarbeit in den Fragen der Annäherung der Völker für unmöglich erklärt wird.[63]

Althaus läßt den christlich-sozialen Gedanken, der sich gegen unleidliche Zustände des sozialen Lebens richtet, gelten, denn "die Innerlichkeit des Reiches Gottes gibt der Christenheit niemals ein Recht zur Gleichgültigkeit gegen die objektiven Ordnungen und die äußeren Weltverhältnisse"[64]. Obwohl es "zuletzt nicht an dem Schwunge und der Leistung des Menschen, sondern daran, daß Gott seine Ehre als Gott bleibt", liege, meint Althaus - gegen den Vorwurf, daß die lutherische Ethik diesen Schwung lähme -, daß "gerade das Evangelium von der gebenden Gottheit Gottes den Menschen hinreißt in nicht endende mächtige Bewegung", wie das Leben der Gemeinde bezeuge[65]. Das lutherische 'Vergebungschristentum' hindert also nicht an der sozialethischen Aufgabe der Christen, sondern befreit die Menschen zur Liebe und zum Dienst. Freilich gibt es allem Aktivismus und allem Weltverbessertum die völlige Nüchternheit: "Wer selber bis zum Tode auf Vergebung angewiesen ist, träumt den Traum eines endzeitlichen Reiches Gottes auf Erden nicht mehr, er gibt solchem flachen Optimismus den Abschied und wartet auf die Auferstehung der Welt jenseits des Todes, dem alles geschichtliche Leben verfallen ist."[66]

Das Handeln der Christenheit ist also nicht unmittelbar, sondern nur mittelbar zum Reiche Gottes. Althaus gesteht gegenüber Barths Behauptung 'Ohne Chiliasmus und wenn es nur ein Quentchen wäre, keine Ethik'[67], daß unser Ringen mit der Sünde und den Mächten des Todes ohne den Ausblick auf den 'Tag Gottes' sinnlos wäre, so daß in unserer sozialen Tat also "ein Sinnbild und eine Verheißung, die weit über den nächsten Ertrag hinausweisen", liegen, aber er hält Barth gegenüber fest, daß Gleichnis und Verheißung nicht einen innergeschichtlichen Ertrag bedeuten müßten und daß das sinngebende Ziel nicht als 'sittliches Objekt' des Handelns gedacht werden dürfe, denn es bedeute Aufhebung der Geschichte. "Wir ersetzen daher die Formel 'ohne Chiliasmus keine Ethik' durch die andere 'ohne Eschatologie keine Ethik'".[68] So lebt z.B. der Kampf des Arztes mit der Krankheit insgeheim von der Hoffnung auf eschatologische vollendete Gesundheit und der Christ nimmt seinen Leib in Zucht in der Zuversicht, daß Gott ihn zu ewiger Gestalt erneuern werde. Freilich wird dieser Kampf aus dem Bewußtsein des größeren eschatologischen Lebenssinnes auch innere Freiheit bekommen, denn "wer den Horizont des Todesloses nicht außer Acht läßt, der wird mit Freiheit, mit Bescheidung, gewiß mit Ernst, aber nicht mit Verbissenheit, sondern auch mit einem gewissen Humor seiner Gesundheit und ihren Grenzen und Hemmungen gegenüberstehen"[69]. So lebt auch alles christlich-soziale Ringen gegen entfremdende Wirtschafts- und Sozialstrukturen von der Gewißheit einer kommenden Welt völliger Emanzipation. So wird die Kirche in Sozialkritik und in gelebter Diakonie "selber ein Vorbild, ein Modell, die 'Initialzündung'" geben [70], weil sie sich gedrungen und ermutigt weiß, "den Kampf mit aller Ungerechtigkeit in dieser Welt, mit der sozialen und aller strukturellen Daseinsnot um gerechte Ordnung und Frieden immer neu tapfer aufzunehmen, allen Niederlagen und Enttäuschungen zum Trotz"[71].

Althaus spricht davon, daß nichts verloren gehe, was im Gehorsam gegen Gott getan werde, daß alles bewahrt werde in Gottes ewiger Welt. Das darf jedoch nicht als Heraufführung des Reiches Gottes durch unser Tun verstanden werden, sondern nur als "Bekenntnis zu ihm, Zeichen für es, Bitte um sein Kommen"[72], Gleichnis und Tat-Bitte, "ein Zeugnis von Gottes Reich", "ein handelndes Beten, ein starkes Schreien nach dem Tage Jesu"[73], "Zeugnis der Hoffnung, die alles betrifft, Seele und Leib, Menschheit und Kreatur, Personen und Werk"[74]. "In der Tat lebt die Bitte: Dein Reich komme! Aber die Bitte greift zugleich weit über die Tat und ihren Ertrag hinaus."[75]

Im Wissen um ihren Segen und Fluch steht die Arbeit bei Althaus unter eschatologischem Vorbehalt - im Gegensatz zur modern idealistischen Auffassung, die nur von Würde und Freude der Arbeit spricht. Er weiß auch um die Ambivalenz des technischen Fortschritts und er weist darauf hin, "daß die gesteigerte Mächtigkeit, Freiheit und Fülle auch gesteigerte Preisgabe, Abhängigkeit und Verarmung des Lebens bedeutet....auch Fortschritt hin zum Tode"; so ist gerade "die moderne Technik....'Zeichen

der Zeit' für die fortschreitende Verfallenheit alles irdischen Lebens,
für seine eschatologische Grenze" (GE^2 106). Auch der Fortschritt der
Wirtschaft fordert notwendig schwere Opfer, so daß auch hier die Ethik
"um den Tod wissen und eschatologisch bestimmte Ethik bleiben" (GE^2 160)
muß. Von der Kultur sagt Althaus ebenso, daß jeder Fortschritt in ihr "ein
Fortschritt auch in der Zerstörung des Lebens" sei, da sie von den Todes-
mächten geprägt ist; "als Überwindung der Zweiheit von Geist und Stoff,
Seele und Leib; als Verleiblichung des Geistes und Leibwerden der Welt"
hat alle Kultur jedoch sinnhaften Bezug "auf die kommende 'neue Welt'
Gottes, in der alle Wirklichkeit 'Wort' und das Wort Gottes ganz offenbare Welt-Wirklichkeit sein wird " (GE^2 100). Im Gleichnis bruchstückhaf-
ten und vergänglichen Werkes ist sie "Verheißung der ewigen Welt Gottes",
zeugt von ihr und erwartet darin Erlösung von ihrer Sündigkeit und ihre
Erfüllung (GE^2 100;vgl.LD^3 256;LD^4 348f). Der Sinn der geschichtlichen
Kulturarbeit geht also nicht darin auf, Grundlagen für die Möglichkeit
höheren und gemeinsamen Lebens zu schaffen oder nur 'Material der Pflicht,'
Stoff der Bewährung der Hingabe an Gott zu sein, sondern sie hat 'Eigen-
Sinn' (GD^1 II,179 = GD^5 273). In LD^3 meint Althaus, daß "das geschichtliche Wirken der Menschheit nach Gottes Willen nicht ohne 'Bedeutung' für
die Vollendung des Erkennens und Gestaltens in der Ewigkeit sein" werde
und daß das Wirken und die darin investierte Hingabe "die gottgesetzte
'Bedingung' einer ewigen Welt" sei, so daß Wissenschaft, Kunst, Natur-
und Sozialgestaltung, Technik und Politik einen "Glanz ewigen Sinnes" haben (LD^3 256). In LD^4 wird er jedoch vorsichtiger und erkennt nun den
'Eigen-Sinn' nur mehr darin, als Gestaltung durch den Geist über sich hin-
auszuweisen auf die 'neue Welt': "Alles irdische Bauen baut nicht die ewige Stadt, aber es 'meint' die ewige Stadt" (LD^4 349) als den Sinn seiner
selbst. "Das ist der eschatologische Sinn der Kultur. Alle wahre Kraft und
Freudigkeit zur Kultur lebt so zuletzt von dem Glauben an das kommende
Reich Gottes." (GE^2 100)[76]

> "Welche Bedeutung die Arbeit der Gemeinde darüber hinaus für das endli-
> che Kommen des Reiches Gottes hat, wie weit das irdische Bauen und Ge-
> stalten aus dem Geiste der Liebe Christi heraus vielleicht nach Gottes
> Ordnung Gewicht hat für den Bau der 'ewigen Stadt', das ist unserem Auge
> verborgen, das weiß Gott allein. Uns in unserem Handeln geht es nichts
> an."[77]

Für uns bleibt wichtig: "Das Harren der Gemeinde geschieht im Arbeiten,
aber das Arbeiten muß sich immer wieder zum Harren demütigen. Eschatologie

und Tat gehören zusammen. Eins ohne das andere ist eitel." (GE[1] 53). Weil
nicht die Leistung, sondern die Hingabe das Leben zu Sinnhaftigkeit erfüllt, liegt der Sinn des Lebens ebenso im rechten Ruhen, denn Gott gibt
uns nicht allein an seinem Wirken, sondern auch an seinem Ruhen Anteil.
"In beidem zusammen harren wir der Ewigkeit Gottes entgegen, in der Wirken und Feier eins sind." (GE[2] 69)

Wie Glauben und Lieben ist auch Hoffen keine Theorie, sondern "Sache
des ganzen Menschen und daher nur in der Praxis lebendig"[78]. So schließt
Althaus seine Monographie 'Die letzten Dinge' nicht mit einer Theorie,
sondern mit dem Appell: "Nur in einer Tat der Seele und des Lebens, täglich neu, lebt die Hoffnung wirklich." (LD[1] 147 = LD[3] 270 = LD[4] 350). In
dieser Tat sind Glaube, Hoffnung und Liebe geeint; ihr tiefster Kern ist
die Liebe. "So ist Gottes Liebe die Seele alles christlichen Handelns"
(GE[2] 71); sie gibt mehr als 'Vorgeschmack', denn "wer liebt, der lebt
schon in der Ewigkeit, denn Gott ist die Liebe und darum ist das ewige
Leben das Leben der Liebe"[79]. In diesem Leben bleibt jedoch ebenso das
Verhältnis der gegenseitigen Konkurrenz und somit Gottes Gebot auch als
Gesetz, Last und Gericht. "Der Christ sehnt sich aus der 'Gestalt dieser
Welt' (1.Kor.7,31) heraus nach der kommenden ewigen Welt, in der die Lie-
be nicht mehr Bruchstück, sondern ganz sein wird, das Ganze unseres Le-
bens." (GE[2] 97f)

c) Kritische Sichtung und Korrektiv

aa) Korrektur in Richtung eines Ethos der Zukunft, der Leiblichkeit,
    der Geschichte und der Antizipation

Althaus' Bestreben, den Eschata ihre Aktualität zu geben, seine klare
Sicht der bleibenden Ambivalenz der Geschichte, seine Kritik alles evolu-
tionistisch-naturalistischen Fortschrittsdenkens (und somit auch der Vorzeichenlehre als Theorie), seine Betonung der Bedeutung jeder Stunde und
die starke Hervorhebung des überall zu beachtenden eschatologischen Vorbe-
halts sind von bleibender Bedeutung. Damit ist untrennbar Althaus' Ablehnung der 'endgeschichtlichen Eschatologie' verbunden, d.h. sein Aufweis
der Unmöglichkeit innergeschichtlicher Vollendung, den wir voll anerkennen, was die Unmöglichkeit selbst betrifft. Dieser Aufweis geschieht jetzt
nicht mehr in der polemischen Pseudomorphose der Frühperiode, aber er hat
deren philosophisch-theologische Voraussetzungen noch nicht voll überwunden, so daß auch jetzt noch einige - letztlich nicht adäquat voneinander

trennbare - Aspekte zu kurz kommen. Die von uns als Korrektiv hervorgehobenen Komponenten der Zukunft, der Leiblichkeit, der Geschichte und der
Antizipation schließen die Wahrheit eines Ethos der Stunde, der Innerlichkeit, der Person und des Zeugnisses nicht aus, sondern werden als Ergänzung gefordert, bzw. integrieren und vervollständigen das Wahrheitsmoment des Althaus'schen Ethos.

Ethos der Stunde - Ethos der Zukunft

In Althaus' 'aktueller Eschatologie' kommt das Moment der Zukunft zu
kurz, denn die aktuelle Auslegung der Eschata wird zu einer aktualistischen, zeitlosen Umdeutung der Postulate der Endgeschichte. Die traditionellen Vorzeichen des Endes werden "zu zeitlosen Symbolen des religiösen Gleichzeitigkeitsaspektes" (DeD 318); sie sind zu sehr polare Exi-
stentialien der Zeit überhaupt, zu wenig bezogen auf die in Christus historisch ergangene Heils-Geschichte und die in ihm eröffnete Gnadenzeit.
Transzendenz und Immanenz werden noch zu metaphysisch bestimmt, zu wenig
in Hinblick auf die Geschichte. Auch wir wollen den Vorzeichen keine "Gültigkeit in chronologisch-zeitlichem Sinne, als wirklichen Zukunftsereig-
nissen," (DeD 411) geben, wie es F.Holmström tut[80], aber Althaus' Erwähnung des Entgegendrängens auf das ausstehende Ende bedarf einer größeren
Betonung des zeitlich-futurischen Aspektes, denn zeitlose Vorzeichen drohen trotz gegenteiliger Beteuerung Vorzeichen eines Endes zu sein, das
niemals eintritt, weil es in Althaus' zugespitzt übergeschichtlicher Fassung des Paradieses und des Endzieles immer über uns steht. Es läuft so
Gefahr, nicht ernst genommen zu werden, da sich die Vorzeichen als stets
aktuelles Antichristmotiv und stets aktuelles Chiliasmusmotiv (als via negationis und via analogiae) die Waage halten und die Eschatologie zu einer
"übergeschichtlichen Ewigkeitsrelation" (ArtDeD 338) zu werden droht.

Gerade die wahre Voll-endung, das reelle Gericht und der Ernst der Jetzt-
zeit waren jedoch Althaus' Herzensanliegen, und er wehrt sich gegen die Gefahr der Auflösung der zukünftigen Vollendung in die Bedeutsamkeit des
gegenwärtigen Augenblicks im Sinne Bultmanns. Aber in Formulierungen wie
z.B. folgender ist diese Gefahr nicht ganz gebannt:

> "Christliches Werk lebt also, ohne alle Ideologie von einer geschichtli-
> chen Zukunft, ganz in der Gegenwart. Heute soll geschehen, was nach Got-
> tes Willen geschehen muß, ob nun das Morgen auf das Heute aufbaut oder
> ob es Abbau bringt."[81]

In solchem christlichen Werk scheint nicht auch das Werk als solches zu

zählen, sondern sein Sinn und Wert sind nur die darin verwirklichte Treue,
Hingabe, Geduld - das Ethos der Stunde.

Wir treffen also bei Althaus eine Spannung zwischen Sinn und Ziel an.
Versteht Althaus den Sinn der Geschichte in der Vertikalen, im Ethos der
Stunde im 'Trans', so läßt er ihr Ziel doch nicht darin aufgehen, wie es
die Existenztheologie tut in der Identifikation von Eschatologie und
Rechtfertigung im Jetzt der Gegenwart, in der mich Gott von den Banden der
Vergangenheit befreit und mir umweltliche Zukunft gewährt, sondern Althaus
sieht dieses Ziel im 'Vorne', nach dem die Geschichte unterwegs ist. Der
Kampf mit dem Bösen in dieser Welt geht dem Sieg des Guten, dem uns von
Gott her zukommenden transzendenten Reiche entgegen, führt es jedoch nicht
kraft eigener Dynamik herbei. Deutet der vertikal-übergeschichtliche Sinn
eher auf eine 'Zukunft der Existenz', für die alle weltlichen Zukunftsprobleme gleichgültig und unwichtig sind, weil der Mensch in der Entscheidung
für Christus frei davon wird und von der überindividuellen Geschichte ab-
strahiert, so handelt es sich im Ziel doch eher um eine endgeschichtliche
'Zukunft der Welt', in der alle Schöpfungsgedanken ihre Erfüllung und Vollendung finden.[82] Doch wie kann hier eine Vermittlung zwischen Sinn und Ziel
geschehen? In welchem Verhältnis stehen die Innerlichkeit und ständige
Gleichheit des Sinnes zu den innerweltlich, von den Sehnsüchten der Menschen gestimmten und geforderten, je nach Zeit verschiedenen Hoffnungsent-
würfen, wenn doch das Ziel auch Erfüllung aller Menschheitssehnsüchte sein
soll? Ist Althaus' Transzendenz nicht zu stark meta-physisch (im 'Jenseits', 'Hinter', 'Nach' der Geschichte) aufgefaßt? Müßte es nicht eher
eine Transzendenz innerhalb der Geschichte selbst auf ihre Vollendung
hin sein? Ist etwa nur das ehtische Destillat des menschlichen Werkes bedeutsam?

Gerade heute genügt es weniger denn je, das je technisch, ökonomisch
oder politisch Mögliche einfach ins Tatsächliche umzusetzen, wie es in
der inneren Dynamik der technischen Vernunft liegt, denn diese Möglichkeiten müssen und dürfen nur so verwirklicht werden, daß die Zukunft ihre Offenheit behalte und nicht zu einem versklavenden Schicksal werde, d.h. es
muß also im Hinblick auf die gemeinschaftliche weltlich-geschichtliche Zukunft als Überlebens- und Lebenschance gehandelt werden, nicht nur im Hinblick auf den unmittelbaren Ewigkeitswert jeder Zeit. Gottes Zukommen muß
'verknüpft' werden mit menschlich-geschichtlicher Zukunft. Das 'Know-how'

muß also nach dem Sinn für die Zukunft, nach dem 'Know what' befragt werden. Geschieht dies nicht, also beim Abbrechen der Brücke zur geistigen
Situation der Zeit und der in ihr anstehenden Zukunftsprobleme, "droht
(sonst die Rede von dem eschatologisch handelnden Gott beziehungs- und kom-
munikationslos, also weltlos zu werden"[83], da der vertikale Sinn der Geschichte keine konkreten Präferenzen und Prioritäten anzugeben weiß. Es
wird darin Gottes Zukunft zwar deutlich von der Vielfalt aller historisch-
gesellschaftlichen Zukunft unterschieden, aber es bleibt völlig unre-
flektiert, welche historisch-gesellschaftliche Situation den Menschen diesen Glauben an den kommenden Gott erst annehmen läßt. Es geht also auch
hier letztlich um ein Natur-Gnade-Problem. In Althaus' Sicht besteht, es
sei nochmals anders gesagt, die Gefahr, daß der vertikale Sinn (der philosophisch von dem weltlosen Gott und die gottlose Welt unterscheidenden
Zeit-Ewigkeits-Denken beeinflußt ist) und das alles erfüllende transzendente letzte Ziel allzu fremd gegenüber der konkreten 'vorletzten' Not-
und Hoffnungssituation der Menschen bleiben, daß also- nach Althaus' eigenen Worten – echte Eschatologie "mit vorletzten Dingen nichts" zu tun
hat[84].

Das soll kein Plädoyer für den immanenten Fortschrittsglauben sein,
aber für eine Verbindung der Eschatologie mit der biblischen 'Teleologie'
des Zukunft verheißenden und uns dafür in die Welt als seine Zeugen sen-
denden Gottes, dessen Kontinuität in seiner Treue inmitten des diskonti-
nuierlichen Wechsels der Zeitläufe besteht und uns so ins verheißene Land
einführt.[85] Die christliche Eschatologie muß diese Welt in den Prozeß der
Verheißung und der weitertreibenden Hoffnung hin auf eine neue Totalität
des Seins stellen. Die qualitative Differenz zwischen Gott und Welt darf
nicht in einen umgreifend identischen Zusammenhang von Welt aufgehen, aber
es besteht dann doch eine Vermittlung zur geschichtlichen Zukunft und deren Entwürfen, indem Gottes Zu-kommen doch auf die 'vorletzten' konkreten Zukunftsmöglichkeiten der jeweiligen Situation bezogen und deren Wozu
und Wohin (Sinn und Ziel) nach dem in Jesus Christus gegebenen 'letzten'
Maßstab, dem schon gekommenen Gott, der zugleich das Humanum verwirklicht,
bewertet wird. Zur theologischen Aussage genügt deshalb nicht nur der übergeschichtliche gleichbleibende Sinn des Ethos der Stunde, sondern auch die
letzten Dinge müssen (wie es Althaus von der ganzen Theologie immer wieder
fordert) ausgesagt werden entsprechend der jeweiligen geschichtlich-gesell-

schaftlichen Situation, die vom eschatologischen Handeln Gottes gedeutet
wird, d.h. deren kleine innerweltliche Hoffnungen müssen in praxisbezo-
genem Verstehen mit der großen eschatologischen Hoffnung in Beziehung gesetzt werden.

Das zeitlose Ethos der Stunde, das allzu leicht über die geschichtliche Zukunft hinweg in die jenseitige Ewigkeit blickt, muß abgelöst werden vom (es integrierenden) 'Ethos der Zukunft': aus dem Glauben an Jesus Christus wird Gottes geschichtsvollendendes Handeln als qualitativ
unendlich unterschiedenes Jenseits gegenüber dem geschichtlichen Experiment der Menschheit betrachtet (das Althaus'sche Anliegen der Gottheit
Gottes bleibt dadurch gewahrt) und gerade dadurch werden dem Menschen
und der Menschheit als ganzer Gewißheit und Mut vermittelt, "nun trotz
der verwirrenden Vielfalt des Möglichen und trotz der schwer änderbaren Un-
vernunft der Verhältnisse heute und morgen die notwendigen und zugleich
möglichen Schritte zu tun" gemäß dem uns bereits erschienenen Telos (Utopie des Menschen-Möglichen) der humanitas Jesu Christi, die in uns in
der Praxis der Nachfolge weiterwirkt; so weicht der Christ nicht in jenseitige Zielsetzungen aus, sondern er versucht, seine große Hoffnung "in
die Humanisierungsversuche der 'selbst-fabrizierten Zukunft' hinein zu
übersetzen"; er weiß jedoch auch, "daß das Kommende nie aufgeht in einer
Perfektion dieser 'selbst-fabrizierten Zukunft', – wenn wir denn eine
'humane' oder gar 'gottgemäße' Zukunft mit alledem meinen, was wir denken
und tun"[86].

Ist aber eine Vermittlung von eschatologischem Sinnziel und innerweltlicher Zukunftshoffnung überhaupt möglich, wenn Geschichte zwar auch Gottes Schöpfung, aber zugleich paradox daneben Sündigkeit ist? Ist Althaus
mit der Betonung des Wirkens und Werkes nicht schon an den Rand dessen gegangen, was in seiner 'Eschatologie der Rechtfertigung' an positiver Wertung
innerweltlicher Hoffnungen möglich ist? Althaus sagt zwar: "Entgegenleben
heißt für uns aber: Mit Bewußtsein entgegen-gehen, entgegen-handeln, -ar-
beiten, -kämpfen", doch die Zuversicht ist nicht auf eine irgendwie geartete Vermittlung unserer konkreten kleinen Hoffnungen mit der großen
Hoffnung gerichtet, sondern auf etwas darin investiertes zeitlos Glei-
ches, nämlich, "daß alles, was hier an Hingabe, Treue, Geduld, Entsagung,
Opfer im Dienst an den großen menschlichen Aufgaben gelebt wird, einmal
seinen Erntetag sieht, – gerade auch das stille Wirken, das Wollen und

Mühen, das irdisch gescheitert ist"[87]. Im Tauziehen zwischen Althaus'scher Rechtfertigung und Geschichte hat aufgrund der soteriologischen Engführung wieder einmal die Rechtfertigung den Sieg errungen – also dort, wo eigentlich keine Konkurrenz sein dürfte –, ja, sie muß ihn erringen, solange nicht die stärkere Betonung der Inkarnation eine größere Bedeutung des geschichtlichen Auftrags der Umgestaltung der Welt zur vollendeten Welt zur Folge hat, ohne daß dadurch dieses Ziel, das 'Ende der Geschichte', vom Menschen geschichtlich dingfest und eingeholt werden könnte. Die Souveränität der gnadenvollen Neuschöpfung Gottes als der Überschuß des in Denken und Handeln nicht Vermittelbaren (das nicht wieder funktionalisiert werden darf zur Bedingung der Möglichkeit der Vermittlung!) muß bleiben; nur wenn Gott Gott ist, darin hat Althaus recht, kann der Mensch Mensch und im Eschaton die Menschheit vollendete selige Menschheit sein.

Versuchen wir das Gesagte nochmals anders auszudrücken. Althaus ist überzeugt, daß der Mensch immer schon von Sinn herkommt (Uroffenbarung) und auf Sinn aus ist. Seine Betonung der Herkunft und der Gegenwart ist ein richtiges und notwendiges Korrektiv nicht nur der dialektischen Theologie, sondern auch einer ihr trotz allem seelenverwandten, sich an der alttestamentlich-jüdischen Hoffnung orientierenden, die neutestamentliche Heilsgegenwart vernachlässigenden bedingungslosen Flucht nach vorne in die Eschatologie, wie sie die Gefahr der gegenwärtigen Totalisierung der Zukunft ist.[88] Da Althaus jedoch durch seine Verflochtenheit mit der Zeit-Ewigkeits-Spekulation nie ganz vom griechischen Denken, sofern es unbiblisch ist, wegkam, wurde auch die Sinnerfahrung, die auf Geborgenheit des Endlichen im Unendlichen verweist, mit dem platonisch-stoischen Kosmos- und Identitätsgedanken verbunden, der vor allem vom Gedanken des Anfangs, der Vorsehung und der Teleologie geprägt ist und daran hindert, daß die christlich eröffnete Zukunft ihre ganze wahre Zukünftigkeit und Neuheit wahrt. Das Eschaton wird von Althaus zwar nicht im teleologischen Prozeß erwartet, aber als Sinn der Geschichte, in dessen Horizont wir durch die Uroffenbarung schon grundsätzlich stehen, und als "das verborgene Jenseits der Geschichte" kommt es in Verdacht, nur "das künftige Prädikat der vorgängig verstandenen Geschichte", also einer systematisch geschlossenen Geschichte, "das Resultat der anfänglichen Definition von Geschichte" darzustellen, so daß auch Althaus der Vorwurf des "Rückhalts am Protologischen"[89] zurecht nicht ganz erspart werden kann. Die in Chri-

stus gegebene Sinnantwort des Reiches Gottes wird von ihm zu stark metaphysisch als jenseitiges 'Ende der Geschichte' und zu wenig geschichtlich
als die alles Geschichtliche einbegreifende und umfassende und zugleich,
weil absoluter und grenzenloser Sinn, in unerwartet Neues vollendende
'Mitte der Geschichte' gesehen. Dies ist jedoch heute unbedingt gefordert, denn Sinnbehauptung nur an den (polaren) Rändern des Lebens vermag
leicht unglaubwürdig zu werden.

Wie Althaus' Position durch die Rückbindung an Herkunft und Gegenwart
Korrektiv einer einseitigen Theologie der Hoffnung sein kann, so kann die
Theologie der Hoffnung durch die Offenheit in die Zukunft und ins Neue
ein Korrektiv für Althaus sein. Letztere ist von einer starken Aversion
gegen antike teleologische 'Hoffnung' erfüllt und steht unter dem mächtigen Einfluß der jüdischen Hoffnung (und deren säkularisierter Form bei
E.Bloch), die vom Unerfüllten auf die ausstehende Erfüllung drängt und
den Raum der sozialen Heilszukunft eröffnet. Dieses Herandrängen des messianischen Reiches muß sich notwendig durch Gottes Initiative im Siege
Christi bescheiden, sonst bleibt dieser "jüdisch-utopische Durchbruch"
doch nur ein neo-judaistischer Selbstbefreiungsversuch des Menschen[90].
Andererseits jedoch verwehrt die auf der Menschwerdung beruhende Hoffnung jede Ausflucht aus der Welt in ein Jenseits, aus der Geschichte in
ein 'Jetzt' ohne Vergangenheit und Zukunft. Der Christ "muß an einem Heilswerk für Welt und Menschen mitarbeiten im Wissen, daß es innerweltlich
unvollendbar ist"; er darf nicht auf ein Jenseits vertrösten, sondern er
beginnt heute, die Welt zu verwandeln und verborgenerweise Richtung und
Strömung des Geistes des Ewigen in die irdischen Gefäße zu gießen, freilich "nicht indem er diese zerschlägt oder zerdehnt, prophetisch-anar-
chisch, sondern indem er das 'entfremdete' Gesetz durch die Spontaneität
der Liebe von innen verwandelt, befreit und aufhebt"[91]. So hat heute auch
die katholische Hoffnungstheologie im Ernstnehmen der Verheißung Gottes
an die ganze Schöpfung ein neues Verhältnis zur Zukunft der Welt bekommen und sie bleibt nicht stehen bei deren Theoretisierung, sondern sie
wird zur Aufforderung zur Tat, denn die Hoffnung ist für sie die "inspi-
rierende Kraft des Handelns"[92].

Ethos der Innerlichkeit - Ethos der Leiblichkeit

Mit dem 'Ethos der Stunde' ist die Gefahr der reinen Innerlichkeit gegeben. Dies ist zwar nicht Althaus' Absicht, denn er meint, es sei "die

geradezu entsetzliche Entstellung der Rechtfertigung und des Sola fide",
zu glauben, daß der Vater nicht die äußere Handlung der Kinder misse, sondern nur den guten Willen sehe, der in der Handlung liege[93]. Auch Althaus'
Anthropologie betont in vielem die notwendige Leiblichkeit. Das zeitlose
Ethos der Stunde hat jedoch trotz allem nicht den welthaften Charakter,
den die anthropologische Grundstruktur und erst recht die höchste Bestätigung der Leiblichkeit in der Inkarnation erfordern. Der Ernst der humanitas Christi verlangt, daß die Verkündigung der eschatologischen Botschaft immer auch einen Bezug zur leibhaftigen menschlichen Hoffnung, daß
die spes christiana Bezug zur spes humana habe (vgl.DSK 37). Althaus'
anthropologische Voraussetzungen werden einer die Geschichte und somit
auch die Leiblichkeit entwertenden soteriologischen Engführung unterzogen, da die empirische, horizontal-geschichtliche Leiblichkeit trotz ihres
Geschöpfdaseins - daneben - ganz unter der Sünde steht. So kommt das Heil
nur in polarer, transempirischer Außergeschichtlichkeit, d.h. in zeitloser Innerlichkeit, dem Menschen zu, so daß die Leibhaftigkeit im Vergleich zum eigentlichen Innenbereich (der dritten Dimension) doch nur ein
'Trabantendasein' führt. Deshalb liegt Gott zuletzt nicht an den Sach-
lichkeiten, sondern an den lebendigen Personen; es zählt schließlich doch
nur die Vertikale, nicht die Horizontale, nur die Hingabe, nicht das Werk.
Gottes Herrschaft geht zwar nicht im 'Reich Gottes' auf, doch letzteres
ist eine "geistige Wirklichkeit"[94].

Die Arbeit der Menschen ist zwar nicht mehr wie bei Luther nur 'Larve'
und 'Maske', unter der Gott selbst wirkt, aber auch hier wird sie nur
ethisch, nicht auch ontologisch ernst genommen.

"Die Werke und Werte der Kultur sind keine unbedingten Werte. Aber die
Gottesbeziehung in ihnen, d.h. der Gottesauftrag und die ihm entsprechende Verantwortung für die Werke, die Gottesgabe - in und unter dem
irdischen Lebenswerte - und der sie empfangende Dank ist das Unbedingte in der Kultur." (GE[2] 101)

Leiblichkeit hat jetzt doch bloß - zwar unentbehrlichen - Werkzeugcharak-
ter.[95] Die anstehenden Wirtschaftsprobleme des Kapitalismus und der So-
zialisierung will Althaus letztlich doch nur durch personales Ethos lösen.[96] Er spricht zwar davon, daß die Werke nicht nur Folge und Manifesta-
tion des Glaubens, sondern dessen Vollzug und somit Heil im Anbruch sei-
en, aber in der Wertung der eschatologischen Bedeutsamkeit des Werkes
bleibt er hinter dieser Erkenntnis zurück, so daß die Anthropologie
schließlich doch wieder dichotomisch wird, d.h. zu sehr zwischen Subjekti-

vität und Objektivität, Innerlichkeit und Leiblichkeit unterscheidet. Althaus meint zwar, "die engen Beziehungen zwischen der subjektiven Sittlichkeit des Willens und einer objektiven Sittlichkeit der Zustände" nicht
verkennen zu können, aber er spricht doch gemäß der Zwei-Reiche-Lehre von
einer doppelten Verfassung der Menschheit:

> "Jene regelt die äußeren Grundlagen alles höheren Lebens, ohne dieses
> selber erfassen zu können; diese ist eine den Menschen in seiner Tiefe
> beherrschende Bestimmtheit des Gewissens. Jene hat ihren Ort ausschließ-
> lich in der Geschichte, diese ist obgleich in der Geschichte wirklich,
> doch eine übergeschichtliche Wirklichkeit."[97]

Da diese übergeschichtliche 'tiefe' Wirklichkeit der gesellschaftlichen
Inanspruchnahme enthoben zu sein scheint, trifft hier der Vorwurf J.Molt-
manns zu:

> "Diese Theologie....lokalisiert den Glauben in jener ethischen Wirklich-
> keit, die durch Entscheidungen und Begegnungen des Menschen bestimmt ist,
> nicht aber durch die sozialen Verhaltensmuster und die rationale Eigen-
> gesetzlichkeit der wirtschaftlichen Verhältnisse, in denen er lebt."[98]

Obwohl Althaus von 'Eigen-Sinn' der Natur, Leiblichkeit, Geschichte und
Kultur spricht, entgeht er doch nicht der Gefahr, daß nur das "moralische
Destillat"[99] seiner geschichtlichen Tätigkeit für das eschatologische Heil
entscheidend ist. Althaus weiß um die Zusammengehörigkeit von Hoffnung
und Liebe und von Gottes- und Nächstenliebe, doch er bringt zu wenig zum
Ausdruck, daß aufgrund dessen ein neues Licht fällt "sulla stessa speranza
come esigenza intrinseca di incarnarsi nel compito di trasformare il mon-
do al servizio dell'uomo"[100]. Der Grund dieser Verkürzung liegt im Zukurzkommen der 'Eschatologie der Inkarnation'.

Ethos der Person - Ethos der Geschichte

Wenn man den Akzent auf die negative Abwehr einer apokalyptischen Endgeschichte legt, weil nur ein überpolares, den Rahmen von Raum und Zeit
sprengendes Ende von den Todesgesetzen der Geschichte erlösen könne, wird
die Einbeziehung eines Endgeschehens meist allzu unbetont, und man ist
versucht, das Ende in den mehr statischen (platonisch-angehauchten) Begriffen der Vertikalität, der Unmittelbarkeit jeder Zeit zur Ewigkeit als
zeitlos ewigem Sein zur Geltung zu bringen. Nicht als ob Althaus sich mit
einer - letztlich hoffnungslosen - existentialen Interpretation zufrieden
gebe, aber seine philosophischen Begriffsmittel und seine theologische
Soteriologie lassen auf dem versuchten Mittelweg das Pendel zugunsten
einer personalen Engführung ausschlagen. Trotz aller anerkennenswerten Bemühungen, "aus dem Engpaß einer 'personalistischen Eschatologie' heraus-

zuführen", liegen der Sinn der Geschichte und der Akzent der Endhoffnung auf dem Individuell-Persönlichen, so daß, wie G.Sauter überspitzt sagt, das Bedürfnis abschließender Universalität nicht anders als anhangweise befriedigt werde, denn "das 'Ende der Welt' kann und muß so allein als logische Expansion des individuellen Todesschicksals verstanden werden. Der Tod ist der thematische und methodische Katalysator der Hoffnung!"[101]

Diese Einseitigkeit war nicht wenigen Kritikern ein willkommener Anlaß, ihre Forderung nach 'endgeschichtlicher' (im Sinne innergeschichtlicher Parusie usw.) Eschatologie zu untermauern.[102] Schon um 1930 begann man sich wieder auf die bleibenden Werte der in vielem zurecht kritisierten und überholten 'heilsgeschichtlichen Eschatologie' des 19.Jahrhunderts zu besinnen.

"Die ausschließliche Anwendung der Vertikalbetrachtung gibt kein vollständiges und richtiges Bild, weil sie die einzelnen Offenbarungs- und Heilserweise Gottes aus ihrer offenbarungs-geschichtlichen Verknüpftheit löst und so über den einzelnen Heilsgeschichten die Idee der einen, großen Heilsgeschichte verliert."[103]

Außerdem entdeckte man wiederum den Gedanken der Gemeinde und der Universalität. Freilich verzichtete diese ökonomische Betrachtungsweise auf endgeschichtlichen Stufengang und auf eine Vorzeichentheorie. Die personale Engführung mußte "mit Notwendigkeit eine Rückbesinnung gerade auf jene Universalgeschichte fordern wie wir sie in der Theologie von Sauter, Moltmann, Pannenberg, Metz, einigen der jüngeren Schriften Karl Rahners und in dem neu erweckten Interesse auch der Theologie an Hegel heute vor uns haben"[104].

Der Erstgenannte - Gerhard Sauter - sieht den Grund der personalen Engführung in einer "soteriozentrischen Systematik", in der Konzentration auf die Heilsfrage des Menschen, womit "eine schwerwiegende Vorentscheidung zum Verhältnis von Eschatologie und Anthropologie" gefallen ist, weil alle eschatologischen Veränderungen "im Bann derartig anthropologisch verhafteter Identität" blieben und "jeder Universalismus nur als Ausweitung persönlicher Bezogenheit glaubhaft" sei[105]. Auch wir haben im dogmatischen Unterbau die soteriologische Engführung aufgezeigt, doch während Sauter den Grund dafür nur im "besonderen Einsatz neuzeitlichen Denkens, das nur dann recht zum Zuge kommen kann, wenn das Ich des fragenden Subjekts bzw. Daseins als Beziehungsmitte der geschlossenen, verifizierbaren Welt erkannt und anerkannt ist"[106], zu sehen scheint, glauben wir, gezeigt zu haben, daß der Grund vor allem in dem lutherischen Pathos für das erste

Gebot, also die Gottheit Gottes, deren Schöpfertum als creatio ex nihilo
sub contraria specie verstanden wird, und der daraus folgenden Rechtfertigungslehre liegt, das wiederum von der neuzeitlichen Philosophie (in deren
nominalistischen Strömungen vorbereitet und) begünstigt wurde, bzw. dieselbe auch selbst begünstigte.

Wenn sich alles bereits im Urdialog Gottes mit dem Menschen, bzw. in
der Verweigerung dieses Dialogs, entschieden hat und dadurch die Geschichte geprägt ist, dann treten der Dialog mit den Menschen, der Umgang mit
der Welt und das Stehen im zeitlichen Zusammenhang zurück und das notwendige "Sichüberkreuzen von Universalgeschichte und Existenzgeschichte
in jeder Situation"[107] kommt zu kurz. Die temporale und interpersonale
STruktur jeder geschichtlichen Situation ist durch die Inkarnation Christi gleichsam potenziert, denn "die Orientierung auf Gott ist in ihm zugleich die Orientierung in die Gemeinschaft der Menschheit hinein"[108].
Dieser bei Althaus vernachlässigte universalgeschichtliche Sinn der Geschichte ist nicht, wie Althaus meist argwöhnt, einer linear fortschreitenden Entwicklung gleich, sondern verbindet gerade durch die Betonung
der Dialogizität der Geschichte das Ethos der Person und das Ethos der
Geschichte als nicht ausschließende, sondern einander gegenseitig fordernde Komponenten. Man ist sich neu der Geschichtlichkeit der Person, aber
auch der Personhaftigkeit der Geschichte bewußt geworden.

Ethos des bloßen Zeugnisses - Ethos der Antizipation

Das "Ethos des bloßen Zeugnisses"[109], wie es Althaus vertritt, ist ein
berechtigter Protest gegen Evolutionismus und Säkularisierung der eschatologischen Hoffnung - aus dem tiefen Wissen um die Ambivalenz jedes
'Fortschritts' und um die Unverfügbarkeit des absoluten Sinnes. Aus der
inneren Dialektik der Arbeit des Menschen ist klar, daß jeder Fortschritt
einen neuen Fortschritt möglich macht und daß dieser Prozeß keine immanente Vollendung haben kann. Das besagte Ethos mag auch Ausdruck dafür
sein, daß sich Gott trotz des menschlichen Weltauftrags "jeweils in einem
in den Augen der zeitgenössischen Weltöffentlichkeit wohl ziemlich bedeutungslosen, keineswegs machtpolitisch umwälzenden Geschehen" geoffenbart
hat und dieses Offenbarungshandeln nur "durch das verkündigende Zeugnis
des betroffenen Gottesvolkes" universal bedeutungsvoll wurde[110]; und nicht
zuletzt ist es eine Warnung vor einer vorschnellen Identifizierung von Gottes Reich und Kirche.

Wenn aber der Sinn der Geschichte nicht nur überzeitlich jenseitig bleibt, sondern durch die Inkarnation Christi in die Geschichte einging und dadurch die Geschichte annahm, so ist das christlich Geschichtliche nicht mehr nur Zeugnis für 'jenseits des Nullpunktes' liegende schlechterdings unvermutbare und nur paradox geglaubte Vollendung. Dann ist das christliche und überhaupt menschliche Handeln nicht mehr nur "Ausdruck seines Verlangens nach dem reinen Gehorsam gegen Gott und insofern unerläßliches Merkmal des seligmachenden Glaubens" (CW 647), auch nicht mehr nur "bestenfalls ein Echo der einsamen gottmenschlichen Tat"[111], sondern neben der bleibenden Diskontinuität, die die ständige Unverfügbarkeit der Gnade und der Vollendung bezeugt, also durch den Tod und die radikale Verwandlung hindurch gibt es auch schon Kontinuität zwischen hier und dort, neben dem 'bloßen Zeugnis' auch schon Antizipation des Endgültigen. Die Erneuerung der Welt ist bereits im Anzug, nicht nur in der Kirche, sondern hinein bis in die weltliche Sphäre, da unsere explizit oder implizit christliche Umwandlungstat die eschatologische Hoffnung den – letztlich zwar nur durch ihre Offenheit auf das Unverfügbare endgültigen, in sich eigentlich immer ambivalenten – Strukturen einprägt und so gegen jeden Konservativismus die Erneuerung der Welt gleichsam antizipiert, auch in Kritik der je konkreten weltlichen Strukturen. "Der Geist Gottes ist Prolepse des neuen Lebens, Vorwegnahme der Zukunft Gottes, Ermöglichung der leiblichen Auferstehung....Das Werden der neuen Schöpfung ist nicht möglich ohne Zutun, Mittun und Weiterschaffen des Menschen."[112]

"Das Ende der Zeiten ist also bereits zu uns gekommen (vgl. 1Kor 10,11), und die Erneuerung der Welt ist unwiderruflich schon begründet und wird in dieser Weltzeit in gewisser Weise wirklich vorausgenommen (= anticipatur)."[113] Indem das Zweite Vatikanische Konzil dies sagt, will es ausdrücken, daß das Unvorhersehbare der 'absoluten Zukunft' erhalten bleiben muß, daß aber auch das Vorhersehbare und Machbare der 'relativen Zukunft' seinen tiefen Ernst hat, denn, wie es an anderer Stelle heißt, "die Erwartung der neuen Erde (darf) die Sorge für die Gestaltung dieser Erde nicht abschwächen, auf der uns der wachsende Leib der neuen Menschenfamilie eine umrißhafte Vorstellung von der künftigen Welt geben kann, sondern muß sie im Gegenteil ermutigen"[114].

bb) Vermittlung von absoluter und relativer Zukunft in der
 'Eschatologie der Inkarnation'

Auf der Basis von Althaus' Anthropologie und Offenbarungslehre müßte eigentlich eine Vermittlung zwischen absoluter und relativer Zukunft möglich sein, da in Althaus' 'Anknüpfungstheologie' die Uroffenbarung Begegnung zwischen Offenbarungswirklichkeit und menschlicher Lebenswirklichkeit gestattet. Auch in der Beziehung 'Glaube-Werk' versucht Althaus so weit als möglich zu gehen. Aber die soteriologische Engführung mit ihrer latenten Jenseitigkeit läßt die Möglichkeit, das emanzipatorische Engagement als glaubwürdige Vermittlung und als Realprophetie der Hoffnung auf die eschatologische Zukunft zu verstehen, sehr prekär werden, wie das Zukurzkommen der im vorigen Abschnitt angeführten Komponenten zeigt.

Die absolute Zukunft darf natürlich weder vorgestellt noch begrifflich umfaßt werden, ohne sich selbst aufzugeben. "Sollen diese Worte Gottes und diese Tat Gottes aber nicht ein deus ex machina erscheinen, nicht rein äußerlich und extrinsezistisch auf den Menschen stoßen, so daß sie ihm fremd bleiben und daher mirakulös erscheinen müssen, ist die Vermittlung der Verheißungen, von denen die theologische Eschatologie spricht, mit dem was der Mensch in sich ist, notwendig."[115] Diese Vermittlung der Hoffnung auf eine erfüllte Zukunft kann nur in der Gegenwart geschehen, weshalb es gilt, jetzt Bedingungen sinnerfüllten Lebens zu schaffen und in Erfahrungen des Gegenwärtigen die Spuren des Zukünftigen zu lesen und, weil das Gegenwärtige unsere Sinnerwartung nie erfüllt und auch immer wieder in die Vergangenheit absinkt, für das je Neue offenzubleiben. Althaus müßte notwendig angesichts der modernen Kultur, die nach der Legitimation des Christentums und nach der Verifikation unseres Glaubens fragt, einen größeren Ton auf die komunitäre Praxis legen, denn " in der Lebenspraxis der Gläubigen wird deutlich werden müssen, daß Gott sich tatsächlich als der manifestiert, der machtvoll genug ist, die neue Zukunft zustande zu bringen "[116]. So wie der Mensch in der Kraft der größeren Hoffnung die kleinere hat, gilt auch: "In der kleineren Hoffnung wird die größere real."[117] Positive Verwirklichungen der kleinen Hoffnung behalten notwendig einen Unsicherheitsfaktor und Wagnischarakter, da die Kirche das Rezept der neuen heraufzuführenden gesellschaftlichen Wirklichkeit nicht mitliefert, sondern nur den Horizont dafür eröffnet. Auch wenn sich die 'futura' nicht vergeschichtlichen lassen, pflichten wir J.Moltmann bei, wenn er mit Bezug auf P.Althaus sagt:

> "Es ist zu wenig, wenn man sagt, das Reich Gottes habe es nur mit Personen zu tun, denn einmal sind Gerechtigkeit und Frieden des verheißenen Reiches Verhältnisbegriffe und betreffen also auch die Verhältnisse der Menschen untereinander und zu den Dingen, zum anderen ist

der Gedanke einer a-sozialen Personalität des Menschen eine Abstraktion."[118]

Ch.Bauer-Kayatz, selbst protestantische Theologin, hat wohl den "bei uns evangelischen Theologen" ausschlaggebenden Grund der Unterschätzung der Geschichtstat des Menschen genannt: "Wahrscheinlich steht dahinter die Sorge, Gottes Handeln gerate in Gefahr, vom Menschen abhängig gemacht zu werden."[119] Das Werk kommt also allzu schnell in Verdacht, Mittel der Selbstrechtfertigung sein zu wollen.

Die Vermittlung ist also notwendig, und sie war im Grunde auch das Anliegen Althaus' in seinem Versuch des Mittelweges zwischen uneschatologischer und nureschatologischer Theologie: in beiden ist Vermittlung letztlich unmöglich, denn im ersten Fall kommt es zu einer Subsumierung und zum Verlust der absoluten Zukunft, im zweiten Falle zu einer völligen Disparität und zum Verlust der relativen Zukunft. Daß Althaus' Anliegen nicht geglückt ist, liegt daran, daß in seiner 'Eschatologie der Rechtfertigung' die 'Eschatologie der Inkarnation' nicht den ihr zustehenden Platz bekam. Seine konservative politische Ethik tat noch ein übriges, daß das kritische Moment des Glaubens vernachlässigt wurde.

Hinter dem Ethos der Zukunft, der Leiblichkeit, der Geschichte und der Antizipation steht das Dogma der Inkarnation. Die Christologie von Chalkedon, die in der Betonung der Menschheit und der Gottheit Christi die menschliche aufsteigende Linie des Reifens und der Entwicklung und die göttliche absteigende des plötzlichen und unvorhersehbaren Abbruchs vereint, lehrt uns, daß diese beiden in der Eschatologie wiederkehrenden Linien nicht gegeneinander ausgespielt werden dürfen, sondern sich gegenseitig ergänzen. Freilich steht das menschliche 'Element' in ständiger totaler Abhängigkeit von Gottes Tat (wie Christi Menschheit selbst), aber "es kann nichts in die absolute Zukunft eingehen, was nicht in der Geschichte des Menschen zum Ereignis geworden ist"[120]. Der Mensch muß die auf ihn zukommende Zukunft auch selbst tun, denn nur so endet die Geschichte nicht einfach bei ihrem Anfang und haben Zukunft und Ertrag der Geschichte Bedeutung. Auch in der 'Eschatologie der Inkarnation' darf freilich das Kreuz als deren integraler Teil nie übersprungen werden oder der Blick für die Negativität der Geschichte verloren gehen; ebenfalls darf der damit verbundene Primat des Empfangens vor der eigenen Leistung, wo es um das Letzte des Menschen geht, nicht vergessen werden, denn der Mensch kann nicht anders ganz Mensch werden, als indem er geliebt wird. Der Christ,

der das Kreuz als Zeichen der Liebe kennt, steht so dem Aufgang und Untergang der machbaren Zukunft in letzter Freiheit gegenüber, da er auch ohne
deren Strukturen nicht in die absolute Leere stürzt, ja die Torheit des
Kreuzes ist am zukunftsträchtigsten:

> "dann sind Wagnis und Abstürze nicht von uns genommen, aber deren letz-
> te Verzweiflung ist erlöst, weil aller Sturz in den Abgrund des Unsagba-
> ren und Unbegreiflichen in Geist und Leben ein Fallen in die Hände des-
> sen ist, den der Sohn Vater nannte, als er im Tod die Seele in seine
> Hände empfahl".[121]

Der Mensch weiß um die Unmöglichkeit, das endgültig Neue selbst herauf-
zuführen, und ist deshalb solidarisch, mit allem, wo Leid, Unrecht und Tod
sind. Gott selbst führt die absolute Zukunft herauf, denn er selbst ist
sie - als absolutes Geschenk und Geheimnis. Die Tätigkeit des Menschen hat
jedoch trotzdem absolute Bedeutung, denn durch das Ankommen der Gnade beim
ganzen Menschen disponiert die menschliche Arbeit und die dadurch bewirkte
Weltveränderung dazu, die absolute Zukunft zu empfangen, und sie haben teil
am antizipatorischen Anfang des endgültigen Heils. Die Gottes- und Nächstenliebe als Realisation der Hoffnung des ganzen Menschen verlangt nach deren
Verleiblichung in der Weltveränderung zum Dienst der Menschheit. Durch diesen Beitrag zur Humanisierung der Welt und durch diesen Dienst an der universalen Brüderlichkeit versperrt sich der Mensch nicht egoistisch der im-
manent-objektiven Zielsetzung der Weltgestaltung. Wenn gerade heute an ego-
istischer Ungerechtigkeit jeglicher Art sehr gelitten und nach einer sich
in der Praxis bewährenden Abhilfe verlangt wird, so fordern diese 'Zeichen
der Zeit' vom Christen Eingeständnis der eigenen Schuld, Sachwissen der
konkreten Nöte, Solidarisierung mit den Entrechteten, Kritik an Entfrem-
dungs- und Ausbeutungsstrukturen und Engagement für eine alle Dimensionen
des Menschseins umfassende Befreiung des Menschen. Nervöses Revoluzzertum
wäre freilich ebenso ein Mangel an christlicher Hoffnung wie sattes Sit-
zenbleiben im status quo.

cc) Kritische Anmerkungen zu Althaus' Geschichts-, Zwei-Reiche- und
Ordnungs-Begriff

Geschichtsbegriff

Wenn bei Althaus tatsächlich der Ansatz in gewissem Sinne eine 'Eschatologie der Inkarnation' zuläßt, jedoch dann durch die 'Eschatologie der
Rechtfertigung' an der Ausführung gehindert wird, so spiegelt sich dieser
'Bruch' in seiner Theologie wieder, und zwar u.a. in "Althaus' ungeklär-
tem Geschichtsbegriff"[122].

Einerseits verweigert sich die Geschichte allem moralistischen Verfügen und Beobachten und verlangt nach einer dialogalen Freiheitsgeschichte
zwischen Gott und Mensch. Unser Ja zu Gottes Einladung führt in das uns
geschenkte, von uns angenommene, die dialogale Geschichte nicht abstoßen-
de, sondern voll-endende Eschaton, ohne daß die Geschichte durch ihren
Weg-Charakter 'uneigentliches' Leben würde, denn in ihr verbindet sich
Gott mit dem Menschen in Liebe und der Mensch empfängt bereits erfülltes Leben als wirkliche Antizipation der vollendeten Zukunft, die durch
Entschränkung über die Todesgrenze der Geschichte hinaus eintritt. Andererseits jedoch ist die Geschichte Sünden- und Todesgeschichte. Althaus gesteht zwar manchmal ausdrücklich ein 'ontologisches Prius' der
Schöpfungsdimension der Geschichte vor deren Sündendimension zu, doch
systematisch kommt diese notwendige Differenzierung nicht zum Tragen, da
jede ontologische Bestimmung der Beziehung beider Dimensionen von Althaus' Allergie gegen Ontologie sogleich als 'spekulative Herleitung' verdächtigt wird und er dahinter hamartiozentrische Engführung, Kosmogenese oder spekulative Anthroposophie, kurz eine unaktuelle, zuschauende,
historisierbare Theologie vermutet. So bleiben die beiden Bestimmungen der
Geschichte einfach paradox nebeneinander stehen. Auch die Sünde gehört
schließlich genau so ursprünglich der dialogalen, dem historisch-empirischen Sein zugrundeliegenden Ebene, d.h. dem 'Innenbereich' der Geschichte an. Geschichte ist "das durch Sünde und Tod gekennzeichnete Entscheidungsleben" (LD[4] 244). Die faktisch-existentielle Ebene ist so zur
essentiellen Dimension geworden!

Diese 'Umschichtung' hat gravierende Folgen: Während nach der schöpf-
fungsmäßigen Seite eine anfangshafte Verwirklichung des Heils in der Geschichte möglich und notwendig wäre, Natur, Inkarnation und Pfingsten also nicht zu kurz kommen müßten, wird gemäß der sündenmäßigen Sicht der
Außenbereich der Geschichte übersprungen und die axiologische Dimension
im Übergeschichtlichen gesucht, dem ein Nachgeschichtliches beigestellt
wird, das aber immer im Schatten des Übergeschichtlichen, der Unmittelbarkeit jeder Zeit zur Ewigkeit, zu stehen kommt. Die beiden Sichten werden im Grunde nicht in Verbindung gebracht; die erste wird der zweiten unter dem Druck der Soteriologie (die heilsexistentielle Ebene ist ja der
Maßstab geworden!) schließlich geopfert und für die Geschichtszeit mehr
rhetorisch als real weiter behauptet, wenn auch im übergeschichtlichen
Eschaton (nach der Lösung der Paradoxe und Spannungen am Jüngsten Tag)

als vollendete wieder voll eingeführt. Wird diese 'Wiedereinführung' der ersten (horizontalen) Ebene nicht mirakelhaft, wenn sie in dieser Geschichtszeit in einem Unter-Grund war, der letztlich grund-los wurde (Problem der Identität und Kontinuität auf individueller und universaler Ebene)?

Wir bezweifeln, daß die echte 'Theologie des Glaubens', die nicht unter das 'simul iustus et peccator' subsumiert wird, Althaus' Geschichtsauffassung zu rechtfertigen imstande ist. Wir meinen, daß vielmehr sein alles beherrschender Begriff der Gottheit Gottes, der freilich auf seine 'Theologie des Glaubens' rückwirkt und für die letztlich geschichtsfeindliche Rechtfertigungslehre ausschlaggebend ist, der Grund dafür ist. Ein Gott, dessen ganze Größe in der creatio ex nihilo sub contraria specie erscheint, könnte kein besseres 'Exerzierfeld' seiner Souveränität und Güte und kein besseres Angebot der radikalen Erfüllung des ersten Gebotes haben als in der Heimholung aus einer nicht nur vorläufigen, sondern zugleich wesentlich sündigen Geschichte. Wir haben jedoch auf die große Gefahr aufmerksam gemacht, daß gerade in der Engführung des 'sub contraria specie', die die Sünde gleichsam eingeplant hat, ein einseitiger geschichtsloser oder übergeschichtlicher Blickwinkel entsteht, der die relative Selbständigkeit der Naturordnung, die heilsgeschichtlichen Epochen, die Geschichtlichkeit des Dialogs und somit die menschliche Freiheit und Verantwortung gefährdet und nur polare, am Jüngsten Tag zu lösende Spannung erwarten läßt.[123] Wäre statt der paradoxen Nebeneinanderstellung ein Verhältnis der beiden Ebenen gegeben, in dem der Positivität der Geschichte eindeutig ein Prius eingeräumt würde, könnten die gefährdeten Dimensionen gewahrt bleiben und wäre eine Vermittlung von geschichtlicher und eschatologischer Zukunft eher gewährleistet, ohne das für die Geschichte wesentliche Inkognito Gottes aufzulösen und die Vollendung zu 'vergeschichtlichen'.[124] Weil in der 'Eschatologie der Inkarnation' die Doppelbeziehung des Menschen zu Christus, als Geschöpf Gottes und als Sünder, nicht nur paradox behauptet, sondern auch in das rechte Beziehungsverhältnis gesetzt wird, kann in ihr auch der Mittelweg zwischen supralapsarischer idealistischer und hamartiozentrischer Theologie gelingen.

Ein tatsächliches universalgeschichtliches Ende ist für Althaus' Geschichtsbegriff ein Postulat. Auch die 'Eschatologie der Inkarnation'lehrt über die in jedem Tod geschehende 'Auferstehung des Fleisches' hinaus aufgrund ihres im 'totus Christus' alle Dimensionen der Schöpfung und Geschichte (also auch des menschlichen Werkes und der Weltveränderung) vollendenden Charakters ein wahres Ende der Geschichte. Das Wahrheitsmoment der neueren eschatologischen Versuche, die – teils aus dem Unbehagen um die Lehre des Zwischenzustandes, teils aus der innerweltlichen unzulänglichen Redeweise vom 'Ende', teils aus den Verstehenskategorien eines evolutiven Weltbildes heraus – die ständige Unabgeschlossenheit und Offenheit der Geschichte betonen[125], scheint uns in der 'Eschatologie der Inkarnation' besser integriert zu sein, als dies in Althaus' 'Eschatologie der Rechtfertigung' möglich ist. Dieser Wahrheitskern liegt in der Betonung der Geschichte als Prophetie und als Dialog zweier Freiheiten auf eine offene Zukunft hin (wobei freilich durch den Christodialog die universalgeschichtliche Zukunft in positivem Sinn 'entschieden' ist), in der dadurch gegebenen Unverfügbarkeit und Neuheit des Eschatons und in der Interpersonalität und 'Sozialität' des noch ausstehenden Vollendungsgeschehens.[126] Diese Momente, die die Endgültigkeit des eschatologischen Geschehens in Christus nicht ausschließen, sondern gerade eröffnen, sind durch die Betonung der Freiheit und Verantwortung des Menschen und der Vermittlung zwischen absoluter und relativer Zukunft in der 'Eschatologie der Inkarnation' gewahrt, denn die Zukunft Gottes befreit den Menschen zu seiner eigenen Zukunft, so daß zwischen endgeschichtlicher und innergeschichtlicher Eschatologie (adventus und futurum) kein Gegensatz besteht. Unvermischt und ungetrennt, wie das Geheimnis der Inkarnation, lassen sie keine gegenseitige Konkurrenz aufkommen, sondern gehören zusammen. Der Gott der Hoffnung ist zugleich die Zukunft des Menschen und der Geschichte. Althaus' 'Eschatologie der Rechtfertigung' sieht dagegen aufgrund ihrer latenten Neigung zu Übergeschichtlichkeit und geschlossener Teleologie in der ausstehenden Aufhebung der Geschichte eher bloß Offenbarung (Apokalypsis) des je schon (vor Gott) Gegenwärtigen.[127] Wir meinen, daß Gott selbst die durch die Freiheit des Menschen gestiftete, aufs Neue offene (geschaffene Geschichte – über eine ständige Unabgeschlossenheit hinaus – in die endgültige Fülle als Teilhabe der Menschheit (und in ihr der Geschichte und Welt) an der vollen Herrlichkeit Christi aufhebt.

Zwei – Reiche – Lehre

Trotz der Unterschiede, die unsere pluralistische Gesellschaft im Vergleich zum Patriarchalismus zu Luthers Zeiten brachte, schließt sich Althaus Luthers Zwei-Reiche-Lehre an und verteidigt sie gegen deren Angreifer, zumal K.Barth und J.Heckel, die eine christologische Begründung des Rechtes und Staates fordern. Gegen den Vorwurf des Individualismus, der Förderung der Passivität und der Verkürzung des Herrschaftsanspruchs Christi verweist Althaus einerseits auf die bleibende theologia crucis während dieser Weltzeit, andererseits auf die positive Beziehung der beiden Regimente, gemäß der Christus durch die handelnden Personen die Ordnungen und Verhältnisse auf den Dienst am Leben der Menschen ausrichten läßt und so auch in ihnen Herr bleibt. Der Kritik, daß durch einfaches Nebeneinanderstellen die neutestamentliche eschatologische Spannung beider Reiche und die kritische Funktion des Liebesgebotes wegfalle, antwortet er, daß es hier nicht um die neutestamentliche (augustinische) Lehre von Gottes- und Satansreich ginge, denn das Reich Gottes umfasse beide Regimente und der Kampf gegen das Reich Gottes gehe quer durch beide Regimente hindurch. Althaus lehnt deshalb die Mitverantwortung der lutherischen Zwei-Reiche-Lehre für die Entsittlichung der preußisch-deutschen Politik und für die deutsche Servilität und die "geistige Urheberschaft für die politische Katastrophe seit 1933"[128] ab; sie läge vielmehr beim fürstlichen Absolutismus der Renaissance. "Das Luthertum mag dabei nur insofern mit im Spiele sein, als es schon von Luther her zwar nicht grundsätzlich, aber praktisch eine Neigung zu autoritärer Staatlichkeit hatte, jedenfalls in Deutschland."[129]

Besteht aber nicht doch ein grundsätzlicher Unterschied zum neutestamentlichen Existenzverständnis? Wie v.Loewenich zurecht sagt, "bleibt in der Unterscheidung zwischen dem Handeln in 'Amt' und dem Handeln als 'Person' ein ungelöster problematischer Rest", denn " die Behauptung, daß man um der Liebe willen Recht übt, Gewalt und Macht einsetzt,Kriege führt usw. ...kann tatsächlich zu einer uneschatologischen Sanktionierung des Bestehenden führen"[130]. Wir sehen die Lösung dieses 'Restes' keineswegs in Barths exklusiv-christologischem Ansatz, da wir sonst auch die mit der Zwei-Reiche-Lehre zusammenhängende Uroffenbarungslehre ablehnen müßten. Es geht tatsächlich um eine geschichtlich unaufgebbare Zweiheit. Das Verhältnis der beiden Re gimente muß jedoch 'christlicher' gesehen werden, d.h. geschichtlicher, vermittelter, dynamischer, da gemäß der 'Eschatologie der Inkarnation' das Weltreich jetzt schon durch den Geist Christi, der in der auch politischen Tätigkeit wirkt – leibhaftig, nicht nur innerlich! –,auf Gottes Reich hin durch Prägung der weltlichen Strukturen ausgerichtet ist und für dessen Empfang disponiert, ohne freilich durch

'Christianisierung der Strukturen' dieses Reich allein heraufführen zu können oder zu wollen. Diese Vermittlung zwischen Weltreich und Gottesreich kommt in der lutherischen Zwei-Reiche-Lehre, wie sie Althaus versteht, zu kurz, was - wie Althaus selbst richtig sieht - ahnen läßt, "wie wenig seine (=Luthers) Lösung des schweren Problems einen Kompromiß darstellt, wie tief sie vielmehr in seinem Gottesbild begründet ist"[131]. An eben diesem Gottesbild der 'Gottheit Gottes' setzte deshalb unsere Kritik an, denn ihm zufolge wird auch die Zwei-Reiche-Lehre der soteriozentrischen Engführung unterworfen und duch das Fehlen der absoluten Bedeutung des Weltveränderungsauftrags für die eschatologische Hoffnung der Möglichkeit positiver Vermittlung beraubt. Solche Vermittlung muß nicht, wie Althaus vermutet, das Verhältnis von Mittel und Zweck haben. Die geschichtlichen Lebensordnungen werden von Althaus allzu immobil und das Handeln in ihnen zu geschichtslos-naturrechtlich und deshalb restaurativ-konservativ gesehen.

Es geht letztlich um ein Natur-Gnade-Problem. Bei Althaus werden die Schöpfungsordnungen zwar einmal an der eschatologischen Vollendung teilnehmen, jedoch während der Geschichtszeit bleiben Weltreich und Gottesreich, Weltgeschichte und Heilsgeschichte einfach parallel nebeneinander gestellt, wodurch die leibhaftige und besonders die universalgeschichtliche und kosmische Vollendung leicht in den Verdacht eines Trabantendaseins und deshalb eines mirakulösen, zu entmythologisierenden, d.h. abzuschaffenden Anhanges kommt. Nach katholischer Lehre bleiben alle Schöpfungsdimensionen zwar weiter noch in gewisser Selbständigkeit und sind, weil unter eschatologischem Vorbehalt, von Kreuz und Tod geprägt, aber sie sind nicht mehr bloß naturrechtliche, sondern in Christus finalisierte und vom Christusereignis her kritisch zu hinterfragende und zu gestaltende Wirklichkeit und gerade so nicht nur Gerüst und Kulisse für den Bau des Reiches, sondern definitive selbständige Ziele des Wollens. So meint auch W.Pannenberg, in "einer nicht eben nebensächlichen Gedankenlinie" der lutherischen Zwei-Reiche-Lehre Züge zu erkennen, die "eine Ausgliederung der weltlichen Obrigkeit aus dem Motivationszusammenhang des Christentums nahelegen", so im neutralen Begriff weltlicher Obrigkeit, d.h. im Absehen davon, "ob es sich um ein politisches Gemeinwesen auf dem Boden des Christentums (der christianitas) handelt oder nicht", wodurch es erheblich erschwert sei, "die seinerzeit von Barth erhobenen Vorwürfe ge-

gen die Zweireichelehre einfach von der Hand zu weisen"[132]. Die Beschränkung der Aufgaben der Kirche auf den Bereich des Spirituellen geht nach
Pannenberg eng in Hand mit der Lehre von der Sünde, mit der Unterscheidung zwischen äußerem und innerem Menschen und mit dem mangelnden Bezug
des politischen Lebens auf die christliche Hoffnung.

Die Aneignung und Durchdringung der politischen Thematik, wie sie ihre
einseitige, aber klassische Gestalt in der eusebianisch-byzantinischen
Reichstheologie gefunden hat, verlangt nach einer positiven Beziehung
zwischen Gerechtigkeit und Frieden der kommenden Gottesherrschaft und
dem gegenwärtigen politischen Leben, nach der "Veränderung der politischen Verhältnisse aus der Kraft der schon die Gegenwart erhellenden Vision der eschatologischen Gottesherrschaft"[133]. Die Voraussetzungen dafür sind bei Althaus besser als bei Luther selbst, da er in der politischen Ordnung nicht nur wie dieser "eine Notordnung Gottes gegen die
Sünde,... ein göttliches Interim"[134] sah, sondern eine urständliche Ordnung. Unter dem Druck der Soteriologie wurde sie allerdings auch zu einer
Art 'Notordnung', die allzu disparat von der eigentlichen inneren Ordnung
des Reiches Gottes und der Ausrichtung auf sie hin blieb, so daß sich
auch hier der 'Bruch' in der Althaus'schen Theologie zeigt, der sich zu-
allererst in der paradoxen Dialektik der Uroffenbarungslehre kundtat.
Ordnungs-Begriff

'Ordnungen' als "die Gestalten des Zusammenlebens der Menschen, die un-
erläßlichen Bedingungen des geschichtlichen Lebens der Menschheit", sind
Gabe und Aufgabe, also nicht bloß Natur, sondern in Freiheit zu verant-
wortende Geschichte[135]. "Die Ordnungen sind zugleich bezogen auf das
Reich Gottes"[136] und müssen von diesem Ziele aus verstanden werden, insofern sie Welt und Geschichte erhalten (usus politicus), diese durch die
Forderung des gegenseitigen Dienstes für die Liebe im Reiche Gottes vor-
bereiten (usus paedagogicus) und Gleichnis und Andeutung für die Verfassung des Reiches Gottes sind (usus symbolicus).

Gott geht auch mit seinen Ordnungen in das Geschichtlich-Menschliche
ein, so daß es immer eine Fülle geschichtlich-völkisch bestimmter Rechte
gibt. Jedoch "die Ordnung Gottes und die jeweilige geschichtliche Gestalt sind zugleich zu unterscheiden mit der kritischen Frage, ob die geschichtliche Gestalt dem Gottessinne der Ordnung entspricht", zumal sie -
abgesehen von unserer eigenen Bosheit - "in unserer Welt des Sündenfal-

les und Todesfluches vor allem einzelnen menschlichen Wollen notwendig mit Sünde verflochten"[137] ist. Deshalb kann das Handeln des Menschen den Ordnungen der Geschichte gar nicht dienen, ohne auch am Reich der Sünde mitzubauen (servum officium). In Christi Kreuz und Auferstehung ist jedoch alle Eigengesetzlichkeit des Satanischen und des Todes abgetan und die Scheidung zwischen guter Schöpfung und Gesetz des Todes angebrochen, "aber offenkundige Wirklichkeit wird die Scheidung erst am Tage Christi"[138]. Diese Gewißheit beruft nicht zum Dulden der Sünde, sondern zum Kampf gegen sie in sich selbst und in den Ordnungen, d.h. zum Hinausschieben der unentrinnbaren Grenze zwischen Schöpfung und Sünde. Wenn Althaus auch fast durchwegs das Kämpfen und Bleiben in den Ordnungen betont (Gott behandelt ja die Sünde in den Ordnungen anders als die sündige Aufhebung der Ordnungen!), so räumt er doch selbst in der 'Theologie der Ordnungen' der Möglichkeit der Revolution Platz ein.

Die paradoxe Verflochtenheit von Gottes- und Sündenordnung ist eine Konsequenz des Althaus'schen Geschichtsbegriffes und unterliegt der dort geäußerten Kritik. Althaus meint zwar, die Ordnungen in ihrer Bezogenheit auf das Reich Gottes zu sehen und sie nicht dem Einflußbereich des Evangeliums zu entziehen, da neben dem Gewissen auch das Wort Gottes Kriterium für die Ordnungen als Gesetz Gottes sei, doch dieser Einfluß bleibt, wie allgemein in seiner Zwei-Reiche-Lehre - und hier in der Verbindung mit politischer Ideologie noch stärker -, zu innerlich, zu jenseitig orientiert, zu wenig konkret-weltlich, denn "immer wieder wird damit....der Ort der Berufung als etwas Gegebenes oder Vorbestimmtes angesehen, so daß die Berufung und der Glaubensgehorsam dann nur noch innere Modifikation in exercitium caritatis an diesem Ort und in der vorgezeichneten Berufsrolle vornehmen kann"[139].

Die zurecht betonte notwendige gewisse Eigengesetzlichkeit der Ordnungen kommt in Gefahr autonom zu werden. Außerdem bleiben die Kriterien zu unbestimmt und dadurch wohl auch zu subjektiv. Infolge der mangelnden Leibhaftigkeit der Vermittlung zwischen weltlicher und evangelischer 'Ordnung' und der subjektiv-dynamischen Sicht der konkret geltenden Ordnungen ist die Gefahr nicht zu verleugnen, daß gerade 'politisch-modische', objektiv mehr oder weniger gut begründete Ordnungen entscheidende, mitunter sehr entstellende Bedeutung erlangen, denn "die geschichtliche Konkretion jener 'Ordnungen' wurde den zufällig herrschenden Mächten überlassen"[140]. "Deshalb steht die Zweireichelehre seither", wie U.Duchrow bekennt, "im

Zeichen einer Koalition zwischen Wissenschaftspositivismus und Ideologie-
anfälligkeit auf der einen und privatisierender Innerlichkeit auf der anderen Seite."[141]

Eine solche modisch-beherrschende und im Endeffekt entstellende Ordnung war das 'Volk'. Es handelt sich um die bereits erwähnte 'Volksideo-
logie'. Luther, der "ein Stück Volksseele geworden ist", ist "der 'heimliche Kaiser' der Deutschen"[142], denn "die deutsche völkische Idee wurzelt
in seiner Lehre von der Schöpfungsordnung"[143]. Seitdem im ersten Welt-
kriege das Auslandsdeutschtum und damit erst das deutsche Gesamtvolk in
seiner Eigenständigkeit dem Staate gegenüber entdeckt wurden, "werden
Volk und Volkstum in steigendem Maße Gegenstand theologischer Besinnung"[144]. Im 'Führer' kommt das neue Verhältnis von Regierung und Volk
zum Ausdruck; dieser dient gemäß dem Sinn seines Amtes der ihm von Gott
anvertrauten Sache des Volkes und ist für seine notwendig autoritäre
Herrschaft "zuletzt nicht vor seinem Volke, d.h. dem lebenden Geschlechte,
sondern vor Gott, der ihm die Aufgabe an dem Volke gab"[145] verantwortlich.
Wie der Staat nicht Mittel der Erlösung, Kirche oder Anbruch des Reiches
Gottes ist, so übt die Kirche nicht politische Gewalt aus und schafft
keine politischen Ordnungen; es muß bei der Freiheit der Kirche zur Bildung ihres Rechts und bei der Hoheit des Staates auch über dem Rechte der
Kirche bleiben. Freilich bleibt das von der Kirche verkündete Gesetz Gottes in der Bedeutung seines ewigen Willens Maß aller Rechtsbildung und
die Furcht Gottes "die Herzkammer unseres nationalen Ethos", andererseits
dünke sich die Kirche "nicht zu gut für den Dienst am nationalen Ethos"[146].
Auch wenn 'Volk' eine 'außer'-christliche Ordnung ist, darf ein Volk nie
von seiner vor- oder nachchristlichen Situation absehen. "Ein Volk vor Jesus kann seine politische Existenz haben aus der Kraft eines echten, frommen Heidentums. Ein Volk nach Christus hat kein echtes Heidentum mehr und
kann es nie wieder bekommen.[147]

Und doch sind wir überzeugt, daß bei Althaus selbst unsere Volks-Situa-
tion 'nach Christus' vernachlässigt wird. Da die Ordnungen das konkrete
Regiment Gottes sind, gilt die dort geäußerte Kritik auch hier. Im Falle
der Ordnung des 'Volkes' sind die Folgen jedoch noch verhängnisvoller, da
die geschichtliche Erscheinungsform des Volkes ideologisch-kurzschlüssig
als Offenbarung Gottes angesehen wird, aus der sein Wille in Volk und Geschichte unmittelbar einsichtig sei. Der primäre Ort der politischen
Ethik Althaus' mag zwar "die anthropologische und schöpfungstheologische

Fragestellung" gewesen sein, jedoch "die innere Tendenz zur Verselbständigung dieser Schöpfungstheologie wird vor allem dadurch gefördert, daß Althaus sehr eng mit dem konservativen Flügel der völkischen Bewegung in Be-
rührung trat"[148]. Die Vermittlung zwischen der Ordnung des Volkes und der
Heilswirklichkeit des neuen Volkes Gottes wird übersprungen, bzw. bleibt
zu innerlich und geschichtslos, da sie sich als nur geistige Wirklichkeit inmitten der romantisch-individualistischen Volkskonzeption, der un-
berechenbaren, von nationalen Ressentiments geladenen 'Lebendigkeit der
Geschichte' und der dadurch notwendigen Kriege halten soll, ohne leibhaftige Gestalt im Aufbau von gegenseitiger Zusammenarbeit und von reellem
Frieden anzunehmen.

Althaus bleibt hier zusehr bei der national-empiristischen Haltung des
Alten Testaments stehen (er verweist auch auf eine gewisse Ähnlichkeit
zwischen Deutschlands und Israels Volksgeschichte)[149] und dringt nicht
durch zu der in Christus eröffneten universalen Menschheitsfamilie, für
deren eschatologische Gestalt unser Sein und Handeln als Volk Disposition
sein soll. Er setzt das völkische Schöpfungsgesetz zwar nicht absolut,
aber es wird doch zu einer zu selbständigen Lebenseinheit, hinter der zu
unmittelbar und zu ungebrochen Gottes Wille steht. Die Verdorbenheit durch
die Sünde und die schon jetzt zu verwirklichende Hinordnung auf das Evangelium und das Reich Gottes werden auf dem Altar der Vaterlandsehre geopfert. Wenn die Strukturen aber von Christus her, und das heißt, hin auf
die alle Völker umfassende Menschheitsfamilie geprägt sein sollen, dann
kann nicht schlechthin die Geschichte gerade dort herrlich sein, wo sie
schrecklich ist, – dann darf die geschichtliche Aufgabe (jedenfalls prinzipiell) nicht gegen das Interesse des Nächsten gerichtet sein, – dann
soll die Versöhnung nicht geistig bleiben, sondern sind die Friedensbe-
reitschaft und der universale Gerechtigkeitsgedanke (statt dem nationalen Volksrecht!) bis zur Form der Mitarbeit in den internationalen Gremien
und zur konkreten 'Friedensforschung' (die notwendig die Futurologie ein-
bezieht) nicht nur 'christliches Hobby', sondern Pflicht, ohne all dies
zu der 'christlichen Politik' erklären oder die politische Utopie selbst
herbeiführen zu wollen.

Ohne von der Inkarnation, in der uns das wahre Menschsein erschienen
ist, eine sich verleiblichende Kraft auf die sonst eigengesetzliche Politik ausstrahlen zu lassen, wird die Kirche den Vorwurf der Vertröstung

auf ein Jenseits und des fehlenden gezielten Engagements für die universale Brüderlichkeit im Diesseits schwer abweisen und die im Laufe ihrer
zweitausendjährigen Geschichte auf sich geladene Hypothek kaum, ja sicherlich nicht abtragen können. Die zu große Nebeneinanderstellung vom rassi-
schen Volk und vom Volk Gottes (Natur und Gnade) erwartet in ihrer natur-
rechtlich geschlossenen Konzeption die 'Lösung' der Spannung zu einseitig
vom 'Jüngsten Tag', statt in der dialogalen Freiheitsgeschichte stärker
den jeweiligen status quo kritisch zu prüfen, jede ideologische Haltung im
Sinne einer partiellen Interessiertheit für eine Ordnung ('Volk') fern-
zuhalten, sich solidarisch für die ganze Menschheitsfamilie zu öffnen, so
Zeugnis von der Vorläufigkeit aller Ordnungen zu geben und Zeichen der
eschatologischen bereits begonnenen Zukunft zu sein. Die Christen haben
nämlich nicht die ihnen von der Gesellschaft oder den gerade herrschenden
Mächten zugeteilten Ordnungen, Berufe und Rollen einfach zu übernehmen,
sondern alle diese Wirklichkeiten sind zu befragen, "ob sie und wie weit
sie Möglichkeiten zur Inkarnation des Glaubens, zur Gestaltwerdung der
Hoffnung und zur irdischen, geschichtlichen Entsprechung zum erhofften
und verheißenen Reiche Gottes und der Freiheit bieten"[150].

4. Wiederkunft Jesu Christi als Aufhebung der Geschichte

a) Der Tag Jesu Christi in seinen verschiedenen Aspekten

War Althaus in seiner Frühperiode in Gefahr, durch die Leugnung jeder
besonderen Beziehung zur Endzeit die Parusie in den ständig gegenwärtigen transzendentalen Sinn jedes Augenblicks aufzulösen, so erhält die
Wiederkunft Christi durch den Willen, den futurischen Aspekt und die
universalgeschichtliche Perspektive stärker zu betonen, wieder ihren
'heilsgeschichtlichen' Platz als 'nach'-geschichtliche Voll-endung (vgl.
LD³ 177.181;LD⁴ 4). Freilich ist dieser Platz 'nach', wie aus dem bisher
Gesagten klar hervorgeht, zugleich ein Platz 'jenseits' der Geschichte.
Soweit das 'Jenseits' das 'Nach' nicht aufzusaugen droht, ist es ein be-
rechtigterAusdruck für die Unmöglichkeit einer geschichtlichen Vollendung,
d.h. Ausdruck der Differenz in der Vermittlung, der völligen Andersheit
der auf uns zukommenden eschatologischen Vollendung.

> "Geschichtliche Parusie ist eine contradictio in adjecto. Der Sinn der
> Geschichte kann nicht in der Geschichte heraustreten, auch an ihrem Ende
> nicht. Der Sinn ist das Übergeschichtliche an der Geschichte, das in
> der Geschichte nur dem Glauben zugänglich ist. Das Wesen und der Gehalt

der Parusie - überführende Offenbarung der Menschwerdung Christi - machen sie als geschichtliches Ereignis unmöglich." (LD^3 151;vgl.LD^4 242).

Die Vollendung ist 'jenseitig', also "Aufhebung der Geschichte" (LD^3 151), aber diese Vollendung ist die Parusie Jesu Christi, der in dieser irdischen Geschichte gelebt hat. Je nachdem, wieweit er in die Geschichte einging, also je nachdem wie tief die Inkarnation angesetzt wird und wie sehr Gottes Gnade beim Sein der Menschheit Christi und durch jene bei der Menschheit und Schöpfung überhaupt ankommt, variieren u.E. die Auffassungen über die Wiederkunft Christi. Wir stellen zunächst - mit kritischen Anmerkungen - Althaus' Ansicht dar.

Geschichte und Glauben gehören zusammen. Deshalb müssen die Doxa der Wiederkunft Christi und das damit gegebene jeden überführende Wunder "ihrem Gehalte nach die Grenze der Geschichte, die Sprengung der Gestalt dieser Welt" (GD^1 II/178 = GD^5 272), also Aufhebung der Geschichte sein. War im geschichtlichen Leben nur die im Ja des Glaubens zu vollziehende persönliche Hingabe der Weg zur theologischen Wirklichkeit, so steht sie nun in der Parusie für alle als unausweichliche Einsicht vor Augen, der wir nicht entgehen können. Darin unterscheidet sich die Parusie auch von Jesu geschichtlichen Wundern bis hin zur Auferstehung, die zwar zur Entscheidung drängten, aber die Möglichkeit des Ärgernisses immer offen ließen, weil sie die der Geschichte koextensive Kenosis nicht aufhoben. (LD^3 161; LD^4 243f) "Die Zeit für die Tat des Glaubens oder Unglaubens ist zu Ende!" (LD^1 100) Dieser Satz aus LD^1 bekam erst allmählich seinen dem Wortlaut entsprechenden auch temporalen Sinn. Zwar betont Althaus, daß man sich die Parusie auch nicht "auf der Grenze zwischen der jetzigen und der neuen Welt, in der geheimnisvollen Stunde, in der die Zeit in die Ewigkeit aufgehoben wird" (LD^3 152), vorstellen dürfe, aber zumindest wird, wenn auch die Theologie kein Interesse daran habe, bereits in LD^3 der futurisch-temporale Aspekt der Parusie mitausgesagt, da das letzte Geschlecht "die geschichtszugekehrte Seite der Parusie" erlebt (LD^3 153). In LD^4 wird diese Perspektive noch mehr betont:

"Die Geschichte schreitet in der Zeit auf dieses Ende zu (Röm 13,11b), und das Ende kommt zu bestimmter Zeit, 'Tag und Stunde' (Mk 13,32). Insofern ist die Parusie ein geschichtlich-zeitliches Ereignis so gut wie der Tod, der unserem Leben ein Ende setzt....Die Geschichte hat eine geschichtszugekehrte Seite, das ist das Ende der Geschichte." (LD^4 241f)

Die Parusie ist bei Althaus Postulat zur Überwindung des dreifachen durch das Christusereignis verursachten Paradoxons (LD^1 95), das die ganze

Geschichtszeit trotz alles geschichtlichen Fortschreitens im Grunde gleich
durchzieht. Wie der letzte Augenblick des Christuslebens sich letztlich
qualitativ nicht vom ersten Moment der Rechtfertigung unterscheidet, so
unterscheidet sich die Geschichte zur Zeit Christi nicht von der Geschichte zur Zeit des letzten Menschengeschlechtes. In dieser 'Querschnittsbetrachtung' der Geschichte kommt die gleiche vertikale Qualifikation aller
(nachchristlichen) Zeit zum Ausdruck. Zugleich steht aber bei Althaus hinter dieser (letztlich Diesseits und Jenseits metaphysisch trennenden)
Gleichheit das vom Gottheit-Gottes-Begriff geprägte komplementäre Paradox,
demzufolge die irdische Wirklichkeit im zeitlichen Dasein unweigerlich ganz
sündig und todverfallen bleibt, weil Gottes Gnade geschichtlichem Sein
nicht zu eigen wird. Die Wirklichkeit der temporalen Erstreckung (Längs-
schnitt), der 'Geschichte' im üblichen Sinn des Wortes, steht in der sich
u.a. der Zeit-Ewigkeits-Spekulation bedienenden 'Eschatologie der Rechtfertigung' zu wenig unter der vom Christusereignis ausgehenden Dynamik.
Demgemäß kommt das Reich nicht nur "nicht chronisch, durch Entwicklung,"
sondern "auch nicht so, daß das absolute Kommen durch ein chronisches,
das Ende durch Entwicklung vorbereitet würde. Es kommt allein durch die,
unbeschadet aller geistlichen Gegenwart des Herrn bei seiner Kirche
(Matth.28.20), von außen in die Geschichte hereinbrechende und sie damit
abbrechende Wiederkunft des Herrn" (LD^4 241). Das 'akute' Kommen des
Reiches bedeutet also, daß diese Wiederkunft "das Jenseits aller unserer
Geschichtlichkeit" (LD^4 242) ist.

Auch wir hüten uns, die Parusie zu vergeschichtlichen, denn "das Ende
der materiellen Welt ist (ähnlich wie ihr gottgesetzter Anfang) kein Moment mehr auf der Zeitlinie selbst, sondern bereits die Aufhebung des
Zeitlich-Geschichtlichen und kann deshalb auch nicht mehr geschichtlich
und kosmologisch gedeutet werden"[151] oder, wie K.Rahner sagt, "der sich
mittelnde Gott kann in seiner eigenen Wirklichkeit nur unmittelbar erfahren werden, ohne daß die Hülle des Glaubens diese Wirklichkeit bedeckt,
in der unmittelbaren Schau Gottes, also in einem Ereignis, das die Vollendung und Aufhebung der Geschichte und nicht Moment an ihr, die Frucht,
nicht die Zeit der Reife der Frucht ist"[152]. Althaus ist jedoch dabei,
nicht nur die 'Zeit der Reife der Frucht' (Entwicklung), sondern auch die
'Frucht' (Vermittlung in Differenz) auszuschließen. Auch wir unterschrei-
ben den Satz: "Das Sehen des Menschensohnes ist als solches kein endgeschichtliches, sondern das geschichtsendende Ereignis" (LD^4 242), doch

allein schon der Umstand, daß der 'Zwischenzustand' ausgeschaltet ist und alle sofort in die Gleichzeitigkeit des Jüngsten Tages kommen, zeigt das Überwiegen der 'Querschnittsbetrachtung', und zwar nicht im Sinne des notwendigen 'Überschusses' der Souveränität Gottes in der Vermittlung, sondern im Sinne einer die Vermittlung ausschließenden philosophischen Zeit-Ewigkeits-Spekulation. - Auch wir sprechen von Gleichzeitigkeit, jedoch von einer der Totalität der Vollendung - nicht der Polarität von Zeit und Ewigkeit - entsprechenden Gleichzeitigkeit, die ihren Einheitspunkt eben in der Wiederkunft Christi hat, "dessen Dynamik sich in der Auferstehung der Toten, der Vollendung der Welt und im Gericht zugleich beweist, so daß diese 'Akte' nicht voneinander getrennt werden können"[153].

Bleibt die Parusie selbst ins Geheimnis dieser Totalität gehüllt, was können wir über das Wie und Wann ihrer geschichtszugekehrten Seite sagen? Althaus betont - zurecht -, daß die Theologie über das Wie des Endes des Menschengeschlechtes nichts wisse und dafür auch nicht zuständig sei (LD[3] 153); ebenso bleibe ihr das Wann verborgen (CW 681). Wir wissen jedoch um das Was: Christus tritt aus der Kenosis in die Herrlichkeit; Tod und Sünde werden endgültig überwunden. Als solch offenbarer Herr über eine Welt, deren letzter Grund und bleibendes Prinzip Liebe und Freiheit sind, ist die Wiederkunft des Herrn primär kein kosmisches (schon gar nicht ein mechanisches), sondern ein dialogisches Geschehen. Dessen negative Seite, die Verweigerung des Dialogs, aber heißt notwendig endgültiges Gericht über den Unglauben, ja über "die antichristliche Bewegung der Geschichte" (GD[1] II/177 = GD[5] 272). Wir haben Althaus' Gerichtslehre bereits dargestellt und uns dazu auch kritisch geäußert, weil das Rechtfertigungsgericht das Geschichtsgericht zu verdrängen statt - ohne die Gnade der Seligkeit moralistisch 'verdienen' zu wollen - zu integrieren droht. Ebenso äußerten wir Bedenken gegen Althaus' individualistische Gerichtslehre und kamen auf das kaum positiv bestimmbare Verhältnis von besonderem und allgemeinem Gericht zu sprechen. Zusammenfassend sei hier nur noch gesagt: Auch wenn "das Verhältnis zwischen individuellem und allgemeinem Gericht nicht in der Weise eines gegenständlichen und zeitlichen Nacheinanders zu verstehen"[154] ist, so halten wir doch - mit L.Scheffczyk - an der Notwendigkeit beider fest (freilich nicht in univokem Sinn; das analogon primum ist biblisch das allgemeine Gericht!), weil nicht nur der einzelne Mensch, sondern auch und vor allem die Menschheit als Ganzes (mit

der Kirche als ihrem innersten Kreis)gerufen ist, die christliche Hoffnung den Strukturen dieser Welt einzuprägen (in positiver und negativer
Weise, in Handeln und Kritik) und das Christusereignis durch die Zeiten
hindurch zu entfalten, so daß gemäß der 'Eschatologie der Inkarnation' dem
Geschenk des Jerusalems von oben die offene Bereitschaft des Empfangens
und der Mitvollzug von unten entsprechen.

Das Gericht charakterisiert das Ende als Abbruch. Es ist jedoch "nicht
nur Abbruch, sondern ebendamit auch Vollendung der Geschichte" (LD[4] 245),
denn "das Reich Gottes ist nicht eine Überwelt über der irdischen Geschichte, sondern ihr Ziel" (CW 683). Gemäß seiner positiven Schöpfungstheologie und der ursprünglichen Spannung des ersten auf den zweiten Adam
kann Althaus sagen: "Das ewige Reich steht also nicht nur in negativer,
sondern auch in positiver Beziehung zur Geschichte." (CW 683) Abbruch und
Zusammenhang werden zugleich betont - doch sie werden einfach paradox nebeneinander gestellt, ohne sie in eine differenziertere Beziehung zueinander zu bringen. Dahinter steht, wie wir zeigten, letztlich Althaus'
Zwiegespaltenheit zwischen seiner Schöpfungstheologie und seiner Soteriologie: Am Jüngsten Tag kommen beide Linien zur Erfüllung, doch es bleibt -
individual- und universalgeschichtlich - das Problem der Identität und
Kontinuität des zu Rettenden und des Geretteten, weil der vermittelnde
Zusammenhang zwischen gegenwärtiger menschlicher Geschichte und menschlicher Heilszukunft zu kurz kommt.

Bei dieser Unterbewertung des 'von unten her' und somit des dialogisch-
offenen Momentes der Geschichte ist, wie wir bereits andeuteten, der Jüngste Tag in Gefahr, nur Apokalypsis zu sein, d.h. noetische Offenbarung des ontologisch (bei Gott) schon immer Anwesenden, nämlich Aufdekkung des verborgenen Jenseits der Geschichte, und zwar unseres theologischen (und deshalb eigentlich nicht unseres eigenen) Selbst. Insofern
die Gemeinschaft der Gläubigen im Geschehen des Jüngsten Tages eigentlich
erst zu dem wird, was sie sein sollte, ist es sicher mehr als ein nur
offenbarendes Geschehen; insofern jedoch in diesem Ereignis das dialogische, mitverantwortliche und mitwirkende Moment der Menschheit als ganzer
durch die Überbetonung des im Jenseits bereits aufbewahrten, 'von oben'
und 'von außen' auf uns zukommenden Eigentlichen zu kurz kommt, wird die
Parusie zu einer Apokalypsis, die die in der Wiederkunft Christi noch geschehende Neuschöpfung nicht hervorhebt. Althaus läßt eine ähnliche Frage zwar letztlich offen (vgl.LD[4] 320), aber aufgrund der soteriozentri-

schen Engführung und der dadurch gegebenen "Individualisierung der Parusie und des Weltendes"[155] ist wohl auch bei ihm der Jüngste Tag eher nur die Enthüllung und Verklärung der schon heraufgeführten Heilsgegenwart als ebenso das Schöpferische einer neuen Zukunft.

Wir meinen, daß die Parusie zugleich ein noetisch-offenbarendes als auch ein ontisch-kreatorisches Geschehen sei, da in der Volloffenbarung Christi zugleich die seit seiner ersten Ankunft in dieser Welt und Geschichte wirkenden, aber noch gehaltenen Kräfte voll entbunden werden. Wenn alle Spannungen sich letztlich 'querschnittlich' gleich bleiben (simul iustus et peccator) und nur auf die absolute Lösung unseres eigenen Seins und unserer Geltung durch Christus am Tage Christi warten, gerät die Parusie leicht in den Anschein, "eine bloße äußere Demonstration oder eine Zur-Schau-Stellung der Macht des Erlösers zu sein"[156]. In der 'Eschatologie der Inkarnation' dagegen ist jede 'Offenbarung' "eine Tat Gottes, in der Gott der Menschheit und der Welt sein Leben und seine Gnade mitteilt, so daß die Welt davon wirksam betroffen und verändert wird"; der "Ereignis- und Tatcharakter", der schon in der eschatologischen Geschichtsoffenbarung die Welt "in anfanghaft-verborgener Weise mit göttlichem Leben erfüllte und sie verwandelte", muß in der eschatologischen Volloffenbarung "die Heilsmacht des Todes und der Auferstehung Christi in vollendeter Weise veröffentlichen und damit alle ihre Wirkungen ungehemmt auf die Menschheit und den Kosmos überströmen lassen"[157].

b) Parusie und 'Eschatologie der Inkarnation'

Nicht selten bemerkten Kritiker, daß in Althaus' Parusie-Ansicht die Vermittlung zwischen Futurum und Adventus zu kurz komme, – daß also "das Ereignis der Geschichtsvollendung"[158] in der Parusie mehr betont werden, bzw. systematisch tiefer fundiert sein müsse. Wie leicht zu erkennen, war der Maßstab unserer kritischen Anmerkungen die 'Eschatologie der Inkarnation'. Was sich in Christi Auferstehung ereignete, war nicht ein Privatschicksal, sondern der Grund und der Anfang der in der Tiefe schon geschehenen Vollendung aller Dinge, denn Christus ist mit dem verklärten Leibe als dem Angelde der zukünftigen verklärten Welt auferstanden. Die dem Menschen zuteil gewordene Gnade ist der Keim der Überwindung des Todes in der Auferstehung, denn als im Pilgerstande angelegte findet sie ihre Übererfüllung in der Wiederkunft Christi.

"Dieser Gott gibt Antwort auf den Gang der Zeit, indem er ihn, auch horizontal, zur Erfüllung bringt. Während die übrigen Völker nur einen senkrechten Wiederaufstieg aus der Zeit in die Ewigkeit kannten, soll jetzt der waagrechte Zeitlauf als solcher auf die Grenze der Ewigkeit Gottes zulaufen."[159]

Auf diesem Hintergrund sind echte Vermittlung (in Differenz) von inner-geschichtlicher und eschatologischer Zukunft möglich, denn "Gott hat die Erlösung an der Menschheit in der Weise vollzogen, daß sie von der Mensch-heit auch mitvollzogen werden konnte (ohne daß damit Gott und Menschheit zwei gleichberechtigte und gleichgestellte Partner im Heilsvorgang wür-den)"; die Parusie ist nicht nur von oben geschehende Apokalypse des bei Gott Verborgenen, denn die Kirche selbst hat in mitverantwortlicher Frei-heit "Auftrag der fortschreitenden Offenbarung und vollkommenen Realisie-rung der in dieser Welt nur verborgenen anwesenden Gottesherrschaft"[160]. In der Parusie als der Vollendung eines irreversiblen Prozesses wird für alle, d.h. notwendig auch als Gericht, offenbar, "daß der Anfang der Ir-reversibilität, der tragende Grund des Prozesses, seine Sinnmitte, sein Höhepunkt und bleibender Grund der Vollendung selbst die Wirklichkeit des Auferstandenen ist, der wiederkehrt, insofern durch seine Tat alle bei ihm zu ihrer Vollendung in Heil oder Verlorenheit ankommen"[161]. Chri-sti 'Wieder' - kunft (der Ausdruck ist irreführend!) ist deshalb nicht nur ein Eindringen "von außen" (LD[4] 241) in eine christusleere Welt und Menschheit, sondern die Eschatologie der Inkarnation bedeutet zugleich die Inkarnation der Eschatologie, d.h. die Parusie ist als Heraustreten Christi aus seiner kirchlich-sakramentalen Daseinsweise in die offene gott-menschliche Herrlichkeitsgestalt "eine neue Weise des Gegenwärtig-werdens", die verklärend den ganzen Kosmos ergreift und so im 'Christus totus' das totale Heil aller Glaubenden ist[162].

5. Der Ausgang der Menschheit

a) Althaus' Beurteilung der Möglichkeiten

aa) Vernichtung der Gottlosen (Annihilation)

Die universalgeschichtliche Eschatologie wirft unweigerlich die Frage nach dem Ausgange der Menschheit auf. Eine erste Antwortmöglichkeit, wie sie vor allem von C.Stange propagiert wurde, besteht in der Annihilation der Gottlosen, wodurch nur die Möglichkeit des ewigen Lebens, aber nicht die des ewigen Sterbens bewahrt bleibt.[163]

Althaus hat sich von Anfang an gegen diesen Lösungsversuch entschlos-

sen gewehrt, auch wenn er die Verbindung des Dualismus des Menschheits-
ausgangs mit dem Monismus des End-Ausblicks für sehr ansprechend hält.
Der tiefste Grund für diese konstante Haltung ist die Uroffenbarungslehre.
"Nicht erst als Heilsgewißheit, sondern schon als Gottesgewißheit schafft
der christliche Glaube eine auch das persönliche Leben betreffende Eschatologie" (LD[1] 28), denn die Gottesgewißheit begründete eine "wesentliche Unauslöschlichkeit" (LD[1] 29,n.2). "Daher ist das Verständnis des
'ewigen Todes' als Auslöschung der Existenz des Ich ein unmöglicher Gedanke jedenfalls im Blick auf die, deren Gottesbeziehung einmal lebendig
geworden ist." (LD[1] 29) Althaus betont gegen eine Begrenzung der christlichen Theologie auf die Soteriologie "die Bedeutung und Selbständigkeit
der Unsterblichkeitsgewißheit neben der Gewißheit um das ewige Leben";
er weiß um den Unterschied zwischen Gottesbeziehung und Gottesgemeinschaft
(LD[1] 30). Sachlich sprach für Althaus die Würde des Willensverhältnisses
gegen dessen Vernichtung (LD[1] 30,n.1). De facto war dieses Willensverhältnis durch das Angebot des Dialogs von seiten Gottes und dessen Ablehnung von seiten des Menschen geprägt, weshalb Gott das Gericht über
den Menschen ergehen ließ - als göttliches, d.h. unendliches Gericht."Hie-
ße der 'ewige Tod' Vernichtung, so wäre das Gericht Gottes endlich, begrenzt durch ein erlösendes Nicht-mehr-sein." (LD[4] 182) Aber der ewige
Tod als ewiges Sterben besagt:

> "unentrinnbare Gottlosigkeit in unentrinnbarem Gottesverhältnis; Gott
> nicht lieben können und dabei seine Gegenwart aushalten müssen;....
> die Einsamkeit vollendeter Sehnsucht, die sich selbst als Widernatur
> und Tod fühlt, mit der Qual ewig ungestillter Sehnsucht" (LD[4] 183).

Die Ablehnung der Annihilation ist m.a.W. die Verteidigung der Hölle
als eines Gedankens, den man selbst im Blick auf Gottes Allwirksamkeit
und Liebe nicht aufgeben könne (LD[4] 185). Damit sind diese Ablehnung und
ihr Fundament, die Uroffenbarungslehre, ein in der Schlatterschen Linie
fundierter Kontrapunkt gegen die latente Tendenz der protestantischen
Gottheit-Gottes- und Rechtfertigungslehre, alles unter ihre Prinzipien
zu subsumieren, also durch die soteriozentrische Engstelle zu 'filtern'
und von der Heilsgewißheit her die Sünder im Ganztod zu belassen oder
schließlich bei der Apokatastasislehre zu enden. "Wenn nämlich schon eine
bloße Existenz nicht als eine indifferente ontische Wirklichkeit gelten
gelassen wird, sondern die Existenz - darum natürlich qualifiziert als
seliges ewiges Leben - allein Gottes gnadenvoller Neuschöpfung in der

Auferstehung verdankt werden kann, dann ist nicht einzusehen, wo man in
diesem System, wenn es radikal durchgeführt wird, noch Platz für die Verdammten finden will."[164] Die Möglichkeit dieses Platzes aber scheint uns
notwendig, soll ein Grundanliegen der reformatorischen Theologie, nämlich
der Ernst der Entscheidung für oder gegen Christus, nicht verfehlt werden.

Althaus glaubte außerdem, nur so dem Neuen Testament und Luther zu entsprechen. "Paulus und Luther....kennen keinen anderen Glauben als den, der
aus Furcht und Zittern kommt und mit dem Doppelausgange der Geschichte als
ernster drohender Möglichkeit rechnet." (LD^3 287) Er weist Stanges 'Nachweis' der Unmöglichkeit der Erfahrung des ewigen Zornes durch die Gottlosen als haltlos zurück, da gerade der, mit dem Gott geredet hat und
redet, um die Möglichkeit , Gottloser zu sein und zu bleiben, wisse. Freilich ist die durch den Heiligen Geist bewirkte Auferstehung der Gottlosen
kein Heils-Schaffen, sondern bloße Wiederbelebung zum Dasein. Aber

> "die Heilslehre ist nie das Ganze der christlichen Theologie. Sie kann
> die Gerichtslehre niemals zu einer geschlossenen Synthesis in sich auf-
> nehmen....So 'stört' der paulinische Gedanke vom Gericht nach den Wer-
> ken, das der Auferstandenen wartet, ohne Frage die von der Rechtferti-
> gung und Heilsgewißheit aus bestimmte Eschatologie des Apostels(....)
> - und doch bleibt bei Paulus die Erwartung des Gerichtes nach den Wer-
> ken das notwendige Widerlager des Rechtfertigungsgedankens"[165].

Wir haben in Althaus' Gerichtslehre gesehen, daß er grundsätzlich die Absicht hat, dieses 'Widerlager' nicht aufzugeben, daß es aber de facto
durch die spezielle Ausprägung des Rechtfertigungsgedankens in arge Bedrängnis kommt.

bb) Wiederbringung aller (Apokatastasis)

Althaus' Argumente für das 'ewige Sterben' gelten verständlicherweise
zugleich gegen die Lehre von der Apokatastasis.[166] Vor allem zentriert
sich sein Angriff darauf, daß es eine evolutionistische Lehre sei, die
"die Emporläuterung aller, so verschieden hoch sie im Diesseits auf der
einen Bahn gelangt sind, jenseits des Todes bis zur sittlichen Vollendung"
(LD^3 206 = LD^4 177) lehre. Diesem Entwicklungsgedanken gegenüber betont
Althaus den Gedanken der Entscheidung und Scheidung der Menschheit, denn
mit der Betrachtung, daß es überall um gleitende Übergänge gehe, "kommt
man nirgends weiter als bis zu dem Außenbilde der Geschichte", während
das dem 'existentiellen Denken' zugängliche Innenbild zeige, daß im Vergleich zur Einheit unserer Todeswürdigkeit alle anderen Abstufungen "gänzlich belanglos" seien (LD^3 207f = LD^4 179f). Die Berufung auf universali-

stisch klingende NT-Stellen, vor allem bei Paulus, zählt nicht (vgl.BR
121), denn dasselbe Neue Testament und der gleiche Paulus sprechen ebenso vom ewigen Verderben der Verdammten, ohne daß man diese Linie als lediglich jüdisch-vorchristliches Anhängsel aburteilen könnte. Entsprechend
der "Grundantinomie unseres Gottesverhältnisses, daß wir von Gott als
Personen gesetzt und doch zu jeder Zeit Werk seiner alles wirkenden schöpferischen Liebe sind" (LD^3 204 = LD^4 176), bemüht sich Paulus nicht um
einen Ausgleich der Gedanken.

> "Die Wiederbringung Aller als theologische Lehre vertreten kann nur,
> wer die Gewißheit um Gottes allwirksame Gnade aus dem lebendigen Zu-
> sammenhange unseres Gottesverhältnisses als eines persönlichen heraus-
> nimmt und absolut setzt....Die Theologie des Glaubens kann die Wieder-
> bringung Aller nicht lehren, weil sie den Menschen immer wieder in die
> Entscheidung gestellt weiß; Entscheidung bedeutet: zweifache Möglich-
> keit des Ausgangs."[167]

Der Gedanke ewigen Verlorengehens gehört als "Ausdruck des noch währenden
Kampfes, der für mich und die anderen noch offenen und immer wieder zu
überwindenden Möglichkeit", in die Selbstbesinnung des Gewissens, das jedes
Ausruhen im Gedanken der Apokatastasis verbietet (LD^1 118 = LD^3 213).
Außerdem: "Eine theologische Theorie, daß alles Strafen nur werkzeuglich,
d.h. erzieherisches Handeln sei, entspricht nicht dem Glauben, der auf
Erden nur in ständiger Überwindung der Furcht lebendig ist."[168]

Infolge des Zusammenhangs von Eschatologie und Protologie entspricht
der Wiederbringung aller die Gottesgesetztheit der Sünde, womit der Verrat des Glaubens an ein geschichtsphilosophisch-monistisches System per-
fekt ist (GD^1 II/174 = GD^5 269). Vergißt man in der Eschatologie, daß
Gott den Menschen in diesem Leben immer in der zwiefachen Gestalt seines
Wortes als Gesetz und Evangelium begegnet, ebnet man also deren Spannung
zueinander ein, so folgt, wie man an K.Barth sehen kann, die Apokatastasis. Der Glaube dagegen läßt die Furcht nie hinter sich, sondern immer
unter sich; er flieht in auf Erden nie endender Bewegung aus der Not und
Gefahr der ihm auferlegten Verantwortung, die ihm Gewißheit des Gerichts
bedeutet, zu der Gewißheit der Gnade:

> "Das darf das theologische Denken niemals vergessen, auch nicht in der
> Eschatologie....Die Heils-Gewißheit, die das Evangelium schenkt, macht
> der Heils-Sorge, die unter dem Gesetze steht, nicht einfach ein Ende...
> Nur durch das Bild des kommenden Gerichtes hindurch kann und darf er
> das Bild der ewigen Erlösung denkend schauen."[169]

Die Unterscheidung zwischen Ur- und Christusoffenbarung und die daraus
erwachsende Spannung zwischen Gesetz und Evangelium verbieten Althaus also

auch die Lehre von der Wiederbringung aller; sie sind, wie bereits erwähnt,
ein Kontrapunkt gegen eine mögliche und (aufgrund des Prius der Gnade vor
der Natur, des forensischen Charakters der Rechtfertigung und der Unterbewertung der menschlichen Geschichte und Freiheit) teils naheliegende Engführung der Rechtfertigungslehre. Um trotz der Gewißheit der Rechtfertigung die Möglichkeit des Verlorengehens nicht aufzuheben, wendet er sich
gegen K.Holls proleptisch-analytischen Charakter des Rechtfertigungsur-
teils:

> "Will man in allem Ernste die Apokatastasis lehren und aus dem Gedan-
> ken des doppelten Ausgangs der Geschichte ein Spiel machen? Solange
> man das nicht will, solange man weiß, daß es (und dann wahrhaftig doch
> auch für die 'Betrachtung vom Standorte Gottes aus'!) ein Verlorenge-
> hen gibt, - so lange ruht das 'Heute' der Rechtfertigung in sich selbst
> und nicht auf der vor Gottes Auge schon gegenwärtigen Zukunft."[170]

cc) Doppelter Ausgang (Himmel und Hölle)

Die Erwartung eines doppelten Ausganges gehört nach dem bisher Gesagten auch für Althaus zum unentbehrlichen Bestand der christlichen Eschatologie.[171] Es geht um ein echtes Entweder - Oder, das "den Sinn unseres
Lebens als Entscheidung im Verhältnis zu dem heiligen Herrn, die Ewigkeitsschwere dieser Entscheidung" (LD^3 209), sichert und durch angebliche ethisch-psychologische Schwierigkeiten, wie sie etwa Schleiermacher
vorbrachte, nicht entschärft werden darf: Zwar kommt es zu der furchtbaren Erkenntnis, daß man das Leben verspielt habe, sozusagen zu einer inte-
lektuellen Reue, aber zu keiner Herzensreue; die Möglichkeit ewigen Verderbens beeinträchtigt auch nicht etwa aus Mitgefühl die Seligkeit der Geretteten, denn es ist die Einheit mit dem Willen Gottes, die ganz selig
macht. Auch wenn wir in der Ergriffenheit durch die göttliche Geistes-
macht auf die Rettung durch Gott vertrauen, so bleibt doch der doppelte
Ausgang meine und jedes Menschen Möglichkeit.

Der negative Ausgang heißt 'Hölle'. In Christus, dem Evangelium der
Liebe, hat das Gesetz der Heiligkeit sein Ziel, doch "die Objektivität
und Abgeschlossenheit (erg.: der Heilstatsache) steht - das ist das Wesen unserer Gottesbeziehung in der Geschichte - in lebendiger Spannung zu
der Unabgeschlossenheit der subjektiven Haltung und Erfahrung", so daß
für den Einzelnen ein Auseinandertreten von Gottes Heiligkeit und Liebe,
d.h. der Zorn Gottes als letztes Wort möglich bleibt[172]. Da erst in der
Begegnung mit Christus Sünde und Gericht ganz offenbar werden, weiß erst
der Christ um die ganze Wirklichkeit der Hölle - als ein ihn selbst be-

treffendes unendliches Gericht, über dessen Abgrund ihn nur die Gnade
hält (CW 409). Als Vollendung des realen Gerichtes ist die Hölle nicht nur
eine geistige und innerliche Angelegenheit, denn "die relative Zweiheit
und Selbständigkeit seelischen und leiblichen, inneren und äußeren Schicksals hört mit dem Tode auf: alles Inwendige ergreift die Ganzheit unseres Seins. Insofern wird die Strafe, wie zum Teil schon hier im Leben,
auch leiblich sein" (CW 666). Es ist das Wahrheitsmoment der drastischen
Höllenbilder,daß dort die Erfahrung leiblich-äußerlicher Lebenszerstörung
in der Qual inneren und äußeren Dasins ihre schreckliche Vollendung findet. Die Hölle ist die "vollendete und voll offenbar gewordene Selbstzerstörung des Lebens durch die Sünde; also Unentrinnbarkeit des Bösen,
die - weil der Mensch Mensch bleibt, zu Gott geschaffen, Ebenbild Gottes
- als Zerstörung des Lebens zu völliger Nichtigkeit und Sinnwidrigkeit
erlebt wird" (CW 409). Das personale Gericht, das bereits in diesem Leben
einen Vorgeschmack der Hölle gibt (vgl.DTL 158f), findet ebenso im ewigen
Tod seine Vollendung als "Erfahrung des abweisenden Nein Gottes im Gewissen, im unaufhebbaren Gegenüber zu ihm; unendliche Feindschaft, aber in
der unentrinnbaren Nähe Gottes" (CW 409).

Die positive Möglichkeit des Ausgangs der Menschheit heißt 'Himmel',
'Ewiges Leben', oder besser, um den menschheitsgeschichtlichen Aspekt mehr
hervorzuheben, 'Reich Gottes'. Diese Vollendung besagt Überwindung von Sünde und Tod, Ende dieser Welt, dieses Menschen, Parusie Christi, universale Vollendung. Ein Himmel für sich allein ist gar nicht möglich, da die
volle Gemeinschaft mit Gott zugleich vollendete Gemeinschaft der Menschen
untereinander ist; die neue Menschheit, das Reich Gottes, ist, so meint
selbst Althaus trotz der personalen Engführung, von Anfang an der primäre
Gegenstand der christlichen Hoffnung.

Aber auch die Lehre vom doppelten Ausgang bringt nach Althaus unüber-
windliche Schwierigkeiten und kann deshalb nicht die endgültige Lösung
sein. "Darf Gottes Herrschaft am Ende als eine begrenzte gedacht werden?"
(LD^1 115 = LD^3 210) Kann seine suchende und werbende Liebe das Widerstreben der Geliebten ertragen, ohne zu leiden? Das Dilemma rührt vor allem daher, "daß Gottes Herrschaft eine solche in persönlichen Geistern sein will,
also nur durch Freiheit zustande kommen kann, also die Möglichkeit endgültigen Widerstandes gerade fordern muß" (LD^1 116 = LD^3 211), andererseits
ist das Willensverhältnis nicht die ganze Wirklichkeit unserer Gottesbeziehung, denn "wir sind zugleich stets in seiner Hand, und er wirkt in

uns", er umfaßt alles Leben (LD^1 117,n.1).

In LD^1 sieht sich Althaus hier "vor einem unlösbaren Problem" und er meint, seine theologische Aufgabe sei erfüllt, indem er das Einzelproblem als neuen Ausdruck des einen unlösbaren paradoxen Grundgeheimnisses der Religion und unserer Existenz überhaupt, nämlich der Spannung von Absolutheit und persönlichem Verhältnis, Gottes Unbedingtheit und seinem Werben in der Geschichte, aufzeigt (LD^1 116). Ab LD^3 sieht er die Schwierigkeit der Lehre vom doppelten Ausgang vor allem im Rechtfertigungsglauben begründet (freilich kommt auch diese Schwierigkeit letztlich vom Gottesgedanken her; vgl. LD^3 210f), denn gemäß der in ihm gegebenen Spannung werden die Unheilsgewißheit immer wieder in die Heilsgewißheit, der schwere Ernst der Verantwortung ins Vertrauen auf das allmächtige Vollbringen der Liebe Gottes, die gegenwärtige Wirklichkeit der Verstoßung in das Wunder der Berufung aufgehoben, ohne daß diese zwei Pole des Glaubens, wie es leicht die Gefahr des dualistischen Gedankens ist, auf zwei Menschengruppen verteilt werden dürften (LD^3 209f; LD^4 185f), denn "wie sollte er nicht in seiner allumfassenden Liebe, die da will, daß alle zum Heile kommen, jedes Menschen Ungehorsam und Widerstreben überwinden", wo wir doch auch eins in der Sünde sind (CW 670)? Es ist "das Rätsel unserer sündigen Existenz vor Gott", das uns in dieser theoretischen Ratlosigkeit bedrängt (LD^4 185). So wenig der Gedanke der Möglichkeit des ewigen Todes aufgegeben werden darf, so muß doch eine Lehre, die den doppelten Ausgang als sichere Wirklichkeit lehrt, zurückgewiesen werden.

b) Althaus' Antwort

aa) "Unterwegs....von der Möglichkeit doppelten Ausgangs zu dem Hoffen auf die Wiederbringung aller" (CW 671)

Angesichts der Schwierigkeiten aller drei üblichen Lösungsversuche sucht Althaus seine Antwort, die er auch "hier wie überall....folgerichtig zu entfalten" bemüht ist, gemäß seiner Methode: Negativ besagt dies die Ablehnung einer biblizistischen Lösung, positiv die Anwendung der Rechtfertigungserfahrung als Grund und Maß der Erkenntnis auch für die Frage nach dem Ausgang des Endes, denn "das Endbild muß die Züge der Rechtfertigung tragen" (LD^3 203 = LD^4 175). Der Glaube an die Rechtfertigung jedoch hat zwei Pole, weshalb auch die Eschatologie als theologia viatorum "diese unsere Lage nicht durch ein eindeutiges Endbild verleugnen" darf, sondern bezeugen muß (LD^4 77). Diese zwei Pole sind einerseits die Verantwortlichkeit Gott gegenüber, welche als Freiheit zum Nein von uns mißbraucht wurde, uns schuldig machte und Gottes Zorn auf uns zog, andererseits die Allmacht Gottes, die uns in ihrer Hand hält und mächtig ist, unseren Trotz in Gehorsam zu wandeln.

"Er ist das Subjekt der Entscheidung, nicht wir. Er allein schenkt den den Glauben....So einen sich in der Gotteserfahrung, die wir Rechtfertigung heißen, stärkstes Erlebnis der zur Entscheidung berufenen Verantwortlichkeit und tiefster Eindruck der Liebesallmacht Gottes, die unaufhaltsam, durch alles hindurch, an uns zum Ziele kommt" (LD^3 204 = LD^4 176).

Solche Erfahrung, in der es um meine eigene Zukunft geht, darf nicht ruhig objektivierend betrachtet werden, weshalb sich Althaus von aller Theoriebildung über den Ausgang (in der die Antwort immer die anderen betrifft!) zurückgerufen weiß zum 'existentiellen Denken' des zutiefst Beteiligten, denn nicht theoretisch, sondern nur 'praktisch' können wir uns vom Rätsel unserer sündigen Existenz erlösen.

Das 'existentielle Denken' weiß von zwei Linien, die beide gezogen werden müssen, ohne sich zu schneiden. Neben dem Gedanken des doppelten Ausgangs verläuft der andere Gedanke, der vom Gottesgedanken her zur Hoffnung der Apokatastasis führt, denn die verantwortliche Entscheidung des Menschen ist ja zugleich Wirkung des uns und wohl auch den anderen Glauben schenkenden Gottes. "Verantwortungsbewußtsein (LD^4: Entscheidungsbewußtsein) und Erwählungsbewußtsein erzeugen je ein anderes Zukunftsbild." (LD^1 117 = LD^3 212 = LD^4 186). Als Anspruch auf theoretische Einsicht und gedankliche Entscheidung über den Ausgang der Menschheit ist jedes Zukunftsbild Anmaßung und Vorwitz, denn theoretische Erkenntnis der Zukunft als ruhendes Bild der letzten Dinge ist uns unmöglich. Beide Linien müssen für jeden Menschen gedacht werden. Althaus meint, beide Gedanken auch im Neuen Testament wiederzufinden, ohne daß sie ausgeglichen würden und ohne daß man die umfassende Heils-Wirkung auf Gottes allgemeinen Gnadenwillen reduzieren dürfte. Von uns aus können wir uns angesichts der geforderten Entscheidung nur im Tode denken; von der Liebesmacht Gottes her wagen wir jedoch für uns und die ganze Menschheit zu glauben, "daß jener Tod nicht das Ende, sondern Werkzeug und Durchgang der eifernden Liebe ist" (LD^3 212 = LD^4 186), ohne daß freilich solcher Glaube zu "einem selbstverständlichen Folgesatz aus der Gewißheit um die allmächtige Liebe"[173] werden dürfe.

Insofern die Lehre von der doppelten Prädestination nicht Theorie eines

göttlichen Doppeldekrets für je verschiedene Menschheitsteile, sondern
"Ausdruck der inneren Spannung des Rechtfertigungsglaubens" ist, hat sie
bleibenden Sinn (LD^3 212 = LD^4 186f). Die Doppelheit der Gedanken wird von
Althaus als ein weiterer Ausdruck der Polarität aller Eschatologie gesehen,
nämlich daß wir einerseits bereits jenseits des noch offenen Kampfes auf
dem Boden der Ewigkeit stehen dürfen und anderseits doch zugleich mitten
in der Geschichte mit der Sorge und der Furcht um die noch offene Möglichkeit unseren Mann stellen müssen. Diese Spannung hat die ständige Flucht
zum Gebet, in dem Gottes Macht und unsere Verantwortung, die zuversichtli-
che Hoffnung und unsere Sorge geeint sind, die auf Erden nicht endende
Lebensbewegung des Glaubens von der Furcht zu der betenden Heilsgewißheit,
von der Möglichkeit doppelten Ausgangs zu dem Hoffen auf die Wiederbringung aller zur Folge (CW 671). "Im Glauben an diese Barmherzigkeit wagt
man dann auszudenken, daß Gottes strenges Richten voll heiliger Teleologie ist....Der Glaube wird sich daher hüten, jene Synthesis der Heilsgewißheit zur 'ruhenden' Wahrheit zu dogmatisieren. Dann wäre die Heilsgewißheit ja nicht mehr Glaube." (TdG 116f) Das bleibt sie nur, "wenn sie
Gottes Freiheit in seiner Liebe nicht vergißt, die sich in keinem menschlichen Begriffe der Gerechtigkeit und Gleichheit einfangen läßt "[174]. Zwar
schließt jede Heilsgewißheit irgendwie Unheilsgewißheit oder wenigstens
Heilsungewißheit ein und ist insofern in gewissem Sinne widerspruchsvoll,
da wir noch fortwährend in die Entscheidung gestellt sind und die Frage
nach dem Ausgange der Menschheit "in der Spannung von Gesetz und Evangelium"[175] offengehalten werden muß, aber der aus der Furcht aufsteigende
"Glaube wagt den Ausblick der Apokatastasis, und so ist es gewiß zuletzt
ein Gedanke, in dem wir enden"; die Dogmatik muß beide Endbilder halten,
da die Einsicht über das wahre Endbild, das nur eines sein kann, noch aus-
steht; "und nur" - aber dann doch! - "in actu des aus der Furcht fliehen-
den und sie doch in sich mittragenden Glaubens ist das Entweder-Oder immer
wieder entschieden" (LD^3 214,n.1 = LD^4 189), denn, weil der Glaube "unbedingte grundlose Gnade" erfährt, "kann und darf er sie nicht anders denn
als umfassende denken"[176]. "Die Furcht spricht aus der Erwartung doppelten
Ausgangs der Geschichte.... Der Glaube erfaßt gegenüber dieser dunklen
Möglichkeit Gottes Barmherzigkeit, für die anderen und für mich, und wagt
den letzten Gedanken der Apokatastasis." (TdG 118).

Althaus selbst scheint fast vor dem kühnen Wagnis dieses 'letzten Gedankens' zurückzuschrecken, gleichsam in dem Gefühl, zu viel gesagt zu

haben, hin und her schwankend zwischen den Aussagen, daß der Glaube "Gottes Werk" und zugleich "unser verantwortlicher Willensakt" (CW 670) sei, willens, beide in ein Verhältnis zu bringen und doch dazu nicht fähig. Zusammen mit dem in der Praxis des Glaubens gegebenen "Kontrapunkt der Sorge um das Heil und der Verantwortung", oder anders, unter dem Vorbehalt des Geheimnisses der Freiheit Gottes, hat schließlich nach Althaus "der Gedanke der Wiederbringung Aller christliches Recht"[177].

bb) Heil der 'Übergangenen'

Bevor wir zu Althaus' Antwort Stellung nehmen, sei hier noch auf eine damit eng verbundene Frage eingegangen: die Frage nach dem Heil derer, die Christus nicht kennen, weil sie von seiner geschichtlichen Offenbarung 'übergangen' worden sind. "Kein 'noch nicht' ist hoffnungslos, nur das 'nicht mehr' derer, die mit vollem Bewußtsein nicht mehr zu Jesus Christus gehören wollen"[178]. Wie wird das 'noch nicht' der 'Übergangenen' aktuiert?

In LD^1 und LD^3 erwägt Althaus zwar zwei Möglichkeiten einer Antwort, nämlich das religiöse Postulat eines 'Mittelzustandes', also eines außergeschichtlichen Zustandes, in der jeder Mensch mit Christus konfrontiert wird, oder die Entscheidung über die Ewigkeit durch ein in der Geschichte allgegenwärtig gegebenes letztes Entweder-Oder von Selbstsucht oder Dienst ohne bewußte Jesusbegegnung, also gleichsam in 'anonymer Christlichkeit' - so freilich, daß diese Alternative durch und an Christus zur Höhe kommt (LD^1 44f.110; LD^3 44) -, doch er fühlt sich gemeinsam mit der neueren protestantischen Dogmatik (LD^3 43,n.1) offenbar angesichts des durch seine soteriologische Engführung geprägten Geschichts- und Religionsbegriffes zur Annahme der ersten Möglichkeit gedrängt, denn die Universalität und Gegenwart von Gottes Handeln in Jesu partikulärer Geschichte für die Geschlechter vor und außer Christus sieht er nur gewährleistet in der unentbehrlichen Annahme eines u.E. reichlich sonderbaren 'Mittelzustandes' (LD^1 85), - 'Mittelzustandes' deshalb, weil dieses Hineinnehmen der Übergangenen in die Heilsgeschichte einerseits "jenseits der irdischen Geschichte" geschieht, andererseits "diesseits der Parusie", die die Entscheidung voraussetzt (LD^1 99). Dies sagt der - zumindest später - so hartnäckige Verwerfer jeglichen Zwischenzustandes, Zwischenreiches und auch Fegfeuers; angesichts seines 'Mittelzustandes' anerkennt er jedoch damals sogar die Möglichkeit von Werden und Läuterung in der

Ewigkeit (LD^3 229), auch wenn uns im übrigen der Einblick in diesen Mittelzustand verborgen bleibt (LD^3 237).

Die scharfe Ablehnung des Fegfeuers und aller 'Zwischenzuständlichkeit' machte Althaus wohl auch den 'Mittelzustand' verdächtig und er betont immer stärker die Verborgenheit und den Geheimnischarakter von Gottes Handeln mit den Übergegangenen (LD^4 222); sicher ist nur, daß Gott sich ihrer annehmen wird. Althaus verbindet in LD^4 und CW die ganze Frage mit dem jenseits der Grenzen unserer Geschichte geschehenden und vor die Entscheidung stellenden 'descensus Christi ad inferos' (1 Petr 3,19;4,6) (LD^4 181;CW 481f). Während er jedoch in LD^4 und in dem Artikel 'Niedergefahren zur Hölle'[179] die andere Möglichkeit durch die 'allgemeine Berufung', durch die in aller Religion "ein Schatten der großen Entscheidungsfrage Gottes" (LD^4 181) ist, nicht gänzlich ausschließt,scheint er in CW (482) den Mut dazu verloren zu haben und ganz auf die außergeschichtliche Lösung zu drängen, da genau die betreffenden Sätze aus dem erwähnten Artikel fortbleiben.

Wenn wir richtig sehen, kommt jedoch in CW noch eine dritte Möglichkeit zur Sprache, die am meisten der latenten Tendenz der vorhin vorgezogenen Antwort auf die Frage nach dem Ausgange der Menschheit entspricht, nachdem sein anfängliches Bemühen, das Heil mehr in die Geschichte zu verlegen (in Uroffenbarung und Religion) aufgrund anderer systematischer stärkerer Prinzipien gescheitert ist.

> "Vielleicht wird Christus sich den auf Erden von ihm nicht Erreichten und den Ungläubigen einfach in seiner Herrlichkeit offenbaren und dadaurch den Unglauben richten und tief beschämen. Uns, die wir das Wort des Evangeliums hören, will Gott durch Glauben selig machen. Aber er kann andere ohne die Entscheidung des Glaubens in das Schauen und damit zum Heile führen." (CW 672; vgl.CW 482)

Das heißt doch: der Unterschied zwischen den ohne Entscheidung Berufenen und uns, die wir die Entscheidung des Glaubens hinter uns haben, ist gar nicht so groß, wie er scheint, denn letztlich ist der gemeinsame Nenner dieser und jener Rettung Gottes souveräne Tat; unsere Hoffnung ist deshalb aller Hoffnung. Und ist es nicht konsequenter und notwendig, den Übergangenen die außergeschichtliche Entscheidung zu ersparen, da doch bei Althaus wesentlich Geschichte und Entscheidung, also auch Außergeschichte und Nicht-Entscheidung zusammengehören? Auch wenn den einen das Heil durch Wort, Sakrament und irdische Gemeinde vermittelt wird, den anderen ohne diese irdischen Heilsmittel[180] in der Christusbegegnung jenseits des Sterbens, für alle gilt: "niemand wird selig ohne durch, mit

und bei Jesus Christus" (CW 673). Althaus selbst will wohl dem Vorwurf zu-
vorkommen, daß die Übergangenen auf solche Weise zum Heil überwältigt und
gezwungen würden, wenn er an anderer Stelle sagt, daß Gott einem von Christus übergangenen Menschen "jenseits des Todes, am Tage Christi, vor die
Wirklichkeit Christi und seiner selbst stellen und ihm den Willen schenken (wird), ohne den die Verwandlung seines Wesens allerdings magisch wäre"
(LD^4 218). Genügt jedoch dieser Hinweis, um jede Gefahr der Magie auszuschließen?

Wenn man die ersten beiden Möglichkeiten (Mittelzustand und allgemeine Berufung) mit dieser dritten und u.E. die beiden ersten überformenden
Antwort vergleicht, so ist Althaus' definitive Antwort, kann man wohl sagen, auch in der Frage der Übergangenen, ja sogar der Ungläubigen (vgl.
CW 673), "unterwegs....von der Möglichkeit doppelten Ausgangs zu dem Hoffen auf die Wiederbringung aller" (CW 671) und tendiert ziemlich deutlich
auf die Allversöhnung. Das redliche, aber vergebliche Bemühen Althaus'
in seiner Theologie der Religionen, die trotz des Glaubens an den universalen Heilswillen Gottes und an den universalen Christus ob der protestantischen Sünden - und Rechtfertigungslehre und der daraus folgenden Entwertung der Geschichte schließlich auch nur eine praeparatio negativa für
das Heil ergeben, also die trotz aller positiven Ansätze stehenbleibende
Unmöglichkeit der geschichtlichen Religionen als Heilswege wird gleichsam
wettgemacht, ja überboten, durch die außergeschichtliche Apokatastasis,
die auch hier von der Allmacht der Liebe Gottes her als 'letzter Gedanke'
gewagt wird.[181]

c) Stellungnahme

Althaus' Antwort hat verschiedene Kritiken erfahren. F.Traub sieht
darin eine unmögliche "Bejahung des logischen Widerspruchs" und hält "die
Formel von den ruhenden Wahrheiten für wenig glücklich", denn Wahrheit ruhe oder bewege sich nicht, sondern gelte.[182] P.Ebert hält sie für eine
"Addition am unrechten Orte" und meint, in ihr "ein entscheidendes Übergewicht seines essentiellen Denkens für die Apokatastasis" zu entdecken[183].
F.Holmström will ebenfalls erkennen, daß in der Welt der Vollendung schließlich die monistische Gedankenreihe das Übergewicht habe, auch wenn Althaus' "spannungsvolles dialektisches Schildern von logisch unvereinbaren
Aussagen" einen definitiven Entscheid unmöglich mache; durch diese "vor-
zeitige Kapitulation" der dogmatischen Methode verliere das letzte Gericht

seinen unbedingten Ernst und trete "eine bedenkliche sachliche Verwischung
des existentiellen Glaubensdenkens" ein (DeD 309f;vgl.ArtDeD 340-342).
Nach W.Wiesner zeigt sich in der Aporie der Antwort auf die Frage nach dem
Ausgange der Welt Althaus' Ausgang von der menschlich-weltanschaulichen
Frage, wodurch das Zukunftsbild von einer menschlichen Konstruktion und
nicht von der Verheißung des Evangeliums bestimmt sei.[184]

Was Althaus' Ablehnung der Annihilation und der Apokatastasis als 'Lehren' anbelangt, stimmen wir voll zu. Zu Althaus' Annahme, daß auf der
Glaubensebene beide Möglichkeiten, der dualistische und der monistische
Ausgang, gleichzeitig gehalten werden müßten, gestaltet sich eine Stellungnahme ziemlich schwierig, da sich hier verschiedene, kaum entwirrba-
re, legitime und gefahrvolle Motive vermischen.

Sollte seine Antwort ein Ausdruck der Behauptung des allgemeinen Heilswillens Gottes sein, so müßte sie auf alle Fälle gutgeheißen werden. "Wir
haben die Sätze von der Macht des allgemeinen Heilswillens Gottes, der Erlösung aller durch Christus, der Pflicht der Heilshoffnung für alle und
den Satz von der wahren Möglichkeit ewiger Verlorenheit unverrechnet nebeneinander aufrechtzuerhalten."[185] Will Althaus andeuten, daß uns die Offenbarung als Ruf zur Entscheidung völlig im Ungewissen läßt, ob die Möglichkeit des Verlorengehens aktuiert wird, also ob einige , ob wenige, ob
viele oder vielleicht niemand verlorengehen, so gestehen wir diese Möglichkeit einer faktischen, von uns nicht präjudizierbaren Rettung aller
zu. Auch als Artikulation der auffallenden 'Asymmetrie' der Bibel
muß der Althaus'schen Glaubensbewegung recht gegeben werden, denn "wenn
er (= Jesus) an sein Kommen in Herrlichkeit am Jüngsten Tag denkt, kommt
es ihm vor allem darauf an, die Seinen zu sammeln, ihnen das Heil zu geben und endgültig das Reich seines Vaters zu errichten"[186]. Sofern in
Althaus' Antwort also mitausgesagt sein soll, daß Himmel und Hölle wegen
des sicheren Sieges der Gnade keine gleichwertigen Möglichkeiten sind, wie
es die Lehre vom doppelten Ausgang zu implizieren scheint, pflichten wir
voll bei. Man darf nämlich nicht vergessen, "daß die christliche Eschatologie vom Heil und von der Verwerfung nicht auf derselben Ebene liegen";
sie ist vielmehr die Überholung jeder gleichwertigen Zwei-Wege-Lehre,
denn sie "ist zentral nur die siegreiche und die Welt vollendende Gnade
Christi, freilich so, daß das Geheimnis Gottes hinsichtlich des einzelnen
Menschen als des noch pilgernden darüber verborgen gehalten wird, ob er
in diesen sicheren Sieg der Gnade einbezogen ist oder - 'ausgelassen'

wird"[187]. In Jesu Geschichte ist das Wort Gottes unfehlbar angenommen worden und ans Ziel gekommen, so daß "hier der Dialog Gottes mit dem Menschen 'geglückt' ist"[188].

Gemäß den Regeln der Hermeneutik eschatologischer Aussagen ist das, "was die Schrift über die Hölle sagt,....entsprechend dem eschatologischen Charakter der Drohrede nicht zu lesen als eine antizipierende Reportage über etwas, was einmal sein wird, sondern als Enthüllung der Situation, in welcher der angeredete Mensch jetzt wahrhaft ist", d.h. es handelt sich um "die ihn jetzt bedrohende Möglichkeit"[189]. Es geht deshalb nicht erstrangig um gegenständliche Jenseitsspekulation, sondern um den existenzbezogenen Sinn der Aussage von der Hölle, um den Aufruf zum Glauben hier und jetzt. Es kann im übrigen in der Ebene des sich bedingungslos hingebenden Glaubens gar nicht um kategoriale, informativ mitteilbare Vorausschau und Wahrsagerei der Zukunft gehen.

Althaus' Antwort ist auch legitim, insofern es in ihrer Dialektik um die Leidenschaft der Offenheit zu dem je größeren, unverfügbaren Gott geht; darüber hinaus, insofern eben dieser Gott nicht ein unverfügbar arbiträrer Gott ist, sondern auch er gleichsam gebunden ist an die Grenzenlosigkeit der Liebe, als die er sich in Christus, dem Unüberbietbaren, dem Eschaton, geoffenbart hat.[190] H.U.v.Balthasar weist eindringlich darauf hin, daß "das Verfügen über den Gerichtsausgang (im Sinne sicheren Wissens, daß der Richter verdammen wird)" sehr fragwürdige theologische Folgen habe, z.B. die doppelte Prädestination; er wagt angesichts der unversöhnten Doppellinigkeit der Schrift, wie es sich auch in der Tradition der Spirituellen und Mystiker findet, den "Durchbruch....in eine den Gerichtsausgang offenlassende, bei der Person des Erlöserrichters stehen bleibende und auf die schließende Systematik verzichtende Eschatologie, die Raum gibt der den ganzen Platz fordernden christlichen Hoffnung" und er anerkennt die Vollerlösung der Schöpfung als "regulative Idee", freilich nicht, ohne vor dem sie als "konstitutives Prinzip" anerkennenden Origenismus zu warnen[191]. Wo Gott sich in seiner Liebesfreiheit entschließt, in alle Verlorenheiten der Welt kenotisch abzusteigen, klaffen die letzten Abgründe der widergöttlichen Freiheit auf, erscheit aber auch die äußerste Konsequenz der absoluten Liebe möglich, "daß Gott trotzdem er verwerfen kann und verwerfen wird, im Letzten, Ewigen retten wird"[192]. Jede systematische Übersicht ist uns genommen, dafür jedoch die christliche Hoffnung gegeben, die wie der Glaube als Modalität der Liebe an deren Bedingungslosigkeit und Universalität teilnimmt.

Die eben genannten, teils sehr weit gehenden berechtigten Momente sind in Althaus' Antwort mitenthalten, denn sie entsprechen zutiefst einer wahren, von Althaus intendierten 'Theologie des Glaubens', in der Glaube, Hoffnung und Liebe eine unzertrennliche Einheit bilden - eine Einheit, die auch als hermeneutisches Prinzip für die Aussagen der christlichen Eschatologie, zumal hinsichtlich der Höllen-Aussagen, zum Tragen kommen muß. Aber wir glaubten, feststellen zu müssen, daß Althaus' Theologie des Glaubens eine nicht unwesentliche Einseitigkeit durch eine soteriozentrische Engführung erhielt; so meinen wir, daß auch in Althaus' Antwort auf die Frage nach dem Ausgange der Menschheit entsprechende, von uns abzulehnende Momente mit im Spiele sind.

Wir haben gesehen, daß die Möglichkeit des Auseinanderfallens von Gesetz und Evangelium, also des doppelten Ausgangs, in Althaus' zweigliedriger Offenbarungslehre liegt. Wir zeigten auch, daß durch Althaus' Sünden- und Rechtfertigungslehre der ursprüngliche, zwar relative, aber positive Wert der Schöpfungswirklichkeit, etwa der Geschichte, gefährdet, bzw. entwertet wird, so daß zwar die Bestimmung der ganzen Schöpfung auf Vollendung bestehen bleibt, aber unter der vertikalen Polarität Geschichte - Jenseits, Zeit - Ewigkeit, auf die Lösung am Jüngsten Tag zu warten hat. Damit ging Hand in Hand eine Abwertung der menschlichen Freiheit und Verantwortung, der Möglichkeit des Ankommens der Gnade bei der irdisch-geschichtlichen Wirklichkeit (in der Menschheit Christi und beim gerechtfertigten Menschen) und infolgedessen der Bedeutung des dialogischen Momentes 'von unten' in Hinblick auf die 'letzten Dinge'. Das Heil der 'Übergangenen' realisiert sich erst jenseits der Geschichte, aber auch das der Gläubigen kommt erst in der Ewigkeit jenseits des Todes beim Glaubenden selbst an, da er bis dorthin seiner (unter dem doxologischen Motiv stehenden!) wesenhaften Situation des 'simul iustus et peccator' nicht entrinnen kann. Die soteriozentrische Tendenz, die Natur unter die Gnade zu subsumieren und die existentielle Situation zur essentiellen zu machen, begünstigt nicht nur, sondern fordert die Apokatastasis als letzten Gedanken, der die soteriozentrische Systematik abschließt.

War zunächst die Spannung zwischen Gesetz und Evangelium ein 'Widerlager' gegen einen Rechtfertigungsglauben, der aufgrund der All(ein)wirksamkeit Gottes zur Apokatastasis tendiert, so wurde dieser Kontrapunkt durch die Entwertung der Geschichte und durch die Tendenz, von der Ewigkeit her,

der alleinigen Domäne Gottes, die Entscheidung zu erwarten, zumindest aufge-
weicht. Ist aber eine solche 'Lösung' am Jüngsten Tage durch die Allmacht
der Liebe Gottes eine 'Antwort', wenn die freie Liebe Gottes nicht vermittelt ist mit der Freiheit und Verantwortung des Menschen? Hört nicht der
Himmel, zu dem man ohne diese Vermittlung gelangt, auf, Himmel zu sein?

In Althaus' Eschatologie der Rechtfertigung kommt diese Vermittlung
der beiden Freiheiten zu kurz, denn Gottes Rechtfertigung kommt erst dort
in ihrer ganzen Größe zum Druchbruch, wo sie ex nihilo sub contraria specie
schafft - nicht dort, wo sie durch Zueigengeben der Gnade den Menschen
selbst groß macht. Das Geheimnis der menschlichen Freiheit wird zusehr
der Allwirksamkeit Gottes geopfert (anstatt durch die totale Abhängigkeit
von Gott als Freiheit ganz frei zu werden), so daß es Althaus nicht gelingt,
seine richtige Einsicht, daß der Glaube zugleich "Gottes Werk" und "unser
verantwortlicher Willensakt" (CW 670) sei, systematisch zu stützen. Da
sich erst durch Freiheit Zeit zur Geschichte verdichtet, diese Freiheit jedoch gefährdet ist, zeigt sich, daß die Apokatastasislehre ein unge-
schichtliches Denken ist, in dem man aus der Relation des Glaubens heraus-
springt, um als neutraler Beobachter den Gang der Geschichte zu über-
schauen. Es ist ein tragisches Geschick, daß Althaus gerade in seiner ob
der 'Theologie des Glaubens' gegebenen Antwort selbst in Gefahr kommt,
sich außerhalb dieses Glaubens zu stellen und sub specie aeternitatis (vom
ewigen Gottesgedanken her) die Geschichte zu 'beobachten'. So zeigt sich
auch hier, daß er den beabsichtigten Mittelweg nicht zu gehen vermag, weil
das Übergewicht seiner Rechtfertigungslehre ihn schließlich zu einer mit
der menschlichen Freiheit zu wenig vermittelten Hoffnung in Richtung der
Apokatastasis drängt. Darin erweist sich nicht zuletzt seine eigene Abhängigkeit von den beiden Extremen, der uneschatologischen und der nureschatologischen Theologie, die beide auf je ihre Weise die Allversöhnung
lehren. Christus als letztes hermeneutisches Prinzip aller eschatologischen Aussagen wird gleichsam überformt vom antinomischen, zeit- und geschichtslos gültigen und deshalb jenseits der Geschichte die Absolutheit
durchsetzenden Gottesgedanken (vgl.LD[4] 35f). U.Kühn hat richtig gesehen:
"Aus dem Gottesbegriff heraus wird die Eschatologie postuliert."[193] Die
diesem Gottesbegriff entspringende Eschatologie der Rechtfertigung ist
Postulat der Paradoxe, nicht Vollendung eines Prozesses, der dadurch begann, daß Gott Mensch wurde und durch dieses solidarische, Freiheit er-
möglichende und einbergende Eingehen in die Geschichte dieselbe aus innen

heraus, also unter gnadenhafter Mitwirkung des Menschen, zu einem heil-
vollen Ende bestimmte.

Wo das inkarnatorische Element die Differenz in der Vermittlung vergißt,
besteht freilich die Gefahr, das Eschaton durch Identifikation der Kirche
mit dem Reiche Gottes vorwegzunehmen (katholische Gefahr). Wo jedoch das
inkarnatorische Element und somit das echt Geschichtliche des Glaubens
verkürzt wird, also die Vermittlung in der Differenz zu kurz kommt und deshalb sich der Halt in der Geschichte verflüchtigt, wird der Akzent der
Gott-Mensch-Beziehung von selbst auf den einzelnen, auf dessen Innerlichkeit und persönliche Heilsgewißheit verlagert (reformatorische Gefahr).
J.Ratzinger verweist darauf, "daß hier auf der Ebene des einzelnen die
gleiche Ausschaltung der Eschatologie gegeben ist, die wir vorhin in
einem triumphalistisch verzeichneten katholischen Kirchenbegriff auf der
Ebene der Kirche gegeben fanden. Das Eschaton ist in eine undialektische
Präsenz geführt."[194] Unsere Hoffnung, die alle umschließt, beruht auf der
universalgeschichtlichen Dynamik der Inkarnation. Wir kritisieren an
Althaus' Tendenz zur Apokatastasis genau jenes Moment, das seiner personalen Engführung entspricht und aus dem die Allversöhnung als 'letzter Gedanke' 'extrapoliert' wird. M.a.W.: Althaus' Antwort des "unterwegs....
von der Möglichkeit doppelten Ausgangs zu dem Hoffen auf die Wiederbringung aller" (CW 671) ist zu begrüßen, doch es fehlt ihr die notwendige,
sie vor Gefahren schützende inkarnatorisch universalgeschichtliche Vermittlung.

Der Mittelweg, der einerseits alle die richtigen Momente in Althaus'
Antwort aufnimmt, andererseits jedoch deren Gefahren vermeidet, ist nur
auf der Basis der 'Eschatologie der Inkarnation' möglich. Da in ihr die
gnädige Liebesmacht Gottes Sein und Tun des Menschen erreicht und zur Mitwirkung ermächtigt, besteht kein geheimes Konkurrenzverhältnis zwischen
der Freiheit Gottes und der des Menschen, bzw. unsere größere Freiheit
besagt zugleich größere Abhängigkeit. Die mögliche Gefahr einer immanentistischen Apokatastasis wird aufgehoben durch das in ihr enthaltene Widerlager' des Dialogs, der Verantwortung, der Freiheit. Das auch von Althaus
betonte unentbehrliche Moment der Möglichkeit des Scheiterns wird hier
systematisch tiefer begründet. Das Geheimnis wird dadurch nicht kleiner,
sondern eher größer. Die Allwirksamkeit der Gnade bleibt hier nicht in pa-
radoxem Nebeneinander zum personalen Freiheitsverhältnis, sondern wird

damit vermittelt, indem sie dieses Verhältnis ermöglicht, setzt, erhält
und umfaßt; alle geschaffene Gnade bleibt völlig abhängig von Gottes unge-
schaffener Huld. Es bleibt die für unser Christsein konstitutive Heilsun-
sicherheit, doch nicht in der Form des radikalen lebenslangen 'simul iustus
et peccator'; deshalb werden unsere Geschichte und unser Werk in die allumfassende Hoffnung integriert, so daß die 'akute' Entspannung am Jüngsten
Tag nicht 'überspannt', d.h. zu 'unvermittelt' wird.

Die von Althaus angegebene dritte Lösung für die Frage nach dem Lose der
'Übergangenen', in der die persönliche Entscheidung ausgeschlossen wird,
(sie entspricht dem von uns kritisierten Moment in Althaus' Stellung zur
Apokatastasis) ist in der 'Eschatologie der Inkarnation' unmöglich, aber
auch nicht nötig, da sie die Entscheidung über das Heil in der Geschichte
fallen läßt und nicht jenseits ihrer zu suchen braucht, weshalb gerade sie
keineswegs eines eschatologischen Entscheidungs-'Raumes' in einem 'Mittelzustand' bedarf (CW 673). Ist aber nicht der 'Mittelzustand' (und später
der 'Descensus ad infernos') bei Althaus ein solcher Entscheidungs-Raum
(freilich ohne wahre Entscheidung), die Entscheidung, die in der Geschichte nicht möglich war, jenseits ihrer zu gewähren? Ist der 'Mittelzustand' nicht eine zum Halt der übergeschichtlichen Eschatologie notwendige Konstruktion, die viel mehr Schwierigkeiten bereitet als ein recht verstandener 'Zwischenzustand', in dem gerade die Vermittlung mit der Geschichte zum Ausdruck kommt?

5. Kapitel: Die kosmische Dimension der Eschatologie

Fragestellung

Althaus war sich sehr wohl des Problems bewußt, ob nicht die "kosmische
mit dem Weltende verknüpfte Erwartung Jesu und des Ur-Christentums" zur
zeitgebundenen und deshalb enmythologisierenden Gestalt unserer christlichen Hoffnung gehöre (CW 674). Im Spektrum der Theologie dieses Jahrhunderts, die im Zuge der geschehenen Reduktion der Eschatologie eher zum
'Akosmismus' neigt, bzw. neigte, und angesichts der modernen Naturwissenschaft daran festzuhalten, ist noch schwieriger geworden als das im letzten
Kapitel zu Wort gekommene Festhalten an der universalgeschichtlichen Dimension.

Allerdings scheint sich erst jüngst, etwa an der Gestalt Teilhard de

Chardins, in der 'politischen Theologie' und in der 'Theologie der Hoffnung', eine neue Aktualität der kosmischen Dimension abzuzeichnen. Die
Beschränkung auf die Kategorien der Personalität konnte sich angesichts
der Wirklichkeit unserer gesellschaftlichen und auch erbbiologischen Ver-
wobenheiten und Bestimmtheiten nicht halten, und auch "die Reduktion der
christlichen Zukunftsordnung auf eine 'Zukunft' der Gemeinde' hat sich,
historisch gesprochen, als ein Fehlweg erwiesen"[1], denn der christliche
Glaube darf sich nicht aus der realen, politisch gesellschaftlichen Geschichte zurückziehen und muß Gottes eschatologisches Handeln mit dem
Weltgeschehen konfrontieren.

Wir haben gesehen, daß Althaus schon in seiner Frühperiode an der kosmischen Dimension festhielt, obwohl von einem Moment seiner Denkform her
die behauptete Alldimensionalität der Eschatologie schwer gefährdet war.
Wir stellen nun dieselbe Frage für die endgültige Gestalt seiner Eschatologie und achten dabei wiederum auf das Ob und Wie der 'Vermittlung in
Differenz'. "Heute kommt das naturwissenschaftliche Denken in gewissem
(freilich oft mißverstandenem) Sinn der christlichen Eschatologie entgegen. Aber diese ist darauf nicht angewiesen. Ihre Erwartung des Endes unseres Kosmos hat den Charakter nicht einer rationalen physikalischen Theorie, sondern unbedingter Gewißheit des Glaubens."[2] Es ist also, wie A.
Darlap sagt, zu erkunden, ob und inwiefern "es eine Naturgeschichte und
darum ein Natur-Ende und -Ziel nur gibt durch die schöpferische Setzung
Gottes als Voraussetzung und Umwelt einer kreatürlichen Geistesgeschichte,
die in die freie Selbstmitteilung Gottes an die geistige Kreatur hineinmün-
det, so daß mindestens das faktische Ende der Naturgeschichte dasjenige an
Natur bewahren wird, was in die Vollendung des geschaffenen Geistes eingehen kann"[3]. Da eine biblizistische Begründung ausgeschlossen ist, kann es
nur um eine dogmatische Behandlung der Frage gehen.

Vieles, was an dieser Stelle gesagt werden müßte, wurde bereits früher,
besonders bei der Frage nach der kosmischen Weite und realistischen Art in
der Frühperiode, bei der Behandlung der neuen Leiblichkeit und der Beziehung zwischen Ethik und Eschatologie, behandelt und soll hier nicht wieder-
holt werden. Wie Althaus zurecht meint, könnte man es eigentlich mit einem
Rückverweis darauf belassen, "da die Leiblichkeit und Weltlichkeit unseres
Daseins wesentlich zusammengehören"; außerdem falle angesichts unserer Erfahrungen die Beweislast dem zu, der eine neue Welt verleugnet (LD[4] 327).

Ob des noch jetzt wirksamen gefahrvollen Einflusses des hellenistischen
Spiritualismus und ob der Tatsache, daß sich die Hoffnung auf den neuen
Leib und die Hoffnung auf die neue Welt gegenseitig stützen, hält Althaus
die Begründung des Reiches Gottes als 'neuer Welt' für notwendig.

1. Reich Gottes und Kosmos

a) Verbundenheit von Mensch und Kosmos

Der Mensch steht "in einem unaufhebbaren Zusammenhang mit der gesamten
Kreatur"[4], so daß sein Dasein als ganzes "wesenhaft ein Sein in der Welt
der Dinge " (LD[4] 328) ist. Wie es keine leiblosen Seelen gibt,so auch keine
weltlosen Personen. Auch unser Hinausgehobensein über die Welt in der Begegnung mit Gott bleibt immer rückgebunden an diese Welt. Selbst wo man auf
sie 'verzichtet', also "auch in der Weltflucht, auch in der Überweltlichkeit des Glaubens und des gehorsamen Sterbens ist die Verbundenheit und
Verwachsenheit unseres Daseins mit der Welt 'aufgehoben', bewahrt" (LD[4]
328).

Diese wesenhafte Verbundenheit besagt aber dann auch des Menschen
"Schicksalsgemeinschaft mit aller Kreatur. Mit uns von Gott geschaffen,
unser Mitgeschöpf, in dessen Leben das unsere unlöslich verflochten ist,
steht sie mit uns unter dem Todesgesetze und hat daher mit uns teil an
der Hoffnung des Lebens auf Grund der Versöhnung durch Christi Sterben
und Auferstehen (Röm 8,18ff)" (GE[2] 104). Das Reich Gottes ist deshalb
"nicht nur der Inbegriff der erlösten Menschen", sondern "eine 'Welt'"
(GD[1] II/178 = GD[5] 273). "Leiblichkeit ist das Ende aller Wege Gottes....
Was der Leib im Kleinen, das ist die Welt im Großen."[5]

Althaus sieht deshalb in der Anthroposophie, deren apokryph-gnostische
Gedanken eine Leerstelle ausfüllten, ein bedenkliches Symptom, und mit Verweis auf Adolf Schlatter fordert er eine Theologie der Natur:

> "Das christliche Denken, die Theologie und auch unser Gottesdienst müs-
> sen sich der Natur, des Kosmos mehr annehmen....Die Theologie und die
> Kirche müssen....ganz neu die Aufgabe erkennen und angreifen, unsere
> gesamte Welterfahrung, die Geschichte und die Kunst in das Licht Chri-
> sti zu rücken."[6]

Alles Lebendige und Unlebendige soll für die kommende Welt zeugen. Diese
"Weihe aller Leiblichkeit, alles Stofflichen, aller Kunst" findet seine
wahre Erfüllung, indem es als Sprache von Gott in der liturgischen Symbolik "den Sinn eschatologischen Gleichnisses" gewinnt: darin redet dann

"frohe Verheißung und Hoffnung auf den Tag, da alle unsere Gleider und Bewegungen nichts anderes mehr sind als Ausdruck und Werkzeug der Liebe und
Herrlichkeit Gottes, vom Dienste der vergänglichen Zwecke und der eitlen
Ziele frei"[7]. Die Liturgie sucht umfassenden, verschwenderischen Ausdruck –
über das Gute hinaus in der Welt des Schönen –, so daß das Dingliche des
Schmuckes oder Kunstwerkes zum Gleichnis der eschatologischen Ganzhinga-
be werden kann. Eine sichere Folge für Althaus aus all dem heißt: "Die
christliche Eschatologie kann daher nicht akosmistisch denken."[8]

b) Vorläufigkeit und Sündigkeit des Kosmos

Der Kosmos steht nicht außerhalb des Wortes Gottes in dessen verschiedenen Dimensionen; Gott ist auch für ihn Schöpfer, Grenze und Gericht.

Der Kosmos als Gottes Werk "zeugt von seinem Schöpfer" (CW 310). Der
unermeßliche Reichtum und die Fülle des Kosmos erzählen von Gottes Reichtum und Fülle; die Erhabenheit und Schönheit der Welt zeugen von "Gottes
Herrlichkeit nach ihrer sinnlichen, leibhaften Seite" (CW 311;vgl.318f).
Gott ist nämlich "nicht nur Geist und Wahrheit, sondern auch Lebendigkeit,
Kraft, Leibhaftigkeit, Energie", weshalb "seine Herrlichkeit auch Sinnhaftigkeit hat" (CW 293;vgl.LD[1] 99;LD[4] 331.348). Man darf freilich keinem
falschen Materialismus verfallen, denn das vom irdischen Gleichnis Be-
zeichnete ist von überirdischer Sinnlichkeit, die jetzt dem irdischen
Auge verborgen und nur dem Auge des Glaubens unvollkommen sichtbar ist.
Ein Vorahnen dessen, welche Schönheit unserer Sinne wartet, ist allerdings möglich; noch mehr: diese Schönheit ist uns im Glauben als "beginnende Teilhabe an der 'Herrlichkeit' Jesu Christi, an ihm als Ebenbild
Gottes (2 Kor.3,18)" (GE[2] 77) bereits diesseitig des Todes bruchstück-
haft gegeben. Aber "das Schauen der Schönheit Gottes und Christi, das
Wahrnehmen des himmlischen Lichtglanzes gehört zu den letzten Dingen"(CW
294).

Da das Schöne der Quell der Freude ist, "folgt die grundsätzliche Bejahung dieses ganzen Gebietes der natürlichen Freude und des Genusses"
(GE[1] 84). Die richtige Weltfreude und Weltbejahung werden uns sogar
"Gleichnis und irdischer Vorgeschmack der von Gott verheißenen Freude und
Ewigkeit" (GE[1] 83), denn "der Schöpfungsglaube schließt allen Akosmismus
und metaphysischen Pessimismus aus. Ebenso allen Dämonismus....Alle Wirklichkeit, auch die unheimlichste, ist in der Hand des Schöpfers."(CW 314)

Die Weite und Fülle (und Rätselhaftigkeit) des Kosmos lassen sich nach

Althaus nicht rein anthropozentrisch deuten. "Die Welt ist nicht nur für
den Menschen, sondern auch für Gott selbst da, ohne daß diese letztere
Bestimmung in die erstere eingegrenzt, mit ihr gleichgesetzt werden dürfte." (CW 313). Bestärkt von der "Größe des bibilischen Gottesgedankens"
verteidigt Althaus einen "Eigensinn des Kosmos" (CW 313) (vor allem gegen
Ritschl): "es ist unmöglich, die Welt, Natur und Geschichte, rein als dienendes Mittel für ein innerliches Reich Gottes, für das Werden des Volkes
Gottes aufzufassen." (CW 329)

Dieser Eigensinn gilt zunächst vom sinnenfälligen Kosmos der Natur.[9]
"Das Schöne ist ein eigener Gedanke Gottes, der auf eine besondere Seite
der Wirklichkeit Gottes weist", auf Gottes Freude an der Natur und seiner
Herrlichkeit darin - "als Spiel seiner unendlichen Macht, Ausschüttung
seines unerschöpflichen Reichtums an Gedanken und Gestalten" -, noch bevor wir darin Gottes Macht und Fülle erkennen (CW 330). Als vom Menschen
(und deshalb wohl auch vom Gottmenschen!) unabhängiges Zeugnis von der
Welt, die Gottes Ewigkeit in sich trägt, ist diese Welt unzerstörbare
Schöpfung Gottes.

Auch die Geschichte als Kulturschaffen hat Eigensinn.[10] Einerseits hat
es dienende Funktion als Gerüst für das Werden der Gemeinde Gottes, sei es,
daß es äußerlich oder innerlich die Vorbedingungen für das Leben mit Gott
schafft, sei es, daß es 'Material der Pflicht' ist, d.h. der Ort, an dem
das "Innenbild der Geschichte" sich entscheidet; dieser "Personalismus
der Geschichtsbetrachtung", demzufolge die Gleichheit der Geschichte bei
Bedeutenden und Namenlosen aufgrund der Gleichheit der Entscheidung und
"kein Unterschied der Werke" gegeben sind, ist der primäre Aspekt (LD[4]
332). Andererseits hat auch der sachliche Gehalt der Geschichte, das Kulturwerk, eigene Bedeutung. Dessen Eigen-Sinn ist das Ringen um Überwindung der Zweiheit von Geist und Natur, Ich und Wirklichkeit, das Ringen
um Verwirklichung von Geist. Weil der Geistesgehalt der Geschichte sein
"Eigengewicht" hat, "so weist er ebenso deutlich über die Grenze unserer
Geschichte hinaus auf ein transzendentes Ziel wie das personale Thema der
Geschichte, das Entscheidungsleben der Personen" (LD[4] 334). Ist das Ziel
des letzteren der neue Mensch, so ist das Ziel des ersteren die neue Welt.
Von diesem Ziel (und somit der Vorläufigkeit des jetzigen Kosmos) gibt
auch die Kultur heute schon Zeugnis; sie ist "verheißendes Gleichnis" von
Gottes ewiger Welt; die Freude des Gelingens ist "ein Vorgeschmack, eine
Verheißung" unerschöpflichen Erkennens und Gestaltens (LD[4] 349).

Die Vorläufigkeit des Kosmos wird uns aber auch von Gott als Grenze her einsichtig. Die Rätselhaftigkeit, Unheimlichkeit und Furchtbarkeit der Natur drückt "Gottes unerforschliche Wunderbarkeit, Freiheit, Unnahbarkeit, das Geheimnis seines Seins und Waltens" (CW 311) aus. So findet auch unsere Freiheit zur Welt ihre Grenze an seiner "Freiheit, das, was er gab, auch zu nehmen und uns zur Freiheit von der Welt und für sich selbst zu führen" (GE^2 85). "Wie weit und in welchem Sinne die Natur uns als Gottes Wille bindet, das kennen wir erst, wenn wir die Natur ansehen im Lichte des uns in Jesus Christus erschlossenen Gotteswillens." (GE^1 29).

Das Letztgesagte gilt natürlich in besonderem Maße dadurch, daß Gott auch Richter des Kosmos ist, denn die Gestalt der Welt ist nicht nur die des schöpfungsmäßigen Todes, sondern des einen Todes in seiner bei Althaus 'theoretisch' unauflöslichen und undifferenzierbaren Doppelseitigkeit als Schöpfungs-Tod und Sünden-Tod, als der Kenosis der Liebe entsprechender Tod und als alle Schöpfung verdammender Tod. So kommt es von seiten der sündigen Kreatur auch "an der Furchtbarkeit des Blitzes und des 'fressenden Feuers' (PS.50,3)" zur Erfahrung Gottes, nämlich der der "blendenden und tödlichen Furchtbarkeit" seiner Doxa (CW 294). So steht auch alle Kultur unter dem vernichtenden Todesgerichte, so daß auch sie nur "Botschaft im Elemente der Todeswelt, der Gebrochenheit, der Sünde" ist[11]. Die jetzige todesgesetzliche Verfassung der Natur ist die "unserem Sündersein zugeordnete vorläufige Gestalt"[12].

c) Allumfassende Herrschaft Gottes in Christus

"Der Erlöser und der Schöpfer sind einer und derselbe. Das heißt: wir werden nicht aus der Welt erlöst, sondern mit ihr....Daher kann der Glaube in seiner Eschatologie die Welt nicht anders behandeln als den Menschen." (CW 314) Durch Christus wird die Sündigkeit der Kreatur erlöst und ihr Eigen-Sinn erfüllt. Die geschichtliche Begrenztheit des Handelns Gottes setzt sich in der Leibhaftigkeit der Gemeinde und der Sakramente fort (CW 276), aber es gilt der ganzen Menschheit und im Gefolge davon dem ganzen Kosmos. "Das Reich bedeutet eine Ganzheit....Gott macht alles neu. Er schafft eine neue leibhaftige Wirklichkeit."[13] "Man kann also die kosmische Dimension des Glaubens an Christus nicht ausspielen gegen die Rechtfertigung als Zentrum."[14] Da die Todesgesetzlichkeit den Menschen und den Kosmos in gleicher Weise prägt, unser Sterben also nur dessen "Sonderfall" ist, macht der in Ostern geschehene Ruf aus dem Tode

"auch den ganzen Kosmos frei von der Not der Vergänglichkeit, des Kampfes
aller gegen alle, und führt alle Kreatur in eine Gestalt der Herrlichkeit"[15].

Die Christen haben daher das wichtige eschatologische Amt, das Schöp-
fungserbe zum Tage der Vollendung zu bewahren. Weil es im Evangelium um
mehr als um die persönliche Krise und das individuelle religiöse Heil des
Menschen geht, meint Althaus über den Universalisten Paul Tillich, daß er
"ein guter Wegweiser und Berater" sein könne:

> "Die Not der Welt ist allumfassend, die Selbstbezeugung Gottes und die
> Gottesfrage ist allumfassend, und das Heil ist allumfassend. Daran wie-
> der erinnert zu werden, sehe ich die Größe der Theologie Tillichs, für
> die wir dankbar sein sollen."[16]

d) Die Schrift und die kosmische Dimension

Althaus wußte in der Lehre von der Verbundenheit zwischen Mensch und
Kosmos und der daraus entstehenden auch eschatologischen Schicksalsgemeinschaft die Bibel auf seiner Seite. Er bekannte: "Der echte christliche
Glaube hat einen 'kosmischen' Sinn"[17], denn er kannte "jenes durch die
ganze Bibel gehende freie und frohe Ja zur Welt als Schöpfung des Vaters"[18].
Jesu Naturwunder waren "eschatologisches Vorzeichen der hereinbrechenden
völligen Gottesherrschaft und der Erlösung" (LD[4] 52,n.1). Die falsche kosmische Weite des Anthroposophismus ist freilich abzulehnen, denn "das
Neue Testament weiß nichts von einer uns gegebenen Vollmacht und Aufgabe,
die Erde zu erlösen in fortschreitender Christus-Wirkung,die Erdenstoffe
in Christi Leib zu verwandeln", und "die auch von uns erhoffte völlige
Durchdringung und Aneignung der Materie ist etwas völlig anderes als die
Rückverwandlung des Stoffes in reine Geistigkeit"[19]. Althaus wandte sich
deshalb auch stets gegen Bultmanns entmythologisierende Existentialtheologie, die unter dem Zwang der Existenzphilosophie eine weltlose Eschatologie lehrte: "das Neue Testament erwartet im Blick auf die Auferstehung
Jesu Christi eine neue Welt, die Hoffnung der Gemeinde hat kosmische Weite."
(DSK 50;vgl.LD[4] 335).

Vor allem aufgrund der "Analogie, welche der Gedanke des Apostels über
die Schicksalsgemeinschaft zwischen Mensch und Kreatur in der jüdischen
Theologie hat," versteht Althaus Röm 8,19ff "von der Kreatur im ganzen,
vor allem der außermenschlichen" (BR 92). Der Glaubende kennt Grund und
Sinn der Klage und der Sehnsucht, die "durch den ganzen Kosmos" geht, denn
"die Geschichte der Menschheit mit Gott ist das schlagende Herz der ganzen

Welt. Der Fall Adams wird zum Schicksal für den ganzen Kosmos"; zusammen
mit dem Menschen sinkt die Welt "aus dem urständlichen Sein" in die "Seins-
Entfremdung"; jedoch das Seufzen und Stöhnen sind "die Geburtswehen der
neuen künftigen Welt, in denen sie liegt." (BR 93) "Der Wiedergeborene
ist nicht in ein Jenseits entrückt, von dem aus er die Welt ihrem Schicksal ruhig preisgeben könnte. Er wird nicht aus der Welt erlöst, sondern
mit ihr." (BR 93) [20]

2. Ende und Vollendung (Neue Welt)

a) Ende dieser Gestalt der Welt als Auflösung des gegenwärtigen Paradoxes
   Die Herrschaft Gottes über den Kosmos ist diesseits der Todeslinie gebrochen, bzw. nur im Paradox des Glaubens gegeben, denn "der Leib ist noch
an die animalischen Gesetze gebunden und gebrechlich, todverfallen, ver-
weslich ('Leib der Niedrigkeit', Phil.3,21)...So ist die Schönheit Gegenstand der Hoffnung" (GE[2] 77). Der Kosmos, der "Mittel und Träger des Zornes Gottes" ist, ist durch die in Christus gewährte Versöhnung zugleich –
paradox daneben – "Gottes Welt" als "Stoff für die Bewährung des Glaubens
an Gott,...Feld für den Dienst Gottes" (LD[3] 35). Die Kenosis der Geschichte erlaubt bei Althaus nur diesen paradoxen Charakter des in Christus
begründeten Widerstreits (LD[3] 43): "Gottes Welt – und doch Welt der Sünde"
(LD[3] 48), "Gottes Welt und Welt des Todes" (LD[3] 51), "nicht durch das Böse gestaltet", aber "doch mit dem Bösen, 'für' das Böse", denn "weil sie
Stätte der Entscheidung sein sollte (und Entscheidung gibt es nur, wo das
Böse ist!), ist sie zur Welt der Endlichkeit und des Widerstreites von Gott
geschaffen" (LD[3] 48). Diese Paradoxie verlangt um der Gottheit Gottes willen nach einer Auflösung.

> "Indem Gott die Menschheit vom Bösen erlösen und ihr an seiner 'Herr-
> lichkeit' Anteil geben wird, zerbricht er auch jene Gestalt, aber so,
> daß er seinen auf die Natur gerichteten Schöpfergedanken in einer neuen
> Welt (2 Petr 3,13) verwirklicht, welche die alte zu ihrer Herrlichkeits-
> Gestalt erneuert und vollendet (Röm 8,21)"[21]

Über das Wie des Neuwerdens der Welt – in der Parusie Christi – können
wir uns freilich keine Vorstellung machen; wir können nur das Daß als
notwendig zur von Christus begründeten Hoffnung gehörig erweisen. "Hier
überall stehen wir an der eschatologischen Grenze der Glaubenserkenntnis."
"Wir wissen aber, (CW 684;vgl.DSK 51) daß Gottes sinnenhafte Herrlichkeit
dann – in Licht, Gestalt und Klang – des Menschen 'Herz' und 'Sinne' be-
glücken wird. Durch die Erlösung aller Kreatur von der Sünde wartet ihrer

die Herrlichkeit Gottes als "die Herrlichkeit der Liebe, die Ganzheit, Ungebrochenheit und Unzerstörbarkeit des Lebens", die auch bei ihr "in dem der Kreatur angemessenen Maße" eine sinnenhafte Herrlichkeit sein wird (CW 296).

b) Vollendung durch Abbruch und Zusammenhang

Althaus betont nachdrücklich, "daß die zu erwartende neue Welt die Vollendung dieser unserer Welt bedeutet" (LD[4] 335), und zwar als Organ des Lebens mit Gott und in deren Eigen-Sinn.

Der 'Himmel' als "Stätte des ewigen seligen Lebens" (LD[4] 345) der Geretteten ist dieser 'Erde' als Welt der Sünde und des Todes gegenüber transzendent. In Christus sind die Gläubigen bereits im Himmel – jedoch nur in der paradoxen Not des Glaubens. In der Parusie hört diese Transzendenz des 'Himmels' gegenüber der 'Erde' auf: "Die Zweiheit, das Auseinander, der Widerstreit von 'Himmel und 'Erde' hört auf, der Himmel ist in der erneuerten Welt gegenwärtig." (LD[4] 346) Die Jenseitigkeit des Himmels besagt also nur den nötigen Abbruch unserer Welt, sofern sie Welt der Sünde und des Todes ist. Seine 'Übermenschlichkeit und 'Überweltlichkeit' wollen nur sagen, daß diese Aufhebung des Gesetzes unserer Welt-Gestalt jenseits aller Möglichkeiten des Menschen, der Geschichte und der Natur liegt, aber sie wollen nicht den Zusammenhang leugnen; es ist damit nur die "Transzendenz gegenüber der 'Gestalt dieser Welt', gegenüber Sünden- und Todeswelt ausgesagt..., nicht aber die Preisgabe dieser Welt,als Schöpfung Gottes" (LD[4] 346)[22].

Althaus findet den Zusammenhang in der Tradition durch den Gedanken der Verwandlung, nicht der Vernichtung, ausgedrückt. (LD[4] 336) Während sich jedoch die Tradition und auch die Lutheraner des 16.Jahrhunderts diese Verwandlung mit Hilfe der aristotelischen Unterscheidung von Wesen und Gestalt vorstellen, faßt sie Luther so radikal, daß sie "zunächst auch nichts anderes als "Vernichtung" ist, so daß nur "theologisch" von Kontinuität die Rede sein kann: "Die Seligkeit, zu der wir und die Welt auferstehen werden, ruht nicht auf metaphysischer Kontinuität, sondern wird allein durch das Wunder göttlichen Schöpferwillens gesetzt."(LD[4] 337) Die lutherische Orthodoxie des 17.Jahrhunderts hält zwar an derselben Radikalität der Vernichtung fest, aber lehrt keine Erneuerung des Kosmos. Dieser Spiritualismus, der sich im damaligen Kirchenlied widerspiegelt, vergißt den Zusammenhang der neuen 'Welt' mit unserer Welt.

Althaus sieht den Grund dafür in der damals sich verbreitenden "Lehre vom seligen Zwischenzustande", aber vor allem "in dem Eindringen der mittelalterlichen Mystik in die lutherische Theologie" (LD[4] 342). Er hält das Festhalten der Orthodoxie an der Auferstehung des Leibes theologisch unvereinbar mit der von ihr propagierten weltlosen Seligkeit und er will eine "theologische Wende" zurück zu der vom ursprünglichen Luthertum bewahrten altkirchlichen Tradition vollziehen, – eine Wendung, die auch die volkstümliche Jenseitshoffnung tief verändern könnte (LD[4] 345).

Ähnlich wie im Verhältnis zwischen unserer Lebendigkeit, bzw. Leiblichkeit und deren kommenden Sein hält Althaus auch hier beides: "Zusammenhang und Selbigkeit des jetzigen und des neuen Kosmos", so daß die neue Welt "ebensowenig wie unsere ewige Lebensgestalt durch Schöpfung aus Nichts" wird (CW 684), und "wirkliches Ende", da "alles....durch das Todesgesetz der Geschichte geprägt" (GD[1] II/178 = GD[5] 273) ist, also Abbruch und "völlige Andersheit" (LD[4] 347). Der Zusammenhang läßt sich daher "nur theologisch ausdrücken, nämlich als das Verhältnis von Verheißung und Erfüllung (LD[4] 349;vgl.LD[3] 255f).

Die Todeslinie trennt unerbittlich unsere von Ohnmacht und Gebrechlichkeit geprägte Natur, unsere geschichtlichen Werke (Ehe, Recht, Staat, Wirtschaft), das Kulturhandeln und das politische Handeln von der neuen Welt. Letztere kann gar "nicht....verklärtes Ergebnis des irdischen Kulturprozesses" sein (LD[4] 347), auch nicht "Aufgabe ethischen oder gar kultischen Handelns", sondern nur "Gegenstand der Hoffnung"[23], denn sie ist "bei Gott immer schon fertig vor allem unserem Wirken" (LD[4] 347f). Und doch ist Gottes Neuschaffen "zugleich ein Bewahren", so daß die jetzige Natur "als verheißendes Gleichnis der ewigen Schöpfung, der kommenden Herrlichkeit Gottes in seiner neuen Welt" und die kommende Welt als " "Erfüllung der Verheißung, die uns in der jetzigen Aufgabe gegeben ist", angesehen werden dürfen (LD[4] 348). Das Wie des Neben - und Ineinanders von Abbruch und Bewahrung bleibt unauflösliches Geheimnis. Das Wahrheitsmoment des Chiliasmus wird aber immer sein, von der realistischen Art und der kosmischen Weite der christlichen Eschatologie zu zeugen.

3. Stellungnahme

a) Kritische Sichtung

Althaus' Stellung scheint ein echter Mittelweg zwischen der uneschatolo-

gischen und der nureschatologischen Theologie zu sein. Im Gegensatz zur
ersten, die als "in sich ruhende optimistische Weltlichkeit" auftritt und
den Sinn des Kosmos in pantheistischem Immanentismus aufgehen läßt, erweist sich nach Althaus aufgrund des Schöpfungsglaubens der christliche
Glaube "in Weltlichkeit, aber in gläubiger, welche die Welt im Lichte Gottes, in ihrer Begrenzung und zu glaubenden Sinngebung durch seine Ewigkeit sieht" (CW 315). Im Gegensatz zur zweiten wird die Jenseitigkeit
der eschatologischen Vollendung nicht als reine Überweltlichkeit und Welt-
losigkeit verstanden.

Die dadurch bewahrte kosmische Dimension wird auch von katholischer
Seite vielfach neu betont, sei es durch die Krise des Platonismus und der
damit verbundenen Weltsicht, denn "die unanschauliche Forderung, bei Gott
heil zu sein, muß logisch, aber ebenso unanschaulich (da philosophisch
nicht zu rechtfertigen) sich in die neutestamentliche Auferstehungserwar-
tung für Mensch und Welt ausfalten"[24], sei es durch die neue Weltsicht
Teilhard de Chardins, die wohl bis in das Zweite Vatikanische Konzil hin-
einwirkte[25].Althaus sieht einerseits in der Verbundenheit zwischen Mensch,
Geschichte und Kosmos den nötigen Anknüpfungspunkt für die kosmische Dimension des Heils (gleichsam potentia oboedientialis),so daß die neue Welt
unsere neue Welt ist (Kontinuität), andererseits hebt er zurecht die Andersheit und Neuheit und den Geheimnischarakter des Übergangs (Diskontinuität) hervor.

Trotz allem müssen wir auf eine grundsätzliche Schwierigkeit aufmerksam machen. Der Geheimnischarakter bleibt auch gewahrt, ohne daß es ein
Übergang zwischen einer gänzlich zum Tode bestimmten und einer gänzlich
von Gott neugeschaffenen Welt ist. Es wird zwar einerseits gesagt, es sei
keine Schöpfung aus Nichts, andererseits wird sich gerade am Einbruch der
allumfassenden Herrschaft Gottes in Christus die Gottheit als Schöpfertum - ex nihilo sub contraria specie - voll erweisen. Die Kontinuität
scheint - analog zur Kontinuität der Lebendigkeit und Leiblichkeit - in
Gott hineinverlegt, in die Logik der Treue Gottes, bzw. der Gottheit Gottes. Wir sterben im Tode uns selber, den Menschen und der Welt, wir erhalten uns selber, die Menschen und die Welt von Gott wieder zurück (LD[4]
329). Damit entsteht auch hier dasselbe Problem der Identität. Es bleibt
jedoch für Althaus kein anderer Weg, nachdem er zwar mit Schlatter einerseits gegen alle Hamartiozentrik an der positiven Sicht des Kosmos unbedingt festhält, andererseits aber von der Glaubens-Kategorie der Paradoxi-

tät her den Kosmos die notwendig mit dem Bösen verbundene Entscheidungssituation des Menschen widerspiegeln läßt (LD^3 48). Aufgrund des stark
hervorgehobenen metaethischen, theozentrischen Charakters der Personsünde wird unsere Sinnlichkeit zur Sündigkeit, unsere Leiblichkeit zur notwendig mit der Sünde verbundenen Sterblichkeit, ohne daß die Freiheit
des einzelnen Menschen, auch nicht die des ersten Menschen, in diesem Prozeß genügend beteiligt zu sein scheint (vgl. CW 376-379). In dieser Paradoxität, welche die undifferenzierbare Doppelseitigkeit des Todes zur
Folge hat, kommt Althaus' Gottheit-Gottes-Begriff zum Tragen, der in der
Frage des Heils alle Vermittlung ausschließt, weil es Gottes Freude ist,
aus dem Nichts zu schaffen. Das "Gebot, Gott über alle Dinge zu lieben",
hat "den großen Ernst des Todes" (LD^4 328f).

Ähnlich wie beim Geschichtsbegriff stehen wir auch hier vor einem paradox bestimmten Kosmos-Begriff, dessen zweitem Momente, das die personale Innendimension der Welt, die Entscheidungssituation, widerspiegelt,
eine gefährliche Entkosmologisierungstendenz innewohnt. Wenn die 'Form
dieser Welt' (1 Kor 7,31) "mit dem Entscheidungs- und Glaubenscharakter
unseres Lebens, mit dem Ringen und daher mit dem Bösen zusammengehört"
(LD^3 52), wird dann nicht die Sünde zur Vorbedingung der Möglichkeit des
Glaubens und droht bei solch undifferenzierbarer Paradoxität nicht die
Entweltlichung zur Vorbedingung der Erlösung zu werden? Freilich spricht
Althaus nur von der 'Gestalt dieser Welt', und indem er das Entscheidungsleben und die entsprechende Weltgestalt parallel sieht, meint er,
über die personalistische Engführung hinweg, bzw. gerade aus ihr heraus
sagen zu können: "So gewinnt die Erwartung des Christen kosmische Weite
und 'realistische' Art, obgleich und weil sie in der persönlichsten Erfahrung der Gottesgemeinschaft durch Vergebung wurzelt." (LD^3 52) Aber
was nützt dies, wenn mit 'Gestalt der Welt' schließlich doch 'alles und
'ganz' gemeint ist?

Althaus weiß offenbar um die Gefahr, daß Gott zum Bewirker des Bösen
werde; desto stärker betont er die positive Sicht der Welt (vgl.LD^3 48).
Er ist sich u.E. sogar dessen bewußt, daß in seiner personal-ethischen
Grundlegung die kosmische Dimension für die Eschatologie eigentlich
nicht mehr genügend fundiert sei, denn die nicht-personale Wirklichkeit
kann als bloßes Material der Pflicht und notwendiges Gerüst für den geistigen Bau Gottes nach dessen Vollendung abgerissen werden. Willens, sie
doch zu wahren, begründet er die Notwendigkeit der neuen Welt schließlich

primär von dem 'Eigen-Sinn' der Natur und Kultur her. Gleichsam durch eine
Hintertür ist also die kosmische Dimension wieder fest verankert. Wir meinen jedoch, daß dieser Weg eine gefahrvolle, letztlich unwegsame Sackgas-
se ist, denn Althaus' Begründung, aufgrund deren "das Reich nicht rein personalistisch, als Gemeinde Gottes verstanden wird, also nicht soteriozen-
trisch, sondern theozentrisch" (GD[1] II/39), unterliegt - so unglaubwürdig es klingen mag - einer soteriozentrischen Engführung. Theologie darf
gewiß nicht in Soteriologie aufgehen, doch auch der 'Überschwang' des
'Theozentrischen' muß letztlich durch den Gott-Menschen Jesus vermittelt
sein. In ihm ist die 'Differenz' gesichert, aber auch die 'Vermittlung'
gewährt, die im Denken von der Gottheit Gottes her zu kurz kommt.

Was ist mit der mangelnden 'Vermittlung in Differenz' der kosmischen
Dimension gemeint? Althaus' Hinweis, daß sich Weite, Fülle und Rätselhaftigkeit des Kosmos nicht rein anthropozentrisch deuten ließen, weist u.E.
auf einen einseitig verinnerlichten, personalistischen Person-Begriff des
Menschen, aufgrund dessen die leibhaftige Dimension der Welt einer eigen-
ständigen Begründung bedarf. Dies wäre von der - ebenfalls gesehenen - Verbundenheit von Mensch, Geschichte und Kosmos her nicht notwendig. Anthropozentrik wird fälschlich als Innerlichkeit verstanden; das In-der-Welt und
In-der-Geschichte-Sein des Menschen kommt zu kurz. Um aber die Geschichte (mit dem Kulturwerk) und den leibhaftigen Kosmos (mit der Natur) auch
ohne die Vermittlung über den Gott-Menschen in die Eschatologie 'hinüber-
zuretten',wird der vom Menschen unabhängige Eigen-Sinn der nichtpersonalen
Schöpfung proklamiert, der von der Schöpfungstheologie her zu rechtfertigen versucht wird. Obwohl Leibhaftigkeit und Werk von der soteriologischen
Vermittlung ausgeschlossen sind und 'kein Unterschied der Werke' gegeben
ist, meint Althaus, so deren Bedeutung auf der schöpfungsmäßigen Zeugnis-
und Gleichnis-Ebene (mehr gestatten die Voraussetzungen nicht) zu wahren
und den ethischen Personalismus E.Hirschs hinter sich zu lassen. So kann
freilich der u.E. unberechtigte Gegensatz zwischen "Personalismus der Geschichtsbetrachtung" (die letztlich entscheidende Ebene, weil die Recht-
fertigungsebene!) und "Kulturismus" (LD[4] 332) nicht ausbleiben. Ein falscher Dualismus (zwischen Innen- und Außenbereich) durchzieht die Schöpfung. Das personale Thema der Geschichte (Entscheidungsleben der Personen)
und deren sachliches Thema (Ringen um Verwirklichung des Geistes - objek-
tiver Idealismus) deuten unabhängig voneinander, weil parallel unvermittelt, auf das transzendente Ziel. Die Zusammengehörigkeit von Person und

Werk, ihre Zusammenfassung im Menschen und dessen Priorität und schließlich ihre Vermittlung im Gott-Menschen gehen verloren.

Der in der Verbundenheit von Mensch, Geschichte und Kosmos zurecht ausgesprochene anthropologisch vermittelte Anknüpfungscharakter ist in der
eben aufgezeigten Linie Althaus'schen Denkens zu einem allzu selbständigen,
nicht genügend christologisch fundierten Postulatscharakter (Eigen-Sinn)
geworden. Insofern W.Künneth eine ausschließlich christozentrische Begründung der neuen Welt fordert, geben wir ihm wegen des mangelnden anthropologisch vermittelten Anknüpfungspunktes nicht recht; insofern in seiner
Kritik an Althaus die von uns aufgezeigte Tendenz zur Verselbständigung
der kultur- und naturphilosophischen Besinnung und zur Vernachlässigung
der christologischen Vermittlung gemeint ist, stimmen wir ihm zu.[26] In
dieser zweiten Hinsicht ist die Logik der Christustatsache vorbestimmt
durch die Logik der Gottheit Gottes.

Die darauf begründete neue Leibhaftigkeit, sinnliche Schönheit und neue
Weltlichkeit folgen nicht aus der Leibhaftigkeit des Gott-Menschen Jesus
Christus, sondern aus der immer schon in Gottes ewiger Welt gegebenen, aber
noch nicht geoffenbarten, sinnlichen Schönheit und Leibhaftigkeit der Gottheit Gottes (CW 293f). Die "Schönheit Gottes und Christi" werden nicht näher unterschieden, beides ist "himmlischer Lichtglanz" (CW 294). Die neue
Welt folgt als Postulat aus dem Zwiespalt zwischen der sinnlichen Welt und
der geistig unsinnlichen Offenbarung Gottes in der Natur- und Heilsgeschichte, also aus der von der Gottheit Gottes her notwendigen Überwindung der Zweiheit in Einheit, die allein 'akut', von ober her, am Jüngsten
Tag geschehen kann (CW 293-295). Indem das Verhältnis von dieser schöpfungsmäßigen Welt zur neuen Welt als das von Verheißung zu Erfüllung bestimmt
wird, ist Christus nur mehr der Ort des Übergangs, aber nicht der Übergang
selbst. Deshalb ist uns auch das scheinbar richtige Ergebnis zu wenig christologisch, d.h. zu wenig inkarnatorisch vermittelt.

Die zwei von uns unterschiedenen Aspekte bei Althaus lassen u.E. auch
seine Stellung zur Apokalyptik gemäß den Unterscheidungen von J.Moltmann
beurteilen. Vom ersten Aspekt her, der Verbundenheit von Mensch, Geschichte
und Kosmos her, wird Althaus' dialogale (prophetische) Eschatologie nicht
gefährdet, da es darin "gar nicht um eine kosmologische Deutung der eschatologischen Geschichte geht, sondern um eine eschatologische und geschichtliche Deutung des Kosmos..., so daß das Eschaton keine Wiederkehr
des Anfangs und nicht eine Rückkehr aus der Entfremdung und aus der Welt

der Sünde zum reinen Ursprung wäre, sondern am Ende weiter ist, als je der
Anfang gewesen ist"[27]. Vom zweiten Aspekt her, dem des kosmologischen Eigen-
Sinnes, tritt eine abzulehnende Tendenz der Apokalyptik auf, nämlich die
des letztlich undialogischen, geschichtslosen Denkens. Darin kann aus einem
nicht von der menschlichen Freiheit herrührenden Dualismus auch ein nicht
von der menschlichen Freiheit mitgetragenes Eschaton von der Gottheit Gottes her, also gleichsam vom Blickwinkel Gottes her, 'postuliert' werden,
das "bei Gott immer schon fertig vor allem unserem Wirken" (LD^4 347) ist,
denn "wenn....der geschichtliche Wanderhorizont der geschichtlichen Hoffnungen diese Eschata erreicht, dann stellt sich die Möglichkeit ein, den
geschichtlichen Ort der Perspektive zu verlassen und vom geschauten Ende
her die Geschichtsläufe der Welt rückläufig zu lesen, so als sei die Universalgeschichte ein prädeterminierter Geschichtskosmos"[28]. Von dieser ge-
schichtsfremden Sicht her, die im Zeit- Ewigkeits-Schema philosophisch-
begriffliche Unterstützung findet, ist auch Althaus' Gleichzeitigkeitsgedanke aller im Tode zu verstehen, der wohl kaum zugleich mit einer
echten kosmischen Dimension aufrechterhalten werden kann.

> "Selbst wenn Althaus jeden Menschen in seinem Tod die allgemeine Auf-
> erstehung am Jüngsten Tag erreichen läßt, so bleibt auch die aus die-
> ser Auferstehung hervorgegangene 'neue Welt' in einem gewissen Sinn
> ein 'Jenseits' gegenüber dieser unserer noch unvollendeten Welt. Könn-
> te man doch nach seinen Voraussetzungen von dieser neuen Welt sagen,
> daß sie schon jetzt 'jenseits' jedes Todes existiere."[29]

b) Korrektur durch die 'Eschatologie der Inkarnation'

Nicht dadurch, daß man einen kosmologischen Eigen-Sinn behauptet,
wird die Welt davor bewahrt, einmal abzureißendes Gerüst einer Welt der
Geister zu sein, sondern dadurch, daß man konsequent an der Verbundenheit
von Mensch, Geschichte und Kosmos und darin an der Priorität des Menschen
festhält. Der Mensch muß also nicht "die herrschaftliche Haltung gegenüber
der Welt" aus dem Wissen um die Schicksalsgemeinschaft "durch die brü-
derliche" begrenzen (GE^2 104); ebensowenig müssen sich, wie Althaus meint,
die Hoffnung auf den neuen Leib und jene auf die neue Welt gegenseitig
stützen, ohne daß man "den einen von beiden Gedanken einfach als den früheren, grundlegenden, den anderen als den späteren, abgeleiteten auffassen" dürfte (LD^4 327f). Wenn nämlich der Begriff des Menschen nicht falsch
'verinnerlicht' ist, wenn also die vertikale und die horizontale Dimension
nicht fälschlich getrennt sind, braucht man keine Angst zu haben, dies zu
tun, ja, man muß es tun. Diese Priorität des Menschen muß in der Schöp-

fung begründet sein und muß sich durchhalten bis zur Eschatologie. H.U.
v.Balthasars Mahnung, nicht zu vergessen, "daß bei den großen Theologen
wie in der Schrift selbst von jeher alles 'Kosmologische' unbedingt nur
Begleitmusik zum Hauptthema war"[30] ist gegen solchen Eigen-Sinn recht am
Platze. Die Verherrlichung der materiellen Welt kann nur in bezug auf den
Menschen verstanden werden. Da der Mensch plurale Wirklichkeit ist und er
als ganzer in das Heil einbezogen wird, folgt, daß eine dialektische Einheit und Verschiedenheit im Menschen als individueller Person, als Glied
der menschlichen Gemeinschaft und als leibliches Wesen im Kosmos entsteht
und daß "die absolute Vollendung jeder Einzelwirklichkeit nur in der Vollendung des Ganzen gesehen und begriffen werden"[31]kann.

Die kosmische Dimension der Eschatologie ist nicht in der Priorität des
Menschen begründet (diese ist jedoch anthropologischer Anknüpfungspunkt),
sondern in dem einzigartigen Primat des Gott-Menschen Jesus Christus über
alles, denn "die Geschichte, in der Gott selbst mit seinem eigenen Einsatz
mitspielt,ist ja die Geschichte der Fleischwerdung Gottes und nicht nur
das Ergebnis eines bloß ideologischen Geistes"[32]. Weil Christus Mensch geworden ist und zum Menschsein das In-der-Welt-Sein wesentlich dazugehört
und weil er als Gott-Mensch verherrlicht ist und herrscht, ist der Gedanke,
daß Christus, "der Herr der Welt, d.h. auch der unbelebten, vegetativen und
animalischen Kreatur ist, wie er auch schon ihr Schöpfer war," nicht mehr,
wie H.Grass meint, "eher eine spekulative Ausweitung des Kyriosgedankens
als ein echtes Glaubensanliegen"[33], sondern die Folge des Glaubens an seine
wahre und endgültige Inkarnation.

Der Himmel ist kein 'coelum empyreum', etwa der ewigen leib- und sinnen-
haften Schönheit Gottes, kein präexistenter Seligkeitsort oder vergessener
Paradiesrest, in den Christus und später wir einziehen, aber auch kein am
Jüngsten Tag aus dem Nichts hervorgerufener Raum, zu dem uns Christus ver-
sammelt, sondern in Christi Tod und Auferstehung ist jene Dimension erschaffen, "in die hinein sich durch Gottes freie Gnade Mensch und Kosmos
zu wandeln anheben"[34]. Jetzt wird verständlich, daß das apokalyptische
Endbild der Schrift "nicht bloß einen kosmologischen Aspekt neben einem
anthropologischen aufweise", wie es in Althaus' 'Eigen-Sinn' der Fall ist,
sondern aufgrund der Inkarnation "das Ineinsfallen von Anthropologie und
Kosmologie in der definitiven Christologie und eben darin das Ende der
'Welt' darstelle" - weil "das End-Eschatologische und der in der Auferstehung Jesu geschehene Durchbruch real eins sind"[35].

6. Kapitel: Verhältnis von Individual- und Universal-Eschatologie
(Frage des 'Zwischenzustandes')

1. Fragestellung und mögliche Antworten

Die Auferstehung von den Toten geschieht nach Althaus im Augenblick des Todes des einzelnen Menschen. Die letzten beiden Kapitel zeigten, daß für ihn "die Verknüpfung der Auferstehung mit der Parusie und der Befreiung aller Kreatur....keine preiszugebende Mythologie, sondern ein angesichts des Zusammenhanges von Person und Kosmos notwendiger Gedanke"[1] ist. Weil die "doppelte Richtung" der christlichen Hoffnung "auf den Ausgang der Einzelnen und auf das Kommen des Reiches" klar unterschieden werden kann (LD[4] 75) und für unser irdisches Vorstellen die beiden Zeitpunkte, der des Sterbens und der des Jüngsten Tages, auseinanderrücken, tritt unweigerlich die Frage nach einer 'Zwischenzeit', einem 'Zwischenzustand', auf. Wie verhalten sich die personale und die universale Dimension der Eschatologie zueinander? Sie scheinen teils einander zu ergänzen, teils aber auch miteinander zu konkurrieren. "Lassen sie sich zusammenschauen zu einem Gesamtbilde der 'letzten Dinge' oder kommen wir über die Doppelheit der Blickpunkte und Bilder nicht hinaus?" (CW 659) - Wir sind uns der Gefahr der Vereinfachung durchaus bewußt, doch es sei hier einmal ein kurzes Schema der möglichen Lösungen dieses Verhältnisses unter den Stichworten 'Übereinander', 'Nebeneinander' und 'Nacheinander' versucht.

'Übereinander':Es wird die Spannung nicht durchgehalten; eine Seite wird von der anderen 'überstülpt'. So kommt es durch Überspringen der individuellen, bzw. universalen Eschatologie zu einer kollektiven, bzw. einer personal-individualistischen Engführung. Letztlich ist doch nur die Einheit eines Subjekts gegeben, das im Monolog das Identitätssystem nicht sprengt. Bei diesen Autoren stellt sich eigentlich das Problem des Zueinanders von individueller und universaler Zukunft nicht, "insofern bei ihnen durch die Monologisierung des Geschichtssubjekts beide Eschata je auf die Zukunft des einen Subjekts reduziert werden"[2]. Die formal verwandte uneschatologische und die nureschatologische Theologie bleiben im Grunde im Bereich der transzendentalistischen Kategorie 'Trans' und sprengen das 'Übereinander' nicht.

'Nebeneinander':Es wird versucht, die Zweiheit der Aspekte aufrechtzuerhalten, jedoch jede Einsicht in deren Verhältnis wird nicht nur abgelehnt, sondern prinzipiell für unmöglich, weil für spekulative Grenzüber-

schreitung, erklärt, so daß die darin gegebene Paradoxität mit ein Moment
des Dennoch des Glaubens ist.

In einer Art Zwischenlösung von 'Nebeneinander' und 'Nacheinander' wird
nicht mehr die prinzipielle, aber die faktische Unkenntnis und der deshalb
zu wahrende Geheimnischarakter behauptet. Die universale Vollendung folgt
vielleicht 'nach' der personalen, aber über dieses Geheimnis eines etwai-
gen Zwischenzustandes läßt sich nichts sagen.

'Nacheinander': Ausgehend vom zeitlichen Abstand zwischen Tod und
Weltende sucht man"den Inhalt der persönlichen und universalen Hoffnung
als zeitliches Nacheinander perspektivisch zu ordnen" (CW^3 685). Die Eschatologie hat also - zumindest - eine Zweiphasigkeit, deren Verständnis
allerdings noch genauer zu bestimmen ist, denn, abgesehen von der Überein-
kunft über die Existenz eines 'Zwischenzustandes', gibt es hinsichtlich
des 'Wie' noch große Unterschiede. Die 'Zeitlichkeit' der Zwischenzeit
kann sosehr von dieser Weltzeit bestimmt werden, daß sie in Gefahr ist,
zu deren bloßer Verlängerung zu werden und den Tod als Abschluß des Pil-
gerzustandes zu unterschätzen ('volles Nacheinander'); sie kann aber auch
so heterogen sein, daß jeder Welt-und Zeitbezug abzureißen droht ('leeres
Nacheinander').[3] Schließlich können zeitliche und 'zwischenzeitliche' Existenz in aller Verschiedenheit so 'zueinander' geordnet sein, daß personale und universale Hoffnung ihre Vollendung nur gemeinsam - in einem 'Ineinander' - erreichen, und zwar so, daß sie jetzt schon in gewissem 'Füreinander' stehen, sofern dem Abschluß des Zwischenzustandes 'von oben'
eine durch die Inkarnation ermächtigte Vermittlung 'von unten' entspricht;
der Bezugspunkt wird primär nicht in der chronologischen, sondern in der
existenziellen Ebene der Pluridimensionalität gesehen, ohne die temporale
Seite zu überspringen.

Die dogmatische Überlieferung (LD^4 136-147) hat - nach Althaus - die
Lösung im zeitlichen Nacheinander gesucht (CW 685). Althaus sieht den Ursprung des Zwischenzustandsgedankens bereits im Spätjudentum: einerseits
in der Scheolvorstellung, andererseits hinter deren (hellenistisch-jüdi-
scher) Differenzierung in zwei Orte, in denen zunächst die Seele, nachher
auch der Leib Lohn oder Strafe empfangen. Die ursprüngliche ganzheitliche
Auffassung der Auferstehung weicht einem dualistischen Menschenbild. Das
Neue Testament hat beide Gedanken, den der Auferstehung am Ende der Tage
und den der unmittelbaren Vergeltung nach dem Tode, übernommen und im
Glauben an Christus noch verstärkt. In der katholischen Kirche ist zunächst

in der Linie des hellenistischen Spätjudentums weitergedacht worden (die
Seelen sind an vorläufigen, allerdings für die Frommen und Gottlosen verschiedenen Orten und harren der Auferstehung), doch seit dem Mittelalter
bis heute sei die Vorläufigkeit des Zwischenzustandes so stark zurückge-
treten, daß Althaus meint: "Von Auferweckung des Menschen kann im Ernste
keine Rede mehr sein, die Auferstehung gilt nur nach dem Leibe, für die
Seele bedeutet sie nur, daß sie nach der Leiblosigkeit ihren Leib wieder-
erhält." (LD^4 139).

Luther hält - so Althaus gegen C.Stange - zwar weiter am Zwischenzustand fest, doch er betont neu dessen Vorläufigkeit; durch die Spannung
auf den Jüngsten Tag werden Metaphysik und Topographie des Zwischenzustandes zurückgeführt zu Theologie (LD^3 278,n.2). Die Toten sind meist
in einem tiefen traumlosen Schlaf; die Seele selbst ist allerdings in
diesem Schlafe lebendig. Schließlich läßt er aber den Zwischenzustand
in einen Augenblick zusammenrücken, so daß "der Jüngste Tag....gleich-
sam wie ein Ozean rings um die Insel des zeitlichen Lebens herum" liegt:
"Wo immer wir auf die Grenze dieses Leben stoßen, ob gestern oder heute
oder einst, überall bricht der Jüngste Tag an in der großen Gleichzeitigkeit der Ewigkeit."[4]

Bei Calvin bleibt die Spannung zwar gewahrt, da es "ganz und gar ein
Seligsein in Erwartung des Jüngsten Tages" (LD^4 141) ist, aber die Auffassung des Menschen ist durch seinen Platonismus schon wesentlich verschieden. Schließlich hat ab der Zeit der lutherischen Orthodoxie bis
ins 19.Jahrhundert das hellenistisch bestimmte, der scholastisch-katho-
lischen Auffassung nahe Denken die Anschauung über den - als ganz sicher
angenommenen - Zwischenzustand wesentlich bestimmt: schon vor dem Jüngsten Tag gibt es Himmel und Hölle; die Auferstehung des Leibes steigert
nur die beiden Zustände auf das Vollmaß. Th.Kliefoth ist gegen Ende des
vergangenen Jahrhunderts einer der ersten scharfen Kritiker nicht des
Zwischenzustandes selbst, aber seiner Endgültigkeit; er sieht in ihm geradezu einen "unnatürlichen Zustand", einen 'interimistischen, einen To-
deszustand", ein "Warten in Zeitlosigkeit"[5]. Für Althaus war Kliefoths
Kritik allerdings nicht radikal genug, freilich nicht von Anfang an, denn
Althaus selbst hat in dieser Frage eine interessante Entwicklung mit
"weitgehenden Umbauten" (DeD 321,n.1) durchgemacht.

2. Althaus' Lösung

a) In der Frühperiode

Die in LD[1] stark betonte Gleichzeitigkeit im Jenseits kann auf jeden Zwischenzustand verzichten; das 'Übereinander' der Zeit-Ewigkeits-Spekulation macht ihn geradezu unmöglich (LD[1] 24.98f). Wir haben bereits auf die Spannung hingewiesen, die dadurch entsteht, daß gleichzeitig ein 'Mittelzustand' behauptet wird (LD[1] 24.44.85.99.110).[6] Althaus scheint sich dessen bewußt zu sein, wenn er sagt: "So bleibt das Problem aller Geschichtsphilosophie, wie sich die Vollendung des Ganzen zur Vollendung aller einzelnen verhalte, auch im Christentum bestehen." (LD[1] 85,n.1; vgl.LD[1] 125;LD[3] 177,n.1)

Die stärkere Betonung der Längsrichtung der Geschichte und des 'nachzeitlichen' Ertrages in LD[3] bewirkte auch eine Abschwächung der kategorischen Ablehnung. Unserem Schema gemäß könnten wir sagen, daß Althaus vom 'Übereinander' in LD[1] wenigstens ansatzweise zu der Zwischenlösung (von 'Nebeneinander' und 'Nacheinander') hintendiert, denn er durchblickt den "Gleichzeitigkeitsgedanken" als "Rationalisierung der Geschichte" und hält deshalb die Frage des Zwischenzustandes für ein "Geheimnis", das "unserer theologischen Begriffsbildung entzogen" ist (LD[3] 180f). Allerdings zögert Althaus und neigt selbst noch immer mehr zur Lösung des 'Über-' oder 'Nebeneinanders', denn vom "Geheimnis der 'Grenze' von Zeit und Ewigkeit" und von Luthers Gedanken her, daß im Jenseits alles ein ewiger Augenblick sei (WA 10 III, 194), scheint ihm die unmittelbare Einheit von Tod und Jüngstem Tage nahezuliegen, so daß er "die als Behauptung anfechtbaren Sätze der ersten Aufl.S.98 wenigstens in Frage-Form" wieder aufnimmt (LD[3] 180,n.3).

b) Ab der vierten Auflage der 'Letzten Dinge'

Im Vorwort zu LD[4] schreibt Althaus: "Bei der Arbeit daran erwies sich das von mir früher nur nebenher und andeutend erörterte Problem des 'Zwischenzustandes' als ein für die ganze Eschatologie entscheidender kritischer Punkt" (LD[4] VIIf). "Weil hier alle entscheidenden Sätze der Eschatologie in Frage stehen" (LD[4] 148), umfassen dessen Behandlung statt einigen flüchtigen Anmerkungen nun ganze 18 Seiten (LD[4] 135-152).

Da in der echt christlichen Hoffnung weder für die Individual- noch für die Universal-Eschatologie der Gedanke der Entwicklung gelte, sondern hier wie dort Tod und Auferstehung, ist man bei ihr "jenseits des idealistischen

Widerstreites von Vollendung des Einzelnen und Vollendung der Menschheit
....Die Einzelnen und die Geschichte warten auf den Jüngsten Tag. Sie
werden miteinander vollendet" (LD^4 26). Die Todesgrenze, die ein geschlossenes theoretisches Bild der letzten Dinge ausschließt, besagt die Unmöglichkeit, "die Gegenstände unserer Erwartung in ein eindeutiges Nacheinander von end-heilsgeschichtlichen Ereignissen zu ordnen", denn jeder dieser
Versuche "reißt auseinander, was zusammengehört, und setzt es dadurch in
ein Verhältnis der Konkurrenz, der gegenseitigen Entwertung und Verdrängung" (LD^4 75). Da beide Male das volle Heil gemeint ist, kann nicht ein
Moment nur Vorbereitung oder Ergänzung des anderen sein. Ein Zwischenzustand kommt also nicht in Frage, wenigstens nicht "im Sinne irgendwel-
cher Entweder-Oder", indem "das Kommen zu Christus durch den Tod und das
Kommen Christi am jüngsten Tage in Konkurrenz" gesetzt würden (LD^4 151).

Die Bescheidung im Wissen um die Grenze der Ewigkeit und im Verzicht
auf ein 'eindeutiges' und "gegenständliches Nacheinander" (LD^4 151) heißt
für Althaus jedoch konkret eine sehr eindeutige Alternative, nämlich das
Gebot, "das für unseren Blick offenkundige zeitliche Auseinander von Tod
und Jüngstem Tage und zugleich das wesentliche Miteinander, Ineinander
der Einzelvollendung und der Gesamtvollendung, die wesenhafte Einheit,
die sachliche 'Gleichzeitigkeit'von Tod und Gericht, von Heimkommen zu
Christo und Auferstehung mitsamt der ganzen Gemeinde zu lehren" (LD^4 76f),
also das "Verhältnis der Konkurrenz in das wesentlicher Koincidenz" umzusetzen (LD^4 151). Die Frage nach den Toten kann also nur "durch den Hinweis auf den Tod und auf den jüngsten Tag beantwortet werden - kein Wort
mehr! Was dazwischen ist, das ist von Übel!", denn alle Aussagen über den
Zustand 'vor' dem Jüngsten Tage entleeren die Auferstehung: "wir wissen vor
der Auferstehung nichts als den Tod und daß die Toten in Gottes Hand sind.
Das ist genug." (LD^4 152;vgl.CW 686)

Warum wird die Ablehnung eines 'eindeutigen Nacheinanders' zur Lehre
einer prinzipiellen Gleichzeitigkeit, eines 'Nebeneinanders', dessen paradoxe Einheit nicht näher geklärt werden darf, sondern einfach postuliert
werden muß?

Zunächst gibt Althaus einen anthropologischen Gesichtspunkt an. Der
Mensch wird als ganzer - in Leib und Seele - von Tod und Auferstehung
getroffen. "Gibt man der Leiblichkeit und damit der Auferstehung ihre volle
Bedeutung, so muß die Lehre von der Lebendigkeit im Zwischenzustande preis-
gegeben werden". (LD^4 148). Ein Gericht am Jüngsten Tag nach der Entschie-

denheit des Zwischenzustandes hätte seinen Sinn verloren denn "wer bei Christus ist, hat das persönliche Gericht schon hinter sich"; alles andere ist unmögliche Verdoppelung" (CW 686). Vor allem aber folgt für Althaus aus dem anthropologischen Dualismus der Zwischenzustandslehre eine individualistische, spiritualistische und akosmistische Engführung der Eschatologie, so daß die Zwischenzustandslehre "der Schlupfwinkel für den Platonismus, für den Dualismus und Individualismus der hellenistischen Eschatologie geworden und geblieben" ist (LD^4 150). Da ein Zwischenzustand ohne "himmlische Leiblichkeit" unvorstellbar wäre, frägt Althaus: "Eine Zwischenleiblichkeit?"; neue Leiblichkeit heißt jedoch 'neue Welt', und diese kommt erst am Jüngsten Tage (CW 686f). M.a.W.: Aus der Reaktion gegen ein 'leeres Nacheinander' mit dessen unüberwindlichen Schwierigkeiten (z.B.weltlose Seelen) meint Althaus, fest bei seinem 'Nebeneinander' bleiben zu müssen. Dieser resolute Standpunkt schloß jede Zwischenlösung aus, wie sie in LD^3 anklang.

Auch die Bestimmung des Zeit-Ewigkeits-Verhältnisses ist noch immer mitentscheidend. "Was unserem irdischen Blicke als vielleicht sehr lange Zwischenzeit zwischen der Todesstunde und dem Ende der Geschichte erscheint, die 'lange Todesnacht', das ist nach dem Maß der Ewigkeit nur ein kurzer Augenblick" (CW 687). Althaus zitiert wiederum WA 10 III,194[7] und frägt:

"Grenzt und strandet unsere Zeit nicht überall an den jüngsten Tag? Liegt der jüngste Tag nicht gleichsam rings um uns herum, so daß unser aller Sterben uns in die Gleichzeitigkeit mit dem Ende der Geschichte, dem Kommen des Reiches, dem Gerichte stellt?" (LD^4 152)

Angeblich ist diese vertikale Sicht die Logik der Christustatsache, "denn Jesus Christus, der Erhöhte, ist der Jüngste Tag; ihm begegnen, zu ihm entrückt werden heißt, in den Jüngsten Tag, an das Ende der Geschichte, in die Welt der Auferstehung versetzt werden" (CW 687). M.a.W. Aus der Reaktion gegen ein 'volles Nacheinander', das die raumzeitliche Gestalt dieser Welt allzu leicht ins Jenseits transportiert,bleibt er bei seinem 'Nebeneinander, das zum 'Übereinander' hintendiert.

Sicherlich, "es gibt nicht zwei Vollendungen, sondern nur die eine" - das Reich Gottes als "die alles umfassende Hoffnung des Christen" (LD^4 223). Ist aber Althaus' Antwort eine echte Alternative zum im Identitätssystem befangenen 'Übereinander'? Besteht außer dem - zurecht abgelehnten - 'leeren' und 'vollen Nacheinander' keine andere Möglichkeit einer echten Zweiphasigkeit unserer Vollendung?

c) In den 'Retraktationen'

Althaus hatte 1930 geschrieben: "Unsterblichkeit und Zwischenzustand gehören zusammen."[8] Als er zwanzig Jahre später in den 'Retraktationen' eine ausgewogenere Stellung zum Unsterblichkeitsgedanken einnahm, war eine gewisse Änderung in der Zwischenzustandsfrage zu erwarten. Dies ist tatsächlich der Fall.

An der Auslegung von 2 Kor 5,1ff läßt sich etwas von dieser Entwicklung sehen. In LD[4] 137f meint Althaus, daß an dieser Stelle von Paulus die beiden Linien, die des Schlafens als Bild des wirklichen Todeszustandes vor der Parusie (hier als Nacktheit) und die des (hellenistisch-jüdischen) unmittelbaren Seins mit Christus, ins Verhältnis gesetzt werden: "das Sterben, das als Entleiblichung Lebenseinbuße bedeutet, ist doch andererseits, als Vereinigung mit Christus, ein ungleich überwiegender Lebensgewinn." (LD[4] 137) Auch 1941 sieht er darin deutlich den Einfluß animistischer Weltanschauung, die im Gegensatz zur biblischen Hauptlinie, dem totalen Verständnis des Todes und der Auferstehung, stehe und von dieser niedergehalten werde: "man muß hier den Mut haben, die Mitte und den Rand des neutestamentlichen Zeugnisses zu unterscheiden und diesen jener unterzuordnen."[9] 1950 jedoch anerkennt Althaus die "doppelte vorstellungsmäßige Ausgestaltung" als gleichberechtigt, also auch die in 2 Kor, 1ff und Phil 1,21ff erscheinende "andere Gedankenreihe" des Bei-Christus-Seins "ohne die Vorstellung des jüngsten Tages und der Gesamterweckung durch Christus":

> "Beide Linien laufen nebeneinander her. Sie werden nicht ausgeglichen, nicht zusammengeschaut zu einem geschlossenen gegenständlichen eschatologischen Bilde; auch nicht durch den Gedanken eines schon erfüllten 'Zwischenzustandes', der als solcher nur vorläufig wäre (wie später in der Theologie der Kirche), auch nicht durch die Vorstellung eines 'Zwischenleibes', den der Mensch gleich nach dem Tode erhielte (so A.Schlatter zu 2.Kor 5,1)."[10]

In den letzten Auflagen von CW verweist Althaus einerseits auf diese beiden bei Paulus nebeneinander herlaufenden unverbundenen Linien, andererseits aber geht er aufgrund des geringen Einflusses der 'Retraktationen' auf das übrige Opus über dieses Nebeneinander wieder hinaus: er distanziert sich von seiner Aussage in LD[4] und ist nun der Meinung, "daß Paulus die neue Leiblichkeit sogleich bei seinem Sterben zu erhalten hofft" (CW 686). Neue Leiblichkeit ist jedoch bei Althaus Gleichzeitigkeit des Jüngsten Tages.

Das in den 'Retraktationen' festgestellte "unausgeglichene Nebeneinander zweier Ausblicke" führt zum 'Nebeneinander' der "Eschatologie des Himmels

oder des jüngsten Tages", denn die Eschatologie kann nur die in beiden
wirksamen Glaubensmotive aussprechen: die "Himmelseschatologie' der Überlieferung" weiß, daß Christus selbst "das unmittelbare Jenseits" ist und
es deshalb zwischen ihm und dem Glaubenden "keine heillosen Zwischenzustän-
de,...keine Todeswelt,...keine leeren oder erfüllten Zeiten" gibt; die Eschatologie des Jüngsten Tages weiß, daß des einzelnen Vollendung bei Christus zugleich die der Gemeinde und der ganzen Welt ist[11]. Das Geheimnis
der Ewigkeit (als Geheimnis des Jenseits des Todes und der Geschichte)
gebietet uns, daß wir auf eine Lehre vom Zwischenzustande, also "auf ein
eindeutiges eschatologisches Gesamtbild, auf jede Aussage über ein Nacheinander oder Nicht-Nacheinander der Ereignisse verzichten", und will uns
darin offenbar "vor der falschen eschatologischen Neugier und dem Intel-
lektualismus der Hoffnung" bewahren[12].

Wir meinen, daß es in dieser neuen Sicht nicht primär um die prinzipielle Unmöglichkeit der Existenz und der Erkenntnis eines Zwischenzustandes geht, sondern durch die Abwehr falscher apokalyptischer Neugier sollen
der Geheimnischarakter und die daraus folgende faktische Unkenntnis - also
im Sinne der in LD[3] angeklungenen 'Zwischenlösung' (von'Nebeneinander' und
'Nacheinander') - gewahrt werden. Diese Vermutung scheint durch einige
Äußerungen in den 50-er Jahren durch die Einfügung eines 'Vielleicht' bestätigt zu werden:

> "Von uns aus gesehen mag das eine lange Zeit sein,...aber jenseits des
> Todes selbst vielleicht - wie Luther gesagt hat - wie ein einziger Augen-
> blick."[13]
> "So wie unsere Vernunft die Fragen nach dem Wo und Wie und Wann meint,
> als einen beschreibbaren Ort und Zustand und ein beschreibbares Nachein-
> ander der letzten Dinge, bekommen wir gerade keine handliche Antwort....
> Ob sie noch 'schlafen' oder bei ihm schon leben, das wissen wir nicht."[14]

Das Aufweichen der prinzipiellen eschatologischen Gleichzeitigkeit scheint
Luthers Gedanken vom Schlafe (WA 37,151) und dem Geheimnischarakter wieder
neue Aktualität zu geben: "Der Lebensstand der Abgerufenen jenseits des
Todes ist uns verborgen. 'Schlafen' sie noch bis zum Tage Christi oder ist
er für sie schon angebrochen? Wir wissen es nicht." (CW 519) Oder doch? "Es
muß bei dem Grundgedanken des Paulus bleiben: die Toten 'schlafen' bis zu
dem Tage Jesu Christi." (CW 687) Ist es wirklich so leicht, wie Althaus es
gleich darauf tut, diesen Gedanken mit dem der Unmittelbarkeit zu versöhnen
durch die "Erinnerung daran, daß in Gottes Ewigkeit die Gesetze unser Zeitlichkeit nicht gelten" (CW 687), denn deutet das eben erwähnte 'bis' nicht
auf eine irgendwie geartete Zweipoligkeit oder Phasenungleichheit?

3. Stellungnahme

a) Kritische Sichtung

Bei der Behandlung der Unsterblichkeitsfrage stellte sich heraus, daß Althaus nicht schlechthin der Vertreter der Ganztodtheorie ist. In der Darstellung des Zwischenzustandsproblems wurde nun ersichtlich, daß er zwar immer wieder zum Gleichzeitigkeitsgedanken als letzter Antwort hintendiert, daß aber auch andere Motive mitspielen. Seine Position gibt sich also wesentlich komplizierter, als oft angenommen wird, denn an manchen Stellen scheinen verschiedene, scheinbar harmonische Motive mit- (vielleicht sogar gegen-)einander zu streiten.

Wir haben die positiven Momente seines berechtigten Protestes gegen evangelische und katholische 'Jenseitseschatologien', denen zufolge die Auferstehung des Fleisches ihre wesentliche Bedeutung einbüßt, bereits bei der Besprechung der 'Auferweckung der Toten und der neuen Leiblichkeit' hervorgehoben.[15] Das 'Zwischen' hatte vielfach seine wesentliche Bedeutung der Vorläufigkeit eingebüßt. Althaus verstand unter Zwischenzustand fast durchwegs ein selbständiges Fortleben der unsterblichen Seele in Leiblosigkeit. Einem solchen individualistischen, spiritualistischen und akosmistischen Zwischenzustand gegenüber wollte er neu die gemeinschaftliche, leibhaftige und kosmische Komponente des Heils hervorheben. Auch ist in seiner Position eine nicht zu überhörende Warnung vor einer unmöglichen Verdoppelung der Eschatologie enthalten, zwischen deren Polen kein dynamischer Zusammenhang bestünde, ja überhaupt vor jeder Manipulation der letzten 'Dinge', wie es z.B. eine 'automatische' Unsterblichkeitslehre wäre. Allzu leichtfertige Transposition unserer Begrifflichkeit ins Jenseits wird von ihm zurecht an die 'eschatologische Grenze' unseres Erkennens zurückgerufen, denn wir können nicht leugnen, "daß wir in unserer christlichen Überlieferung und in der sukzessiven kirchlichen Formulierung unseres Glaubens eine ganze theologische Bilderwelt konstruiert haben, die uns auf unsere bangen Fragen irgendwie konkrete Antworten gab"[16].

Nun könnte es zwar sein, daß - wie der eben zitierte Autor meint - heute die Gläubigen reifer seien und sich deshalb nicht mehr in ihrer Phantasie die konkrete Art und Weise des Wirkens Gottes nach dem Zeitpunkt des Todes vorzustellen bräuchten, aber trotzdem bleibt die Frage aufrecht, ob die hinsichtlich unserer Vorstellung und unseres Wissens vertrauensvoll

Gott ausgestellte "'Blankovollmacht'..., auf die Art und Weise zu wirken, die er für richtig hält"[17], jede Aussage über das Verhältnis von Individual- und Universal-Eschatologie erspart oder gar verbietet, oder ob sie nicht trotzdem notwendig bleibt. Althaus gegenüber heißt die Frage, ob seine Antwort tatsächlich nur von der berechtigten eschatologischen Grenze und dem Verzicht auf apokalyptisches Wissen bestimmt sei. Dies verneinen wir. Wie die Lösung des 'Übereinander' in der un- und nureschatologischen Theologie zeigt, gibt es nämlich auch unberechtigte, bibelfremde Momente, die das Problem des genannten Verhältnisses gar nicht sachgemäß aufkommen lassen.

Ein solches Moment ist die Bestimmung des Zeit-Ewigkeits-Verhältnisses in letztlich platonischer Sicht. Sie ist zwar nicht der existentielle, aber der begrifflich-methodische "Schwerpunkt" seiner eigenen Antwort angesichts des Zwischenzustandsproblems, wie A.Ahlbrecht richtig bemerkt[18]. Zeit und Ewigkeit werden noch immer stark vom kantischen Erkenntnisformalismus her, also transzendentalistisch, bestimmt. F.Holmström bemerkt zu LD[4]:

> "Da die Zwischenzustandslehre nun definitiv verworfen wird, ist es für Althaus noch notwendiger, zu der Zeitlosigkeitsbetrachtung, 'der Gleichzeitigkeit der Auferweckung' zu greifen, um auf diese Weise den individuellen Tod mit der universalen Parusie zusammenzukoppeln, obgleich er ja seine Schlußausführungen mit einer Anzahl von Fragezeichen versehen muß." (DeD 410)

Allein der Blick auf das Eingeständnis in den 'Retraktationen' bestätigt W.Künneths Vorwurf, daß - am stärksten in LD[1] und LD[4] - biblische Einsichten "aus den logischen Prinzipien der Philosophie und den Grundsätzen einer Zeitlosigkeitsmetaphysik" heraus, also "in konsequenter Verfolgung seiner Zeit-Ewigkeits-Metaphysik", "zugunsten logischer Systematik" reduziert worden seien[19]. Eine ähnliche 'Revision' hat Althaus auch in Hinblick auf Luther vollzogen, so daß auch hier die von v.Loewenich erhobene Kritik einer "unberechtigten Systematisierung" von Luthers vertrauten Äußerungen über den Zwischenzustand, also zweier Gedankenlinien, im 'schon gegenwärtigen' Jüngsten Tag stillschweigend eingestanden wird[20].

In der Zeit-Ewigkeits-Spekulation liegt notwendig eine Subjektivierung und damit eine Individualisierung der Eschatologie. Althaus, der ausgezogen war, die 'Weltlichkeit' und 'Gemeinsamkeit' der biblischen Hoffnung gegen deren Verächter zu retten, sah sich selbst dem berechtigten Vorwurf einer spiritualisierenden Engführung gegenüber, denn die Individualisierung der Parusie und des Weltendes besagte "eine eindeutige Vernachlässi-

gung der Welt, die in ihrer nach jedem Tode weitergehenden Geschichte
nicht beachtet wird"[21]. Unsere Anfrage über das Verhältnis der Jenseitseschatologie zur realistischen Art und kosmischen Weite im ersten Teil unserer Arbeit und unsere Kritik am Geschichtsbegriff und am 'wackligen' Fundament der kosmischen Dimension im zweiten Teil unserer Arbeit finden ihre
konsequente Ergänzung in Althaus' Stellung zum Zwischenzustandsproblem, so
daß, würde Althaus selbst nicht immer wieder Fragezeichen setzen und
schließlich 'Retraktationen' vornehmen, tatsächlich eine Jenseitseschatologie, etwa ähnlich der von H. Grass, folgte.[22]

Wir müssen also sagen, daß die "erneute, starke und verinnerlichte Kraft,"
die Althaus - nach G.Weth - angeblich ab LD[3] der Menschheits- und Weltvollendung beimißt[23], damals und auch später auf einer sehr prekären Basis
aufruht. Diese Basis erlaubt schon schwierig ein Ernstnehmen der Geschichte
des einzelnen, da sie ständig in den schon immer gegenwärtigen Jüngsten Tag
aufgelöst wird, ohne daß die vom Menschen selbst mitbestimmte Geschichte
diese Ewigkeit mitprägt. Althaus' Beschränkung dieser Auflösung auf den Moment des Todes (im Gegensatz zu jedem Augenblick beim frühen Barth) mil-
dert dieses Problem zwar, löst es aber nicht, da noch immer die Frage bleibt,
wie diese Ewigkeit für den Menschen anfängt, wo sie doch an sich nicht anfangen kann. Darüber hinaus bleibt aber die grundlegende Frage: "Ist in dieser Sicht nicht nur eine individuelle Eschatologie möglich, eine allgemeine
aber höchstens als nachträgliche Addition?"[24]

Der Grund, warum auch nach dem Nachlassen außertheologischer Einflüsse
diese Basis für eine allgemeine Eschatologie 'wacklig' bleibt, liegt an
dem Moment der theologischen Grundlegung, das wir 'Pathos für das erste
Gebot' nannten, denn der Eifer für die Gottheit Gottes unterhöhlt die
"Leiblichkeit unseres Lebens" als angeblichen "Grundzug lutherischen Denkens" (LD[4] 148) und führt zu einer personal-verinnerlichten, leibfremden
Engführung, die in der Geschichtsfremdheit seiner Rechtfertigungslehre ihren Widerhall hat. Noch bevor der 'Außenbereich' der Geschichte systematisch zum Tragen kommt, ist ja die Gottesbeziehung im 'Innenbereich' völlig festgelegt, das heißt also, ohne daß Gemeinschaft, Geschichte und Welt
in den grundlegenden Dialog mit Gott einbezogen werden könnten. Auch wenn
Althaus als Grund des Paradoxes des unausgeglichenen Nebeneinanders und somit der Ablehnung des Zwischenzustandes die Logik der Christustatsache
nennt, wie sie in Tod und Auferstehung zum Ausdruck kommt, so ist es nicht

die Logik des Gott-Menschen, der Inkarnation, sondern sie ist bereits 'vor'
-bestimmt von der in der Gottheit Gottes und deren Schöpfertum begründeten
Paradoxität.

Althaus' Protest gegen den 'Zwischenzustand' ist berechtigt, insofern die
Rede von ihm in Gefahr ist, apokalyptisches Wissen über das Jenseits der
letzten 'Dinge' aussagen zu wollen. Ein solcher 'Zwischenzustand' wäre
gegen die innerste Aussageabsicht der Schrift des Neuen Bundes, denn trotz
aller Anknüpfung an die zeitgenössische Apokalyptik geht es ihr darum,
"die prophetische Sicht zu vollenden"[25]. Aber Althaus' Ablehnung verfällt
selbst der apokalyptischen Zwangsjacke, wo er durch den endgeschichtlichen
Gleichzeitigkeitsgedanken der notwendig auch zwischenmenschlich und welt-
lich vermittelten prophetischen Geschichte des Menschen mit Gott, "die
innerlich der Umsetzung in eine 'Systematik' widersteht, weil sie 'Dialo-
gik' ist"[26], den System-Raster der individual-innerlichen Engführung auf-
zwängt.

Vielleicht mag es gut sein, wegen des 'apokalyptischen Mißverständnis-
ses', das den Ausdruck 'Zwischenzustand' belastet, überhaupt auf ihn zu
verzichten, aber die Sache selbst, nämlich die nicht monistisch-dialek-
tisch, sondern dialogisch zu verstehende Zweipoligkeit oder Zweiphasigkeit
der Eschatologie, die keineswegs ungerechtfertigte Konkurrenz oder Aufhebung des eschatologischen Geheimnisses ist, dürfen wir um der prophetischen Geschichte willen, also um der echten Geschichte zwischen Gott und
der Menschheit willen, nicht aufgeben. So ist die von uns verteidigte
Zweiphasigkeit nicht ein Vorauswissen, sondern sie sprengt ein von oben
oder von unten denkendes Identitätssystem, indem sie letztlich die menschliche Freiheit als menschliche verteidigt, also die grundlegende anthropologische Gegebenheit des irreduktiblen, auch die menschliche Freiheit prä-
genden Dualismus in den Modus der Vollendung transportiert und so die 'Vermittlung in Differenz' des eschatologischen Heils des einzelnen Menschen,
der Menschheit und der Welt ermöglicht. Nicht um des Festhaltens an einer
überholten dualistischen Anthropologie willen, sondern um Althaus' Anliegen willen, das wir voll unterstützen, also um der 'Vermittlung in Differenz' willen, meinen wir, gegen Althaus den recht verstandenen 'Zwischenzustand' beibehalten zu müssen, denn der letzte Grund, daß er ihn ablehnt,
ablehnen muß, sind nicht biblische, anthropologische oder philosophische
Kriterien, sondern seine soteriozentrische Engführung, aufgrund deren auch
er selbst in der Ebene des Heils das Identitätssystem noch nicht gesprengt

hat.

Dürfen wir in Althaus' Fragezeichen, Vielleicht-Aussagen und 'Retraktationen' eine Relativierung seiner Position sehen? Ja - insofern sich
Althaus offenbar von einer anderen, stark in ihm verankerten Denklinie
her der Ungelöstheit des Problems bewußt blieb, denn die 'Schlattersche'
Linie anerkennt im 'Sehakt' die Gegebenheiten ohne Systematisierung und
läßt den Ausfall der Menschheits- und Kosmos-Eschatologie unter keinen
Umständen zu. Nein - insofern damit eine Lösung gemeint sein sollte,
denn letztlich wird bei Althaus jeder 'objektive' Bezug zwischen theolo-
gischem Gehalt und ontologischer Gestalt fallengelassen. Wir halten dagegen um des theologischen Gehaltes willen, nämlich um des in einer Freiheitsgeschichte zwischen Gott und der Menschheit zu vermittelnden Heils
willen, die Wahrung der rechten ontologischen Basis (Mehrdimensionalität
des Menschen) für notwendig.

Althaus scheint der eigentlichen Frage noch einmal auszuweichen und
sich hinter das nicht hinterfragbare und wegen der gegenseitigen Bezie-
hungslosigkeit auch letztlich nichtssagende Nebeneinander zurückzuziehen.
Ein solches paradoxes Nebeneinander oder das 'vielleicht' mögliche völlig
beziehungslose Nacheinander vermögen nicht, Basis einer 'Vermittlung in
Differenz' zu sein.[27] Das 'Trans' und selbst das etwa mögliche 'Post' allein gestatten noch nicht, das von oben ermächtigte und ständig unter
Gottes Unverfügbarkeit stehende, aber gerade darin freigesetzte 'Per'
zur Geltung zu bringen. Nur in solchem 'Per' (von unten), also in echtem
"miteinander, ineinander" (LD[4] 76;vgl.LD[4] 26), das ein rechtes 'füreinander' einer offenen Geschichte ist, ist sichergestellt, daß zwischenzeitliche Existenz nicht individualistisch, spiritualistisch und akosmistisch
ist und nicht in Konkurrenz zur Vollendung am Jüngsten Tage steht.

b) Gedanken zu einer Weiterführung

Wir müssen es hier mit ein paar Anmerkungen zum komplexen Problem der
Beziehung zwischen Individual- und Universal-Eschatologie bewenden lassen
und setzen dabei alles bislang über die 'Eschatologie der Inkarnation' Gesagte voraus. Außerdem beschränken wir uns auf einige Ausführungen systematischen Charakters.[28]

In Christus hat Gott den vom Menschen abgebrochenen Dialog von innen
heraus wieder eröffnet, indem er selbst Mensch wurde und Gottes versöh-
nendes Wort in echt menschlichen Worten offenbarte, also auch in echter

(durch die potentia oboedientialis der menschlichen Natur möglicher) von
der Person des Wortes her ermächtigter Mitwirkung der Menschheit Christi.
Himmel gibt es deshalb auch nur über diese 'Vermittlung' des Gott-Menschen, also infolge der Inkarnation Christi, die in seinem Tod und seiner
Auferstehung ihre ganze Fülle erreicht. Im Menschen Jesus hat das 'Ende'
der Welt schon begonnen und in ihm ist die Zukunftsdimension des einzelnen Menschen wie der Menschheit als ganzer aufgetan, und zwar so, daß die
beiden wesentlich ineinandergreifen, denn seit der Sohn Gottes Mensch wurde, geht der Dialog des Menschen mit Gott nur mehr über den Gott-Menschen
und in ihm über unsere Mitmenschen und letztlich über die ganze Menschheit, so daß der Einzelne seine Vollendung nur gemeinsam mit allen anderen finden kann.

Weil nach unserem Verständnis der Inkarnation auch die Gnade beim Sein,
Haben und Tun des Menschen wirklich ankommt, ist das christliche Leben auf
Erden bereits Anfang des seligen Lebens nach dem Tode (das Leben des Gottlosen Anfang der ewigen Verdammnis), so daß der leibliche Tod gar nicht in
dem radikalen Sinn einer Vernichtung oder eines ihm folgenden Todesschla-
fes oder Dämmerzustandes verstanden werden kann. Aufgrund des genannten
'christologischen Existentials' des Himmels ist der Übergang ins Jenseits
eigentlich nie ohne Bezug zur Leiblichkeit, denn er ist Einverleibung in
die verklärte Menschheit Christi, in den 'Leib Christi' und nur durch den
auferstandenen Gott-Menschen im Heiligen Geist Beziehung zum Vater, so
daß es eigentlich - zumindest in diesem Sinne - nie eine völlig leibfrem-
de Zwischenzeit einer 'anima separata' geben kann. Weil die Vollendung
in der Einheit von Leib und Seele am auferstandenen und erhöhten Herrn
schon geschehen und für uns gleichsam veranschaulicht ist und weil im
himmlischen 'Raum' seiner auferstandenen Leiblichkeit und in der himmlischen 'Zeit' seiner verklärten Geschichte aller menschliche Raum und alle
menschliche Zeit in gewissem Sinn schon eingeborgen sind, kann man in
einem berechtigten Sinne sagen "daß mit der Auferstehung Christi grundsätzlich die Ära der Auferstehung, der sogenannte Jüngste Tag begonnen
hat"[29] und daß auch unsere Auferstehung des Leibes im Tode beginnt. Es
kann aber auch nur ein Beginn sein, da die Aussage über die eschatologische Vollendung immer "den einen Menschen aber in seiner inneren Dif-
ferenziertheit von geistigem und materiellem Seinsprinzip, also auch von
Geistigkeit und Raumzeitlichkeit meint"[30] und die besagte Pluridimensio-

nalität auch seine wesentliche Sozialität einschließt, so daß die Vollendung des Einzelmenschen ohne Vollendung seiner Mit- und Umwelt gar nicht
möglich ist. Gerade die Leiblichkeit ist ja Symbol unserer Offenheit zum
Du und zur Welt, somit auch unserer Geschichtlichkeit, so daß "Leiblichkeit (nicht im biologischen, sondern im anthropologischen Sinne) durch
wachsende Gemeinschaft mit allen wächst"[31].

Insofern der verstorbene Gläubige samt dem 'Stück' menschlicher Geschichte und Welt, denen er den Spiegel seiner Persönlichkeit aufgeprägt
hat, in den himmlischen Leib Christi einverleibt, also selbst schon anfanghaft im Leibe 'auferstanden'ist, ist er in endgültiger Weise selig.
Insofern er nicht nur natürlicherweise, sondern gerade erst recht in Christus auf alle Mitmenschen verwiesen ist, da in Chrisuts "die 'dialogische',
unmittelbar auf Gott bezogene und die mitmenschliche Linie des biblischen
Unsterblichkeitsglaubens ineinander"-fallen[32], ist sein Dasein noch wesentlich geprägt von Vorläufigkeit und gespannt auf die Heimholung der Brüder
in die 'christologische Dimension'; er wartet sehnsüchtig darauf, daß die
Gemeinde der Gläubigen und in ihr und durch sie die ganze Menschheit und
die Welt darin integriert werden.

Des Menschen Ewigkeit ist nicht die Gottes, sondern "eine Vollendung
der seinem Wesen eigenen Zeitlichkeit"[33]. Wenn auch bereits nach dem Tode
seine 'innere' Zeitlichkeit in die Endgültigkeit als 'Frucht' der Zeit gesetzt ist (die freilich nur von Christus her mögliche und souverän von Gott
getragene 'Frucht' ist), so weiß er sich doch in die 'äußere' Zeit der
Menschheit und deren Geschichte und diese in seine Zeit einbegriffen, so
daß er seine eschatologische Heilsexistenz notwendig verbunden weiß mit
dem kommenden Heil der ganzen Welt, auf welches Ende der jetzige Beginn
wesentlich hingespannt ist. So ist also der Verstorbene nicht in einem be-
dürfnislos seligen Zustande, sondern er bleibt in einer uns unvorstellba-
ren Weise mit der Zeit und Welt der Lebenden verbunden und hat Hoffnung
auf die Integration aller, auch der 'äußeren' (sukzessiven) Zeit ins Heil,
weil "in Christus der Schöpfer und Herr der Zeit durch seine geschaffene
Wirklichkeit die innere und die äußere Zeit als eine eigene Zeit ungetrennt und unvermischt angenommen hat"[34]. Bis dorthin ist jeder einzelne
Mensch noch in einer Art 'Zwischenzeit' eines dynamischen Heilsprozesses.
"Ein so verstandener Zwischenzustand, der eine über den Tod hinaus währen-
de Rückbindung des Menschen an das Geschick der Welt bedeutet, ermöglicht
zweifellos ein radikaleres, tieferes Ernstnehmen der Welt und ihrer Geschichte."[35]

Diese Offenheit des 'Himmels' ist ein ständiger Appell an die Kirche als 'Sacramentum Mundi (futuri)', die Welt in diese Dimension hineinzuholen, bzw. mit ihr als wanderndes Volk Gottes dem darin eröffneten Horizont entgegenzugehen. Wenden wir H.-G.Gadamers Bestimmung des Horizontes als "etwas, in das wir hineinwandern und das mit uns mitwandert"[36] (abgesehen von der Bedeutung in Gadamers Kontext) einmal hier an, so können wir sagen: Der'Himmel'als Horizont dieser Erde ist christologisch bestimmt; wir wandern in diesen Horizont hinein kraft des Horizontes, wir werden einverleibt in die verklärte Leiblichkeit des Herrn kraft derselben - und durch das Hineinwandern wandert auch diese verklärte Leiblichkeit mit und wächst, bis sie am Ziele, dem Jüngsten Tage, wenn alle Dimensionen integriert sein werden, die ganze Fülle des Leibes Christi erreicht hat und die Vollendung des Christus totus gegeben ist. Ein solch 'werdender Himmel' erweckt neu Verständnis für die gegenseitige Bedingtheit und die mögliche gegenseitige Beeinflussung von 'Himmel' und 'Erde', für die Ewigkeitsschwere unseres 'weltlichen' Tuns, aber auch für die irdische Tragweite des himmlischen Wirkens der Heiligen. Das Hineinwandern geschieht jedoch nicht schon eindeutig und undialektisch einfach (undialogisch) in dieser Welt, sondern es bleibt immer in gewisser geheimnisvoller Eigenständigkeit, Ambivalenz und sündhafter Gebrochenheit. Der Wanderweg muß durch das Tor des Kreuzes führen - den Tod für den einzelnen und das Ende der Tage für die ganze Welt -, damit der Herr nach dem Zerbrechen unserer Gestalt die Vollendung als Vollendung des Werkes unserer Liebe schenke.

In der Auffassung der Zeit als 'Zeit' der Integration aller Wirklichkeit, die sich nicht frei entzieht (es gibt dementsprechend auch den negativen 'Zwischenzustand' und Endzustand als vorläufige und endgültige Desintegration), in die Teilnahme an der Herrlichkeit Christi bis zur Vollgestalt des totus Christus weicht man dem mit dem Begriff 'Wieder'-kunft leicht gegebenen Mißverständnis aus. Das Soma Christi wird zum Pleroma nicht in einer kontinuierlich-organischen Evolution oder einer extrinsezistischen Überhöh ung, sondern in einem Wachstum, in dem die gnadenhaft erhobene Freiheit der gläubigen Gemeinde mitengagiert ist, denn "die Vollendung des 'Leibes Christi' und des 'Kosmos' im 'Pleroma' wird durch den personalen Einsatz der Dienstfunktionen und 'Dienstämter', wie sie im 4. Kapitel des Epheserbriefes angegeben sind, herbeigeführt....Erlösung und

Versöhnung geschieht also nicht durch 'Engel-Verehrung' und Kosmosdienst, sondern durch die 'Diakonie' in der Kirche"[37], deren Ziel ist, daß alles in Christus rekapituliert werde.

Weil die volle Integration in die Herrlichkeit Christi an dessen 'Tage' als Geschenk der absoluten Zukunft Gottes zugleich die volle und endgültige Befreiung des Menschen zu dessen eigener Zukunft ist, zu der Vollendung, welche der Grund seiner Erschaffung war, erweist sich die Gottheit Gottes nicht in einem mit dem Menschen konkurrierenden 'Allein', sondern Gottes Gottsein kommt - so wie bei der Inkarnation - auch in der eschatologischen Vollendung und dann erst recht im vollen Menschsein des Menschen zur Geltung. In einer solchen zu Ende gedachten 'Eschatologie der Inkarnation' (die das Kreuz als Teil des Geheimnisses der Menschwerdung versteht) kann gesagt werden: "Das Eschaton bedeutet nicht nur etwas für den Menschen und die Geschichte, sondern auch etwas für Gott", freilich nicht in dem Sinne, daß dieses Neue nochmals funktionalisiert, 'vermittelt' wäre durch ein größeres umgreifendes Ganzes und Gott zu einem werdenden, erst zu sich selbst kommenden Gott würde (dies bedeutete ein Sich-Verschließen in ein Identitätssystem und eine Monologisierung der Geschichte!), sondern nur in dem Sinne des Erweises der bleibenden 'Differenz' dessen, der "in die Geschichte eingeht, ohne in ihr aufzugehen"[38], - dessen, der, 'obwohl er in Gottesgestalt war, das Gottgleichsein nicht als Beutestück erachtete, sondern sich selbst entäußerte' (Phil 2,6f). Es ist die bleibende, uneinholbare 'Differenz' des Gottes, der gerade als der sich selber Wegschenkende der souverän Freie als Liebe und die absolute Zukunft ist und der jede bloße Extrapolation des Gewesenen oder Gegenwärtigen der Geschichte, aber auch jede ihn begreifen wollende metaphysische Wesensdefinition überholt und gerade deshalb nicht nur in der Ebene der Offenbarung, sondern auch in der Ebene des Heils wahre 'Vermittlung in Differenz' zuläßt und will, weil er sie selbst in der Inkarnation seines Sohnes eröffnet hat.

ABSCHLUSS

Es sollen hier abschließend in Hinblick auf die in der Einleitung gestellte Frage, ob und inwiefern Althaus der Vermittlungsversuch zwischen
uneschatologischer und nureschatologischer Theologie gelingt, also ob
und inwiefern er in seiner Eschatologie die 'Vermittlung in Differenz'
zum Tragen kommen läßt, einige Hauptlinien unserer Antwort herausgestellt
werden.

Indem wir seinen Entwurf - nach H.U.v.Balthasar einer der wenigen "Versuche einer umfassenden repräsentativen Eschatologie unserer Zeit" -
darstellten, entstand für uns die methodische Forderung, gerade um seiner
Systematik willen über die Polemik und den Kontext des theologischen All-
tags hinaus den philosophisch-theologischen Hintergrund aufzuspüren, also
die letzten Voraussetzungen und die den Inhalt prägende Denkform zu eruie-
ren, um gleichsam v.Balthasars lapidare Feststellung, daß der Entwurf
"sehr angefochten und in vielem seine innere Schwäche offenbarend"[1] sei,
auf ihren Wahrheitsgehalt zu überprüfen. Gerade bei einem die 'Wahrheitsmomente' der verschiedenen theologischen Strömungen vermittelnden Denker
wie Althaus mag ohne Vertiefung in diesen 'HIntergrund' die Möglichkeit
einer 'grundsätzlichen Übereinstimmung' katholischerseits, wie sie z.B.
H.Küng bezüglich Barths Rechtfertigungslehre vertritt[2], auf vielen Ge-
bieten sehr naheliegend sein. Indem wir jedoch die in der Eschatologie
zusammenlaufenden Fäden (LD[4] VIII) im Ganzen des wirkungsgeschichtlichen
Zusammenhanges personalgeschichtlich, theologiegeschichtlich und vor
allem systematisch auf deren Ursprünge und treibende Kräfte zurückver-
folgten, entdeckten wir neben Übereinstimmung auch grundsätzliche Verschiedenheiten und gefahrvolle latente Tendenzen, was das Ergebnis unserer
Arbeit auf den ersten Blick ökumenisch weniger ertragreich scheinen läßt.
Wir sind jedoch überzeugt, daß unsere Untersuchung gerade in dieser Nüchternheit ein auf längere Sicht wertvollerer Beitrag zur ökumenischen Theologie sei als vielleicht eine auf dem 'Vordergrund' bleibende Hermeneutik
ständiger 'interpretatio in meliorem partem'. Von diesen Wurzeln und trei-
benden Kräften her müssen wir uns nämlich näherkommen; von dorther lassen
sich die Fäden verstärken oder auch entflechten.

Da "das protestantische Denken von jeher für den Geist der Moderne offen war", was vom Katholizismus keineswegs im gleichen Maße gesagt werden kann, hat es "am längsten und am nächsten" mit der Krise der Neuzeit
gelebt und ließ sich die Regeln des Spiels vielfach von seinen "kognitiven

Antagonisten" diktieren[3]. So läßt sich die in der Geistesgeschichte bis
heute immer wieder feststellbare Pendelbewegung "ganz besonders....in der
Geschichte des protestantisch akademischen Denkens"[4] beobachten, denn
"eine verkehrte Einseitigkeit des Christentums ruft immer die entgegenge-
setzte, ebenso verkehrte hervor, und zwischen beiden vollzieht sich der
tiefe Substanzschwund des Christentums"[5]. Wir haben bereits zu Beginn der
Arbeit von Althaus' Versuch einer vermittelnden Funktion innerhalb der
verschiedenen Tendenzen gesprochen und die dafür günstigen Voraussetzungen in seinem Charakter, in seiner theologischen Herkunft und in der
problemgeschichtlichen Situation aufgezeigt. Wie stehen wir zu dieser
mit positivem und negativem Vorzeichen versehenen 'Vermittlungstheologie',
zu der als Stärke oder Schwäche empfundenen 'Theologie der Mitte'?

Unser Urteil über Althaus' theologische Haltung als Wille zu einer
echten Theologie der Mitte ist zutiefst positiv und anerkennend. Dahinter
verbirgt sich die von jedem Theologen geforderte, bei Althaus durch den
Schlatterschen 'Seh-akt' eingeübte Haltung der Offenheit für Gott und seine Schöpfung, für Gott und sein ganzes Wort der Offenbarung und dessen Tradition – eine Haltung, die also dieses Wort nicht durch einen Extrem-Fil-
ter rationalisiert, sondern es in seiner Ganzheit auszuschöpfen und in eine
das Geheimnis wahrende Logik zu ordnen versucht. Hinter Althaus' "Vermögen, wach und umseitig alles, was an lebendigen Kräften in der gegenwärtigen Theologie vorhanden ist, positiv-kritisch in die eigene Arbeit hin-
einzunehmen" und so "eine groß angelegte Synthese" zu erarbeiten[6], steht
letztlich nicht einfach das formale Bestreben, alles auf einen Nenner zu
bringen, sondern die tiefe inhaltliche Überzeugung der Verbindung von Christianum und Humanum, die auch seinem Bemühen um 'Vermittlung in Differenz'
ihre Kraft verleiht. Diese theologische Haltung hat ihren letzten Halt,
bewußt oder unbewußt, in der Verbindung von Gott und Mensch, in der Inkarnation des Gottessohnes. Es ist die einzige zielführende Denkform, eine
wahre Dialog-Haltung, weil sie ihren Grund im Dialog Gottes selbst mit
der Menschheit, im fleischgewordenen Wort, hat. Es ist somit auch die wahre ökumenische Haltung, die heute mehr denn je erforderlich ist, wenn
Schillebeeckx's Bemerkung zur Existenz- und Geschichtstheologie stimmt:
"Zwischen beiden Richtungen hat ein Dialog kaum begonnen."[7]

Allzu oft und allzu leicht wurden Männer solcher Einstellung "als 'Ver-
mittlungstheologen' gebrandmarkt"[8], doch wir pflichten W.Kasper bei:

"Wer dies als halbherzige Theologie des Sowohl-als-auch denunziert, hat nicht begriffen, daß die Mitte kein harmloser geometrischer Punkt, sondern ein Spannungsfeld ist, das die Extreme aushält und nur im Hinblick auf sie beschrieben werden kann. Extreme Positionen sind darum auch wesentlich leichter durchzuhalten. Vermittlung dagegen erfordert geistige Kraft. Diese gilt es zu reaktivieren."[9]

Oder zeugt es etwa nicht von ungeheurer Spannung der Althaus'schen Theologie, angesichts der Krise des Fortschrittsglaubens und der Möglichkeit eines innerweltlich katastrophischen Endes gegen den breiten Strom der protestantischen Theologie sogar eine schöpfungsfreudige Haltung einzunehmen, selbst wenn es nur mittels des Paradoxes möglich sein sollte? Wenn Extreme tatsächlich "zukunftslos und....gegenwartsleer" sind[10], so dürfen wir mit Recht annehmen, daß diese 'potentiell inkarnatorische' Haltung von Althaus den längeren Atem hat und daß unter anderem darin seine wesentliche Bedeutung für die Theologie von Morgen zu sehen ist.

Freilich brachte diese Einstellung oft Mißtöne mit sich, allzu schillernde Aussagen, Überstrapazierung mancher Argumente durch den polemischen 'Sitz im Leben', zuweilen zu rasche Harmonisierung. Im Kontext der politischen Ethik ist Althaus durch die Vermischung mit Ideologie der Gefahr der falschen Anknüpfung auch teils erlegen. Schließlich gilt auch hier: "Daß diese Methode nicht ohne Risiko angewendet wird, hat sie mit allen Methoden und mit dem Leben selbst gemeinsam. Wir müßten wünschen, nicht geboren zu sein, wenn wir dem Risiko aus dem Wege gehen wollen."[11] Im übrigen gibt es innerhalb des versuchten Mittelweges auch eine legitime Einseitigkeit, also, wie K.Rahner sagt, "so etwas wie eine berechtigte Mode, die nichts anderes bedeutet als das Ernstnehmen einer bestimmten geschichtlichen Situation, die nicht immer dieselbe ist, je neue Aufgaben für den Menschen bedeutet und darum auch der Theologie eine berechtigte epochale Gestalt verleiht"[12]. Althaus selbst ist sich dessen bewußt:

"Dem einen ist dieses, dem anderen jenes Moment innerhalb der christlichen Wahrheit besonders scharf zu sehen und stark zu sagen gegeben. Jeder wird ringen, das Ganze zu sehen und zu sagen. Aber kein Einzelner hat das Ganze." (CW 253)

Das, was Althaus als lutherischer Theologe mit und in allem besonders hervorheben wollte, ist die Transzendenz Gottes. Diese Betonung der Souveränität Gottes ist eine zunächst dankbar aufzunehmende Warnung vor jeder Versuchung eines 'Griffes nach Gott', und selbst wenn sie vom Mißverständnis der 'offiziellen' katholischen Position mitbeeinflußt wäre, so ist sie

von manchem Phänotyp derselben und von der existentiellen Situation der
'Ecclesia semper reformanda' ernstzunehmen. Der 'Griff nach Gott' kann
etwa in der Verflachung zu einer natürlichen Vorsehung, in der Beschränkung göttlicher Freiheit durch kirchliche Sicherungen, in der moralistischen Verkehrung des opus operatum oder in der Manipulation der letzten 'Dinge' bestehen. Dagegen ist Althaus' 'Theologie des Glaubens' gerichtet. Wir müssen bekennen, daß deren Grundlagen (ausgenommen das noch
zu kritisierende Moment) tief biblisch, vor allem paulinisch sind und daß
zurecht gegen alle verdinglichenden Tendenzen der Primat der personalen
Wirklichkeit gesehen wird. Von der Vertiefung in die dialogal-personale
Ebene der Schrift durch die protestantische Theologie und vom Anstoß der
neuzeitlichen Philosophie sind nicht wenige dankenswerte Anregungen für
die katholische Theologie ausgegangen, z.B. zur Erarbeitung der beider-
seits wesenhaft personalen Beziehung zwischen Natur und Gnade.Es kann
deshalb heute durch die vermehrte Anwendung personal-existentieller Kategorien von einer Annäherung im sola gratia et sola fide gesprochen werden.[13] Sie findet ihren eschatologischen Ausdruck z.B. in der dialogischen Unsterblichkeitsauffasung und in der Abwehr aller Zuschauer-Theo-
logie, zumal der distanzierend beobachtenden Vorzeichenlehre und der apokalyptischen Endgeschichte. Althaus vertritt in der Ebene der Anthropologie und der Offenbarung keineswegs den Personalismus so einseitig, daß
nicht berechtigte, in gewissem Sinne eigenständige, aber zugleich auf die
Heilsgeschichte hin 'dienstbare' ontologische Momente als notwendige
'Restbegriffe' (Natur, Ansprechbarkeit und Sprachfähigkeit des Menschen)
gesehen würden.

Seine Beachtung der Grenzen des Personalismus und des Dialog-Schemas[14]
kommt jedoch ab dem Punkt ins Wanken, an dem vom Heil des Menschen die
Rede ist. In der Soteriologie werden die Variabilität der geschaffenen
Geistperson und die sich daraus ergebenden, um des Unterschiedes zwischen
Schöpfer und Geschöpf willen notwendigen ontologischen Differenzierungen
vernachlässigt. Hier wird die Vermittlung des Anthropologischen ins Dialogische verkürzt; das unterpersonale Sein, also die Leibhaftigkeit und
Zuständlichkeit, verliert den ihm seinsmäßig innerhalb des Dialogs zukommenden Ort. Es kommt hier schließlich zu einer aktualistischen, personali-
stisch-innerlichen Verengung, die der Pluridimensionalität des Menschen
und vor allem seiner Mit- und Umwelt nicht gerecht wird. Der Mensch wird
einseitig in vertikaler Unmittelbarkeit zu Gott gesehen, nicht mehr in dem

durch das mitmenschliche Du und letztlich in Christus durch das gott-
menschliche Du vermittelten dialogischen Gottesverhältnis, in dem Differenz und Vermittlung gewahrt sind. Die monologische Situation der Erbsünde ist totales Nein über alles Menschentum, so daß Althaus trotz der
Weite des Offenbarungsgedankens schließlich bei einer heilsexistentiellen,
soteriozentrischen Engführung endet. Die Erlösung kann nur von Gott, und
zwar von ihm allein, nicht in gnadenhaft mitgeteilter Ursächlichkeit,
geschehen. Der Mensch, in dem die von der gnädigen Initiative Gottes getragene Versöhnung geschieht, kann nur 'Ort' des Geschehens, nicht eben-
sosehr das Geschehen selbst sein.

Es geht uns hier nicht um einen erneuten Hinweis auf die theologisch-
philosophischen Voraussetzungen dieser Engführung, sondern um den zentralen theologischen Beweggrund, also um die den Pendelschlag aus der
Mitte treibende Denkform: es ist Althaus' lutherischer Gottheit-Gottes-
Begriff, bzw. sein "Pathos für das erste Gebot"[15], für das Schöpfertum
Gottes als creatio ex nihilo sub contraria specie. Es ist dies eine dem
übertriebenen lutherischen Distanzbewußtsein entsprungene Denkform, die
im Widerstreit steht mit der anfangs genannten, allem gegenüber offenen,
'potentiell inkarnatorischen' Denkform und die der Grund der die Althaus'-
sche Theologie in ihren verschiedensten Teilen durchziehende Bruchstelle
ist. Hier kommt zu den notwendigen Spannungen der 'Theologie des Glaubens' eine unberechtigte, die in der Kategorie der Paradoxität ihren Ausdruck findet. Das berechtigte Paradox wird um des 'doxologischen Motivs'
willen zum komplementären, das die Vertikal- und Horizontaldimension in
einem unüberwindlichen Dualismus sieht, die leibhaftige und gemeinschaftliche Wirklichkeit unterbewertet und jede heilsgeschichtliche Dynamik
sofort des sich selbstrechtfertigenden Fortschrittsglaubens verdächtigt.
Nunmehr wird nämlich "alles, was Inhalt einer theologischen Aussage sein
kann, unter dem Hinblick betrachtet, daß Gott sich nicht in die Verfügung
des Menschen begibt"[16].

Dieses Denken von der in der Heilsfrage alleinwirksamen Gottheit Gottes her erreicht zwar bei Althaus nicht, wie meist in der reformatorischen Theologie, einen so "totalitären Zug...,auch solche Bereiche in seinen Strudel zu ziehen, die an sich noch in seinem Vorfeld liegen, die
also sünden- bzw. heilsindifferent sind, hier aber schon mit dem Nimbus
eines Heilsgutes ausgestattet werden"[17], aber auch er kann alle eigenstän-
digen positiven Ansätze (der Schöpfungs- und Offenbarungstheologie) nur

mehr über den Graben des Paradoxes hinweg retten. Es ist ein Paradox, das um der Gottheit Gottes willen seine Auflösung finden muß; der Zwiespalt ist letztlich in Gott selbst hinein übertragen (CW 92), so daß Gott selbst nach Eschatologie ruft und die Lösung im Kampfe mit sich selbst herbeiführt. Damit ist aber 'Vermittlung in Differenz' ausgeschlossen, da sie 'zurückgenommen' ist in die Identität der Differenz. In der Soteriologie hat auch Althaus des Identitätssystem nicht gesprengt, so daß sein Vermittlungsversuch ein Versuch blieb. Wäre Althaus nicht besser mehr Paulus als Luther gefolgt, um deren Unterschiede er genau wußte? Es entsteht sogar der Eindruck, als würden der Schöpfer und sein Geschöpf, Gottes Wille und unsere Natur, gleichsam in Konkurrenz stehen, wodurch alle ontologischen Aussagen, z.B. die über eine wesenhafte, noch heilsindifferente Unsterblichkeit, der sündigen Selbstbehauptung bezichtigt werden. Man beginnt heute zu sehen, daß in dieser von der Frage nach dem gnädigen Gott getragenen Tendenz "zweifellos ein Teil der spirituellen Biographie Luthers in die dogmatische Formulierung eingegangen" ist[18]. Es gilt neu zu entdecken, daß es falsch ist zu glauben, "unbedingt sicherer dann zu gehen, wenn man dem Menschen nimmt und Gott gibt, da man sonst leicht dem Menschen und Gott zu wenig geben könnte"[19]. Ja, "die Vorstellung, man könne die unumschränkte Wirksamkeit Gottes nicht wahren, wenn man nicht seine ausschließliche Wirksamkeit behauptet", ist nach Y.Congar "der tragische Widersinn, der auf dem Protestantismus lastet:....Als ob Gott nur dann herrsche, wenn er seinen Geschöpfen jede Tätigkeit entzieht, und nicht, indem er sie ihnen verleiht, als hätte er nur dann sein wahres Antlitz, wenn man dem Menschen abspricht, nach seinem Bilde geschaffen zu sein"[20].

An einem zentralen Punkt hat Althaus 'Gott zuwenig gegeben', an der Menschwerdung des Sohnes, denn aus seinem Eifer für die Gottheit Gottes folgt eine Verkürzung der Inkarnation. Diesem Eifer entspringt die spekulative Tendenz, das Schöpfungshandeln und das Rechtfertigungshandeln als ein eingliedriges Geschehen aufzufassen, also das Sein unter den Sinn, die Natur unter die Gnade zu sumsumieren. Sosehr er betont, daß Christus in Person und Werk ganz bei Gott und ganz bei den Menschen ist, bleibt es doch bei einem verborgenen Doketismus, denn das 'Fleisch' kann nicht in solcher Tiefe angenommen werden, daß es Heilszeichen und -instrument der Erlösung würde. Das Menschliche kommt über den paradoxen Wider-

hall der Tat Gottes mit sich selbst, zutiefst im Kreuzesgeschehen, nicht
hinaus, denn der theozentrische Ansatz droht, die wahre Eigenständigkeit
der Christologie, das inkarnatorische Handeln Gottes in Christus zu verschlingen oder zumindest ins Paradox zu stürzen, so daß die Christologie
von einer eigenartigen Spannung durchzogen ist. In der Alternative zwischen Theozentrik und Anthropozentrik kommt die Christozentrik zu kurz.
Dies war gemeint, wenn wir von der Überformung der Logik der Christustatsache durch die Logik der Gottheit Gottes sprachen. Geschichte ist somit
bei Althaus - entsprechend dem Dualismus zwischen Horizontal- und Verti-
kaldimension - letztlich nur condicio sine qua non, nicht auch Ursache.

Konkrete Wirklichkeit der aufgezeigten Situation für den Glaubenden
ist die Rechtfertigung, die zwar die 'Kontrapunkte' der menschlichen Freiheit und Antwort zu wahren versucht, also nicht reines Vergebungschristentum sein will, aber ihr endgültiges Gepräge doch durch die soteriozentrische Engführung erhält. Das 'simul iustus et peccator' zeugt neben berechtigten Motiven von dem doxologischen Motiv, das die Ursache der polar-vertikalen, zeitlosen Sichtweise aller geschöpflichen Wirklichkeit
ist. Gottes Gnade wird - heute bis zum letzten Tag geschichtlicher Existenz - dem Sein, Haben und Tun des Gläubigen und der Gemeinde nicht zu
eigen; so aber ist sie in Gefahr, nur Verhalten Gottes zu sich selbst zu
sein. Die von der Schöpfungstheologie her gegebenen 'Widerlager' werden
am Ende doch einem 'letzten Gedanken' geopfert, dem der Ehre Gottes.

Dies hat jedoch weitreichende Folgen für die Eschatologie, denn die so
verstandene Rechtfertigung prägt deren Züge; die Todessituation ist die
Rechtfertigungssituation. In solcher 'Eschatologie der Rechtfertigung' wird das darin entstandene Problem der Identität und Kontinuität
in letzter Instanz durch das Postulat der Auflösung der Paradoxie allein
von oben her gelöst, ohne daß die Menschheit in gnadenhaft gewährter Mitwirkung 'von unten' dabei sein könnte. Wir haben deshalb Kritik an Althaus' Ethik geübt und die Ergänzung eines Ethos der Zukunft, der Leiblichkeit, der Geschichte und der Antizipation gefordert, was wohl gerade heute
wichtig ist, wenn tatsächlich "die konkrete Hermeneutik und die Exegese
des Endreiches....auch vor allem im tätigen Einsatz der Gläubigen bei der
Erneuerung dieser unserer irdischen Geschichte" besteht[21]. Der Prototyp
des Geschehens ist das verinnerlicht personal-individualistische ; die anderen Dimensionen werden 'nachgetragen', ohne genügend fundiert zu sein.

Wir haben den paradox bestimmten Geschichts- und Kosmosbegriff kritisiert
und aufgewiesen, daß die Fundamente der neuen Leiblichkeit, der kommenden
Gemeinde und der kosmischen Dimension der Eschatologie nicht tragfähig
seien, weil sie nur in schöpfungstheologischer Zeugnis - und Gleichniswirk-
lichkeit, nicht in echt inkarnatorischer Vermittlung begründet sind. Die
fehlende Vermittlung macht auch das Verständnis für eine notwendige Phasen-
verschiebung der Eschatologie unmöglich. Es zeigte sich uns in der Ge-
richts- und in der Menschheitsausgangs-Problematik, wie das Pendel schließlich doch in Richtung des 'letzten Gedankens' ausschlägt, in Richtung der
Alleinwirksamkeit Gottes und der darin begründeten Ehre. Hier werden das
Offene, Neue, Prophetische einer 'Theologie des Glaubens' der geschlossenen Systematik und dem apokalyptisch-kosmologischen Eigen-Sinn geopfert.

Wir stoßen immer wieder auf den Problemkreis: Personalismus - Ontologie. Althaus ist der Überzeugung, "daß Tillich mit der starken Einbeziehung der Ontologie, der Lehre vom Sein überhaupt, doch etwas Notwendiges tut, und daß die Philosophie-Fremdheit eines Teils der gegenwärtigen
Theologie doch auf die Dauer nicht die ganze Lösung ist"; Tillich erinnere
uns mit Recht daran, daß "das Gottesverhältnis zu uns nicht aufgeht in
dem personalen Gegenüber"[22]. Es ist, wie W.Lohff anerkennt, das Verdienst
von Althaus' Uroffenbarungslehre, das Problem der 'theologischen Ontologie' "gegenüber einem theologischen Positivismus in einer für viele her-
ausfordernden Formel wachgehalten zu haben"[23]. Aber in der Heilslehre ent-
ging auch er nicht den mit dem Personalismus gegebenen Aporien. Wenn der
Protestant G.Stammler gesteht: "Es ist wohl kaum eine Übertreibung, wenn
ich sage, daß in Kreisen der evangelischen Theologen weithin eine Abnei-
gung gegen alles besteht, was mit 'Ontologie' bezeichnet wird, vor allem
gegen eine Verwendung 'ontologischer' Methoden in der Theologie"[24], ist
dies zugleich ein Symptom einer im evangelischen Lager ansetzenden Selbst-
kritik und des wachwerdenden Rufes nach einer Ontologie des Personalen.
Ontologie ist nicht um einer Bemächtigung von seiten des Menschen her,
sondern um des Einsatzes für den Personalismus willen gefordert, d.h.
zur Wahrung der Unterscheidung zwischen Schöpfer und Geschöpf und der zwischen ihnen stattfindenden Freiheitsgeschichte, zur Ermöglichung des Dialoges, des Ernstes der Sünde, der Tiefe der Inkarnation, der Ewigkeitsschwere des geschichtlichen Seins und Tuns, der Identität diesseits und
jenseits des Todes. Schöpfung und Begegnung dürfen nämlich nicht nur -

auch nicht in der Heilslehre - "von ihrer inneren Zusammengehörigkeit
in der einen Bewegung Gottes 'nach außen'" bedacht werden, sondern müssen "auch und in Unterordnung zum ersten Aspekt von ihrer relativen (in
der Je-noch-nicht-Vorhandenheit des Menschen begründeten) 'Eigengesetzlichkeit' her" gesehen weren[25]. Dieses Eigenrecht der Ontologie bewahrt
auch im Rahmen heilsgeschichtlichen Denkens seine Gültigkeit.

Glaubte Althaus: "Wir Menschen brauchen offenbar das Gegenbild des
Zornes, des Sich-Versagens Gottes, um die Gnade wirklich als freie Gnade zu würdigen und zu danken" (CW 630), so ist die katholische Theologie
um derselben unverkürzten Geltung des gnädigen Handelns Gottes an der
Kreatur willen überzeugt, Natur und Person, Sein und Sinn, Wesen und Beziehung des Wesens, Natur und Übernatur - trotz der damit gegebenen Gefahren - unterscheiden zu müssen. Der tiefste Grund der Offenheit des
endlichen Geistes für das Übernatürliche ist seine Fähigkeit zur höchsten
gnadenhaften Vereinigung mit Gott, also seine Natur als potentia oboedientialis für die größte Tat und die letzte Offenbarung der Freiheit und Liebe Gottes in der Menschwerdung seines Sohnes, in der der Mensch und seine Geschichte endgültig zur Heilshoffnung gerufen sind. Da die ungeschaffene Gnade der hypostatischen Union wahrhaft in Sein, Haben und Tun von
Christi Menschheit eingeht, wird letztere durch Gott nicht nur tangiert
(communio), sondern in ihrer Geschöpflichkeit übernatürlich erhoben zum
Ursakrament des Heils (unio et participatio). Unsere Gnade ist Teilnahme
an der Gnade Christi; sie wird uns wirklich zu eigen, ohne dadurch in Vermittlung unterzugehen, weil total abhängig von der Mitteilung des personalen Seins des Wortes an die von ihm angenommene Menschheit.

Das menschliche Heil erweist sich von seiner Daseinsstruktur her als
Erwartung von Immanenz und Transzendenz.

> "Jesus Christus aber ist, nach dem Zeugnis des Glaubens, genau das Zu-
> gleich dieser beiden Tendenzen; er ist die 'reziproke Transzendenz',
> er ist das In-der-Welt-Sein, das In-der-Geschichte-Sein der den Men-
> schen und die Welt sich gönnenden Gunst."[26]

In dieser Sicht der Inkarnation "gibt es keine Theologie von oben, der
nicht auch eine Theologie von unten entspricht"[27], und zwar nicht in letztlich paradoxer, unvermittelter Weise, sondern in echter 'Vermittlung in
Differenz' (unvermischt und ungetrennt). Da Jesus Christus, der Weg zum
Ursprung zurück und der Weg zur Vollendung voraus, beides vereinigt hat,
ist Gottes Gottsein tiefste Ermöglichung des Menschseins des Menschen.

Es besteht keine geheime Konkurrenz zwischen unserem Heil und Gottes Herrlichkeit, denn je größer unsere Freiheit, umso größer die alles gewährende Huld; alles ist Gnade und gerade diese ist Freiheit.Die in der Inkarnation gründende Hoffnung ('Eschatologie der Inkarnation') weiß: es ist
"ebendiese identisch vor Augen liegende hiesige Schöpfungsrealität, deren Vollendung wir, durch Tod und Katastrophe hindurch,als das 'Heil' erhoffen"; vor allem aber ist diese Hoffnung überzeugt, daß sie nicht auf
eine Auflösung der innerweltlich unveränderbaren Paradoxe warten muß,
'weil Gott Gott ist', sondern "daß die Todesgrenze zwischen hier und drüben in gewissem Sinn bereits vom jenseitigen Ufer her durchbrochen ist,
durch jenes Ereignis nämlich, das sich hinter dem theologischen Fachwort
'Inkarnation' verbirgt"[28]. Dieser Durchbruch ist Grund dafür, daß die
Vertikalität des sich gnädig schenkenden Gottes ergänzt ist durch die
Horizontalität der mit- und umweltlichen dynamischen Tendenz auf das Ende
der Geschichte hin, auf den auf uns zukommenden Gott hin.

   Die Nachfolge des Einmaligen und Unnachahmlichen der in der Auferstehung aus den Toten gipfelnden Inkarnation kann, wenn es seinen Maßstab
'Jesus, der Mensch, ist Gott' ernstnimmt, nur in der "Behauptung eines
Sowohl-Als-auch, genauer einer Gleichzeitigkeit von 'Noch-nicht' und
'Doch-schon'" geschehen, "was man dem Christen als einen armseligen Kompromiß....ankreiden" wird[29]. Dieser 'Kompromiß' jedoch vermag allein den
von Althaus gesuchten Weg der Mitte zwischen nureschatologischer und uneschatologischer Theologie zu gehen. Von der Inkarnation her als regula
fidei machten wir unsere kritischen Anmerkungen zu den einzelnen eschatologischen Fragen und skizzierten ansatzhaft unsere eigene Antwort. Da
sich Gott im Gott-Menschen zeit-geschichts- und weltmächtig erwies, ist
jede aktualistische, personal-innerliche Engführung vermieden, so daß
Leibhaftigkeit, Kirche, Sakramente, menschliches Werk und innergeschichtliche Zukunft einen neuen Stellenwert erhalten.So ist die Hoffnung aus
allen Enggassen befreit und auf das Wir der Menschheit und die Weite des
Kosmos eröffnet; nun sind die universalgeschichtliche und kosmische Dimension nicht mehr über den Graben des Paradoxes hinweg 'nachgetragen',
sondern im Gott-Menschen Jesus Christus vermittelt.

   Freilich muß vor einseitiger Inkarnationstheologie gewarnt werden. Zu
dieser würde es kommen, wenn das Eigenrecht der Ontologie zu falscher
substantialistischer Autonomie würde und nicht mehr der personalen und

heilsgeschichtlichen Dimension 'dienstbar' bliebe. Mit diesem 'verdinglichenden' Gefahrenmoment ist überall dort zu rechnen, wo die aristotelischen, an der dinglichen Vorhandenheit der unterpersonalen Seienden aus-
gerichteten Kategorien noch zuwenig vom christlichen Personalismus durchdrungen sind, was teils noch zurecht von protestantischer Seite an katholischer Theologie bemängelt wird. Ebenso wäre eine Inkarnation abzulehnen,
die nicht wesenhaft das Kreuz als 'Mitte der Offenbarung' einschließen
würde, die also auf die Kenosis, das Scheitern, das Dennoch, die Diskontinuität und auf die berechtigte Eigenständigkeit der Welt und ihrer Sach-
bereiche vergäße. Die 'Eschatologie der Inkarnation' darf also nie den
bleibenden transzendenten Vorbehalt der Vermittlung vergessen. Das Heil
schenkt sich nur, indem man nicht darauf spekuliert und indem nicht es
gesucht (und restlos vermittelt) wird, sondern der, der es schenkt. Das
gilt nicht zuletzt von der Kirche selbst, deren dienende Mittlerschaft
in einer theologia gloriae mißbraucht werden kann zur Verkürzung der einzigartigen Selbstmächtigkeit Gottes. Diese Vorwegnahme des Eschatons ist
der Vorwurf Althaus' an die katholische Kirche, wenn er z.B. darauf bedacht ist, "die römische Kirche dessen anzuklagen, daß sie grundsätzlich
Jesu Auferstehung und Herrschaft umgedichtet habe zugunsten des kirchlichen Herrschaftsanspruches, daß sie die Verborgenheit des erhöhten Christus, den eschatologischen Charakter des Reiches, die eschatologische
Spannung, die durch Christi Erscheinung nicht gelöst, sondern erst recht
gesetzt ist, verleugne"[30]. Auch wenn wir uns mißverstanden fühlen, gestehen wir diese 'katholische Gefahr' und das gelegentliche ihr Unterliegen ein. Was könnte ökumenischer sein, solange uns der Herr der Kirche
nicht die ganze Einheit schenkt, als uns gegenseitig auf die unchristli-
chen Wege, die zu gehen wir in Gefahr sind, aufmerksam zu machen und auch
so jetzt schon gemeinsam am selben Strange zu ziehen?

Sosehr man auch Althaus die vermittelnde Art seiner Theologie und die
(gemäßigte) personale Engführung zum Vorwurf gemacht hat, so besteht –
man verstehe uns auf dem Hintergrund unserer Untersuchung richtig – unser
Desiderat an Paul Althaus' Theologie doch gerade darin, daß sie im rechten Sinne, nicht nur offenbarungsgeschichtlich, sondern auch heilsgeschichtlich, noch vermittelnder und noch personal-dialogischer werde, m.
a.W. daß ihr bestimmendes Prinzip noch reiner und tiefer die Logik der
Christustatsache, der Inkarnation, sei. So wäre er seinem eigenen, fürwahr
christlichen Anliegen der 'Vermittlung in Differenz' in seiner systema-

tischen Eschatologie gerechter geworden und sein Versuch des Mittelweges zwischen uneschatologischer und nureschatologischer Theologie hätte größeren Erfolg gehabt. Sein reiches von tiefem Glauben getragenes systematisches Bemühen um die 'Letzten Dinge' und seine lebendige christliche Hoffnung sind und bleiben jedoch, selbst wenn wir an manchem Kritik äußerten, ein beredtes Zeugnis für das schlechthin Einmalige des Christentums, nämlich für dessen 'eschatologisches Schwergewicht'.

ANMERKUNGEN

Vorbemerkung

Bei in der Literaturliste angeführten Büchern wird nach dem Titel oder
dem eindeutigen Kurztitel nur die Seitenzahl genannt. Bei häufig zitier-
ten Artikeln folgt nach dem Titel nur: aaO., Seitenzahl. Werke von Althaus werden immer ohne Namen des Autors angeführt. Alle in der Bibliographie nicht erwähnten Veröffentlichungen sind in den Anmerkungen voll
zitiert. Die Anmerkungen werden für je ein Kapitel durchgezählt.Am rechten oberen Rand sind Teil und Kapitel vermerkt.

EINLEITUNG

1 H.U.v.BALTHASAR, Umrisse, in: Verbum Caro, 276.
2 P.MÜLLER-GOLDKUHLE, Die Eschatologie, 217 (vgl.1-5).
3 P.CORNEHL, Die Zukunft, 13.
4 In der Heidelberger Dogmatik-Vorlesung 1911/12; erstmals veröffentlicht
   in: Glaubenslehre 1925, 36.
5 J.RATZINGER, Einführung, 32f.
6 E.SCHILLEBEECKX u. B.WILLEMS, Vorwort, in: Concilium 5 (1969), 1. -
   Vgl. J.MOLTMANN, Theologie der Hoffnung, 27-30.
7 F.NIETZSCHE, Also sprach Zarathustra, 1/3.
8 M.BUBER, Begegnung. Autobiographische Fragmente, Stuttgart ^{2}1961, 41ff
   (zitiert bei Th.u.G.Sartory, in der Hölle, 359).
9 H.U.v.BALTHASAR, Klarstellungen, 170 (vgl.170-176).
10 Die Geheimreligion der Gebildeten, in: Sonntagsblatt (1959) Nr.36, 35.-
   Vgl. W.SCHWINN, Dank, in: DtPfrBl 63 (1963), 53.
11 Vgl. H.GRASS, Paul Althaus als Theologe, in: Nachrichten der Ev.-Luth.
   Kirche in Bayern 21 (1966), 255; W.TRILLHAAS, Paul Althaus, in: Luther
   38 (1967), 50.
12 J.MOLTMANN, Exegese und Eschatologie der Geschichte, in: EvTh 22 (1962),
   41 (vgl.40-42).
13 G.ZASCHE, Extra Nos, 124.
14 W.LOHFF, Paul Althaus, in: Theologen, 74. - Vgl. M.DOERNE, Zur Dogmatik,
   in: ThLZ (1949), 450: Althaus' Eschatologie "ist eines der wenigen Mei-
   sterwerke dieser Epoche, die sonst im Fragestellen und Experimentieren
   größer ist als im Gestalten." - V.HERNTRICH, Paul Althaus dem Siebzigjährigen, in: LuJ 25 (1958), V-VI: "Was hat für die letzten Jahrzehnte
   des theologischen Denkens das eschatologische Problem bedeutet!...Wer
   könnte von diesem Vorgang innerhalb der deutschen und nicht nur der
   deutschen Theologie sprechen, ohne in allererster Linie Ihres grundlegenden Werkes zu gedenken?" - W.TRILLHAAS, Paul Althaus, in: Luther 38
   (1967), 51: "Seine Monographie 'Die letzten Dinge!...ist durch tiefgrei-
   fende selbstkritische Umarbeitungen hindurchgegangen und ist in der
   wechselseitigen Durchdringung von theologiegeschichtlichem Material,
   dogmatischer Reflexion und nie versagendem Engagement für die Glaubenserkenntnis der Gemeinde ein Standardwerk, das zu beachten zur unabding-
   baren Sorgfaltspflicht jedes Theologen gehören sollte, der sich über die
   Theologie der christlichen Hoffnung vernehmen läßt."
15 A.AHLBRECHT, Tod und Unsterblichkeit, 128. - F.W.KANTZENBACH, Der Weg,
   155, nennt Althaus den "Klassiker, unter denen, die sich diesem Frage-
   kreis zuwandten".

16 W.LOHFF, Paul Althaus, in: Theologen, 77.
17 A.ALHLBRECHT, Tod und Unsterblichkeit, 9.
18 W.LOHFF, Paul Althaus, in: Tendenzen, 301f.
19 Wesentlich anders dürfte das Urteil H.U.v.BALTHASARS auch heute nicht
   ausfallen: "Versuche einer umfassenden repräsentativen Eschatologie
   unserer Zeit liegen kaum vor. Wenn auf protestantischer Seite das immer wieder aufgelegte und neubearbeitete Werk von Althaus, 'Die letzten Dinge', für so etwas gelten kann - aber wie sehr angefochten und
   in vielem seine innere Schwäche offenbarend -, so fehlt auf katholischer Seite etwas Ähnliches"; auch M.Schmaus' 'Von den letzten Dingen'
   ist "mehr eine sehr verdienstliche und gewichtige Sammlung....als spekulative Durchdringung und Verarbeitung" (Umrisse, aaO.278f).
20 L.WIEDENMANN, Mission und Eschatologie, 12. - Vgl. G.WANKE, 'Eschatologie'. Ein Beispiel theologischer Sprachverwirrung, in: KuD 16 (1970),
   300-312.
21 J.RATZINGER, Heilsgeschichte und Eschatologie, in:Theologie im Wandel,
   84.
22 P.KNITTER hat seine Untersuchung der Althaussschen Theologie der Religionen als 'A Case Study' konzipiert. Da in der Eschatologie die Fäden
   der systematischen Theologie zusammenlaufen, gilt dies sicherlich auch
   zurecht von der Eschatologie. - Vgl. P.KNITTER, Towards a Protestant
   Theology of Religions. A Case Study of Paul Althaus and Contemporary
   Attitudes (= P.KNITTER, A Case Study).
23 H.-G.GADAMER, Wahrheit und Methode, 290. - Althaus selbst betont in CW
   253: "In jeder Dogmatik wird die theologische Biographie des Autors, die
   geistigen Mächte, mit denen er im Ringen steht, der Ort, von dem er geistig herkommt, die besondere Erfahrung, die ihm zuteil wurde, die Problematik, die ihm Schicksal geworden ist, sich unverkennbar ausdrücken,
   ihr das Gesicht, die Stärke, die Schranke geben." - Vgl. P.KNITTER, A
   Case Study, 4: "And yet to understand the origin, the general direction
   and intent of Althaus' theology it is necessary to consider and weigh
   its polemic 'Sitz im Leben'." - Ebenso A.BEYER, Offenbarung, 55.
24 Eschatologisches, in: ZSTh 12 (1935), 609f. - Holmström widmet sein
   Buch P.Althaus, "dem ich unter den Theologen Deutschlands für sachliche Förderung und persönliche Anregung am meisten zu danken habe" (DeD
   VIII). - Im Vorwort zur 5.Auflage der LD nennt Althaus Holmström den
   "nahen Freund und zugleich vollendet-scharfsichtigen Kritiker meiner
   Theologie", wenn er auch dessen Würdigung von LD[4] "am entscheidenden
   Punkt bestimmt widersprechen" muß (=LD[10] XI).
25 H.DIEM, Das eschatologische Problem, in: ThR 11 (1939), 237.
26 E.SCHILLEBEECKX, Gott - Die Zukunft des Menschen, 32 (vgl.11-39). -
   Vgl. H.-G. GADAMER, Wahrheit und Methode, bes. 250-360.423f.483f;ders.,
   Vom Zirkel des Verstehens, in: Festschrift für M.Heidegger, Pfullingen
   1963, 122-131; R.BULTMANN, GV II (5.Aufl.1968), 211-235.
27 U.DUCHROW, Christenheit und Weltverantwortung, 5.
28 G.ZASCHE, Extra Nos, 23 (vgl.135-143) - G.KOCH, Die christliche Wahrheit der Barmer theologischen Erklärung (ThExh NF 22), 34: "Man kann
   die Theologie des Erlanger Lehrers kaum beurteilen, ohne ihr auch irgendwie unrecht zu tun."
29 W.WIESNER, Der Gott der 'Wirklichkeit', in: VF (1947/48), 97.
30 G.ZASCHE, Extra Nos, 131. - Gerade in den letzten Jahren sind jedoch
   einige größere Arbeiten über Althaus von katholischen Autoren unterschieden (vgl.Literaturverzeichnis:P.Knitter, F.Konrad, G.Zasche).
31 W.TRILLHAAS, Paul Althaus, aaO.57.

32 M.DOERNE, Zur Dogmatik, aaO. 458. - Vgl.W.v.LOEWENICH, Paul Althaus, in:
   Jahrbuch der Bayer.Akad.d.W.1966,197: "Wenn manche theologische Mode
   längst vergessen ist, wird man zu dem systematischen Werk von Althaus
   noch mit innerem Gewinn greifen können."

1. Kapitel: Die theologische Gestalt Paul Althaus'

1 Die Familie Althaus, o.J. (inneren Kriterien nach aus dem Jahr 1963;
   zum privaten Gebrauch der Familie geschrieben). - In Kenntnis der großen Hochschätzung seiner Vorfahren geht man wohl nicht fehl in der Annahme, wenn man im Titel 'Die letzten Dinge' von Paul Althaus eine Eh-
   renbezeugung für seinen Großvater sieht, der im Jahre 1858 einen gleichnamigen aus Aufsätzen entstandenen Sonderdruck veröffentlichte (Verden
   1858). Vgl. Die Familie Althaus, 4; LD^1 74,n.2.

2 Die Familie Althaus, 6.

3 Vgl. Althaus, Paul, evangelischer Theologe, geb. 1861, gest.1925 in:
   NDB I, 220-221; Aus dem Leben von D.Althaus - Leipzig, Leipzig 1928;
   Althaus P.d.Ä., in: RGG^2 I, 274.

4 Der Friedhof (1913, in Buchform 1915).

5 P.ALTHAUS d.Ä., Forschungen zur Evangelischen Gebetsliteratur, Gütersloh 1927, hrsg.v.P.Althaus.d.J.,ders.,Luther als Vater des evangelischen
   Kirchenliedes (Reformationsschriften der allgemeinen evangelisch-lutherischen Konferenz 8/9), Leipzig 1917. - Zum Einfluß des Vaters vgl.
   E.GRIN, Paul Althaus, in: RThPh 17 (1967) 189; P.KNITTER, A Case Study.
   44f; W.v.LOEWENICH, Paul Althaus, in: Jahrbuch der Bayer.Akad.d.W.1966,
   194; ders., Paul Althaus als Lutherforscher, in: LuJ 35 (1968), 10f.

6 Zum Lebenslauf vgl. H.GRASS, Althaus Paul, in: RGG^3 I, 293f; W.LOHFF,
   Paul Althaus, in: Tendenzen, 296; ders., Paul Althaus, in: Theologen,
   248f.

7 H.GRASS, Paul Althaus als Theologe, in: Nachrichten der evang.luth.
   Kirche in Bayern 21 (1966), 253.

8 Er lehnte ehrenvolle Berufungen nach Leipzig, Halle und Tübingen ab.
   Seit jungen Jahren war er Präsident der Luthergesellschaft, Universi-
   tätsprediger und er war auch o.Mitglied der Bayerischen Akademie der
   Wissenschaften. Nebst dem großen eigenen Schrifttum gab er auch zahl-
   reiche andere wissenschaftliche Arbeiten und Reihen heraus (z.B. ZSTh,
   NTD, Luthertum, Schriftenreihe zur Luthergesellschaft,....).

9 W.v.LOEWENICH, Paul Althaus, in: Jahrbuch d.Bayer.Akad.d.W. 1966, 194.

10 Theologische Verantwortung, in: Luthertum 45 (1934), 12. - Vgl. Das lebendige Zeugnis, in: ZW 6 (1930), 211; Die Theologie, in: C.Schweitzer,
   Das religiöse Deutschland der Gegenwart II, 150; CW 8f. 15f.

11 Theologische Verantwortung, in: Luthertum 45 (1934), 13. - Vgl. Problem
   und Fortschritt in der Theologie, in: DtPfrBl 46 (1942), 73f.

12 K.BARTH an P.Althaus (Brief vom 19.Sept. 1927).

13 H.W.SCHMIDT, Zeit und Ewigkeit, 108-156. - Schmidts Arbeit ist trotz
   guter kritischer Ansätze allzu einseitig und polemisch.

14 W.KOEPP, Panagape I, 36.38.

15 W.TILGNER, Volksnomostheologie, 182.

16 W.WIESNER, Der Gott der 'Wirklichkeit', in: VF (1947-48), 97.

17 D.BONHOEFFER, Widerstand und Ergebung, 218f; W.KRÖTKE, Das Problem 'Gesetz und Evangelium', 19.34.54; R.BULTMANN, GV II, 43ff. - Vgl. G.ZASCHE,
   Extra Nos, 137.139.

18 F.KONRAD, Das Offenbarungsverständnis, 595f (bes.n.33) und 640 (vgl.624-
   627).

19 G.HOFFMANN, Das Problem, 41-50.

20 A.BEYER, Offenbarung, 11f (vgl.76).

21 H.GRASS, Die Theologie von Paul Althaus, in: NZSTh 8 (1966), 237. -
   Vgl.ders.,Paul Althaus als Theologe, aaO.256.

22 W.v.LOEWENICH, Paul Althaus, in: Jahrbuch der Bayer.Akad.d.W.1966,200.
   - Vgl. ders.,P.Althaus als Lutherforscher, in: LuJ 35 (1968), 16.

23 M.DOERNE, Zur Dogmatik, aaO.451.

24 G.ZASCHE, Extra Nos, 143. - Zwischen wem Althaus zu vermitteln sucht,
   wird verschieden beurteilt. Nach W.TRILLHAAS (P.Althaus, in:Luther 38
   (1967), 52), sind die Pole seines theologischen Denkens Luther und
   Schlatter, nach M.DOERNE (Zur Dogmatik, aaO.453-455) geht es um eine
   Vermittlung zwischen Schleiermacher-Ritschl und Luther, besonders des-
   sen Kreuzestheologie, ebenso um eine Vermittlung zwischen beherrschen-
   dem Theozentrismus und berechtigter anthropologischer Dimension. F.W.
   KANTZENBACH (Von Ludwig Ihmels, in: NZSTh 11 (1969), 108f), sieht eine
   Synthese zwischen Ihmels erneuerter Erlanger Theologie und Schlatters
   Schrifttheologie. P.KNITTER (A Case Study, 1-55), legt zurecht Althaus'
   Offenbarungs- und Religionsauffassung dar als Weg zwischen Szylla und
   Charybdis der Troeltschen und der Barthschen Theologie. Auch A.BEYER
   (Offenbarung, 11f) erkennt darin einen Mittelweg zwischen religionsge-
   schichtlicher und dialektischer Schule. F.KONRAD (Das Offenbarungsver-
   ständnis, 625) meint, daß "Althaus einen Ort zwischen den Positionen
   Bultmanns und Pannenbergs" bezogen habe.

25 Vgl. E.SCHOTT, Vermittlungstheologie, in: RGG[3] VI, 1363; W.ÖLSNER, Die
   Entwicklung, 39.

26 W.TRILLHAAS, P.Althaus, aaO. 49.

27 E.GRIN, P.Althaus, aaO. 194.

28 W.SCHWINN, Paul Althaus, in: Korr.-blatt der ev.-luth.Kirche in Bayern
   81 (1966), 1.

29 Die Theologie aaO 141.

30 W.LOHFF, Paul Althaus, in: Tendenzen, 298 (vgl. 297-299). - Vgl. ders.,
   Paul Althaus, in: Theologen, 61-63.

31 H.GRASS, Seelsorger und Lehrer, in: Frankfurter Allgemeine Zeitung vom
   24.Mai 1966. - Vgl. E.GRIN, Paul Althaus, aaO.192.

32 Als Althaus' Schüler können wir z.B. nennen Hans Grass, W.Trillhaas, W.
   v.Loewenich, H.Thielicke u. W.Lohff.

33 Von den 425 Nummern seiner Bibliographie handeln 68 (= 14%) direkt von
   der Theologie Luthers; in den letzten Jahren liegt der Prozentsatz sogar
   bei etwa 30% (Vgl. P.KNITTER, A Case Study, 46).

34 A.BEYER, Offenbarung, 76.

35 Die Bedeutung der Theologie Luthers für die theol.Arbeit, in: LuJ 28
   (1961), 19. - Vgl.A.AHLBRECHT, Tod und Unsterblichkeit, 26.

36 Vgl. Die Theologie, aaO. 128, W.v.LOEWENICH, Paul Althaus als Lutherforscher, aaO. 10-13; H.ZAHRNT, Die Sache, 63-65.

37 Die theol. Lage vor 50 Jahren, aaO. 745 (vgl. 745f).

38 Vgl. C.STANGE, Die Unsterblichkeit der Seele, 121-132. - Vgl. 2.Teil
   3.Kapitel 3 e und 4.Kapitel 5a.

39 Luthers Gedanken über die letzten Dinge, in: LuJ 23 (1941), 11; vgl.
   Eschatologie, in: RGG[2] II, 348; DTL 339 (Gegen K.Barth - vgl. KD II/1,
   712f).

40 Luther in der Gegenwart, in: Luther 22 (1940), 6.

41 Vgl. für das Folgende: Die Unsterblichkeit der Seele bei Luther, in:
   ZSTh 3 (1925/26), 725-734; Luthers Stellung zur Unsterblichkeit, in:
   LD[3] 271-288; Unsterblichkeit und ewiges Sterben bei Luther, Luthers Ge-
   danken über die letzten Dinge, aaO. 9-34; Martin Luthers Wort vom Ende

und Ziel des Menschen, in: Luther 28 (1957), 97-108; Luthers Wort vom
Ende und Ziel der Geschichte, in: Luther 29 (1958), 98-105; DTL 339-
354. - Vgl. H.GRASS, Die Theologie von Paul Althaus, aaO. 216f; W.v.
LOEWENICH, Paul Althaus als Lutherforscher, 30-33; A .AHLBRECHT, Tod
und Unsterblichkeit, 30-33.

42 Luthers Gedanken über die letzten Dinge, aaO. 16f (ähnlich DTL 348). -
WA 10 III, 194: "Hier muß man die Zeit aus dem Sinn tun und wissen, daß
in jener Welt nicht Zeit noch Stund sind, sondern alles ein ewiger Augenblick." (Vgl. WA 12,596; 14,71). - Damit war eine große Reduktion
und Entmythologisierung der traditionellen Eschatologie verbunden. A.
AHLBRECHT, Tod und Unsterblichkeit, 32, sieht dahinter die subjektivi-
stische Zeittheorie Augustinus' und des Nominalismus. Wenn die Quellen
des Nominalismus neuplatonische Gedanken sind, wie Ahlbrecht zu vermuten scheint, so ist die Parallele zur Subjektivierung der Zeit bei Kant
und zu dem formalen Zeitbegriff in dessen Gefolge umso interessanter.
So zeigt Luthers Auffassung vom Zwischenzustand "eine innere Nähe zu
der 'Entzeitlichung' der Eschatologie durch die 'übergeschichtliche'
Richtung" (27). Es klingt bei Luther bereits die moderne Fragestellung
an, nicht zuletzt in seiner subjektiven Haltung gegenüber Philosophie
und Metaphysik.

43 Martin Luthers Wort vom Ende u. Ziel des Menschen, in: Luther 28 (1957),
97. - Vgl. ebd. 97 - 105; Luthers Gedanken über die letzten Dinge, aaO.
26-28; DTL 339-343.

44 Luthers Gedanken über die letzten Dinge, aaO. 32. - Vgl. ebd. 28-34;
Luthers Wort vom Ende und Ziel der Geschichte, aaO. 98-104; DTL 349-354.

45 Luthers Gedanken über die letzten Dinge, aaO. 34.

46 W.JOEST, Paul Althaus als Lutherforscher, aaO. 6. - Vgl. W.v.LOEWENICH,
Paul Althaus als Lutherforscher, aaO. 133f; F.W.KANTZENBACH, Der Weg,
85-87.

47 Adolf Schlatters Wort an die heutige Theologie, in: UWE 144. - Über
seine Studienzeit in Tübingen sagt Althaus: "Aber was uns hielt, das
war doch in erster Linie Schlatter" (ebd.131). - Vgl. Adolf Schlatters
Gabe, in: A.Schlatter u.W. Lütgert zum Gedächtnis, 31-33.

48 Adolf Schlatters Gabe, aaO. 32.

49 Ebd. 34. - Vgl. P.KNITTER, A Case Study, 48-51; F.W.KANTZENBACH, Von
L.Ihmels bis zu P.Althaus, in: NZSTh 11 (1969), 108.

50 Vgl. Adolf Schlatters Verhältnis zur Theologie Luthers, in: UWE 145-
157.

51 Vgl. A.SCHLATTER, Das christliche Dogma, 525-553; W.ÖLSNER, Die Entwicklung der Eschatologie, 90-92; LD[3] 60,n.3;62,n.1.

52 Vgl. A.SCHLATTER, Das christliche Dogma, 528; ders., Jesu Gottheit und
das Kreuz (2.Aufl.), 59ff und Althaus' Rezension in: ThLZ 35 (1914),446.
- LD[3] 199,n.1: "Ich weise nachdrücklich auf diese Theologie des Todes
hin."

53 Der Mensch und sein Tod (Zu Helmut Thielickes 'Tod und Leben'), in:
Universitas (3) 1948, 392.

54 Aufgrund dieser mangelnden Undifferenziertheit (vgl. G.ZASCHE, Extra
Nos, 20) ist H.Thielicke berechtigt zu sagen: "Die Methode ist dabei
so, daß die Struktur der Geschichte gerade in ihrer Eigenschaft Struktur der Todeswelt....zu sein, einen Gottesdienst in sich ermöglicht,den
eine ungebrochene, vom Widerstreit des Geschichtslebens unbelastete
Schöpfung nicht verwirklichen kann....Doch treten beim Weiterdenken dieser Idee Konsequenzen auf, die sich einer theologischen Betrachtung
der Geschichte nicht einfügen lassen." (H.THIELICKE, Geschichte und

Existenz, 2.Aufl., Gütersloh 1964, 234).

55 Artikel von M.KÄHLER, in: Dogmatische Zeitfragen, 2.gänzlich veränderte
   und vermehrte Auflage, Bd. 2: Angewandte Dogmen, 487-521. - Zum folgenden vgl. außer den in der Bibliographie angeführten Werken Kählers:
   DeD 160-174; P.KNITTER, A Case Study, 50; W.ÖLSNER, Die Entwicklung, 87-
   90; A.BEYER, Offenbarung, 65f; F.W.KANTZENBACH, Der Weg, 82-85; G.HOFF-
   MANN, Das Problem, 16-20; F.TRAUB, Glaube und Geschichte; J.WIRSCHING,
   Gott in der Geschichte. Studien zur theologiegeschichtlichen Stellung
   und systematischen Grundlegung der Theologie Martin Kählers, München 1963.

56 M.KÄHLER, Die Bedeutung, aaO. 488.

57 Ebd. aaO. 490. - Ebd. 501-503: "ohne Eschatologie keine Christologie".

58 M.KÄHLER, Die Wissenschaft, 443, vgl 439-441; ders., Die Bedeutung, aaO.
   503-506; LD^3 53,n.1.56,n.2.

59 M.KÄHLER, Die Wissenschaft, 445 (vgl. LD^4 68f).

60 Vgl. M.KÄHLER, Die Wissenschaft, 446-451; ders., Die Bedeutung, aaO.
   513f. LD^3 40-42, 149-151.162f. - Althaus erwähnt ferner lobend Kählers
   Bedenken gegen den Chiliasmus (LD^3 156), die Ablehnung der Vernichtungs-
   theorie (LD^3 211,n.2), den damit verbundenen Gerichtsernst und die Begründung der neuen Leiblichkeit "in der christlichen Ethik, wie sie durch
   den Schöpfungsglauben bestimmt ist" (LD^1 138; vgl. ebd.n.1 und 142,n.2).

61 M.KÄHLER, Die Wissenschaft § 13 (zitiert bei Althaus CW 115).

62 Die Theologie, aaO. 140. - Vgl. Die theol.Lage vor 50 Jahren, aaO.744;
   LD^3 75;LD^4 59; A.BEYER, Offenbarung, 66. - Ob der Gefahr der Entwertung
   der Geschichte durch den Begriff des 'Übergeschichtlichen' gibt er
   schließlich den Ausdruck ganz auf (CW 115;vgl.CW 120) und, ohne Kählers
   Verdienst herabzusetzen, kritisiert er ihn durch die Forderung nach der
   bewußten kritischen Rückfrage hinter das Kerygma (vgl.DSK).

63 Zu diesen und anderen Punkten vgl.Althaus' Kritik in CW 303f. 3o8-310.
   320.324.370-392.397.426.455.498.500.

64 M.DOERNE, Zur Dogmatik, aaO. 454. - Vgl. G.ZASCHE, Extra Nos, 63f.

65 Zur Übereinstimmung mit Ritschl vgl. CW 425; zur Kritik der Ritschlschen
   Christologie vgl. CW 446. 455ff. 473. 29o.

66 M.DOERNE, Zur Dogmatik, aaO. 455f.

67 Rezension von W.Herrmann, Gesammelte Aufsätze, in:Theol.Lit.Bericht 47
   (1924), 114. - Vgl. A.BEYER, Offenbarung, 64f; F.TRAUB, Geschichte und
   Glaube, 24-29;SLOTEMAKER de Bruine, Eschatologie, 24-26.

68 Vgl. Rezension von W.Herrmann, Gesammelte Aufsätze, in: Theol.Lit.Bericht
   47(1924),115. - Althaus erkennt nicht, daß die Glaubenstheologie Herrmanns mit dessen kantischem Ansatz zusammenhängt. Obwohl, wie er selbst
   bekennt, der kantische Ansatz der Theologie "nirgend....so deutlich wie
   in der Theologie W.Herrmanns" (Die Inflation, in: ZSTh 18 (1941), 148)
   ist, glaubt er, von Herrmann her die Denkform des Glaubens übernehmen
   und zur alles bestimmenden Denkform machen zu können, ohne der Gefahr
   des kantischen Ansatzes, nämlich dem Verlust des objektiven Charakters
   von Versöhnung und Erlösung (ebd.148), zu erliegen.

69 W.v.LOEWENICH, Paul Althaus, in: Jahrbuch der Bayer.Akad.d.Wiss.1966,195.

70 H.GRASS, Paul Althaus als Theologe, aaO. 253. - Vgl.ders.,Erlanger Schule,
   in: RGG^3 II, 566-568.

71 M.KELLER - HÜSCHEMENGER, Das Problem, 118 (zu Schleiermacher ebd.16-33).
   - Vgl. R.JELKE, Die Eigenart der Erlanger Theologie, in: NKZ 1 (1930),
   19-63, bes. 20f.

72 Vgl. M.KELLER-HÜSCHEMENGER, Das Problem, 34-95; W.ÖLSNER, Die Entwicklung, 55-62; F.W.KANTZENBACH, Von L.Ihmels, aaO. 94-101.109; CW 246f.

73 Erfahrungstheologie, in: RGG^3 II, 553. - Vgl. F.W.KANTZENBACH, Von L.

Ihmels, aaO. 99-101.
74 Rezension v. R.Seeberg, Dogmatik, in: ThLZ 50 (1925), 438. - Vgl. Die
   Theologie, aaO. 148.
75 R.SEEBERG, Ewiges Leben, Leipzig [3]1918. - Diese Eschatologie ist von
   starker platonisch-idealistischer Herkunft geprägt. Ungehemmte geistige Existenzweise ist gleich Heilsexistenz (39). - Vgl. A.AHLBRECHT,
   Tod u.Unsterblichkeit, 15.79f.
76 Vgl. Erfahrungstheologie, in RGG[3] II, 553; CW 426f; GD[3] I/52f; P.KNIT-
   TER, A Case Study, 47f; M.KELLER-HÜSCHEMENGER, Das Problem, 96-117.
77 F.W.KANTZENBACH, Von L.Ihmels, aaO. 108. - Althaus sagt ausdrücklich
   in der Einleitung zu seiner 'Christologie des Glaubens', TA 1, 206:
   "Die besondere Losung Christologie des Glaubens will eine Richtung ein-
   schlagen, in die L.Ihmels immer wieder gewiesen hat."
78 M.KELLER-HÜSCHEMENGER, Das Problem, 119.
79 Luther in der Gegenwart, aaO.2.
80 Die Theologie, aaO. 139 und 150.
81 Das Heil Gottes, 103 (Predigt am 10.Nov.1924). - W.v.LOEWENICH, Paul
   Althaus, aaO.199: "Althaus hatte eine innere Beziehung zur klassischen
   Bildung und zum deutschen Idealismus, er konnte auch als Theologe nicht
   daran vorübergehen." - Althaus hielt gute Seminare über 'Christliches
   in der deutschen Dichtung', 'Goethe und das Christentum',Schleiermacher
   usw. (mündliche Mitteilung von Prof. H.Grass am 1.Febr.1972).

82 Die Theologie, aaO. 146.
83 Die Theologie, aaO. 147. - Die Sinnfrage ist letztlich die Frage nach
   Eschatologie (vgl.LD[1] 9). - Vgl. P.KNITTER, A Case Study, 223-227; H.
   GOLLWITZER, Krummes Holz - aufrechter Gang, 11.25f.31; P.L.BERGER, Auf
   den Spuren der Engel, 83.
84 Grundzüge, aaO. 191. - Der Einfluß Kierkegaards hat "entscheidende Bedeutung" (Die Theologie, aaO. 128;vgl.ebd.141).
85 Die Theologie, aaO. 129. - Vgl. ebd. 128-130; TdG 94f; G.GLOEGE, Der
   theologische Personalismus als dogmatisches Problem, in: KuD 1 (1955),
   27-29; E.HÜBNER, Evangelische Theologie in unserer Zeit. Ein Leitfaden, Bremen 1966, 44-46. - Vgl. G.ZASCHE, Extra Nos, 70: "Der Mensch
   ist die beständige Bezugnahme Gottes, ein zu Gott ins Verhältnis Ge-
   setztsein....Das Wesen des Menschen ist Begegnungsakt, aber nicht Sein.
   Dieser Begegnungsakt ist wesentlich metempirisch." (vgl.64.69-71).
86 Die Theologie, aaO. 128f. - Vgl. Die theol.Lage vor 50 Jahren, aaO. 746;
   DeD 190-194; W.ÖLSNER, Die Entwicklung, 77-79; G.HOFFMANN, Das Problem,
   25f.
87 Eschatologisches, in: ZSTh 12 (1935), 613: "Während Holmström Barths
   Einfluß zu früh ansetzt und überschätzt, übersieht er die starke Wirkung,die K. Heim schon seit 1912 auf uns Jüngere ausgeübt hat....Und
   doch war er es, der der erste der dialektischen Paradoxmethode in
   der Dogmatik die Bahn brach; nicht erst die 'Nachkriegstheologie' hat
   sich dieser Methode bedient. Ich habe mich schon in den Lizenziaten-
   Thesen 1913 zu ihr bekannt und sie in meinem Buche 'Die Prinzipien der
   deutschen reformierten Dogmatik' 1914, 189ff., unter dem Einflusse Heims
   angewandt." - Vgl. den frühen Hinweis auf die "ganz neuen Weitblicke"
   durch K.Heim aus dem Jahre 1917: Luther und das Deutschtum, 24. - Karl
   Heim. Ein Gedenkwort zu seinem 70.Geburtstag, in: FF20 (1944), 24: "Als
   1911 und 1912 seine ersten theologischen Bücher....herauskamen, erreg-
   ten sie sofort größtes Aufsehen durch die Neuheit und Kühnheit in Methode und Gedanken."
88 Die Theologie, aaO. 129.- Vgl. K.HEIM, Leitfaden zur Dogmatik, 2.Aufl.,

2.Teil, 57; ders., Glauben und Denken, 310.380f.

89 Wie soll noch eine andere Verbindung bestehen als die des exklusiven Gegensatzes, wie er folgerichtig in der dialektischen Theologie behauptet
   wird? Hat nicht der Glaube in einem gesicherten historischen Ergebnis
   noch genug an Spannung und an Aufforderung zu existentieller Entscheidung? Setzt die Nichtgegenständlichkeit des Gottesbildes die Kritik all
   unserer gegenständlichen Erkenntnis, die logische Widersprüchlichkeit all
   unserer objektiven Aussagen voraus?- Hier ist die Mahnung Holmströms zu
   beachten: "Es liegt aber die Gefahr nahe, daß der logische Widerspruch
   zu einem religiösen Wahrheitskriterium gemacht wird. Dann aber wird die
   religiöse Paradoxalität von einer intellektualistischen verdrängt, wenn
   diese freilich auch mit dem negativen Vorzeichen der Dialektik versehen
   ist." (DeD 191f). Hier sind auch, soweit diese Gefahr bei Althaus gegeben ist, viele der von F.KONRAD geäußerten Bedenken zurecht am Platze,
   denn es genügt wirklich nicht, daß man "mit dem 'garstigen Graben' der
   Geschichte die hohe Spannung des Glaubens begründet" (Das Offenbarungsverständnis, 557; vgl. ebd. 489-499. 510-513. 522f, 562-604 passim).

90 Althaus' vermittelnder Weg kommt hier an einer Zwiespältigkeit nicht vorbei. Einerseits lobt er Heims Betonung der Verbindung der Sündigkeit mit
   der Struktur unseres ganzen Seins (CW 377) und dessen Herausarbeitung der
   menschheitlichen Urentscheidung hinter und in allem geschichtlichen Handeln (der Urfall gehört zu den Wesensgrundlagen der raumzeitlichen Welt)
   und er bekennt: "Den gleichen Weg bin ich selber gegangen (Rel.Sozial-
   ismus, 1921, 69; Die letzten Dinge, 1922, 82f; Zur Lehre von der Sünde,
   ZsysTh 1921; Theol.Aufsätze I, 68ff)" (CW 386); andererseits sieht er
   nicht die Konsequenz dieses Weges, nämlich die Ablehnung der Uroffenbarung und den Christomonismus (CW 38.56) und (bis 1931) " die gnostischen
   Spekulationen, welche die Daseinsform unserer Welt von Gottes ursprünglicher Schöpfung unterscheiden und diese durch den Urfall verwandelt meinen" (CW 419; vgl. Die Gestalt dieser Welt, in: TA 2, 48f). Im Wissen daß
   unsere irdische Welt und Daseinsform differenzierter ist, nämlich auch
   jetzt noch Gottes ursprüngliche Schöpfung, nicht nur deren Entartung, urteilt Althaus hart über diese Tendenz: "Dogmengeschichtlich betrachtet
   ist das alles Platonismus, innerhalb der Theologie am nächsten Origenes
   verwandt, seiner Lehre von der intelligiblen, immateriellen und der erst
   infolge des Falles entstandenen Welt der Materie und Vielheit. Diese Gedanken haben in der Bibel nicht nur keinen Anhalt, sondern sie widersprechen ihr auch." (CW 420).

91 Vgl. Die Theologie, aaO. 130.

92 Eschatologisches, aaO. 613. - Vgl. K.HEIM, Leitfaden, 81-86: "Die Sünden-
   not als gelöste (Eschatologie)". - HOLMSTRÖM vergißt übrigens nicht auf
   K.Heim (vgl.DeD 190-194), doch er würdigt ihn nicht genügend.

93 K.HEIM, Leitfaden, 84.

94 Vgl. zum Gesagten K.HEIM, Leitfaden, 84f; ders., Zeit und Ewigkeit, in:
   NKZ (1926) 415f.423; ders.Glaube und Denken, 381-388.

95 K.HEIM, Das Wesen des evang.Christentums, 47f. - Vgl.LD^{10} 39,n.2 (neue
   .Fußnote) zum Inhalt von K.Heims Buch 'Jesus der Weltvollender' (vgl.ebd.
   40-58.150-228).

96 Rezension von K.Heim, Jesus der Weltvollender, in: ThLZ 66 (1941), 57.

97 Ebd. 56. - Vgl. Das Kreuz und der Böse, in: UWE, 184-206; CW 388,n.1.
   478; LD^4 281.

98 K.HEIM, Zeit und Ewigkeit, aaO. 416 u. 422. - Vgl. ebd. 409-425; DeD
   ,356-360; ArtDeD 346-348.

99 K.HEIM, Zeit und Ewigkeit, aaO. 424.

100 Der Wahrheitsgehalt der nichtchristlichen Religionen, in: Jahrbuch
    1932 der vereinigten deutschen Missionskonferenzen, 3. - Vgl.E.
    TROELTSCH, Eschatologie, in: RGG[1] II, 622-632; DeD 146-150; SLOTE-
    MAKER DE BRUINE, Eschatologie, 77-85.
101 E.SCHOTT, Systematische Theologie, in: RGG[3] VI, 591.
102 P.KNITTER, A Case Study, 41 (vgl.ebd. 37-44). - Während Althaus in der
    Frage der Absolutheit des Christentums mehr zu Barths Position neigt,
    steht er in der Offenbarungs- und Religionsauffassung mehr auf der Seite
    Troeltschs. Diese eigenartige Dialektik spiegelt die beiden Züge wider,
    die sein ganzes theologisches Denken prägen.- HOLMSTRÖM DeD 150,n.1,
    weist darauf hin, daß gerade KÄHLER (in RE), TROELTSCH (in RGG[1] - 1910)
    und Althaus (in RGG[2] - 1928) "die großen enzyklopädischen Zusammenfas-
    sungen in den repräsentativen Nachschlagwerken geschrieben haben".
103 K.BARTH, Grundfragen, in: Anfänge, 153. - Vgl. SLOTEMAKER DE BRUINE,
    Eschatologie, 45-47.
104 Pazifismus und Christentum, in: NKZ 30 (1919), 459,n.1.
105 Vgl.E.HIRSCH, Grundlegung einer christlichen Geschichtsphilosophie, in:
    ZSTh 3 (1925/26) 226.
106 Ebd. 245.
107 Ebd. 245. - Vgl. Rezension von E.Hirsch, Luthers Gottesanschauung (1918)
    in: ThLBl 40 (1919), 11: "Vielmehr gehören, das weist Hirsch glänzend
    nach, gerade Sätze wie der von Gottes Alleinwirksamkeit in das Herz der
    lutherischen Gotteserfahrung hinein und hängen mit dem Rechtfertigungs-
    glauben innerlichst zusammen." - Versucht Hirsch hier nicht, "Gott hin-
    ter die Karten des Sündenfalls(zu)blicken" und " aus dem hermeneuti-
    schen Unheilszirkel herauszutreten" (G.ZASCHE, Extra Nos, 203,n.292)?
108 E.HIRSCH, Grundlegung, aaO.246.
109 Ebd. 246.
110 Ebd. 235. - Vgl. ebd. 228.242; Politisches Christentum, 8. - Althaus
    ist in seinem biologischen Begriff der Entwicklung auch von Spengler
    beeinflußt: vgl. LD[1] 71f) - J.MOLTMANN zeigt gut den Unterschied und
    vor allem die Ähnlichkeit von Ranke zu Hegel auf: Exegese und Eschato-
    logie der Geschichte, in: EvTh 22 (1962), 39,n.16a. Er entdeckt darin
    "einen panentheistischen Grundzug" (ebd.). - Vgl. J.MOLTMANN, Theologie
    der Hoffnung, 225-228; DeD 14f; H.W.SCHMIDT, Zeit und Ewigkeit, 349;
    H.G.GADAMER, Wahrheit und Methode, 191-199.
111 Rezension von E.Hirsch, Luthers Gottesanschauung, in: ThLBl 40 (1919),
    11: "Hirsch trägt gleichsam alles zu sehr auf eine Ebene auf. Die wunder-
    bare Positivität der Tat Gottes in Christus kommt im Unterschiede von
    dem, was wir auch ohne Christus an Gott erleben, nicht entfernt genü-
    gend zur Geltung."
112 Chr.WALTER, Typen des Reich-Gottes-Verständnisses, 16. - Zum Einfluß
    E.Hirschs auf die Gerichtslehre vgl. 2.Teil, 3.Kap.5. - A.AHLBRECHT,
    Tod und Unsterblichkeit, 15, nennt Hirsch (und Kant) einen "Vertreter
    der ethizistischen Variante des Immanentismus". -
    Ein Theologe, dem die Verbindung von Philosophie und Theologie, von
    kritischem Idealismus und Christentum auch ein besonderes Anliegen war,
    ist Friedrich Brunstäd. (Vgl.Friedrich Brunstäds geistiges Erbe, in:
    ThLZ 83 (1958), 737.740) Wir müssen gegen A.Beyer jedoch feststellen,
    daß wir keine besonderen Beziehungen der Abhängigkeit der Althaus'schen
    Theologie von Brunstäd finden können und daß sie uns nicht "enger, als
    Althaus selbst zugeben möchte" (A.BEYER, Offenbarung aaO.129),erschei-
    nen, wobei wir freilich "Anregungen, die z.B. durch Fr.Brunstäd, von
    der neu verstandenen idealistischen Philosophie herkamen" (Die Theo-

logie, aaO. 129), nicht ausschließen. Der folgende Satz läßt ahnen,
daß die nahe Beziehung Althaus - Brunstäd von A.Beyer mehr aus Reverenz gegen den Moderator seiner Dissertation, nämlich Brunstäd selbst,
als aus sachlicher Grundlage so stark betont wurde: "Aus diesem Grunde
kann man es nur begrüßen, daß Althaus als evangelischer Theologe bewußt an den Idealismus anknüpft und seine grundlegenden Erkenntnisse
theologisch auszuwerten sucht, muß es zugleich jedoch bedauern, daß
er diesen Weg nicht konsequent zu Ende gegangen ist." (Offenbarung,75).
113 P.KNITTER, A Case Study, 50,n.60. - F.KONRAD, Das Offenbarungsverständ-
    nis, sieht u.E. zu sehr von der Genese der Althaus'schen Position ab,
    so daß seine Deutung der Theologie Althaus' als Vermittlungsversuch
    zwischen Bultmann und Pannenberg allzu künstlich und vereinfachend
    bleibt.
114 A.AHLBRECHT, Tod und Unsterblichkeit, 17f.
115 A.BEYER, Offenbarung, 66.

2. Kapitel: Die eschatologische Problematik

1 P.CORNEHL, Die Zukunft, 319 (vgl.26). - Zur Eschatologie der Aufklärung vgl. ebd. 29-58; W.KASPER, Einführung 16-20.
2 Vgl. Eschatologie in: RGG² II, 351; - Toleranz und Intoleranz des Glaubens, in: TA 2,108f.
3 G.HOFFMANN, Das Problem, 14. - Vgl. J.RATZINGER, Glaube und Zukunft,
  67-69; O.WEBER, Grundlagen der Dogmatik I, 222f; P.CORNEHL, Die Zukunft, 59-80; SLOTEMAKER DE BRUINE, Eschatologie, 58-73; W.-D.MARSCH,
  Zukunft, 34-42; G.SAUTER, Zukunft und Verheißung, 27-31; H.GOLLWITZER,
  Krummes Holz, 94-96.
4 Die Inflation, in: ZSTh 18 (1941), 148.
5 Vgl. I.KANT, Kritik der reinen Vernunft (Kapitel über die transzendentale Dialektik); ders., Das Ende aller Dinge (in: Theorie-Werkausgabe
  Suhrkamp Bd.XI) - Vgl. J.MOLTMANN, Theologie der Hoffnung, 39-41 (vgl.
  die ebd. 39,n.11, angegebene Literatur zu Kants Schrift 'Das Ende aller
  Dinge'). - Kants Kritik, die allgemein von der protestantischen Theologie übernommen wurde, ist der Beginn einer Entwicklung, die über die
  Verwiesenheit auf die praktische Vernunft zum Verzicht auf sämtliche
  Vernunftbeweise für die Unsterblichkeit der Seele und zu einer allen-
  falls dekretorischen Unsterblichkeitslehre oder folgerichtiger zur Ganztodtheorie führte. Weil Althaus gegen Kant an einer in der menschlichen Existenz begründeten Unsterblichkeit (gleichsam Uroffenbarung)
  nicht nur als bloßer Idee festhielt (LD⁴ 103), aber auch Kants Kritik
  jeglicher philosophischen Grundlegung übernahm, wird Althaus' Todes-
  und Unsterblichkeitslehre eine gewisse Zwiespältigkeit kaum vermeiden
  können. - Vgl. W.SCHULTZ, Kant als Philosoph des Protestantismus (Th
  22), Hamburg 1960.
6 I.KANT, Das Ende aller Dinge, aaO. 176f und 179. - Im 'als ob' ist der
  Keim der Abschaffung der ganzen Gotteslehre und der Säkularisierung der
  Eschatologie grundgelegt. Es geht nur noch um verschiedene Explizita-
  tion des subjektivistischen Ansatzes.
7 Ebd. 188.
8 I.KANT, Zum Ewigen Frieden. Ein philosophischer Entwurf, Theorie-Werkausgabe Suhrkamp, Bd. XI, 191-251 (1.Aufl. 1795 u. 2. Aufl. 1796),
  (vgl. bes. 251) - Vgl. Ch.WALTHER, Typen, 20-41 (bes.41).
9 Althaus selbst deutet diese zwei sich aus Kant ergebenden Möglichkeiten
  an, insofern er im kantischen Kritizismus und der damit verbundenen Intellektualisierung (Evangelium als Mitteilung der seligmachenden Wahr-

heit) einen Grund der 'Inflation des Offenbarungsbegriffes' sieht. Dieser Inflation zufolge werden die Begriffe Versöhnung und Erlösung auf
Offenbarung reduziert (uneschatologische Theologie), bzw. umgekehrt
wird Offenbarung auf Versöhnung und Erlösung rückgeführt (nureschatologische Theologie). Beide Male werden Uroffenbarung und die in Gesetz
und Evangelium gestufte Offenbarung ausgeschlossen (Die Inflation, in:
ZSTh 18 (1941), 148f).

10 H.U.v.BALTHASAR, Glaubhaft ist nur Liebe, 21: "Hier (= bei Kant) kreu-
zen sich alle Straßen der Neuzeit. Zuerst liegt hier der Übergang von
Luther zu Karl Barth...." - Vgl.ders., Karl Barth, 201-229. - H.U.v.
Balthasar sieht hinter beiden Richtungen den Willen zum System, zur
großen Zusammenschau; nur der Ausgangspunkt ist verschieden. Vgl.ebd.
203: "Barth denkt vom Punkt der höchsten Wirklichkeit aus und alles andere ist ihm Vorstufe dazu, Potenz zu ihrer Verwirklichung, oder mit
Kant zu sprechen: Bedingungen der Möglichkeit."

11 Es kann hier nur darum gehen, beispielhaft einige charakteristische
Vertreter mit besonderer Bedeutung und Breitenwirkung herauszugreifen
und nur den uns betreffenden Aspekt aufzuzeigen.

12 F.D.SCHLEIERMACHER, Über die Religion. Reden an die Gebildeten unter
ihren Verächtern, (1799) hrsg.V. H.J.ROTHERT, Phil.Bibl. 255, Hamburg
1958, 30. - Vgl. zur Eschatologie Schleiermachers: P.CORNEHL, Die Zukunft, 83-85; W.ÖLSNER, Die Entwicklung, 8-19; H.U.v.BALTHASAR, Glaubhaft ist nur Liebe, 22-24; U.KÜHN, Das Problem der zureichenden Begründung, in: KuD 9 (1963), 2f.

13 P.CORNEHL, Die Zukunft, 85.

14 J.RATZINGER, Glaube und Zukunft, 71 (vgl. ebd. 69-72).

15 Eschatologie, in: RGG[2] II, 352. - Vgl. F.D.SCHLEIERMACHER, Glaubenslehre, § 157.159.163. - E.BRUNNER, Die Mystik, 277; Ch.WALTHER, Typen, 88-
116

16 W.WIESNER, Das Offenbarungsproblem, 15.

17 F.D.SCHLEIERMACHER, Glaubenslehre, § 159 (vgl. ebd. § 99).

18 E.BRUNNER, Die Mystik und das Wort, 390f. - Barth schreibt am 10.Ja-
nuar 1926 aus Münster an Althaus: "Im Seminar lese ich Schleiermachers Glaubenslehre und falle auch da aus einem Staunen ins andere.
Wie ist es nur möglich, daß sich ein ganzes Jahrhundert von diesem ge-
nialen Kitsch hat nähren lassen?"

19 E.BRUNNER, Die Mystik und das Wort, 391.

20 P.CORNEHL, Die Zukunft, 17f (vgl. 93-161) - Vgl. G.GRESHAKE, Auferstehung der Toten, 39-51.163-169.

21 P.CORNEHL, Die Zukunft, 313. - Vgl. SLOTEMAKER DE BRUINE, Eschatologie,
75-77; J.RATZINGER, Einführung, 131f.157; W.-D.MARSCH, Zukunft, 42-50;
J.MOLTMANN, Theologie der Hoffnung, 41f.

22 G.W.F.HEGEL, Vorlesungen über die Phil.der Weltgeschichte, hrsg.v.G.
Lasson, Leipzig, 1917, 24f. - Vgl. Ch.WALTHER, Typen, 60.87; LD[1] 66-68;
LD[3] 80f; Die Gestalt dieser Welt, in: TA 2, 50f.

23 P.CORNEHL, Die Zukunft, 318.

24 Glaube und Philosophie, in: Deutsches Volkstum 13 (1931), 918.

25 Die Inflation, in: ZSTh 18 (1941), 143f (vgl.bes.141-149). - Vgl. zu
Ritschl F.TRAUB, Glaube und Geschichte, 17-21; W.ÖLSNER, Die Entwicklung, 25-28; F.W.KANTZENBACH, Der Weg. 65-70. G.AULÉN, Das christliche Gottesbild, 330-334; E.KINDER, Das vernachlässigte Problem der
'natürlichen' Gotteserfahrung, in: KuD 9 (1963), 317-320; G.HOFFMANN,
Das Problem, 20-26. - Die theologische Lage vor 50 Jahren, aaO. 745f;
Die Theologie, aaO. 123; LD[1] 133.

26 E.SCHOTT, Systematische Theologie, in: RGG³ VI, 588.

27 Die theologische Lage, aaO. 746.

28 Chr.WALTHER, Typen, 138 (vgl.137-155).

29 A.RITSCHL, Die christliche Lehre von der Rechtfertigung und Versöhnung, III, 4.Aufl., 1895, 477.

30 Die theol. Lage, aaO. 744. - Vgl. über E.Troeltsch: DeD 131-160; A. BEYER, Offenbarung, 55-59; W.ÖLSNER, Die Entwicklung 38f; SLOTEMAKER DE BRUINE, Eschatologie, 50-56.91-104; F.W.KANTZENBACH, Der Weg, 127-129; W.KOEPP, Panagape I, 61-66; G.SAUTER, Zukunft und Verheißung, 113f; P.KNITTER, A Case Study, 5-19.

31 Rezension von E.Troeltsch, Glaubenslehre, in: ThLZ 52 (1927), 594.

32 E.TROELTSCH, Eschatologie, in RGG¹ II, 622f.

33 Vgl. E.TROELTSCH, Die Absolutheit des Christentums und die Religionsgeschichte, Tübingen (1.Auf.1902), 2.Aufl.1912, 86-90; ders, Der Historismus und seine Überwindung, 1924. - Zur Kritik der individuellen Lebensformen vgl. Mission und Religionsgeschichte, in: TA 1,155-157. 169-174; CW 133f; GD³ I/96-98; Das Evangelium und die Religionen, in: UWE 9-11; DeD 138-141. - Die Theologie, aaO. 125(Zitat!)

34 E.TROELTSCH, Eschatologie, in: RGG¹ II, 622.

35 Vgl. W.WINDELBAND, Präludien, ¹ 1883, ³ 1907 (451-463: 'sub specie aeternitatis'), z.B. ebd. (3.Aufl.) 462: "Mitten also in dem Wechsel meines Lebens kommt das Wandellose, Ewige in der Gestalt des Wertbewußtseins zum Durchbruch." (vgl. DeD 146-150).

36 E.TROELTSCH, Eschatologie, in: RGG¹ II, 625f.

37 Vgl. E.TROELTSCH, Eschatologie, in: RGG¹ II, 627-630; ders. Glaubenslehre, 296f; Althaus' Rezension von Troeltschs 'Glaubenslehre', in: ThLZ 52 (1927), 594; LD¹ 15,n.1.112f.131,n.1; Mission und Religionsgeschichte, in: TA 1, 174-180.

38 E.TROELTSCH, Eschatologie, in: RGG¹ II, 632. (Vgl.LD¹ 15; LD³ 11; LD⁴ 177f) - Vgl. E.TROELTSCH, Der Berg der Läuterung, 1921, 7.

39 Vgl. Mission und Religionsgeschichte, in: TA 1, 153-205 (bes. 174-176. 192-199); Höhen außerchristlicher Religion, in: Die Weltreligionen und das Christentum, 1-20; TdG 82-85.

40 G.HOFFMANN, Das Problem, 1.

41 ALTHAUS, Staatsgedanke u.Reich Gottes, 12, bezeichnet "die neuere Geistesgeschichte als Geschichte des Reich-Gottes-Gedankens".- Zum Reich-Gottes-Verständnis des 19.Jhdts.vgl. LD⁴ 19-26.223-241.304-306.

42 G.HOFFMANN, Das Problem, 74. - Hoffmann führt die verschiedenen Weisen an, Eschatologie als Folge des Heilsbesitzes zu begründen (73-90). In Hoffmanns Unterbewertung der Menschwerdung und der Betonung des Primats der Hoffnung zeigt sich u.E. der deutliche Einfluß des frühen Barth (der herauf bis zu J.Moltmann reicht).

43 W.KÜNNETH, Zur Frage der Geschichtsgebundenheit, in: ZSTh 8 (1931), 740f (vgl. 731-764).

44 Ebd. 741.

45 K.HEIM, Zeit und Ewigkeit, aaO. 404.

46 Ebd. 407: "Wenn ich nun kein befriedigendes Ende dieser Fahrt absehe, so versuche ich aus dem Bahnzug herauszuspringen.Ich rette mich in eine nicht-zeitliche Sphäre, die ich mir räumlich über der Zeit liegend vorstelle, wenn das räumliche Bild auch nur als Gleichnis gemeint ist. So entsteht ein dualistisches Weltbild. Zwei Stockwerke liegen übereinander; unten der Zeitstrom der Weltereignisse, der in alle Ewigkeit weiterfließt, oben das Ewige, in das man sich hinein retten kann."

47 DeD 29. - Vgl. DeD 29-59; ArtDeD 314-316; Wo steht die evang.Theol.

heute?, aaO. 1294.
48 Vgl. Die theologische Lage, aaO. 743; Die Theologie, aaO. 122f; Unser
   Herr Jesus, in: NKZ 26 (1915), 439-457.513-545 (zu W.Bousset).
49 J.WEISS, Die Predigt Jesu vom Reiche Gottes, ([1]1892) 3 und 64. - Vgl.
   DeD 61-72; ArtDeD 321. - Zur eschatol.Schule vgl. H.ZAHRNT, Die Sache,
   61f; W.KRECK, Die Zukunft, 14-25; G.SAUTER, Zukunft und Verheißung, 84-
   96; J.MOLTMANN, Theologie der Hoffnung, 31-33; G.AULÉN, Das christliche Gottesbild, 375-378; O.MICHEL, Unser Ringen um die Eschatologie,
   in: ZThK 13 (1932), 155f.
50 Die Theologie, aaO. 126.
51 J.WEISS, Die Predigt Jesu vom Reiche Gottes, ([1]1892) 67.
52 Ebd. ([2]1900) 177.
53 Wo steht die evang.Theol. heute?, aaO. 1294. - Die zweite Auflage trägt
   nur den Titel: 'Geschichte der Leben Jesu Forschung; (vgl.[1]1905, 396).
   - Vgl. DeD 72-103; ArtDeD 321-324; A.AHLBRECHT, Tod und Unsterblichkeit,
   87-89; SLOTEMAKER DE BRUINE, Eschatologie, 25-26 (und die Lit.von Anm.
   49).
54 A.SCHWEITZER, Von Reimarus zu Wrede, 282: "Der 'Menschensohn' ward be-
   graben in den Trümmern der zusammenstürzenden eschatologischen Welt;
   lebendig blieb nur Jesus 'der Mensch'." - Vgl. ders., Das Messinitäts-
   und Leidensgeheimnis, Tübingen [3] 1956 ([1]1901), 95f; ders., Die Mystik
   des Apostels Paulus, Tübingen 1930 (dazu DeD 91-99).
55 H.GRASS, Das eschatologische Problem, aaO. 53. - Es sei hier noch ne-
   benbei erwähnt, daß A.Schweitzers konsequent-eschatologische Deutung
   mit der These von der ausgebliebenen Parusie weiterhin festgehalten
   wurde, bzw. wird von Martin Werner und Fritz Buri. - Vgl. H.GRASS, Das
   eschatologische Problem, aaO. 47f. 53f; A.AHLBRECHT, Tod und Unsterblichkeit, 87-89; J.KÖRNER, Eschatologie, 92-95.99; F.KONRAD, Das Offenbarungsverständnis, 143-276.612-624.628-637; P.KNITTER, A Case Study,
   203.
56 Vgl. K.SCHOLDER, Neuere deutsche Geschichte, in: EvTh 23 (1963), 510-
   536. - Auch Althaus gehörte in diesem Sinn eindeutig zur konservativen Rechten. - Zur Kulturkrise vgl. DeD 179-181; W.KOEPP, Die gegenwärtige Geisteslage, 1-33.
57 Gustav WETH, Die Heilsgeschichte, 4.
58 Eschatologie, in: RGG[2] II, 353. - Vgl. LD[1] 9 (=LD[3] 1); Wo steht die
   evang.Theol.?, aaO. 1294; ArtDeD 330f; K.HARTENSTEIN, Eschatologie der
   Ewigkeit, in: Evang.Kirchenblatt für Württemberg 86 (1925),14.
59 Vgl. Die Theologie, aaO. 127; DeD 181-185; W.WIESNER, Das Offenbarungsproblem, 5-8; K.HEIM, Zeit und Ewigkeit, aaO. 410-412.
60 G.SAUTER, Zukunft und Verheißung, 114.
61 Vgl. P.Althaus an K.Barth (Brief vom 20.Juni 1925): "Das ist uns ja gemeinsam, daß wir um der Predigt willen, von ihrer Not aus theologisch
   denken." (Vgl. Die Theologie, aaO.133).
62 T.STADTLAND, Eschatologie, 13 (in Anlehnung an Gogartens: 'es predigt').
63 Der Titel der Zeitschrift stammt von einem gleichnamigen Artikel von
   F.GOGARTEN in ChW 34 (1920), 374-378; Gründungsjahr der Zeitschrift
   1922, Direktor G.Merz, Mitglieder: Barth, Gogarten, Thurneysen; Bultmann und Brunner schlossen sich bald an. - Karl BARTH sagt in: Abschied,
   in: ZZ11 (1933), 536, daß der Name 'dialektische Theologie' "von irgendeinem Zuschauer angehängt" wurde. - Vgl. H.BOUILLARD, Dialektische
   Theologie, in: LThK III, 335.
64 H.GRASS, Die Theologie von Paul Althaus, aaO. 237. - Vgl. W.LOHFF, P.
   Althaus, in: Theologen, 74f; M.DOERNE, Zur Dogmatik, aaO. 450.

65 H.GRASS, P.Althaus als Theologe, aaO. 256.
66 P.CORNEHL, Die Zukunft, 237. - Cornehl nennt als Schüler Barths J.Molt-
   mann, G.Sauter, H.-G.Geyer, W.-D.Marsch (Ausnahme: D.Sölle) (327,n.21).
   Vgl. ebd. 323. - Wir beschränken uns auf die Zeit, die durch RB[2] und
   'Die Auferstehung der Toten' (=AdT) charakterisiert ist; wir nehmen also nicht mehr die Abänderungen ab 1927 hinzu, weil sie für unsere Fragestellung von geringer Bedeutung sind. Ebenso verzichten wir hier auf
   eine Darstellung von Barths Eschatologie vor 1920. Zur Zeit vor 1920
   vgl. T.STADTLAND, Eschatologie, 19-57; DeD 219-233; H.U.v.BALTHASAR,
   Karl Barth, 220-228 (für die Jahre 1910/1914); H.W.SCHMIDT, Zeit und
   Ewigkeit, 12-14; G.HEINZELMANN, Das Prinzip der Dialektik in der Theologie Karl Barths, in: NKZ 35 (1924), 540-545.
67 K.BARTH, Das Wort Gottes, 91 (1920). - Zur Eschatologie des frühen
   Barth vgl. außer der Monographie von T.STADTLAND (Eschatologie, bes.58-
   180) u.a.: F.BURI, Die Bedeutung, 39-44; W.VOLLRATH, Das Problem des
   Wortes, 75-87; H.W.SCHMIDT, Zeit und Ewigkeit, 14-75; W.ÖLSNER, Die
   Entwicklung, 100-102; G.HOFFMANN, Das Problem, 28-41; F.TRAUB, Zum Begriff des Dialektischen, in: ZThK 10 (1929), 380-388; O.MICHEL, Unser
   Ringen, in: ZThK 13 (1932), 156-158; DeD 22-243; ArtDeD 332f; W.KRECK,
   Die Zukunft des Gekommenen, 42-44; H.-J.BIRKNER, Eschatologie und Erfahrung, in: Wahrheit und Glaube, 32-35; L.WIEDENMANN, Mission und Eschatologie, 26-30; H.ZAHRNT, Die Sache mit Gott, 24-45; J.MOLTMANN,
   Theologie der Hoffnung, 33f. 43-50; G.SAUTER, Zukunft und Verheißung,
   102-112; P.CORNEHL, Die Zukunft, 323-327; F.W.KANTZENBACH, Der Weg,
   156-158; A.AHLBRECHT, Tod und Unsterblichkeit, 24f.89f; H.U.v.BALTHA-
   SAR, Karl Barth, 71-92; G.GRESHAKE, Auferstehung der Toten, 52-61.
68 K.BARTH, Das Wort Gottes, 164. - Vgl. auch K.BARTH, Dank und Reverenz,
   in: EvTh 23 (1963), 337ff; RB[2] 6.234; J.MOLTMANN, Anfänge der dialektischen Theologie, Bd. 1, XV-XVIII.
69 H.ZAHRNT, Die Sache, 24. - Vgl. RB[2] 315.
70 Vgl. RB[2] 16.145.155.157; AdT 57.64f.
71 K.BARTH, Das Wort Gottes, 172 (vgl.84).
72 H.U.v.BALTHASAR, Karl Barth, 91 (vgl.RB[2] 85).
73 K.BARTH, Not und Verheißung der christlichen Verkündigung, in: ZZ (1
   u.2) 1923/24, 3f.
74 Eschatologie, in: RGG[2] II, 353. - Vgl. T.STADTLAND, Eschatologie, 141-
   145; DeD 237.
75 F.TRAUB, Glaube und Geschichte, 6. - Ähnliche Fragen bei G.HEINZEL-
   MANN, Das Prinzip der Dialektik, in: NKZ 35 (1924), 546-549.
76 T.STADTLAND, Eschatologie, 119f (vgl.ebd. 120.169f).
77 Vgl. K.BARTH, Das Wort Gottes, 156-178; H.W.SCHMIDT, Zeit und Ewigkeit,
   66-71; H.U.v.BALTHASAR, Karl Barth, 92; T.STADTLAND, Eschatologie, 103-
   122. - Stadtland wirft Barth einen "handfesten christologischen Doketismus" (93) vor.
78 T.STADTLAND, Eschatologie, 124.
79 G.HOFFMANN, Das Problem, 35. - Das sagen wir gegen T.Stadtlands etwas
   einseitige Auslegung in der Betonung der futurischen Eschatologie (Eschatologie, 159-172.282f). Daraus sind sein Unverständnis für die Beurteilung der dialektischen Periode durch den späteren Barth und durch
   W.Kreck (Die Zukunft, 48) und seine Frage an H.U.v.Balthasar "Wie kann
   man in der Eschatologie übertreiben?" (172,n.470) erklärlich. Aber auch
   Stadtland selbst ist offenbar unsicher (vgl. 179f.183.188).
80 K.BARTH, Von der Paradoxie des 'positiven Paradoxes', in: Anfänge I,
   hrsg. v. J.Moltmann, 176.

81 G.HOFFMANN, Das Problem, 31. - Vgl. RB^2 231.482.
82 W.ÖLSNER, Die Entwicklung, 102.
83 T.STADTLAND, Eschatologie, 112.
84 W.ÖLSNER, Die Entwicklung, 102 - Vgl. A.AHLBRECHT, Tod und Unsterblichkeit, 90; T.STADTLAND, Eschatologie, 68f.
85 Vgl. W.PANNENBERG, Dial.Theologie, in: RGG^3 II, 172.
86 Über das 'Zwielicht' der Religion vgl. RB^2 105.162-165.234f.240f.249-
   252; P.KNITTER, A Case Study, 20-36; H.ZAHRNT, Die Sache mit Gott, 39-
   42. - Vgl. zu Barths Stellung zur Kirche RB^2 316-323.352.371-373.390-
   392. In AdT 70-84 ist eine gewisse Korrektur eingetreten.
87 Das sind die Kritiken von Althaus, bzw. von H.U.v.Balthasar. Vgl. P.
   KNITTER, Christomonism, in: NZSTh 13 (1971), 98-121.
88 K.BARTH, Grundfragen der christlichen Sozialethik. Auseinandersetzung
   mit Paul Althaus, in: Anfänge I, 157 (vgl. 152-165).
89 Ebd. 164.
90 W.KÜNNETH, Zur Geschichtsgebundenheit, in: ZSTh 8 (1930), 741.
91 Vgl. auch RB^2 5.32.84.126. - STADTLAND, Eschatologie, 153,n.379, weist
   eine 'psychologisierende' Mißdeutung des 'Hohlraumes' zurück. - Zum negativen Glaubensbegriff vgl. W.KOEPP, Die gegenwärtige Geisteslage, 61;
   J.RATZINGER, Glaube und Zukunft, 73-75.
92 Es zeigt sich die aprioristisch-dualistische "Aufteilung der ganzen
   Welt-Wirklichkeit" (T.STADTLAND, Eschatologie, 127), z.B.: proto-es-
   chatologisch und geschichtlich, zeitlich und überzeitlich, geschichtlich und ur- oder übergeschichtlich. - Vgl. G.HOFFMANN, Das Problem, 27f.
93 T.STADTLAND, Eschatologie, 72 - Ebd. 125: "Ihm, Kant 'verdankt' Barth
   nun die eine Seite seines Geschichtsbegriffs, den man in vorläufiger
   Begrifflichkeit vielleicht den formalistischen 'negativen' Zeitbegriff
   nennen könnte." (vgl. 73-75).
94 H.U.v.BALTHASAR, Karl Barth, 102.
95 K.BARTH, Die Theologie und die Mission in der Gegenwart, in: Theologische Fragen und Antworten. Gesammelte Vorträge, Bd.3, Zollikon 1957,
   125 (vgl. 100-126). - Vgl. RB^2 74f; L.WIEDENMANN, Mission und Eschatologie, 58-67.
96 H.DIEM, Das eschatologische Problem, in: ThR 11 (1939), 229.
97 H.W.SCHMIDT, Zeit und Ewigkeit, 108-156.
98 Eschatologisches, in: ZSTh 12 (1935), 612.
99 Vgl. ebd. 611-613. - Vgl. 1.Teil, 1.Kap., 2g.
100 Vgl. TG 741-786; Die Auferstehung der Toten, in: TA 1, 119-139; Die
    Theologie, aaO. 133-141; Grundzüge, aaO. 191f; Wo steht die evang.Theo-
    logie heute, aaO. 1295f; Rezension von K.Barths 'AdT', in: Theol.Lit.
    Bericht 49 (1926), 6f; Rezension von K.Barths 'Das Wort', in: Theol.
    Lit.Bericht 48 (1925), 3-5.
101 W.LOHFF, P. Althaus, in: Theologen, 64. - Wir halten die Darstellung
    von R.GABAS PALLAS, Escatologia protestante en al actualidad, 15-55,
    für unzulänglich. - T.STADTLAND, Eschatologie, 142,n.340, übernimmt
    zu unserer Verwunderung kritiklos Holmströms 'Beweis' von Althaus'
    völliger Abhängigkeit von Barth, obwohl er selbst zugibt, "wie schwer
    es war, Althaus in dieser Zeit einzuordnen" (ebd.) und gesteht, selbst
    viel von Althaus für die Kritik Barths profitiert zu haben (16).
102 A.BEYER, Offenbarung, 67f.
103 K.BARTH, Grundfragen, in: Anfänge I, 152.
104 K.BARTH an P.Althaus (Brief vom 19.April 1922) - Wir zitieren etwas
    ausführlich aus dem Briefwechsel, da er, soweit uns bekannt, noch nicht
    veröffentlicht ist und einige interessante 'Insights' bietet.

105 P.Althaus an K.Barth (Brief vom 7.Mai 1922).
106 P.Althaus an K.Barth (Karte vom 19.Dez. 1924).
107 P.Althaus an K.Barth (Karte von 19.Dez. 1924).
108 K.Barth an P.Althaus (Karte vom 24.Dez. 1924).
109 P.Althaus an K.Barth (Brief vom 13.Januar 1925). - Althaus gesteht manches Mißverständnis ein und er möchte "auch vor der Öffentlichkeit die Nähe zwischen uns (d.h. Ihnen, Brunner z.T. Gogarten und mir, die trotz allem da ist) sichtbar" werden lassen und "mein öffentliches Verhältnis zu Ihnen allen revidieren", wenn ihm die anderen - "nicht etwa nur aus 'Prestige'-Gründen" - zugestehen, "Einiges Richtige gesagt zu haben" (P.Althaus an K.Barth: Brief vom 13.Juni 1925).
110 P.Althaus an K.Barth (Karte vom 20.Juni 1925).
111 P.Althaus an K.Barth (Karte vom 19.April 1925). - Vgl. auch den Brief Althaus' an Barth vom 15.Dez.1956: "Ich lese zur Zeit Geschichte der Theologie und werde in der betreffenden Stunde meinen Leuten kräftig sagen, was Sie uns bedeutet haben - aber das Bild sieht bei mir doch recht anders aus als bei Ihnen und ich kann Ihnen nicht ein Fichtesches Zeitalter der 'vollendeten (theologischen) Sündhaftigkeit' voranstellen, sondern werde mich gegen Legendenbildung wahren."
112 P.Althaus an K.Barth (Brief vom 13.Juni 1925).
113 P.Althaus an K.Barth (Brief vom 31.Januar 1928). - Vgl. auch Althaus' Brief vom 29.Mai 1928 und Barths Antwort vom 30. Mai 1928 . - Es wird "immer deutlicher wie wenig wir Alle aus unserer Haut herauskönnen" (K.Barth an P.Althaus:Brief vom 18.Sept.1927), "in was für verschiedenen Welten wir offenbar leben" (K.Barth an P.Althaus: Brief vom 19. April 1930).
114 K.Barth an P.Althaus (Brief vom 1.Februar 1928).
115 P.Althaus an K.Barth (Brief vom 25.Okt.1953).
116 K.Barth an P.Althaus (Brief vom 17.April 1956). Es ist eine Antwort auf die warme Empfehlung, die Althaus für Barths Buch'W.A.Mozart 1756/ 1956', Zollikon-Zürich 1956 (vgl. Althaus' Karte vom 15.April 1956), gegeben hatte. Interessehalber sei erwähnt, daß Barth im selben Brief schreibt: "Sie können kaum wissen, daß ich eben ihm (=Mozart) meine Beziehung zu H.U.v.Balthasar verdanke, die dann viel später in seinem meisterlichen Buch über mich ihren vorläufigen Höhepunkt erreicht hat."
117 P.Althaus an K.Barth (Brief vom 15.Dez. 1956).
118 W.v.LOEWENICH, P.Althaus als Lutherforscher, aaO. 13
119 Die Theologie, aaO. 135.
120 Wo steht die evang.Theologie heute?, aaO. 1295.
121 Die Theologie, aaO. 136.
122 Wo steht die evang. Theologie heute?, aaO.1295.
123 W.v.LOEWENICH, P.Althaus als Lutherforscher, aaO. 22f und 14.
124 Die Theologie, aaO. 135. - Über die Beziehung Barths zu Luther, Calvin usw. vgl. auch Althaus' Rezension zu Barth, Das Wort Gottes, in: Theol. Lit. Bericht 48 (1925), 4f.
125 W.v.LOEWENICH, P.Althaus als Lutherforscher, aaO. 14.
126 Wo steht die evangelische Theologie heute?, aaO. 1296.
127 T.STADTLAND, Eschatologie, 102,n.181. - Stadtland selbst sagt, daß Althaus' Aufsatz TG "beinahe alle folgenden Kritiken strukturiert oder mindestens anregt" (ebd.). - Althaus ist sich aber auch selbst trotz der prinzipiellen Richtigkeit seiner Kritik einer gewissen Einseitigkeit bewußt (vgl. TA 1, IV).
128 T.STADTLAND, Eschatologie, 16. - Vgl. auch W.WIESNER, Das Offenbarungsproblem, 107-163.
129 Die Theologie, aaO. 135f und 137. - Vgl. A.SANNWALD, Der Begriff der

Dialektik, 8-11.
130 Die Theologie, aaO. 136.
131 Die Theologie, aaO. 138. - Zu Barths 'metaphysierten' Sündenbegriff
     vgl. T.STADTLAND, Eschatologie, 84 (bes.n.79).
132 K.BARTH, Grundzüge, in: Anfänge I, 157f. - Vgl. P.Althaus an K.Barth
     (Brief vom 7.Mai 1922): "In der Tat: Ihr eigentlicher Streitpunkt mit
     mir hat mit der religiös-sozialen Frage gar nichts zu tun....Zwischen
     Ihnen und mir geht es um 'Gott und Welt, Gemeinde', 'Geist' u.s.w.".
133 K.BARTH, Grundfragen, in: Anfänge I, 164.
134 Ebd. 163f.
135 Vgl. T.STADTLAND, Eschatologie, 101f. 165. - Bezeichnenderweise ver-
     weist Althaus, wo er von Gottes schenkender Güte spricht, auf A.Schlat-
     ter (TG 763.781f).
136 H.W.SCHMIDT, Zeit und Ewigkeit, 113.
137 Vgl. H.U.v.BALTHASAR, Karl Barth, 79: "Sein christlicher Radikalismus
     ist überchristlich und darum unchristlich....Das Entscheidende dabei
     ist, daß das Herzstück des Christentums, die Menschwerdung, unmöglich
     wird."- G.HEINZELMANN, Das Prinzip der Dialektik, in: NKZ 35 (1924),
     556, nennt Barths Theologie "unmenschlisch". - Vgl. W.WIESNER, Das Of-
     fenbarungsproblem, 124f; G.HOFFMANN, Das Problem, 44.
138 'Die Auferstehung der Toten', in: TA 1, 124.
139 Gebot und Gesetz, 25. - Vgl. Durch das Gesetz kommt Erkenntnis der Sün-
     de, in: UWE 176; Die Gestalt, in: TA 2,49-53.
140 Ur-Offenbarung, aaO. 6. - Vgl. CW 39-41.57-61; Ur-Offenbarung, aaO. 4-
     15.24.
141 Die Theologie, aaO. 149.
142 K.BARTH, Das Wort Gottes, 140 (vgl. 139-145).
143 A.BEYER, Offenbarung, 12.
144 P.Althaus an K.Barth (Brief vom 13.Jänner 1925): "Muß die Theologie
     nicht auch vom Glaubensgrund reden, von dem, was uns Glauben abgewinnt?
     ....das kommt mir in Ihrem R.Br. zu kurz."
145 Die Theologie, aaO. 139. - Zum Vorwurf des Doketismus vgl. u.a. H.W.
     SCHMIDT, Zeit und Ewigkeit, 35; T.STADTLAND, Eschatologie, 95-98; H.
     ZAHRNT, Die Sache, 30.
146 Rezension von Barths AdT, in: Theol.Lit. Bericht 49 (1926), 6.
147 'Die Auferstehung der Toten', in: TA 1, 135.
148 Ebd. 135f. - Vgl. G.HOFFMANN, Das Problem, 35.67.
149 Vgl. DeD 240f; T.STADTLAND, Eschatologie, 151f. - Zu BARTHS späterer
     Selbstkritik seiner 'dialektischen Eschatologie' vgl. KD I, 2, 55f.
     980f; KD II, 1, 685.693. 711-719; KD IV, 3, 1046f.
150 W.PANNENBERG, Dialektische Theologie, in: RGG³ II, 173 (vgl. 168-174).
     - Vgl. H.BOUILLARD, Dialektische Theologie, in: LThK III, 337; DeD
     263-265.
151 Vgl. ChW 1922, 320-323.329-334.358-361. - Auch Althaus war um eine Re-
     zension gebeten worden. Er schreibt am 7.Mai 1922 an Barth: "Ob ich
     viel anderes als A.Schlatter zu Ihrem Paulus sagen kann, ist mir frag-
     lich. Aber ich bitte Sie um Zeit, denn meiner ganzen Art nach kann ich
     solche Besinnungen nicht schnell vollziehen." (A.SCHLATTER hatte
     RB² freundlich abgelehnt, in: Anfänge I, 142-147).
152 R.BULTMANN, Welchen Sinn hat es, von Gott zu reden, in: ThBl 4 (1925),
     133:    "Wir können nicht über unsere Existenz reden, da wir nicht über
     Gott reden können; und wir können nicht über Gott reden, da wir nicht
     über unsere Existenz reden können. Wir könnten nur eins mit dem ande-
     ren."

153 R.BULTMANN, Jesus, Tübingen 1926. - Vgl. jedoch über die Unausgeglichenheit zwischen Entscheidungscharakter des Augenblicks und echter unver-
fügbarer Zukunft, zwischen Platonismus und endgeschichtlicher Eschatologie: K.HEIM, Zeit und Ewigkeit, aaO. 413-415; J.KÖRNER, Eschatologie
und Geschichte, 99-141.
154 R.BULTMANN, Jesus, 88 (vgl. 97f).
155 Althaus frägt: "Gibt es nicht heute einen philosophischen Schematismus
unter uns, der das Neue Testament etwa innerhalb der Kategorien Heideggers zu verstehen sucht, und was darüber ist, soll Mythologie sein?"
(Adolf Schlatters Wort an die heutige Theologie, in: UWE, 136). - Vgl.
Rezension von R.Bultmann, Der Begriff der Offenbarung im NT, in: ThLZ
54 (1929), 414: " Die Menschheits- und kosmische Weite des in der Offenbarung enthüllten Mysteriums göttlichen Willens(....)bleibt außer
Betracht." (vgl. 415.417) - T.STADTLAND, Eschatologie, 97, vermutet,
"daß Bultmann sich bis heute nicht aus jenem christologischen Doketismus der Anfänge der dialektischen Theologie hat lösen können".
156 J.KÖRNER, Eschatologie, 139. - Vgl. L.WIEDENMANN, Mission und Eschatologie, 25.31-38.
157 So J.KÖRNER, Eschatologie, 146,n.25. - Der Sinn von echter Zukunft ist
primär: "Offensein für die Zukunft" (ebd.86).
158 J.KÖRNER, Eschatologie, 135 (vgl. 85.135-140).
159 Neues Testament und Mythologie, in: ThLZ 67 (1942) 342. - Vgl. R.BULT-
MANN, Die Eschatologie des Johannesevangeliums, in: GV I, 134-152;LD[4]
55; Eschatologisches, aaO. 620f.
160 Ebd. 343f. - Bultmanns Eschatologie ist tatsächlich sein ganzes Leben
lang immer ziemlich gleichgeblieben, Vgl. z.B.R.BULTMANN, Geschichte
und Eschatologie (2.Auf.), 164-184.
161 W.KRECK, Die Zukunft, 46. - Man machte "eine Art salto mortale in eine
zeitlose Ewigkeit" (ebd. 46).
162 G.HOFFMANN, Das Problem, 37 (vgl. 37,n.114).
163 H.U.v.BALTHASAR, Karl Barth, 77f (vgl. auch 43-45.91f.250). - Vgl. W.
KRECK, Die Zukunft, 47f (48: "Identitätsmystik"). - Über Barths Herkunft aus dem Idealismus vgl. H.U.v.BALTHASAR, Karl Barth, 210-229;
G.GRESHAKE, Auferstehung der Toten, 39-51.
164 F.BURI, Die Bedeutung, 49. - So erweist sich auch Barth "in seinem Römerbrief trotz seines nun allerdings lauten und grundsätzlichen Protestes gegen Schleiermacher im Grunde noch als Kind seines Jahrhunderts; er bleibt der Fragestellung der Theologie des 19.Jahrhunderts
verhaftet....Seine Versicherung, daß auf keinen Fall der Mensch, sondern allein Gott das Subjekt der Theologie sei, lenkt durch ihre Laut-
stärke den Blick nun doch gerade wieder auf den Menschen" (H.ZAHRNT,
Die Sache, 44f).
165 H.U.v.BALTHASAR, Glaubhaft ist nur Liebe, 33.
166 H.U.v.BALTHASAR, Karl Barth, 217.
167 M.DOERNE, Zur Dogmatik, aaO. 455.

3. Kapitel: Die Denk-Wirklichkeitsform des Glaubens

1 LD[1] (1922) - 147S; LD[3] (1926) - 290S; LD[4] (1933) - 353 S. - Wir wählten
als relativen Endpunkt dieser Sonderbehandlung der Frühperiode das Jahr
1931, ohne damit 'die' Wende bezeichnen zu wollen. Abgesehen von einer
gewissen Parallelität zum Zeitraum, den T.Stadtland über K.Barths Eschatologie darstellt, empfiehlt sich die Zeit um 1931, weil einerseits
die ersten Entwürfe von LD und einige richtungsweisende Artikel von
1928-31, die die Wandlung bereits deutlich erkennen lassen, enthalten

sind, andererseits die große Neubearbeitung LD[4] (1933) noch nicht erschienen war.

2 Eschatologie, in: RGG[2] II, 353.

3 G.ZASCHE, Extra Nos, 229. - So wird uns die Differenz zwischen Althaus'
   Absicht, die mit den Reformatoren "Wiederherstellung des reinen Chri-
   stentums" sein wollte, und der spezifischen Ausführung in "Form eines
   Protestes gegen gewisse katholische 'Überschüsse'" (H.U.v.BALTHASAR,
   Karl Barth, 25; vgl. 201f) und ebenso protestantische Abwege klar.

4 Erkenntnis und Leben, in: EL 9 (vgl. 6-9). - Vgl. Das Kreuz Christi
   als Maßstab aller Religion, in: EL 67-71; Der 'histor.Jesus' und der
   biblische Christus, in: TA 2, 164.

5 Vom Sinn der Theologie, in: EL 29. - Vgl. Erkenntnis und Leben, in:
   EL 1-14; TdG 102; H.W.SCHMIDT, Zeit und Ewigkeit, 80,n.5; 147-156.

6 Eschatologisches, aaO. 615 (vgl. 612).

7 Eschatologisches, aaO. 615 (vgl. LD[4] 18).

8 Zur Frage der 'endgeschichtlichen Eschatologie', in: ZSTh 7 (1929),
   368 (=LD[4] 267).

9 Eschatologisches, aaO. 615.

10 Christentum und Geistesleben, in: EL 42.

11 Erkenntnis und Leben, in: EL 9.

12 Ebd. 4f.

13 Vom Sinn der Theologie, in: EL 24 (vgl. 27f).

14 Das Kreuz als Maßstab, in: EL 69. - Vgl. W.WIESNER, Das Offenbarungsproblem, 171f.

15 Erkenntnis und Leben, in: EL 11; vgl. Gottes Gottheit, in: TA 2, 9;
   GD[1] I/21f.

16 Christentum und Geistesleben,in: EL 30 (vgl. 42). - Solche Formulierungen spiegeln schon stark die Versuchung wider, sich in eine 'mystische'
   Überwelt zurückzuziehen, bzw. einem ontologischen Dualismus zu verfallen und damit den eigentlichen Glaubenscharakter zu verraten.

17 Gottes Gottheit, in: TA 2, 11. - Vgl. A.BEYER, Offenbarung, 108f; G.
   ZASCHE, Extra Nos, 30f.

18 Christentum und Geistesleben, in: EL 43. - Vgl. W.KASPER, Einführung,
   26-35.38f.69f.74f.

19 Der Friedhof, 10 (vgl. 11). - Die Begriffe 'Grunddialog' und 'Christusdialog' sind nicht die Terminologie Althaus', doch wir meinen, daß
   die damit ausgesagten Wirklichkeiten sich bei Althaus finden.

20 Reich Gottes, in: RGG[2] IV, 1824.

21 Gottes Gottheit, in: TA 2, 15 (vgl. 10f. 21-23).

22 Ebd. 14f.

23 Ebd. 25. - Vgl. TG 768f; G.ZASCHE, Extra Nos, 51-56.

24 Christentum u. Geistesleben, in: EL 47.

25 Eschatologie, in: RGG[2] II, 354.

26 Gottes Gottheit, in: TA 2, 11 (vgl. 29). - Vgl. G.ZASCHE, Extra Nos,
   81f.

27 Eschatologie, in: RGG[2] II, 355. - Zur dialogalen Struktur des Glaubens
   vgl. W.KASPER, Einführung, 87.101.116.138-144; J.RATZINGER, Einführung,
   293f.

28 Gottes Gottheit, in: TA 2, 19 (vgl. 18).

29 Glaube und Philosophie, in: Deutsches Volkstum 13 (1931), 915f.

30 Vom Sinn der Theologie, in: EL 26 . - Vgl. Glaube und Philosophie, aaO.
   919f.

31 Glaube und Philosophie, aaO. 921.

32 Ebd. 920f.

33 Religiöser Sozialismus, 73. - Vgl. W.KASPER, Einführung, 111: "So ist

der Mensch natürliche Sehnsucht nach dem Übernatürlichen." (vgl. 28-31).

34 Glaube und Philosophie, aaO. 917 (vgl. 922).

35 Ebd. 917. - Vgl. DTL 327-329; Toleranz und Intoleranz des Glaubens, in TA 2, 108f; Eschatologie, in: RGG[2] II, 351; Ewiges Leben, in: RGG[2] II, 461; Glaube und Philosophie, aaO. 918; GD[1] I/71.

36 W.KASPER, Einführung, 42. - Vgl. ebd. 51.73-75.

37 Gottes Gottheit, in: TA 2, 17.

38 W.KASPER, Einführung, 42.

39 Eschatologie, in: RGG[2] II, 357; vgl. LD[3] 48.

40 W.LOHFF, P.Althaus, in: Tendenzen, 297.-Vgl.TA 1,74-118(1924); TA 1, 206-222 (1928). - A.BEYER, Offenbarung, 63, urteilt richtig: "Die Formel 'Theologie des Glaubens' bedeutet ein Programm; sie behandelt den Frontwechsel, den Althaus im Tiefsten der Theologie vollzieht." C.H. RATSCHOW, Paul Althaus, in: NZSTh 8 (1966), 121: "Mit der 'Theologie des Glaubens'....hat Paul Althaus über 40 Jahre junge Theologen begeistert." - D.BONHOEFFER (Akt und Sein, München 1956, 8) und G.ZASCHE (Extra Nos, 28-31) sind sich "der 'programmatischen' Bedeutung dieses Titels" (Zasche, 28,n.62) bewußt. - Vgl. F.KONRAD, Das Offenbarungsverständnis, 502-507.

41 Zur Frage der 'endgeschichtl.Eschatologie', aaO. 368.-Vgl. ebd. 363-368; TdG 95-100; LD[3] 71,n.2; LD[4] 267; DeD 11-13.199-203.314f.

42 Vgl. TdG 80-88.98; TG 754f. - Vgl. G.ZASCHE, Extra Nos, 33.40.64; J. RATZINGER, Einführung, 52f. 121-124.267; H.U.v.BALTHASAR, Klarstellungen, 32-39.

43 Das Kreuz Christi, in: TA 1, 19. - Zum Gegensatz zwischen Mystik und Glauben z.B. TdG 77-80; Mission und Religionsgeschichte, TA 1, 194-199; Der Wahrheitsgehalt der Religionen, in: TA 2, 74-76; Eschatologie-in: RGG[2] II, 354f; Glaube und Mystik, in: ZW (1927), 90-93.

44 Das Wesen des evangelischen Gottesdienstes, in: ZSTh 4 (1926), 281. - Althaus ändert später seine Terminologie (LD[4], 56,n.4). Für den Tatbestand des NT bezieht sich Althaus auf H.-E.WEBER, 'Eschatologie' und Mystik im N.T. Ein Versuch zum Verständnis des Glaubens, Gütersloh 1930.

45 Vgl. TdG 104-106; G.ZASCHE, Extra Nos, 40-44.

46 Gottes Gottheit, in: TA 2, 22 (vgl. 27).

47 Die Gestalt, in: TA 2, 53. - Vgl. ebd. 61; GD[1] I/17; Eschatologie, in: RGG[2] II, 358.

48 GD[1] I/72: " Der Grund-Widerspruch unseres Daseins, daß wir von Gott geschaffen und durchwaltet, aber ihm zur Verantwortung und Gemeinschaft als Personen gegenübergestellt sind, läßt sich nur in Satz und Gegensatz aussprechen. Daher kann die Dogmatik über Gnade und Freiheit, Gott und Satan, Schöpfungswelt und Zorneswelt, Monismus des Vorsehungsglaubens und Dualismus der Kampfesverantwortung, Notwendigkeit und Freiheit, Erbsünde und Schuld usw. nur dialektisch reden." Vgl. H.U.v.BALTHASAR, K.Barth, 82-89; H.KNITTERMEYER, Dialektik, in: RGG[3] II, 167; F.TRAUB, Zum Begriff des Dialektischen, in: ZThK 10 (1929), 380-388.

49 Eschatologie, in: RGG[2] II, 357. - Vgl. Die Gestalt, in: TA 2, 58; LD[1] 63; LD[3] 59; Zum Verständnis der Rechtfertigung, in: TA 2, 41f. - Vgl. A.BEYER, Offenbarung, 15-17; H.W.SCHMIDT, Die Christusfrage, 21.50; G.ZASCHE, Extra Nos, 26f; J.RATZINGER, Einführung, 220.

50 Eschatologie, in: RGG[2] II, 354.

51 Staatsgedanke und Reich Gottes, 99.

52 Vgl. GD[1] I/73. - Die Kategorien dienen dazu, den paulinisch-lutheri-

schen Glaubensbegriff in seiner Strenge zu bewahren, nämlich die Nähe
des uns begegnenden und in keiner Weise menschlich verfügbaren Gottes
zu betonen (d.h. den Primat der 'ungeschaffenen' Gnade, die der uns
liebend umwerbende Gott selbst ist) und die Personalität der Selbstmitteilung Gottes und der Selbsthingabe des Menschen durch kein 'mystisches' Element zu untergraben. Es ist die Sorge um die Priorität
des Glaubensaktes als fides qua, als personale die Hoffnung eröffnen-
de Beziehung des Glaubenden zu dem ihn anredenden Gott (eine Beziehung, die durch selbstgenügsame Ontologie und ruhende, vorgängig feststellbare 'Heilstatsachen' verlorengeht).

53 Die Theologie, aaO. 136. - Über monologische und dialogische Dialektik
vgl. A.SANNWALD, Der Begriff der Dialektik, 8f. 32.37. - Althaus' Dialektik wurde vielfach einseitig beurteilt (mit gewissem Recht aufgrund
der Pseudomorphose): vgl. W.KOEPPS Auffassung von der durch künstliche
Klammern (Paradox- und Kenosisidee) zusammengehaltenen Komplextheologie (Panagape I, 37-39). - H.W.SCHMIDT, Zeit und Ewigkeit, sieht im
Kenosisgedanken die Herrschaft der geschichtsphilosophisch rein formalen Zeit-Ewigkeits-Dialektik (vgl. 109-127.133.155). Was Schmidt zur
Glaubensdialektik und zum Glaubensbegriff sagt (142-146), trifft nicht
auf die inhaltlich personalkonkrete Dialektik Althaus' zu (vgl.A.BEYER,
Offenbarung, 9o-94.101-109).

54 Gottes Gottheit, in: TA 2,22.

4. Kapitel: Die prophetische Eschatologie und die Christoeschatologie

1 Die Gestalt, in: TA 2, 54f (vgl. 51.56f.61f).

2 Unsterblichkeit und ewiges Sterben bei Luther, 66f.

3 Vgl. Der himmlische Vater, in: EL 49; Zum Verständnis der Rechtfertigung, in: TA 2, 42; Aus der Heimat, 80; GD^1 II/10.

4 H.GRASS, Die Theologie von P.Althaus, aaO. 223.

5 Staatsgedanke und Reich Gottes, 18.

6 Ebd. 17.

7 Die Botschaft vom Reiche Gottes, in: ZW 7 (1931), 484.

8 Christentum und Geistesleben, in: EL 47.

9 Ebd. 39 (vgl. 36).

10 Ebd. 39.42.- Vgl. GD^1 II/52; G.ZASCHE, Extra Nos, 65-72.

11 Christentum und Kultur, aaO. 957. - Vgl. Die Krisis der Ehtik, 9f.

12 Christentum und Kultur, aaO. 956 (vgl. 952-957).

13 Unsterblichkeit und ewiges Sterben bei Luther, 56. - Vgl. LD^3 31; Ewiges Leben, in: RGG^2 II, 460.

14 Gottes Gottheit, in: TA 2, 9.

15 Eschatologie, in: RGG^2 II, 355.

16 Gottes Gottheit, in: TA 2, 28.

17 Die Gestalt, in: TA 2, 54 (vgl. 58).

18 Die Gestalt, in: TA 2, 57. - Ebd. 60: "Glaube und Tod, Liebe und Tod
gehören zusammen. Es ist Liebe Gottes, daß er durch die Geschichte zum
Sterben ruft." - Vgl. H.W.SCHMIDT, Die Christusfrage, 45-63.

19 Der Friedhof, 9. - Vgl. GD^1 II/24.

20 Der Friedhof, 10.

21 Christentum und Geistesleben, in: EL 33f. - Vgl. Krisis der Ehtik, 12-
22; Christentum und Kultur, aaO. 9 77-983.

22 Die Gestalt, in: TA 2, 59 (vgl. 63). - Der Tod hat diese Bestimmung für
uns nicht nur als Christen, sondern schon als Menschen (58). - Staatsgedanke, 95: "Der Versuch, das Kampfgesetz der Geschichte mit dem Ur-
abfall der Menschheit von Gott in Verbindung zu bringen, ist nicht haltbar." - Vgl. Kampf, in: RGG^2 III, 595-597.

23 Die Gestalt, in: TA 2, 61f.
24 Die Gestalt, in: TA 2, 57. - Vgl. H.W.SCHMIDT, Die Christusfrage, 19. -
   J.MOLTMANN, Der gekreuzigte Gott. Das Kreuz Christi als Grund und Kritik christl.Theologie, München 1972, 184-192, lobt Althaus' Ansatz zu
   trinitarischem Verständnis der Kenosis des Kreuzes. Moltmann versteht
   das Kreuzesgeschehen letztlich "als ein Geschehen zwischen Gott und
   Gott,....in Gott selbst" (144). Kommt hier die Inkarnation nicht zu
   kurz? -
   Die dem Glauben entsprechende Haltung Hiobs vollendet sich in Christus;
   der transitorische Charakter des Entscheidungslebens führt durch sein
   glaubensmäßiges Sterben ins wahre Leben. "Das christliche Exodus-Prin-
   zip" ist auch bei Althaus schon ein "Prägzeichen der Schöpfung"(J.
   Ratzinger, Einführung, 206f) in der Kampfes- u.Todesgesetzlichkeit,
   in der Passions- und Opferstruktur der Wirklichkeit, die sich auch in
   den Religionen anzeigt (vgl. LD^3 38; Das Kreuz Christi, in: Mysterium
   Christi, 240).
25 Die Gestalt, in: TA 2, 63.
26 Ebd. 45. - Vgl. ebd. 46f.63f; LD^1 51 = LD^3 68; Was heißt evangelisches
   Christentum?, in: Reformation gestern und heute, 138-143.
27 Zur Lehre von der Sünde, in: TA 1, 72f.
28 Die Gestalt, in: TA 2, 63.
29 Staatsgedanke, 99.
30 Die Gestalt, in: TA 2, 49 (vgl. 47-49.61). - Althaus hatte eine Entwicklung durchgemacht, denn in 'Religiöser Sozialismus' (1921, 69)
   hieß es: "Der Zorn Gottes ist nicht erst in die Geschichte eingetreten, sondern er hat im Zusammenhang mit der übergeschichtlichen Tat
   der Menschheit (= Urfall) die Geschichte geformt und in ihren Gesetzen
   Gestalt gewonnen."
31 Die Gestalt, in: TA 2, 50.
32 Vgl. LD^3 91; Die Gestalt, in: TA 2, 47; Eschatologie, in: RGG^2 II, 358;
   Zur Lehre von der Sünde, in: TA 1, 60.68-72; G.ZASCHE, Extra Nos, 88. -
   Der aktuelle Aussagegehalt des Urstandes und des Urfalles wird auch
   von der katholischen Theologie immer mehr herausgestellt. Vgl. K.RAH-
   NER, Protologie, in: HThTl VI, 109-111.
33 Der Friedhof, 12. - Vgl. Gottes Gottheit, in: TA 2, 11.28f; Mission
   und Religionsgeschichte, in: TA 1, 179.
34 Christentum und Kultur, aaO. 977.981.
35 Vom Sinn der Theologie, in: EL 22f. - Vgl. Mission und Religionsgeschichte, in: TA 1, 178f; GD^1 I/41-47.56-64; LD^1 39-41; LD^3 36-41.
36 Der Friedhof, 10-12. - Vgl. Vom Sinn der Theologie, in: EL 28-30.
37 Die Gestalt, in: TA 2, 57 (vgl. 56f). - Vgl. Der Friedhof, 62. Das
   Kreuz Christi als Maßstab, in: EL 64.70f.
38 Das Kreuz Christi als Maßstab, in: EL 64f.74.71. - Vgl. Das Kreuz Christi, in: TA 1, 12-19; LD^3 58f; Die Krisis der Ethik, 22ff.
39 Zum Verständnis der Rechtfertigung, in: TA 2, 42f. - Vgl. H.W.SCHMIDT,
   Die ersten und die letzten Dinge, aaO., 210.223.227.
40 Gottes Gottheit, in: TA 2, 15. - Vgl. LD^3 236,n.1: "Auch die Sünde ist
   im Lichte der Rechtfertigung zu sehen....Gott überwindet meine besondere Sündigkeit nicht nur, sondern er macht sie sogar zum Mittel der
   Gemeinschaft mit ihm. Darin erscheint seine Gottheit in ihrer ganzen
   Herrlichkeit."
41 G.ZASCHE, Extra Nos, 55.
42 Zum Verständnis der Rechtfertigung, in: TA 2, 42; Zur Lehre von der
   Sünde, in: TA 1, 60.
43 Mission und Religionsgeschichte, in: TA 1, 204; Kirche und Volkstum,

in: EL 135f; LD[1] 81.
44 H.U.v.BALTHASAR, Klarstellungen, 56 (vgl. 39-46.52.56).
45 Vgl. Christologie des Glaubens (= ChdG), in: TA 1, 206-222. - Der
   Wahrheitsgehalt der Religionen, in: TA 2, 81: "Was Christus bedeutet,
   läßt sich zum Teil auch in den Begriffen vor- und außerchristlicher
   Sehnsucht und Mahnung sagen. Aber daß er da ist, das ist in keines
   Menschen Herz gekommen." (vgl. ebd. 78-81).
46 LD[4] 65,n.1. - Vgl. Die Kirche, in: EL 79f.
47 Diese Abgrenzung gegenüber dem supranaturalen Historismus zeigt Althaus auf z.B. an einzelnen Selbstaussagen Jesu (TdG 107; LD[3] 53f), an
   Jesu Sündelosigkeit (Das Kreuz Christi, in: TA 1 32), an Jesu Wundern
   (LD[3] 151f), schließlich an Jesu Auferstehung (Die Auferstehung der
   Toten, in: TA 1, 132; LD[3] 56f.152; TdG 107). - Vgl. A.BEYER, Offenbarung, 28-33.40-48.
48 An solchen zum Glauben einladenden Zügen hält Althaus in seiner Forderung nach einer Christologie von unten nach oben gegen Barth und
   Brunner hartnäckig fest; vgl. dazu TG 768ff.- Vgl. schon 1915: 'Unser Herr Jesus', in: NKZ 26 (1915), 443.539-544. - Am 29.Mai 1928
   schreibt Althaus an Barth: "Alle Christologie (muß) 'anthropozentrisch'
   einsetzen, weil der Glaube der Jünger so eingesetzt hat." - Vgl. Barths
   ablehnende Antwort vom 30.Mai 1928.
49 Vgl. TdG 95f.108f; ChdG 210.214.221f; TG 766f; GD[1] I/72.
50 H.GRASS, P.Althaus als Theologe, aaO. 255. - Der erste Weg (vgl. Althaus' frühe Auseinandersetzung mit W. Bousset: 'Unser Herr Jesus',in:
   NKZ 26 (1915) 439-457.513-545.)vermag Jesus Christus nicht gegenwärtig
   werden zu lassen, der zweite Weg macht seinen Anspruch illegitimiert
   und inhaltslos. - Die Kirche, in: El 83: "Geschichtslose Mystik und
   Historismus bedeuten in gleicher Weise ein Verfehlen des rechten Weges."
51 G.ZASCHE, Extra Nos, 57f (Vorwurf z.B. von F.KONRAD, Das Offenbarungsverständnis, 624-628).
52 Vgl. Die Kirche, in: EL 79f; TdG 109f; Die Bedeutung des Kreuzes im
   Denken Luthers, in: EL 54.
53 Vgl. ChdG 211-222; Brunners 'Mittler', in: TA 2, 179f; CW 448f.
54 J.RATZINGER, Einführung 130.132 (vgl. 133-139). - O.WEBER, Grundlagen
   der Dogmatik, 184, meint, Althaus' Paradoxchristologie kann "nur den
   Sinn haben, die Christologie an ihrem Ort (erg.: des Chalkedons) festzuhalten!".
55 Vgl. GD[1] I/20-25; TdG 108; ChdG 209; Die Theologie, aaO. 129. - Vgl.
   zu dieser 'Übertreibung' auch W.KÜNNETH, Zur Geschichtsgebundenheit,
   in: ZSTh 8 (1930), 760-764, bes. 762 u. A.BEYER, Offenbarung, 104f. -
   In der Tendenz zu allzu großer Geschichtsfreiheit liegt ein Wahrheitsmoment der Kritik H.W.SCHMIDTS (Zeit und Ewigkeit) u. F.KONRADS (Das
   Offenbarungsverständnis), die jedoch u.E. beide übertreiben, bzw. den
   Horizont, aus dem Althaus' Aussagen kommen, nicht genügend aufzeigen
   und deshalb seiner Theologie der Geschichte nicht gerecht werden. Das
   von F.KONRAD erwähnte "durch die Geschichte" (506) kommt trotz Althaus' gegenteiliger Behauptungen zu kurz (vgl. G.ZASCHE, Extra Nos, 179,
   n.165).
56 Das Kreuz Christi als Maßstab, in: EL 73. - Vgl. Die Krise der Ethik,
   22-28. - Zum folgenden vgl. Das Kreuz Christi, in:TA 1, 1-50; Das Kreuz
   Christi, in: Mysterium Christi, 239-272. Die in Klammern angeführten
   Seitenzahlen beziehen sich auf diese beiden Artikel.
57 Vgl.'Ο ἐσταυϱομένος, in: ThBl 7 (1928), 260: "darin sind wir vor die

Liebe Gottes gestellt, die unser Herz zur Hingabe der Buße des ganzen
Vertrauens überwindet und damit das Gericht zum Heil vollendet." - Jesus wird der 'letzte' Mensch, um so der 'Letzte', Alpha und Omega zu
werden, - um durch die Spannweite einer solchen Liebe alles zu umfassen (vgl. J.RATZINGER, Einführung, 207-209).

58 Zum Stellvertretungsgedanken vgl. die beiden angegebenen Artikel 35-
48.262-271.

59 Die deutsche Stunde der Kirche, 8.

60 Der Friedhof, 127f.

61 Der Friedhof, 83 (vgl. 128).

62 Vgl. Der Friedhof, 13-22. bes. 15.21f; Communio Sanctorum, 42-50. 81-
84.

63 Das Kreuz Christi als Maßstab, in: EL 75.

64 Die Gestalt, in: TA 2, 57.

65 Vgl. LD[1] 13f. 52-54; LD[3] 5-7.53-56.

66 Vgl. Reich Gottes, in: RGG[1] IV, 1823; Eschatologie, in: RGG[2] II, 356.

67 Vgl. W.KASPER, Geschichtstheologie, in: HThTL III, 52.

68 Zur axiologischen christlichen Eschatologie vgl. LD[1] 33-38; LD[3] 28-35,
zur theologischen LD[1] 54-56; LD[3] 56-58. - Vgl. DeD 290-294; C.STANGE,
Das Ende aller Dinge, 4-6.98-121; K.RAHNER, Letzte Dinge, in: HThTl IV,
310.

69 Zur Spannung zwischen Lebens- und Todesfreudigkeit, Lebens- und Todes-
lust im Luthertum und den lutherischen Liedern vgl. Der Friedhof, 100f.
106.127f. - Vgl. H.E.WEBER, Eschatologie und Mystik, 217-236.

70 Vgl.Der Friedhof, 101-108. - Ebd. 106: "Die unterchristliche Hoffnung
lebt aus dem Nein..., die christliche Hoffnung lebt aus dem Ja."

71 Vorwurf von SLOTEMAKER DE BRUINE, Eschatologie, 111f.

72 J.MOLTMANN, Probleme der neueren evangelischen Theologie, in: VF 11
(1966), 104-106, stellt Althaus und G.Hoffmann gegeneinander (Begründung in der Heilsgegenwart oder in der Heilszukunft). Er meint: "Über
die fruchtlose Dialektik von präsentischer und futurischer Eschatologie hinaus führt nur eine christologische Eschatologie." (106) - Setzt
die Zukunft der Erlösung nicht die in Christus gegenwärtige Versöhnung
voraus? Kommt das Moment dieser Gegenwart in der 'Theologie der Hoffnung' Moltmanns nicht zu kurz? (vgl. G.SAUTER, Rez. von Theologie der
Hoffnung, in: VF 11 (1966), 128: "Im Kommen Jesu Christi ist die Hoffnung so umgestimmt, daß die Gegenwart nicht mehr allein als Proviso-
rium gesehen werden darf.") - Über die Futurisierung der Eschatologie
und deren Abhängigkeit vom frühen Barth vgl. P.CORNEHL, Die Zukunft
der Versöhnung, 313-359. - Den Weg von der Heilsgegenwart zur Heilszukunft verteidigen u.a.A.Rich, H.Grass, W.Kreck, H.Ott, K.Rahner.

73 Gottes Gottheit, in: TA 2, 11. - Vgl. LD[1] 45f; LD[3] 44-46.

74 Vgl. Krisis der Ethik, 32-48; Kampf, in: RGG[2] III, 596; Zum Verständnis der Rechtfertigung, in: TA 2, 31-44; Das Kreuz Christi, in: Mysterium Christi, 268.271. - Da bei K.Holl die gegenwärtige erneuernde
Macht eigentlich nur Vorausnahme dessen ist, was Gott erst am Ende
macht, beziehen sich Barth und Hoffmann auf ihn. - Weil das Paradoxon
'simul iustus et peccator' die ganze menschliche Wirklichkeit betrifft
und erst durch die definitive, die Sünde restlos vernichtende Ge-
richts- und Heilstat Gottes eine zufriedenstellende Auflösung erhält
(vgl. LD[1] 46; LD[3] 46), darf die eschatologische Spannung nicht in die des
empirisch-anthropologischen Dualismus von Geist und Leib (Innenleben
und Außenwelt) oder von Geist und Fleisch umgedeutet werden (vgl. Reich
Gottes, in: RGG[2] IV, 1824).

75 Zum Verständnis der Rechtfertigung, in: TA 2, 44.

76 Religiöser Sozialismus, 69.

77 Reich Gottes, in: RGG[2] IV, 1824 (vgl. 1822).

5. Kapitel: Die philosophische 'Pseudomorphose'

1 Vgl. LD[1] 64-100. - Es ist "der umstrittenste und zeittypischste Teil des Althausschen Buches" (DeD 312).

2 H.GRASS, P.Althaus als Theolog e, aaO. 254: "Er steht hier (= LD[1]) gar nicht so weit entfernt von dem, was Tillich, Bultmann, aber auch der frühe Barth unter dem Eschatologischen verstanden haben." - W.KRECK, Die Zukunft, 42: "Man wundert sich eigentlich, daß der Sturm der Entrüstung nicht damals schon ebenso losbrach wie gegen Bultmann, denn die Distanz zur neutestamentlichen Denkweise ist nicht gering und wird von Althaus offen zugegeben." - Zur Ablehnung der endgeschichtlichen Eschatologie bekennt sich u.a. ausdrücklich, aber gemäßigter, auch F.TRAUB, Die christliche Lehre von den letzten Dingen, in: ZThK 6 (1925), 29-49.91-120, bes. 99-101.106-111 (107: Lob Althaus').

3 H.W.SCHMIDT, Zeit und Ewigkeit, 337,n.1.

4 G.HOFFMANN, Das Problem, 42 (vgl.44).

5 DeD 279,n.1 (vgl. 279-322) - Vgl. K.HEIM, Zeit und Ewigkeit, aaO. 414. - Auch W.KRECK, Die Zukunft, 40, meint, daß in LD[1] Althaus' eigene These am klarsten und deutlichsten herauskomme. T.STADTLAND, Eschatologie, 142,n.340, nennt LD[1] "die schönste, systematisch geschlossenste" Auflage. (Doch gilt nicht auch hier, was Stadtland, ebd. 124, vom jungen Barth sagt: "Die Einseitigkeit dieser 'Theologie' ist zwar ihre Stärke, ein systematisches Ganzes kann aber aus ihr nicht hervorgehen.") - Th.STEINMANN, Rezension von LD[3], in: ThLZ 52 (1927), 97, meint allerdings über die Neuauflage, daß sie "an Geschlossenheit und Straffheit des Gedankenbaus nicht verloren, sondern viel eher gewonnen" habe. - G.AULÉN, Das christliche Gottesbild, 378, zählt LD "zu den charakteristischen" und "tiefschürfenden" Büchern seiner Zeit und meint, daß keine theologische Arbeit "mit solchem Nachdruck und mit solcher methodischer Schärfe" die Grundsätze der Loslösung vom biblizistischen Standpunkt und der Bedeutung des eschatologischen Motivs in der ganzen Theologie durchgeführt habe (vgl. 378-380). - Zur Kritik an LD[1] vgl. auch O.MICHEL, Unser Ringen um die Eschatologie, in: ZThK 13 (1932), 160-162; C.STANGE, Das Ende aller Dinge, 4-6.98-121; J.MOLTMANN, Theologie der Hoffnung, 33; G.SAUTER, Zukunft und Verheißung, 97-102.102-112 (98: Der Entwurf besticht "durch seine nicht nur formale Einlinigkeit und Geschlossenheit").

6 Zur Frage der 'endgeschichtlichen Eschatologie', in: ZSTh 7 (1929), 368 (= LD[4] 267).

7 Vgl. A.DARLAP, Anfang und Ende, in: HThTL I, 107:"Diese Aussage aber muß sich daher in eschatologischem Aktualismus und echtem 'Später', in einer Distanz von jetzt und später, notwendig in einem als Jetzt und Ende des einen aktuellen Ereignisses aussprechen, das zeitlich ist und darum das Jetzt nur durch die Zukunft und die echte Zukunft nur durch Gegenwart aussagen kann....wo die Aktualisation den Vorblick auf das zeitlich Zukünftige verstellt, ist die Aktualisation falsch." - Vgl. H.STEUBING, Das Grundproblem der Eschatologie, in: ZSTh 7 (1930), 471-481 (Steubing verteidigt Althaus' Geschichtstheologie).

8 Vgl. DeD 348; P.EBERT, Eschatologische Setzerscholien, in: NKZ 38 (1927), 794f; Ph.BACHMANN, Der neutestamentliche Ausblick, in: NKZ 39 (1928), 91; G.SAUTER, Zukunft und Verheißung, 99f. 102-112 (106: Sauter sagt: daß Althaus' und Barth "großzügige Amputationen der End- bzw.Schluß-

geschichte kaum mehr als Schönheitsoperation an einer biblizistisch
verfremdeten Eschatologie gelten können....Die Ewigkeit durchschießt
die Zeit - aber sie wird 'teleologisch' nur entdecken lassen, was sie
jeweils 'axiologisch' eingezeichnet hat."
9 Vgl. H.U.v.BALTHASAR, Zuerst Gottes Reich, 33: "Solches ist nur möglich, wenn der freie Gott, der die Welt zeitlich aus dem Nichts schuf
   und ihren Lauf mit Verheißungen begleitete, als der gleiche freie Schöpfer aus dem Nichts am Ende der Zeit das Geschaffene gesamthaft aus dem
   Tod in sein Leben hineinrettet." (vgl. 28-30.39).
10 Eschatologisches, aaO. 616.
11 Vgl. E.THURNEYSEN, Christus und seine Zukunft, in: ZZ 9 (1931)·, 187-
   211, bes. 198,n.1; G.HOFFMANN, Das Problem, 48 (zu LD[3]). A.BEYER, Offenbarung, 116, stimmt Hoffmann zu.
12 W.KRECK, Die Zukunft, 187 (vgl. 183-190).
13 H.U.v.BALTHASAR, Klarstellungen, 56.
14 J.RATZINGER, Einführung, 294. - Vgl. ArtDeD 335: " So ist es der Inkar-
   nationsgedanke, der bei Althaus auch in der ungeschichtlichen Periode
   das heilsgeschichtliche Interesse der negativen Haltung der dialektischen Theologie gegenüber behauptet." - Vgl. G.HOFFMANN, Das Problem,
   59f; H.STEUBING, Das Grundproblem der Eschatologie, in: ZSTh 7 (1929/
   30) 495f.
15 Althaus hatte den Großteil der Neubearbeitung der Kritik der endgeschichtlichen Eschatologie in LD[3] bereits veröffentlicht: Heilsgeschichte und Eschatologie, in: ZSTh 2 (1924), 605-673 (vgl. LD[3] 83-185). Wir
   halten uns (außer eigens erwähnt) an LD[3]. - Vgl. DeD 338-348 (ebd. 338:
   "Aber liegt diese Schärfe im Ton daran, daß ein unbewußter Wunsch dahinter steht, die heimlichen Zweifel an der Stärke der eingenommenen, allzu weit vorgeschobenen Stellung zu übertäuben?").
16 Das Ranke-Zitat stammt aus "Über die Epochen der neueren Geschichte"
   (1854). Vgl. DeD 203f. Holmström zählt ebd. auch die Fundstellen auf
   bei K.Barth, H.Barth, E.Hirsch, E.Brunner, G.Hoffmann und P.Althaus
   (Das Kreuz Christi als Maßstab, in: EL 68; LD[1] 96 ohne Zitat; ZSTh 2
   (1924) 669; LD[3] 174). - Vgl. H.-G.GADAMER, Wahrheit und Methode, 191-
   199.
17 Vgl. LD[3] 153; Eschatologisches, aaO. 616.
18 K.HEIM, Zeit und Ewigkeit, aaO. 415 (vgl. 403.414f).
19 G.HOFFMANN, Das Problem, 47. - Hoffmann will selbst die Wahrheitsmomente des endzeitlichen und des überzeitlichen Momentes verbinden (49.99-
   117). Doch Hoffmanns Betonung des Primats der Hoffnung (67f.110) und
   seine Berufung auf K.Holl (64.70f) sprechen dafür, daß "sein tiefstes
   theologisches Pathos mehr dem von Barth verwandt" (DeD 390) ist als dem
   von Althaus. - F.BURI, Die Bedeutung, 47, spricht von "Kompromißlösung"
   in LD[3]. Vgl. auch DeD 338f; ArtDeD 335f; H.W.SCHMIDT, Zeit und Ewigkeit, 337-340.345; P.EBERT, Eschatologische Setzerscholien, in: NKZ 38
   (1927), 795.
20 G.HOFFMANN, Das Problem, 49.n.170, glaubt, es sei bei Althaus nur noch
   die Kritik des Fortschrittsgedankens in der Geschichtsauffassung geblieben. Althaus meint jedoch (LD[4] 268), O.Michel würde seine Änderung
   besser zum Ausdruck bringen: "Althaus' Eschatologie war früher Kampf
   gegen die Endgeschichte im Namen der Aktualität und Lebensnähe, ist
   heute ein Kampf um die Aktualität und Lebensnähe der Eschatologie unter Zurückstellung der Endgeschichte." (O.MICHEL, Unser Ringen um die
   Eschatologie, in ZThK 13 (1932), 168).
21 Zur Frage der 'endgeschichtlichen Eschatologie', aaO. 368 (= LD[4] 267).
   - Vgl. DeD 199.

22 Der Name der 'axiologischen Eschatologie' kommt von E.Troeltsch (Eschatologie, RGG[1] II, 622ff; vgl. LD[1] 18,n.2), nicht von W.Windelband, wie J.Moltmann behauptet (Probleme der neueren evang.Theologie, in: VF 11 (1966), 104). - Vgl DeD 145-160; ArtDeD 335; C.STANGE, Das Ende aller Dinge, 4f.16-42; R.GABAS PALLAS, Escatologia protestante, 16-20.

23 W.WINDELBAND, Meditation 'Sub specie aeternitatis' ([1]1883), [3]1907, 451-463 (vgl. LD[1] 17f; LD[3] 15f). - Vgl. DeD 148-150; C.STANGE, Das Ende aller Dinge, 6-16.

24 Althaus erhebt Einspruch dagegen, daß die Wertphilosophie nicht aus der der sittlichen Erfahrung entstammenden 'axiologischen Ewigkeitsgewißheit' weiterschreite zur teleologischen Form der Eschatologie (LD[1] 18, n.1; LD[3] 16,n.1; vgl. DeD 287.290). - In LD[4] 18 anerkennt Althaus die Kritik am Einsatz mit der Philosophie, am Nebeneinander christlicher Eschatologie und idealistischer Gedanken. - Vgl. auch die Kritik P. EBERTS, Eschatologische Setzerscholien, in: NKZ 38 (1927), 737-743. - E.THURNEYSEN, Christus und seine Zukunft, in: ZZ 9 (1931), 187,n.1, kritisiert Althaus' Ausgang von der allgemein-begrifflichen Formulierung, gesteht allerdings, daß Althaus selbst in den weiteren Ausführungen diesen allgemein begrifflichen Rahmen immer wieder durchbricht und sprengt. - F.TRAUB, Die christliche Lehre von den letzten Dingen, in: ZThK 6 (1925), 31f, erhebt Einspruch gegen das Fehlen der Zeitdimension in der axiologischen Eschatologie. Vgl. Althaus' Antwort in LD[3] 16,n.2.

25 So Althaus, Eschatologisches, aaO. 614f, gegen F.Holmström (ArtDeD 330-336; DeD 281-299). - Unsere Kritik richtet sich gegen Althaus' Selbstdarstellung in: Eschatologisches, aaO. 616.

26 H.U.v.BALTHASAR, Umrisse, aaO. 282.

27 Eschatologie, in: RGG[2] II, 354 (vgl. 354f). - Die Nähe zu mystisch-idealistischer Richtung hatte wohl auch zur Folge, daß die 'Theo-logik' des Glaubens in LD[1] bei einigen Formulierungen der Gefahr psychologischer 'Anthropo-logik' ausgesetzt war, indem die unanschaulich-transzendente Glaubenswirklichkeit in empirisch-psychologischen, vergegenständlichenden Kategorien ausgesagt wurde. Althaus tilgt bewußt bald diese "religions-psychologischen Rückstände" (LD[3] 17,n.2) aus LD[1] 36-38, denn dort ist zu ungedeckt von "Glaube und Erleben, fühllosem und fühlendem Glauben", "Verspüren des in der Gemeinschaft mit dem Lebendigen empfangenen neuen Lebens" und von in uns erlebtem Christus die Rede. Der Vorwurf, daß Althaus den Akt des Glaubens mit seinem psychologischen Vollzug verwechsle, blieb deshalb nicht aus, vor allem von E.PETERSON (Über die Forderung einer Theologie des Glaubens, in: ZZ 2 (1925), 281-302, bes.285; zur Kritik Petersons vgl. u.a. H.W.SCHMIDT, Zeit und Ewigkeit, 138-141; A.BEYER, Offenbarung, 101). Aber selbst scharfe Kritiker, wie z.B. H.W.Schmidt, lehnten diesen sehr polemisch gehaltenen, unobjektiven Vorwurf ab, denn in der Theologie des Glaubens von Althaus geht es um die aus dem Offenbarungsinhalt, nämlich der Gottesgemeinschaft, gegebenen objektiven Spannungen, nicht um psychologische Spannungsgesetze.

28 G.HOFFMANN, Das Problem, 27. - Gegen die Zeitlosigkeitsspekulation erheben u.a.Einspruch: H.E.WEBER, Die Kirche im Lichte der Eschatologie, in: NKZ 37 (1926), 323; K.HARTENSTEIN, Eschatologie der Ewigkeit, in: Evang.Kirchenblatt für Württemberg 86 (1925), 13f; PH.BACHMANN, Der neutestamentliche Ausblick, in: NKZ 39 (1928), 104-108; F.K.SCHUMANN, Christlicher und mystischer Gottesgedanke , in: ZSTh 3 (1925/26), 331; P. EBERT, Eschatologische Setzerscholien, in: NKZ 38 (1927), 807-809; G.

SAUTER, Zukunft und Verheißung, 96-112; R.H.GRÜTZMACHER, Rezension von
LD[1], in: Theologie der Gegenwart 17 (1923), 49; E.BRUNNER, Der Mittler,
484; SLOTEMAKER DE BRUINE, Eschatologie, 112; H.FRICK, Das Reich Gottes
in amerikanischer und in deutscher Theologie der Gegenwart, 12-15; F.K.
SCHUMANN, Christlicher und mystischer Gottesgedanke, in: ZSTh 3 (1925/
26), 298-333; H.W.SCHMIDT, Zeit und Ewigkeit, 118ff; C.STANGE, Das Ende
aller Dinge, 99; DeD 21f.299-304.

29 G.SÖHNGEN, Kant I., in: LThK V, 1308. - Vgl.DeD. 146-148. 199-203.300-
    -304.369;ArtDeD 334. J.PIEPER, Über das Ende der Zeit, 106-126; ders.,
    Hoffnung und Geschichte, 59-69. - Vgl. 1.Teil, 2.Kap., 1,2 und 4.

30 H.FRIES, Die Zeit als Element der christlichen Offenbarung, in: Inter-
    pretation der Welt, 704. - Die anderen Lösungen sind im Grunde "eine
    Flucht aus der mit der Erfüllung gegebenen Zeit in ein Jenseits der
    Zeit, in ein Asyl außerhalb der Geschichte - und damit außerhalb des
    zeithaft - geschichtlich bestimmten Menschen." (705;vgl.709f).

31 H.FRIES, Die Zeit als Element der christlichen Offenbarung, in: Inter-
    pretation der Welt, 705.

32 Vgl. H.W.SCHMIDT, Zeit und Ewigkeit, 109-155.269-309.315-344. - In
    Schmidts Lösung ist die Zeit ein 'vorformales Etwas', das sich jeweils
    die angemessene Form für die Erfülltheit bzw. Unerfülltheit gibt
    (Voll- und Halbzeitlichkeit). Ewigkeit ist kein Jenseits der Zeit, son-
    dern eine bestimmte Qualifikation der Zeit, so daß die absolute Offen-
    barung des Ewigen in der Geschichte und geschichtliche Parusie möglich
    sind. - Althaus geht in LD[4] sogar so weit, die Zeit auch als General-
    nenner anzunehmen, "der sowohl unsere geschichtliche Zeitlichkeit wie
    die Form der Ewigkeit unter sich befaßt....Aber für das Problem selber
    ist damit nichts geschehen." (LD[4] 325). Schmidts Lösung ist für Alt-
    haus ein "Taschenspieler-Kunststück" (= Bericht der 56.Allgem.Pasto-
    ralkonferenz, 26). Althaus selbst gesteht jedoch bereits 1927, in LD[1]
    "dem Geheimnis des Verhältnisses von Zeit und Ewigkeit" nicht gerecht
    geworden zu sein (Rezension von K.WILDE, Deutsches Evangelium, in: ThLZ
    52 (1927), 165). - P.SCHEMPP (Theologie der Geschichte, in: ZZ 5 (1927),
    497-513) wirft Schmidt "falsche, oft an Verleumdung grenzende Interpre-
    tation" (497) vor, so daß abgesehen von den Zitaten wenig Richtiges
    daran sei und nur eine "spekulative Religionsphilosophie, -geschichte,
    und -psychologie" als Theologie (513) übrigbleibe. - Zu H.W.SCHMIDT,
    Zeit und Ewigkeit, vgl. auch H.STEUBING, Das Grundproblem der Escha-
    tologie, in: ZSTh 7 (1929/30), 479-481.485-491.495; A.BEYER, Offenba-
    rung, 89-95; H.SCHREYER, Rezension von 'Zeit und Ewigkeit', in: ThLZ
    52 (1927), 404-406; O.MICHEL, Das Ringen um die Eschatologie, in: ZThK
    13 (1932), 162f; W.ÖLSNER, Die Entwicklung, 111-114; ArtDeD 348-350;
    DeD 355.360.370; K.HEIM, Glaube und Denken, 381-385; P.TILLICH, Rezen-
    sion von 'Zeit und Ewigkeit', in: ThBl 6 (1927) 234f; G.HOFFMANN, Das
    Problem, 57,n.10; 113-115; A.SANNWALD, Der Begriff der Dialektik, 89,
    n.42; F.BURI, Die Bedeutung, 85-87; W.KRECK, Die Zukunft, 45f;J.KÖR-
    ner, Eschatologie, 81f; T.STADTLAND, Eschatologie, 64,n.21; 105,n.199.
    - Eine einseitige Interpretation (in Richtung der Pseudomorphose)
    scheint uns auch die von R.GABAS PALLAS, Escatologia protestante, zu
    sein. Er sieht nur "una superposición de estratos ontológicos....una sup-
    resión de la forma del tiempo presente....antítesis irreconciliabi-
    le" (17) und interpretiert Althaus anhand des Kantschen Subjektivis-
    mus der Zeitform (vgl. 29-31).

33 K.RAHNER, Zum Sinn des Assumpta-Dogmas, in: Schriften I, 248. -
    Auch J.Ratzinger sieht den Fehler der Zeit-Ewigkeitsphilosophie darin,

daß sie in der einfachen Alternative zwischen physikalischer Zeit und
reiner Ewigkeit als purer Nicht-Zeit das spezifisch Menschliche übersieht - mit der "absurden Konsequenz...,daß von der anderen Seite her
betrachtet die Geschichte zum leeren Spektakel würde, in dem man sich
abzumühen meint, während gleichzeitig in der 'Ewigkeit', im immer schon
währenden Heute, alles längst entschieden ist." (Jenseits des Todes, in:
Communio 1 (1972), 237). - Nach H.STREUBING, Das Grundproblem der Eschatologie, in: ZSTh 7 (1929/30), 481-496, ist Zeit eine formale Quan-
tität, Ewigkeit eine inhaltliche Qualität; jedes gegenseitige Abwägen
ist versagt. Zeit ist ganze Zeit als sittlich religiöse Entscheidungszeit, also im Lichte der Ewigkeit als eines qualitativen Faktors. -
Es wird u.E.auch hier im Gefolge Kants zu wenig gesehen, daß die religiös-sittliche Entscheidung 'zeitigen' muß im konkreten vieldimensiona-
len Menschen und so die letzten Dinge zur Vollendung der Geschichte
nicht nur in ihrer Innerlichkeit, sondern auch in ihrer Leibhaftigkeit
werden.
34 H.GRASS, Das eschatologische Problem, aaO. 75 (ausdrücklich zu E.Brun-
ner). - Grass lobt die Präponderanz der individuellen vor der universalen Hoffnung (ebd. 70). Kritik am individualistischen Ansatz übten
u.a.: Th.SIEGFRIED, Endgeschichtl. und aktuelle Eschatologie, in: ZThK
4 (1923), 353,n.1; G.WELLER, Zur eschatologischen Frage, in: Evang.
Kirchenblatt für Württemberg 86 (1925), 87; H.E.WEBER, Die Kirche im
Lichte der Eschatologie, in: NKZ 37 (1926), 327; H.W.SCHMIDT, Zeit und
Ewigkeit, 337-339; G.HOFFMANN, Das Problem, 44; A.BEYER, Offenbarung,111.
35 Vgl. LD^3 35.43.47.51.239f (vgl. LD^1 127).265,n.1 (vgl. LD^1 142).
36 Diese 'Verörtlichung' des Zeitbegriffs zeigt sich u.a. auch darin, daß
Althaus (unter Einfluß E.Hirschs) die Fülle des Nacheinanders als Ausdruck der unendlichen Vielfalt der Schöpfermacht Gottes in den individuellen Lebensführungen deutet, also das temporale Nacheinander in das
lokale Nebeneinander abbiegt (LD^3 179). H.FRICK, Das Reich Gottes in
der Theologie von Luther bis heute, in: ThBl 6 (1927), 136, kritisiert
scharf diese 'Verräumlichung der Eschatologie', "denn in den Raumbil-
dern ist die Mystik zuhause, in der Zeit dagegen die Offenbarung".
37 Eschatologisches, aaO. 616 und 612.
38 Das Kreuz Christi als Maßstab, in EL 68.
39 Kirche und Volkstum, in: EL 128. - Vgl. 2.Teil, 4.Kap. 3c/cc.
40 Kirche und Volkstum, in: EL 126. - Vgl. ebd. 124-126.138; Staatsgedanke, 16f. 41-57; Religiöser Sozialismus, 63.
41 Kirche und Volkstum, in: EL 141 f (vgl. 138-142).
42 Der Friedhof, 136f und 107.
43 Das Erlebnis der Kirche, 14. - Auch in diesem frühen Werk (1919) be-
dauert Althaus den religiösen Individualismus. - Vgl. Das Wesen des
evangelischen Gottesdienstes, in: ZSTh 4 (1926), 274. Althaus verlangt
nach einem "evangelischen Allerheiligen" (ebd. 276), um die Gemeinschaft mit der vollendeten Gemeinde, die vorangegangen ist, lebendig
zu erhalten (ähnlich: Der Friedhof, 50.53f). - Ausdrücklich weist Althaus die Kirchenkritik Barths und Gogartens zurück (vgl. Die Kirche,
in: EL 85.88-90; A.BEYER, Offenbarung, 37-40).
44 H.E.WEBER, Die Kirche im Lichte der Eschatologie, in: NKZ 37 (1926),
327,n.2 und 327.
45 Ebd. 330 u. 329, n.1 (vgl.332.337). - Vgl. G.WETH, Die Heilsgeschichte,
8f. 245f.
46 Das Reich Gottes und die Kirche, in: ThBl 6 (1927), 140 (vgl. 139-141).
- Auch im Eschatologie-Artikel in RGG^2, 345ff, bes. 356, wird die Wirklichkeit der Kirche bereits viel mehr herausgestrichen. - Vgl. J.RATZIN-

GER, Einführung, 199-204.

47 H.GRASS, Die Theologie von Paul Althaus, aaO. 227. - Für das Folgende
   vgl. ders., Das eschatologische Problem, aaO. 67-78; A.AHLBRECHT, Tod
   und Unsterblichkeit, 108f. - Vgl. 2.Teil, 5.Kap.

48 H.GRASS, Das eschatologische Problem, aaO. 77. - Grass sagt (ebd.78),
   daß die katholische Eschatologie die Jenseitseschatologie immer bevor-
   zugt habe, "ohne die endgeschichtliche Eschatologie ganz preiszugeben."
   - Der Nachsatz ist jedoch u.E. wichtig. Es handelt sich um eine 'gestufte' und letztlich sich doch einigende Eschatologie des Totalen. -
   Ist nicht auch der Weg von Grass ein 'Ausweg' vor anstehenden Fragen,
   z.B. vor der uns heute so bedrängenden Frage der Geschichte, der Planung der Zukunft, der Verflochtenheit des Einzelnen in die Gemeinschaft, usw.? Ist die Menschengeschichte nur der "Bereich sittlicher
   Entscheidung und schöpferischer Gestaltung" (ebd. 69)? Ist Grass' Position vor allem eine Ablehnung unhaltbarer Vorstellungen vom Zwischenzustand? Er kennt offenbar auch die katholische Vorstellung vom 'Zwischenzustand', behauptet aber trotzdem, der Zwischenzustand mache Gott
   zu einem einsamen Gott. Wie A.AHLBRECHT bemerkt, "scheint die negative
   Fixierung durch die Reaktion auf protestantische Auffassungen vom Zwischenzustand zu stark zu sein, als daß er sich durch diese andere (=
   katholische) Sicht zu einer besonneren Lösung bewegen lassen könnte"
   (Tod und Unsterblichkeit, 109).

49 W.KASPER, Einführung, 43 (vgl. 43.147).

50 Reich Gottes, in: RGG[2] IV, 1824. - Vgl. Christentum und Kultur, in:
   AELKZ 61 (1928), 957.

51 Vgl. LD[1] 132-137; LD[3] 250-256. - Seine ethisch-personale Grundlegung
   der Eschatologie darf also nicht in dem strengen Sinne wie bei E.
   Hirsch verstanden werden (LD[3] 253,n.2), so daß der gesamte sachliche
   Gehalt der Geschichte nur den Sinn hätte, 'Material der Pflicht' oder
   Stoff der Entscheidung zu sein. Es ist das Wahrheitsmoment des objektiven Idealismus, in Kulturarbeit und geschichtlichem Gestalten, in Welt-
   erkenntnis und Weltbeherrschung - über die Zweckbeziehung zu unserer
   ethischen Entscheidung hinaus - einen eigenen Sinn zu sehen, wie ihn
   christliche Natur- und Geschichtsphilosophie entdeckt. - Althaus widerspricht nicht nur A.Ritschl, sondern auch F.Traub. Althaus (LD[3] 251,
   n.1) hält Traubs Begründung der neuen Welt für zu anthropozentrisch
   und fordert, daß die kommende Welt als unendliche Fülle mit Gottes sich
   schon in dieser Welt bezeugenden Unendlichkeit begründet werde, nicht
   mit unserem Hunger nach Unendlichkeit. K.HEIM, Zeit und Ewigkeit, aaO.
   413f, weist hin auf den Widerspruch zwischen Althaus' "idealistischen
   Tellsprung ins Überzeitliche" und seiner Ablehnung des idealistischen
   Reiches vollendeter Geister.

52 H.GRASS, Das eschatologische Problem, aaO. 78. - Vgl. Der Gegenwärtige,
   24.31 (Predigt vom 1. Juli 1928).

2. Teil: Althaus' Eschatologie in ihrer endgültigen Gestalt

1 H.DIEM, Das eschatologische Problem in der gegenwärtigen Theologie, in:
  ThR 11 (1939), 234. - Er hat "die unvermeidlich nach Geschichtsfeind-
  lichkeit riechende Kritik der 'Endgeschichte' auf das Maß des Unaufgebbaren zurückgedrängt" (ebd. 235). - Vgl. DeD 351-356; ArtDeD 342f.

2 Vgl.Vorwort zu LD[5]_10(1948), abgedruckt in LD[10] XI, und zu LD[8] (1961),
  abgedruckt in LD[10] XIII: "Die neue Auflage erscheint, wie die vorigen,
  unverändert in der Gestalt, die das Buch von 1933 empfangen hat." Althaus verweist in LD[10] XIII als Ergänzung auf 'Der Mensch und sein Tod'

(1948), 'Retraktationen' (1950) und die RGG[3]-Artikel; zur Auseinandersetzung mit der Kerygmatheologie empfiehlt er W.KRECK, Die Zukunft des
Gekommenen. - Wir zitieren daher, von wenigen späteren Abänderungen abgesehen, nach der grundlegenden vierten Auflage.
3 W.v.LOEWENICH, P.Althaus als Lutherforscher, aaO. 14 (vgl. ebd. 16).

1. Kapitel: Ursprung und Grund

4 Eschatologie, in: RGG[3] II, 680. - Vgl. LD[4] 6; CW 23f.92f; Die Wirklichkeit Gottes, in: ZW 9 (1933), 83.
5 Vgl. Die Wirklichkeit Gottes, aaO. 84.86.91; CW 23f.71.90-93; Gott ist
gegenwärtig, 60 (Predigt vom Ostertag 1961).
6 K.RIESENHUBER, Natürliche Theologie, in: HThTl V, 170.
7 Der Gegenwärtige, 95-98 (Predigt vom 17.1.1932). - Vgl. Die Gestalt,
in: TA 2,47; CW 382f; Eschatologie, in: RGG[3] II, 680; Die Herrlichkeit
Gottes, 117f (Predigt vom 25.März 1951); Gott ist gegenwärtig, 129f
(Predigt vom 24.Nov.1963) und 137-142 (Predigt vom 22.Nov.1964).
8 Von der Präsenz Gottes im Menschsein des Menschen, in: Festschrift
Witte, 13.
9 Die wichtigsten Fundstellen: Christentum und Geistesleben, in: EL 31-
45; GD[1] I/10-14; GD[1] II/13-37.51-55; Die Wirklichkeit Gottes, aaO. 81-
92; GD[2] I/14-28; Ur-Offenbarung, in: Luthertum 46 (1935), 4-24; CW 37-
94; GD[5] 18-31. - Die wichtigste Literatur: H.GRASS, Die Theologie von
P.Althaus, aaO. 221-223; W.LOHFF, Zur Verständigung über das Problem
der Uroffenbarung, in: Dank, 151-170; ders., P.Althaus, in: Theologen,
65-67; H.G.PÖHLMANN, Das Problem der Ur-Offenbarung bei Paul Althaus,
in: KuD 16 (1970), 242-258; H.ZAHRNT, Die Sache mit Gott, 76-84.114;
A.PETERS, Die Frage nach Gott, 82-87.100; M.DOERNE, Zur Dogmatik, aaO.
456-458; P.KNITTER, A Case Study, 56-83; G.ZASCHE, Extra Nos, 60-92;
F.KONRAD, Das Offenbarungsverständnis, 435-482. - Zur gegenwärtigen Diskussion u.a.: R.BULTMANN, Die Frage der natürlichen Offenbarung, in:
GV II, [5]1968, 79-104. E.KINDER, Das vernachlässigte Problem der 'natürlichen' Gotteserfahrung in der Theologie, in: KuD 9 (1963), 316-
333;C.H.RATSCHOW, Gott existiert, 76-87; G.GLOEGE, Uroffenbarung, in:
RGG[3] VI, 1199-1203; H.J.BIRKNER, Natürliche Theologie und Offenbarungstheologie. Ein theologiegeschichtlicher Rückblick, in: NZSTh 3 (1961),
279-295; C.GESTRICH, Die unbewältigte natürliche Theologie, in: ZThK
68 (1971), 82-120.
10 Uroffenbarung, aaO. 4 und 6. - Vgl. K.BARTH, Nein! (1934).
11 Vgl. LD[3] 93; G.GLOEGE, Uroffenbarung, in: RGG[3] VI, 1199; J.HEISLBETZ,
Uroffenbarung, in: LThK X, 565-567; H.FRIES, Uroffenbarung, in: HThTL
VIII, 19-23; P. KNITTER, A Case Study, 61,n.16.
12 Vgl. GD[5] 18-22; Ur-Offenbarung, aaO. 8-24; CW 37-50.343. - R.GEBHARDT,
Naturrecht und Schöpfungsordnung, 76-87.116-118, betont sehr stark die
Notwendigkeit.
13 H.GRASS, Paul Althaus als Theologe, aaO. 255. - Zur Barth-Kritik vgl.
RG 758ff; Ur-Offenbarung, aaO. 5.10-15.24; CW 39-41.57-61. -Als Verteidiger der Uroffenbarungslehre führt Althaus an: A.Schlatter, W.Lüt-
gert, E.Brunner, Fr.Brunstäd, H.Schreiner, Fr.Büchsel, Fr.K.Schumann,
G.Wehrung. - Zur Kritik vgl. u.a. E.HÜBNER, Evangelische Theologie in
unserer Zeit, 91-93; G.HEINZELMANN, 'Uroffenbarung?', in: ThStKr 106,
NF I/6 (1934/35), 415-431; W.WIESNER, Der Gott der 'Wirklichkeit', aaO.
97-105; O.WEBER, Grundlagen der Dogmatik I, 219-241; H.DIEM, Das eschatologische Problem, aaO. 230-240; G.HILLERDAL, Gehorsam gegen Gott
und Menschen, 301-303.

14 Eschatologie, in: RGG[3] II, 680.
15 Schriftbeweis vgl. CW 38-41.44.46.59.288f; TG 751; BR 20f; PL 56-67;
   GE[2] 35; Ur-Offenbarung, aaO. 8f; H.G.PÖHLMANN, Das Problem, aaO. 244f.
   252f; P.KNITTER, A Case Study, 63-69; F.KONRAD, Das Offenbarungsverständnis, 436f.
16 Die Wirklichkeit Gottes, aaO. 81 (vgl. 83-85).
17 P.KNITTER, A Case Study, 71-81, teilt gemäß GD[3] II/13-15 die 'Phenome-
   nology of Uroffenbarung' ein in: Ur-Macht, Ur-Ich, Ur-Wille und Ur-
   Geist. - Vgl. H.G.PÖHLMANN, Das Problem, aaO. 247-251; F.KONRAD, Das
   Offenbarungsverständnis, 437-442.
18 CW 22-25.61-71.326f; GD[3] 23; Die Wirklichkeit Gottes, aaO. 83f; GD[3]
   II/11-15; Von der Präsenz Gottes im Menschsein des Menschen,aaO. 11-
   19; Gott ist gegenwärtig, 36-38; Gotteserkenntnis ohne Christus? in:
   Sonntagsblatt 16 (1963), Nr. 5, 14. - Sowohl P.KNITTER, A Case Study,
   81f, als auch G.ZASCHE, Extra Nos, 63,n.202, weisen auf die Nähe der
   Althaußschen Vorstellungen mit katholischem thomistischen Verständnis
   etwa bei Maréchal oder Maritain hin: Gott ist das Miterfahrene, das un-
   reflektierte Objekt der ganzmenschlichen Erfahrung.
19 Gott ist gegenwärtig, 114f (Predigt vom 16.Juni 1963).
20 Von der Präsenz Gottes im Menschsein des Menschen, aaO. 15 (vgl. 17f).
   - B.WELTE, Heilsverständnis, Freiburg 1966, 98, spricht von 'ontologischer Trauer'.
21 CW 71-76.347-352; TG 749f; GD[5] 25-28; Die Wirklichkeit Gottes, aaO. 84f;
   Ur-Offenbarung, aaO. 13-20.
22 Die Wirklichkeit Gottes, aaO. 84f. - Vgl. GD[3] I/14f.22f; Von der Präsenz
   Gottes im Menschsein des Menschen, aaO. 15f.
23 CW 33.76-79.
24 Vgl. F.KONRAD, Das Offenbarungsverständnis, 435,n.2; 436; oben Anm.18. -
   H.G.PÖHLMANN, Das Problem, aaO. 254, sieht darin eine fatale Ähnlichkeit zur Syllogistik der scholastischen Gottesbeweise.
25 CW 79-82; GD[3] I/19.
26 CW 82-90; GD[2] I/24; GD[5] 28f.
27 H.ZAHRNT, Die Sache mit Gott, 78. - Vgl. Ur-Offenbarung, aaO. 23f.
28 F.KONRAD, Das Offenbarungsverständnis, 442-459, unterscheidet drei Be-
   trachtungsweisen: die phänomenologische, theologische und philoso-
   phisch-metaphysische. Wir meinen, daß es in der Offenbarung des rätsel-
   haft-doppelten Antlitzes Gottes nicht um philosophische Anspruchslo-
   sigkeit (vgl. 460) gehe. Sowohl diese Offenbarung als auch die Offenbarung der 'schweigenden Transzendenz' des Menschen zeugen von der
   ursprünglichen Bestimmung des Menschen und seiner 'Gottfähigkeit'
   (vgl. CW 79), welche die Ansprechbarkeit und Verantwortlichkeit des
   Menschen einschließt. Der Zorn Gottes zeugt von der Verlustwirklichkeit der unterbliebenen Erfüllung, setzt aber den Stand der Verantwortung bleibend voraus.
29 Ur-Offenbarung, aaO. 24. - Vgl. GD[5] 31-33; CW 93.
30 Von der Präsenz Gottes im Menschsein des Menschen, aaO. 11. - Vgl. ebd.
   19; CW 257.
31 O.WEBER, Grundlagen der Dogmatik I, 639. - Vgl. Althaus' Rezension, in:
   ThLZ 83 (1958), 632-636; Von der Präsenz Gottes im Menschsein des Menschen, aaO. 19,n.4.
32 Rezension von O.Weber, Grundlagen, in: ThLZ 83 (1958), 635.
33 Paulus und Luther über den Menschen (= PL) ([1]1938, [4]1963), 31-67. -
   Vgl. zu diesem Buch: W.v.LOEWENICH, P.Althaus als Lutherforscher, aaO.
   34-37; ders.,Lutherforschung in Deutschland, 159; H.GRASS, Die Theolo-

gie von P.Althaus, aaO. 216; R.BULTMANN, GV II, [5]1968, 43-58; H.G.PÖHL-
MANN, Die gegenwärtige kontrovers-theologische Problematik, 156.186.376.
W.JOEST, Paulus und das Lutherische Simul Iustus et Peccator, in: KuD 1
(1955), 269-320. - Joest nennt an anderer Stelle diese Schrift "eine
der am meisten beachteten und auch umstrittenen Arbeiten von Althaus"
(Paul Althaus als Lutherforscher, aaO. 7). Althaus deutet Röm 7,14ff in
Hinblick auf den Menschen ohne Christus (BR 75-84; Antwort an Anders
Nygren, in: ThLZ 77 (1952), 475-480).

34 H.G.PÖHLMANN, Die gegenwärtige kontroverstheologische Problematik, 186.

35 Von der wahren Menschheit des Erhöhten, in: Korr.-blatt für die ev.-
    luth.Geist lichen in Bayern 61 (1936), 185.

36 Wie kann man sonst sagen "Der Anthropomorphismus unserer theistischen
    Deutung der Natur ist begründet und gerechtfertigt in dem theomorphen
    Charakter unseres Geistes, dessen wir innewerden. "(CW 88)? Die Anthro-
    pomorphismen gelten,"weil Gott den Menschen zu seinem Bilde schuf"
    (Ur-Offenbarung, aaO.22). Das Zeugnis des Geistes sagt zu unseren na-
    türlichen Gedanken nur Nein, "sofern sie von der Sündigkeit unseres
    Wesens mitbestimmt seien", und das vom Heiligen Geist neu geschaffene
    Ich "ist doch kein anderes, als der Mensch, den Gott geschaffen hat,
    der nun, unter der Wirkung des Heiligen Geistes, aus seiner sündhaften
    Entfremdung von sich selbst zu sich selber kommt"(ebd, 20f). -
    Darf man dann wirklich von "neuem Subjekt" (ebd. 20) sprechen? - Vgl.
    Der himmlische Vater, in: EL 46f.

37 Theologie der Ordnungen, 58 .- Vgl. Die Gestalt, in: TA 2, 47: "Ur-
    stand heißt: ich muß als Geschöpf Gottes nicht sündigen."

38 G.ZASCHE, Extra Nos, 139.

39 J.ALFARO, Natur und Gnade, in: HThTL V, 188. - Vgl. ders. Person und
    Gnade, in: MThZ 11 (1960), 1-3; ders. Trascendencia e immanencia de
    lo sobrenatural, in: Gregorianum 38 (1957), 5-50;H.U.v.BALTHASAR, Karl
    Barth, 278-335; K.RIESENHUBER, Natürliche Theologie, in: HThTL V, 175f;
    F.KONRAD, Das Offenbarungsverständnis, 472-474, n.59.

40 H.G.PÖHLMANN, Das Problem, aaO. 255f. - Vgl. PL 65f; Rezension von O.
    Weber, Grundlagen, aaO.636: "Die 'Antwort' wäre ohne auch voraufgehen-
    de Frage als solche nicht zu hören." - Die Anknüpfungsfrage ließe sich
    auch unter dem Verhältnis von Offenbarung, Vernunft und Sünde darstel-
    len. Vgl. CW 33f; GD[5] 29-31; DTL 65-71.

41 Vom Sinn und Ziel des Lebens, in: Der alte Mensch in unserer Zeit, 145f.

42 Ebd. 148f.

43 Ebd. 151.

44 E.SIMONS, Erkenntnisarbeit Gottes, in: HThTL II, 176.

45 Die Gestalt, in: TA 2, 63.

46 G.ZASCHE, Extra Nos, 139.

47 Ebd. 140.

48 Vgl. D.BONHOEFFER, Widerstand und Ergebung, 218; K.BARTH, KD I/1, 354;
    W.KRÖTKE, Das Problem 'Gesetz und Evangelium', 19.34.54; E.HÜBNER, Evan-
    gelische Theologie, 91-93; H.THIELICKE, Theologische Ethik I, Tübingen
    1951, Nr. 1216; W.WIESNER, Der Gott der 'Wirklichkeit', aaO. 105; G.
    HEINZELMANN, Uroffenbarung?, in: ThStKr 106, NR I/6 (1934/35), 429; A.
    PETERS, Die Frage nach Gott, 100.

49 G.ZASCHE, Extra Nos, 136 (vgl. 135-140). - Althaus distanziert sich aus-
    drücklich von der Lehre der quantitativen Schöpfungsreste z.B. bei J.
    Gerhard (CW 339). - Zum Vorwurf 'natürlicher Theologie' durch verschie-
    dene protestantische Theologen vgl. P.KNITTER, A Case Study, 87-90. -
    Zu den Gründen der Ablehnung und zu den Gefahren der Uroffenbarungslehre

vgl. W.LOHFF, Zur Verständigung, in: Dank an Paul Althaus, 152-158.
50 H.VOLK, Die theologische Bestimmung des Menschen, in: Cath 13 (1959),
   165 (vgl. 168-171). - ders., Gnade und Person, in: Theologie in Geschichte und Gegenwart, 226: "Der theologische Begriff konstanten Wesens muß offen sein für Varianten, bis zur Differenz von Heil und Unheil, und bedürftig gedacht werden nach der perfectio finis" (vgl. 219-
   231).
51 J.ALFARO, Person und Gnade, in: MThZ 11 (1960), 3. - Vgl. ebd. 1-7;
   B.LANGEMEYER, Das dialogische Denken, in: Cath 17 (1963), 309-321.
52 H.G.PÖHLMANN, Das Problem, aaO. 256. - Althaus ist - wie Luther - versucht, dem Menschen zu nehmen und Gott zu geben. - Vgl. G.ZASCHE, Extra
   Nos, 58,n.174.166-169.192.
53 Leiden, in: RGG³ IV, 300. - Dieser erste Widerspruch spiegelt sich mehr
   in den Aussagen, die F.Konrad die phänomenologischen und die philoso-
   sophischen nennt. Vgl. F.KONRAD, Das Offenbarungsverständnis, 443f.
   450-452.459-461.
54 Vgl. H.G.PÖHLMANN, Das Problem, aaO. 256f.
55 Die Wirklichkeit Gottes, aaO. 85. - Vgl. vor allem: Mission und Religionsgeschichte, in: TA 1, 153-205; Das Evangelium und die Religionen,
   in: UWE 9-62; GD⁵ 94-102; CW 130-147; Der Wahrheitsgehalt der nichtchristlichen Religionen und das Evangelium, in: Jahrbuch 1932 der vereinigten deutschen Missionskonferenzen, 3-16 (= Der Wahrheitsgehalt,
   in: Jahrbuch); Der Wahrheitsgehalt der Religionen u.d.Evg., in: TA 2,
   65-82. - Vgl. P.KNITTER, A Case Study, 56-83.
56 Vg. P.KNITTER, A Case Study, 85: " these two views are so different
   that they cannot be satisfactorily harmonized". - Wir glauben, daß P.
   Knitter in der Hervorhebung beider Aspekte berechtigte Kritik an F.
   Konrad (Das Offenbarungsverständnis, 446-448) übt, der die Religionen
   nur negativ sieht als Mißbrauch der Uroffenbarung (A Case Study, 101-
   103). Einige Formulierungen, z.B. GD⁵ 21, sind allerdings in Konrads
   Richtung mißzuverstehen.
57 Der Wahrheitsgehalt, in: TA 2, 71.
58 Ebd. 72. - Vgl. Mission und Religionsgeschichte, in: TA 1, 192-194;
   GD⁵ 20; CW 139f.146; Die deutsche Stunde der Kirche, 54.
59 Gotteserkenntnis ohne Christus?, in: Sonntagsblatt 16 (1963), Nr.5,14.
   - Vgl. Rezension von K.BARTH, Dogmatik im Grundriß, in: ThLZ 74 (1949),
   611: "Uns scheint das Problem der vor- und außerchristlichen Frömmigkeit und des 'philosophischen Glaubens' damit unerlaubt vereinfacht."
60 Zum Wahrheitsgehalt der Religionen vgl. CW 138-141.408f; PL 40f; Der
   Wahrheitsgehalt, in: Jahrbuch, 7-9; P.KNITTER, A Case Study, 95-103.
61 Der Wahrheitsgehalt, in: Jahrbuch, 8. - Vgl. CW 140.306f; LD⁴ 6f.
62 Der Wahrheitsgehalt, in: Jahrbuch, 9 .- Vgl. über die Gnadenreligionen: Höhen außerchristlicher Religion, in: Weltreligionen und das
   Christentum, 1-20; Der Wahrheitsgehalt, in: Jahrbuch, 9f.14; CW 142-
   147.
63 Gotteserkenntnis ohne Christus, in: Sonntagsblatt 16 (1963), Nr. 5,14.
64 Höhen außerchristlicher Religion, aaO. 5.
65 Gebot und Gesetz, 11f. - Vgl. DTL 218-227. - Vgl W.KRÖTKE, Das Problem
   'Gesetz und Evangelium', 19-30; P.KNITTER, A Case Study, 98-100.
66 Eschatologie, in: RGG³ II, 681.
67 Ebd. 681.
68 Ebd. 681.
69 Ebd. 681. - Vgl. LD⁴ 8: "Die Gewißheit um das Letzte und das Wissen um
   die Geschichte gehören zusammen....Nur von der Eschatologie her ist
   das Wesen der Geschichte theologisch gültig zu bestimmen: als Geschehen,

das im Widerstreit Entscheidung fordernd hinzielt auf das kommende Reich
Gottes." (LD[4] 8).

70 Der Wahrheitsgehalt, in: Jahrbuch, 10. - Vgl. CW 42.46.141; Mission und Religionsgeschichte, in: TA 1,178; BR 82. - P.KNITTER, A Case Study,103-111.

71 Ur-Offenbarung, aaO. 21 (vgl. 21-23).

72 CW 344.494; PL 41-67. - Vgl. P.KNITTER, A Case Study, 90-92; V.AYEL, Der
   Himmel, in: Christus vor uns, 40.

73 Vgl.P.KNITTER, A Case Study, 92-95: Knitter sieht in den Religionen bei
   Althaus einen Teil der Heilsgeschichte (93: "basic agreement wirth contemporary Catholic theologians").-Ders., An Attempt, in: Verbum SVD 11 (1970),
   223: "Althaus offers no clear-cut affirmative answer. He can't....Yet,
   there are frequent 'inklings' of an affirmative answer - halfstatements
   which seem to point to a salvific content". - G.ZASCHE, Extra Nos, 82-92,
   läßt die Frage letztlich in Schwebe (91).

74 Vgl. P.KNITTER, A Case Study, 115-118. - Während in LD[4] 11 von 'Verbundenheit mit Gott' die Rede ist, heißt es in CW 58 (gegen Barth): "Es handelt
   sich auch nicht um ursprüngliche Gottverbundenheit des Menschen - von Nähe
   zur analogia entis ist also gar keine Rede -, aber wohl um die ursprüngliche Gottgebundenheit des Menschen (wenn diese zu behaupten auch bereits
   Bekenntnis zur analogia entis sein soll, dann ist der Begriff notwendig
   und keinesfalls als römisch-katholisch zu ächten?)."-Das ist ein Beispiel
   der häufigen terminologischen Schwankungen. Oder auch sachlicher?

75 CW 40: "Vorgeschichte"; CW 59: "Stationen"; CW 137: "Das Heidentum.... erscheint zugleich als seine von Gott gesetzte Vorstufe, als ein'Noch-nicht'
   des Evangeliums." - Vgl.Die Gestalt, in: TA 2,51-56.63f.

76 Das Evangelium und die Religionen, in: UWE 18.

77 W.KASPER, Absolutheitsanspruch des Christentums, in:HThTL I, 37. - F.KON-
   RAD, Das Offenbarungsverständnis, 467,n.41, führt katholische Autoren an
   (H.U.v.Balthasar, G.Söhngen, H.R.Schlette, H.Fries, K.Rahner), die ebenfalls diese nicht auflösbare Dialektik halten. Auch P.KNITTER, A Case Study, meint, Althaus' Grundlegung und Ausgangspunkt sei "basically the same
   as that of the 'new Catholic attitudes'" (81), doch trotz der "similar if
   not identical starting points" (83) sind die Ergebnisse verschieden. Er
   selbst gesteht "an undulating dialectic" (ebd. 142) zu.

78 P.KNITTER, A Case STudy, 144: "Because of this final unclarity, tension
   and contradiction, it would seem that Althaus' attemt to trace a middle
   way between Troeltsch and Barth was not successful....It is as if Althaus,
   within his theology of the religions, tried to say - or actually did say -
   more than he felt he could." (vgl. 141-145)-J.WACH (Und die Religionsgeschichte. Eine Auseinandersetzung mit D.Paul Althaus, in: ZSTh 6 (1929),
   484-497) kritisiert zurecht Althaus' einseitige, weil nur auf Troeltsch
   gezielte, Haltung gegenüber der Religionswissenschaft in TA 1, 153-205.
   "Die Religionswissenschaft wird es nicht leiden, für Fehler einer bestimmten theologischen Schule....verantwortlich gemacht zu werden." (497,n.1).

79 Vgl. zum AT LD[4] 11-17; CW 97-101.192-205; GD[5] 67-73; DTL 93-86; F.KONRAD,
   Das Offenbarungsverständnis, 454-459.

80 Vgl.CW 193:"Es handelt sich um einen Weg, der mehr oder weniger auch von
   der Christenheit in ihrer Frömmigkeit immer aufs neue noch wieder durch-
   laufen werden muß"-J.RATZINGER, Einführung,115: "Was Israel in der Frühe
   seiner Geschichte und die Kirche wiederum am Anfang ihres Weges zu vollbringen hatten, das muß in jedem Menschenleben neu getan werden." - Vgl.
   K.RAHNER, Altes Testament, in: HThTL I, 84.

81 Kirche und Volkstum, in: EL 136 (vgl. 124.134-136).

82 Ebd. 136.

83 Das Alte Testament in der 'Naturgeschichte des Glaubens', in: Werke und Tage, 15 (vgl.17).
84 Ebd. 15 - Vgl. GD^5 69; Die deutsche Stunde der Kirche, 52f.
85 LD^1 44f = LD^3 44; LD^1 110; Der Friedhof, 11. - Vgl. dazu 2.Teil, 4.Kap 5b/bb (Heil der 'Übergangenen').
86 K.RAHNER, Altes Testament, in: HThTL I, 83 (vgl. 79-84).
87 K.RAHNER, Religion III, in: HThTL VI, 213.
88 Kirche und Volkstum, in: EL 135. - Vgl. CW 208-211; GD^5 67-73; LD^4 296-302; Das alte Testament in der 'Naturgeschichte des Glaubens', in: Werke und Tage, 13f; zu Luther DTL 88-96.
89 Der Wahrheitsgehalt, in: Jahrbuch, 11. - Vgl. zum folgenden CW 277-289; DTL 49f.103-118.151-159.238; Der Wahrheitsgehalt, in:Jahrbuch, 11-15; Die Bedeutung der Theologie Luthers für die theol.Arbeit, aaO. 21-28; Der Schöpfungsgedanke bei Luther, 3-18; Der Mensch vor Gott nach Luther, in: ZW 14 (1937/38), 721-730; Gottes Gottheit bei Luther, in: LuJ 17 (1935), 1-16; Gottes Gottheit, in: TA 2, 1-30; Luthers Wort vom Glauben, in: Luther 31 (1960), 97-107; Recht und Vergebung, in: UWE 296; Ph.S.WATSON, Um Gottes Gottheit (bes. 49-55.81-88).
90 Weil aber auch Luther diese Grenze nicht überall einhält, spricht sich Althaus gegen Luthers Lehre von der doppelten Wirklichkeit und dem doppelten Willen Gottes und von der doppelten Prädestination aus, denn dadurch würde der rückhaltlose Glaube unmöglich. - Es ist dies "eine dem Glauben fremde theoretische Folgerung aus Luthers Lehre von der Alleinwirksamkeit Gottes" (DTL 243; 34.238-248).
91 Die Herrlichkeit Gottes, 253 (Predigt vom 16.Nov.1952). - Vgl. Gott ist gegenwärtig, 36; CW 266f.
92 Luthers Wort vom Ende und Ziel des Menschen, in: Luther 38 (1957), 106f; LD^4 14,n.2; DTL 90,n.82; LD^3 285,n.4.
93 Das Christentum - Religion unter Religionen?, in: Universitas 11 (1956), 1134f. - Vgl. ebd. 1131-1135; Natürliche Theologie und Christusglaube, in: UWE 38-40; Die Kraft Christi, 30-37 (Predigt vom 3.Feb.1957); Problem und Fortschritt in der Theologie, in: DtPfrBl 46 (1942), 74.
94 Der Wahrheitsgehalt, in: Jahrbuch, 11. - Vgl. Mission und Religionsgeschichte, in: TA 1, 156f.171-187. - Zu Althaus' Nein zu den Religionen vgl. P.KNITTER, A Case Study, 126-140.
95 Das Evangelium und die Religionen, in: UWE 20 (vgl. 10-20)
96 Das Christentum - Religion unter Religionen?, in: Universitas 11 (1956), 1135.
97 Der Wahrheitsgehalt, in Jahrbuch, 15. - Vgl. Das Kreuz Christi als Maßstab aller Religion, in: EL 63-76; LD^3 95.
98 Der Wahrheitsgehalt, in: TA 2, 68.
99 Der Wahrheitsgehalt, in: Jahrbuch, 14f. - Vgl. DTL 118; Der Schöpfungsgedanke bei Luther, 18: "Alles in allem: die iustificatio impii ist für Luther der erhabenste Sonderfall der Schöpfung aus dem Nichts, des paradoxen Wirkens Gottes sub contraria specie."
100 P.KNITTER, A Case Study, 129, frägt: "Can this negative view of history be reconciled with an understanding of the religion as part of a genuine 'Vorgeschichte' to Christ? If we take these negative statements seriously - i.e. if the goal of history is essentially 'beyond' and if it can arrive only after a radical 'Bruch' - what real, positive meaning do the orientation,the promises, the preparation, the certain 'Entwicklung' within Uroffenbarung and the religions really have?"
101 Vgl. LD^4 8-11; CW 135; Eschatologie, in: RGG^2 II, 354 u. RGG^3 II, 681; GD^5 99f; Mission und Religionsgeschichte, in: TA 1, 194-196; F.K.

SCHUMANN, Christlicher und mystischer Gottesgedanken, in: ZSTh 3 (1925/
26), 298-333. - Vgl. 1.Teil, 3.Kap. 3b.
102 Der Wahrheitsgehalt, in: Jahrbuch, 12. - Mit Vorsicht gestattet Althaus allerdings den Begriff "Christusmystik" (vgl. RGG[3] I, 1798) für
die wirkende Gegenwart der Gottheit im Menschen, durch welche sie ihm
Anteil an ihrem Leben gibt. Sie wahrt "den im Glauben gesetzen Abstand
zu seinem 'Herrn', das Gegenüber in ihm" (ebd.) - Vgl. CW 495f. - In
diesem Sinn sind Mystik und Glaube nicht exklusiv. So wird sie auch von
kath.Theologie verstanden. Vgl. K.RAHNER, Mystik V. Theol.Interpreta-
tion, in: HThTl V, 145.
103 G.ZASCHE, Extra Nos, 126 (vgl. ebd. 124-126). - TdG 77: "auch das Problem des Katholizismus ist zum Teile die Frage der Mystik." - Vgl. Das
Wesen des evangelischen Gottesdienstes, in: ZSTh 4 (1926), 269-271.
104 GE[1] 55 (vgl. dazu G.ZASCHE, Extra Nos, 125,n.542). - Vgl. CW 58.199.
232.281.496.
105 J.ALFARO, Person und Gnade, in: MThZ 11 (1960), 8.
106 Der Wahrheitsgehalt, in: Jahrbuch 13. - Vgl. Mission und Religionsgeschichte, in: TA 1, 196-199; CW 142.200f; GD[5] 100f.
107 Vgl. G.ZASCHE, Extra Nos, 127: "Der Mensch der Substanzontologie ist
in Wesen und Tat subsistente Verletzung der Gnadenordnung." (Vgl. 126-
130) - In der analogia entis vermutet Althaus eine mystisch angehauchte Wesensverbundenheit (vgl. CW 58). - Da für ihn Substanz ens-a-se
ist, versperrt ontologische Begrifflichkeit die Aufgeschlossenheit der
Welt auf 'letzte Dinge'. Wenn aber das 'Sein' des Wunders der Schöpfung auch schon Relationalität, Akthaftigkeit und nicht ruhendes Sein
besagt, sollte kein grundsätzliches Hindernis sein, daß diese Relationalität, die das geschaffene 'Sein' ist, im Wunder der Christuslie-
be überhöht wird, nicht nur als personale Begegnung, sondern auch im
geschöpflichen relationalen Sein (Problem der geschaffenen Gnade).
Doch es fehlt Althaus das Verständnis dafür, daß auch im thomistischen
Sinn das höchste Sein personales Sein ist und daß das geschaffene Sein
(Schöpfung unterbindet jede mystisch-pantheistische Einheit!) schlechthin abhängiges, aber freies 'gegenüberliegendes' Seiendes ist und
bleibt. Wenn die Verbindung zwischen Gott und Welt nur das Wort (und
Glaube) ist und die Begegnungswirklichkeit (personale Interaktion) der
zentrale Wirklichkeitsbegriff ist, so kommt es zu einer einseitigen
Durchdringung der geistigen Personalität des Menschen durch Gott, während das leibhaftige Sein samt der horizontalen Dimension notwendig
sekundärer (dem theoretisch-wissenden Verstand entsprechender) Seinsbereich ist (Vgl. G.ZASCHE, Extra Nos, 64-72.159-163). - Althaus verweist (CW 281) lobend auf die personale Bedeutung der Gnade bei H.KÜNG,
Rechtfertigung, 196ff. Doch heute ist wohl allgemein das katholische
Gnadenverständnis so, daß der Primat eindeutig auf der ungeschaffenen
Gnade, also auf der personalen Huld Gottes zum Menschen liegt.
108 Der Wahrheitsgehalt, in: Jahrbuch, 15 (vgl.13-16). - Vgl. Mission und
Religionsgeschichte, in: TA 1, 199-202; CW 142-146; Höhen außerchristlicher Religion, in: Die Weltreligionen und das Christentum, 15-19;
P.KNITTER, A Case Study, 166-178.-Vgl.Der Wahrheitsgehalt,in: TA 2,80.
109 Natürliche Theologie und Christusglaube, in: UWE 40 (vgl. 38-41).
110 Vgl. Vom Sinn und Ziel der Weltgeschichte, in: UWE 305-307.310; Eschatologie, in: RGG[2] II, 355; W.-D.MARSCH, Zukunft, 33-57.
111 Religion und Christentum im Urteil des Marxismus, in: UWE 29f (vgl.32).
- Vgl. LD[4] 23f; Marxismus und Christentum, in: Evang.Gemeindeblatt
München 59 (1956), 288f.

112 Vom Sinn und Ziel der Weltgeschichte, in: UWE 311.
113 Vgl. CW 355f; GD^5 159f; Erbsünde, in: ZW 12 (1935/36)321-333; DTL 119-
    139. - Es ist das Gebot eines doppelten 'Außer-sich-seins'. Die Abwei-
    sung des vertikalen Dialogs mit Gott hat auch die Dialogunfähigkeit
    auf horizontaler Ebene zur Folge.
114 In diesem Sinne ist mehr die (keineswegs aktualistische) Ansicht von
    Z.ALSZEGHY/M.FLICK über einen nur virtuellen, nicht aktuellen Besitz
    übernatürlicher Güter, die der Mensch in seiner Evolution erlangt
    hätte, zu verstehen. (Il peccato originale in prospettiva evolutio-
    nista, in: Gr 47 (1966) 201-225, bes. 212ff). Die erste Sünde hat bei
    den genannten kath. Autoren eine spezifische Bedeutung, auch wenn kein
    'historischer' Paradieszustand gelehrt wird. Obgleich die persönlichen
    Sünden die Situation noch erschweren, "bisogna trovare un fatto che ha
    realizzato il salto qualitativo nella funzione dell'umanita" (Z.ALSZE-
    GHY, 'La forza del peccato'. La teologia del peccato originale in P.
    Schoonenberg, in: Gr 49 (1968), 351).
115 Luthers Wort von der Sünde - eine Übertreibung?, in: ZW 24 (1953), 231
    (vgl. 238-241). - Vgl. CW 361; Der Mensch vor Gott nach Luther, aaO.
    725-730; H.G.PÖHLMANN, Die gegenwärtige kontroverstheologische Pro-
    blematik, 95-111.
116 Vgl. CW 370-375; GD^5 164-166; LD^2 102f.24f; LD^3 189-191; LD^{4}167f.
117 Vgl. CW 376-379.412-420.677; GD^{5}177-180.
118 Vgl. CW 396-409; GD^{5}172-177; Schuld und Verantwortung im Deutschglau-
    ben, in: TA 2, 141; zu Luther DTL 151-159. - Vgl. P.KNITTER, A Case
    Study, 150-153.
119 Das ist auch das Ergebnis der Arbeit P.Knitters, dem wir im großen und
    ganzen zustimmen. Vgl.P.KNITTER, A Case Study, 126-140.157-166. - Die
    endgültige negative Sicht kommt aus einem "clash" zwischen der Uroffen-
    barungslehre und der Rechtfertigungslehre (166.178). Die Religionen
    bleiben 'praeparatio negativa' (180f) - als Ausdruck der traditionel-
    len protestantischen Lehre vom Gesetz und Evangelium. - Vgl. CW 84.187;
    Mission und Religionsgeschichte, in: TA 1, 179.204; GD^5 13; Ur-Offen-
    barung, aaO. 124; PL 39; Der Wahrheitsgehalt, in: Jahrbuch, 277f.
120 CW 385: "Dieses Verständnis des Falles entspricht dem tiefen Gedanken
    Kants vom intelligiblen Charakter, in dessen freier Tat der Grund für
    unseren empirischen Charakter liegt." - Vgl. CW 364; G.ZASCHE, Extra
    Nos, 96.
121 Erbsünde, aaO. 331. - Vgl. CW 367-369.372-375; GD^5 163-166; DTL 142-
    144.
122 Z.ALSZEGHY/M.FLICK, Il peccato originale in prospettiva personalistica,
    in: Gr 46 (1965), 732: "Il peccato originale, considerato nella pros-
    pettiva personalistica, è dunque l'incapacità dell'individuo al dia-
    logare con Dio, inserita nel contesto del 'mondo', che si chiude a
    questo dialogo."- Vgl. dieselben, Il peccato originale in prospettiva
    evoluzionista, in: Gr 47 (1966), 223f. K.RAHNER, Erbsünde, in: HThTl
    II, 160.
123 Die Wirklichkeit Gottes, aaO. 90. - Vgl. Der Trost Gottes 137-148 (bes.
    146f) (Predigt vom 25.Dez.1943); DTL 161-164.168.
124 Die Inflation des Begriffs der Offenbarung in der gegenwärtigen Theo-
    logie, ZSTh 18 (1941), 144.
125 Christologie, in: RGG^3 I, 1777. - Vgl. CW 102-107.116f.123f; J.RATZIN-
    GER, Einführung, 162-166.
126 Jesus und Paulus, in: ZW 13 (1936/37), 75 (vgl. 65-75).
127 Christologie, in: RGG^3 I, 1788.
128 Vgl. DSK; CW 116-130; Zur Kritik der heutigen Kerygmatheologie, in:

Der historische Jesus und der kerygmatische Christus, 236-265; Der
'historische Jesus' und der biblische Christus, in: TA 2, 162-168;
Der gegenwärtige Stand der Frage nach dem historischen Jesus; H.
JELLOUSCHEK, Zur christologischen Bedeutung der Frage nach dem historischen Jesus, in: ThQ 152 (1972), 112-123.

129 DSK 39-46; GD⁵ 41f. - H.GRASS, Die Theologie von P.Althaus, aaO. 221,
sieht u.E. zurecht in Althaus' Lösung verschiedene Fragen offen. - Vgl.
F.KONRAD, Das Offenbarungsverständnis, 500-523.

130 Christologie, in: RGG³ I, 1778.

131 Um die unlösliche Beziehung zum Geschichtlichen zu betonen, vermeidet
Althaus nun alle mißverständlichen Termini für das Miteinander von
geschichtlicher Einmaligkeit und lebendiger Gegenwärtigkeit, so M.
Kählers Ausdruck des 'Übergeschichtlichen', Barths 'Urgeschichte', Gogartens und Brunners 'Geschichte', 'Geschichtlichkeit', und er bleibt
bei der Formel 'Die Gegenwärtigkeit der Geschichte Jesu'. Darin ist
die 'Mehr-als-Geschichtlichkeit' der Offenbarung eingeschlossen. (CW
115) - Vgl. CW 31f; GD⁵ 14. - Vgl. P.KNITTER, A Case Study, 122-125;
H.U.v.BALTHASAR, Theologie der Geschichte, 42-63.

132 Christologie, in: RGG³ I, 1780. - Vgl. CW 123f.430-433.490; Die Wahrheit des kirchlichen Osterglaubens, 45-53.72; Christologisches, in:
Wahrheit und Glaube, 22-30.

133 Präexistenz Christi, in: RGG³ V, 492. - Vgl. CW 437; Neues Testament
und Mythologie, in: ThLZ 67 (1942), 342.

134 Christologie, in: RGG³ I, 1782.

135 Neues Testament und Mythologie, in: ThLZ 67 (1942), 342f. - Vgl. ebd.
337-344; Christologie, in: RGG³ I, 1782; CW 175f. - Vgl. H.SCHÜRMANN,
Das hermeneutische Hauptproblem, in: Rahner-GW I, 579-607: Althaus'
Kritik findet in dieser neutestamentlichen Studie eine Bestätigung.

136 Neues Testament und Mythologie, in: ThLZ 67 (1942), 344.

137 Christologie, in: RGG³ I, 1783. - Zum christologischen Paradox vgl.
H.SCHROER, Die Denkform der Paradoxalität, 173f.

138 Kenosis, in: RGG³ III, 1245.

139 Ebd. 1245.

140 Diese volle nur im Paradox aussagbare Spannungshöhe des Bekenntnisses wird nach Althaus durch christologische Theorien in der einen oder
anderen Richtung verletzt. Die An- oder Enhypostasielehre vernachlässigt die wahre Menschlichkeit, ebenso tut es die orthodoxe Lehre der
communicatio idiomatum. Die Kenotiker des 19.Jahrhunderts haben zwar
recht in ihrer Kritik des lutherisch-orthodoxen 'genus maiestaticum',
doch sie selber setzen die wahre Gottheit Jesu hintan, denn für sie
bezieht sich die Kenosis auf das göttliche Sein des ewigen Sohnes
selbst. "Der Versuch einer Teilung innerhalb der Gottheit, einer relativen Entgöttlichung Gottes verbietet sich sowohl theologisch (im
engeren Sinne) wie christologisch. Er verletzt das vere Deus, ohne
das vere homo zu erreichen." (Kenosis, in: RGG³ III, 1245. - Vgl. ebd.
1244-1246; CW 446-454; DTL 172-175).

141 Zum folgenden vgl. u.a.CW 462-485; GD⁵ 208-226; zu Luther DTL 33-41.
177-191; Ph.S.WATSON, Um Gottes Gottheit, 140-151. - Vgl. 1.Teil, 4.
Kap.3.-
Trotz der unableitbaren Neuheit hat "die Erkenntnis des Kreuzes als
Heilsgeschehen" in Israel und im außerbiblischen Denken über Sünde,
Sühne und Vergebung notwendig "eine innere Vorgeschichte", denn "das
Kerygma ist nicht geschichtslose Offenbarung, sondern gehört in eine
lange Geschichte der Besinnung auf das Verhältnis zwischen Gott und
Mensch unter der Leitung des Geists Gottes hinein."

(Durch das Gesetz kommt Erkenntnis der Sünde, in: UWE 179f)..
142 Es kann also zwischen Gott und Mensch kein Verdienst geben, "nicht nur
    nicht im Falle des sündigen Menschen, sondern auch nicht im Falle des
    Heilandes Jesus Christus"; letzteres wäre ein Nicht-Ernstnehmen der
    Menschwerdung: "Der Satz, Jesus Christus habe Gott den Gehorsam gegen
    ein Gesetz nicht geschuldet, verstößt doketisch gegen seine wahre
    Menschheit. Jesus gibt in seinem Gehorsam dem Vater die Liebe, die er
    ihm als der Sohn schuldet."
    (Verdienst Christi,in: RGG$_3$ VI, 1271). - Vgl. CW 282-289.472f
143 Vgl. Christologie, in: RGG^3 I, 1786; GD^5 221-225. DTL 178-183; Ver-
    dienst Christi, in: RGG^3 VI, 1270f.
144 Das Kreuz und der Satan, in: UWE 206.
145 Ebd. 185 (vgl. 181-206) - Vgl. K.HEIM, Jesus der Weltvollender, ^{2}1939,
    286ff; G.AULÉN, Das christliche Gottesbild, 1930; CW 477f; Christologie,
    in: RGG^3 I, 1787; DTL 177.183-185.191-195.
146 Das Kreuz und der Satan, in: UWE 198.
147 Die Wahrheit des kirchl.Osterglaubens, 72 (gg.E.Hirschs These, daß un-
    ser Osterglaube im Glauben Jesu an die Liebe Gottes selbst im Tode
    gründe (vgl. 46-53). - Vgl. CW 485-493; Christologisches, in: Wahrheit
    und Glaube, 25-30; DTL 185; GD^5 191-194.228-230; F.KONRAD, Das Offen-
    barungsverständnis, 516-523; M.KELLER-HÜSCHEMENGER, Das Problem der
    Heilsgewißheit, 96-98.106f.
148 Christologisches, in: Wahrheit und Glaube, 29.
149 Von der wahren Menschheit des Erhöhten, in: Korr.-blatt für die ev.-
    luth.Geistlichen in Bayern 61 (1936), 186. -
    Das ewige Leben als "Erfüllung unseres geschichtlichen Daseins" ver-
    langt, daß wir "der Leibhaftigkeit unseres geschichtlichen Lebens als
    einem Schöpfergedanken Gottes auch eschatologisch die Ehre geben" (Die
    Wahrheit des kirchlichen Osterglaubens, 30).
150 Christologie, in: RGG^3 I, 1786. - Von der wahren Menschheit des Er-
    höhten, aaO. 186. -
    "Wer lehrt, daß der Sohn Gottes seine menschliche Natur hinter sich ge-
    lassen habe, der zerstört den Grund für die Christenhoffnung des ewi-
    gen Lebens." - Vgl. J.DANIÉLOU, Christologie et eschatologie, in:
    Konzil v. Chalkedon III, 279: "Ainsi l'incarnation, en tant qu'union
    des deux natures dans la distinction, est vraiment eschatologique."
    - J.ALFARO, Speranza cristiana, 35f.117-140.
151 Nach Althaus geht es um unvisionär-leibhaftig-weltwirkliche, geheim-
    nisvoll überweltliche Erscheinungen. Er spricht sich gegen die Theo-
    rie der psychogen-subjektiven Visionen und für das leere Grab aus,
    das freilich nicht ontische Notwendigkeit des Osterglaubens war, der
    sich aber wiederum ohne es nicht hätte halten können. (CW 485-489;
    GD^5 192; Die Auferstehung der Toten, in: TA 1,133; Die Wahrheit des
    kirchlichen Osterglaubens, 20-22.26-29).
152 Christologie, in: RGG^3 I, 1788.
153 Gott ist gegenwärtig, 60f (Predigt vom 2.April 1961). - Vgl. Der Ge-
    genwärtige, 98-102 (Predigt vom 17.Januar 1932). 116-119 (Predigt
    vom 23.März 1932).
154 Die Wahrheit des kirchlichen Osterglaubens, 28f. - Dazu vgl. die Kri-
    tik seines Schülers H.GRASS, Ostergeschehen und Osterberichte, 186.
155 Vgl. CW 596-607; DTL 195-218.223-232; GD^5 250-255; Gebot und Gesetz,
    14-26; P.KNITTER, A Case Study, 153-165.178-181; Ph.S.WATSON, Um Got-
    tes Gottheit, 171-181.187-203.
156 Vgl. Durch das Gesetz kommt Erkenntnis der Sünde, in: UWE 168-180;

BR 31f.76f;PL 41-67.

157 Gebot und Gesetz, 22. - Vgl. Das Gottesgnadentum des Christenmenschen,
    in: Luther 32 (1961), 51-54. - Althaus' 'Gesetz und Evangelium', 'Evan-
    gelium und Gebot' steht gegen Barths 'Evangelium und Gesetz'.- Zur Kri-
    tik an Barths Reihung 'Evangelium und Gesetz' vgl.: CW 288f; Gebot und
    Gesetz, 7.24f; Rezension von K.Barth, Dogmatik im Grundriß, in: ThLZ
    74 (1949), 611f; Luthers Lehre von den beiden Reichen im Feuer der Kri-
    tik, in: UWE 272-282; Rezension von W.Joest, Gesetz und Freiheit, in:
    ThLZ 80 (1955), 47; Die Todesstrafe als Problem der christlichen Ethik,
    31-35. - Althaus versucht, eine mittlere Stellung zwischen einer duali-
    stischen Überspannung (W.Elert) und einer monistischen Entspannung (K.
    Barth) einzunehmen; er tendiert dabei eher in die erste Richtung. -
    Vgl. H.G.PÖHLMANN, Die gegenwärtige kontrovers-theologische Problematik,
    59-63; W. KRÖTKE, Das Problem 'Gesetz und Evangelium', 19-57 (bes. 23-
    28); W.LOHFF, Zur Verständigung über das Problem der Ur-Offenbarung,
    in: Dank an Paul Althaus, 165-168.

158 Schuld und Verantwortung im Deutschglauben, in: TA 2, 141f.

159 Der Herr ist es, der mich richtet, in: Luthertum 48 (1937), 301. -
    Vgl. ebd. 289-302; CW 15.23.28.355.605f; Bedarf Luthers Rechtferti-
    gungslehre einer Korrektur?, aaO. 37f; Gebot und Gesetz, 17f.

160 Der Glaube ist also nicht bloß wie in Trient "assenso intellettuale
    alle verità rivelate da Dio" (J.ALFARO, Speranza cristiana, 80;vgl.
    DS 1526, 1533, 1559), sondern das gnadenhaft geschenkte Ereignis der
    gnädigen Zuwendung Gottes in all seinen Aspekten. Luther und Althaus
    stehen hier Paulus näher als es Trient tut. Glaube ist "personhaftes
    Empfangen personaler, personbezogener Wahrheit" (CW 29).

161 Vgl. CW 639,n.1: Althaus zitiert bezüglich der inhaltlichen Identität
    Quenstadt: "regeneratio naturam non abolet, sed perficit ac dirigit,
    nec eam mutat, ut natura esse desinat." - Vgl. CW 639f; Ur-Offenba-
    rung, aaO. 20f; PL 56-67. - Wie ist dies mit Althaus' Sündenlehre und
    Soteriologie vereinbar?

162 Die luth.Rechtfertigungslehre u.ihre heutigen Kritiker, 10 (vgl.30). -
    Vgl. Die Reformation als Bekenntnis zu Jesus Christus, in: Luther 27
    (1956), 97-105;   H.G.PÖHLMANN, Die gegenwärtige Kontroverstheo-
    logische Problematik, 316.328.352-361.

163 Die Vorwürfe kommen von A.Schlatter, Th.Schlatter, O.Etzold, O.S.von
    Bibra, M.Lackmann. Vgl. dazu: Die lutherische Rechtfertigungslehre und
    ihre heutigen Kritiker, 12-32; Bedarf Luthers Rechtfertigungslehre einer
    Korrektur?, aaO. 33-38; Die Gerechtigkeit des Menschen vor Gott, in:
    Das Menschenbild im Lichte des Evangeliums, 31-47; A.Schlatters Ver-
    hältnis zur Theologie Luthers, in: UWE 145-157; PL 21-30; W.v.LOEWENICH,
    P.Althaus als Lutherforscher, aaO. 18-22.

164 Ur-Offenbarung, aaO. 21 (vgl. 20). - Vgl. CW 327-329.336-346.444; GD[5]
    230-232; PL 41-67. - Der Unterschied zu Barth kehrt hier in anderer
    Gestalt wieder. - Zur Lehre vom Imago Dei vgl. CW 337-347; GD[5] 154f;
    Das Bild Gottes bei Paulus, in: ThBl 20 (1941), 81-92. - Althaus ver-
    teidigt gegen die Reformatoren "die Mehrschichtigkeit im Begriffe
    'Ebenbild Gottes'" als "theologisch notwendige Besonderung" und wen-
    det sich gegen eine Gleichsetzung der Ebenbildlichkeit mit der Ur-
    standsgerechtigkeit (CW 340).

165 Das Bild Gottes bei Paulus, in: ThBl 20 (1941), 88.

166 Ebd. 90.

167 Ebd. 91.

168 G.ZASCHE, Extra Nos 108 (vgl. 100). - Gal 4,5f wird sowohl für die
    Teilnahme am Wunder als auch für die am Mysterium zitiert. Vgl. CW 342.

439.444.495. - G.ZASCHE, Extra Nos, (z.B. 90-92.119f.180-183.201),
hat herausgearbeitet, daß die Offenbarung bei Althaus in einem zweifachen strukturell verschiedenen Wortgeschehen geschieht, obwohl Zasche die Gefahr der Verkürzung auf ein eindimensionales Wortgeschehen
durch die Ablehnung ontologischer Begrifflichkeit und die Beschränkung auf personale Kategorien sieht. - Wir glauben, daß es in der Soteriologie durch den übergeordneten Begriff der Gottheit Gottes tatsächlich wieder zu einer gefahrvollen Eindimensionalität kommt.
169 Christologie, in: RGG³ I, 1783f.
170 Die lutherische Rechtfertigungslehre und ihre heutigen Kritiker, 18f.
- Vgl. 2.Teil, 4.Kap. 3.
171 H.GRASS, Die Theologie von P.Althaus, aaO. 226.
172 Vgl. J.TERNUS, Chalkedon und die protestantische Theologie, in: Konzil von Chalkedon III, 556f.560f. - Vgl. 1.Teil, 1.Kap. 2g.
173 J.TERNUS, Das Seelen- und Bewußtseinsleben Jesu, in: Konzil von Chalkedon III, 198 (195-199).
174 Aufgrund dieses personalistischen Wesensbegriffes (CW 343), gemäß dem
die personale Begegnung zur Norm theologisch bedeutsamer Wirklichkeit
gemacht wird, und aufgrund des mangelnden Sinnes für universal-heils-
geschichtliche Erstreckung kommt Althaus auch bei der Aussage über
die Ebenbildlichkeit im Urstand nicht über das dialektische Paradox
hinaus (vgl. CW 340). Einerseits waren der Geist und das Bild Jesu ur-
ständlich nicht da, denn erst in Christus als Mensch schafft Gott den
Menschen, der sein Ebenbild ist (CW 337), andererseits ist das Fehlen
des Ebenbildes Christi unsere Schuld (CW 343). - Vgl. P.KNITTER, A
Case Study, 163: " man's nature ist such that without contact with the
God-man, it cannot be what it is and must turn against itself by tur-
ning against God."
175 Vgl. Y.CONGAR, Regards et réflexions sur la christologie de Luther, in:
Konzil von Chalkedon III, 457-486.
176 Gottes Gottheit, in: TA 2, 27. - Vgl. DTL 33-41.
177 Vgl. DTL 246f; - Vgl. Schuld und Verantwortung im Deutschglauben, in:
TA 2, 142. - Vgl. H.SCHÜTTE, Protestantismus, 275-277.320-370. bes.
374-392.
178 Vgl. J.DANIÉLOU, Christologie et eschatologie, in: Konzil von Chalkedon III, 270-275; J.ALFARO, Speranza cristiana, 120f; H.MÜHLEN, Das
Vorverständnis der Person, in: Cath 18 (1964), 142. - Beide Linien,
Gottheit und Menschheit, finden sich auch bei Althaus, doch nur in der
'Verbundenheit' des Paradoxes.
179 J.TERNUS, Chalkedon und die protestantische Theologie, in: Konzil v.
Chalkedon III, 534. - Die pointiert theozentrische Begründung der Rechtfertigung läßt die Gottheit Gottes in geheimer Konkurrenz zu menschlicher Kraft und Freiheit sehen. - Vgl. Luther WA 40,I,131,2.28; 132,1.
9: "Es ist sicherer, Gott zuviel zu geben als den Menschen" (zitiert
in DTL 290).
180 Die Paradoxchristologie hat ihre geheime Norm von der Theologia crucis,
diese wiederum vom Begriff der Gottheit Gottes. Während Althaus auf
der Seinsebene beide Naturen betont, bleibt auf der Ebene des Heilswir-
kens der Akzent allein auf der göttlichen Natur. Versteht auch Althaus
"l'Incarnation comme Dieu caché et agissant dans et sous l'humanité du
Christ" (Y.CONGAR, Regards et réflexions sur la christologie de Luther,
in: RGG³ I, 1783f). - Schon H.W.SCHMIDT, Zeit und Ewigkeit, 339-344, sah
in Althaus' Heilsgeschichtsauffassung die Christus-Tatsache überhaupt
gefährdet.
181 Vgl. H.W.SCHMIDT, Zeit und Ewigkeit, 108-156; A.BEYER, Offenbarung, 40-

48.66. - F.KONRAD, Das Offenbarungsverständnis, 492-500.509.558-571. 577.604f.624-628. Nach Konrad wird bei Althaus die Geschichte einseitig zu einer Funktion des geistgewirkten Glaubens. Er sieht in Althaus' Position die Folge seines Vermittlungsversuches zwischen einer radikalen Worttheologie und einer radikalen Geschichtstheologie. Seine "Und-Formeln" (Glaube und Geschichte, Geschichte und Wort, Geschichte und Erleuchtung,...) sind "keine Synthese" (626). Er sieht den Grund der "Inkonsequenz" Althaus' in der "Tatsache, daß die philosophisch-anthropologischen Ansätze seiner Lehre von der Ur-Offenbarung und die theologisch-anthropologischen Ansätze seines Verständnisses der Heilsoffenbarung so differierende Standpunkte darstellen, daß weder seine eigene Theologie auf einen einheitlichen Ansatz zurückgeführt werden kann, noch...." (640). - Konrads Darstellung greift u.E. zwar das rechte Problem auf, wird aber Althaus nicht immer gerecht. Althaus' Theologie des Glaubens bietet in der Theologie der Offenbarung tatsächlich Möglichkeiten, Geschichte und Glaube in ihrer Bezogenheit und Zusammengehörigkeit aufzuweisen, nicht bloß durch 'Und' nebeneinanderzustellen. Der Grund der Einseitigkeit kommt von der Soteriologie her. Ist es richtig, den radikalen Positionen einer reinen Wort- oder Geschichtstheologie mehr Sympathie entgegenzubringen als dem mit beiden ringenden Versuch eines Mittelweges? - P.KNITTER, A Case Study, 118-122: Knitter hält die Frage für "one of the most complex and penumbral aspects of Althaus' theology" (118). Auch ihm scheint Althaus "more and decisive importance to the role of the Spirit and his interior illumination" zu geben und die Geschichte nur als conditio sine qua non zu betrachten (119). Trotz des historischen Grundes geht die Geschichte nicht in die Kausalität des Glaubensaktes ein, auch die Geschichte Jesu hat "a non-causative role in the act of faith" (121). Auch bei G.ZASCHE, Extra Nos, kehren ähnliche Bedenken der Unterbewertung der Geschichte wieder, z.B. in der Herausstellung des 'Trabantendaseins' der empirisch-zeitlichen Geschichte. - Dahinter steht die von B.LANGEMEYER aufgezeigte Gefahr des Personalismus: "Unversehens wird aus der konkreten Person, die sich im Gespräch 'Ich' nennt, das idealistische Ich-Subjekt, dem alles nicht Geistige, also z.B. auch die Leiblichkeit der Person, als Natur gegenübersteht." (Das dialogische Denken, in: Cath 17 (1963), 322).

182 Y.CONGAR, Regards et réflexions sur la christologie de Luther, in: Konzil v. Chalkedon III, 474.
183 Vgl. J.WITTE, Die Katholizität der Kirche, in: Gr 42 (1961), 195-209.
184 J.RATZINGER, Einführung, 154 (vgl. 105.184).
185 Vgl. H.VOLK, Die Christologie bei Karl Barth und Emil Brunner, in: Konzil von Chalkedon III, 668-673; H.U.v.BALTHASAR, Karl Barth, 253-255.
186 Y.CONGAR, Regards et réflexions sur la christologie de Luther, in: Konzil von Chalkedon III, 486 (vgl. 464f.). - M.LACKMANN, Wie verstehen wir die Menschwerdung Gottes? in: Ein Hilferuf...,1965, 64, wirft dem Luthertum "Auslöschung des Geschöpflichen zugunsten einer Alleinwirksamkeit Gottes im Wirken des Gottmenschen Jesus Christus" und "Auflösung der zentralen christlichen Wahrheit der Inkarnation" vor (zitiert bei H.G.PÖHLMANN, Die gegenwärtige kontroverstheologische Problematik,140).
187 P.KNITTER, A Case Study, 166.
188 H.MÜHLEN, Das Vorverständnis von Person, in: Cath 18 (1964), 11o (vgl. 122-129).
189 H.VOLK, Gnade und Person, in: Theologie in Geschichte und Gegenwart, 226.

190 Ebd. 235. - Vgl. J.ALFARO, Person und Gnade, in: MThZ 11 (1960), 4.15-
    17; B.LANGEMEYER, Das dialogische Denken, in: Cath 17 (1963), 316f;
    H.SCHÜRMANN, Das hermeneutische Hauptproblem, in: Rahner GW I, 604-607.
191 Gottes Gottheit, in: TA 2, 19.
192 H.G.PÖHLMANN, Die gegenwärtige kontroverstheologische Problematik, 36.
    - Vgl. auch H.VOLK, Die Lehre von der Rechtfertigung nach den Bekennt-
    nisschriften der evangelisch-lutherischen Kirche, in: Pro Veritate.
    Festgabe für L.Jäger und W.Stählin, Münster-Kassel 1963, 96-131.
193 K.RAHNER, Rechtfertigung, in: HThTL VI, 135. - Vgl. H.MÜHLEN, Das Vor-
    verständnis von Person, in: Cath 18 (1964), 129-137; H.VOLK, Gnade
    und Person, in: Theologie in Geschichte und Gegenwart, 231-236; J.
    ALFARO, Person und Gnade, in:MThZ 11 (1960)7-11; ders.,Justificación
    Barthiana y Justificación Cathólica, in: Gr 39 (1958), 761f. 766-768
    (768: "En el fondo es el misterio de la analogía del ser considerado
    en el campo de la acción.").
194 K.RAHNER, Rechtfertigung, in: HThTL VI, 136.
195 Ebd. 140. - Vgl. H.KÜNG, Rechtfertigung, 231-242; ders., Katholische
    Besinnung, in: Theologie im Wandel 449-468 (bes. 465); H.U.v.BALTHASAR,
    Karl Barth, 378-382.
196 Gebot und Gesetz, 34. - Vgl. E.WOLF, Die Rechtfertigung als Mitte und
    Grenze reformatorischer Theologie, in: EvTh 9 (1949/50), 303: "Das
    'extra nos' verbietet eben als 'in Christo' die Übertragung des Wertes
    der 'geschenkten Gerechtigkeit' auf die Person des 'Gerechten'. Chri-
    stus selbst ist die persona des 'neuen Menschen'."
197 W.KASPER, Geschichtstheologie, in: HThTL III, 51. - Vgl. ders., Abso-
    lutheitsanspruch des Christentums, in: HThTL I, 35; J.WITTE, Ist Barths
    Rechtfertigungslehre grundsätzlich katholisch?, in: MThZ 10 (1959),40f;
    J.ALFARO, Speranza christiana, 64.82-88.92-94.140; H.SCHÜTTE, Protes-
    tantismus, 392-430.
198 J.RATZINGER, Glaube und Zukunft, 106.
199 H.SCHROER, Die Denkform der Paradoxalität, 175 (vgl. 172-176.194-201;
    zur Begriffsbestimmung der komplementären und supplementären Dialektik
    vgl. 45). - Wir haben des öfteren auf die unberechtigte strukturelle
    Gleichschaltung (Undifferenzierbarkeit) der Doppelseitigkeit des To-
    des hingewiesen. Der Hinweis auf die Überladung und einseitige anti-
    nomische Ausrichtung der Dialektik ist auch der Wahrheitskern der Kri-
    tik F.Holmströms: DeDArt 339f.352f; DeD 406-409.
200 W.KRÖTKE, Das Problem 'Gesetz und Evangelium', 32.
201 Ebd. 48f (vgl. 49,n.1).
202 W.JOEST, Paulus und das lutherische Simul Iustus et Peccator, in: KuD
    1 (1955), 300 (vgl. 269-320).
203 Ebd. 309.
204 Ebd. 317.319f (vgl.bes. 319,n.56). - Vgl. W.JOEST, Gesetz und Freiheit,
    140ff.178ff.192f. - Insofern Althaus auch die Bedeutung der Geschichte
    halten will, sind seine Aussagen oft sehr zweideutig. Vg. G.SAUTER, Zu-
    kunft und Verheißung, 120f: "So kommt es zu einer oft unausgeglichen
    wirkenden Montage von geschichtlicher Dynamik, die die Heilsverwirkli-
    chung für den Einzelnen weiter in der Schwebe hält, mit einem fast
    statischen Dualismus von Heilswirklichkeit und Geschichte, von Geltung
    und Verborgensein."
205 Eschatologie, in: RGG³ II, 681. - Vgl. 1.Teil, 4.Kap. 4.
206 Vgl. H.E.WEBER, Die Kirche im Lichte der Eschatologie, in: NKZ 39
    (1926), 299-339; Eschatologie, in: RGG² II, 356f; 1.Teil, 5.Kap.4c/dd.
207 Über den Ausgang der Eschatologie von der Heilsgegenwart vgl. K.RAHNER,

Theologische Prinzipien, in: Schriften IV, 401-428; H.BERKHOF, Über die
Methode der Eschatologie, in: Diskussion über die 'Theologie der Hoffnung', 171-180; J.ALFARO, Speranza cristiana, 101.143-147.
208 Hoffnung, RGG[2] II, 1982. - Vgl. GD[1] II/165f; GD[5] 260f; GE[2] 70f; W.KRECK,
Die Zukunft des Gekommenen, 102-108.
209 F.KERSTIENS, Hoffnung, in: HThTL III, 304. - Vgl. ders., Die Hoffnungsstruktur, 41-71.161-189.
210 J.RATZINGER, Einführung, 196.
211 Eschatologie, in: RGG[3] II, 680. - Vgl. LD[4] 2-4; Rezension von P.Schütz,
Das Evangelium dem Menschen unserer Zeit dargestellt, in: ThBl 19 (1940),
128; J.KÖRNER, Eschatologie und Geschichte, 131-133.
212 Eschatologie, in: RGG[3] II, 680 = Eschatologie, in: RGG[2] II, 353. - RGG[3]
II, 683 vertritt die Dreiteilung, der wir uns anschließen. GE (GD[1] II/
168 und GD[5] 263), CW (659.673) und LD[4] haben die Zweiteilung, die persönliche Vollendung und die Weltvollendung. Auch wir werden nach dem
Verhältnis der zwei zueinander fragen müssen.

2. Kapitel: Methode der Eschatologie

1 Methodische Anmerkungen finden sich in LD[1] 12-14.52-58.72-81; LD[3] 4-9.
53-58.87-90.97-119; LD[4] 60-79; GD[1] II/166-168; GD[5] 261-263. Eschatologie, in: RGG[2] II, 355f; Eschatologie, in: RGG[3] II, 682f. - Vgl. CW 21-
34.238-259; G.HOFFMANN, Das Problem, 4-41; 1.Teil, 3.Kap.3.
2 Vgl. GD[1] II/9f: "Denn die Begriffe Urstand, Fall, Fluch, Erlösung bezeichnen nicht geschichtlich einander folgende Ereignisse, sondern
drücken die Grundbeziehungen des von der Offenbarung getroffenen Menschen bzw. der Menschheit zu Gott aus, von denen der Mensch sich jeweils in seiner Gegenwart, also gleichzeitig bestimmt weiß....So ist
der Inhalt des Dogmas nicht als Geschichte im historischen Sinne des
zeitlichen Nacheinander darstellbar." (GD[1] II/9f).
3 Seelenwanderung, in: RGG[2] V, 380.
4 G.CHANTRAINE, Eschatologie und Heilsgeschichte, in: Communio 1 (1972),
199.
5 Eschatologie, in: RGG[3] II, 682.
6 Eschatologie, in: RGG[3] II, 682.
7 Eschatologie, in: RGG[2] II, 356. - Vgl. Eschatologie, in: RGG[3] II, 682.
8 Bericht der 56.Allgemeinen Pastoralkonferenz, 27. - Vgl. G.ZASCHE, Extra Nos, 68f.
9 Luthers Gedanken über die letzten Dinge, in: LuJ 23 (1941), 11. - E.
THURNEYSEN, Christus und seine Zukunft, in: ZZ 9 (1931), 207, ist konsequenter und setzt deshalb zu einigen Formulierungen Althaus' Fragezeichen. Er meint, Althaus' Sicherung gegen die Kontinuitätsspekula-
tion sei zu schwach (207,n.10) "Sofern man doch von Kontinuität sprechen will , so liegt sie nicht beim Objekt dieser Lebendigmachung,
nicht beim Menschen...,sondern ganz allein beim lebendigmachenden Got-
te selbst." (207) - Au.PAULI, Rezension von LD[4], in: Die Christengemeinschaft 14 (1937/38), 15-19: Wir lehnen Paulis Wiederverkörperungs-
theorie scharf ab, aber wir sehen ein Wahrheitsmoment in seiner Stellungnahme zu Althaus' Beteuerungen der Kontinuität: "in dieser Form
schweben alle diese Gedanken, soviel Richtiges sie an und für sich
enthalten, haltlos in der Luft und bleiben rein phantastische." (17).
10 J.TERNUS, Chalkedon und die protestantische Theologie, in: Konzil von
Chalkedon III, 561.
11 Es besteht bei Althaus eine Tendenz, in der Suche "nach dem Worte in
den Worten" (LD[4] 65,n.1) einzelne Worte allzusehr auf das Wort zu

reduzieren, wobei sich leicht gewisse systematisierende Tendenzen ein-
schleichen können. Einer der ersten (überspitzten) Kritiker, der diese
"untergeordnete Rolle" (107) der Worte bemängelte, war W.VOLLRATH (Das
Problem des Wortes, 1925, 107-116). Vollraths Wort-Theologie ist jedoch allzu bliblizistisch ausgerichtet. - A.AHLBRECHT, Tod und Unsterblichkeit, 74, meint, daß die zentrale Christustatsache als Kriterium "zu beziehungslos über den peripheren Bereich der Schrift zu
schweben" komme, "so daß sie letztlich nicht eigentlich das Zentrum
eines Kreises darstellt, um den sich auch die peripheren Punkte als
um die einigende Mitte ordnen. Vielmehr kommen diese Punkte durch eine
Verkürzung des Radius außerhalb des folglich verengten Kreises zu liegen, sie werden eliminiert."

12 G.SAUTER, Zukunft und Verheißung, 100. - Daraus folgt: "Eschatologie
   ist der Beziehungshorizont der Soteriologie, mit der Peripherie ver-
   heißener Zukunft" (101).

13 A.AHLBRECHT, Tod und Unsterblichkeit, 92 (vgl. 92-94).

14 Vgl. LD[1] 12-14.54-57; LD[3] 5-7.53-56; CW 658; GD[1] II/166f; GD[5] 261f;
   W.KRECK, Die Zukunft, 83-91. - Vgl. 1.Teil, 4.Kap. 4.

15 Vgl. K.RAHNER, Theologische Prinzipien, in: Schriften IV, 401-428
   (bes. 416-418); der s.,Eschatologie, in: LThK III, 1094-1098 und HThTL
   II, 208-215; M.SCHMAUS, Von den letzten Dingen, in: Kath.Dogmatik IV/
   2, 219 ("entfaltete Christologie"); J.ALFARO, Speranza cristiana, 8.117.

16 Vgl. LD[3] 7; LD[4] 70f.93-95; A.AHLBRECHT, Tod und Unsterblichkeit, 100-
   112; F.TRAUB, Die Lehre von den letzten Dingen, in: ZThK 6 (1925), 36-
   38.

17 Seelenwanderung, in: RGG[2] V, 379(vgl.379f) und RGG[3] V, 1640 (vgl.1639f).
   - Vgl. LD[1] 80; LD[3] 8f; LD[4] 72f; Evangelischer Glaube und Anthroposophie,
   in: UWE 42-61. - Es handelt sich vor allem um R.Steiner und F.Rittel-
   meyer. Ein Anthroposoph, der sich mit LD[4] auseinandersetzt, ist Au.
   PAULI, Rezension von LD[4], in: Die Christengemeinschaft 14 (1937/38),
   15-19.

18 Vgl. Gehorsam und Freiheit in Luthers Stellung zur Bibel, in: TA 1,
   140-152; Autorität und Freiheit in Luthers Stellung zur Heiligen
   Schrift, in: Luther 33 (1962), 41-51; DTL 71-98; GD[1] I/25-36; GD[5] 57-
   73; A.BEYER, Offenbarung, 33-37.

19 Zum folgenden vgl. LD[1] 66.72-81; LD[3] 79f.87-90.97-112 (Heilsgeschichte
   und Eschatologie, in: ZSTh 2 (1924), 605-625); LD[4] 249-269. - Vgl. Gustav WETH, Die Heilsgeschichte (bes. 230-247).

20 Bericht der 56.Allgemeinen Pastoralkonferenz, 23. - Vgl. LD[1] 14.53.65;
   LD[3] 54f.78,n.1; LD[4] 62f.67-69; CW 657. - Eine sehr typische Stellungnahme des unkritischen Biblizismus zu LD finden wir beim Pietisten
   C.EICHHORN, Die letzten Dinge.   Er meint, die historisch-kritische
   Forschung sei eine "Pseudowissenschaft" (44), "von Vorurteilen beherrscht" (39), letztlich "Unglaube" (45), bestimmt von "Erwägungen ra-
   tionaler Art" (46). Seine eigene Lösung ist von naivem Biblizismus geformt und entbehrt der systematischen Durchdringung.(Vgl.dazu H.STEU-
   BING, Das Grundproblem der Eschatologie, in: ZSTh 7 (1929/30), 462-
   465; DeD 372,n.1) - P.EBERT, Eschatologische Setzerscholien, in: NKZ
   38 (1927), 737-775.789-809, ist auch großteils dem unkritischen Biblizismus zugetan. Ebert sieht in Althaus' Methode schließlich nur noch
   eine Anhäufung von Spannungen, Polaritäten, Antinomien und Paradoxa
   eines "verkümmerten Hegelianismus" (745). Seine eigene Forderung "Hinein in den Biblizismus!" (751) führt nicht weiter. Eberts Kritik gilt
   vor allem der aus der historisch-kritischen Forschung kommenden 'Sub-

traktionsmethode' (765-775.789-793)(Vgl.dazu W.ÖLSNER, Die Entwicklung,
110f; DeD 372,n.1).
21 Vgl. LD[1] 13,n.1; 14,n.1; LD[3] 4,n.2; LD[4] 60,n.1. - Zum folgenden vgl.
   LD[3] 112-119; LD[4] 261-266. - Beispiel einer gemäßigten biblizistischen
   Haltung ist E.SOMMERLATH, Unsere Zukunftshoffnung, in: AELKZ 50 (1927)
   (vgl. dazu LD[4] 61,n.1; H.STEUBING, Das Grundproblem der Eschatologie,
   in: ZSTh 7 (1929/30), 466-471; DeD 372,n.1) und Ph.BACHMANN, Der neutestamentliche Ausblick, in: NKZ 39 (1928). Bachmann kritisiert ideali-
   sierende Um- und Fortbildungen, u.a. bei Althaus (90-109); er betont
   zurecht, daß Christus auch geredet hat, (und zwar darin "gerade sehr
   speziell" (103)), doch er stellt Althaus einseitig dar und stützt sich
   selbst letztlich nur auf das Bibelwort (99.108). (vgl. DeD 372-375;
   F.W.KANTZENBACH, Von L.Ihmels, in: NZSTh 11 (1969), 98f).
22 Vgl. GD[1] I/31.33; Gehorsam und Freiheit in Luthers Stellung zur Bibel, in: TA 1, 142.146.148f.
23 G.WETH, Die Heilsgeschichte, 233 (vgl. 235f). - Vgl. H.W.WEBER, Die
   Kirche im Lichte der Eschatologie, in: NKZ 37 (1926), 322f (bes. 323,
   n.1).
24 G.WETH, Die Heilsgeschichte, 242. - Auch F.HOLMSTRÖM, DeD 315f, äußert
   Bedenken gegen Althaus' Unterscheidung 'Weissagung - Wahrsagung'. Ebenso meint G.SAUTER, Zukunft und Verheißung, 155, daß die Geschichte
   durch die Weissagung als 'prophetische Einsicht in das Notwendige' dis-
   qualifiziert werde. "Hier behält offensichtlich Hegel das Wort." (155,
   n.17). Sauter sieht dahinter den griechischen apophantischen Logos, der
   der Ontologie des 'Wesens' (und 'Gewesenseins') entspricht und als Logos
   des Phänomens immer mögliche Erfahrbarkeit ist.

3. Kapitel: Die personale Dimension

1 Der Christenglaube und das Sterben, 5.
2 Volk ohne Christus? in: ZW 14 (1937/38), 456f.
3 H.GOLLWITZER, Krummes Holz, 99 (vgl. 107-114). - Vgl. Vaticanum II:
  Gaudium et spes, n.18. - Eine vorzügliche Auseinandersetzung mit der
  Religions-, bzw. Unsterblichkeitskritik Feuerbachs und des Marxismus
  bringt G.SCHERER, Der Tod als Frage an die Freiheit.
4 Aus Henrik Ibsens Drama 'Brand' (zitiert in: K.HEIM, Weltschöpfung
  und Weltende, 165).
5 Tod, in: RGG[3] VI, 914.
6 Der Christenglaube, 6. - Vgl. Tod, in: RGG[3] VI, 914f; CW 410-412; LD[4]
  80; LD[3] 196.
7 Tod, in: RGG[3] VI, 915.
8 Der Christenglaube, 8.
9 Ebd. 9.
10 Ebd. 12.
11 Der Friedhof, 31. - Vgl. LD[3] 196-200. LD[4] 85-88.
12 B.THUM, Mensch, in: HThG II, 144 (vgl. 142-145).
13 Vgl. Der Friedhof, 22f (vgl.22-31).
14 Ebd. 26 und 28.
15 Die Bedeutung der Theologie Luthers für die theologische Arbeit, in:
   LuJ 28 (1961), 26f. - Vgl. ebd. 27: "Dieses alles aber - so können wir
   rückschauend noch einmal aussprechen - hängt an Luthers Verständnis der
   Gottheit Gottes."
16 Tod, in: RGG[3] VI, 915. - Vgl. LD[3] 196; CW 418.
17 Tod, in: RGG[3] VI, 915.
18 G.ZASCHE, Extra Nos, 75. - Vgl. LD[4] 80f; LD[3] 195: "Am Tode gewinnt der
   Gottes- und Ewigkeitsgedanke die strenge Transzendenz."

19 Tod, in: RGG^3 VI, 916. - Daß der 'Tod' auch unabhängig von der Sünde
   in der Welt war, sagen von den Katholiken z.B. K.RAHNER, Zur Theologie
   des Todes, 33ff; L.BOROS, Mysterium mortis, 122ff; ders. Erlöstes Dasein, 23ff; R.TROISFONTAINES, Ich sterbe nicht..., 167-177; J.PIEPER,
   Tod und Unsterblichkeit, 91f.100-106; G.GRESHAKE, Auferstehung der
   Toten, 384; Th.u.G.SARTORY, In der Hölle brennt kein Feuer, 24-26. -
   Vgl. 1.Teil, 4.Kap. 1.
20 Tod, in: RGG^3 II, 916. - Vgl. Die Wirklichkeit Gottes, aaO. 90.
21 Vgl. Tod, in: RGG^3 VI, 916; LD^3 198f; LD^4 83f; CW 412f; GE^1 64; Der
   Mensch und sein Tod, in: Universitas, 3 (1948), 392-394.
22 Tod, in: RGG^3 VI, 916.
23 H.THIELICKE, Tod und Leben, Studien zur christlichen Anthropologie,
   Tübingen 1946. - Vgl. dazu: Der Mensch und sein Tod, aaO. 385-394, bes.
   392ff.
24 Tod, in: RGG^3 VI, 916.
25 Der Mensch und sein Tod, aaO. 393. - Insofern Althaus den Tod als personale Tat zur Geltung bringt, besteht eine gewisse Beziehung zur Ent-
   scheidungshypothese, wie sie in den letzten Jahren vor allem von einigen katholischen Theologen vertreten wird. Während die verschiedenen
   kath. Versuche jedoch vor allem aus der Forderung nach einem total-per-
   sonalen Akt im Tode stammen, damit das ewige Los des Menschen von der
   Natur des menschlichen Daseins her nicht ein 'zufälliges' bleibe, rührt
   Althaus' Betonung des Todes als Tat von der G o t t h e i t G o t t e s her,
   die vollen Gehorsam und Glauben verlangt. Es geht also um zwei verschiedene Dinge!
26 Eschatologie, in: RGG^3 II, 683.
27 Die Herrlichkeit Gottes, 253 (Predigt vom 16.Nov.1952).
28 Tod, in: RGG^3 VI, 917. - Vgl. ebd. 916-918; LD^3 195f; LD^4 32.81f,87;
   CW 414-418; Die Gestalt, in: TA 2, 45-64; Das Bild Gottes bei Paulus,
   in: ThBl 20 (1941), 86.
29 Eschatologie, in: RGG^3 II, 683.
30 Tod, in: RGG^3 VI, 916. - Vgl. Der Mensch und sein Tod, aaO. 393; W.
   KRECK, Die Zukunft des Gekommenen, 148-176; 1.Teil, 4.Kap.3; 2.Teil,
   1.Kap. 4c.
31 Der Friedhof, 11. - Vgl. ebd. 10-12; Der Trost Gottes, 193-195 (Predigt vom 31.Dez.1944).
32 Der Christenglaube, 15 (vgl. 14-17).
33 Tod, in: RGG^3 VI, 918.
34 Eschatologie, in: RGG^3 II, 684. - Vgl. CW 660; LD^3 198f; LD^4 82f; GE^1
   64; GD^1 II/169 = GD^5 264; Gott ist gegenwärtig, 101f (Predigt vom 18.
   Nov.1962).
35 Tod, in: RGG^3 VI, 918. - Vgl. Der Friedhof, 24; CW 548-550.
36 Eschatologie, in: RGG^3 II, 684.
37 Vgl. Der Mensch und sein Tod, aaO. 393; Der Christenglaube, 19-21; LD^3
   199.217f; LD^4 87.192; GE^2 75.
38 J.RATZINGER, Jenseits des Todes, in: Communio 1 (1972), 232f. - Vgl.
   ders., Einführung, 289; J.KREMER,...denn sie werden leben, 110f; J.
   PIEPER, Tod und Unsterblichkeit, 152-155; A.AHLBRECHT, Tod und Unsterblichkeit.
39 M.SCHMAUS, Unsterblichkeit der Geistseele oder Auferstehung der Toten,
   in: Pro Veritate, 312.
40 Von der Leibhaftigkeit der Seele, in: UWE 159. - Vgl. ebd. 158-167;
   Von der Leibhaftigkeit der Seele, in: Universitas 7 (1952), 915-921;
 * CW 329-331; LD^4 88-92.
41 Von der Leibhaftigkeit der Seele, in: UWE 166.

42 Unsterblichkeit und Auferstehung?, in: Wort und Tat 11 (1935), 318
   (vgl.317f). -
   Aufgrund mancher Stellen könnte ein gesetzlicher Biblizismus die Unsterblichkeit der Seele fordern, was jedoch nach Althaus dem neutestamentlichen Zentralgedanken der Auferstehung und dem biblischen Verständnis des Todes als Gericht Gottes widersprechen würde.
   Zu 2 Kor 5,1ff und Phil 1,23 vgl. LD[4] 88f; Luthers Gedanken über die
   letzten Dinge, in: LuJ 23 (1941), 12. - Vgl. P.HOFFMANN, Die Toten in
   Christus, 324-327; A.AHLBRECHT, Tod und Unsterblichkeit, 68-73.
43 Der Christenglaube, 19.
44 Ebd. 17. - Vgl. Kommt, laßt uns anbeten, 26 (Predigt vom 31.Dez.1914);
   Unsterblichkeit und Auferstehung?, in: Wort und Tat 11 (1935), 317; CW
   663.
45 Die Herrlichkeit Gottes, 253 (Predigt vom 16.Nov.1952). - Vgl. Wo bleiben unsere Toten?, in: Evang.Gemeindeblatt München 55 (1952), 380:
   "Kein Mensch fällt im Sterben aus Gottes Hand. Wir verlieren uns, aber
   Gott verliert uns nicht."
46 Vgl. Die Herrlichkeit Gottes, 254 (Predigt vom 16.Nov. 1952); CW 660f.
47 H.GRASS, Das eschatologische Problem, aaO. 74.
48 LD[3] 198,n.1; LD[4] 108f.114f; CW 330f; GD[1] II/171 = GD[5] 266; Luthers Gedanken über die letzten Dinge, in: LuJ 23 (1942), 11; Unsterblichkeit
   und Auferstehung?, in: Wort und Tat 11 (1935), 317.
49 Von der Leibhaftigkeit der Seele, in: UWE 167 . - Wir stimmen A.AHL-
   BRECHTs Vermutung zu: "Vielleicht ist das Schillernde an vielen Aussagen von Althaus und manchen anderen evangelischen Theologen auch
   auf ihre schon erwähnte Neigung zurückzuführen, nicht primär ontologische, sondern heils-existentielle Kategorien anzuwenden, wobei es
   ihnen aber doch nicht gelingt,sich jeden ontologischen Urteils zu enthalten." (Tod und Unsterblichkeit, 118).
50 Vgl. LD[4] 98-105; LD[1] 28-33; LD[3] 25-27; CW 659; GD[1] II/54f; Auferstehung Christi, in: RGG[3] I, 697; A.AHLBRECHT, Tod und Unsterblichkeit,
   13-19.79-85.
51 Der Christenglaube, 13. - LD[1] 31 (= LD[3] 26): " Die Scheidelinie zwischen einem anthropozentrisch-begründeten Ewigkeitsglauben, der unter
   das Gericht Feuerbachs fällt, und einem theozentrisch unterbauten ist
   nicht identisch mit der Grenze zwischen den Religionen und dem Christentum." Deshalb spricht Althaus von "Möglichkeiten vor- und außerchristlicher Eschatologie" (LD[3] 25). - Vgl. GD[1] II/169f = GD[5] 264; Ur-
   Offenbarung, aaO. 23f.
52 Gott ist gegenwärtig, 100 (Predigt vom 18.Nov,1962). - Vgl. ebd.98-
   103; Der Mensch und sein Tod, aaO. 388.
53 Ewiges Leben, in: RGG[2] II, 460. - LD[4] 105: "Wir wissen nichts von einer
   Unsterblichkeit der 'Seele', aber von der Unsterblichkeit unseres Gottesverhältnisses."
54 Wo bleiben unsere Toten?, in: Evang.Gemeindeblatt München 55 (1952),
   380.
55 G.ZASCHE, Extra Nos 69f (Zasche nennt dieses so verstandene Selbst das
   'theologische Ich').
56 So bemerkt z.B. P.Ebert (zu LD[3] 197,n.1): "Vermittels dialektischer Methode oder Unmethode wird erst die radikale Vernichtung des Menschenwesens im Tode gelehrt und danach dessen Wiedererweckung durch Gottesmacht behauptet, um die vorangestellte These wieder gut zu machen...Wie
   kann unser Ich, nachdem es im Tode geendet hat, entschlafen?" (P.EBERT,
   Eschatologische Setzerscholien, in: NKZ 38 (1927),807). - G.HOFFMANN,

Das Problem, 48,n.169, weist auf die "Unstimmigkeit" zwischen Althaus'
Lehre der Unzerstörbarkeit des Gottesverhältnisses und seiner Lehre
vom Zerbrechen der ganzen Lebendigkeit der Person (im Gefolge Stanges!)
hin (Althaus' Antwort in LD⁴ 107,n.1 befriedigt nicht). - HOLMSTRÖM,
DeD 295-299, wirft Althaus vor, daß er die Grenze zwischen christlichem Auferstehungsglauben und phil.Unsterblichkeitsgedanken nicht
scharf ziehen könne, "da er in allen seinen eschatologischen Grundfor-
men einen Unsterblichkeitsgedanken - von freilich verschiedenen Gra-
den metaphysischer und religiöser Tiefe - vertreten will" (296). -
Vgl. C.STANGE, Das Ende aller Dinge, 124-132.138.

57 Die Bekehrung in reformatorischer und pietistischer Sicht, in: UWE 235
   (vgl. 228-235) - Vgl. DTL 306f.

58 Vgl. A.AHLBRECHT, Tod und Unsterblichkeit, 31. - Ebd. 119: "So erweist sich die reformatorische Rechtfertigungslehre (vor allem in den
   wichtigen Einzelzügen des Forensischen und des bloß Imputativen, wodurch sie eine aliena iustitia bleibt, wogegen Tendenzen zur stärkeren Betonung der wirklichen Zuneigung der Gerechtigkeit Gottes nicht
   durchdringen) als ein höchst wirksames Leitmotiv in der theologischen
   Behandlung der Frage nach dem Fortleben der zeitweilig leibgelösten
   Seele, und zwar im negativen Sinne." (vgl. 112-120.135f).

59 J.PIEPER, Tod und Unsterblichkeit, 177: "Wenn creatio bedeutet, daß
   Gott, indem er erschafft, das Sein gerade nicht für sich behält, so
   daß er noch immer der Allein-Wirkliche bliebe, sondern es wahrhaft gibt
   und mit-teilt, dann besitzt offenbar die creatura ihr Dasein und ihr
   Wesen nun tatsächlich als ihr veritables Eigentum, als ihr zwar weiterhin und immerfort von Gott, dem in allen Dingen unablässig wirkenden Ursprung, empfangenes, aber eben auf Grund dessen auch wirkliches
   Eigentum....Hat etwa unsere natürliche Seinsmitgift, darin inbegrif-
   fen die individuelle Unvergänglichkeit der Seele, nicht zugleich im
   'Willen Gottes' ihren Grund?" -
   A.AHLBRECHT, Tod und Unsterblichkeit, 19, spricht von einer "immer wiederkehrenden geradezu allergisch zu nennenden Reaktion evangelischer
   Theologen auf das Wort 'Substanz'", das weithin mißverstanden wird
   (vgl. 142-144). - Vgl.G.ZASCHE, Extra Nos, 124-130.159-169 (bes. 160
   ff). - H.ECHTERNACH, Auferstehung und Unsterblichkeit, in: Una Sancta
   18 (1963), 227-235, zeigt auf, daß 'esse' bis zum Beginn der Neuzeit
   in der christlichen Theologie als Qualitätsbegriff ein dynamisches Geschehen von Gott her und auf Gott hin meinte. Dadurch daß 'esse' seit
   dem Humanismus absolutes (abgelöstes) wertneutrales Sein bedeutet, er-
   gab sich eine unheilvolle Verschiebung in der Frage nach der Gottesvor-
   stellung, nach der Fortdauer der Seele, usw.

60 R.GUARDINI, Die Annahme seiner selbst, Würzburg ⁵1969, 23. - Vgl. J.
   ALFARO, Speranza cristiana, 186,n.372f.

61 C.H.RATSCHOW, Gott existiert, 86f.

62 Ebd. 83.

63 A.AHLBRECHT, Tod und Unsterblichkeit, 131.

64 Ebd. 123.

65 J.RATZINGER, Jenseits des Todes, in: Communio 1 (1972), 234.

66 Vgl. J.B.METZ, Leiblichkeit, in: HThG II, 35; J.B.METZ - F.P.FIOREN-
   ZA, Der Mensch als Einheit von Leib und Seele, in: MySal II, 584-632,
   bes. 629ff; J.-M.GONZALEZ-RUIZ, Entmythologisierung der 'anima separata'?, in: Concilium 5 (1969), 36-42.

67 K.RAHNER, Zur Theologie des Todes, 26. - Vgl. ebd. 8-26.58-67; ders.,
   Tod, in: HThTL VII, 281; ders.,Theologische Prinzipien, in: Schriften

IV, 422f.

68 H.VOLK, Tod, in: HThG II, 673. - Vgl. J.RATZINGER, Jenseits des Todes,
   in: Communio 1 (1972), 233; G.ZASCHE, Extra Nos, 69. - Qu.HUONDER, Das
   Unsterblichkeitsproblem, 146f: "Was kann da noch 'auferstehen', wenn
   vom Wesen 'Mensch', von seinem Ich, das war, gar nichts mehr vorhanden
   ist? Das wäre eine 'Auferstehung', die nicht nur dem menschlichen Verstand, sondern auch an sich absurd erscheint....Identität setzt doch
   wohl Kontinuität voraus....Daran kann auch ein allmächtiges Wesen nichts
   ändern."
69 Auferstehung, in: RGG^3 I, 696f.
70 H.VOLK, Tod, in: HThG II, 676. - E.JÜNGEL, Tod, 111-117, hebt vom NT
   her deutlich den Unterschied des Todes des Christen hervor, weil "dem
   Glaubenden der Fluchtod, den sich der Mensch zuzieht, schon erlassen
   worden ist" (113).
71 G.SCHERER, Der Tod als Frage an die Freiheit, 136 (vgl. 135-139).
72 J.SPLETT, Unsterblichkeit, in: HThTL VII, 399f.
73 Der Mensch und sein Tod, in: Universitas 3 (1948), 388-392; Retraktationen zur Eschatologie, in: ThLZ 75 (1950), 253-260. - Ähnliche Gedanken vertritt Althaus auch in 'Vom Sterben und vom Leben', der zweiten neubearbeiteten Auflage von 'Der Christenglaube und das Sterben',
   Gütersloh 1950.
74 A.AHLBRECHT, Tod und Unsterblichkeit, 100. - Vgl. ebd. 99f.127f; R.GABAS
   PALLAS, Escatologia protestante, 37f. - Althaus' ausgewogene Stellung
   blieb nicht ohne Einfluß, z.B. durch seinen Schüler H.Grass, der vor
   der schroffen Entgegensetzung von Unsterblichkeit und Auferstehung
   warnt. "Der Leib-Seele-Dualismus ist mit dem Unsterblichkeitsglauben
   nicht notwendig verbunden. Es geht um die Unsterblichkeit der Gott verantwortlichen Person."(H.GRASS, Unsterblichkeit, in RGG^3 IV, 1177f). -
   Althaus hat seinem Sohn Gerhard Althaus und C.H.Ratschow gegenüber des
   öfteren Andeutungen über seit länger geplante Änderungen der 'Letzten
   Dinge' gemacht (aus einem Briefwechsel mit G.Althaus, München, und
   einem Gespräch mit C.H.Ratschow, Marburg), doch es sind keine inhaltlichen Vorarbeiten dazu vorhanden. Sollte es etwa eine Integration der
   in diesen neueren Arbeiten gewonnenen Erkenntnisse sein?
75 Der Mensch und sein Tod, aaO. 388. - Vgl. ebd. 388: "Als Theorien, Postulate, 'Beweise' werden alle Unsterblichkeitsgedanken von der biblischen Erkenntnis Gottes und des Menschen zerbrochen. Aber als Frage,
   als Ausdruck des Existenzwiderspruches und des Leidens unter ihm, als
   Bekenntnis zu der Bestimmung des Menschen haben sie recht und sind sie
   notwendig."
76 Ebd. 389f.
77 Ebd. 390f.
78 Retraktationen, aaO. 256.
79 Ebd. 253.
80 Unsterblichkeit und Auferstehung, in: Wort und Tat 11 (1935), 317.
81 Retraktationen, aaO. 253,n.1.
82 Ebd. 253. - Zu einem ähnlichen Ergebnis kommt P.HOFFMANN, Unsterblichkeit, in: HThG II, 736-739.
83 Retraktationen, aaO. 254.
84 Ebd. 255.
85 Ebd. 257. - Ebd. 255f: "Leben und Existenz sind zu unterscheiden. Ohne
   Christus ist alles Fortexistieren wie alle Existenz überhaupt 'Tod'
   im biblischen Vollsinne. Mit ihm, bei ihm, d.h. im Glauben an ihn ist
   alle Existenz, biologisches Leben und biologischer Tod, 'Leben' im biblischen Vollsinne, das leibliche Ableben Mittel und Durchgang zum vollen

Teilhaben an diesem schon während der irdischen Existenz im Glauben zu-
geeigneten Leben."-
H.GRASS, Das eschatologische Problem, aaO. 72: "Der Ernst des Todes
liegt überhaupt nicht im Tod als solchem....Sondern der Ernst des Todes liegt darin, daß der Mensch nun vor Gottes Angesicht treten muß."
H.Grass (ebd.72f) möchte in Althaus' 'Retraktationen' eine seiner
eigenen Jenseitseschatologie nahe Position sehen. Vgl. 1.Teil, 5.Kap.5.
86 Retraktationen, aaO. 256. - Ebd. 256: "Es ist uns aber ebenso verwehrt,
die für uns vergangene ontologische Gestalt früherer Eschatologie na-
mens des Wortes Gottes und der rechten Glaubenserkenntnis zu befehden,
wie das im letzten Menschenalter reichlich geschehen ist."
87 Althaus' 'Retraktationen' waren ein Referat auf dem evangelischen deutschen Theologentag in Marburg 1949. In der sich daran anschließenden
Diskussion sagte E.Schlink u.a.: "Es besteht bei solcher Gegenüberstellung die Gefahr, daß die Substanzmetaphysik durch einen nicht min-
der untheologischen Aktualismus ersetzt wird....Schon die Scholastik
unterschied zwischen dem Substanzbegriff in der Gotteslehre und einem
anderen Substanzbegriff in der Anthropologie, der der creatio conti-
nuata bzw. der göttlichen Erhaltung nicht gegenübersteht, sondern in
ihr begründet ist." (259f).
88 A.AHLBRECHT, Tod und Unsterblichkeit, 143.
89 Vgl. G.GRESHAKE, Auferstehung der Toten, 367-370. - Zu logischen und
ontischen Sätzen vgl. K.RAHNER, Die Gegenwart Christi im Sakrament des
Herrenmahles, in: Schriften IV, 372-375.
90 Die Unsterblichkeit der Seele bei Luther, in: ZSTh 3 (1925/26), 725 =
Unsterblichkeit und ewiges Sterben bei Luther, 9. - Vgl. diese beiden
Werke; außerdem LD^3 271-288; LD^4 117,n.1; 1.Teil, 1.Kap. 2a.
91 A.AHLBRECHT, Tod und Unsterblichkeit, 34 (vgl. 34-44). - Auch Holmström sieht darin nur einen "Reflex ihrer verschiedenen systematischen
Standpunkte" (DeD 375). - Vgl. DeD 375-382; W.ÖLSNER, Die Entwicklung,
69-71; W.KOEPP, Panagape, 62-68.
92 Unsterblichkeit und ewiges Sterben, 6.
93 Wir können uns deshalb ersparen, die einzelnen Argumente aufzustellen und
zu deren Interpretation im Einzelfall und im Gesamturteil Stellung zu
nehmen, was ohne genaue Lutherkenntnis auch nicht möglich ist. Wir
möchten jedoch nicht verschweigen, daß wir die Althaus'sche Antwort
rein sachlich vorziehen.
F.HOLMSTRÖM gibt der Stange'schen Interpretation den Vorzug (DeD 195,
n.2), A.AHLBRECHT (43) und W.v.LOEWENICH (P.Althaus als Lutherforscher,
aaO. 30f) dagegen ergreifen Partei für Althaus.
94 Vgl. C.STANGE, Das Ende aller Dinge; ders., Die Unsterblichkeit der
Seele (z.B. 77f); ders., Zur Auslegung der Aussagen Luthers über die
Unsterblichkeit der Seele, in: ZSTh 3 (1925/26), 735-784; ders., Luther
und das 5.Laterankonzil, in: ZSTh 6 (1928), 339-444; ders., 'Die geradezu lächerliche Torheit der päpstlichen Theologie', in: ZSTh 10 (1933),
301-367; ders.Luthers Gedanken über Tod, Gericht und ewiges Leben, in:
ZSTh 10 (1933), 490-513.
95 Unsterblichkeit und ewiges Sterben bei Luther, 52. - Vgl. ebd. 10-19.
38-40; LD^3 279-281; Die Unsterblichkeit der Seele bei Luther, aaO. 726-
729.
96 Die Unsterblichkeit der Seele bei Luther, aaO. 731f.
97 C.STANGE, Die Unsterblichkeit der Seele, 142; ders.,Das Ende aller Dinge, 147-152; ders., Die christliche Vorstellung vom Jüngsten Gericht,
in: ZSTh 9 (1932), 449f.
98 Die Unsterblichkeit der Seele bei Luther, aaO. 732f (Zitat: 733); Un-

sterblichkeit und ewiges Sterben bei Luther, 21-23.52-66; LD[3] 285-288.
99 Unsterblichkeit und ewiges Sterben bei Luther, 66. - Vgl. LD[3] 287.
100 C.STANGE, Das Ende aller Dinge, 107 (vgl. 132-139).
101 Unsterblichkeit und ewiges Sterben, 67f.
102 M.SCHMAUS, Unsterblichkeit der Geistseele oder Auferstehung der Toten,
    in: Pro Veritate, 312.
103 Auferstehung in: RGG[3] I, 696. - Vgl. LD[4] 116.126; CW 661.
104 Auferstehung, in: RGG[3] I, 696.
105 Tod, in: RGG[3] VI, 918.
106 Auferstehung, in: RGG[3] I, 697.
107 Von der wahren Menschheit des Erhöhten, in: Korr.-blatt für die evang.
    luth. Geistlichen in Bayern 61 (1936), 185.
108 Auferstehung, in: RGG[3] I, 698.
109 Der Sinn der Liturgie, in: UWE 112 (vgl.106-116).
110 Ebd. 114f. - Vgl. Wesen und Sinn der Liturgie, in: AELKZ 65 (1932),
    1026; H.KRESSEL, Paul Althaus als Liturg und Liturgiker, in: DtPfrBl
    66 (1966), 547.
111 Vgl. CW 536-547; DTL 299.331-335.338. - Zu Althaus' Sakramentenlehre
    vgl. A.SKOWRONEK, Sakrament in der evangelischen Theologie,159-167.
    "Paul Althaus steht wohl an der Schwelle jener Richtung, die - ka-
    tholischerseits gesehen - eine Erneuerung des Sakramentsverständnisses
    ansteuert. Er gehört also zu jenen Theologen, die als Wegbereiter des
    Ökumenismus einen entscheidenden Beitrag zum Verständnis des Sakramen-
    tes geleistet haben." (159).
112 Von der Leibhaftigkeit der Seele, in: UWE 167.
113 Auferstehung, in: RGG[3] I, 698. - Vgl. CW 661.
114 Die Wahrheit des kirchlichen Osterglaubens, 27. - Vgl. CW 488.661.
115 Die Wahrheit des kirchlichen Osterglaubens, 27. - Vgl. ebd. 29f; CW 488;
    2.Teil, 1.Kap. 4c.
116 H.GRASS, Das eschatologische Problem, aaO. 73.
117 A.WINKLHOFER, Das Kommen Seines Reiches, 272.
118 C.POZO, Teologia dell'aldilà, 133f.164f.
119 Althaus ist im Aufzeigen des anthropologischen Anknüpfungspunktes der
    katholischen Position sehr nahe, denn:"Daß der evangelische Theologe
    im allgemeinen an der genannten philosophischen Frage, ob und wie das
    Denken von sich aus eine Auferweckung des Fleisches erschließen könne,
    nichts liegt, dürfte selbstverständlich sein." (H.VORGRIMLER, Aufer-
    stehung des Fleisches, in: Lebendiges Zeugnis 1964, Heft 1, 54). - K.
    RAHNER, Auferstehung Jesu, in: HThTl I, 231.241, weist auf den Zirkel
    hin, den wir beim Verstehenwollen der Auferstehung Jesu antreffen, der
    aber nicht aufgesprengt werden kann und braucht, weil man in ihn "hin-
    einspringen" (241) kann. In diesem Sinne sind auch Rahners transzen-
    dentaltheologische Überlegungen zu verstehen: sie stecken im Horizont
    im Dasein des Menschen ab, innerhalb dessen so etwas wie Auferstehung
    verstehbar und glaubwürdig 'ankommen' kann, also 'menschlich' ist (229-
    231). - U.KÜHN, Das Problem der zureichenden dogmatischen Begründung,
    in: KuD 9 (1963), 11-17, hält die allgemeine Totenauferstehung für "die
    notwendige ontologische und erkenntnismäßige Voraussetzung für die Auf-
    erweckung Christi"; diese wiederum hat "in der Auferweckung Christi
    innerer Voraussetzung ihren Sinn und Wert" (14). - Vgl. H.-E.HENGSTEN-
    BERG, Unser Glaube an die Auferstehung des Fleisches im Lichte natür-
    licher Eschatologie, in: Anima 1956, Heft 3, 358-365.
120 A.WINKLHOFER, Das Kommen Seines Reiches, 272.
121 Retraktationen, aaO. 257 (vgl. 254).

122 Vgl. C.POZO, Teologia dell'aldilà, 160-163; G.PALA, La risurrezione
    dei corpi, 53-93; Th.u.G.SARTORY, In der Hölle brennt kein Feuer, 44-
    48; H.VORGRIMLER, Auferstehung des Fleisches, in: Lebendiges Zeugnis
    1964, Heft 1, 50-65; G.GRESHAKE, Auferstehung der Toten, 365-367.386f.
    - Vertreter der formellen Identität: Durandus, Laforet, Hettinger,
    Schell, Billot, Krebs, Feuling, Hugueny, Michel, Ch.Pesch, L.Lercher,
    B.Bartmann, F.Diekamp, M.Schmaus, J.Ratzinger.
123 Vgl. A.WINKLHOFER, Das Kommen seines Reiches, 251-258.341-345.
124 J.B.METZ, Leiblichkeit, in: HThG II, 33. - Vgl. J.SPLETT, Leib, in:
    HThTL IV, 306; F.P. FIORENZA-J.B.METZ, Der Mensch als Einheit von Leib
    und Seele, in: MySal II, 584-632; R.TROISFONTAINES, Ich sterbe nicht..
    ..., 63-106.
125 J.B.METZ, Leiblichkeit, in: HThG II, 32. - Allerdings muß zugestanden
    werden, daß auch Thomas die dualistische Leib-Seele-Auffassung nicht
    gänzlich überwunden hat und es dadurch zu Ungereimtheiten kommt. -
    Zur Unterscheidung von 'Leib' und 'Körper' vgl. H.E. HENGSTENBERG, Der
    Leib und die letzten Dinge, 195-206.249-254.
126 Es wäre hier zu zeigen, daß die frühchristliche orthodoxe Eschatologie
    das Leib-Seele-Modell (und den entsprechenden Todesbegriff: Trennung
    der Seele vom Leib) vor allem in der Auseinandersetzung mit gnostischen
    Zukunftserwartungen übernahm und es durch Betonung der Auferstehung
    der Toten, die nun zur 'Auferstehung des Fleisches' wurde, polemisch
    zu korrigieren versuchte. Von dieser Zukunft her erweist sich die ma-
    teriell-leibliche Schöpfung sich herkünftig und gegenwärtig gut und
    gottgewollt. Eine schon im Tode beginnende Auferstehung mußte den Ein-
    druck einer gnostischen Häresie erwecken; der entstehende 'Wartezu-
    stand' wird durch das Leib-Seele-Modell geregelt, wodurch die Hoffnung
    auf Auferstehung des Leibes gegenüber der Sehnsucht nach der himmli-
    schen Heimat der Seele existentiell sehr stark zurücktritt. Die Frage
    ist berechtigt: Hat man damit nicht gefährlich viel Terrain in der
    apologetischen Auseinandersetzung mit der Gnosis aufgegeben, bzw. for-
    dert uns die Hermeneutik der damaligen Aussagen nicht auf, die Aufer-
    stehung der Toten neu zu überdenken? Diese Aufforderung ist zumal dann
    gegeben, wenn die Absicht der lehramtlichen Äußerungen gerade nicht die
    Definition eines Dualismus, sondern die Herausstellung der Einheit des
    pluralschichtigen Menschen war - in der Sprache der damaligen Zeit, die
    heute eine andere geworden ist. (Vgl. G.GRESHAKE, Auferstehung der To-
    ten, 360-372).
127 Vgl. TERTULLIAN, De carnis resurrectione, 8; J.B.METZ, Caro cardo sa-
    lutis. Zum christlichen Verständnis des Leibes, in:Hochland 55 (1962),
    97-107; ders., Seele, in LThK IX, 570-573.
128 K.RAHNER, Auferstehung Jesu, in: HThTL I,244f. - J.ALFARO, La gracia
    de Christo y del cristiano en el Nuevo Testamento, in: Gr 52 (1971),
    60-63; ders., Encarnación y Revelación, in: Gr 49 (1968), 431-459.
129 Vgl. K.RAHNER, Zum Sinn des Assumpta-Dogmas, in: Schriften I, 243f.251;
    H.ZELLER, Corpora sanctorum. Eine Studie zu Mt 27,25-53; in: ZKTh 71
    1949, 385-465; O.KARRER, über unsterbliche Seele und Auferstehung, in:
    Anima 11 (1956), 332-336; D.FLANAGAN, Eschatologie und Aufnahme Mariens
    in den Himmel, in: Concilium 5 (1969), 60-66.
130 J.RATZINGER, Einführung, 279.
131 G.GRESHAKE, Auferstehung der Toten, 385. - Zurecht sieht Greshake im
    Tode eine gewisse Heimholung der Welt und Geschichte in die Vollendung
    (384-392). Doch das ist u.E. zu wenig! Greshake opfert dem evolutiven
    Weltbild die Offenbarungswahrheiten eines Endes dieser Welt und einer
    universalen Vollendung. Daß nur der Mensch und nicht auch seine ganze

Welt an der übernatürlichen Finalisation in Christus teilnehmen, daß
also doch ein Teil der Schöpfung als rangmäßig minderes Substrat des
eigentlichen Geschehens gilt, könnte - trotz allem Antiplatonismus -
Ausdruck eines spiritualisierenden platonischen Zuges sein. Vgl. dazu
J.ALFARO, La resurrección de los muertos, in: Gr 52 (1971), 537-554,
bes. 545ff.

132 J.RATZINGER, Die Auferstehung Christi und die christliche Jenseitshoffnung, in: Christlich - was heißt das?, 36. - Auch P.SCHOONENBERG,
Ich glaube an das ewige Leben, in: Concilium 5 (1969), 48f, spricht
sich für den Beginn der Auferstehung des Leibes im Tode aus. - W.WAR-
NACH, Mensch.Biblisch, in: HThG II, 145-160, meint, daß die Seele nie
leiblos sei (159). - J.KREMER,...denn sie werden leben, 113, sagt, diese Spannung finde "am ehesten eine Erklärung in der Annahme, daß schon
im Augenblick des Todes die Auferweckung beginnt, diese aber erst am
Ende der Welt ihre Vollendung findet." - Auch L.BOROS, Der neue Himmel und die neue Erde, in: Christus vor uns, 22, "bringt erst die Endzeit die Vollendung der im Tode bereits geschehenen Auferstehung mit
sich". - Glaubensverkündigung für Erwachsene, dt. Nijmwegen-Utrecht
1968, 525: "Das Leben nach dem Tode ist also schon so etwas wie die
Auferweckung des neuen Leibes."

133 J.SPLETT, Leib, in: HThL IV, 308.

134 J.B.METZ, Leiblichkeit, in: HThG II, 31.

135 C.POZO, Theologia dell'aldilà, 166-168, vermutet zurecht in dieser Tendenz - "lasciando in ombra il vero senso dell'escatologia intermedia"-
eine übertriebene "spiritualizzazione" und allgemein " una fuga verso
il platonismo".

136 Hier bekommt die anthropologische 'Begründung' der neuen Leiblichkeit
eine gefahrvolle Eigenständigkeit. - W.KÜNNETH, Theologie der Auferstehung, hält gerade dies für den "wunden Punkt seiner Eschatologie"
(225), da er in Althaus' Begründung der neuen Welt und der neuen Leiblichkeit "das offenkundige Abbiegen von der Auferstehungs- und Chri-
stuslinie" (222), wie Althaus selbst sie proklamiert hatte, "auf allgemeine philosophische und erkenntnistheoretische Erwägungen" (224) sieht,
die hinsichtlich seiner prinzipiellen Einsicht ein "Fremdkörper" und
"ein rein philosophisches Postulat" (225) bleiben und den christlichen
Hoffnungsgrund erschüttern. - Wir stimmen diesem Einwand Künneths zu,
insofern die mangelnde christologische Vermittlung gemeint ist, - jedoch nicht, insofern die anthropologische 'Leibhaftigkeit der Seele'
als Anknüpfungspunkt bei Künneth selbst zu kurz kommt (Vgl.2.Teil, 5.
Kap. 3). - Das Moment dieses gefahrvollen Eigensinns schwingt auch im
doppelten Auferstehungsgedanken, bzw. in der mangelnden christologischen Bezogenheit der neutralen Auferstehung, mit (vgl. DeD 298,n.4).

137 E.HIRSCH, Das Gericht Gottes, in: ZSTh 1 (1923), 206 (vgl. 199-226,
bes. 210.222f).

138 Gericht Gottes, in: RGG[3] II, 1421.

139 Vgl. LD[3] 191-194; LD[4] 168-171; (LD[1] 104f); CW 407-409.665; Gericht Gottes, in: RGG[3] II, 1421-1423. - Vgl. W.ÖLSNER, Die Entwicklung, 108f;
DeD 339,n.1.

140 Vgl. LD[3] 201-203; LD[4] 171-175; (LD[1] 108-110); CW 665; Gott ist gegenwärtig, 68-73 (Predigt am 22.Nov.1961); GD[1] II/172 (= GD[5] 266f); Gericht Gottes, in: RGG[3] II, 1423.

141 Vgl. LD[3] 172.215-225; LD[4] 189-201; (LD[1] 106); CW 398-407.

142 Vergeltung, in: RGG[3] VI, 1352 (= RGG[2] V, 1540).

143 Ebd. 1353f (= RGG[2] V, 1541f).

144 Ebd. 1354 (= RGG^2 V, 1541f).

145 Gericht Gottes, in: RGG^3 II, 1422.

146 Vergeltung, in: RGG^3 VI, 1353 (= RGG^2 V,1541). - Vgl. GE^1 27f (= GE^2 29f).

147 Gericht Gottes, in: RGG^3 II, 1422.

148 Vgl. CW 607-612 (Erwählung und Heilsgewißheit); CW 613-631 (Problem der Prädestination).

149 Vgl. LD^3 172f.218f; LD^4 193-195; (LD^1 121); CW 665f.682; Gericht Gottes, in: RGG^3 II, 1423; GD^1 II/172 (= GD^5 267). - Vgl. auch LD^3 222-225;LD^4 198-201.

150 Die Kraft Christi, 217 (Predigt vom 16.Nov.1955).

151 Gott ist gegenwärtig, 72 (Predigt vom 22.Nov. 1961).

152 J.RATZINGER, Einführung, 268. - Vgl. ebd. 268-272; R.GABAS PALLAS, Escatologia protestante, 44-47.

153 Auch Holmström macht Althaus den Vorwurf einer Auflösung des Enddramas durch Vorherrschen des überzeitlichen Aspektes und den logischen Widerspruch als Wahrheitskriterium (DeD 306; vgl. DeD 305-312) - Althaus fühlt sich darin von seinem "verehrten Kritiker einfach verkannt" und versteht nicht, wie das lebendige Interesse am Endgerichte verlorengehen könne, "wenn 'Endgericht' das zeitliche Ausstehen und Herankommen des Gerichtes sowie seinen abschließenden Charakter bedeutet" (aus dem Vorworte zu LD^5, abgedruckt in: LD^{10} XII). - Holmströms Sorge ist u.E. berechtigt, insofern das Paradox des irdischen Christseins durch das 'doxologische Motiv' zum komplementären Paradox zu werden droht.

154 Damit hängt auch zusammen die einseitige Bedeutung des Todes. Wie G. SAUTER, Zukunft und Verheißung, 65f, richtig kritisiert, führt dies zu dem "Engpaß einer 'personalistischen' Eschatologie" (66,n.59), demzufolge das Ende der Welt "allein als logische Expansion des individuellen Todesschicksals verstanden werden" kann und muß (67). Auch G.Sauter führt es letztlich auf den "Primat der Soteriologie" (66), auf die "soteriozentrische Systematik" (98) zurück. "Die soteriologische Konzentration verlangt also eine personale Engführung, um dann eine universale Ausführung zu ermöglichen." (101).

155 Vgl. Au.GEORGE, Das Gericht Gottes, in: Concilium 5 (1969), 9; L.BEAUDUIN, Himmel und Auferstehung, in: Das Mysterium des Todes, 222-225.

156 H.U.v.BALTHASAR, Umrisse, aaO. 287. - Vgl. ders., Theologie der Geschichte, 41.

157 K.RAHNER, Letzte Dinge, in: HThTL IV, 310.

158 Vgl. LD^3 202-204.219-222.225-237; LD^4 202-222; GE^1 49; GD^1 II/174-176 (= GD^5 269f); Luthers Gedanken über die letzten Dinge, in: LuJ 23 (1941), 22-26; CW 479.481f.667f.

159 Luthers Gedanken über die letzten Dinge, in: LuJ 23 (1941), 24. - Vgl. CW 667. - C.POZO, Teologia dell'aldilá, 315: "Infatti, l'idea del Purgatoria è in netta opposizione con le idee protestanti circa il tema centrale della giustificazione." (vgl. 316f).

160 E.KLINGER, Reinigung. Reinigunsort, in: HThTL VI, 197.

161 K.RAHNER, Über den Ablass, in: StdZ 156 (1954/55), 346. - Vgl. ders., Bemerkungen zur Theologie des Ablasses, in: Schriften II, 185-210; ders., Sündenstrafen, in: HThTL VII, 173; A.AHLBRECHT, Tod und Unsterblichkeit, 111.

162 Y.CONGAR, Das Fegefeuer, in: Mysterium des Todes, 274.

163 P.SCHONENBERG, Ich glaube an das ewige Leben, in: Concilium 5 (1969), 49: "Sie freuen sich über das kommende Gottesreich und leiden an der Sünde. Auf eine besondere Art leiden sie an den Sünden, die in ihrem

eigenen Wesen noch nicht ganz überwunden, oder vielleicht an ihren Sünden, insofern diese zur 'Sünde der Welt' beigetragen haben und in der
Welt noch nicht getilgt sind."

164 H.VOLK, Tod, in: HThG II, 678.
165 Ein Verzicht auf dieses Wort wird immer stärker von vielen Autoren nahe-
    gelegt; vgl. z.B. M.SCHMAUS, Kath. Dogmatik IV/2, 51f; K.RAHNER, Fegfeu-
    er, in: LThK IV, 51; O.BETZ, Purgatorium - Reifwerden für Gott, in:
    Christus vor uns, 128f.
166 O.BETZ, Purgatorim - Reifwerden für Gott, aaO. 123. - K.RAHNER, Sünden-
    strafen, in: HThTL VII, 173: "Wieweit dieses 'Fegfeuer' als eigentlich
    zeitlicher Prozeß gedacht werden muß, ist eine sekundäre theologisch
    offene Frage." - Nach M.SCHMAUS gibt es "in diesem Vorgang von höchster
    Intensität....die Zeit weder im objektiven noch im subjektiven Sinne"
    (Kath.Dogmatik IV/2, 558).
167 Vergeltung, in: RGG^3 VI, 1354 (= RGG^2 V, 1542).
168 Ebd. 1354.
169 O.BETZ, Purgatorium - Reifwerden für Gott, aaO. 128. - O.Beth sieht den
    "Grundvorgang des Purgatoriums" - in Analogie zu Offb. 1.14-18 - so:
    "Der Mensch tritt vor das Angesicht des endzeitlichen Kyrios. Die Feu-
    erflamme seines Blickes durchdringt ihn, aber das Wort des Lebens rich-
    tet ihn wieder auf" (ebd. 120). - Vgl. O.SEMMELROTH, Der Tod, in: Theol.
    Akademie, 9; L.BOROS, Wir sind Zukunft, 159; ders., Meditationen über
    den Tod..., aaO. 13; G.SCHERER, Der Tod als Frage, 216.
170 H.U.v.BALTHASAR, Umrisse, aaO. 287 (vgl.286). - Vgl. E.FLEISCHHACK, Feg-
    feuer: Fleischhack hat als Ziel der geschichtlichen Darstellung das
    ökumenische Gespräch über Fragen der Eschatologie anzuregen. Was den
    gegenwärtigen Stand der Fegfeuer-Diskussion anbelangt, stellt er vor
    allem Althaus' Position (unausgleichbares Nebeneinander von 'Eschatolo-
    gie des Himmels' und 'Eschatologie des Jüngsten Tages') und Rahners
    Position (Phasenungleichheit der allseitigen Vollendung des Menschen)
    dar.
171 Der Friedhof, 38,n.1. - Vgl. ebd. 36-41; LD^3 237; LD^4 222.
172 Y.CONGAR, Das Fegfeuer, in: Mysterium des Todes, 278. - Der Gedanke,
    daß die Auserwählten - unter Voraussetzung einer 'Zwischenzeit' als
    Zeit des Hineinwachsens in die Endvollendung aller - "an ihren Sünden,
    insofern diese zur 'Sünde der Welt' beigetragen haben und in der Welt
    noch nicht getilgt sind", leiden, "kann uns helfen, die kirchliche Leh-
    re zu verstehen, daß die Seelen in der Läuterung von unseren Gebeten
    und unserer Liebe abhängig sind" (P.SCHOONENBERG, Ich glaube an das ewi-
    ge Leben, in: Concilium 5 (1969), 49).
173 Die Kirche, in: EL 82. - Vgl. Communio Sanctorum, 6-21.29-33; DTL 259.
174 Das alte Testament in der 'Naturgeschichte des Glaubens', in: Werke und
    Tage, 16. - Wir sprechen hier nur vom heilvollen Ausgang, vom 'Himmel',
    und behalten den Teil über das ewige Unheil, die Hölle, für die Dis-
    kussion um den Ausgang der Welt auf.
175 Ewiges Leben, in: RGG^3 II, 806 (vgl. 8o5-809 u.RGG^2 II, 459-463).
176 Der Christenglaube, 27.
177 Seligkeit, in: RGG^3 V, 1687 (= RGG^2 V, 416).
178 Der Christenglaube, 21f.
179 Ewiges Leben, in: RGG^3 II, 807.
180 Vgl. LD^1 127; LD^3 239f; LD^4 308; CW 664; Ewiges Leben, in: RGG^3 II, 807.
181 Der Christenglaube, 26. - Vgl. 2.Teil, 3.Kap. 4b.
182 Vgl. LD^1 143-145; LD^3 266-269; LD^4 309-311; GD^1 II/176 (= GD^5 271);
    Ewiges Leben, in: RGG^3 II, 807-809; Ewiges Leben, in: RGG^2 II, 461f;

1.Teil, 3.Kap., 3b; 2.Teil, 1.Kap., 3b.
183 Seligkeit, in: RGG³ V, 1686 (= RGG² V, 415). - Vgl. LD⁴ 311-313.
184 Seligkeit, in: RGG³ V, 1688 (= RGG² V, 417).
185 Vgl. dazu LD¹ 127-132; LD³ 243-249; LD⁴ 317-326; GD¹ II/176 (= GD⁵
    271); Ewiges Leben, in: RGG² II, 463; Ewiges Leben, in: RGG³ II, 808.
    - Vgl. DeD 301-304; 1. Teil, 5.Kap., 4b und 2.Teil, 2.Kap., 1a/bb.
186 Althaus kritisiert diese Auffassung von P.Schütz als mythologischen
    gnostisch-spekulativen Einschlag. Vgl. Vom Realismus Gottes. Zu Paul
    Schütz 'Das Evangelium, in: ThBl 19 (1940), 130f.
187 Bericht der 56.Allgemeinen Pastoralkonferenz 1927, 26. - Vgl. H.W.
    SCHMIDT, Zeit und Ewigkeit, 269-309.
188 Ewiges Leben, in: RGG³ II, 808.
189 F.HOLMSTRÖM (DeD 301-304) meint, daß Althaus der Metaphysik nicht ent-
    komme: "indem er die metaphysisch bestimmte Zeitlichkeit zugleich be-
    jaht und verneint, kann er die Ewigkeit als ein - logisch freilich un-
    realisierbares - Konglomerat von Zeit und Nicht-Zeit....bestimmen"
    (301). - Vgl. C.EICHHORN, Die letzten Dinge, 75-83; H.FRICK, Das Reich,
    12-15; W.KÜNNETH, Theologie der Auferstehung, 166-176; G.SAUTER, Zu-
    kunft und Verheißung, 96-106.109-112; U.HEDINGER, Unsere Zukunft, 13f;
    E.BRUNNER, Das Ewige als Zukunft und Gegenwart, 46-64.
190 C.STANGE, Die christliche Lehre vom ewigen Leben, in: ZSTh 9 (1932).263.
    Vgl. ebd. 250-276; ders., Das Ende aller Dinge, 99-107.
191 H.U.v.BALTHASAR, Theologie der Geschichte, 17. - Die Christuszeit ist
    letztlich begründet in einer "trinitarischen Überzeit"; entsprechend
    lebt der Christ "in einer trinitarisch verwalteten Zeit (ders., Klar-
    stellungen, 57f). Zeit ist deshalb "in ihrer letzten Dimension kein
    naturwissenschaftliches, nicht einmal ein anthropologisches, sondern
    ein theologisches Phänomen" (ders., Zuerst Gottes Reich, 39; vgl. 13.
    24.27-31). - Vgl.G.HASENHÜTTL, Der Glaubensvollzug, 326-329; J.ALFARO,
    Teologia del progresso umano, 81-95.
192 J.RATZINGER, Einführung, 263. - Vgl. M.SCHMAUS, Kath. Dogmatik IV/2,
    55-65.
193 H.FRIES, Die Zeit als Element der christlichen Offenbarung, in: Inter-
    pretation der Welt, 704. - Vgl. ebd. 701-712; H.FRICK, Die verborgene
    Herrlichkeit Christi, in: Mysterium Christi, 316-320; W.KÜNNETH, Theo-
    logie der Auferstehung, 166-176; DeD 382-388. - Zur Notwendigkeit eines
    spezifisch biblischen Zeit-Ewigkeits-Verständnisses vgl. C.H.RATSCHOW,
    Anmerkungen zur theol.Auffassung des Zeitproblems, in: ZThK 51 (1954),
    360-387; G.GRESHAKE, Auferstehung der Toten, 189-196; W.KASPER, Glaube
    und Geschichte, 67-100; W.PANNENBERG, Was ist der Mensch?, 49-58. -
    "Frei von jeder hektischen und lähmenden Sorge um den näheren oder
    ferneren Zeitpunkt der Parusie kann die Kirche zuversichtlich den Gang
    durch die unbekannt lange dauernde Weltzeit antreten und forsetzen",
    aber sie darf ihre stets drängende Aufgabe, die ihr aus der inhaltli-
    chen Qualifikation dieser Zeit als Christuszeit erwächst,nie verges-
    sen - und wird es im Glauben an die kommende Parusie auch nicht tun
    (A. VÖGTLE, Zeit und Zeitüberlegenheit im biblischer Sicht,in: Welt-
    verständnis im Glauben, 251).
194 E.SCHILLEBEECKX, Gott - Die Zukunft des Menschen, 153 und 157.
195 G.SAUTER, Zukunft und Verheißung, 110f.155-162.

    4. Kapitel: Die universalgeschichtliche Dimension

    1 Luthers Wort vom Ende und Ziel der Geschichte, Luther 29 (1958), 105.
    2 Christologie, in: RGG³ I, 1787f. - Vgl. 1.Teil, 4.Kap., 3 und 2.Teil,

1.Kap., 4.

3 'Niedergefahren zur Hölle', in: ZSTh 19 (1942), 369 (= CW 481). -
Zum folgenden ebd. 365-384; CW 479-482; Christologie, in: RGG[3] I,
1787f; DTL 182f.

4 'Niedergefahren zur Hölle', aaO. 384 (= CW 484f).

5 Christologie, in: RGG[3] I, 1788. -
Althaus' Auffassung scheint uns gewisse Ähnlichkeiten mit H.U.v.Bal-
thasars meisterhaftem kleinen Entwurf einer 'Theologie der Geschichte' zu haben. Es dürfen aber grundlegende Unterschiede nicht übersehen werden, denn während es Balthasar mehr um die geschichtlich-ver-
antwortliche Verwirklichung der Freiheit geht, wird bei Althaus die
menschliche Freiheit durch das starke Denken von der 'Gottheit Gottes'
her nicht in seiner Fülle bewahrt.

6 H.E.WEBER, Geschichtsphilosophie und Rechtfertigungsglaube, in: R.See-
berg-Festschrift I, 274 (vgl. 269-281).

7 Ebd. 276 (vgl. bes.280).

8 Während bei Althaus die latente Tendenz gegeben ist, in Christus nur
das Ende der Zeit zu sehen ('Differenz') und seine Mitte-Stellung
('Vermittlung') zu vernachlässigen, ist bei O.Cullmann (Christus und
die Zeit) u.E. die umgekehrte Tendenz festzustellen. - Wir stimmen Althaus' Kritik an Cullmanns Zeit-Ewigkeits-Bestimmung zu (vgl. LD[10] 339f).
Bei Cullmann kommt die systematische (dogmatische) Vermittlung zu kurz.
Gegenüber W.Pannenberg u. dessen 'Offenbarung als Geschichte' betont
Althaus u.E. zurecht die Kenosis und das Inkognito Gottes in dem von
ihm behaupteten 'Offenbarung als Geschichte und Glaube'. Gegen die Gefahr, Christologie auf der Ebene des Historischen zu beweisen und den
Glauben zum geschichtsdeutenden Prinzip zu reduzieren, wird die Gna-
dengewirktheit des Glaubens herausgestellt. Wieder zeigt sich Althaus'
Versuch, Offenbarung weder in reine Geschichte noch in bloßes Wortgeschehen aufzulösen. Vgl. Offenbarung als Geschichte und Glaube. Bemerkungen zu Wolfhart Pannenbergs Begriff der Offenbarung, in: ThLZ 87
(1962), 321-330; W.PANNENBERG, Einsicht und Glaube. Antwort an Paul Althaus, in: ThLz 88 (1963), 81-92.

9 Die Botschaft vom Reiche als Wort an die Gegenwart, in: ZW 7 (1931),
481. - Vgl. 1.Teil, 2.Kap. 1-2; 2.Teil, 1.Kap. 3d.

10 Die Botschaft vom Reiche als Wort an die Gegenwart, in ZW 7 (1931),
482.

11 Eschatologie, in: RGG[3] II, 685. - Vgl. Jesus Christus in der Menschheitsgeschichte, in: Universitas 10 (1955), 1257-1260.

12 Vom Sinn und Ziel der Geschichte, in: UWE 310 (vgl. 304-312).

13 Ebd. 311.

14 Ebd. 310f.

15 H.E.WEBER, Die Kirche im Lichte der Eschatologie, in: NKZ 37 (1926),
332,n.1.

16 Vgl. 1.Teil, 4.Kap. 1; 2.Teil, 1.Kap. 3e. - Zur biblischen Kritik der
biblischen Geschichtsphilosophie vgl. 2.Teil, 2.Kap. 2b-c.

17 Vgl. LD[1] 85f; LD[3] 119f.127-134; LD[4] 224-232. - Siehe auch 1.Teil, 2.
Kap. 2.

18 Vgl. LD[1] 87-89; LD[3] 120.134-142; LD[4] 224f.232-240. - Vgl. W.ÖLSNER,
Die Entwicklung, 28-35; G.HOFFMANN, Das Problem, 10-16.

19 Vgl. LD[3] 136f LD[4] 234; Religiöser Sozialismus, 56ff.71ff; Staatsgedanke
und Reich Gottes; Reich Gottes, in: RGG[2] IV, 1824f.

20 Vgl. LD[3] 181f; LD[4] 263-266; CW 678; Eschatologie, in: RGG[2] II, 359f;
Zur Frage der 'endgeschichtlichen Eschatologie', in: ZSTh 7 (1929),

363-368. - Zur aktuellen Eschatologie Althaus' vgl. A.WINKLHOFER, Das
Kommen Seines Reiches, 336: "dann steht wohl dahinter eine besondere
Auffassung von eschatologischer Heilsgeschichte, wenn nicht gar deren
Leugnung, aber doch auch die große und sehr ernste Lehre von der ständig sich jetzt schon vollziehenden Parusie, die es uns verbietet, die
Naherwartung als solche schlechthin als 'irrig' zu bezeichnen."
21 Eschatologie, in: RGG^2 II, 359. - Vgl. CW 173f.678; GD^1 II/180 = (GD^5
   275).
22 A.DARLAP, Anfang und Ende, in: HThTL I, 107. - Auch R.GABAS PALLAS, Escatologia protestante, 47f, stellt in Althaus' End- und Vorzeichenlehre "una valoración deficiente de la historia" und das Fehlen einer
   "verdadera orientación rectilinea de la historia" fest; er selbst
   scheint allerdings "una sucesion propriamente temporal" der Vorzeichen zu halten, was wir ablehnen.
23 J.PIEPER, Über das Ende der Zeit, 82.
24 L.WIEDENMANN, Mission und Eschatologie, 41. - Vgl. ebd. 25.39-43. Wiedenmann rechnet Althaus' 'aktuelle Eschatologie' zum "Typ der geschichtslosen Eschatologie, da sie die Bedeutung des geschichtlichen
   Prozesses für das Kommen des endgültigen Heiles nicht interessiert "
   (40). - ALTHAUS (Eschatologisches, in: ZSTh 12 (1935) fühlt sich verpflichtet, beide Gedanken zu vertreten, "nacheinander und miteinander"
   (619), die Unmittelbarkeit jeder Zeit zur Ewigkeit und das Zugehen auf
   die in bestimmter zeitlicher Stunde hereinbrechende Ewigkeit, denn der
   wesentliche Sinn der Naherwartung liege in der ständigen Reife der Geschichte für das Hereinbrechen der Ewigkeit, was "in keiner Weise gleichgültig   gegen das zukünftige Ende der Geschichte mache" (620). -
   Die Berechtigung der Kritik liegt darin, daß die Vermittlung dessen,
   daß "die jeweils in Christus überzeitliche Wirklichkeit...zugleich endzeitliche Wirklichkeit"(621) ist, nicht gelingt und deshalb das wesentliche Ende irgendwie 'transzendentales' Ende bleibt. In einer echten Vermittlung (durch Inkarnation) darf es u.E. nicht heißen, daß "das Früher
   oder Später des zeitlichen Endes nicht von Bedeutung für den Endcharakter
   der Gegenwart" (621) sei, zumindest nicht in jedem Sinne.
25 Vgl. LD^1 86; LD^3 121-126; LD^4 270-272; Eschatologie, in: RGG^3 II, 686;
   C.STANGE, Das Ende aller Dinge, 234-237.
26 Eschatologie, in: RGG^3 II, 686. - Vgl. 2.Teil, 4.Kap. 1c und 5b/bb.
   - G.ROSENKRANZ, Weltmission und Weltende, wendet P.Althaus' aktuelle
   Eschatologie auf die Missionstheologie an: "Die Heidenmission wird zum
   Zeichen des Weltendes, nicht im apokalyptischen Sinn" (24), also ohne
   "Vorzeichenprognose" (7). - Zu Rosenkranz vgl. P.KNITTER, A Case Study,
   204f; L.WIEDENMANN, Mission und Eschatologie, 156-163. - Typischer Vertreter einer endgeschichtlichen Eschatologie mit Zuspitzung des Kampfes
   ist Ch.SCHOMERUS, Die Mission als Mittel zum Verständnis der biblischen Eschatologie, in: NAMZ 3 (1926), 97-110.
27 Eschatologie, in: RGG^3 II, 686. - Vgl. LD^3 155,n.1; LD^4 301f; BR 118.
   121-123. - Vgl. dagegen H.BIETENHARD, Das tausenjährige Reich, 152-
   159.
28 Vgl. LD^1 89-95; LD^3 143-149.162-174.183-185; LD^4 272-286; CW 682f; GD^1
   I/179f (= GD^5 274f); Eschatologie, in: RGG^3 II, 685-687; Zur Frage der
   'endgeschichtlichen Eschatologie', aaO. 365-367. - Als Beispiel einer
   biblizist.Antichristerwartung vgl. C.EICHHORN, Die letzten Dinge, 49-
   51.
29 Heilsgeschichte und Eschatologie, aaO. 665 (vgl. 647-668).
30 Zur Frage der 'endgeschichtlichen Eschatologie', aaO. 366f.
31 Eschatologie, in: RGG^2 II, 359.

488   II/4

32 Eschatologie, in: RGG³ II, 686.
33 Ebd. 685.
34 Zum Chiliasmus vgl. LD¹ 65f; LD³ 78f.153-159; LD⁴ 286-306; Heilsgeschichte und Eschatologie, aaO. 655-659; Eschatologie, in: RGG² II,
   345-353.360f; Eschatologie, in: RGG³ II, 687; Zur Frage der 'endgeschichtlichen Eschatologie', aaO. 363-365; GD¹ II 178f = GD⁵ 273. -
   Als Beispiel eines biblizistischen Milleniumsgedankens vgl. C.EICHHORN,
   Die letzten Dinge, 51-60. Das Millenium wird neuerdings auch verteidigt von H.BIETENHARD, Das tausendjährige Reich (seine Stellung zu Althaus: 144-154).
35 Eschatologie, in: RGG³ II, 687.
36 Ebd. 687. - Vgl. LD⁴ 305; GD⁵ 273.
37 Zur Frage der 'endgeschichtlichen Eschatologie', aaO. 363.
38 Ebd. 364f und 364.
39 Eschatologie, in: RGG³ II, 688.
40 K.RAHNER, Über die theologische Problematik der 'Neuen Erde', in:
   Schriften VIII, 587 (vgl. 587-592). - Vgl. M.D.CHENU, Arbeit, in: HThG
   I, 828-834.
41 Vgl. DTL 372-385; Sola fide numquam sola, in: Una Sancta 16 (1961),
   227-235; Die lutherische Rechtfertigungslehre und ihre heutigen Kritiker, 33-35 (Althaus meint - gegen M.Lackmann-, daß die theologische Intention bei Paulus und Jakobus dieselbe sei, doch Jakobus habe eine
   unglückliche judaistische theologische Formel gewählt, die kritisiert
   werden müsse).
42 Vgl. DTL 101f; 'Und wenn es köstlich gewesen ist', in: TA 2, 151-161;
   Der Schöpfungsgedanke bei Luther, 5-8.
43 Vgl. DEL 49-87; Die beiden Regimente bei Luther. Bemerkungen zu Johannes Heckels 'Lex charitatis', in: ThLZ 81 (1956), 129-136; Luthers Lehre von den beiden Reichen im Feuer der Kritik, in: UWE 263-292; Luther
   und das öffentliche Leben, in: UWE 248-262; Luther und die politische
   Welt, bes. 16-27; W.v.LOEWENICH, Paul Althaus als Lutherforscher, aaO.
   39-45; H.GRASS, Die Theologie von P.Althaus, aaO, 218f; W.TRILLHAAS, P.
   Althaus, in: Luther 38 (1967), 54f.
44 Luther und das öffentliche Leben, in: UWE 253. - Vgl. Luther und die
   politische Welt, 19f.
45 Luthers Lehre von den beiden Reichen im Feuer der Kritik, in: UWE 270.
   - Vgl. GE² 111; Luther und das öffentliche Leben, in: UWE 256. - U.
   DUCHROW, Christenheit und Weltverantwortung, spricht der Lehre Luthers
   eine größere gesellschaftliche und politische Relevanz zu als dies Althaus und andere tun (546-573, bes. 557).
46 Religiöser Sozialismus, 87 (vgl. 43-59. 74-91).
47 Luther und die politische Welt, 15 (vgl. 16f.21-24) - Vgl. Luther und
   das öffentliche Leben, in: UWE 252-261; Luther und die Theologie des
   Politischen, in: Luther 15 (1933), 49-52; Luther und das öffentliche
   Leben, in: UWE 252-256; Pazifismus und Christentum, in: NKZ 30 (1919),
   473-478.
48 Vgl. DEL 135f; Luthers Lehre von den beiden Reichen im Feuer der Kritik,
   in: UWE 289-292; Der Friedhof, 14-20; Eschatologie, in: RGG² II, 360;
   Pazifismus und Christentum, aaO. 446. - W.ELERT (Morphologie des Luthertums I, 451,n.1) lehnt dieses Urteil als theologisch und historisch unrichtig ab, während H.FRICK (Die verborgene Herrlichkeit, in:
   Mysterium Christi, 312), dem Luthertum mangelnde Sozialethik vorwirft.
49 Luther in der Gegenwart, in: Luther 22 (1940), 4f.
50 Ebd. 6.
51 Luthers Lehre von den beiden Reichen im Feuer der Kritik, in: UWE 292.

52 Der Geist der lutherischen Ethik, in: TA 2, 126 (vgl.131-134).

53 Die Bekehrung in reformat. und pietist. Sicht, in: UWE 227.

54 Gebot und Gesetz, 26f. - Vgl. ebd. 26-28.31-35; CW 642-654.

55 Der Geist der lutherischen Ethik, in: TA 2, 131.

56 Ebd. 129 (vgl. 128-134). - Vgl. Reich Gottes, in: RGG[2] IV, 1824f.

57 Der Geist der lutherischen Ethik, in: TA 2, 131.

58 Religiöser Sozialismus, 14. - Vgl. ebd. 7-40; LD[1] 68; LD[3] 82; Politik und Moral, in: RGG[2] IV, 1320-1327.

59 Christentum, Krieg und Frieden, in: Kirche, Volk und Staat, 179. - Vgl. Staatsgedanke und Reich Gottes, 58-100; Pazifismus und Christentum,in: NKZ 30 (1919), 457-478; Krieg und Christentum, in: RGG[2] III, 1306-1312; Macht, in: RGG[2] III, 1815; GE[1] 107-110; GE[2] 151-153. - Vgl. Christentum, Krieg und Frieden, in: Kirche, Volk und Staat (1937): Im letzten Abschnitt 'Die gegenwärtige Lage und die Aufgabe der Kirchen' ist bereits ein deutlicher Wandel festzustellen; der Krieg wird als "ein sinnvolles Mittel des politischen Handelns" in Frage gestellt: seine Ausschaltung ist "ein maßgebliches Gebot der politischen Vernunft". "Nicht ein unbedingter christlicher 'Pazifismus' ist zu vertreten, sondern die heutige konkrete politische Notwendigkeit des Friedens." (180). - Vgl. G. HILLERDAL, Gehorsam Gegen Gott und Menschen, 143-153.300-303.

60 Christentum, Krieg und Frieden, in: Kirche, Volk und Staat (1937), 178f.

61 Friede auf Erden? Fragen zu Otto Dibelius' Friedensbuch, in: Eckart 6 (1930), 98 (vgl. 97-103). - Pazifismus und Christentum, aaO. 432-441. - Ebd. 452: "Das wirkliche Recht in der Weltgeschichte ist ein lebendiges und ein Recht des Lebendigen...Es ist, ganz allgemein gesprochen, das Recht des Tüchtigen (im Sinne der Kraft geschichtlichen Lebens). Man mag diese lebendige, organische Auffassung der Gerechtigkeit 'biologisch' nennen." - Horcht man so wirklich nur auf den lebendigen Herrn der Geschichte und seine Gerechtigkeit (456.462)? Politischer Beruf und Führertum werden allzu eng mit Glauben (Staatsgedanke, 53f), mit transzendenter Tiefe (Religiöser Sozialismus, 65) zusammengebracht; Ideologie und Theologie werden vermischt. - Vgl. Religiöser Sozialismus, 61-73; GE[1] 117.

62 Pazifismus und Christentum, aaO. 442 (vgl. 441-443).

63 Evangelische Kirche und Völkerverständigung. Eine Erklärung (mit E. Hirsch), in: ThBl 10 (1931), 177f und in: ChrW 45 (1931) 605f. - Vgl. Religiöser Sozialismus, 48f; Pazifismus und Christentum, aaO. 460.468. 471; Krieg und Christentum, in: RGG[2] III, 1310 (gemäßigter).

64 Pazifismus und Christentum, aaO. 445.

65 Der Geist der lutherischen Ethik, in: TA 2, 127 (vgl.133).

66 Die Krisis der Ethik, 40 (vgl. 38-40).

67 K.BARTH, Das Problem der Ethik in der Gegenwart, in: ZZ 2 (1924), 42ff (= Das Wort Gottes und die Theologie, 139ff).

68 LD[3] 161f; LD[4] 240f. - Vgl. Heilsgeschichte und Eschatologie, aaO. 659-661; 1.Teil, 2.Kap. 4b/cc.

69 Gesundheit, Krankheit und Lebenssinn, in: Universitas 14 (1959) 901 (vgl. 897-907). - "So hat der Beruf des Arztes und aller Dienst an der Krankheit eschatologischen Sinn." (LD[3] 160 = LD[4] 240).

70 Der theologische Ort der Diakonie, in: UWE 96 (vgl. 93-103).

71 Eschatologie, in: RGG[3] II, 688.

72 Eschatologie, in: RGG[3] II, 688. - Vgl. Vom Sinn und Ziel der Weltgeschichte, in: UWE 311f.

73 Der Geist der lutherischen Ethik, in: TA 2, 132.

74 Staat und Reich Gottes, in: Kantstudien 1930, 115.

75 Eschatologie, in: RGG[3] II, 688 (= RGG[2] II, 361). - Der theologische

Ort der Diakonie, in: UWE 105: "Jede getrocknete Träne, jede einem Menschen erkämpfte Freiheit bedeutet ein Vorleuchten des ewigen Tages, der endlichen herrlichen Freiheit der Kinder Gottes. Der irdische politische oder soziale Friede ist wahrhaftig noch nicht der wahre Gottesfriede; aber er ist ein Gleichnis, ein Vorschmack seiner."

76 Vgl. GE[2] 99-101; Christentum und Kultur, in: AELKZ 61 (1928), 978f. - Um eine Synthese von Kultur und Reich Gottes gegen Kulturidealismus oder rein transzendent gerichtete Hoffnung ringt auch Th.SIEGFRIED, Endgeschichtliche und aktuelle Eschatologie, in: ZThK 4 (1923), 353-371. Althaus findet Siegfrieds Ausführungen "besonders lehrreich " (LD[3] 256,n,1; vgl. LD[3] 12) und meint, dasselbe auszudrücken (LD[3] 162,n.1). In LD[4] äußert er jedoch Bedenken dagegen, daß der Gehalt der Kulturen in der Tiefenschicht des Reiches Gottes bewahrt werde (LD[4] 350; vgl. aaO. 367f). Siegfried fordert eine Ergänzung von transzendenter Motivation und immanenter Teleologie (Heiliger und Held). Er meint, in seiner 'aktuellen Eschatologie' die Kluft zwischen religiöser und profaner Sphäre zu schließen. Dies ist ihm u.E. nicht gelungen, da auch seine Eschatologie zu innerlich, rein gegenwärtig und zu individualistisch bleibt (vgl. aaO. 370; DeD 229,n.3). - Althaus weist Th.Steinmanns Aufforderung einer größeren Betonung des Zusammenhanges zwischen neuer Welt und Kultur in LD[4] 349f scharf zurück. Steinmann hatte die Herauslösung des Wirkens aus dem Werk kritisiert (vgl. Th.STEINMANN, Rezension von LD[3] in: ThLZ 52 (1927), 99).

77 Der Geist der lutherischen Ethik, in: TA 2, 133f.

78 Eschatologie, in: RGG[3] II, 688. - Vgl. LD[1] 145-147; LD[3] 269f; LD[4] 350.

79 Aus der Heimat, Lodzer Kriegspredigten, 28. - Vgl. Die Liebe ist des Gesetzes Erfüllung, in: ZW 17 (1940/41), 132-138; Das Gebot der Liebe und der Alltag, in: Universitas 15 (1960) 387-396.

80 Holmströms Kritik vgl. DeD 318-320.345-347.410-416; DeDArt 337f. - G. WETH, Die Heilsgeschichte, 242,n.13, lobt Althaus' aktuelle Eschatologie, doch er fragt kritisch: "Entsteht nicht durch diese Umwandlung eines prophezeiten und erwarteten Ereignisses die Gefahr des christlichen 'Als-Ob'?"

81 Der Geist der lutherischen Ethik, in: TA 2, 132.

82 Vgl. W.D.MARSCH, Zukunft, 87-92 ('Zukunft der Existenz'). 97-106 ('Zukunft der Welt'); H.W.SCHMIDT, Zeit und Ewigkeit, 126-134.

83 W.D.MARSCH, Zukunft, 85.

84 Der Geist der lutherischen Ethik, in: TA 2, 131 - Vgl. W.PANNENBERG, Eschatologie und Sinnerfahrung, in: KuD 19 (1963), 41f: "Die Zukunft des kommenden Gottes ist auch die Zukunft der Welt....Die christliche Eschatologie kann daher einen wichtigen Beitrag dazu leisten, daß Glaube und Welt nicht wieder auseinanderbrechen, sondern die religiöse Erneuerung mit den Aufgaben der künftigen Gestaltung dieser Welt verbunden bleibt."

85 Dieser Aspekt der Verheißung und daher der Zukunft wird zurecht von der neuen 'Theologie der Hoffnung' herausgestellt. Vgl. J.MOLTMANN, Theologie der Hoffnung; ders., Perspektiven der Theologie. Gesammelte Aufsätze, München-Mainz 1968; ders., Umkehr zur Zukunft; G.SAUTER, Zukunft und Verheißung; J.B.METZ, Zur Theologie der Welt; F.KERSTIENS, Die Hoffnungsstruktur des Glaubens; Diskussion über die 'Theologie der Hoffnung'.

86 Vgl. W.-D.MARSCH, Zukunft, 144 u.151 (vgl.111).

87 Vom Sinn und Ziel der Weltgeschichte, in: UWE 312.

88 Wir weisen kurz auf einige Autoren hin, die diese Gefahr zumindest in manchen der vorliegenden Hoffnungsversuchen signalisieren: W.-D.MARSCH, Zukunft, 84f.147f; J.RATZINGER, Einführung, 42f; ders., Glaube und Zu-

kunft, 100; G.SCHERER, Zukunft und Eschaten, in: Eschatologie und ge-
schichtl. Zukunft, 33-55; W.KASPER, Einführung, 108-111; E.SCHILLE-
BEECKX, Einige hermeneutische Überlegungen, in: Concilium 5 (1969) 20-
25; ders., Gott - Die Zukunft des Menschen, 42-46, H.BERKHOF, Über die
Methode der Eschatologie, in: Diskussion über die 'Theologie der Hoffnung', 174-180; W.PANNENBERG, Theologie und Reich Gottes, 10; F.KER-
STIENS, Die Hoffnungsstruktur, 73-157, bes. 146.
89 G.SAUTER, Zukunft und Verheißung, 128f und 179 (vgl. 177-184) - Ebd.
   106: "Die Ewigkeit durchschießt die Zeit - aber sie wird 'teleologisch' nur entdecken lassen, was sie jeweils 'axiologisch' eingezeichnet hat." - Vgl. E.SCHILLEBEECKX, Gott - die Zukunft des Menschen, 152f.
   - Wir haben im 1.Teil des öfteren auf die Gefahr aufmerksam gemacht,
   daß das 'axiologische'Moment die 'teleologische' Komponente gleichsam
   verschlinge. Insofern ist tatsächlich "Paul Althaus' Eschatologie, soweit sie teleologisch ist, auf einer Prämisse der Hegelschen Geschichtstheologie fundiert" (J.KÖRNER, Eschatologie und Geschichte, 66).
90 H.U.v.BALTHASAR, Die drei Gestalten der heutigen Hoffnung, aaO. 108
   (vgl. 103f.106).
91 Ebd. 110 und 111.
92 F.KERSTIENS, Die Hoffnungsstruktur, 69 (vgl. 63-71).
93 Rezension von H.Leisegang, Die Religionen im Weltanschauungskampf, 1922,
   in: Theol.Lit.Bericht 48 (1925), 174.
94 Religiöser Sozialismus, 91.
95 Macht, in: RGG² III. 1815: "Alle Leiblichkeit ist unentbehrliches Werkzeug der Tat." - Vgl. Der Schöpfungsgedanke bei Luther, 5-8.
96 Vgl. H.WEBER, Theologie - Gesellschaft - Wirtschaft, 61-63.
97 Religiöser Sozialismus, 45 und 44 (vgl. 89).
98 J.MOLTMANN, Theologie der Hoffnung, 289 (vgl. 290-292) . - Ebd. 292:
   "Damit droht diese Theologie zur religiösen Ideologie der romantischen
   Subjektivität zu werden, zur Religion im Raum der sozial entlasteten
   Individualität. Auch das Pathos der existentiellen Radikalität hindert
   nicht die soziale Stillegung des so verstandenen Glaubens." - Vgl. zur
   innerprotestantischen Kritik der existential-personalen Engführung: F.
   KERSTIENS, Die Hoffnungsstruktur, 83-89; zur Unterbewertung der Leiblichkeit: H.MÜHLEN, Das Vorverständnis von Person, in: Cath 18 (1964), 126-
   129.
99 K.RAHNER, Über die theologische Problematik der 'Neuen Erde', in:
   Schriften VIII, 590. - Vgl. Zweites Vatikan.Konzil: Lumen Gentium n.
   35: "Hanc autem spem (futurae gloriae) non in animi interioritate ab-
   scondant, sed conversione continua et colluctatione adversus mundi rec-
   tores tenebrarum harum, contra spiritualia nequitiae (Eph 6,12) etiam
   per vitae saecularis structuras exprimant." - Mit dem Vorwurf, daß die
   tatsächliche Gestaltung der Welt zu gering geschätzt werde und nur ein
   moralisches Destillat bleibe, muß sich auch G.GRESHAKE, Auferstehung
   der Toten, 389-393, auseinandersetzen. Vgl. in diesem Kapitel Anm. 125.
100 J.ALFARO, Speranza cristiana, 190 (vgl. 92-94.186-188).
101 G.SAUTER, Zukunft und Verheißung, 66,n.59 und 67. - Sauter sieht in der
   Behandlung der persönlichen Vollendung vor der Weltvollendung in CW
   einen neuerlichen individualistischen Vorstoß. - Vgl. K.LÖWITH, Weltgeschichte und Heilsgeschehen, 226: "Althaus kennt nicht den grundsätzlichen Unterschied zwischen dem Ende eines individuellen Lebens und dem
   der Geschichte". - W.NIGG, Das ewige Reich, 178-181, macht auf die personale Engführung bei Luther (Verbindung des Jüngsten Tages mit dem individuellen Sterben!) und die darin gelegene wichtige Verschiebung im
   Vergleich zum NT aufmerksam.

102 Vgl. G.WELLER, Zur eschatologischen Frage, in: Evang.Kirchenblatt für
    Württemberg 86 (1925) 86f; K.HARTENSTEIN, Eschatologie der Ewigkeit,
    ebd. 13-16; E.SOMMERLATH, Unsere Zukunftshoffnung, in: AELKZ 50 (1927)
    1131-1134; H.W.SCHMIDT, Zeit und Ewigkeit, 117ff.310ff.342ff; ArtDeD
    355-357.
103 G.WETH, Die Heilsgeschichte, 233 (vgl. 241-246). - Vgl. J.MOLTMANN,
    Theologie der Hoffnung, 61-66.205f.
104 G.SCHERER, Zukunft und Eschaton, in: Eschatologie und geschichtliche Zu-
    kunft, 29. - Vgl. F.KERSTIENS, Zukunft und Hoffnung in der gegenwärti-
    gen Theologie, ebd. 77-87.
105 G.SAUTER, Zukunft und Verheißung, 98-102. (Zitate: 98.100.101.102).
    Sauter bezieht sich allerdings in den Zitaten der Seiten 98-102 nur
    auf LD[1]. Zu LD[4] vgl. ebd. 120-123.128f.
106 Ebd. 100. - G.SAUTER, ebd. 121, macht jedoch selbst darauf aufmerksam,
    daß der statische Dualismus von Heilswirklichkeit und Geschichte, von
    Geltung und Verborgensein "ein Erbe Luthers" sei, das dem 'peccator in
    re, iustus in spe', bzw. dem 'simul iustus et peccator' entstammte.
    Darin ist aber u.E. schon der Grund der soteriozentrischen Systematik
    gelegt.
107. G.SCHERER, Zukunft und Eschaton, in: Eschatologie und geschichtl.Zu-
    kunft,31 (vgl.26-47).
108 J.RATZINGER, Einführung, 294 (vgl.198-204).
109 Der Geist der lutherischen Ethik, in: TA 2, 133.
110 Christa BAUER- KAYATZ, Exegetische Informationen, in: Eschatologie und
    geschichtl.Zukunft, 117.
111 H.U.v.BALTHASAR, Klarstellungen, 170.
112 A.GRABNER-HAIDER, Auferstehung und Verherrlichung. Biblische Betrach-
    tungen, in: Concilium 5 (1969), 33.
113 Zweites Vatikan.Konzil: Lumen Gentium n.48.
114 Zweites Vatikan.Konzil: Gaudium et Spes n.39.
115 G.SCHERER, Zukunft und Eschaton, in: Eschatologie und geschichtliche
    Zukunft, 32f (vgl. 47-55) - Vgl. W.PANNENBERG, Eschatologie und Sinn-
    erfahrung, in: KuD 19 (1973), 39-52 .
116 E.SCHILLEBEECKX, Gott ‒ Die Zukunft des Menschen, 154.
117 K.RAHNER, Zur Theologie der Hoffnung, in: Schriften VIII, 578. - Vgl.
    F.KERSTIENS, Die Hoffnungsstruktur, 203-226. - P.Althaus selbst hat
    einmal gesagt: "die Hoffnung auf das Reich Gottes wird an politischer
    Hoffnung gelernt, obgleich sie dann über alle politischen Möglichkei-
    ten hinauswiest." (Theol. der Ordnungen, 2:; leider steht dieses Wort
    der polit.Wende von 1933 zu nahe).
118 J.MOLTMANN, Theologie der Hoffnung, 304.
119 Christa BAUER-KAYATZ (Diskussion im Anschluß an ihr Referat: Exegeti-
    sche Informationen, in: Eschatologie und geschichtl.Zukunft, 178).
120 G.SCHERER, Diskussion im Anschluß an sein Referat: Zukunft und Escha-
    ton, in: Eschatologie und geschichtl.Zukunft, 161. - H.DIEM, Das es-
    schatologische Problem, in: ThR 11 (1939), 241, sagt zurecht: "Es
    schien uns verheißungsvoller, Holmström hätte seinen Lehrer Althaus
    an diese eine Aufgabe (die Fleischwerdung des Wortes weiter ernst zu
    nehmen; Vf.) klarer gemahnt", statt die Dialektiker zu offenbarungs-
    geschichtlichen Synthesen einzuladen. - Vgl. J.DANIÉLOU, Christologie
    et eschatologie, in: Konzil von Chalkedon III, 269-286,bes. 280ff; H.
    U. v.BALTHASAR, Klarstellungen, 170-176.
121 K.RAHNER, Christologie innerhalb einer evolutiven Weltanschauung, in:
    Schriften V, 221. - Vgl. L.MALEVEZ, La vision chretienne de l'histoire,

in: NRTh 71 (1949), 244-264.

122 T.STADTLAND, Eschatologie und Geschichte, 142,n.340.

123 Die Einseitigkeit des von der 'Gottheit Gottes' geprägten Gottesbildes
    zeigt sich auch in Luthers Geschichtstheologie, vor allem in der Lehre
    von den großen oder heroischen Männern (DEL 159-164; DTL 364-369; Der
    Schöpfungsgedanke bei Luther, 6-9; Luther und die politische Welt 9-16).
    "Zuletzt ist es Gott allein, der durch das Handeln der Menschen hindurch,
    über es hinaus die Geschichte macht". (Der Schöpfungsgedanken, 9). - Vgl.
    A.AHLBRECHT, Tod und Unsterblichkeit, 138: "Wenn der Mensch nur ein punc-
    tum mathematicum darstellt, das nur je und je von Gott berührt wird, so
    ist echte Geschichte nicht mehr möglich....Vielleicht liegt der letzte
    Grund für die Möglichkeit einer entweltlichten Jenseitseschatologie....
    in dieser letztlich geschichtsfeindlichen Konzeption der Imputations-
    lehre und der mit ihr verbundenen Anthropologie."

124 W.KOEPP, Panagape I, 38, fordert eine Lösung der Antinomien, die uns
    "den Ursprung, die Notwendigkeit, das Recht und die Wertunterschieden-
    heit der antinomischen Glieder in ihrer gegenseitigen Beziehung zu einer
    wirklichen Deutlichkeit bringen" muß. - Wir schließen uns dieser Forde-
    rung an. - J.KÖRNER, Eschatologie und Geschichte, 149,n.34 (vgl. 106ff)
    sieht zurecht, daß es Althaus aufgrund seines Geschichtsbegriffes nicht
    gelingt,"das radikale Ende der faktischen menschlichen Geschichte und
    zugleich die Kontinuität zur eschatologischen Wirklichkeit geltend zu
    machen". - G.SAUTER, Zukunft und Verheißung, 123,n.35, bezweifelt, ob
    tatsächlich alles unter dem Thema 'Gott und die Geschichte' (LD⁴ 56)
    untergebracht werden kann, was Althaus darunter vereinen will. - L.
    WIEDENMANN, Mission und Eschatologie, 43, meint, Althaus' aktuelle Es-
    chatologie' sei "der ausgeglichenste Typ der geschichtslosen Eschato-
    logie. Was ihr fehlt, ist der Blick auf den Zusammenhang zwischen der
    menschheitlichen Heilszukunft und der gegenwärtigen menschlichen Ge-
    schichte, der Blick auf die Heilsgeschichte" (vgl. 40-43).

125 Vgl.G.GRESHAKE, Auferstehung der Toten, bes. 379ff. - Greshake betrach-
    tet seine Sicht der 'Auferstehung der Toten', gemäß der "die Hinein-
    bergung von Welt in die Vollendung nicht als ein End-Geschehen, son-
    dern als ein (geschehendes) Vollendungsgeschehen gesehen wird", als
    einen "Diskussionsbeitrag", dessen Prämissen, falls erfordert, auch
    einen Endabschluß zuließen (410). - Wir meinen, daß die 'Eschatologie
    der Inkarnation' aufgrund dessen, daß alles auf Christus hin finali-
    siert ist, also auch das menschliche Werk und die dadurch umgestaltete
    Welt, diesen Abschluß verlangt und daß erst dort die von Greshake er-
    wähnte Einheit und Positivität der Geschichte Gottes mit den Menschen
    ganz Ereignis wird. - Zur Kritik vgl. J.ALFARO, 'La resurrección de
    los muertos', in: Gr 52 (1972), 545-554; Diskussion im Anschluß an das
    Referat von F.KERSTIENS, Zukunft und Hoffnung, in: Eschatologie und ge-
    schichtliche Zukunft, 163-171. - Eine ähnliche Auffassung wird vertre-
    ten von 'Neues Glaubenbuch', 542-544.

126 Vgl. F.KERSTIENS, Die Hoffnungsstruktur, 200-203; J.MOLTMANN, Theologie
    der Hoffnung, 247-250; W.KASPER, Glaube und Geschichte, 67-100; ders.,
    Einführung, 160-162; E.SCHILLEBEECKX, Einige hermeneutische Überlegun-
    gen zur Eschatologie, in: Concilium 5 (1969) 18-25.

127 Vgl. G.SAUTER, Zukunft und Verheißung, 121f.128f.250f; J.ALFARO, Spe-
    ranza cristiana, 175,n.349; J.RATZINGER, Einführung, 214-217.

128 H.GRASS, P.Althaus als Theologe, aaO. 254.

129 Luthers Lehre von den beiden Reichen im Feuer der Kritik, in: UWE 288f.
    - Vgl. ebd. 273-289; DEL 84-87; GE² 134; Rezension von G.Wünsch, Der

Zusammenbruch des Luthertums als Sozialgestaltung, in: Theol.Lit.Bericht
45 (1922), 117f. - W.NIGG, Das ewige Reich, 188, nennt die Auswirkungen
der Zwei-Reiche-Lehre im Abendland "verheerend" (vgl. 182-188.301-320).
130 W.v.LOEWENICH, P.Althaus als Lutherforscher, aaO. 43f. - Vgl. W.PANNEN-
BERG, Luthers Lehre von den zwei Reichen, in: Gottesreich und Mensch-
reich (im folgenden: Luthers Lehre), 77: " So richtig das ist; es bleibt
dennoch ein Rest des Unbehagens." - Dieses Unbehagen wird noch verstärkt durch Althaus' Ordnungslehre. Vgl. W.TRILLHAAS, Paul Althaus,
in: Luther 38 (1967), 54f.
131 Religiöser Sozialismus, 87 (vgl. 90f).
132 W.PANNENBERG,Luthers Lehre, 73-96 (Zitate: 77.75.76.77).
133 Ebd. 96.
134 Ebd. 91 . - Vgl. Althaus' Kritik an Luthers Begründung des Staates rein
aus der Wirklichkeit der Sünde: Luther und die Theologie des Politischen, in: Luther 15 (1933), 50f. - G.HILLERDAL, Gehorsam gegen Gott
und Menschen, 300-303, simplifiziert das Verhältnis der Unterscheidung
beider Regimente zu der Unterscheidung von Gesetz und Evangelium. Vgl.
Gebot und Gesetz; W.JOEST, Das Verhältnis der Unterscheidung der beiden Regimente,in: Dank an P.Althaus, 81-84.88-97. - U.DUCHROW, Christenheit und Weltverantwortung, wirft Althaus eine dualistische Theorie von
Gesetz und Evangelium vor (565) und meint,daß neu gefragt werden müsse
sowohl nach der Unterscheidung zwischen dem sich endzeitlich selbst er-
schließenden und den Menschen in seiner Totalität neuschaffenden Gott
einerseits und der dem Menschen aufgegebenen Zukunft der Welt andererseits als auch nach der gleichzeitigen Zu-Ordnung beider (591f). -
Weist man, wie auch Duchrow, Barths Alternative ab, ist dann nicht gerade diese Zuordnung (Vermittlung) in der 'Eschatologie der Inkarnation'
gegeben?
135 Theologie der Ordnungen, (wir zitieren nach der 2. erw. Auf.) 10.-
Vgl. zum folgenden außerdem: GE[2] 110f; Staatsgedanke und Reich Gottes
(erste ausführliche Darlegung der Ordnungen). - Vgl. H.GRASS, Die Theologie von P.Althaus, aaO. 231-233; G.HILLERDAL, Gehorsam gegen Gott und
Menschen, 145-153; R.GEBHARDT, Naturrecht und Schöpfungsordnung, 103-
109. - Althaus führt als Ordnungen an: Geschlechtlichkeit, Abstammung,
Volk, Ehe, Recht, Staat. - Zur Kritik vgl. u.a. J.MOLTMANN, Theologie
der Hoffnung, 305-308.
136 Theologie der Ordnungen, 19.
137 Ebd. 48.
138 Ebd. 64.
139 J.MOLTMANN, Theologie der Hoffnung, 306.
140 J.MOLTMANN, Theologie der Hoffnung, 307. - R.GEBHARDT, Naturrecht und
Schöpfungsordnung, 108: "Der Christ muß doch einen Maßstab haben, wenn
er den bestehenden Ordnungen kritisch gegenübertreten muß und soll."
141 U.DUCHROW, Christenheit und Weltverantwortung, 584.
142 Luther und das Deutschtum (1917), 5 und 3.
143 Christus und die neue Welt, in: ZW 16 (1939/40), 283 - Vgl. 1.Teil, 5.
Kap. 4c/cc. - Vgl. W.TILGNER, Volksnomostheologie, 179-201; G.LITSCHEL,
Kritische Historie der theologischen Lehre vom Volk in der neuen protestantischen Theologie (als Schüler Althaus' zu unkritisch).
144 Obrigkeit und Führertum, 38 (vgl. 37f) - Vgl. Die deutsche Stunde der
Kirche, 55-60. - Für Paul Althaus' Entdeckung des Volkes war der 1.Welt-
krieg entscheidend (vgl. Das Erlebnis der Kirche (1919), 3). Seine Be-
geisterung für die deutschvölkische Bewegung zeigt sich in seinen
Kriegspredigten. Vgl. Lodzer Kriegsbüchlein (1916); Aus der Heimat, Lod-

zer Kriegspredigten (1916). Zu Althaus' Vermischung von Theologie und
Ideologie im 3.Reich vgl. P.KNITTER, Die Uroffenbarungslehre von Paul
Althaus - Anknüpfungspunkt für den Nationalsozialismus?, in: EvTh 33
(1973), 138-164.
145 Obrigkeit und Führertum, 48. - Vgl. Kirche und Staat nach luth.Lehre,
17.
146 Kirche und Staat nach lutherischer Lehre, 24 und 25 (vgl. 21-26). -
Vgl. Kirche, Volk und Staat, in: Kirche, Volk und Staat (1937), 24-35.
147 Kirche, Volk und Staat, in: Kirche, Volk und Staat (1937), 24. - Vgl.
Völker vor und nach Christus, in: Das Evang.Deutschland.Kirchl.Rund-
schau, Berlin, 1937, 279f; Die deutsche Stunde der Kirche, 35-47; Volk
ohne Christus? in: ZW 14 (1937/38), 449f.
148 W.TILGNER, Volksnomostheologie, 181 und 185.
149 Die deutsche Stunde der Kirche, 16-20.
150 J.MOLTMANN, Theologie der Hoffnung, 308.
151 L.SCHEFFCZYK, Die Wiederkunft Christi, in: Lebendiges Zeugnis 1964,
Heft 1, 83. - Vgl. W.JOEST, Die Kirche und die Parusie Jesu Christi,
in: RahnerGW I, 544.
152 K.RAHNER, Weltgeschichte und Heilsgeschichte, in: Schriften V, 120.
153 L.SCHEFFCZYK, Die Wiederkunft Christi, aaO. 85.
154 Ebd. 27 (vgl. 85-87).
155 A.AHLBRECHT, Tod und Unsterblichkeit, 108.- Vgl. Die Herrlichkeit Gottes, 159-165 (Predigt vom 14.Mai 1953). - G.SAUTER, Zukunft und Verheißung, 128, meint, ein entscheidendes Einvernehmen festzustellen,
"daß Apokalypsis die Systematik definitorisch geschlossener Welt bestätigt und daß (für Althaus und Barth) das Eschaton ebenso definitions-
gemäß das künftige Prädikat der vorgängig verstandenen Geschichte darstellt. Die Parusie Gottes tritt demgegenüber eigentümlich zurück."
(vgl. 121f)
156 L.SCHEFFCZYK, Die Wiederkunft Christ, aaO. 81. - Scheffczyk fährt fort:
"Diesem Eindruck kommt eine Auffassung entgegen, die das Entscheidende an diesem Ereignis in einer rein äußeren, forensischen Gerichtshand-
lung sieht."
157 Ebd. 81. - Vgl. U.HEDINGER, Unsere Zukunft, 30-32.34-37; ders., Hoffnung
zwischen Kreuz und Reich, 54-56; J.MOLTMANN, Theologie der Hoffnung,207-
209 ; G.SAUTER, Zukunft und Verheißung, 123-129.
158 W.KÜNNETH, Theologie der Auferstehung, 255f (vgl. 255-260).
159 H.U.v.BALTHASAR, Zuerst Gottes Reich, 32.
160 L.SCHEFFCZYK, Die Wiederkunft Christi, aaO. 78f. - H.MÜHLEN, Das Vorverständnis von Person, in: Cath 18 (1964), 142:"Die 'vertikale' Sinnrichtung des theologischen Ansatzes von der Subjektivität der sich her-
ablassenden, gnädigen Souveränität Gottes bedarf der notwendigen Ergänzung durch die horizontale Sicht der Mitmenschlichkeit, durch die hindurch der Mensch den vom Ende her zu-künftigen Gott erreicht, und zwar
kraft einer ihm von diesem Gott einerschaffenen und durch die Wirkung
seiner Gnädigkeit 'erhöhten', dynamischen Tendenz auf den finis ulti-
mus hin."
161 K.RAHNER, Parusie, in: HThTL V, 343. - Vgl. ders., Kirche und Parusie,
in: Schriften VI, 348-367.
162 A.WINKLHOFER, Das Kommen Seines Reiches, 192.
163 Vgl. C.STANGE, Das Ende aller Dinge, 147.158-163.198. - Zu Althaus' Widerspruch vgl. LD^1 29,n.2 u.3; LD^1 30,n.1; LD^3 285-288; LD^4 182-185;
GD^1 II/173 = GD^5 267f; Unsterblichkeit der Seele bei Luther, in: ZSTh 3
(1925), 732-734; Unsterblichkeit und ewiges Sterben bei Luther, 52-66;

Ur-Offenbarung, in: Luthertum 46 (1935), 24.

164 A.AHLBRECHT, Tod und Unsterblichkeit, 120.

165 Unsterblichkeit und ewiges Sterben bei Luther, 65f. - Vgl. TG 758.775; H.W.SCHMIDT, Zeit und Ewigkeit, 119,n.2. - Vgl. 2.Teil, 3.Kap., 3e.

166 Zum folgenden vgl. LD[1] 111-114.118; LD[3] 204-208.212f; LD[4] 176-180; Wiederbringung Aller, in: RGG[2] V, 1908-1910; Wiederbringung Aller, in: RGG[3] VI, 1694-1696; CW 670-672; GD[1] II/173f = GD[5] 268f.

167 Wiederbringung Aller, in: RGG[2] V, 1909.

168 Vergeltung, in: RGG[3] VI, 1354 (= RGG[2] V, 1542).

169 Wiederbringung Aller, in: RGG[3] VI, 1695. - Vgl. H.U.v.BALTHASAR, K. Barth, 199-201 (v.Balthasar zeigt auf, daß die Apokatastasis in der Folgerichtigkeit der Lehre und Denkform Barths gelegen ist); H.ZAHRNT, Die Sache mit Gott, 137-141; A.AHLBRECHT, Tod und Unsterblichkeit, 112-120; W.KRECK, Die Zukunft, 139-148.

170 Zum Verständnis der Rechtfertigung, in: TA 2,43 (vgl. 42f; LD[1] 117,n.1; TdG 115).

171 Zum folgenden vgl. LD[1] 114-117; LD[3] 208-211; LD[4] 180-186; CW 669f. GD[1] II/173 = GD[5] 267f.

172 Das Kreuz Christi, in: TA 1, 11 (vgl. 9-11). - Vgl. Das Kreuz Christi, in: Mysterium Christi, 261f; CW 476.

173 Wiederbringung Aller, in: RGG[2] V, 1909. - Vgl. LD[1] 116-119; LD[3] 203-214; LD[4] 175f.185-189; CW 669-671; TdG 115-118; GD[1] II/173f = GD[5] 268f.

174 Wiederbringung Aller, in: RGG[2] V, 1910.

175 Wiederbringung Aller, in: RGG[3] VI, 1695.

176 Ebd. 1695. - Vgl. CW 609.

177 Wiederbringung Aller, in: RGG[3] VI, 1695. - Die lapidare Feststellung A. WINKLHOFERS (Das Kommen Seines Reiches, 316), daß auch Althaus gegen eine Apokatastasis sei und den vollen furchtbaren Ernst der Höllenstrafe aufrecht erhalte, bedarf deshalb einer Korrektur.

178 Der offene Himmel. Predigt über Jo 17,4, in: PBl 85 (1942/43), 290 - Zu dieser Frage vgl. P.KNITTER, A Case Study, 112-115.122-125.134-139.

179 LD[4] 181 und: Niedergefahren zur Hölle, in: ZSTh 19 (1942), 370 (vgl. 368ff; im übrigen gleich mit CW 481f).

180 Das Heil ist nicht gebunden an die Gnadenmittel des Christentums. Vgl. Christentum und Geistesleben, in: EL 44; CW 480f.484f.545.673.

181 Zum allgemeinen Heilswillen vgl. CW 273.618; DTL 238-243. - Vgl. P. KNITTER, A Case Study, 138: "Thus, while Althaus could not allow God's 'Heilsoffenbarung' to extend into the realm of the pre-Christian Ur-offenbarung, he does explicitly allow it to be stretched the opposite direction and to be found beyond 'der irdischen Geschichte'." Daraus entsteht die Neigung zur Apokatastasis (ebd. 139).

182 F.TRAUB, Die christliche Lehre von den letzten Dinge, in: ZThK 6 (1925), 112,n.1.- Althaus' Antwort: LD[3] 214,n.1; LD[4] 189. - Vgl. auch die Kritik von C.STANGE, Das Ende aller Dinge, 195-201.

183 P.EBERT, Eschatologische Setzerscholien, in: NKZ 38 (1927), 796-800 (Zitate: 796.798).

184 W.WIESNER, Der Gott der 'Wirklichkeit', aaO. 112-114.

185 K.RAHNER, Hölle, in: HThTL III, 307. - Vgl. ders., Heilswille Gottes, allgemeiner, in: HThTL III, 266-272; P.SCHOONENBERG, Ich glaube an das ewige Leben, in: Concilium 5 (1969), 48. - Auch J.RATZINGER verweist in der Frage nach Gericht und Gnade von der theoretischen auf die 'praktische', die Doppellinigkeit ertragende Wirklichkeit des Glaubens: "Vielleicht wird man letztlich auch gar nicht über ein Paradox hinauskommen, dessen Logik sich vollends nur der Erfahrung eines Lebens aus dem Glau-

ben erschließen wird." (Einführung, 269; vgl. 269-272).
186 Au.GEORGE, Das Gericht Gottes, in: Concilium 5 (1969), 9.
187 K.RAHNER, Theologische Prinzipien, in: Schriften IV, 420 und 421f.
188 W.KASPER, Einführung, 141 (vgl. 147).
189 K.RAHNER, Hölle, in: HThTL III, 306. - Vgl. Th.u.G.SARTORY, In der Höl-
    le brennt kein Feuer, 205-218.
190 Vgl. J.RATZINGER, Die Auferstehung Christi und die christliche Jenseits-
    hoffnung, in: Christlich- was heißt das?, 36; ders., Einführung, 259;
    ders., Glaube und Zukunft, 62-64. -
    Eine Freiheit Gottes, die nicht heilsökonomisch, also christologisch
    vermittelt, bzw. 'gebunden' ist, die also z.B. eine Freiheit zur Ver-
    nichtung aller sein könnte, ist abzulehnen, da sie einem falschen vo-
    luntaristischen, nominalistischen Gottesbild entspringt. Insofern das
    Christusereignis in Gefahr ist, vom Gottheit-Gottes-Begriff 'gemessen'
    zu werden, trägt auch Althaus' Gottesbild diese abzulehnenden Züge.
    Unsere Gotteserkenntnis entstammt der Heilsökonomie; das darin erkann-
    te 'quoad nos' (gleichsam die Bindung der Freiheit Gottes in Christus)
    ist auch, richtig verstanden, das 'quoad se' Gottes.
191 H.U.v.BALTHASAR, Umrisse, aaO. 289-291. - Vgl. ders., Zuerst Gottes
    Reich, 21f; Th.u.G.SARTORY, In der Hölle brennt kein Feuer, 174-179.
192 H.U.v.BALTHASAR, Glaubhaft ist nur Liebe, 61. - Vgl. ebd. 59-65; ders.,
    Klarstellungen, 52-58; ders., Theologie der Geschichte, 19-22.77-79.
193 U.KÜHN, Das Problem der zureichenden dogmatischen Begründung, in: KuD
    9 (1963), 6.
194 J.RATZINGER, Das neue Volk Gottes, 241f.

5. Kapitel: Die kosmische Dimension

1 W.-D.MARSCH, Zukunft, 97 (vgl. 97-113). - Vgl. A.VÖGTLE, Das Neue Testament und die Zukunft des Kosmos, 11-19; J.MOLTMANN, Theologie der
   Hoffnung, 124.
2 Eschatologie, in: RGG^3 II, 686.
3 A.DARLAP, Anfang und Ende, in: HThTL I, 105.
4 Eschatologie, in: RGG^3 II, 685.
5 Christentum und Kultur, in: AELKZ 61 (1928), 956. - Vgl. Der Trost Gottes, 118-127 (Predigt vom 18.Juli 1943).
6 Evangelischer Glaube und Anthroposophie, in: UWE 61. - Vgl. CW 310.
7 Das Wesen des evangelischen Gottesdienstes, in: ZSTh 4 (1926), 284f. -
   Vgl. Der Sinn der Liturgie, in: UWE 114f; Die Illustration der Bibel
   als theologisches Problem, in: UWE 129f.
8 Eschatologie, in: RGG^3 II, 685.
9 Vgl. CW$_3$312-314; LD^3 252; LD^4 329-331; GD^1 II/38f.
10 Vgl. LD^3 252-256; LD^4 331-334.349f; GD^1/38f; Christentum und Kultur, in:
   AELKZ 61 (1928), 954-957; Zur Frage der 'endgeschichtlichen Eschatologie'
   in: ZSTh 7 (1929) 363-368.
11 Christentum und Kultur, in: AELKZ 61 (1928), 978 (vgl. 977-982).
12 Eschatologie, in: RGG^3 II, 685.
13 Der theologische Ort der Diakonie, in: UWE 104.
14 Die ökumenische Bedeutung des Lutherbekenntnisses, in: UWE 84 (vgl.82f).
15 Die Kraft Christi, 77 (Predigt am 21.April 1957).
16 Die Bedeutung der Theologie Paul Tillichs, 17. - Vgl. Die Theologie,
   aaO. 147f; H.G.PÖHLMANN, Das Problem der Ur-Offenbarungslehre, in: KuD
   16 (1970),255f.
17 Evangelischer Glaube und Anthroposophie, in UWE 59.
18 Jesus Christus in der Menschheitsgeschichte, in: Universitas 10 (1955),

1259.
19 Evangelischer Glaube und Anthroposophie, .in: UWE 59f.
20 Gegen Althaus Folgerung aus Röm 8, 19ff, daß es zu einer "Erneuerung"
   dieses unseres Leibes und dieser unserer Welt komme (BR 92-94), hat
   sich ausdrücklich H.GRASS, Ostergeschehen und Osterberichte, 167-171,
   ausgesprochen. - Vgl. dazu auch A.VÖGTLE, Das Neue Testament und die
   Zukunft des Kosmos, 183-208: Nach Vögtle verwendet Paulus die jüdische
   Vorstellung von der in den eschatologischen Wehen kulminierenden Ver-
   derbnis der Schöpfung und ihrer künftigen Erlösung, um von einer verfügbaren Vorstellung her einigermaßen verständlich zu machen, daß Ge-
   genwartsleiden und kommende Herrlichkeit keine gleichwertigen Größen
   sind, ohne diesen Topos zur Lehraussage zu machen.
21 Eschatologie, in: RGG[3] II, 685f. - Vgl. LD[3] 35.43.47f.50-52; CW 684.
22 Vgl. Zur Frage der 'endgeschichtlichen Eschatologie', in: ZSTh 7 (1969),
   363-365; Reich Gottes, in: RGG[2] IV, 1822-1825.
23 Evangelischer Glaube und Anthroposophie, in: UWE 59.
24 H.U.v.BALTHASAR, Umrisse, aaO. 283 (vgl. 283,n.1). - Vgl. G.A.LINDBECK,
   Der Horizont kath.-protest. Meinungsverschiedenheiten, in: Künftige
   Aufgaben der Theologie, 166-172. Lindbeck sieht in der objektiven Version der eschatologisch-geschichtlichen Anschauung einen neuen gemeinsamen ökumenischen Horizont.
25 Vgl. Zweites Vatikanisches Konzil: Lumen Gentium n.9.48; Gaudium et
   Spes n.39; J.ALFARO, Teologia del progresso umano, 10-37.
26 W.KÜNNETH, Theologie der Auferstehung, 222-224. - Althaus scheint sich
   in der Antwort auf den anthropologisch vermittelten Anknüpfungspunkt
   zurückzuziehen: "Mindestens der unlösbare Zusammenhang der Leiblichkeit
   und der Weltlichkeit unseres Daseins muß doch durch anthropologisch-
   kosmologische Besinnung aufgezeigt werden." (LD[4] 334) Er weicht also
   der Begründung des parallelen Anknüpfungspunktes, der "anthropologischen und kosmologischen Besinnung" (LD[4] 335), des Eigen-Sinnes der
   Natur und Kultur, aus. - Auch C STANGE, Das Ende aller Dinge, 208,
   meint, daß Althaus' Begründung nicht aus der Christustatsache, sondern
   "aus dem allgemeinen Verhältnis des Menschen zu Gott" folge (vgl. 202-
   215). - G.HOFFMANN, Das Problem, 45: "Daß die Eschatologie 'kosmische
   Weite und realistische Art' (LD[1] 49) gewinnt, wird daher mehr behauptet
   als im einzelnen durchgeführt." - Vgl. DeD 198.
27 J.MOLTMANN, Theologie der Hoffnung, 123 (vgl. 120-124). - Vgl. J.RAT-
   ZINGER, Einführung, 265f; W.G.KÜMMEL, Verheißung und Erfüllung, 81-97.
28 J.MOLTMANN, Theologie der Hoffnung, 121f. - Vgl. H.BERKHOF, Über die
   Methode der Eschatologie, in: Diskussion über die 'Theologie der Hoffnung', 176-179; E.KINDER, Grundprobleme christlicher Eschatologie, 7-
   12.
29 A.AHLBRECHT, Tod und Unsterblichkeit, 108.
30 H.U.v.BALTHASAR, Umrisse, aaO. 282. - W.PANNENBERG, Eschatologie und
   Sinnerfahrung, in: KuD 19 (1973), 42-45, stellt heraus, daß es sich in
   der Bibel überall "um den Menschen, um die Zukunft des Menschen" (42)
   handelt.
31 K.RAHNER, Letzte Dinge, in: LThK VI, 989.
32 K.RAHNER, Das Christentum und der 'Neue Mensch', in: Schriften V, 172f.
33 H.GRASS, Das eschatologische Problem, aaO. 76. - Vgl. 1.Teil, 5.Kap.5.
34 H.U.v.BALTHASAR, Umrisse, aaO. 283.
35 J.RATZINGER, Einführung, 265 (vgl. 299). - Vgl. J.ERNST, Das Wachstum
   des Leibes Christi, in: ThGl 57 (1967), 182-187.

6. Kapitel: Verhältnis von Individual- und Universaleschatologie

1 Auferstehung Christi, in: RGG[3] I, 698. - Vgl. LD[4] 75f.135; CW 685.

2 G.GRESHAKE, Auferstehung der Toten, 372 (Greshake sagt dies in bezug
  auf Barth, Bultmann und Moltmann, deren einziges Geschichtssubjekt
  Gott,bzw. der Mensch und die Welt seien; vgl. 52-169). - Während in
  der dialektischen Theologie "die Spannung zwischen individueller und
  universaler Vollendung" zugunsten der ersteren aufgelöst wurde (A.
  AHLBRECHT, Tod und Unsterblichkeit, 25), macht A.FÜSSINGER auf "gewisse gegenwärtige Tendenzen, die universale Eschatologie auf Kosten
  der individuellen überzubetonen" aufmerksam (Eschatologie und Verkündigung, in: ThGl 57 (1967), 194; vgl. auch G.SCHERER, Der Tod als Frage,
  161-196).

3 Zum 'vollen Nacheinander' sind wohl H.W. Schmidt und O.Cullmann zu zählen; vielleicht auch U.Küry (vgl. U.KÜRY, Das Leben aus der Zukunft in
  systematischer Sicht, in: Internat.Kirchl.Zeitschrift 58 (1968), 204f).
  Die übertriebene katholische Jenseitseschatologie der 'anima separata'
  scheint uns eher dem 'leeren Nacheinander' zuzuordnen zu sein, da sie
  der inkarnatorischen Wirklichkeit unserer Erlösung nicht ganz gerecht
  wird.

4 Luthers Gedanken über die letzten Dinge, in: LuJ 23 (1941), 16. - Vgl.
  ebd. 13-22; LD[4] 139-141; Unsterblichkeit und ewiges Sterben, 36f.

5 Th.KLIEFOTH, Christliche Eschatologie, 50.50.67 (vgl. 32-37.82-125).

6 Vgl. 2.Teil, 4.Kap., 5b/bb; DeD 321,n.1. - Der Mittelzustand bleibt
  auch in LD[3] aufrecht: vgl. LD[3] 43f.229.237.

7 WA 10 III, 194: "Hier muß man die Zeit aus dem Sinn tun und wissen,
  daß in jener Welt nicht Zeit noch Stund sind, sondern alles ein ewiger Augenblick." (zitiert in LD[4] 151).

8 Unsterblichkeit und ewiges Sterben, 43,n.1. - Vgl. 2.Teil, 3.Kap. 3d/bb.

9 Luthers Gedanken über die letzten Dinge, in: LuJ 23 (1941), 12.

10 Retraktationen, aaO. 254.

11 Ebd. 257f.

12 Ebd. 258.

13 Die Herrlichkeit Gottes, 254 (Predigt am 16.Nov. 1952).

14 Wo bleiben unsere Toten?, in: Evang.Gemeindeblatt München 55 (1952),
   380. - Vgl. Auferstehung, in: RGG[3] I, 698; A.AHLBRECHT, Tod und Unsterblichkeit, 67.105-112.

15 Vgl. 2.Teil, 3.Kap., 4.

16 J.M.GONZALEZ RUIZ,Entmytholog.der anima separata?in:Concilium 5(1969),41.

17 Ebd. 41.

18 A.AHLBRECHT, Tod und Unsterblichkeit, 106.

19 W.KÜNNETH, Theologie der Auferstehung, 5.erw.Auf., (Siebenstern Taschen-
   buch 108/109) 275 (vgl. 274-281).

20 W.v.LOEWENICH, P.Althaus als Lutherforscher, aaO. 31f.

21 A.AHLBRECHT, Tod und Unsterblichkeit 108. - Vgl. DeD 320-322; G.HOFFMANN,
   Das Problem, 44.88-90; A.BEYER, Offenbarung, 111f; O.WEBER, Grundlagen
   der Dogmatik II, 741; T.STADTLAND, Eschatologie, 188,n.525, G.SAUTER,
   Zukunft und Verheißung, 65-67.100-102. - Vgl. 1.Teil, 5.Kap.,,4; 2.Teil
   4.Kap., 3c/aa.

22 Vgl. 1.Teil, 5.Kap., 5; 2.Teil, 4.Kap., 3c/cc und 5.Kap., 3a.-A.AHL-
   BRECHT, Tod und Unsterblichkeit, 108: "So ist es eigentlich nur noch
   ein Schritt zur These des Althaus-Schülers H.Grass....So erlebt diese
   These, die aus der Sorge um das Ernstnehmen der Welt und der Auferstehung verstanden sein will,ihren Umschlag in das scheinbar totale Gegenteil des Gewollten." - Vgl. ders., Die bestimmenden Grundmotive, in:

Cath 17 (1963), 5-7.

23 G.WETH, Die Heilsgeschichte, 8. - Weth selbst hält am Zwischenzustands-
gedanken fest, "weil er durchaus nicht von den Bedürfnissen des frommen
Individuums her behauptet wird, sondern um der Vollendung der Gemeinschaft willen" (246,n.16).

24 F.KERSTIENS, Die Hoffnungsstruktur, 212.

25 H.U.v.BALTHASAR, Umrisse, aaO. 295.

26 Ebd. 295. - Vgl. CW 673.

27 In der den 'Retraktationen' folgenden Aussprache werden einige wichtige
Probleme angeschnitten. So frägt Thielicke: "Geht es aber an, die beiden Aussagen....schlechthin unverbunden nebeneinander zu stellen?" (ThLZ
75 (1950), 257). Sommerlath warnt davor, "in theologischer Dialektik
über Schwierigkeiten allzuschnell hinwegzugleiten", nämlich "durch den
Rückzug auf das theologische Grundanliegen" (ebd. 258). Heinzelmann
schließlich macht darauf aufmerksam, daß "auch dieser Rückzug heimlich
von unserer eigenen Weltanschauung bestimmt sein kann" (ebd. 258). -
Wir wollten die 'heimliche Weltanschauung' hinter Althaus' Rückzug er-
hellen.

28 Dies scheint uns auch darin gerechtfertigt zu sein, daß man immer vorsichtiger wird, aus der Bibel selbst eine 'Lehre' vom 'Zwischenzustande' abzuleiten. - Vgl. A.GRABNER-HAIDER, Auferstehung und Verherrlichung, in: Concilium 5 (1969), 35,n.22; O.SEMMELROTH, Der Tod, in:
Theol.Akademie 9, 12f; H.U.v.BALTHASAR, Umrisse, aaO. 295,n.1; P.HOFF-
MANN, Die Toten in Christus, 321-347. - Vgl. 2.Teil, 3.Kap., 4c/bb.

29 O.KARRER, Über unsterbliche Seele und Auferstehung, in: Anima 1956,
Heft 3, 333 (vgl. 332-336).

30 J.RATZINGER, Auferstehung des Fleisches, in: HThTl I, 228f.

31 P.SCHOONENBERG, Ich glaube an das ewige Leben, in: Concilium 5 (1969),
49.

32 J.RATZINGER, Einführung, 294 (vgl. 203.260f.299). - Vgl. P.HOFFMANN,
Die Toten in Christus, 175-347. Hoffmann "warnt vor einer rein individualistischen Interpretation des 'Zwischenzustandes'"(344).

33 P.SCHOONENBERG, Ich glaube an das ewige Leben, in: Concilium 5 (1969),
48f. - Vgl. 2.Teil, 3.Kap., 6c.

34 A.DARLAP, Zeit, in: HThG II, 9o2 (vgl. 899-90?). - Vgl. ders., Ewigkeit, in: HThG, 366f. - Vgl. P.SCHOONENBERG, Ich glaube an das ewige
Leben, in: Concilium 5 (1969), 49: "Das heißt, daß auch in dieser Endvollendung ein Aufstieg möglich bleibt; sonst würden wir aufhören,
Mensch zu sein....Es wird eine Zeit des Hineinwachsens in die Endvollendung aller sein. Dabei sind auch die Auserwählten in das Abenteuer
unserer Geschichtlichkeit miteinbezogen: Sie freuen sich über das
kommende Gottesreich und leiden an der Sünde."

35 A.AHLBRECHT, Tod und Unsterblichkeit, 140 (vgl. 137-141).

36 H.-G.GADAMER, Wahrheit und Methode, 288 (vgl. 231f.286-290).

37 J.ERNST, Das Wachstum des Leibes Christi, in: ThGl 57 (1967), 171 (vgl.
170-187).

38 W.KASPER, Einführung, 162. - Vgl. F.KERSTIENS, Die Hoffnungsstruktur,
200-203.212-214. - Die "selbstentäußernde Verweltlichung" (G.ZASCHE,
Extra Nos, 27) ist nur in einer Theologie des Glaubens, die als 'Struk-
turprinzip' Freiheit und Liebe hat, vor einer Vergeschichtlichung Gottes bewahrt.

Abschluß

1 H.U.v.BALTHASAR, Umrisse, aaO. 278.

2 H.KÜNG, Rechtfertigung, 269. - J.ALFARO, Justificación Barthiana y
Justificación Católica, in: Gr 39 (1958), 765, meint, daß Küng zu sehr
von Barths philosophischem Hintergrund abgesehen habe.
3 P.L.BERGER, Auf den Spuren der Engel, 24 (vgl. 28).
4 G.CHANTRAINE, Eschatologie und Heilsgeschichte, in: Communio 1 (1972),
196.
5 E.KINDER, Grundprobleme der Eschatologie, 6.
6 M.DOERNE, Zur Dogmatik, aaO. 451.
7 E.SCHILLEBEECKX, Gott - Die Zukunft des Menschen, 10,n.3.
8 E.BRUNNER, Das Ewige als Zukunft und Gegenwart, 234.
9 W.KASPER, Einführung, 10.
10 J.RATZINGER, Einführung, 160.
11 E.KÄSEMANN, Der Ruf der Freiheit, 4.Aufl., Tübingen 1968,154.
12 K.RAHNER, Die Zukunft der Theologie, in: Schriften IX, 153f.
13 Vgl. G.A.LINDBECK, Der Horizont katholisch-protestantischer Meinungsverschiedenheiten, in: Künftige Aufgaben der Theologie, 173.
14 Zu diesen Grenzen vgl. u.a.: B.LANGEMEYER, Das dialogische Denken, in:
Cath 17 (1963), 316f.321-328; H.U.v.BALTHASAR, Glaubhaft ist nur Liebe,
27-30; A.BRANDENBURG, Methode der Eschatologie, in: Cath 12 (1959), 70-
74; G.ZASCHE, Extra Nos, 143-194; H.MÜHLEN, Das Vorverständnis von Person, in: Cath 18 (1964), 108-142.
15 H.MÜHLEN, Das Vorverständnis von Person, in: Cath 18 (1964), 110 (vgl.
112.122-129). - Nach M.DOERNE, Zur Dogmatik, aaO. 455, ist das "Ur-
Anliegen von Althaus' Theologie" sein "von Luther empfangener Eifer um
'Gottes Gottheit'".
16 H.MÜHLEN, Das Vorverständnis von Person, in: Cath 18 (1964), 126. - L.
WIEDENMANN, Mission und Eschatologie, 196f, spricht von der Alleinwirksamkeit Gottes als "Grunddogma der Reformation", wodurch die 'eigenständige' Wirklichkeit des Menschen in Nichtigkeit und Sünde versinkt. Er
kritisiert die Verkürzung der Inkarnation und der Kirche (197-200).
17 A.AHLBRECHT, Tod und Unsterblichkeit, 28 (vgl. 132f).
18 Rechtfertigung heute, Studien und Berichte (vom 4.Treffen der Lutherischen Weltkonferenz in Helsinki, 1963) (Beiheft zur Lutherischen Rund-
schau), Stuttgart 1964, 24f.
19 G.ZASCHE, Extra Nos, 166 (vgl. 127.165-168).
20 Y.CONGAR, Das Fegfeuer, in: Das Mysterium des Todes, 249. - Vgl. K.ADAM,
Das Wesen des Katholizismus, 11.Aufl., Düsseldorf 1946, 130f.
21 E.SCHILLEBEECKX, Einige hermeneutische Überlegungen, in: Concilium 5
(1969), 24.
22 Die Bedeutung der Theologie P.Tillichs, 15.
23 W.LOHFF, Zur Verständigung über das Problem der Ur-Offenbarung, in:
Dank an Paul Althaus, 170.
24 G.STAMMLER, Ontologie in der Theologie?, in: KuD 4 (1958), 143. -
G.GLOEGE, Der theologische Personalismus als dogmatisches Problem, in:
KuD 1 (1955), 37f,fordert die "Wiederaufnahme der weithin vernachlässigten ontologischen Problematik". - Vgl. C.H.RATSCHOW, Gott existiert,
61-91;C.GEFFRÉ, Sinn und Unsinn einer nichtmetaphysischen Theologie,in:
Concilium 8 (1972), 443-450.
25 G.ZASCHE, Extra Nos, 192. - Vgl. ebd. 147-159.195-227; A.AHLBRECHT, Tod
und Unsterblichkeit, 99.127-131; J.RATZINGER, Heilsgeschichte und Eschatologie, in: Theologie im Wandel, 68-98.
26 K.HEMMERLE, Der Begriff des Heils, in: Communio 1 (1972), 218 (vgl.
226-228).
27 W.KASPER, Einführung, 106.

28 J.PIEPER, Geschichte und Hoffnung, 118.
29 H.U.v.BALTHASAR, Klarstellungen, 171.
30 Die Wahrheit des kirchlichen Osterglaubens, 73f. - Vgl. CW 231-237.
   - Zur 'kath.Gefahr' vgl. J.RATZINGER, Das Neue Volk Gottes, 240-242.
   255f.314-317; F.KERSTIENS, Die Hoffnungsstruktur, 209.

503

L I T E R A T U R V E R Z E I C H N I S

I. WERKE VON PAUL ALTHAUS

Vorbemerkung: Es sei auf die bereits veröffentlichten Bibliographien
verwiesen:
für 1911-1957: in: Dank an P.Althaus. Eine Festgabe zum 70.Geburtstag,
hrsg.v. W.Künneth u. W.Joest, Gütersloh 1958, 246-272
(zusammengestellt von W.Lohff);
für 1958-1966: in: NZSTh 8 (1966), 237-241 (zusammengestellt von J.Kahl).
Wir führen hier alle von uns benutzten Werke an, und zwar - im Unterschied zu W.Lohff und J.Kahl - um der leichteren Einsicht willen in alpha-
betischer Folge; bestimmte und unbestimmte Artikel als erstes Wort werden
nicht berücksichtigt. In den Aufsatzsammlungen erschienene Artikel (EL,
TA 1, TA 2, UWE) werden nach den Sammlungen angeführt; wir fügen in Klammern das Jahr der Erstpublikation an. Von uns gewählte Sigla setzen wir
in Klammern hinzu. '(neu)' bedeutet, daß die betreffende Veröffentlichung
nicht in die erwähnten Althaus-Bibliographien aufgenommen ist.

1. Bücher, Artikel, Broschüren

Adolf Schlatters Gabe an die systematische Theologie, in: Adolf Schlatter
und Wilhelm Lütgert zum Gedächtnis (BFChTh 40/1), Gütersloh 1938,31-40.
Adolf Schlatters Verhältnis zur Theologie Luthers, in UWE 145-157 (1953).
Adolf Schlatters Wort an die heutige Theologie, in: UWE 131-145 (1952).
Das alte Testament in der "Naturgeschichte des Glaubens", in: Werke und
Tage. Festschrift für Rudolf Alexander Schroeder zum 60.Geburtstag am
26. Jan.1938, Berlin 1938, 11-17.
Althaus, Paul, evangelischer Theologe, geb. 1861, gest. 1925, in: NDB I,
Berlin 1953, 220f.
Arnoldshain und das Neue Testament, in: UWE 207-223 (1960).
Die Auferstehung der Toten, in: TA 1, 119-139 (1925).
Der Aufgang aus der Höhe. Predigt über Luk.I, 78-79 am Ersten Advent, in:
PBl 85 (1942/43), 19-22.
Aus der Heimat. Lodzer Kriegspredigten, Lodz-Leipzig 1916.
Autorität und Freiheit in Luthers Stellung zur Heiligen Schrift, in: Lu-
ther 33 (1962), 41-51.
Bedarf Luthers Rechtfertigungslehre der Korrektur?, in: Korrespondenz-
blatt für die evang.-luth.Geistlichen in Bayern 65 (1950), 33-34.37-38.
Bedenken zur "Theologischen Erklärung" der Barmer Bekenntnis-Synode, in:
Korrespondenzblatt der evang.-luth.Geistlichen in Bayern 59 (1934), 318-
320.
Die Bedeutung der Theologie Luthers für die theologische Arbeit, in: LuJ
28 (1961), 13-29.
Die Bedeutung der Theologie Paul Tillichs. Vortrag gehalten auf dem Ge-
neralkonvent des Sprengels Göttingen am 20.5.1964, Maschinenmanuskript
im Paul-Tillich-Archiv, Göttingen.
Die Bedeutung des Kreuzes im Denken Luthers, in: EL 51-62 (1926).
Die beiden Regimente bei Luther. Bemerkungen zu Johannes Heckels "Lex
charitatis", in: ThLZ 81 (1956), 129-136.
Die Bekehrung in reformatorischer und pietistischer Sicht, in: UWE 224-
247 (1959).
Bericht der 56.Allgemeinen Pastoralkonferenz in Bayern (Auseinandersetzung
mit H.W.Schmidt), 1927, 22-27 (aufgezeichnet von Chr.Geyer) (neu).
Das Bild Gottes bei Paulus, in: ThBl 20 (1941), 81-92.

Die Botschaft vom Reiche als Wort an die Gegenwart. Zum Advent 1931, in:
ZW 7 (1931), 481-490.

Der Brief an die Galater. Übersetzt und erklärt, (NTD 8), 10.Aufl. (Überarbeitung des Kommentars von H.W.Beyer), Göttingen 1965.

Der Brief an die Römer. Übersetzt und erklärt, (NTD 6), 10. neubearbeitete u. erweiterte Aufl., Göttingen 1966 (= BR).

Brunners "Mittler". Zur Aufgabe der Christologie, in: TA 2, 169-182 (1929).

Der Christenglaube und das Sterben. Vortrag und Predigt (Der Herr der Kirche.Predigten Bd. 25), Gütersloh 1941.

Christentum, Krieg und Frieden, in: Kirche, Volk und Staat. Stimmen aus der deutschen evangelischen Kirche zur Oxforder Weltkirchenkonferenz. Berlin 1937, 167-182.

Das Christentum - Religion unter Religionen?, in: Universitas 11 (1956), 1131-1135.

Christentum und Geistesleben, in: EL 31-45 (1926).

Christentum und Kultur, in: AELKZ 61 (1928), 952-957.977-983.

Die christliche Wahrheit. Lehrbuch der Dogmatik, (1.Aufl.Bd.I. - 1947, Bd.II. - 1948), 8.Aufl., Gütersloh 1969.

Christologie des Glaubens, in: TA 1, 206-222 (1928) (= ChdG).

Christologisches. Fragen an Emanuel Hirsch, in: Wahrheit und Glaube. Festschrift für Emanuel Hirsch zu seinem 75.Geburtstag, hrsg.v. Hayo Gerdes, Itzehoe 1963, 22-30.

Christus und die neue Welt, in: ZW 16 (1939/40), 283f.

Communio Sanctorum, in: ZW 4 (1928), 289-300.

Communio Sanctorum. Die Gemeinde im lutherischen Kirchengedanken, (FGLP I/1), München 1928).

Dein Reich komme! Predigt zur Jahresfeier der Evang.-luth.Mission in Leipzig am 22.Mai 1940, Leipzig 1940.

Dein Wille geschehe! Predigt in der Neustädter Kirche zu Erlangen, Gütersloh 1940.

Die deutsche Stunde der Kirche, Göttingen 1933, 2.unveränderte Aufl., Göttingen 1934.

Deutschland und das Kreuz, in: Ein deutsches Gewissen. Dank an August Winnig, Berlin 1938, 62-65.

Durchs Gesetz kommt Erkenntnis der Sünde. Zur Auseinandersetzung mit der exklusiv christologischen Dogmatik, in: UWE 168-180 (1958).

Die eine Kirche, in: UWE 62-75 (1962).

Einheit und Einigung der Kirche, in: Lutherum 54 (1943), 65-85.

Erbsünde, in: ZW 12 (1935/36), 321-333.

Erkenntnis und Leben, in: EL 1-14 (1926).

Das Erlebnis der Kirche, Leipzig 1919.

Eschatologisches. Zur Verständigung mit Folke Holmström, in: ZSTh 12 (1935), 609-623.

Die Ethik Martin Luthers, Gütersloh 1965 (= DEL).

Evangelische Kirche und Völkerverständigung. Eine Erklärung (mit E.Hirsch) in: ThBl 10 (1931), 177f.

Evangelischer Glaube und Anthroposophie, in: UWE 42-61 (1948).

Das Evangelium und die Religionen, in: UWE 9-22 (1959).

Evangelium und Konfession. Zur Auseinandersetzung mit Helmut Kittel. (Theologia militans 25), Leipzig 1940.

Evangelium und Leben. Gesammelte Vorträge, Gütersloh 1927 (= EL).

Die Familie Althaus (ohne Angaben) (neu).

Die Frage des Evangeliums an das moderne Judentum, in: TA 2, 83-103 (1929).

Fragen an E.Stauffer, in: ELKZ 14 (1960), 263-265 und DtPfBl 60 (1960), 389-392 (zusammen mit W.Joest und W.Künneth).

Friede auf Erden? Fragen zu Dibelius' Friedensbuch, in: Eckart 6 (1930), 97-103.

Der Friedhof unserer Väter. Ein Gang durch die Sterbe- und Ewigkeitslieder der evangelischen Kirche, 3.Aufl., Gütersloh 1928.

Friedrich Brunstäds geistiges Erbe, in: ThLZ 83 (1958), 737-740.

Das Gebot der Liebe und der Alltag, in: Universitas 15 (1960), 387-396.

Das Gebot der Liebe und der menschliche Alltag, in: Mensch und Menschlichkeit. Eine Vortragsreihe mit Beiträgen von P.Althaus, K.Barth u.a., Stuttgart 1956, 99-112.

Gebot und Gesetz. Zum Thema "Gesetz und Evangelium" (BFChTh 46/2), Gütersloh 1952.

Gegen den nationalsozialistischen Bazillus, in: ELKZ 65 (1932), 62-65.

Der Gegenwärtige. Predigten, Gütersloh 1932.

Der gegenwärtige Stand der Frage nach dem historischen Jesus (Sitzungsberichte der Bayerischen Akademie der Wissenschaften, Phil.-Hist.Klasse H. 6), München 1960.

Die Geheimreligion der Gebildeten. Mehr Mut zum öffentlichen Zeugnis. Die besondere Verantwortung des Akademikers, in: Sonntagsblatt 12 (1963), Nr. 36,35.

Gehorsam und Freiheit in Luthers Stellung zur Bibel, in: TA 1, 140-152 (1927).

Der Geist der lutherischen Ethik, in: TA 2, 121-134 (1931).

Die Gerechtigkeit des Menschen vor Gott. Zur heutigen Kritik an Luthers Rechtfertigungslehre, in: Das Menschenbild im Lichte des Evangeliums. Festschrift zum 60. Geburtstag von E.Brunner, Zürich 1950, 31-47.

Gerhard Ebelings "Luther", in: ThLZ 90 (1965), 801 -808.

Gesetz und Evangelium. Predigten über die Zehn Gebote, Gütersloh 1947.

Die Gestalt dieser Welt und die Sünde. Ein Beitrag zur Theologie der Geschichte, in: TA 1, 45-64 (1932).

Gesundheit, Krankheit und Lebenssinn, in: Universitas 14 (1959), 897-907.

Glaube und Mystik, in: ZW 3 (1927), 90-93.

Glaube und Philosophie, in: Deutsches Volkstum. Monatsschrift für das deutsche Geistesleben 13 (1931), 915-922.

Gotteserkenntnis ohne Christus?, in: Sonntagsblatt 16 (1963), Nr.5, 14.

Das Gottesgnadentum des Christenmenschen, in: Luther 32 (1961), 49-54.

Gottes Gottheit als Sinn der Rechtfertigungslehre Luthers, in: TA 2, 1-30 (1931).

Gottes Gottheit bei Luther, in: LuJ 17 (1935), 1-16.

Gott ist gegenwärtig. Letzte Predigten,hrsg.v. G.Althaus, Gütersloh 1968 (neu).

Gott und Volk, in: AELKZ 65 (1932), 722-726.746-751.

Grundriß der Dogmatik (= GD)
1.Aufl.: I - Erlangen 1929; II - Erlangen 1932
2.Aufl.: I - Erlangen 1936; II - Erlangen 1936
3.Aufl.: I - Gütersloh1947; II - Gütersloh1949
5.Aufl.: Gütersloh 1959 (enthält im wesentlichen GD I und GD II).

Grundriß der Ethik. Neue Bearbeitung der "Leitsätze", Erlangen 1931; 2.neubearbeitete Auflage, Gütersloh 1953 (= GE).

Grundzüge der gegenwärtigen theologischen Lage, in: Korrespondenzblatt für die evang.-luth.Geistlichen in Bayern 53 (1928), 191f.

Das Heil Gottes. Letzte Rostocker Predigten, Gütersloh 1926.

Der Heilige. Rostocker Predigten, Gütersloh 1921.

Heilsgeschichte und Eschatologie, in: ZSTh 2 (1924), 605-676.

Der Herr ist es, der mich richtet. Zur Besinnung über I.Kor. 4,4, in:

Luthertum 48 (1937), 289-302.

Die Herrlichkeit Gottes. Predigten zu den Festen und Festzeiten des Kirchenjahres, Gütersloh 1954.

Der himmlische Vater, in: EL 46-50 (1924).

Der "historische Jesus" und der biblische Christus. Zum Gedächtnis Martin Kählers, in: TA 2, 162-168 (1935).

Höhen außerchristlicher Religionen, in: Die Weltreligionen und das Christentum. Vom gegenwärtigen Stand ihrer Auseinandersetzung (mit H.W. Schomerus, K.Steck, W.Freytag), München 1928, 1-20.

Die Illustration der Bibel als theologisches Problem, in: UWE 117-130 (1959).

Die Inflation des Begriffs der Offenbarung in der gegenwärtigen Theologie, in: ZSTh 18 (1941), 134-149.

Jesus Christus in der Menschheitsgeschichte, in: Evangelisches Gemeindeblatt München 57 (1954), Nr. 17, 140-141.

Jesus Christus in der Menschheitsgeschichte, in: Universitas 10 (1955), 1257-1260.

Jesus und Paulus, in: ZW 13 (1936/37), 65-75.

Karl Heim.Zu seinem 70. Geburtstag, in: FF 20 (1944), 23f.

Die Kirche, in: EL 77-91 (1924).

Kirche und Staat nach lutherischer Lehre (Theologia militans 4), Leipzig 1935.

Kirche und Volkstum, in: EL 113-145 (1927).

Kirche, Volk und Staat, in: Kirche, Volk und Staat. Stimmen aus der deutschen evangelischen Kirche zur Oxforder Weltkirchenkonferenz, Berlin 1937, 17-35.

Kommt, laßt uns anbeten. 8 Kriegspredigten im Russisch-Polen, Berlin 1915.

Die Kraft Christi. Predigten, Gütersloh 1958.

Das Kreuz Christi, in: TA 1, 1-50 (1923).

Das Kreuz Christi, in: Mysterium Christi. Christologische Studien britischer und deutscher Theologen, Berlin 1931, 237-271.

Das Kreuz Christi als Maßstab aller Religion, in: EL 63-76 (1921).

Das Kreuz und der Böse, in: UWE 181-206.

Die Krisis der Ethik und das Evangelium,Berlin 1926.

Das lebendige Bekenntnis, in: ZW 6 (1930), 204-214.

Der Lebendige. Predigten, Gütersloh 1924.

Die letzten Dinge (= LD)
1. Aufl: (Untertitel: Entwurf einer christlichen Eschatologie) (Studien des Apologetischen Seminars in Wernigerode 9), Gütersloh 1922;
3. Aufl: (neubearbeitet), Gütersloh 1926, (Übersetzung ins Schwedische: De Yttersta Tinge. Utkast Till En Kristen Eskatologi, Stockholm 1928);
4. Aufl: (neubearbeitet), Gütersloh 1933;
5. Aufl: (durchgesehen) (Untertitel: Lehrbuch der Eschatologie), Gütersloh 1949;
10. Aufl: Gütersloh 1970.

Die Liebe ist des Gesetzes Erfüllung, in: ZW 17 (1940/41), 132-138.

Liebe und Heilsgewißheit bei Martin Luther. I.Joh. 4, 17a in der Auslegung Luthers, in: Festschrift für Jos.Lortz, Baden-Baden 1957, 69-84.

Lodzer Kriegsbüchlein. Deutsch-evangelische Betrachtungen, Göttingen 1916.

Luther in der Gegenwart, in: Luther 22 (1940), 1-6.

Die lutherische Rechtfertigungslehre und ihre heutigen Kritiker, Berlin 1951.

Luthers Gedanken über die letzten Dinge, in: LuJ 23 (1941), 9-34.

Luthers Haltung im Bauernkriege, in: EL 144-190 (1925).

Luthers Lehre von den beiden Reichen im Feuer der Kritik, in: UWE 263-292 (1957).

Luthers neues Wort von Christus, in: Luther 26 (1955), 457-461.

Luthers Wort vom Ende und Ziel der Geschichte, in: Luther 29 (1958), 98-105.

Luthers Wort vom Glauben, in: Luther 31 (1960), 97-106.

Luthers Wort von der Sünde - eine Übertreibung?, in: ZW 24 (1953), 228-234.

Luther und das Deutschtum (Reformationsschriften der Allg.Evang.-Luth. Konferenz 11), Leipzig 1917.

Luther und das öffentliche Leben, in: UWE 248-262 (1946).

Luther und das Probetestament von 1938 (Gutachten), in: Luther und das "Probetestament" von 1938 (mit Th.Knolle) (BFChTh 41/3), Gütersloh 1940, 5-102.

Luther und die politische Welt (Schriftenreihe der Luthergesellschaft 9), Weimar 1937.

Luther und die Theologie des Politischen, in: Luther 15 (1933), 49-52.

Martin Luthers Wort vom Ende und Ziel des Menschen, in: Luther 28 (1957), 97-108.

Marxismus und Christentum. Gedanken über die Auseinandersetzung unseres Zeitalters, in: Evangelisches Gemeindeblatt München 59 (1956), Nr.34, 288f.

Der Mensch und sein Tod. Zu Helmut Thielickes "Tod und Leben", in: Universitas 3 (1948), 385-394 (neu).

Der Mensch vor Gott nach Luther, in: ZW 14 (1937/38), 721-730.

Mission und Religionsgeschichte, in: TA 1, 153-205 (1927).

Natürliche Theologie und Christusglaube, in: UWE 34-41 (1939).

Neues Testament und Mythologie. Zu R.Bultmanns Versuch der Entmythologisierung des N.T., in: ThLZ 67 (1942), 337-344.

Das neue Verhältnis katholischer und evangelischer Theologie, in: Evangelische Welt. Informationsblatt für die evang.Kirche in Deutschl. (Bethel) 5 (1951), 497-500.

"Niedergefahren zur Hölle". Fr.Brunstäd zum 60 Geburtstag, in: ZSTh 19 (1942), 365-384.

Obrigkeit und Führertum. Wandlungen des evangelischen Staatsethos, Gütersloh 1936.

Die ökumenische Bedeutung des lutherischen Bekenntnisses, in: UWE 76-91 (1954).

Ὁ ἐσταυρωμένος. Britisch-Deutsche Theologenkonferenz auf der Wartburg vom 11. bis 18.August 1928: Christologie, in: ThBl 7 (1928), 258-261.

Offenbarung als Geschichte und Glaube. Bemerkungen zu Wolfhart Pannenbergs Begriff der Offenbarung, in: ThLZ 87 (1962), 321-330.

Der offene Himmel. Predigt über Joh. 17,24 am Himmelfahrtstage, in: PBl 85 (1942/43), 287-290.

Paulus und Luther über den Menschen. Ein Vergleich. (1.Aufl. 1938), 4. unveränderte Aufl., Gütersloh 1963 (= PL).

Pazifismus und Christentum, in: NKZ 30 (1919), 429-478.

Politisches Christentum. Ein Wort über die Thüringer "Deutschen Christen" (Theologia militans 5), Leipzig 1935.

Die Prinzipien der deutschen reformierten Dogmatik im Zeitalter der aristotelischen Scholastik. Eine Untersuchung zur altprotestantischen Theologie, Leipzig, 1914.

Problem und Fortschritt in der Theologie, in: DtPfrBl 46 (1942), 73f.

Protestantismus und deutsche Nationalerziehung, in: EL 92-112 (1926).

Recht und Vergebung, in: UWE 293-303 (1948).

Die Reformation als Bekenntnis zu Jesus Christus (Predigt am Reformations-
fest 1956), in: Luther 27 (1956), 97-105.

Das Reich Gottes und die Kirche, in: ThBl 6 (1927), 139-141.

Das Reich, in: Glaube und Volk 1 (1932), 162-165.

Religiöser Sozialismus. Grundfragen der christlichen Sozialethik (Studien des Apologetischen Seminars in Wernigerode 5), Gütersloh 1921.

Religion und Christentum im Urteil des Marxismus, in: UWE 23-33 (1956).

Retraktationen zur Eschatologie, in: ThLZ 75 (1950), 253-260.

Der Schöpfungsgedanke bei Luther (Sitzungsbericht der Bayerischen Akademie
der Wissenschaften, Phil.Hist.Klasse H.7), München 1959.

Schuld und Verantwortung im Deutschglauben, in: TA 2, 135-150 (1935).

Schwedisch-Deutscher Theologen-Konvent, in: ThBl 7 (1928), 284.

Der Sinn der Liturgie, in: UWE 106-116 (1936).

Das sogenannte Kerygma und der historische Jesus. Zur Kritik der heutigen
Kerygmatheologie (BFChTh 48), 3.Aufl., Gütersloh 1963 (= DSK).

Sola fide numquam sola - Glaube und Werke in ihrer Bedeutung für das Heil
bei Luther, in: Una Sancta 16 (1961), 227-235.

Staatsgedanke und Reich Gottes, 3.erweiterte Auflage (Schriften zur politischen Bildung 9,1), Langensalza 1926.

Staat und Reich Gottes, in: KantSt 1930, 114-118.

Sühne oder Abschreckung? Die Todesstrafe im Lichte christlichen Denkens,
in: Evangelisches Gemeindeblatt München 59 (1956), Nr. 36, 305; Nr. 37,
312.

Die Theologie, in: C.Schweitzer, Das religiöse Deutschland der Gegenwart.
Band 2: Der christliche Kreis, Berlin 1929, 121-150.

Theologie und Ordnungen, 2.erweiterte Aufl., Gütersloh 1935.

Theologie des Glaubens, in: TA 1, 74-118 (1924) (= TdG).

Die Theologie Martin Luthers, Gütersloh 1921 (= DTL).

Theologie und Geschichte. Zur Auseinandersetzung mit der dialektischen
Theologie, in: Zeitschrift für systematische Theologie 1 (1923), 741-
786 (= TG).

Theologische Aufsätze. Band 1, Gütersloh 1929 (= TA 1).

Theologische Aufsätze. Band 2, Gütersloh 1935 (= TA 2).

"Theologische Bekenntnisse". Kritische Bemerkungen zu Spemanns gleichna-
migem Buch, in: ThBl 9 (1930), 1-7.

Die theologische Lage vor 50 Jahren (Gastvorlesung in Göttingen), in:
DtPfrBl 65 (1965), 742-746.

Der theologische Ort der Diakonie, in: UWE 92-105 (1954).

Theologische Verantwortung, in: Luthertum 45 (1934), 12-26.

Thesen zum gegenwärtigen lutherischen Staatsverständnis, in: Kirche und
Welt. Band III: Die Kirche und das Staatsproblem der Gegenwart. For-
schungsabteilung des Oekum.Rates für Praktisches Christentum, Genf 1934,
6-9.

Die Todesstrafe als Problem der christlichen Ethik (Sitzungsbericht der
Bayerischen Akademie der Wissenschaften, Phil.-Philolog.-Histor.Abtei-
lung H.2), München 1955.

Die Todesstrafe im Lichte christlichen Denkens, in: DtPfrBl 55 (1955),
457-461.

Toleranz und Intoleranz des Glaubens, in: TA 2, 104-120 (1933).

Totaler Staat?, in: Luthertum 45 (1934), 129-135.

Der Trost Gottes. Predigten in schwerer Zeit, Gütersloh 1946.

Um das Heil unserer Seele. Predigt über Mark.8,36, in: PBl 85 (1942/43),

249-253.
Um die Reinheit der Mission, in: EMZ NR 10 (1953), 97-104.
Um die Wahrheit des Evangeliums. Aufsätze und Vorträge, Stuttgart 1962
(= UWE).
Um Glauben und Vaterland. Neues Lodzer Kriegsbüchlein, Göttingen 1917.
"....und hätte allen Glauben...." 1.Kor. 13,2 in der Auslegung Martin
Luthers, in: Gedenkschrift für D.Werner Elert, Berlin 1955, 128-139.
Und wenn es köstlich gewesen ist (Psalm 90,10), in: TA 2, 151-161 (1934).
"Unser Herr Jesus". Eine neutestamentliche Untersuchung. Zur Auseinander-
setzung mit W.Bousset, in: NKZ 26 (1915), 439-457.513-545.
Die Unsterblichkeit der Seele bei Luther, in: ZSTh 3 (1925), 725-734.
Unsterblichkeit und Auferstehung? (Aus einem Briefe), in: Wort und Tat
11 (1935), 317-318.
Unsterblichkeit und ewiges Leben (Religionskundliche Quellenhefte 48),
Leipzig-Berlin 1928.
Unsterblichkeit und ewiges Leben bei Luther. Zur Auseinandersetzung mit
Carl Stange (Studien des apologetischen Seminars 30), Gütersloh 1930.
Ur-Offenbarung, in: Luthertum 46 (1935), 4-32.
Verantwortung und Schuld der Kirche, in: Die Wartbug 36 (1937), 301-312.
Das Verhältnis des Menschen zur Welt - zu H.Thielickes "Theologischer
Ethik" (II, I), in: Universitas 11 (1956), 883-885.
Völker vor und nach Christus. Theologische Lehre vom Volke, in: Das Evang.
Deutschland. Kirchl.Rundschau, Berlin 1937, 279f.
Volk ohne Christus?, in: ZW 14 (1937/38), 449-457.
Vom Realismus Gottes. Zu Paul Schütz "Das Evangelium", in: ThBl 19 (1940),
127-131.
Vom Sinn der Theologie, in: EL 15-30 (1927).
Vom Sinn und Ziel der Weltgeschichte, in: UWE 304-312 (1954).
Vom Sinn und Ziel des Lebens, in: Der alte Mensch in unserer Zeit. Eine
Vortragsreihe (Das Heidelberger Studio. Kröners Taschenausgabe 286),
Stuttgart 1958, 143-157.
Vom Sterben und vom Leben (2. neubearbeitete Auflage von: Der Christen-
glaube und das Sterben), Gütersloh 1950.
Von der Kirche (Der Herr der Kirche. Predigten, Bd.1), Gütersloh 1934.
Von der Leibhaftigkeit der Seele, in: Universitas 7 (1952), 915-921.
Von der Leibhaftigkeit der Seele, in: UWE 158-167 (1958).
Von der Präsenz Gottes im Menschsein des Menschen, in: Mensch und Men-
schensohn. Festschrift für Bischof Prof.Dr.Karl Witte, Hamburg 1963,
11-19.
Von der wahren Menschheit des Erhöhten. Nötiger Widerspruch gegen Hans
Frauenknechts Christologie, in: Korrespondenzblatt für die evang.-luth.
Geistlichen in Bayern 61 (1936), 185f.
Die Wahrheit der kirchlichen Osterglaubens. Einspruch gegen Emanuel
Hirsch (BFChTh 42/2), Gütersloh 1940.
Der Wahrheitsgehalt der nichtchristlichen Religionen und das Evangelium,
in: Jahrbuch 1932 der vereinigten deutschen Missionskonferenz, 3-16.
Der Wahrheitsgehalt der Religionen und das Evangelium, in: TA 2, 65-82
(1934).
Was heißt evangelisches Christentum?, in: Reformation gestern und heute,
hrsg. v. Th.Breit, München 1930, 134-149.
Der Weg zum Vater, in: PBl 89 (1949), 125-129.
Werner Elerts theologisches Werk. Rede bei der Gedächtnisfeier der Er-
langer Theolog. Fakultät am 19.2.1955, in: ELKZ 9 (1955), 101-106.
Das Wesen des evangelischen Gottesdienstes, in: ZSTh 4 (1926), 266-308.

510

Wesen und Sinn der Liturgie, in: AELKZ 65 (1932), 1025f.
Die Wirklichkeit Gottes, in: ZW 9 (1933), 81-92.
Wo bleiben unsere Toten, in: Evangelisches Gemeindeblatt München 55
  (1952), Nr. 48, 380.
Wo steht die evangelische Theologie heute?, in: Universitas 5 (1950),
  1291-1296.
Zum Gedächtnis der abgerufenen Herausgeber der "Beiträge", in: Adolf
  Schlatter und Wilhelm Lütgert zum Gedächtnis (BFChTh 40/1), Gütersloh
  1938, 9-15.
Zum Problem Paulus und Luther. Antwort an Fr.Büchsel, in: ThBl 18 (1939),
  12-18.
Zum Verständnis der Rechtfertigung, in: TA 2, 31-44 (1929).
Zur Auslegung von Römer 7, 14 ff. Antwort an Anders Nygren, in: ThLZ 77
  (1952), 475-480.
Zur Frage der "endgeschichtlichen Eschatologie". Nachwort zur schwedischen
  Übersetzung der "Letzten Dinge" (1928), in: ZSTh 7 (1929), 363-368.
Zur Kritik der heutigen Kerygmatheologie (= Überarbeitete Fassung der
  Schrift: Das sogenannte Kerygma und der historische Jesus), in: Der
  historische Jesus und der kerygmatische Christus. Beiträge zum Christus-
  verständnis in Forschung und Verkündigung, hrsg. v. H.Ristow und K.
  Matthiae, Berlin 1960, 236-265.
Zur Lehre von der Sünde, in: TA 1, 51-73 (1923).

2. Rezensionen

Barth K., Die Auferstehung der Toten, 1924; in Theol.Lit. Bericht 49
  (1926), 6f.
--Die christliche Lehre nach dem Heidelberger Katechismus, 1949; in: ThLZ
  74 (1949), 610-612.
--Dogmatik im Grundriß, 1947; in: ThLZ (1949), 610-612.
--Das Wort Gottes und die Theologie. Gesammelte Vorträge, 1924; in: Theol.
  Lit.Bericht 48 (1925), 3-5.
Bode J., Wodan und Jesus, 1920; in: Theol.Lit.Bericht 45 (1922), 20f.
Bultmann R., Der Begriff der Offenbarung im N.T., 1929; in: ThLZ 54 (1929),
  412-417.
Fischer P., Das Kreuz Christi und die Fülle des Heils, 1916; in: ThLBl 37
  (1926), 273-276.
Frick H., Das Reich Gottes, 1926: in: ThLZ 52 (1927), 162f.
Gogarten F., Die Schuld der Kirche gegen die Welt, 1928; in: ThLZ 54
  (1929), 426-428 .
Heim K., Jesus der Weltvollender, 2.Aufl., Berlin 1939; in: ThLZ 66 (1941),
  54-57.
Heinzelmann G., Glaube und Mystik, in: ZW 3 (1927), 90-92.
Herrmann W., Dogmatik; in: ThLZ 50 (1925), 401-405.
--Gesammelte Aufsätze, 1923; in: Theol.Lit.Bericht 47 (1924), 114f.
Hirsch E., Luthers Gottesanschauung, 1918; in: ThLBl 40 (1919), 252.
Joest W., Gesetz und Freiheit, 1951; in: ThLZ 80 (1955), 44-48.
Koch G., Die christliche Wahrheit der Barmer Theolog.Erklärung, 1950; in:
  ThLZ 77 (1952), 433f.
Kreck W., Die Zukunft des Gekommenen. Grundprobleme der Eschatologie, Mün-
  chen 1961; in: ThLZ 89 (1964), 142-144.
Leisegang H., Die Religionen im Weltanschauungskampf der Gegenwart, 1922;
  in: Theol.Lit.Bericht 48 (1925), 174.
Schlatter A., Jesu Gottheit und das Kreuz, 1913; in: ThLBl 35 (1914), 445-
  447.
Seeberg R., Christliche Dogmatik. I.Bd., 1924; in: ThLZ 50 (1925). 433-439.

Stange C., Albrecht Ritschl. Die geschichtliche Stellung seiner Theologie, 1922; in: Theol.Lit.Bericht 47 (1924), 127f.

--Zum Verständnis des Christentums, 1920; in: ThLBL 43 (1922), 57-59.

Stephan H., Glaubenslehre, 1927/28; in: ThLZ 54 (1929), 49-55.

Tillich P., Kirche und Kultur, 1924; in: Theol.Lit.Bericht 48 (1925), 45f.

Troeltsch E., Glaubenslehre, 1925; in: ThLZ 52 (1927), 593-595.

Weber O., Grundlagen der Dogmatik. Bd.I, 1955; in: ThLZ 83 (1958), 632-636.

Wilde, Deutsches Evangelium, 1925; in: ThLZ 52 (1927), 163-165.

Wünsch G., Der Zusammenbruch des Luthertums als Sozialgestaltung, 1921; in: Theol.Lit.Bericht 45 (1922), 117f.

3. Lexika - Artikel

In: Die Religion in Geschichte und Gegenwart, 2.Aufl., Tübingen 1927-1932 (= RGG^2):

Eschatologie - IV. Christliche, dogmengeschichtlich
          V. Religionsphilosophisch und dogmatisch, II, 345-362.

Ewiges Leben - III. Dogmatisch, II, 459-463.

Hoffnung - III. Dogmatisch-ethisch, II, 1981-1982.

Kampf, III, 595-597.

Krieg - II. Krieg und Christentum, III, 1306-1312.

Macht - II. Ethisch, III, 1815-1816.

Politik und Moral, IV, 1320-1327.

Reich Gottes - II. Dogmatisch, IV, 1822-1825.

Seelenwanderung - II. Dogmatisch, I, 379-380.

Seligkeit, V, 415-417.

Vaterlandsliebe, V, 1441-1442.

Vergeltung - V. Dogmatisch, V, 1540-1542.

Wehrpflicht, V, 1781-1782.

Wiederbringung Aller, V, 1908-1910.

In: Die Religion in Geschichte und Gegenwart, 3.Aufl., Tübingen 1957-1962 . (= RGG3):

Auferstehung - VI. Dogmatisch, I, 696-698.

Christologie - III. Dogmatisch, I, 1777-1789.

Christusmystik, I. 1798.

Erfahrungstheologie, II, 552-553.

Eschatologie - VI. Religionsphilosophisch und dogmatisch, II, 680-689.

Ewiges Leben - IV. Dogmatisch, II, 805-809.

Gericht Gottes - IV. Dogmatisch, II, 1421-1423.

Kenosis 2, III, 1244-1246.

Leiden - IV. Dogmatisch, IV, 300-301.

Präexistenz Christi, V, 492-493.

Seelenwanderung - II. Dogmatisch, V, 1639-1640.

Seligkeit, V, 1686-1688.

Verdienst Christi, VI, 1270-1271.

Tod - IV. Dogmatisch, VI, 914-919.

Vergeltung - VI. Dogmatisch, VI, 1352-1354.

Wiederbringung Aller - II. Dogmatisch, VI, 1694-1696.

In: Evangelisches Kirchenlexikon. Kirchlich-theologisches Handwörterbuch (= EKL):

Zwei-Reiche-Lehre, III, Göttingen 1959, 1928-1936.

4. Briefwechsel P.Althaus - K.Barth

A. Von Althaus an Barth
7. 5.1922 Brief aus Rostock
19.12.1924 Karte aus Rostock
13. 1.1925 Brief aus Rostock
13. 6.1925 Brief aus Rostock
29. 5.1928 Brief aus Erlangen
4. 5.1930 Brief aus Erlangen
Ostersamstag
1930 Brief aus Partenkirchen
30. 7.1933 Brief aus Erlangen
25.10.1953 Brief aus Erlangen
15. 4.1956 Karte aus Gößweinstein
15.12.1956 Brief aus Erlangen

B. Von Barth an Althaus
19. 4.1922 Brief aus Göttingen
20. 5.1924 Karte aus Göttingen
29.12.1924 Karte aus Göttingen
19. 9.1927 Brief aus Münster
1. 2.1928 Brief aus Münster
8. 1.1930 Brief aus Münster
19. 4.1930 Brief aus Bonn
3. 8.1933 Brief aus Bergli
17. 4.1956 Brief aus Basel

Die Originale befinden sich im Privatarchiv von Gerhard Althaus, München,
und im Karl-Barth-Archiv, Basel.

II. SONSTIGE BENUTZTE LITERATUR

Bücher und Artikel, die sich zur Gänze oder ziemlich ausführlich mit Althaus befassen, sind mit einem x gekennzeichnet. Lexika-Artikel werden
nicht angeführt.

AHLBRECHT A., Die bestimmenden Grundmotive der Diskussion über die Unsterblichkeit der Seele in der evangelischen Theologie, in: Cath 17
(1963), 1-24.
x --Tod und Unsterblichkeit in der evangelischen Theologie der Gegenwart
(Konfessionskundliche und kontroverstheologische Studien 10), Paderborn 1964.
--Unsterblichkeit der Seele. Voraussetzungen und methodische Vorentschei-
dungen für ihre Leugnung in der evangelischen Theologie, in: Theologie
der Gegenwart 7 (1964), 27-32.
ALFARO J., Certitude de l'espérance et certitude de la grâce. Contribu-
tion au dialogue oecumenique, in: NRTh 94 (1972), 3-43.
--Cristo glorioso, revelador del Padre, in: Gr 49 (1968), 222-270.
--Encarnación y Revelación, in: GR 49 (1968), 431-459.
--Fides, Spes, Caritas. Adnotationes in Tractatum De Virtutibus Theolo-
gicis (Editio nova. Ad usum privatum auditorum), Romae 1968.
--Das Geheimnis Christi im Geheimnis der Kirche nach dem Zweiten Vatika-
nischen Konzil, in: Volk Gottes (hrsg.v. R.Bäumler u. H.Dolch), Frei-
burg 1967, 518-535.
--La gracia de Cristo y del cristiano en el Nuevo Testamento, in: Gr 52
(1971), 27-63.
--Die innerweltlichen Hoffnungen und die christliche Hoffnung, in: Con-
cilium 6 (1970), 626-631.
--Justificatión Barthiana y Justificatión Católica, in: Gr 39 (1958),
757-769.
--Die Menschwerdung und die eschatologische Vollendung des Menschen, in:
Cath 16 (1962), 20-37.
--Person und Gnade, in: MThZ 11 (1960), 1-19.
--'La resurreción de los muertos' en la discusión teológica sobre el
porvenir de la historia, in: Gr 52 (1971), 537-554.
--Tecnopolis e cristianesimo, in: Civ Catt 120 (1969), vol.2, 533-548.
--Speranza cristiana e liberazione dell' uomo (Biblioteca di teologia
contemporanea 10), Brescia 1972.

ALFARO J.,
--Teologia del progresso umano, Assisi 1969.
--Trascendencia e immanencia de lo sobrenatural, in: Gr 38 (1957), 5-50.
ALSZEGHY Z. u. FLICK M., Il peccato originale in prospettiva evoluzionista, in: Gr 47 (1966), 201-225,
--Il peccato originale in prospettiva personalistica, in: Gr 46 (1965), 705-732.
ANDRAE Tor, Die letzten Dinge, Leipzig 1940.
ASENDORF U., Eschatologie bei Luther, Göttingen 1967.
--Der Jüngste Tag. Weltende und Gegenwart (Stundenbuch 33), Hamburg 1964.
AULÉN G., Das christliche Gottesbild in Vergangenheit und Gegenwart. Eine Umrißzeichnung, Gütersloh 1930.
Aussichten in das Leben der 'zukünftigen Welt'(Tod, Jenseits, Auferstehung) in kath., orthodoxer und evang.Sicht, hrsg.v. R.F.Edel (Ökumenische Texte und Studien 7), Marburg 1959.
AYEL V., Der Himmel, in: Christus vor uns. Studien zur christlichen Eschatologie (Theologische Brennpunkte 8/9), Bergen-Enkheim 1966, 38-48.
x BACHMANN Ph., Der neutestamentliche Ausblick in die Endgeschichte und seine Bedeutung für die Gegenwart, in: NKZ 39 (1928), 25-46.85-109. 171-190.
BALTHASAR H.U.v., Die drei Gestalten der heutigen Hoffnung, in: ThQ 152 (1972), 101-111.
--Eschatologie, in: FThH 403-421.
--Das Ganze im Fragment. Aspekte der Geschichtstheologie, Einsiedeln 1963.
--Glaubhaft ist nur Liebe (Christ heute V/1), Einsiedeln 1963.
--Karl Barth. Darstellung und Deutung seiner Theologie, Köln 1951.
--Klarstellungen. Zur Prüfung der Geister (Herder-TB 393), 2.Aufl., Freiburg 1971.
--Theologie der Geschichte. Ein Grundriß (Christ heute I/8), 2.Aufl., Einsiedeln 1950.
--Umrisse der Eschatologie, in: ders., Verbum Caro. Skizzen zur Theologie I, 2.Aufl., Einsiedeln 1960, 276-300 (zuerst erschienen in: FThH).
--Zuerst Gottes Reich. Zwei Skizzen zur biblischen Naherwartung (Theol. Meditationen 13), Einsiedeln 1966.
BARTH Heinrich, Christliche und idealistische Deutung der Geschichte, in: ZZ 3 (1925), 154-182.
BARTH Karl, Die Auferstehung der Toten, München 1924 (= AdT).
--Einführung in die evangelische Theologie, Zürich 1962.
--Evangelium und Gesetz (ThEx 32), München 1935.
x --Grundfragen der christlichen Sozialethik. Auseinandersetzung mit Paul Althaus, in: Anfänge der dialektischen Theologie I (ThB 17), hrsg.v. J.Moltmann, München 1962, 152-165 (zuerst in: Das Neue Werk 4 (1922), 641-472).
--Die kirchliche Dogmatik I/1-IV/4, München 1932-1967 (= KD).
--Die Lehre vom Worte Gottes. Prolegomena zur christlichen Dogmatik, München 1927.
--Nein! Antwort an Emil Brunner (ThEx 14), München 1934.
--Die protestantische Theologie im 19.Jahrhundert. Ihre Vorgeschichte und ihre Geschichte, 2.Aufl., Zollikon-Zürich 1952.
--Der Römerbrief, 1.Aufl. Bern 1919 (zitiert nach unverändertem Nachdruck: Zürich 1963); 2. völlig neubearbeitete Aufl.München 1922 (zitiert nach dem 6.Abdruck der neuen Bearbeitung, München 1933) (= RB).
--Die Theologie und die Kirche. Gesammelte Vorträge II, München 1928.
--Verheißung, Zeit, Erfüllung. Biblische Betrachtungen, in: ZZ9 (1931), 457-463.

BARTH Karl,
--Von der Paradoxie des 'Positiven Paradoxes', in: Anfänge der dialekti-
schen Theologie I (ThB 17), hrsg.v. J.Moltmann, München 1962, 175-189
(zuerst in: ThBl 2 (1923), 287-299).
--Das Wort Gottes und die Theologie. Gesammelte Vorträge I, München 1924.
BAUER-KAYATZ Christa, Exegetische Information über Eschata, Fortschritt
und gesellschaftliches Engagement in der Sicht des Alttestamentlers,
in: Eschatologie und geschichtliche Zukunft (Thesen und Argumente 5),
Essen-Werden 1972, 89-118.177-188.
BEAUDUIN L., Himmel und Auferstehung, in: Das Mysterium des Todes, Frank-
furt 1955, 221-240.
BERGER P.L., Auf den Spuren der Engel. Die moderne Gesellschaft und die
Wiederentdeckung der Transzendenz, Frankfurt 1970.
BERKHOF H., Über die Methode der Eschatologie, in: Diskussion über die
'Theologie der Hoffnung', hrsg. u. eingeleitet von W.-D.Marsch, München 1967, 168-180.
BETZ O., Purgatorium - Reifwerden für Gott, in: Christus vor uns. Studien
zur christlichen Eschatologie (Theol.Brennpunkte 8/9), Bergen-Enkheim
1966, 119-130.
x BEYER A., Offenbarung und Geschichte. Zur Auseinandersetzung mit der Theologie von Paul Althaus, Schwerin 1932.
x BIETENHARD H., Das tausendjährige Reich. Eine biblisch-theologische Studie, Zürich 1955.
BIRKNER H.-J., Eschatologie und Erfahrung, in: Wahrheit und Glaube. Festschrift für E.Hirsch zu seinem 75.Geburtstag, hrsg.v. H.Gerdes, Itzehoe
1963, 31-41.
BONHOEFFER D., Widerstand und Ergebung. Briefe und Aufzeichnungen aus
der Haft, München 1951.
BORNKAMM H., Das bleibende Recht der Reformation (Stundenbuch 17), Hamburg 1963.
BOROS L., Aus der Hoffnung leben. Zukunftserwartung im christlichen Da-
sein, 4.Aufl., Olten u.Freiburg 1972.
--Erlöstes Dasein. Theologische Betrachtungen, 3.Aufl., Mainz 1965.
--Mysterium Mortis. Der Mensch in der letzten Entscheidung, Olten u.Frei-
burg 1962.
--Der neue Himmel und die neue Erde, in: Christus vor uns. Studien zur
christlichen Eschatologie (Theol.Brennpunkte 8/9), Bergen-Enkheim 1966,
19-27.
--Wir sind Zukunft, Mainz 1969.
--Zur Theologie des Todes, in: Christus vor uns. Studien zur christlichen
Eschatologie (Theol.Brennpunkte 8/9), Bergen-Enkheim 1966, 99-118.
BRINKTRINE J., Die Lehre von den Letzten Dingen, Paderborn 1963.
BRUNNER E., Erlebnis, Erkenntnis und Glaube, 2.Aufl, Tübingen 1923.
--Das Ewige als Zukunft und Gegenwart, Zürich 1953.
--Das Gebot und die Ordnungen, Zürich 1941.
--Der Mittler. Zur Besinnung über den Christusglauben, Tübingen 1927.
--Die Mystik und das Wort. Der Gegensatz zwischen moderner Religionsauf-
fassung und christlichem Glauben dargestellt an der Theologie Schleier-
machers, Tübingen 1924.
BULTMANN R., Geschichte und Eschatologie, 2.Aufl., Tübingen 1964.
--Glauben und Verstehen. Gesammelte Aufsätze (I-IV, Tübingen 1933-1965)
I-6.Aufl, 1966; II-5.Aufl., 1968; III-3.Aufl., 1965; IV-2.Aufl., 1967.
--Jesus, Tübingen 1926.

BULTMANN R.,
--Neues Testament und Mythologie. Das Problem der Entmythologisierung der neutestamentlichen Verkündigung, in: Kerygma und Mythos I, 2.Aufl., Hamburg 1951, 10-48.
--Offenbarung und Heilsgeschehen (BEvTh-Theol.Abhandl. 7), München 1941.
BURI F., Die Bedeutung der neutestamentlichen Eschatologie für die neuere protestantische Theologie. Ein Versuch zur Klärung des Problems der Eschatologie und zu einem neuen Verständnis ihres eigentlichen Anliegens, Zürich-Leipzig 1935.
CAMPENHAUSEN H.v., Tod, Unsterblichkeit und Auferstehung, in: Pro veritate. Festgabe für Erzbischof L.Jäger und Bischof W.Stählin, hrsg.v. E. Schlink u. H.Volk, Münster-Kassel 1963, 295-311.
CHANTRAINE G., Eschatologie und Heilsgeschichte. Jenseits von dialektischer und politischer Theologie, in: Communio 1 (1972), 193-209.
CONGAR Y., Das Fegfeuer, in: Das Mysterium des Todes, Frankfurt 1955, 241-288.
--Regards et réflexions sur la christologie de Luther, in: Das Konzil von Chalkedon. Geschichte und Gegenwart, hrsg.v. A.Grillmeier u. H. Bacht, Bd.III: Chalkedon heute, 2.Nachdruck mit Ergänzung, Würzburg 1962, 457-486.
CORNEHL P., Die Zukunft der Versöhnung. Eschatologie und Emanzipation in der Aufklärung, bei Hegel und in der Hegelschen Schule, Göttingen 1971.
CULLMANN O., Christus und die Zeit. Die urchristliche Zeit- und Geschichtsauffassung, 3.Aufl., Zürich 1962.
--Das eschatologische Denken der Gegenwart. Zu einem Buch von F.Holmström (1938), in: ders., Vorträge und Aufsätze 1925-1962, Tübingen-Zürich 1966, 337-347.
--Heil als Geschichte. Heilsgeschichtliche Existenz im Neuen Testament, Tübingen 1965.
--Unsterblichkeit der Seele oder Auferstehung der Toten. Antwort des Neuen Testaments, 3.Aufl., Stuttgart-Berlin 1964.
DANIÉLOU J., Christologie et Eschatologie, in: Das Konzil von Chalkedon. Geschichte und Gegenwart, hrsg.v. A.Grillmeier u. H.Bacht, Bd.III: Chalkedon heute, 2.Nachdruck mit Ergänzung, Würzburg 1962, 269-286.
x Dank an Paul Althaus. Eine Festgabe zum 70.Geburtstag, hrsg.v. W.Künneth u. W.Joest, Gütersloh 1958.
DARLAP A., Fundamentale Theologie der Heilsgeschichte, in: MySal I, 3-153.
x DIEM H., Das eschatologische Problem in der gegenwärtigen Theologie, in: ThR 11 (1939), 228-247.
Diskussion über die 'Theologie der Hoffnung', hrsg. u. eingeleitet von W.-D.Marsch, München 1967.
x DOERNE M., Zur Dogmatik von Paul Althaus, in: ThLZ 74 (1949), 449-458.
DUCHROW U., Christenheit und Weltverantwortung. Traditionsgeschichte und systematische Struktur der Zweireichelehre (Forschungen und Berichte der Evang.Studiengemeinschaft 25), Stuttgart 1970.
x EBERT P., Eschatologische Setzerscholien.Kritische Anmerkungen zu dem Althaus'schen Buch über 'Die letzten Dinge', in: NKZ 38 (1927), 737-775.789-809.
ECHTERNACH H., Auferstehung und Unsterblichkeit, in: Una Sancta 18 (1963), 227-235.
x EICHHORN C., Die letzten Dinge. Eine Auseinandersetzung mit Herrn Professor P.Althaus, Gießen-Basel 1927.
ELERT W., Der christliche Glaube. Grundlinien der lutherischen Dogmatik, 2.Aufl., Berlin 1941.

516

ERNST J., Das Wachstum des Leibes Christi zur eschatologischen Erfüllung im Pleroma, in: ThGl 57 (1967), 164-187.

FÉRET H.-M., Der Tod in der biblischen Überlieferung, in: Das Mysterium des Todes, Frankfurt 1955, 13-126.

FLANAGAN D., Eschatologie und Aufnahme Marias in den Himmel, in: Concilium 5 (1969), 60-66.

x FLEISCHHACK E., Fegfeuer. Die christlichen Vorstellungen vom Geschick der Verstorbenen geschichtlich dargestellt, Tübingen 1969.

FLICK M., vgl. oben: Alszeghy Z. u. Flick M.

FRICK H., Das Reich Gottes in amerikanischer und in deutscher Theologie der Gegenwart (Vorträge der theol.Konferenz zu Essen 43), Gießen 1926.

--Das Reich Gottes in der Theologie von Luther bis heute, in: ThBl 6 (1927), 133-137.

--Die verborgene Herrlichkeit Christi und ihre künftige Enthüllung, in: Mysterium Christi. Christologische Studien britischer und deutscher Theologen, Berlin 1931, 297-331.

FRIES H., Die Zeit als Element der christlichen Offenbarung, in: Interpretation der Welt. Festschrift für R.Guardini, hrsg.v. H.Kuhn, H.Kahlefeld und K.Foster, Würzburg 1965, 701-712.

x GABAS PALLAS R., La escatología de Paul Althaus, in: Scriptorium Victoriense 11 (1964), 7-47.

x --Escatologia protestante en la actualidad (Victoriensia 20), Victoria 1965.

GADAMER H.-G., Wahrheit und Methode. Grundzüge einer philosophischen Hermeneutik, 2.Aufl., Tübingen 1965.

x GEBHARDT R., Naturrecht und Schöpfungsordung als Möglichkeit zur Erfassung der Wirklichkeit in der gegenwärtigen theologischen Ethik, Düsseldorf 1955.

GEFFRÉ C., Sinn und Unsinn einer nichtmetaphysischen Theologie, in: Concilium 8 (1972), 443-450.

GEORGE Au., Das Gericht Gottes. Interpretationsversuch zu einem eschatologischen Thema, in: Concilium 5 (1969), 3-9.

GIESECKE H., Die Aufgabe der Philosophie nach der dialektischen Theologie (BFChTh 33/5), Gütersloh 1930.

GLEASON R.W., The world to come, New York 1958.

GLŒGE G., Der theologische Personalismus als dogmatisches Problem, in: KuD 1 (1955), 23-41.

x Glückwunschschreiben (zum 50.Jubiläum der Promotion) der Bayer.Akademie der Wissenschaften, in: Jahrbuch der Bayer.Akademie der Wissenschaften 1964, München 1964, 132-136.

GOLLWITZER H., Aussichten des Christentums, München 1965.

--Krummes Holz - aufrechter Gang. Zur Frage nach dem Sinn des Lebens, 4.Aufl., München 1971.

GONZALEZ-RUIZ J.-M., Entmythologisierung der 'anima separata'?, in: Concilium 5 (1969), 36-42.

GRABNER-HAIDER A., In Gottes Zukunft (Theol.Meditationen 22), Einsiedeln 1968.

--Paraklese und Eschatologie bei Paulus. Mensch und Welt im Anspruch der Zukunft Gottes (NTA NF 4), Münster 1968.

x GRASS H., Das eschatologische Problem der Gegenwart, in: Dank an Paul Althaus (vgl. oben), 47-78.

--Ostergeschehen und Osterberichte, 3.Aufl., Göttingen 1964.

x --Paul Althaus als Theologe, in: Nachrichten der Evang.-Luth.Kirche in Bayern 21 (1966), 253-256 (=Gedenk-Vorlesung, am 26.Mai in Marburg geh.).

GRASS H.,
x --Ein Seelsorger und Lehrer. Zum Tode von Paul Althaus, in: Frankfurter
Allgemeine Zeitung vom 24.Mai 1966.
x --Die Theologie von Paul Althaus, in: NZSTh 8 (1966), 213-237.
GRESHAKE G., Auferstehung der Toten. Ein Beitrag zur gegenwärtigen Diskussion über die Zukunft der Geschichte (Koinonia - Beiträge zur ökumenischen Spiritualität und Theologie 10), Essen 1969.
x GRIN E., Paul Althaus (1888-1966), in: RThPh 17 (1967), 189-194.
x GRÜTZMACHER R.H., Rezension von 'Die letzten Dinge', 1.Aufl., in: Die
Theologie der Gegenwart 17 (1923), 47-50.
GUARDINI R., Die letzten Dinge. Die christliche Lehre vom Tode, der Läuterung nach dem Tode, Auferstehung, Gericht und Ewigkeit, 2.Aufl.,
Würzburg 1949.
HAITJEMA Th.L., Karl Barths 'Kritische'Theologie, Wageningen 1926.
x HARTENSTEIN K., Eschatologie der Ewigkeit, in: Evang.Kirchenblatt für
Württemberg 86 (1925), 13-16.
HASENHÜTTL G., Der Glaubensvollzug. Eine Begegnung mit R.Bultmann aus
katholischem Glaubensverständnis (Koinonia - Beiträge zur ökumeni-
schen Spiritualität und Theologie 1), Essen 1963.
HEDINGER U., Hoffnung zwischen Kreuz und Reich. Studien und Meditationen
über die christliche Hoffnung (Basler Studien zur hist.u.syst.Theolo-
gie 11), Zürich 1968.
--Unsere Zukunft. Aspekte der Zukunftsvorstellungen in der heutigen Theo-
logie (ThSt(B) 70), Zürich 1963.
HEIM K., Glaube und Leben. Gesammelte Aufsätze und Vorträge, 2.Aufl.,
Berlin 1928.
--Glaube und Denken. Philosophische Grundlegung einer christlichen Le-
bensanschauung, 2.Aufl., Berlin 1931.
--Jesus der Weltvollender. Der Glaube an die Versöhnung und Weltverwand-
lung, Berlin 1937.
--Leitfaden der Dogmatik. Zum Gebrauch bei akademischen Vorlesungen, 2.
Teil, (1.Aufl. 1912) 2.Aufl., Halle a.S. 1921.
--Weltschöpfung und Weltende, 2.Aufl., Hamburg 1958.
--Das Wesen des evangelischen Christentums (Wissenschaft und Bildung 209).
3.Aufl., Leipzig 1925.
x --Zeit und Ewigkeit, die Hauptfrage der heutigen Eschatologie, in: ZThK
7 (1926), 403.429.
x HEINZELMANN G., Uroffenbarung?, in: ThStKr 106, NR I/6 (1934/35), 415-431.
--Das Prinzip der Dialektik in der Theologie Karl Barths, in: NKZ 35
(1924), 531-556.
HEMMERLE K., Der Begriff des Heils. Fundamentaltheologische Erwägungen,
in: Communio 1 (1972), 210-230.
HENGSTENBERG H.-E., Der Leib und die letzten Dinge, Regensburg 1955.
--Unser Glaube an die Auferstehung des Fleisches im Lichte natürlicher
Eschatologie, in: Anima 1956, Heft 3, 358-365.
x HERNTRICH V., Herrn Prof.D.Paul Althaus dem ersten Präsidenten der Luthergesellschaft zum 70.Geburtstag, in: Luther 29 (1958), VII.
x --Paul Althaus dem Siebzigjährigen, in: LuJ 25 (1958), V-VIII.
HERTZ A., Gottesreich und die Zukunft des Menschen - Das Eschaton zwischen
Ideologie und Utopie, in: Eschatologie und geschichtliche Zukunft (Thesen und Argumente 6), Essen-Werden 1972, 136-155.199-213.
HILD J., Der Tod - ein christliches Geheimnis, in: Das Mysterium des Todes, Frankfurt 1955, 187-220.
x HILLERDAL G., Gehorsam gegen Gott und Menschen. Luthers Lehre von der Obrigkeit und die moderne evangelische Staatsethik, Göttingen 1955.

HIRSCH E., Das Gericht Gottes, in: ZSTh 1 (1923), 199-226.

--Grundlegung einer christlichen Geschichtsphilosophie, in: ZSTh 3 (1925/26), 213-247.

--Die idealistische Philosophie und das Christentum, in: ZSTh 1 (1923), 544-608.

x HOFFMANN G., Das Problem der letzten Dinge in der neueren evangelischen Theologie (STudien zur systematischen Theologie 2), Göttingen 1929.

HOFFMANN P., Die Toten in Christus. Eine religionsgeschichtliche und exegetische Untersuchung zur paulinischen Eschatologie (NTA NF 2), Münster 1966.

x HOLMSTRÖM F., Das eschatologische Denken der Gegenwart. Die weltanschaulichen Hemmungen der eschatologischen Renaissance in ideengeschichtlicher und prinzipieller Beleuchtung, in: ZSTh 12 (1935), 314-359(= ArtDeD).

x --Das eschatologische Denken der Gegenwart. Drei Etappen der theologischen Entwicklung des zwanzigsten Jahrhunderts, Gütersloh 1936 (= DeD).

HÜBNER E., Evangelische Theologie in unserer Zeit. Ein Leitfaden, Bremen 1966.

HUONDER Qu., Das Unsterblichkeitsproblem in der abendländischen Philosophie (Urban-Taschenbuch 127), Stuttgart 1970.

ISERLOH E., Das Reich Gottes auf Erden. Antrieb und Versuchung in der Geschichte der Kirche, in: Gottesreich und Menschenreich. Ihr Spannungsverhältnis in Geschichte und Gegenwart, Regensburg 1971, 51-72.

JELKE R., Die Eigenart der Erlanger Theologie, in: NKZ 41 (1930), 19-63.

JOEST W., Gesetz und Freiheit, Göttingen 1951.

--Die Kirche und die Parusie Jesu Christi, in: RahnerGW I, 536-550.

x --Paul Althaus als Lutherforscher, in: Luther 29 (1958), 1-13.

--Paulus und das Luthersche Simul Iustus et Peccator, in: KuD 1 (1955), 269-320.

x --Das Verhältnis der Unterscheidung der beiden Regimente zu der Unterscheidung von Gesetz und Evangelium, in: Dank an Paul Althaus (vgl. oben: Dank), 79-97.

JÜNGEL E., Tod (Themen der Theologie 8), Stuttgart-Berlin 1971.

KÄHLER M., Die Bedeutung, welche den 'letzten Dingen' für Theologie und Kirche zukommt, in: ders., Dogmatische Zeitfragen, 2.neubearbeitete Aufl. Bd. 2: Angewandte Dogmen, Leipzig 1908, 487-521.

--Eschatologie, in: RE V (1898), 490-495.

--Der sogenannte historische Jesus und der geschichtliche biblische Christus, (1.Aufl. 1892) 2.Aufl. 1896, neu hrsg.v. E.Wolf, München 1953.

--Die Wissenschaft der christlichen Lehre von dem evangelischen Grundartikel aus in Abrisse dargestellt, 3.Aufl., Leipzig 1905.

KANT I., Das Ende aller Dinge, in: Werke in zwölf Bänden (Theorie-Werkausgabe Suhrkamp), Bd.XI, Frankfurt 1964, 173-190.

--Zum ewigen Frieden, in: ebd., 191-251.

x KANTZENBACH F.W., Von Ludwig Ihmels bis zu Paul Althaus. Einheit und Wandlungen lutherischer Theologie im ersten Drittel des 20.Jahrhunderts, in: NZSTh 11 (1969), 94-111.

--Der Weg der evangelischen Kirche vom 19. zum 20.Jahrhundert (Evang. Enzyklopädie 19/20), Gütersloh 1968.

KARRER O., Über unsterbliche Seele und Auferstehung in: Anima 1956, Heft 3, 332-336.

KASPER W., Einführung in den Glauben, Mainz 1972.

--Glaube und Geschichte, Mainz 1970.

x KELLER-HÜSCHEMENGER M., Das Problem der Heilsgewißheit in der Erlanger Theologie im 19.u.20.Jahrhundert. Ein Beitrag zur Frage des theol.Subjektivismus in der gegenwärtigen evang.Theologie (Beiträge zur Geschichte und Theologie des Luthertums 10), Berlin 1963.

KERSTIENS F., Die Hoffnungsstruktur des Glaubens, Mainz 1969.
--Zukunft und Hoffnung in der gegenwärtigen Theologie, in: Eschatologie und geschichtliche Zukunft (Thesen und Argumente 5), Essen-Werden 1972, 66-88.163-176.
KINDER E., Grundprobleme christlicher Eschatologie (Luthertum 16), Berlin 1955.
x --Das vernachlässigte Problem der 'natürlichen' Gotteserfahrung in der Theologie, in: KuD (1963), 316-333.
KLEIN G., 'Reich Gottes' als biblischer Zentralbegriff, in: Gottesreich und Menschenreich. Ihr Spannungsverhältnis in Geschichte und Gegenwart, Regensburg 1971, 7-50.
KLIEFOTH Th., Christliche Eschatologie, Leipzig 1886.
x KNITTER P., An Attemt at a Protestant Theology of the Non-Christian Religions, in: Verbum SVD 11 (1970), 214-225.
x --Towards a Protestant Theology of Religions. A Case Study of Paul Althaus and Contemporary Attitudes (Marburger Theol.Studien 11), Marburg 1974 (zitiert: P.KNITTER, A Case Study).
--Christomonism in Karl Barth's Evaluation of the Non-Christian Religions, in: NZSTh 13 (1971), 99-121.
x --Die Uroffenbarungslehre von Paul Althaus - Anknüpfungspunkt für den Nationalsozialismus? Eine Studie zum Verhältnis von Theologie und Ideologie, in: EvTh 33 (1973), 138-164.
KNOCH O., Die eschatologische Frage, ihre Entwicklung und ihr gegenwärtiger Stand, in: BZ NF 6 (1962), 112-120.
x KOCH G., Die christliche Wahrheit der Barmer theologischen Erklärung (ThEx NF 22), München 1950.
KOEPP W., Die gegenwärtige Geisteslage und die 'dialektische' Theologie. Eine Einführung, Tübingen 1930.
--Panagape. Eine Metaphysik des Christentums, 1.Buch, Gütersloh 1927.
KÖRNER J., Eschatologie und Geschichte. Eine Untersuchung des Begriffs des Eschatologischen in der Theologie Rudolf Bultmanns (Theologische Forschung 13), Hamburg-Bergstedt 1957.
KRAUS H.-J.,Schöpfung und Weltvollendung, in: EvTh 24 (1964), 462-485.
KRECK W., Die Zukunft des Gekommenen. Grundprobleme der Eschatologie, München 1961.
KOLPING A., Verkündigung über das ewige Leben, in: Christus vor uns.Studien zur christlichen Eschatologie (Theol.Brennpunkte 8/9), Bergen-Enkheim 1966, 28-37.
x KONRAD F., Das Offenbarungsverständnis in der evangelischen Theologie (Beiträge zur ökumenischen Theologie 6), München 1971.
KREMER J., ...denn sie werden leben. Sechs Kapitel über Tod, Auferstehung, Neues Leben, Stuttgart 1972.
x KRESSEL H., Paul Althaus als Liturg und Liturgiker, in: DtPfrBl 66 (1966), 547.
x KRÖTKE W., Das Problem 'Gesetz und Evangelium' bei W.Elert und P.Althaus (ThSt (B) 83), Zürich 1965.
KÜHN U., Das Problem der zureichenden dogmatischen Begründung der christlichen Auferstehungshoffnung, in: KuD 9 (1963), 1-17.
KÜMMEL W.G., Verheißung und Erfüllung, Untersuchungen zur eschatologischen Verkündigung Jesu, 3.Aufl., Zürich 1956.
KÜNG H., Katholische Besinnung auf Luthers Rechtfertigungslehre heute, in: Theologie im Wandel. Festschrift zum 150-jährigen Bestehen der kath.-theol.Fakultät an der Universität Tübingen 1817-1967 (Tübinger Theol. Reihe 1), München-Freiburg 1967, 449-468.

520

KÜNG H.,

--Rechtfertigung. Die Lehre Karl Barths und eine katholische Besinnung. Mit einem Geleitwort v. K.Barth (Horizonte 2), Einsiedeln 1957.

KÜNNETH W., Theologie der Auferstehung (FGLP VI/1), München 1933 (auch: Siebenstern-Taschenbuch 108/109, 5.Aufl., München-Hamburg 1968).

--Zur Frage der Geschichtsgebundenheit des Glaubens, in: ZSTh 8 (1930), 731-764.

KÜRY U., Das Leben aus der Zukunft in systematischer Sicht in: Internationale Kirchliche Zeitschrift 58 (1968), 182-206.

LANGEMEYER B., Das dialogische Denken und seine Bedeutung für die Theologie, in: Cath 17 (1963), 308-328.

--Der dialogische Personalismus in der evangelischen und katholischen Theologie der Gegenwart (Konfessionskundliche und kontroverstheologische Studien 8), Paderborn 1963.

x LAU F., 'Die Theologie Martin Luthers'. Ein Dankeswort an deren Verfasser und damit an den fünfundsiebzigjährigen Ersten Präsidenten der Luther-Gesellschaft (4.Feb.1963), in: LuJ 30 (1963), 9-16.

x -- Vorwort des Herausgebers, in: LuJ 34 (1967), 7-9.

Leben angesichts des Todes. Beiträge zum theologischen Problem des Todes (Helmut Thielicke zum 60.Geburtstag), hrsg.v. B.Lohse u. H.P.Schmidt, Tübingen 1968.

LEEUW G.v.d., Unsterblichkeit oder Auferstehung? (ThEx 52), München 1956.

LINDEBECK G.A., Der Horizont katholisch-protestantischer Meinungsverschiedenheiten, in: Künftige Aufgaben der Theologie, hrsg.v. T.P.Burke, München 1967.

LINKE K., Grundprobleme der Eschatologie, in: Kirche in der Zeit. Evangelische Kirchenzeitung 18 (1963), 299-305.

x LITSCHEL G., Kritische Historie der theologischen Lehre vom Volk in der neueren protestantischen Theologie (Diss.Erlangen), 1955.

LOEWENICH W.v., Lutherforschung in Deutschland, in: Lutherforschung heute. Referate und Berichte des 1.Internationalen Lutherforschungskongresses Aarhus, 18.-23.Aug.1956, Berlin 1958, 150.171.

x --Paul Althaus 4.2.1888-18.5.1966, in: Jahrbuch der Bayer.Akademie der Wissenschaften 1966, München 1966, 193-200.

x --Paul Althaus als Lutherforscher, in: LuJ 35 (1968), 9-47.

LÖWITH K., Weltgeschichte und Heilsgeschehen. Die theologischen Voraussetzungen der Geschichtsphilosophie (Urban-Bücher 2), 4.Aufl., Stuttgart 1961.

x LOHFF W., Paul Althaus, in: Tendenzen der Theologie im 20.Jahrhundert. Eine Geschichte in Protäts, hrsg.v. H.J.Schultz, Stuttgart-Berlin/ Olten-Freiburg 1966, 296-302.

x --Paul Althaus, in: Theologen unserer Zeit. Eine Vortragsreihe des Bayer. Rundfunks, hrsg.v. L.Reinisch, München 1960, 58-78.248f.

--Theologische Erwägungen zum Problem des Todes, in: Leben angesichts des Todes (vgl. oben: Leben), 157-170.

x --Zur Verständigung über das Problem der Ur-Offenbarung, in: Dank an Paul Althaus (vgl. Oben: Dank), 151-170.

LÜTGERT W., Reich Gottes und Weltgeschichte, Gütersloh 1928.

MALEVEZ L., La vision chrétienne de l'histoire, in: NRTh 71 (1949), 113-134.244-264.

MARSCH W.-D., Die Hoffnung des Glaubens in: Diskussion über die 'Theologie der Hoffnung' (vgl. oben: Diskussion), 122-124.

--Zukunft (Themen der Theologie 2), Stuttgart-Berlin 1969.

MAURY P., Eschatologie, Neukirchen 1960.

METZ J.B., Zur Theologie der Welt, 2.Aufl., Mainz-München 1969.
x MICHEL O., Unser Ringen um die Eschatologie, in: ZThK 13 (1932), 154-174.
MOLTMANN J., Exegese und Eschatologie in der Geschichte, in: EvTh 22 (1962), 31-66.
--Probleme der neueren evangelischen Eschatologie, in: VF 11 (1966), 100-124.
--Theologie der Hoffnung. Untersuchungen zur Begründung und zu den Konsequenzen einer christlichen Eschatologie (BEvTh 38), 8.Aufl., München 1969.
--Umkehr zur Zukunft (Siebenstern-Taschenbuch 154), München-Hamburg 1970.
--Die Wahrnehmungen der Geschichte in der christlichen Sozialethik, in: EvTh 20 (1960), 263-287.
MÜHLEN H., Das Vorverständnis von Person und die evangelisch-katholische Differenz. Zum Problem der theologischen Denkform, in: Cath 18 (1964), 108-142.
x MÜHLHAUPT E., Rezension von P.Althaus, Die Ethik Martin Luthers, in: Luther 36 (1965), 140f.
x --Rezension von P.Althaus, Die Theologie Martin Luthers, in: Luther 33 (1962), 86f.
MÜLLER-GOLDKUHLE P., Die Eschatologie in der Dogmatik des 19.Jahrhunderts, Essen 1966.
MUSSNER F., Christus und das Ende der Welt, in: Christus vor uns. Studien zur christlichen Eschatologie (Theol.Brennpunkte 8/9), Bergen-Enkheim 1966, 8-18.
--Was lehrt Jesus über das Ende der Welt? Eine Auslegung von Markus 13, Freiburg 1958.
Das Mysterium des Fegfeuers (J.Guitton, J.Daniélou u.a.) (Bibliothek Ekklesia9), Aschaffenburg 1958.
NEUENSCHWANDER U., Problémes d'eschatologie, in: RThPh 49 (1966), 145-162.
Neues Glaubensbuch. Der gemeinsame christliche Glaube, hrsg.v. J.Feiner u. L.Vischer, Freiburg/Basel/Wien-Zürich 1973.
NIGG W., Das ewige Reich. Geschichte einer Hoffnung (Siebenstern-Taschenbuch 105/106), München-Hamburg 1967.
x ÖLSNER W., Die Entwicklung der Eschatologie von Schleiermacher bis zur Gegenwart, Gütersloh 1929.
OTT H., Eschatologie. Versuch eines dogmatischen Grundrisses (ThSt (B) 53), Zürich 1958.
--Geschichte und Heilsgeschichte in der Theologie Rudolf Bultmanns (BHTh 19), Tübingen 1955.
PALA G., La risurrezione dei corpi nella teologia moderna. Excerpta ex diss. ad Lauream in Fac. Theol.Pont.Univ. Gregorianae, Neapoli 1963.
PANNENBERG W., Apostolizität und Katholizität der Kirche in der Perspektive der Eschatologie, in: ThLZ 94 (1969), 97-112.
x --Einsicht und Glaube. Antwort an Paul Althaus, in: ThLZ 88 (1963), 81-92.
--Eschatologie und Sinnerfahrung, in: KuD 19 (1973), 39-52.
--Luthers Lehre von den zwei Reichen und ihre Stellung in der Geschichte der christlichen Reichsidee, in: Gottesreich und Menschenreich. Ihr Spannungsverhältnis in Geschichte und Gegenwart, Regensburg 1971, 73-96.
--Offenbarung als Geschichte (mit Beiträgen von R.Rendtorff, U.Wilckens u. T.Rendtorff) (KuD Beiheft 1), 2.Aufl., Göttingen 1963.
--Theologie und Reich Gottes, Gütersloh 1971.
--Was ist der Mensch? Die Anthropologie der Gegenwart im Lichte der Theologie, 4.Aufl., Göttingen 1972.

x PAULI Au., Rezension von: P.Althaus, Die letzten Dinge, 4.Aufl., in: Die Christengemeinschaft 14 (1937/38), 15-19..

PETERS A., Die Frage nach Gott (Fuldaer Heft 17), Berlin 1967.

x PETERSON E., Über die Forderung einer Theologie des Glaubens. Eine Auseinandersetzung mit P.Althaus, in: ZZ 3 (1925), 281-302.

PFLANZ H.H., Geschichte und Eschatologie bei Martin Luther, Stuttgart 1939.

PIEPER J., Hoffnung und Geschichte. Fünf Salzburger Vorlesungen, München 1967.

--Tod und Unsterblichkeit, München 1968.

--Tod und Unsterblichkeit. Philosophische Bemerkungen zu einem kontroverstheologischen Thema, in: Cath 13 (1959), 81-100.

--Über das Ende der Zeit. Eine geschichtsphilosophische Meditation, München 1950.

--Über die Hoffnung, 4.Aufl., München 1949.

PÖHLMANN H.G., Die gegenwärtige kontroverstheologische Problematik der Rechtfertigungslehre zwischen der evangelisch-lutherischen und der römisch-katholischen Kirche, Gütersloh 1971.

x --Das Problem der Ur-Offenbarung bei Paul Althaus. W.Künneth zum 70.Geburtstag am 1.1.1971, in: KuD 16 (1970), 242-258.

POZO C., Teologia dell' aldilà (Testi di Teologia 3), Roma 1970.

x PRENTER R., Martin Luther, der Lehrer der Kirche (Rezension von P.Althaus: Die Theologie Martin Luthers), in: ThLZ 91 (1966), 5-12.

RAHNER K., Auferstehung des Fleisches, Schriften II, 211-225.

--Das Christentum und der 'Neue Mensch', Schriften V, 159-179.

--Christologie innerhalb einer evolutiven Weltanschauung, Schriften V, 183-221.

--Die Einheit von Geist und Materie im christlichen Glaubensverständnis, Schriften VI, 185-214.

--Die ewige Bedeutung der Menschheit Jesu für unser Gottesverhältnis, Schriften III, 47-60.

--Die Frage nach der Zukunft, Schriften IX, 519-540.

--Die gesellschaftskritische Funktion der Kirche, Schriften IX, 569-590.

--Immanente und transzendente Vollendung der Welt, Schriften VIII, 593-609.

--Kirche und Parusie Christi, Schriften VI, 348-367.

--Das Leben der Toten, Schriften IV, 429-437.

--Theologische Prinzipien der Hermeneutik eschatologischer Aussagen, Schriften IV, 401-428.

--Über die theologische Problematik der 'Neuen Erde', Schriften VIII, 580-592.

--Weltgeschichte und Heilsgeschichte, Schriften V, 115-135.

--Zur Theologie der Hoffnung, Schriften VIII, 561-578.

--Zur Theologie des Todes (QD 2), 2.Aufl., Freiburg 1959.

RATSCHOW C.H., Anmerkungen zur theologischen Auffassung des Zeitproblems, in: ZThK 51 (1954), 360-387.

--Gott existiert. Eine dogmatische Studie, Berlin 1966.

x --Paul Althaus 4.2.1888 +18.5.1966, in: NZSTh 8 (1966), 121.

RATZINGER J., Die Auferstehung Christi und die christliche Jenseitshoffnung, in: Christlich - was heißt das?, hrsg.v. G.Adler, Düsseldorf 1972, 34-37.

--Einführung in das Christentum. Vorlesungen über das Apostolische Glaubensbekenntnis, 9.Aufl., München 1968.

--Glaube und Zukunft (Kleine Schriften zur Theologie), München 1970.

RATZINGER J.,
--Heilsgeschichte und Eschatologie, Zur Frage nach dem Ansatz des theologischen Denkens, in: Theologie im Wandel. Festschrift zum 150-jährigen Bestehen der kath.theol.Fakultät der Universität Tübingen (Tübinger Theol.Reihe 1), München-Freiburg 1967, 68-89.
--Jenseits des Todes, in: Communio 1 (1972), 231-244.
--Das neue Volk Gottes. Entwürfe zur Ekklesiologie, 2.Aufl., Düsseldorf 1970.
RICH A., Die Bedeutung der Eschatologie für den christlichen Glauben (Kirchl.Zeitfragen 31), Zürich 1954.
RICHTER J., Welt-Ende? Das Problem der Eschatologie einst und heute (Glauben und Wissen 17), München 1956.
ROGUET A.-M., Höllenpredigt?, in: Christus vor uns. Studien zur christlichen Eschatologie (Theol.Brennpunkte 8/9), Bergen-Enkheim 1966, 93-98.
ROSENKRANZ G., Weltmission und Weltende, Gütersloh 1951.
ROTHE R., Theologische Ethik Bd.II, Wittenberg 1845.
RUÍZ DE LA PEÑA J.-L., El hombre y su muerte. Antropología teológica actual (Publicaciones de la Facultad teológica del Norte de España 24) Burgos 1971.
SANNWALD A., Der Begriff der Dialektik und die Anthropologie. Ein Versuch über das Ich-Verständnis in der Philosophie des deutschen Idealismus und seiner Antipoden (FGLP 3,4), München 1931.
SARTORY Th.u.G., In der Hölle brennt kein Feuer, München 1968.
SAUTER G., Theologie der Hoffnung, in: VF 11 (1966), 124-128.
--Die Zeit des Todes. Ein Kapitel Eschatologie und Anthropologie, in: EvTh 25 (1965), 623-643.
--Zukunft und Verheißung. Das Problem der Zukunft in der gegenwärtigen theologischen und philosophischen Diskussion, Zürich-Stuttgart 1965.
SCHEFFCZYK L., Die Wiederkunft Christi in ihrer Heilsbedeutung für die Menschheit und den Kosmos, in: Lebendiges Zeugnis 1964, Heft 1, 66-87.
SCHEMPP P., Theologie der Geschichte. Kritische Bemerkungen zu Hans Wilhelm Schmidts 'Zeit und Ewigkeit', in: ZZ 5 (1927), 497-513.
SCHERER G., Der Tod als Frage an die Freiheit (Thesen und Argumente 2), Essen-Werden 1971.
--Zukunft und Eschaton. Philosophische Aspekte, in: Eschatologie und geschichtliche Zukunft (Thesen und Argumente 5), Essen-Werden 1972, 11-65.156-163.
SCHIERSE F.J., Exegetische Information über Eschata, Fortschritt und gesellschaftliches Engagement in der Sicht des Neutestamentlers, in: Eschatologie und geschichtliche Zukunft (Thesen und Argumente 5), Essen-Werden 1972, 119-135.189-198.
SCHILLEBEECKX E., Einige hermeneutische Überlegungen zur Eschatologie, in: Concilium 5 (1969), 18-25.
--Gott - Die Zukunft des Menschen, Mainz 1969.
SCHLATTER A., Das christliche Dogma, (1.Aufl. 1911) 2.Aufl., Stuttgart 1923.
--Jesu Gottheit und das Kreuz, 2.Aufl., Gütersloh 1913.
SCHLEIERMACHER F.D., Der christliche Glaube nach den Grundsätzen der evangelischen Kirche im Zusammenhang dargestellt (= Glaubenslehre), 2.Aufl., Berlin 1830.
SCHMAUS M., Die christliche Auffassung von der Geschichte, in: Universitas 8 (1953), 19-28.

SCHMAUS M.,
--Unsterblichkeit der Geistseele oder Auferstehung von den Toten?, in:
Pro Veritate. Festgabe für Erzbischof L.Jäger u. Bischof W.Stählin,
hrsg. v. E.Schlink u. H.Volk, Münster-Kassel 1963, 311-337.
--Von den letzten Dingen, Münster 1948.
--Von den letzten Dingen, in: ders., Katholische Dogmatik Bd. 4/2, 5.Aufl.,
München 1959.
SCHMIDT H.W., Die Christusfrage. Beitrag zu einer christlichen Geschichts-
philosophie, Gütersloh 1929.
--Die ersten und die letzten Dinge, in: Jahrbuch der Theol.Schule Bethel,
hrsg.v. Th.Schlatter, Bethel 1930, 177-237.
x --Zeit und Ewigkeit. Die letzten Voraussetzungen der dialektischen Theo-
logie, Gütersloh 1927.
SCHNACKENBURG R., Gottes Herrschaft und Reich. Eine biblisch-theologische
Studie, 4.Aufl., Freiburg 1965.
--Kirche und Parusie, in: RahnerGW I, 551-578.
SCHOLDER K., Neuere deutsche Geschichte und protestantische Theologie.
Aspekte und Fragen, in: EvTh 23 (1963), 510-536.
SCHOMERUS Ch., Die Mission als Mittel zum Verständnis der biblischen Es-
chatologie, in: NAMZ 3 (1926), 97-110.
SCHOONENBERG P., Ich glaube an das ewige Leben, in: Concilium 5, (1969),
43-49.
SCHREINER H., Rezension von H.W.Schmidt, Zeit und Ewigkeit, in: ThLZ
55 (1927), 404-406.
SCHROER H., Die Denkform der Paradoxalität als theologisches Problem.
Eine Untersuchung zu Kierkegaard und der neueren Theologie als Beitrag
zur theologischen Logik (FSThR 5), Göttingen 1960.
SCHUBERT K., Endzeiterwartung und Weltbewältigung in biblischer Sicht,
in: Bibel und Liturgie 40 (1967), 397-407.
SCHÜRMANN H., Das hermeneutische Hauptproblem der Verkündigung Jesu. Es-
chato-logie und Theo-logie im gegenseitigen Verhältnis, in: RahnerGW
I, 579-607.
SCHÜTTE H., Protestantismus. Sein Selbstverständnis und sein Ursprung ge-
mäß der deutschsprachigen protestantischen Theologie der Gegenwart und
eine kurze katholische Besinnung, Essen-Werden 1966.
SCHÜTZ P., Was heißt 'Wiederkunft Christi'? Analyse und Thesen (mit Stellungnahmen von M.Löhrer, H.U.v.Balthasar, E.V.Nagy u. H.Ott), Freiburg
1972.
SCHUMANN F.K., Christlicher und mystischer Gottesgedanke, in: ZSTh 3
(1925), 298-333.
--Der Gottesgedanke und der Zerfall der Moderne, Tübingen 1929.
SCHWEITZER A., Von Reimarus zu Wrede. Geschichte der Leben-Jesu-Forschung,
Tübingen, 1.Aufl.1906; 2.Aufl.1913: Geschichte der Leben-Jesu-Forschung.
x SCHWINN W., Dank an Paul Althaus, in: DtPfrBl 63 (1963), 52-54.
x --Paul Althaus, in: Korrespondenzblatt der evang.-luth.Kirche in Bayern
81 (1966), Nr. 7, 1-2.
SEEBERG R., Ewiges Leben, 3.Aufl., Leipzig 1918.
SEMMELROTH O., Der Tod - wird er erlitten oder getan? Die Lehre von den
Letzten Dingen als christliche Interpretation des Todes, in: Theologische Akademie 9, Frankfurt 1972, 9-26.
x SIEGFRIED Th., Endgeschichtliche und aktuelle Eschatologie, in: ZThk 4
(1923), 353-371.
--Die Idee der Vollendung, in: ThBl 6 (1927), 85-95.
x --Rezension von P.Althaus, Die letzten Dinge, 1.Aufl., in: ThBl 3 (1924)41.

SIEWERTH G., Der Mensch und sein Leib, 2.Aufl., Einsiedeln 1963.

SITTLER J., Das Hauptproblem protestantischer Theologie heute, in:Künftige Aufgaben der Theologie, hrsg.v. T.P.Burke, München 1967, 181-192.

x SKOWRONEK A., Sakrament in der evangelischen Theologie der Gegenwart. Haupttypen der Sakramentsauffassungen in der zeitgenössischen, vorwiegend deutschen evangelischen Theologie. Mit einem Geleitwort von A. Brandenburg, München-Paderborn-Wien 1971.

SLOTEMAKER DE BRUINE N.A.C., Eschatologie en historie. In verband met enkele godsdienst - philosophieën in Duitschland sedert Kant, Wageningen 1925.

SOMMERLATH E., Unsere Zukunftshoffnung, in: AELKZ 50 (1927), 1107-1110. 1130-1134.1187f.

SPINDELER A., Mysterium mortis. Neue eschatologische Lehren, in: ThGl 56, (1966), 144-159.

STADTLAND T., Eschatologie und Geschichte in der Theologie des jungen Karl Barth (Beiträge zur Geschichte und Lehre der reform.Kirche 22), Neukirchen 1966.

STAMMLER G., Ontologie in der Theologie? Eine systematische Skizze, in: KuD 4 (1958), 143-175.

STANGE C., Die christliche Lehre vom ewigen Leben, in: ZSTh 9 (1932), 250-276.

--Die christliche Vorstellung vom jüngsten Gericht, in: ZSTh 9 (1932), 441-454.

x --Das Ende aller Dinge. Die christliche Hoffnung, ihr Grund und ihr Ziel, Gütersloh 1930.

--'Die geradezu lächerliche Torheit der päpstlichen Theologie'. Zu Luthers Urteil über die Seelenlehre des fünften Laterankonzils, in: ZSTh 10 (1933), 301-367.

--Luthers Gedanken über Tod, Gericht und ewiges Leben, in: ZSTh 10 (1933), 490-513.

--Luther und das fünfte Laterankonzil, in: ZSTh 6 (1928), 339-444.

--Die Unsterblichkeit der Seele, Gütersloh 1925.

x --Zur Auslegung der Aussagen Luthers über die Unsterblichkeit der Seele, in: ZSTh 3 (1925), 735-784.

x STEINMANN Th., Rezension von Paul Althaus, Die letzten Dinge, 3.Aufl., in: ThLZ 52 (1927), 97-100.

x STEUBING, Das Grundproblem der Eschatologie, in: ZSTh 7 (1929/30), 461-496.

STUHLMACHER P., Erwägungen zum Problem der Gegenwart und Zukunft in der paulinischen Eschatologie, in: ZThK 64 (1967), 423-450.

TERNUS J., Das Seelen- und Bewußtseinsleben Jesu. Problemgeschichtlich-systematische Untersuchung, in: Das Konzil von Chalkedon. Geschichte und Gegenwart, hrsg. v. A.Grillmeier u. H.Bacht, Bd.III: Chalkedon heute, 2.Nachruck mit Ergänzung, Würzburg 1962, 81-237.

--Chalkedon und die Entwicklung der protestantischen Theologie. Ein Durchblick von der Reformation bis zur Gegenwart, ebd. 531-611.

THIELICKE H., Tod und Leben. Studien zur christlichen Anthropologie, Tübingen 1946.

THURNEYSEN E., Christus und seine Zukunft. Ein Beitrag zur Eschatologie, in: ZZ 9 (1931), 187-211.

x TILGNER W., Volksnomostheologie und Schöpfungsglaube. Ein Beitrag zur Geschichte des Kirchenkampfes (Arbeiten zur Geschichte des Kirchenkampfes 16), Göttingen 1966.

TILLICH P., Eschatologie und Geschichte, in: ChW 41 (1927), 1034-1042 (=Religiöse Verwirklichung, Berlin 1930, 128-141.290-293).

TILLICH P.,
--Kritisches und positives Paradox. Eine Auseinandersetzung mit K.Barth
und F.Gogarten, in: Anfänge der dialektischen Theologie I (ThB 17),
hrsg. v. J.Moltmann, München 1962, 165-174 (zuerst in: ThBl 2 (1923),
263-269).
TRAUB F., Die christliche Lehre von den letzten Dingen, in: ZThK 6 (1925),
29-49.91-120.
--Glaube und Geschichte. Eine Untersuchung über das Verhältnis von christ-
lichem Glauben und historischer Leben-Jesu-Forschung, Gotha 1926.
--Zum Begriff des Dialektischen, in: ZThK 10 (1929), 380-388.
TRAUB Th., Von den letzten Dingen. Vorträge auf neutestamentlicher Grund-
lage, 2.Aufl., Stuttgart 1928.
TREMEL Y.B., Der Mensch zwischen Tod und Auferstehung nach dem Neuen
Testament, in: Anima 11 (1956), 313-336.
TRILLHAAS W., Einige Bemerkungen zur Idee der Unsterblichkeit, in: NZSTh
7 (1965), 143-160.
--Die Gegenwart als Grenze der Geschichte, in: Dank an Paul Althaus (vgl.
oben: Dank), 217-228.
x --Paul Althaus, in: Luther 38 (1967), 49-57.
TROELTSCH E., Eschatologie. Dogmatisch, in: RGG[1] II (1910), 622-632.
TROISFONTAINES R., Ich sterbe nicht, Freiburg 1962.
VÖGTLE A., Das Neue Testament und die Zukunft des Kosmos, Düsseldorf 1970.
--Zeit und Zeitüberlegenheit in biblischer Sicht. Zur Grundlegung des
Selbstverständnisses der Kirche in dieser Weltzeit, in: Weltverständ-
nis im Glauben, hrsg.v. J.B.Metz, Mainz 1966, 224-253.
VOLK H., Anfang und Ende in theologischer Sicht, in: Gesammelte Schrif-
ten II, Mainz 1966, 7-30.
--Das christliche Verständnis des Todes, Münster 1957.
--Die Christologie bei Karl Barth und Emil Brunner, in: Das Konzil von
Chalkedon. Geschichte und Gegenwart, hrsg.v. A.Grillmeier und H.Bacht,
Bd.III: Chalkedon heute, 2.Nachdruck mit Ergänzung, Würzburg 1962, 613-
673.
--Gnade und Person, in: Theologie in Geschichte und Gegenwart (Michael
Schmaus zum sechzigsten Geburtstag), München 1958, 219-236.
--Die theologische Bestimmung des Menschen, in: Cath 13 (1959), 161-182.
VORGRIMLER H., Auferstehung des Fleisches. Der Stand der theologischen
Frage, in: Lebendiges Zeugnis 1964, Heft 1, 50-65.
x WACH J., Und die Religionsgeschichte? Eine Auseinandersetzung mit Paul
Althaus, in: ZSTh 6 (1929), 484-497.
WALDENFELS H., Offenbarung. Das Zweite Vatikanische Konzil auf dem Hin-
tergrund der neueren Theologie (Beiträge zur ökumenischen Theologie
3), München 1969.
x WALKER R., Zur Frage der Uroffenbarung. Eine Auseinandersetzung mit K.
Barth und P.Althaus, Bad Cannstatt 1962.
WALTHER Ch., Typen des Reich-Gottes-Verständnisses. Studien zur Eschatologie und Ethik im 19.Jahrhundert, München 1961.
WANKE G., 'Eschatologie'. Ein Beispiel theologischer Sprachverwirrung,
in: KuD 16 (1970), 300-312.
WATSON Ph.S., Um Gottes Gottheit. Eine Einführung in Luthers Theologie,
übertragen und eingeleitet von G.Gloege, 2.Aufl., Berlin 1967 (orig.:
Let God be God, London 1947).
WEBER Hans Emil, 'Eschatologie' und 'Mystik' im Neuen Testament. Ein Ver-
such zum Verständnis des Glaubens (BFChTh II/20), Gütersloh 1930.

WEBER Hans Emil,
--Geschichtsphilosophie und Rechtfertigungsglaube, in: Reinhold-Seeberg-
Festschrift I, hrsg.v. W.Koepp, Leipzig 1929, 269-281.
x --Die Kirche im Lichte der Eschatologie, in: NKZ 37 (1926), 299-339.
x WEBER Hartmut, Die lutherische Sozialethik bei Johannes Heckel, Paul
Althaus, Werner Elert und Helmut Thielicke. Theologische Grundlagen
und sozialwissenschaftliche Konsequenzen (Diss.Göttingen), Göttingen
1959.
--Theologie - Gesellschaft - Wirtschaft. Die Sozial- und Wirtschaftsethik
in der evangelischen Theologie der Gegenwart, Göttingen 1970.
WEBER O., Grundlagen der Dogmatik I-II, Neukirchen 1955/62.
WEISS J., Die Predigt Jesu vom Reich Gottes, 1.Aufl., Göttingen 1892;
2. völlig neubearbeitete Aufl., Göttingen 1900.
x WELLER G., Zur eschatologischen Frage, in: Evangelisches Kirchenblatt
für Württemberg 86 (1925), 86f.
WENDLAND H.-D., Die Eschatologie des Reiches Gottes bei Jesus. Eine Studie
über den Zusammenhang von Eschatologie, Ethik und Kirchenproblem, Gütersloh 1931.
WETH G., Die Heilsgeschichte. Ihr universeller und ihr individueller Sinn
in der offenbarungsgeschichtlichen Theologie des 19.Jahrhunderts (FGLP
IV/2), München 1931.
x WIEDENMANN L., Mission und Eschatologie. Eine Analyse der neueren evangelischen Missionstheologie (Konfessionskundl. u.kontroverstheol.Studien
15), Paderborn 1965.
x WIESNER W., Der Gott der 'Wirklichkeit' und der wirkliche Gott, in: VF
(Theol.Jahresbericht 1947/48), 96-114.
--Das Offenbarungsproblem in der dialektischen Theologie, München 1930.
WINKLHOFER A., Das Kommen Seines Reichees. Von den Letzten Dingen, 2.
Aufl., Frankfurt 1962.
--Ziel und Vollendung. Die Letzten Dinge, Ettal 1951.
WITTE J., Die Christologie Calvins, in: Das Konzil von Chalkedon. Ge-
schichte und Gegenwart, hrsg.v. A.Grillmeier u. H.Bacht, Bd.III:Chal-
kedon heute, 2.Nachdruck mit Ergänzung, Würzburg 1962, 487-529.
--Ist Barths Rechtfertigungslehre grundsätzlich katholisch?, in MThZ 10
(1959), 38-48.
WOLF E., Die Rechtfertigung als Mitte und Grenze reformatorischer Theolo-
gie, in: EvTh 9 (1949/50), 298-308.
ZAHRNT H., Gott kann nicht sterben. Wider die falschen Alternativen in
Theologie und Gesellschaft, München 1970.
--Die Sache mit Gott. Die protestantische Theologie im 20.Jahrhundert,
München 1966.
x ZASCHE G., Extra Nos. Untersuchung zu dem umstrittenen Begriff des Über-
natürlichen bei evangelischen Theologen der Gegenwart (Konfessionskundl.
u. kontroverstheol. Studien 26), Paderborn 1970.